de la Dra. **miriam stoppard**

Guía de la Salud Familiar

de la Dra. **miriam stoppard**

Guía de la Salud Familiar

UN LIBRO DE DORLING KINDERSLEY

Para Eden, Violet, Brodie y Zac

Un libro de Dorling Kindersley
www.dk.com

GUÍA DE LA SAUD FAMILAR

Licencia editorial para Bookspan por cortesía de
Dorling Kindersley Limited

Traducido de: Family Health Guide
Copyright © 2002 Dorling Kindersley Limited
Copyright del texto © 2002 Miriam Stoppard
Copyright de la traducción © 2002 Dorling Kindersley
Limited
ISBN: 0-7394-6666-6

Revisión y adaptación del texto: María Alcocer González
Coordinación de producción: José Antonio Clares

Impreso en los Estados Unidos de América

Contenidos

Cómo se usa este libro

La Guía de la Salud Familiar trata sobre cómo mantenerse con buena salud y, también, sobre qué hacer si está enfermo. Se ha diseñado para que usted pueda encontrar los temas que le interesen fácil y rápidamente, con el texto colocado en recuadros para destacar las áreas de especial interés, como los exámenes y tratamientos, lo que puede hacer para ayudarse y los puntos importantes en que debe poner atención. Buscar la información también es fácil, los temas relacionados están enumerados en las presentaciones de secciones, artículos que muestran un cuadro panorámico al comienzo de cada sección y referencias cruzadas entre los artículos.

Presentación de Secciones

A través de todo el libro, los temas principales cubiertos en cada sección se enumeran en la página de inicio, facilitando el encuentro de un tema que le interese y permitiendo ver con un solo vistazo otros relacionados.

Las secciones incluyen:
• Reglas de oro
• Etapas de la vida
• Guía de síntomas
• Directorio
• Referencia
• Direcciones útiles
• Índice

PRESENTACIÓN DE LA SECCIÓN

Guías de Síntomas

Erupción... 206 Picazón... 206 Dolor de pecho... 207 Dolor de articulaciones... 208–9 Dolor de espalda... 210 Dolor abdominal... 211 Diarrea... 212 Estreñimiento... 212 Pérdida de apetito... 212 Pérdida de peso... 213 Fiebre... 213 Fatiga... 214 Desmayos/Mareos... 214 Visión borrosa... 214 Dolor de cabeza... 215 Dolor de oído... 215 Dolor de mama... 215 Aumento de volumen en el escroto... 215

las reglas de oro de
MIRIAM *sobre la alimentación*

"Tome mucho líquido"

"siempre que el 80 por ciento del tiempo coma las cosas correctas, casi no importa lo que ingiera además"

◄ **Reglas de oro** Las recomendaciones para un estilo de vida saludable son fáciles de entender y de seguir.

"coma frutas enteras además de beber su jugo"

▲ **Explicación** Información aclaratoria explica el cómo y el porqué de las reglas.

Reglas de Oro

Esta sección del libro entrega las guías esenciales y concisas de la Dra. Stoppard para tener una vida saludable. Cada regla es apoyada por datos que explican su importancia e instrucciones precisas sobre qué hacer para seguir el camino correcto.

Temas que se incluyen:
• Alimentación sana • El ejercicio • Beber en forma segura
• No fumar • Buenas relaciones sexuales • Sueño reparador
• Manejar el estrés

Etapas de la Vida

La sección Etapas de la Vida ofrece consejos e información sobre aspectos que afectan la salud y el bienestar en cada período de la vida.

Etapas cubiertas
• de 0 a 1 año • de 1 a 4 años • de 4 a 11 años • de 11 a 18 años • de 18 a 40 años • de 40 a 60 años • 60 años y más

MINI CONTENIDOS

INICIO DEL CAPÍTULO

▲ **Etapas de la vida** La Dra. Stoppard resume y da su opinión sobre los aspectos más importantes relacionados con la salud que surgen en cada etapa de la vida.

◄ **Contenido** Las lecturas de las fotos le ayudan a elegir los temas que más le interesan.

CUERPO

ÁMBITO SOCIAL

MENTE

▶ **Categoría**
Para cada etapa de la vida, la Dra. Stoppard analiza las consecuencias para la salud relacionadas con el desarrollo de la mente, el cuerpo y el desarrollo social. Las etapas se codifican con colores para que usted pueda encontrar la que le interesa con un sólo vistazo.

Guías de Síntomas

Esta sección le ayuda a entender los síntomas más comunes que usted y su familia podrían experimentar y le dirigen hacia la información correcta.

Los recuadros incluyen:
• Fatiga • Mareos • Fiebre • Dolor de cabeza • Pérdida de peso • Visión borrosa • Dolor de oído • Dolor de pecho • Dolor de espalda • Dolor de articulaciones • Dolor de abdomen • Pérdida de apetito • Diarrea • Estreñimiento • Erupción • Picazón • Dolor de mamas • Aumento de volumen en el escroto

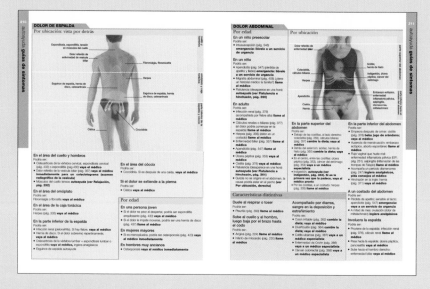

Inicio de capítulos. Enumeran todas las afecciones cubiertas.

Directorio

Con fuerte énfasis en la prevención y la cura, el Directorio cubre más de 280 de las afecciones de la salud más comunes. Se agrupan por sistema corporal y se explican con un lenguaje cercano y no especializado.

Los capítulos incluyen:
• Corazón, sangre y circulación • Sexualidad y fertilidad • Amenazas para el bienestar mental • Alergias y el sistema inmunológico • Infecciones • Digestión • Riñones y vejiga • Pecho y vías respiratorias • Cerebro y el sistema nervioso • Huesos, articulaciones y músculos • Piel, pelo y uñas • Ojos y visión • Oídos, nariz y garganta • Dientes y encías • Hormonas

Además:
Una sección especial sobre afecciones infantiles.

▶ **Ensayo y anatomía**
Estas páginas presentan la opinión personal de la Dra. Stoppard sobre cada área médica, con una guía de anatomía básica del sistema corporal tratado en ese capítulo.

▶ **Directorio**
Cada entrada proporciona una explicación de la afección, cómo y por qué se produce, cómo la trataría un médico y lo que usted puede hacer para ayudarse.

▶ **Enfoque**
Las páginas de Enfoque proporcionan la opinión personal de la Dra. Stoppard sobre un tema de especial interés, ayudándole a entenderlo más a fondo.

ENSAYO   ANATOMÍA   DIRECTORIO   ENFOQUE

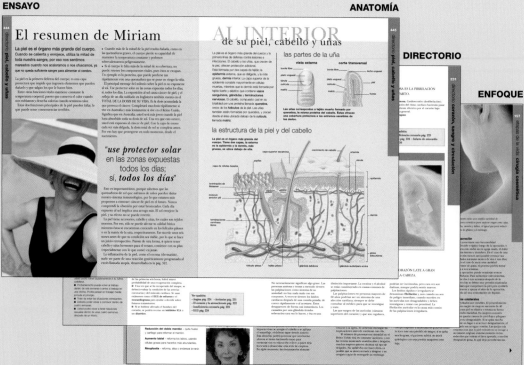

Sección especial sobre afecciones infantiles

▶ **Afecciones infantiles**
Esta sección proporciona consejos prácticos sobre qué hacer cuando su hijo se encuentra enfermo, e incluye más de cincuenta afecciones médicas y problemas comunes de desarrollo que se producen durante la infancia.

▶ **Desarrollo**
Aspectos clave de comportamiento y desarrollo que podrían causar preocupación; incluyen la dislexia, dispraxia, retraso del desarrollo, problemas de hiperactividad y déficit atencional.

AFECCIONES INFANTILES

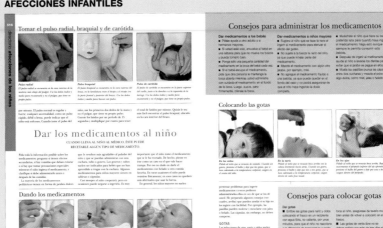

Referencia

Esta sección incluye primeros auxilios en caso de emergencias comunes, cómo mantenerse con buena salud cuando está de viaje, y un listado de direcciones y sitios web útiles relacionados con los temas tratados en el libro.

Incluye
• Primeros auxilios • Salud en viajes • Direcciones, números de teléfono y sitios web útiles • Índice
• Agradecimientos

▶ **Paso a paso** La sección Primeros Auxilios le proporciona instrucciones paso a paso que le ayudarán a manejar tanto las emergencias médicas menores como las más graves.

PRIMEROS AUXILIOS

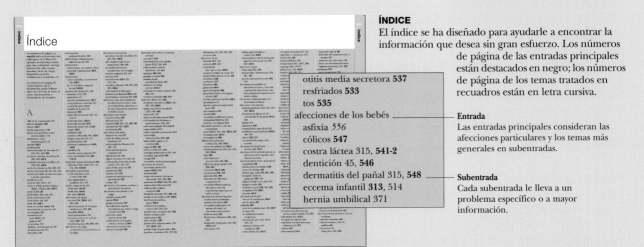

ÍNDICE
El índice se ha diseñado para ayudarle a encontrar la información que desea sin gran esfuerzo. Los números de página de las entradas principales están destacados en negro; los números de página de los temas tratados en recuadros están en letra cursiva.

— **Entrada**
Las entradas principales consideran las afecciones particulares y los temas más generales en subentradas.

— **Subentrada**
Cada subentrada le lleva a un problema específico o a mayor información.

MIRIAM

la introducción de

Usted se preguntará ¿por qué otro libro de salud? Las respuestas son muchas: la primera es mi propósito de informar a los padres y a través de ellos promover familias sanas. Así es que, así como encontrará bastantes temas y materias que le afectan personalmente, habrá muchos otros que le son importantes porque afectan a sus hijos o padres.

Estaba pensando en usted cuando escribí este libro: madre o padre que, por un lado tiene hijos que están creciendo y, por el otro, sus propios padres que están envejeciendo. Usted es la persona que más necesita información buena, precisa y útil que le aclare, tranquilice e informe sobre la salud y el bienestar de toda su familia en forma diaria.

Con este objetivo en mente, he incluido una sección denominada Etapas de la Vida, que echa una mirada a los principales aspectos de la salud que surgen desde el nacimiento hasta la muerte. Se ha diseñado para advertirle sobre los tipos de preguntas que se podría plantear a medida que pasan las décadas. Le ofrece la oportunidad de mirar hacia atrás, por ejemplo, desde sus 40 a 50 años a sus hijos que pasan por la adolescencia y más allá de la misma, y hacia adelante, a lo que sus padres podrían estar sintiendo y a lo que usted sentirá en el futuro.

CUÍDESE A SÍ MISMO

Usted es la persona fundamental de la familia y tiene la responsabilidad ante todos de mantenerse sana y en forma. Cuando no me sentía con ganas de cuidarme, mi madre me recordaba que la familia se

"nuestro estilo de vida fácilmente nos puede añadir diez años de vida"

"mejore la salud y el bienestar de toda la família"

"esas tandas de ejercicios duros en el gimnasio no alargan la vida en absoluto"

desmoronaría si yo me enfermara. "¿Quién cuidará a tus cuatro hijos pequeños?", me preguntaba, y normalmente eso bastaba para que prestara más atención a lo que estaba comiendo e hiciera ejercicio.

"ingerir comida sana no tiene por qué ser aburrido"

PEQUEÑOS CAMBIOS - GRANDES DIFERENCIAS

En estos tiempos, ingerir comida sana no tiene por qué ser "aburrido". Todo lo contrario. He incluido algunos consejos prácticos (que he llamado Reglas de oro) sobre la comida que mejorarán la salud y el bienestar de toda la familia, aun si no se siguen en forma estricta. Pequeños cambios en la comida producirán grandes diferencias, en especial ahora, cuando ha surgido, en los últimos años, una lista de

alimentos realmente poderosos; nadie debería vivir sin ellos. No se puede afirmar que viviremos más por el solo hecho de comerlos en abundancia. La comida por sí sola no producirá ese efecto, pero hay señales recientes en que prueban que nuestro estilo de vida fácilmente nos puede añadir o restar diez años de vida.

LA CLAVE PARA UNA VIDA LARGA

Los estudios a largo plazo del pueblo de Okinawa, la población más longeva en el mundo, nos han proporcionado muchas clave sobre cómo alargar la vida y desafiar las marcas biológicas del envejecimiento. Este pueblo, en una isla frente a las costas de Japón, es biológicamente más joven, comparando década por década, que nosotros en Occidente. Muchos de los aspectos beneficiosos de la vida de este pueblo son exactamente lo opuesto de lo que hacemos.

No fuman, por ejemplo, y beben muy poco. No comen cinco porciones de verduras y frutas como se nos exhorta a hacer, sino que entre 9 y 19. No son sedentarios –el hábito que más nos acorta la vida es éste– y realizan actividades todo el día: caminar, jardinear, bailar y practicar artes marciales en forma moderada.

De hecho, sabemos ahora que esas agotadoras tandas de ejercicios en el gimnasio no alargan la vida en absoluto. Mantenerse en movimiento, incluso en forma suave, sí lo hace. Si tuviera que recomendar sólo un cambio de vida para mejorar la salud y la expectativa de vida en forma instantánea, recomendaría hacer más ejercicio, como lo hacen los habitantes de Okinawa: nada cansador, tres o cuatro sesiones por semana de ciclismo moderado o caminatas a paso ligero bastarán. Los beneficios son sorprendentes.

MANTÉNGASE INFORMADO

A pesar de nuestros mejores esfuerzos, nos enfermamos, y usted encontrará la mayoría de los males más comunes en el Directorio de Enfermedades de fácil referencia. Espero que lo utilice para asegurarse de estar bien informado y poder reconocer los síntomas de una enfermedad potencialmente grave cuando aparezcan, saber qué hacer en una emergencia en la casa, y cómo comunicarse comunicarse con el médico y las enfermeras.

"el hábito que más nos acorta la vida es el de permanecer sentados"

Reglas de Oro 1

para la Buena Salud

las reglas de oro de MIRIAM sobre la alimentación

"siempre que el 80 por ciento del tiempo coma las cosas correctas, casi no importa lo que ingiera además"

✱ Nuestros cuerpos no necesitan alimentos balanceados cada vez que comemos; sin embargo, **comer una variedad diferente cada día fomenta la buena salud.** No se preocupe demasiado por los niños que pasan por caprichos de comidas: normalmente su dieta se equilibra durante la semana.

✱ Siempre que **coma las cosas correctas el 80 por ciento del tiempo,** casi no importa lo que ingiera además.

✱ **Coma una fruta o verdura de color anaranjado todos los días** porque contiene carotenoides, que ayudan a proteger contra el cáncer.

✱ **Beba al menos de seis a ocho vasos grandes de líquido cada día,** cualquier líquido sirve. Varíe del agua al jugo de fruta y a la leche descremada. Algunas tazas de té también contribuyen.

✱ Ninguna persona sana que **come una dieta equilibrada** necesita suplementos vitamínicos.

✱ Empiece a moderar la cantidad de alimentos grasos en los niños de 2 años en adelante. Use leche semidescremada; elimine la grasa de la carne; no fría; cocine a la plancha.

✱ Desayune siempre. Los estudios revelan que las personas que desayunan tienden a ser más delgadas y tienen dietas más equilibradas. No coma tarde en la noche: no le dejará dormir.

"Tome mucho líquido"

✱ Los cambios pequeños en los hábitos alimentarios cosechan grandes recompensas, así es que no hay por qué exagerar y hacer cambios que no podrá mantener. Haga uno o dos pequeños ajustes por semana: cambie de pan blanco a pan integral, de leche entera a leche semidescremada, de mantequilla a una pasta para untar de aceite de oliva.

✱ Todos necesitamos al menos cinco porciones de frutas y verduras por día: frescas, congeladas, en conserva o hechas jugo. No hay alternativa.

✱ Coma pescado aceitoso al menos una vez por semana. Le hace muy bien, porque ayuda a mantener un corazón sano. También ingiera un poco de aceite de oliva en las ensaladas.

✱ Beba té, ya que tiene los flavonoides, que al parecer ayudan a reducir el riesgo de enfermedades del corazón y derrames cerebrales y quizás retarden el envejecimiento.

✱ Aproximadamente la mitad de nuestras calorías debería provenir de los carbohidratos sin refinar, es decir, pan integral, cualquier tipo de avena, cualquier tipo de arroz, pasta, cereales integrales, patatas (en especial con cáscara), arvejas, fréjoles y frutas.

✱ Trate la proteína como un condimento: con un poco alcanza para mucho. Coma algo de carne roja sin grasa algunas veces a la semana. Recuerde que es una fuente excelente de proteína, hierro, cinc de fácil absorción y vitamina B.

✱ Lea las etiquetas de contenidos alimenticios, en especial grasas y azúcar. El azúcar añade variedad, pero no es un alimento esencial: no dé a sus hijos cereales cubiertos de azúcar, ya que podría fomentar el deseo por golosinas durante toda la vida.

✱ No añada sal a la comida y mantenga la presión arterial en un nivel saludable. El límite por día es 6 g (equivalente a 2,4 g de sodio: normalmente la sal se coloca como "sodio" en las etiquetas alimentarias). Sin embargo, su médico podría recomendar que lo reduzca aún más.

✱ Lea las etiquetas para ver el contenido de sal, y nunca alimente a los bebés y niños pequeños con comida que la tenga en alto contenido; sus riñones no lo pueden manejar.

"comer una dieta sana ayuda a controlar el peso"

Cómo se come de una forma sana

No es difícil cambiar de una dieta mala a una buena: sólo elija algunas cosas diferentes y enfatice ciertos alimentos. Se requiere un poco de esfuerzo y determinación, pero una vez que empiece a seguir las reglas de oro, lo disfrutará, se sentirá muy bien y se animará para continuar.

La mayoría de los alimentos que debería comer están fácilmente disponibles y, a diferencia de lo que pudo haber pensado, puede comer varios de ellos. Pronto descubrirá que una dieta sana puede ser deliciosa y dejarlo satisfecho. No implica pasar hambre, lo que sólo se traduciría en ingerir demasiados refrigerios y luego sobrealimentarse. De hecho, descubrirá que este deseo disminuirá gradualmente y que comer una dieta sana le ayudará a controlar el peso sin ningún esfuerzo.

Son pocos los alimentos que debemos comer todos los días. Yo los reduciría a:

✱ Al menos dos frutas, más si se puede; una debería ser de color anaranjado.
✱ Al menos dos verduras, más si se puede.
✱ Un bol grande de ensalada de hojas verdes.

Aparte de eso, coma a diario una variedad de alimentos de los otros tres grupos alimentarios principales: carne, pescado o legumbres; pan, patatas o cereales, y leche o productos lácteos. La mayoría de nosotros come suficiente carne y productos lácteos, pero debemos aumentar la cantidad de frutas y verduras, así como de cereales y granos.

Frutas y verduras

Las frutas y verduras frescas proporcionan muchas vitaminas, minerales y fibra. Coma más y con mayor variedad: propóngase comer al menos cinco porciones por día.

Ingiera más ensaladas de todo tipo: pruebe con fréjoles, maíz, patatas, apio, manzana, zanahoria, brotes, betarraga, arroz, berros y garbanzos como deliciosas alternativas a las tradicionales lechugas, tomates y pepinos.

Superalimentos

Paltas • Contienen vitaminas B1, B6 y E, potasio, magnesio y ácidos grasos saludables que ayudan a regular los niveles de colesterol. Constituyen un gran primer alimento para bebés. Sin embargo, tenga cuidado, porque contienen muchas calorías.

Bróculi • Contiene vitaminas C, A y E, calcio y ácido fólico.

Tomates • Una buena fuente de vitamina C y flavonoides. Contienen el antioxidante licopeno, que ayuda a protegerse del cáncer de la próstata y las enfermedades del corazón.

Maíz • Contiene fibra, potasio y luteína, que podría ayudar a protegerlo contra las cataratas y la degeneración macular (deterioro de la vista).

Pomelo • Medio pomelo contiene 50 por ciento del requisito diario de vitamina C. Coma el tejido blanco: la fibra soluble reduce el colesterol y contiene ácido fólico y bioflavonoides que previenen el cáncer.

Cebollas moradas • Contienen ácido fólico, B6 y potasio, así como flavonoides que ayudan a reducir el riesgo de enfermedades del corazón. Podrían ayudar a elevar el nivel de HDL (el colesterol "bueno").

Betarragas frescas • No en escabeche. Contienen ácido fólico.

Frutillas • Ricas en vitamina C y ácido eliágico, un compuesto con efectos anticancerígenos.

Grosella negra • Muy rica en vitamina C, vitamina K y flavonoides que protegen el cuerpo.

Zanahorias • Contienen carotenoides, que protegen contra el cáncer, al igual que todos los alimentos anaranjados. Coma al menos una por día.

Ciruelas secas • Contienen hierro, fibra, potasio y vitamina A.

Arándanos • El jugo impide que las bacterias se adhieran a las paredes de la vejiga. Lo mejor para las mujeres propensas a la cistitis.

Sírvase frutas frescas como refrigerio y pruebe una mayor variedad: ¿ha probado los mangos, papayas, maracuyás o kiwis? Coma frutas enteras además de beber su jugo y evite los refrescos en polvo, que a menudo sólo contienen saborizantes.

Escoja una variedad de verduras de color anaranjado, fréjoles y legumbres, y verduras de hoja verde todas las semanas. No les agregue sal y cocine las verduras verdes al vapor o reduzca el tiempo de cocción.

Coma nueces frescas y no procesadas como bocadillo y agréguelas a las ensaladas. Contienen ácidos grasos esenciales que no se encuentran en muchos otros alimentos y, por lo tanto, forman parte vital de la dieta. Tienen muchas calorías, así es que no coma demasiadas y limite el consumo de nueces tostadas o saladas.

Patatas, cereales y granos

Este grupo incluye además de las patatas, el trigo, la avena, la cebada, el centeno y el arroz, y los alimentos que se preparan con ellos, como el pan, la pasta, las galletas y los cereales para el desayuno. Los productos integrales son los más nutritivos y contienen mucha fibra dietética. Aumente el consumo de estos alimentos.

✴ Opte por pasta y arroz integral.
✴ Coma al menos cuatro rebanadas de pan integral todos los días.
✴ Compre cereales sin azúcar para el desayuno.
✴ Use harina integral para hacer las masas (o la mitad blanca y la mitad integral).
✴ Coma menos pasteles y galletas, incluso cuando se hayan hecho con harina integral, debido a su alto contenido en grasa y azúcar. Opte por bollitos, bollos con pasas, bizcochos con frutas y nueces, pan integral, que contienen menos azúcar y grasa, en vez de las tortas rellenas con crema o glaseadas.

"coma frutas enteras además de beber su jugo"

✴ Coma más patatas. Pruébelas cortadas en rodajas delgadas y cocinadas al vapor, o cocidas o asadas con cáscara, y acompáñelas con yogur de bajo contenido graso y hierbas en vez de mantequilla. El puré sabe rico con leche descremada o yogur de bajo contenido graso, perejil y pimienta.

El único comentario que haría es que los carbohidratos sin refinar, como los granos integrales, deberían ser la base de la dieta. Las dietas altas en proteínas no se recomiendan en absoluto. La proteína debería emplearse como un condimento, por ejemplo, en una salsa de fideos. Deberíamos ingerir muy pocas calorías en la forma de grasas saturadas, como la mantequilla y el queso o el azúcar.

las reglas de oro de MIRIAM para el ejercicio

"siempre haga ejercicio al punto que deba respirar hondo para llenar cada rincón de los pulmones"

* Haga alguna actividad física durante 30 minutos al menos cinco días por semana. Una caminata a paso ligero bastará.

* Si tiene más de 40 años, toma algún medicamento o padece de una afección al pecho o al corazón, nunca empiece un programa de ejercicios sin antes hacerse un chequeo médico.

* Si desea, use un medidor de frecuencia cardíaca y nunca exceda la frecuencia cardíaca máxima para su edad.

* Siempre haga un precalentamiento antes de empezar: entre 5 y 6 minutos. Los músculos fríos se lesionan con facilidad. Mientras más edad tenga, más tiempo deberá durar el precalentamiento: de 10 a 15 minutos si tiene más de 50 años.

* Siempre pase 5 minutos "enfriándose" después de hacer ejercicio. Haga unos estiramientos para evitar el agarrotamiento y los dolores.

* La natación es excelente a medida que vamos envejeciendo, pues ayuda a las articulaciones agarrotadas y ejercita todo el cuerpo.

* Los músculos más importantes que debe mantener en forma son los cuádriceps, en la parte delantera de los muslos; sin ellos, quedará postrado a una silla, porque no podrá levantarse. El ciclismo es bueno para ellos.

* Si algo le duele, pare. La idea de que no hay beneficio sin dolor es absurda. Si un músculo duele, se está muriendo.

* Siempre haga ejercicio al punto que deba respirar hondo para llenar cada rincón de los pulmones. Sólo eso los protegerá contra las infecciones.

"practique una actividad o deporte que agrade"

* Aumente en forma gradual la duración y el vigor del programa de ejercicios, por ejemplo, una vez por semana.

* El ejercicio en el que soporta su peso es lo mejor, porque protege contra la osteoporosis (huesos quebradizos).

* Los ejercicios no son solamente para desarrollar fuerza y resistencia, estimulan el equilibrio, la agilidad y la movilidad, que son muy importantes al ir envejeciendo.

* El yoga es un gran ejercicio (aunque no para el corazón ni los pulmones), porque ejercita los músculos estirándolos.

* Para asegurar el éxito del programa de ejercicios, practique una actividad o deporte que le agrade, así no será fastidioso.

A continuación presento mi lista de las cosas buenas que resultan del ejercicio.

El ejercicio:

* mantiene sanos el corazón y los pulmones

* estimula las endorfinas que le permiten "volar" por ocho horas

* cura los dolores de cabeza, el síndrome del colon irritable y la jaqueca

* inhibe el apetito

* puede cambiar los hábitos alimentarios, haciéndolos más sanos

* fomenta más ejercicio

* quema calorías

* cura el insomnio

* alivia la ansiedad

* cura los ataques de pánico

* trata la depresión

* da una nueva forma al cuerpo

* cura el jet-lag (efecto de viaje en avión y cambios bruscos de horario)

* reduce el colesterol

* baja la presión.

Además de estos beneficios, sabemos ahora que el ejercicio también mejora la autoestima, la confianza en sí mismo, el rendimiento y la salud mental.

Los beneficios del ejercicio

La actividad física fomenta el bienestar mental y físico y cambia su perspectiva de la vida. Incluso podría impedir que surjan problemas. Como sé por experiencia personal, la actividad regular mejora el estado de ánimo, facilita el manejo de emociones negativas como el enojo, y produce un sentido general de bienestar mental.

Me he dado cuenta de que si despierto un poco deprimida, me puedo curar con 30 minutos sobre mi bicicleta de ejercicios. Eso se debe a que el ejercicio inunda el cuerpo de hormonas que reducen los niveles de tensión y los sentimientos de estrés o fatiga. Estos cambios se producen inmediatamente después de una sesión, especialmente porque yo hago seis rutinas de alto rendimiento. Por eso soy adicta y no puedo dejar de hacerlo ni por un día. Ese tipo de ejercicio puede marcar una diferencia para cualquier persona que sufre de ansiedad, depresión o baja autoestima, y no tiene ningún efecto secundario.

Imagen de sí mismo

Los estudios han demostrado que las personas se sienten mejor después de comenzar un programa de ejercicios. Los cambios en la forma del cuerpo, a medida que va bajando de peso y siente que el tono muscular empieza a mejorar su imagen, fomentan el bienestar mental.

El ejercicio le ayuda a percibir lo que es capaz de hacer, otorgándole un sentimiento de logro. El aprendizaje de una nueva habilidad o el logro de una meta, no importa cuán pequeña sea, fomenta la autoestima y la motivación.

Vida social

Unirse a un grupo local, ir a clases en un gimnasio o centro deportivo, o andar en bicicleta con una amiga o pariente, por ejemplo, es una forma de conocer gente y hacer vida social. Les da algo en común y ayuda a romper el hielo. Si prefiere no unirse a otros, existen muchas actividades que podrá disfrutar en forma individual, como nadar o caminar.

"el ejercicio regular puede mejorar el estado de ánimo"

Beneficios de salud

Las personas activas corren la mitad del riesgo de contraer enfermedades del corazón que las que no lo son. El ejercicio regular reduce los factores de riesgo comunes de las enfermedades del corazón, como la presión alta, la obesidad y los altos niveles de colesterol.

Mantener un estilo de vida activo es bueno para los huesos, las articulaciones y los músculos, y podría contribuir a retardar la aparición de osteoporosis y artritis. Mejora y mantiene, en forma significativa, la fuerza y flexibilidad de los músculos, ayudando a prevenir las lesiones y reduciendo el riesgo de caídas, lo que permite disfrutar de la vida al máximo a medida que se envejece.

También contribuye a controlar afecciones como la diabetes y podría reducir el riesgo de algunos tipos de cáncer, especialmente el cáncer del intestino grueso.

Mantenerse activo

Las investigaciones más recientes sobre el pueblo más longevo del mundo, el de Okinawa, que vive en las islas entre Japón y Taiwán, indican que la actividad física beneficiosa puede consistir simplemente en los trabajos y actividades de todos los días: jardinear, hacer el aseo y caminar para tomar el bus, al igual que en ejercicio, como andar en bicicleta, nadar, hacer una sesión de ejercicios, o practicar deportes como el fútbol, el golf o el baloncesto. No significa necesariamente hacer una tanda intensiva en un gimnasio, pero sí significa estar activo durante 30 minutos al menos cinco días por semana.

las reglas de oro de
MIRIAM para no fumar

✳ Dejar de fumar es una de las mejores cosas que usted puede hacer por su cuerpo.

✳ **Deje de fumar tres meses antes de intentar tener un bebé,** tanto hombres como mujeres.

✳ **No fume durante el embarazo.**

✳ **El tabaco es la droga de entrada hacia otras drogas,** incluyendo la marihuana.

✳ **Nadie que fume debería tomar a un bebé en brazos** (para reducir el riesgo de muerte de cuna).

✳ **No fume cigarrillos con alto contenido de alquitrán.**

✳ **Nunca fume hasta llegar al filtro,** allí es donde se concentran los químicos cancerígenos.

✳ **Si puede, sólo fume cinco cigarrillos por día.**

✳ **No fume cuando esté bebiendo,** descubrirá que no puede tener uno sin el otro.

✳ **La mayoría de las personas descubre que dejar de fumar resultó ser más fácil de lo que pensaba,** y desearía haberlo hecho antes.

✳ Los fumadores con niños pequeños deben fumar **afuera de la casa.**

✳ **Imponer su humo a otras personas es antisocial.**

Deje de fumar

La adicción al cigarrillo es la más común y atroz de todas, peor incluso que a la heroína, y la más difícil de dejar, ¡y es legal! Dejar de fumar trae tanto beneficios de salud inmediatos como otros importantes a largo plazo.

A continuación presento algunos de los problemas

El humo de un cigarrillo contiene 3.000 productos químicos peligrosos.

Hasta el 5 por ciento corresponde a monóxido de carbono, el mismo gas mortal que se encuentra en los tubos de escape de los automóviles, que impide que la sangre absorba correctamente el oxígeno.

Los mismos alquitranes que se usan para pavimentar los caminos se encuentran en el humo del tabaco y pueden causar cáncer.

El alquitrán más peligroso corresponde a un poderoso producto químico nitroso, una parte por billón en el alimento constituye un peligro; en el humo del tabaco hay 5.000 partes por billón.

Los otros productos químicos que se inhalan incluyen amoníaco, que se usa en los explosivos, los blanqueadores y los productos para limpiar baños; cianuro, un veneno mortal, y fenoles, productos que se usan en los líquidos para quitar pintura.

A continuación indico algunas de las razones por las cuales las personas fuman:

Cuando la nicotina llega al cerebro, hace que la cabeza dé vueltas y, por consiguiente, las personas se sienten estimuladas y alertas.

"dejar de fumar es una de las mejores cosas que usted puede hacer por su cuerpo"

"a los 5 años de dejar de fumar, el riesgo de cáncer al pulmón se reduce a la mitad"

También hace que el corazón lata más rápidamente, y así circula una mayor cantidad de sangre por el cuerpo por minuto; las personas dicen que se sienten listas para levantarse y seguir adelante.

Reduce la tensión muscular, lo que hace que las personas se sientan relajadas y pareciera que alivia el estrés.

La nicotina da la sensación de ayudar en el trabajo, mejorando la concentración: aleja el aburrimiento y la fatiga.

Los efectos sobre la salud

Cáncer del pulmón: Fumar produce cáncer del pulmón; pueden transcurrir menos de seis meses entre el diagnóstico y la muerte.

Enfermedad fatal del corazón: La nicotina hace que el corazón lata más rápidamente y sube la presión: el resultado final podría ser un ataque al corazón.

Accidente vascular encefálico: Fumar hace más espesa la sangre y aumenta las posibilidades de un coágulo. Un coágulo en el cerebro puede resultar en daño cerebral permanente, parálisis e incluso la muerte.

Gangrena: La sangre se vuelve tan espesa que puede bloquear las arterias de las piernas, resultando en la gangrena y la amputación.

Enfisema y bronquitis: Las vías respiratorias se bloquean, se estrechan y se dañan a tal punto que la persona queda inmovilizada y sin aliento.
Los cánceres de boca, garganta, esófago, vejiga, páncreas, riñón, cuello del útero y mama, son más comunes en los fumadores.

Úlceras: Si fuma, es más probable que sufrirá de úlceras en el estómago y el duodeno.

¿Por qué dejar de fumar?

Los fumadores de cigarrillos se ven más viejos de lo que son, porque fumar acelera el envejecimiento de la piel.

El riesgo de muerte prematura aumenta al doble en los que fuman.

Las enfermedades relacionadas con el tabaco matan a más del 40 por ciento de los fumadores antes de que se jubilen. Los no fumadores viven al menos seis años más que los fumadores.

¿Cuáles son los beneficios de dejar de fumar?

Dejar de fumar tiene beneficios instantáneos.

✱ Dentro de 20 minutos, la presión y el número de pulsaciones bajan.

✱ Dentro de 2 horas, la vía aérea de los pulmones se relaja, facilitando la respiración, y aumentando el volumen de aire que pueden contener los pulmones.

✱ Dentro de ocho horas, los niveles de monóxido de carbono bajan a lo normal y el nivel de oxígeno sube a lo normal.

✱ Dentro de 24 horas, el riesgo de un infarto disminuye.

✱ Dentro de 48 horas, las terminaciones nerviosas dañadas empiezan a crecer de nuevo, así es que mejoran el olfato y el gusto.

✱ Dentro de 1 a 3 meses, la circulación mejora; la función pulmonar mejora más de un tercio.

✱ Dentro de 5 años, el riesgo de cáncer del pulmón se reduce a la mitad.

✱ Dentro de diez años, el riesgo de cáncer del pulmón es normal.

Ayúdese a dejar de fumar

Muchas personas se preguntan si funcionan las ayudas para dejar de fumar y si debiesen probarlas. La mayoría de los expertos está de acuerdo, y yo también, en que no hay nada que pueda reemplazar la fuerza de voluntad, pero podría intentar con los chicles de nicotina o parches para la piel, hipnosis, acupuntura o terapias en clínicas especializadas.

A continuación presento 20 consejos prácticos para dejar de fumar:

No trate de implementarlos todos al mismo tiempo. Escoja tres o cuatro, nunca más, para comenzar y luego añada dos o tres por día. ¡Buena suerte!

1 Nunca fume en el auto.

2 Rechace todo cigarrillo que se le ofrece.

3 No fume un cigarrillo antes del desayuno.

4 Compre sólo una caja a la vez.

5 Compre 10 cigarrillos, no 20.

6 Compre una marca diferente de cigarrillo cada vez, no solamente su favorito.

7 Antes de encender el cigarrillo, cuente hasta 10.

8 Cada vez que tome un cigarrillo, guarde la caja en otra habitación.

9 Cuando se le acaben los cigarrillos, nunca acepte uno de otra persona.

10 Coloque el cigarrillo en el cenicero después de cada pitada.

11 Nunca fume al aire libre.

12 Nunca fume en la cama.

13 Deje de fumar en el trabajo.

14 No fume en la casa.

15 Deje de llevar consigo el encendedor o los fósforos.

16 Deje de fumar más allá de la mitad del cigarrillo.

17 Después de una comida, no fume sino hasta haberse levantado de la mesa.

18 No fume cuando se está relajando con un trago.

19 Sólo fume si está sentado en una silla incómoda.

20 Ponga un elástico alrededor de la caja como un recordatorio.

Fumar y el embarazo

✱ **Madre:** No fume cuando está embarazada, pues, si lo hace, arriesgará causarle daño al bebé nonato, sufrir un aborto espontáneo o dar a luz a un bebé de peso más bajo que lo normal, vulnerable a las infecciones.

✱ **Padre:** Los hijos de padres que fuman 20 o más cigarrillos por día tienen mayor riesgo de cáncer que los de padres que no fuman. Fumar daña los espermatozoides, así es que los hombres deberían dejar de fumar al menos tres meses antes de intentar tener un bebé.

La probabilidad de muerte de cuna aumenta en bebés con padres fumadores.

las reglas de oro de MIRIAM para beber en forma segura

"nadie debería beber todos los días"

* **Manténgase por debajo de los límites recomendados.** Se trata de 3 a 4 unidades por día para hombres y 2 a 3 para mujeres. Una unidad = $^1/_4$ litro de cerveza, un vaso mediano de vino o una medida de licor.

* **No salga el fin de semana** para beber la cantidad permitida de toda una semana en un corto tiempo; le hace mal al hígado.

* No mezcle los granos (cerveza) con la uva (vino), si no quiere tener una resaca.

* **Siempre beba a sorbos y no de un trago.**

* Si va a beber, coma primero: **incluso un vaso de leche puede evitar una resaca.**

* **Si bebe, no maneje** y nunca se suba a un auto conducido por alguien que ha estado bebiendo.

* **No mezcle la bebida con el sexo,** se aumentan los descuidos y puede contraer una enfermedad de transmisión sexual o producir un embarazo.

* Beba el doble de agua que de alcohol y **un vaso grande de agua antes de acostarse para evitar la deshidratación.**

* Evite las bebidas carbonatadas. **Las burbujas hacen que el alcohol suba al cerebro más rápidamente.**

* Recuerde que **el alcohol afecta más a las mujeres que a los hombres.**

* **No mezcle la bebida con las drogas,** no podrá manejar una emergencia.

* Tome **nota de cuánta bebida alcohólica consume en una semana.** ¡Llevar un diario de vida podría abrirle los ojos!

* **Nadie debería beber todos los días.** Tenga algunos días sin alcohol todas las semanas.

* **Evite beber por unos días** después de una fiesta para permitir que el hígado se reponga.

* **Coma algo cuando beba** para absorber el alcohol.

* Piense en cómo volverá a casa después de beber; **llame un taxi.**

* **No beba al ritmo de sus compañeros:** beber no es una competencia.

* Para los adolescentes: **no piensen que beber significa que son personas mayores.**

* **Emborracharse en un partido de fútbol podría ser un delito.**

"las vitaminas C y E pueden facilitar la desintoxicación alcohólica"

Los peligros de beber en demasía

El alcohol es intoxicante y, aunque al principio levanta el ánimo, se trata de una droga depresiva. Hace que las reacciones sean más lentas (afectando la coordinación) y que el cerebro funcione más lentamente (afectando el razonamiento), por lo que convierte a las personas en torpes y tontas. Es una de las drogas de mayor uso por quienes tienen y no tienen mayoría de edad. Si se toma en grandes cantidades en un período corto, es un veneno y causará la muerte.

¿Qué sucede con el alcohol en el cuerpo?

Aunque sólo toma minutos para que el alcohol llegue al cerebro, le toma al hígado una hora descomponer el alcohol de un vaso de vino o una cerveza. Mientras menos pesa una persona, más le afectará el alcohol, así es que existe una buena razón para prohibir el consumo de bebidas alcohólicas a personas menores de cierta edad. Un adolescente delgado se emborrachará más rápidamente que un hombre adulto y robusto. Una mujer sentirá los efectos del alcohol en forma

más rápida y duradera que un hombre, porque carece de suficiente líquido corporal para diluir el alcohol, lo que no sucede en los hombres.

Beber demasiado siempre tiene efectos horribles

Beber demasiado le puede volver agresivo y violento. Es probable que se involucre discusiones y pleitos.

Al beber, se vuelve descoordinado y torpe y no debería tratar de usar instrumentos afilados ni maquinaria.

Demasiado alcohol le hace ver doble y arrastrar las palabras.

Cuando está triste, beber podría hacer que se sienta más deprimido.

El alcohol tiene muchas calorías. Le puede hacer engordar y le hace mal a la piel.

Una mala resaca le hará sentir muy débil. Sentirá su cabeza a punto de reventar y andará mal del estómago. No podrá estudiar ni trabajar.

El alcohol afecta la fertilidad y la potencia sexual del hombre (reduce la cantidad de espermatozoides y dificulta la erección).

Si ha estado bebiendo, será difícil tener y mantener una erección.

Evite las bebidas alcohólicas

Evite las bebidas alcohólicas si:
* está ingiriendo algún medicamento, incluso para el resfrío, sin antes chequear la etiqueta
* está tomando alguna droga, ya sea prescrita por un médico o no
* va a manejar un auto, andar en bicicleta u operar maquinaria.

Revise los peligros de beber

Si maneja después de haber bebido poco, igual tiene una probabilidad cinco veces mayor de sufrir un accidente que una persona que no bebe.

Los accidentes son más comunes bajo la influencia del alcohol, porque los reflejos son más lentos y se pierde la coordinación.

Si está borracho, es más probable que

actúe en forma descuidada y que tenga relaciones sexuales sin el uso de un condón, arriesgándose a un embarazo o una enfermedad de transmisión sexual.

Podría sufrir una laguna o pérdida de memoria y no recordar lo que hizo en un momento. Si sale solo, podría perder el conocimiento y ahogarse en su propio vómito.

Las borracheras pueden provocar caídas, lesiones e incluso pérdidas de conocimiento o ataques.

El alcohol tiene un alto contenido de azúcar, así es que se recomienda que una persona diabética lo evite por completo.

Beber durante el embarazo podría causar el síndrome alcohólico fetal en el bebé. Éste podría desarrollarse anormalmente en el vientre y comportarse extrañamente cuando vaya creciendo. Limítese a un par de unidades por semana o no beba en absoluto.

Ingerir mucho alcohol durante un largo tiempo produce la dependencia física, que significa que no puede vivir sin él, y causa daños graves al corazón, hígado, estómago y cerebro.

Las últimas etapas de dependencia alcohólica no son bonitas: delirium tremens (un estado de confusión acompañado de temblores y alucinaciones), abdomen hinchado, cirrosis hepática, corazón débil, coma y muerte.

La bebida y el sexo

Debido a que el alcohol mina las inhibiciones, más de la mitad de los adolescentes tiene relaciones sexuales por primera vez cuando está borracho. Los resultados pueden ser desastrosos.

Hombres y mujeres se descuidan en cuanto al uso de anticonceptivos, lo que puede traducirse no sólo en un embarazo indeseado, sino también en SIDA, herpes u otras enfermedades de transmisión sexual.

Es más difícil tener y mantener una erección cuando se está borracho. Las jóvenes piensan que los muchachos hacen el amor torpe y burdamente cuando están borrachos.

Las etapas de la dependencia alcohólica

La primera etapa es cuando una persona que bebe mucho socialmente descubre que puede beber más y más sin sentir los efectos.

Luego viene un período de pérdida de memoria, seguido por la comprensión de que ya no ejerce control sobre lo que bebe. No tiene la certeza de poder parar cuando quiere.

El último paso se caracteriza por borracheras extendidas y problemas físicos y mentales graves.

Tratamiento

Variados tratamientos psicológicos, sociales y físicos, son apropiados para diferentes personas y se pueden combinar.

Los psicológicos implican psicoterapia y normalmente se hacen en grupos. Existen varios tipos de terapias grupales.

Los sociales incluyen ayuda con problemas en el trabajo y especialmente la participación en el proceso de los miembros de la familia.

Sólo algunos alcohólicos requieren tratamiento físico. Normalmente incluye el uso de disulfiram, una droga que sensibiliza a la persona que bebe alcohol, de modo que teme hacerlo debido a los efectos secundarios poco placenteros.

Desintoxicación

Muchos alcohólicos requieren ayuda médica para recuperarse de los síntomas físicos que se producen cuando dejan de beber, lo que significa quedarse unos días o quizás más, en una clínica de desintoxicación. Luego se debe implementar un tratamiento a largo plazo, dependiendo de las necesidades de la persona. Por ejemplo, algunos individuos se benefician de la psicoterapia, que a menudo se hace en grupos. Los alcohólicos también pueden sufrir de deficiencias nutricionales. Hay estudios que han demostrado que los

"el alcohol tiene muchas calorías: le puede hacer engordar"

suplementos de cinc y vitaminas C y E podrían contribuir a acelerar la desintoxicación alcohólica y prevenir los daños al hígado.

Naxtrexona

Se ha lanzado un nuevo tratamiento revolucionario del alcoholismo, la naxtrexona, que permite que los pacientes sigan bebiendo durante y después del tratamiento. Las pruebas han demostrado que se trata de un tratamiento poderoso para los pacientes que no presentan un alcoholismo muy marcado y que están suficientemente motivados para recuperarse. En Finlandia, el 78 por ciento de los pacientes no había reincidido después de tres años.

La naxtrexona aún no está autorizada para ser usada en el tratamiento del alcoholismo en el Reino Unido, pero se puede recetar a pacientes individualmente en una nueva cadena de clínicas privadas.

Las bebidas alcohólicas y los niños

En el Reino Unido, más de 1.000 adolescentes por año se intoxican gravemente con alcohol, porque no conocen la verdad de los peligros de ingerir bebidas alcohólicas. A continuación presento algunas estadísticas desalentadoras:

Niños, y niñas en mayor proporción, de tan sólo nueve años, casi se están matando con la bebida.

La cantidad de jóvenes ingresados a los hospitales sufriendo de intoxicación alcohólica ha aumentado diez veces en 10 años.

De cada diez niños menores de 13 años de edad, nueve beben escondidos.

1.000 niños menores de 15 años ingresan a los hospitales sufriendo de intoxicación alcohólica aguda cada año sólo en el Reino Unido.

Uno de cada cuatro adolescentes, especialmente niños, se mete en pleitos después de beber. La consecuencia podría ser que lo apresara la policía.

las reglas de oro de MIRIAM sobre las drogas

El propósito es informar y educar a los niños sobre los peligros de las drogas. No es defender su uso; sin embargo, no creo en las tácticas del miedo o la indignación moral. Encuentro poco realista imaginar una sociedad sin drogas tanto como una sin alcohol o sexo.

✱ **No mezcle el alcohol con las drogas,** los efectos son adictivos y peligrosos.

✱ **No deje de tomar sorbos de agua si toma drogas,** necesita 300 ml cada media hora.

✱ **Mantenga altos niveles de sal** comiendo patatas fritas o maní salado.

✱ **Aprenda RCP (Reanimación Cardiopulmonar) y primeros auxilios básicos en caso de emergencias.**

✱ **Consuma preferentemente bebidas de alto valor energético, que son las mejores,** luego jugos de fruta.

✱ **Nunca use un gorro,** debe sentirse siempre fresco.

✱ **En fiestas con excesos,** tome descansos frecuentes para no acalorarse.

✱ Memorice el número de teléfono **del servicio de asistencia de drogas.**

✱ Nunca acepte drogas de alguien que desconoce.

✱ Siempre acompáñese con amigos.

✱ No mezcle las drogas; todos los efectos secundarios son mucho peores, especialmente la deshidratación.

✱ Sepa dónde acudir en busca de ayuda.

"siempre acompáñese con amigos"

Mi preocupación principal es el bienestar de los niños y, aunque quizás nunca lleguemos a eliminar completamente el consumo de drogas, creo que podemos minimizar los peligros entregando a los jóvenes información sana y realista. Las consecuencias para ellos y para la comunidad en general serán menos dañinas.

Lo que se debe saber sobre las drogas

Sólo el mencionar drogas basta para llenar de temor el corazón de un padre. Los padres temen que sus hijos quieran experimentar con drogas y finalmente pagar con la vida, especialmente cuando nunca parecieran terminar los trágicos casos de jóvenes que mueren después de consumirlas.

Sin embargo, la mayoría de los jóvenes piensa en el uso ocasional de drogas de la misma manera que sus padres piensan en el alcohol: como parte de la vida normal. La mayoría lo describe como algo que les hace sentirse bien y les quita las inhibiciones. En general, pienso que son tan responsables con respecto a las drogas como la mayoría de nosotros lo es con respecto al alcohol.

El enfoque "di sólo que no" a las drogas se basa en la creencia de que nuestros hijos e hijas no son capaces de tomar decisiones, e implica que los adultos no se interesan en sus opiniones y experiencias. Bueno, yo sí respeto la capacidad de los jóvenes de razonar y pienso que deben tener información confiable y exacta sobre las drogas. Hablo de las drogas en términos honestos del daño que causan a la mente y al cuerpo, sin basarme en la ley para separar lo que es peligroso de lo que no lo es.

Mi meta es tratar el tema de una manera científica y abierta, separando peligros reales e imaginarios. He dado conferencias sobre las drogas, he preparado documentales para la televisión y las he investigado durante más de 20 años. Siendo madre, sentía que era importante hablar directamente con padres preocupados así como también con consumidores de drogas como parte de esa investigación. No sorprende que muchos adolescentes rechacen todos los consejos, buenos y malos, de los adultos sobre el tema.

Muchas veces se exagera o se falsifica el mensaje de una forma que a veces es ridícula, pero que es siempre contraria a lo que ellos han observado y experimentado. He tratado de evitar la exageración y el prejuicio y he reexaminado las presunciones que muy a menudo se asumen con respecto a las drogas.

Un análisis realista debe considerar lo siguiente:

∗ A pesar de los peligros posibles, la mayoría de las drogas induce sentimientos placenteros.

∗ La abstinencia total no siempre será una meta realista.

∗ El uso de sustancias ilícitas no significa necesariamente su abuso.

∗ Un tipo de droga no lleva inevitablemente a otras más dañinas.

∗ Entender los riesgos del consumo de drogas no necesariamente disuadirá a los jóvenes de experimentar con ellas.

Heroína

Una droga depresiva que adormece el cerebro y el cuerpo y mata el dolor. Es altamente adictiva. Se provee de tres formas: marrón (que nunca se debe inyectar), blanca grisácea, y heroína farmacéutica, que fácilmente puede producir una sobredosis. A veces se disuelve la heroína marrón en vinagre o jugo de limón y si se inyecta, podrá causar problemas a la vista. El uso excesivo de heroína puede causar heridas abiertas y llagas. Al abandonar la droga, los adictos sufren de ataques de pánico y de ansias, calambres, náuseas y diarrea.

"los consumidores pueden volverse psicóticos, delirantes y violentos"

Cocaína

Un estimulante poderoso que produce sentimientos de euforia y bienestar. Es altamente adictiva. Quienes la usan por mucho tiempo pueden volverse psicóticos. Tomarla por la nariz puede perforar el orificio nasal. Es extremadamente peligroso inyectarla, porque el riesgo de una sobredosis es real. Mezclarla con heroína también es muy peligroso. Gran parte de la cocaína que se vende en la calle viene en forma de polvo que se ha "cortado" con glucosa, lactosa e incluso anestésicos. El contenido de cocaína en ese polvo podría ser tan bajo como el 30 por ciento.

Cannabis (hachís, marihuana)

A menudo exagera el estado que la persona ya tiene. Los consumidores se vuelven locuaces y piensan que tienen gran "entendimiento" del universo. Generalmente encuentran todo muy divertido. Algunas personas que lo consumen en grandes cantidades durante mucho tiempo podrían sufrir ataques de pánico, cambios exagerados de ánimo y sensación de persecución. Mezclar el hachís con anfetaminas o éxtasis podría deshidratarle seriamente y causar otros problemas graves, como ataques del corazón. Viene en tres formas: hierba, resina o aceite.

Ácido (LSD)

Una droga muy poderosa que altera la mente y produce alucinaciones. El ácido es impredecible y no se debe tomar nunca de improviso. Si se siente triste, es más probable que su "viaje" sea malo. Casi no hay ningún riesgo de efectos secundarios físicos y no es adictivo, pero los efectos podrían ser muy graves, como desatar una enfermedad mental que no sabía que tenía; eso le puede llevar a la depresión, la paranoia e incluso a la necesidad de tratamiento psiquiátrico. Los "viajes" malos pueden causar "flashbacks" (destellos de recuerdos)

aterradores e incontrolables. El ácido siempre viene remojado en pequeños cuadrados de papel secante. La cantidad media en un cuadrado de ácido es alrededor de 50 microgramos, como para inducir un "viaje" bastante moderado, pero podría contener hasta 250 microgramos, como para producir lo equivalente a una crisis nerviosa.

Éxtasis

Libera productos químicos que alteran el ánimo, como serotonina y L-dopa, y eso genera sentimientos de amor y amistad. También es alucinógeno. Puede producir un aumento de la temperatura corporal, lo que podría traducirse en un golpe de calor potencialmente fatal; también puede interrumpir el flujo de sangre al cerebro causando un accidente vascular encefálico, provocar una insuficiencia renal y hepática fatal. Las pastillas vienen en diferentes formas y diseños, a menudo con logo incluido. Se puede "cortar" el éxtasis con talco o ketamina (un sedante para caballos), produciendo efectos secundarios horribles.

Anfetamina

Un estimulante que le vuelve más enérgico y alerta. Los consumidores se vuelven locuaces y pueden permanecer despiertos durante horas. Aún puede estar lleno de energía 12 horas después de tomar la droga. Puede causar un golpe de calor y también provocar un infarto al miocardio. Si se mezcla con alcohol, se podrá producir una insuficiencia renal o hepática. Es altamente peligroso inyectarse anfetaminas, porque el corazón no resiste el golpe, pero son menos peligrosas cuando se tragan.

Crack

Según los consumidores, no se puede exagerar la intensidad de la "volada". Se produce dentro de segundos, pero dura poco. Produce una euforia intensa y una subida de energía con un sentido increíble de bienestar y poder. Es muy adictivo. Después de la "volada", a menudo se siente débil, cansado, paranoico y deprimido, lo que puede durar días. Su consumo puede producir graves problemas psicológicos. Los consumidores pueden volverse psicóticos, delirantes y violentos. La combinación de crack con cualquier otra droga podría ser letal. El crack es cocaína que se ha procesado y puede tener una pureza de entre 80 y 100 por ciento, lo que lo hace más peligroso. Normalmente se fuma.

Las penas

Recuerde sobre todo que si le descubren en posesión de drogas ilícitas o con la intención de suministrarlas, las penas serán duras. Son especialmente severas para los traficantes, quienes se hacen ricos negociando con la miseria. Las penas máximas en el Reino Unido se detallan a continuación:

Clase	Posesión	Intención de suministrar	Suministrar
A (ej. heroína)	7 años de cárcel	Cadena perpetua, más multa sin límite	Cadena perpetua, multa sin límite e incautación de los bienes relacionados con la droga
B (ej. anfetaminas)	5 años de cárcel, más multa	14 años de cárcel, más multa	14 años de cárcel, más multa
C (ej. esteroides)	2 años de cárcel, más multa	5 años de cárcel, más multa	5 años de cárcel, más multa

las reglas de oro de MIRIAM para tener buenas relaciones sexuales

✱ Tenga una actitud abierta, **converse sobre lo que le excita y lo que no le excita,** y muestre reciprocidad pidiendo la opinión de la pareja.

✱ Las **libidos baja, mediana y alta son todas normales,** así es que sea generoso cuando la libido de su pareja es diferente a la suya.

✱ **No guarde rencores sexuales,** desahóguese contándolos; mientras más espera, más difícil será hablar de ellos.

✱ **Todo vale** entre adultos que consienten mutuamente a ello.

✱ **Descubra lo que le gusta** masturbándose, luego enseñe a su pareja cómo agradarle.

✱ **Los orgasmos simultáneos no son la meca de las relaciones sexuales,** así es que deje de perseguirlos.

✱ **Tampoco lo son los orgasmos múltiples,** uno está bien; asimismo uno por noche.

✱ **Cuando una mujer dice que NO, significa nada de sexo.** Cualquier otra cosa es una violación.

✱ **El punto G es una ficción.**

✱ **Tener relaciones sexuales no es una competencia atlética.**

✱ **El tabaco, las drogas y el alcohol afectan la erección,** la excitación sexual y el orgasmo.

✱ **El orgasmo femenino reside en el clítoris.** Por lo tanto, el pene no es el mejor tipo de estímulo, muchas veces son mejores la lengua, el dedo o un vibrador.

"tenga una actitud abierta, converse sobre lo que le excita"

las reglas de oro de MIRIAM para un sueño reparador

✳ Haga lo que sea que tenga que hacer para dormir más: **beba algo caliente, lea un libro o el diario**, mire la televisión o haga las tres cosas.

✳ Así como una rutina a la hora de acostarse ayuda a los niños, también el cuerpo y el cerebro de los adultos responden a los rituales a la hora de acostarse; entonces, **desarrolle una rutina de relajamiento que pueda seguir la mayoría de las noches.**

✳ **El alcohol no le ayuda a dormir**, hace lo opuesto, así que si desea dormir bien, no lo ingiera de noche. Puede que se duerma, pero despertará dentro de pocas horas y no podrá volver a quedarse dormido.

✳ Dos gotas de aceite de salvia o **lavanda en la almohada podrían facilitar el sueño.**

✳ Sentir demasiado frío o demasiado calor podría impedir el sueño; **haga un esfuerzo por tener una temperatura estable y agradable en el dormitorio.**

✳ Si tiende a sufrir de insomnio, cualquier cosa le mantendrá sin dormir, por esto, **cierre las llaves que gotean, las puertas que suenan y afirme bien cualquier cosa que podría hacer ruido en una corriente de aire.**

✳ **Aprenda algún tipo de autohipnosis que induzca el sueño rápidamente** cuando no pueda dormirse; yo cuento de diez hacia atrás repitiendo "me estoy quedando dormida" con cada número: nunca he pasado el cinco.

✳ **Use ropa de dormir suelta y de algodón**, o no use ropa.

✳ **Cambie el colchón cada siete años más o menos.**

✳ Si a su pareja le gusta escuchar música o ver televisión antes de dormirse, no se altere: **póngase tapones en los oídos y una visera en los ojos.**

✳ Si despierta durante la noche y no puede volver a dormir, **no se quede allí; levántese**, trabaje en algo, prepárese una taza de té, haga un crucigrama, lea y cuando tenga sueño, vuelva a acostarse.

✳ **Sólo tome pastillas para dormir durante períodos cortos; éstas ayudan a pasar un mal momento.**

✳ **El sexo es el mejor preludio del sueño.**

"el sexo es el mejor preludio del sueño"

las reglas de oro de MIRIAM para manejar el estrés

✱ **Un poco de estrés nos hace bien.** Aumenta la productividad, así es que no lo elimine por completo: descubra su nivel óptimo.

✱ **Al cuerpo le *encanta* el estrés del ejercicio** y, en consecuencia, libera cientos de hormonas beneficiosas.

✱ **Hágase insensible a niveles excesivamente altos** de estrés mediante la relajación instantánea, formación de imaginería, cualquier tipo de actividad y la redacción de un plan de acción.

✱ La relajación instantánea es un ejercicio rápido y sencillo que puede practicar en cualquier momento para **vencer el estrés en pocos minutos:**

1. Cierre los ojos.

2. Deje caer los hombros.

3. Reduzca el ritmo de respiración a la mitad.

4. Cuente hasta cinco inhalando y hasta cinco exhalando.

5. Piense en terciopelo negro.

✱ **Técnicas sencillas de respiración pueden aliviar el estrés.** Aprenda las técnicas de respiración del yoga.

✱ **El ejercicio mismo alivia el estrés,** pero además aumenta la resistencia, así es que cuando pueda, camine a paso ligero, suba las escaleras y, si puede, incorpore algún tipo de ejercicio a la vida diaria. No tiene por qué ser excesivo: basta con una caminata de 30 minutos.

"hágase insensible a niveles excesivamente altos de estrés"

✱ **La aromaterapia para aliviar el estrés incluye el aceite de salvia y lavanda:** un par de gotas en un pañuelo o la almohada, y en la tina.

✱ **Aprenda la biorrealimentación para bajar el ritmo cardíaco y la presión sanguínea** cuando se sienta con estrés.

✱ **Aprenda técnicas de relajación muscular y mental profundas;** entonces podrá controlar el estrés.

✱ **Un masaje alivia la tensión muscular, los dolores y achaques que produce el estrés;** por esto, incorpore a su vida sesiones de masaje.

Etapas de la Vida

"su bebé es mucho más fuerte de lo que usted piensa y tiene un gran instinto de supervivencia"

etapas de la vida:
de 0 a 1 año

Usted y su pareja están emocionados con la llegada del bebé y, al igual que la mayoría de los nuevos padres, probablemente se sienten nerviosos cuando manipulan a este diminuto ser que parece tan débil y vulnerable. Sin embargo, desde el momento de su nacimiento es mucho más robusto de lo que ustedes piensan y tiene un fuerte instinto de supervivencia.

La importancia de la vinculación afectiva

Un bebé recién nacido duerme durante la mayor parte de los primeros días, así es que trate de pasar con él todo el tiempo que esté despierto. Los estudios han demostrado que el contacto físico con usted, el sonido de su voz y el olor de su cuerpo son muy importantes en los primeros días de vida. Durante ese tiempo, el bebé forma un vínculo afectivo con usted que, si se fomenta, se hará único e inquebrantable.

Para facilitar este proceso, asegúrese de que el bebé esté en contacto frecuente con su piel, ya que eso es crucial. Haga que amamantar sea un tiempo de intimidad física; abrácelo estrechamente y háblele con ternura.

Crecimiento y desarrollo

El crecimiento y el desarrollo del bebé cubren tres áreas principales en el primer año:
- **Cerebro:** tratará de usarlo para pensar y desarrollar el habla.
- **Movilidad:** aprenderá a pararse y caminar, comenzando con los intentos de controlar la cabeza durante la primera semana de vida.
- **Destreza:** desarrollará el control fino de los dedos, de modo que a los 10 meses podrá recoger una arveja entre el índice y el pulgar.

Todo lo que usted tiene que hacer para facilitar el desarrollo de una habilidad, es dejar que el bebé tome la delantera. Ésa es la regla de oro inquebrantable del desarrollo infantil. Su bebé siempre le mostrará con alguna señal que quiere y puede avanzar. Es importante dejar que se le adelante, porque, si lo hace, encontrará el momento justo para desarrollar la habilidad.

Como consecuencia, se sentirá muy contento de sí mismo (especialmente si lo alaba) y estará edificando la confianza en él mismo y su autoestima desde el principio. Imagine el niño confiado, equilibrado y cariñoso en que se convertirá. Y todo el trabajo preliminar de base se hace en el primer año.

Continencia emocional

También es vital que el bebé aprenda la "continencia emocional" en el primer año de vida. Esto significa poder manejar las emociones, no permitir que se escapen de las manos. Implica poder controlar las emociones fuertes dirigiéndolas bien.
- Los bebés aprenden la continencia emocional de usted.
- Si no se aprende la continencia emocional en el primer año de vida, será difícil hacerlo más adelante.

Sin esta habilidad, se le hará muy difícil enfrentar cualquier cosa que frustre sus deseos o se interponga en su camino cuando crezca; es decir, se volverá emocionalmente incontinente. El resultado clásico de esto es un niño de edad preescolar bravucón, que causa problemas, e incluso es destructivo en la casa y en el jardín infantil.

En las páginas siguientes doy pautas sobre lo que sucede en el primer año de vida de su bebé y consejos que podrían ser necesarios.

Edificar la continencia emocional

No es difícil enseñar a su bebé lecciones tempranas sobre la continencia emocional. Hay tres pasos sencillos en cualquier situación.

- *Legitime* las emociones del bebé. Dígale: "Yo sé que duele", si se cayó, o "Eso da rabia", si se frustra por algo y se enoja.

- *Calme* las emociones del bebé. Diga: "Mamá lo sanará con un beso" o "Papá también se enoja con eso, ¿sabes?".

- *Avance* a partir de la emoción. Sugiera: "Cuando deje de doler, saldremos a jugar" u "Olvidémonos de eso y abracémonos un poco".

Cuerpo

Mente

> " la vinculación afectiva del bebé con usted es única e inquebrantable "

Ámbito Social

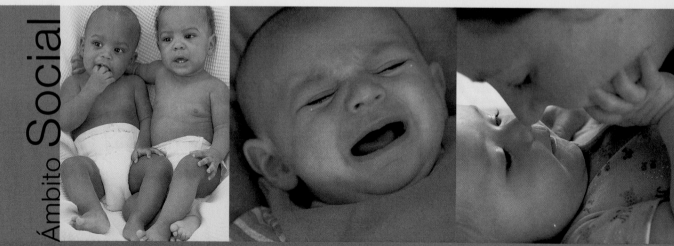

> " su bebé recién nacido tiene una gran cantidad de habilidades innatas y sorprendentes "

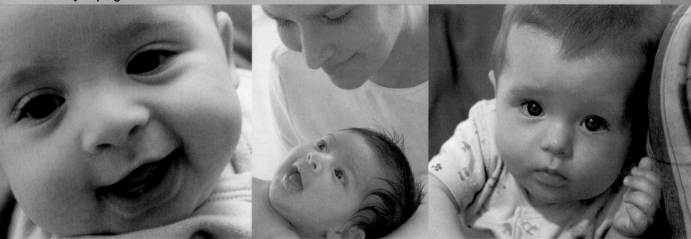

> " aprende a ser amoroso y amigable imitándole a usted "

0-1
su bebé recién nacido

Probablemente sienta orgullo, asombro y euforia, también fatiga, después del nacimiento de su bebé. Puede ser que éste se vea más pequeño de lo que imaginaba y muy vulnerable, pero no se preocupe: su bebé está provisto de reflejos y conductas que le ayudan a sobrevivir.

Bebés prematuros

Uno de cada 18 bebés que nacen en Gran Bretaña hoy es prematuro. La definición médica para bebé prematuro es aquel que nace antes de 36 semanas de gestación. Todos estos bebés requieren tratamiento especial, pero no necesariamente en una unidad de cuidados intensivos. No se encuentran aptos para la vida fuera del vientre y podrían tener los siguientes problemas:

● **Respiración:** Debido a la inmadurez de los pulmones, a la mayoría de los bebés prematuros se le hace difícil respirar, lo que se conoce como síndrome de dificultad respiratoria.
● **Sistema inmunológico:** Un sistema inmunológico subdesarrollado y un cuerpo demasiado débil para defenderse apropiadamente implican un mayor riesgo de infecciones:
● **Digestión:** El estómago de un bebé prematuro es pequeño y sensible, lo que significa que es menos capaz de retener la comida y hay mayor probabilidad de que vomite. La inmadurez de su sistema digestivo le dificulta la digestión de proteínas esenciales, así es que éstas deben suministrarse en forma predigerida.

● **Regulación de la temperatura:** El control de temperatura de un bebé prematuro es ineficiente y probablemente estará demasiado frío o demasiado caliente. Tiene menos aislamiento térmico que un bebé de término, ya que le falta la grasa corporal necesaria.
● **Reflejos:** El desarrollo inadecuado de los reflejos, especialmente el reflejo de chupar, crea dificultades a la hora de comer. Normalmente los bebés prematuros deben ser alimentados por sonda.

Progreso

El desarrollo de un bebé prematuro normalmente es lento y errático. Puede ser un shock ver lo diminuto que es, pero tiene una gran voluntad de vivir. Para un bebé prematuro, cada día es una batalla. Luego de períodos de mejoría vendrán reveses, y la incertidumbre hará que los padres se sientan muy ansiosos. Sin embargo, es alentador saber que la mayoría de los bebés que nacen después de 32 semanas se desarrollará en forma normal. De cada 7 bebés que nacen a las 28 semanas, 6 sobrevivirán.

Prevenir la muerte de cuna

El síndrome de muerte súbita infantil, conocida comúnmente como muerte de cuna, es la muerte inesperada de un bebé sin ninguna razón obvia.

No se sabe las causas exactas de esta muerte y, por lo tanto, no hay consejos que puedan garantizar absolutamente su prevención. Sin embargo, existen muchas maneras en las cuales los padres pueden reducir el riesgo: estudios recientes han comprobado que las vacunaciones rutinarias lo reducen, así como tener al bebé con usted en su dormitorio durante la noche los primeros seis meses de vida. Quedarse dormido con él en el sofá aumenta considerablemente el riesgo de muerte.

Una madre que fuma durante el embarazo aumenta el riesgo. Para bebés nacidos de padres fumadores, el riesgo es dos veces más que para bebés de padres que no fuman, y aumenta tres veces por cada diez cigarrillos que se fuma al día.

Reducir el riesgo

● Siempre acueste al bebé boca arriba.
● No fume, no permita que se fume en la casa y evite llevar al bebé donde hay humo.
● No permita que el bebé tenga demasiado calor.
● Al taparlo, tome en cuenta la temperatura ambiente: mientras más alta, menos ropa de cama necesita el bebé y viceversa.
● No ajuste la ropa de cama al colchón para que el bebé pueda sacársela si siente demasiado calor.
● Si piensa que el bebé no se siente bien, no vacile en llamar al médico.
● Si el bebé tiene fiebre, no le ponga más ropa de cama; reduzca la cantidad para que pierda calor.

Las habilidades del bebé al nacer

Aunque físicamente es indefenso al nacer, su bebé tiene una gran cantidad de habilidades innatas y sorprendentes. El recién nacido

● está preparado para comunicarse
● está programado para imitar las expresiones faciales y los sonidos que usted hace al hablar
● disfruta de mirarle a los ojos y del contacto con su piel
● ve todo claramente a una distancia de 20 a 25 cm y reacciona con avidez cuando ve su cara a esa distancia; mira intensamente
● a 20 ó 25 cm de distancia puede "leer" las emociones y probablemente sonreirá si le ve a usted hacerlo
● oye muy bien su voz y la distingue.

Lo que usted puede hacer para ayudar
● Se desarrollan la confianza, la afectividad y la sociabilidad en los primeros meses, y usted deberá enseñar a su bebé la mayoría de estas formas básicas de relacionarse con otras personas durante ese tiempo. Así es que lo más importante es ser positivo en lo que hace y abierto en lo que expresa.
● Sonreír es la herramienta más importante para mostrar agrado, aprobación, amor y alegría. Después está la voz. Los bebés son sensibles a los tonos de voz cariñosos y alegres, llenos de aprobación y felicidad, ajustados a un tono alto y ligero.
● El contacto corporal, la calidez, cercanía y olor de su cuerpo, también es importante, así como el tacto y las demostraciones físicas de afecto.

El aspecto del recién nacido

Cuando tenga a su bebé en brazos por primera vez, probablemente se sorprenderá por su aspecto. Sin duda se alegrará, pero quizás lo esperaba limpio y plácido, parecido a los que figuran en la publicidad de alimentos de bebés. La vida real (como descubrirá) es otra cosa.

La piel

● **Vernix**. Una sustancia blanca y grasosa que puede cubrir la piel del bebé. Se trata de una crema que forma una barrera natural e impide que la piel se sature con agua en el útero. Se puede quitar de inmediato o dejar para darle alguna protección natural contra las irritaciones menores de la piel como cuando se descama.

● **Urticaria**. Es bastante común en la primera semana. No es necesario tratarla, pues desaparecerá muy pronto.

● **Miliaria**. Son pequeños puntos blancos que aparecen principalmente en el caballete de la nariz, pero también en otras partes de la cara.

● **Sudamina.** Causada por el calor: si el bebé tiene mucho calor, quizás aparezcan pequeños puntos rojos, especialmente en la cara.

Cabeza

Las partes blandas en la parte superior del cráneo del bebé corresponden al lugar donde los huesos todavía no se han unido y se llaman molleras. Los huesos del cráneo no se fusionarán por completo sino hasta que el bebé cumpla más o menos 2 años. Tenga cuidado de no presionar las molleras.

Ojos

Tal vez el bebé no pueda abrir los ojos de inmediato debido a la hinchazón causada por la presión sobre la cabeza durante el parto. Es posible que esa presión también haya roto unos vasos sanguíneos diminutos en los ojos, provocando la presencia de pequeñas marcas inocuas de color rojo y triangulares en el blanco del ojo, que no requieren ningún tratamiento y desaparecerán dentro de un par de semanas. Posiblemente tenga el ojo pegajoso con una secreción amarilla alrededor de los párpados. Es bastante común y, pese a no ser grave, debe ser tratado por un médico.

Cabello

Algunos bebés nacen con la cabeza cubierta de pelo; otros, completamente calvos. El color del cabello al nacer no será necesariamente definitivo. El cabello fino y aterciopelado que muchos bebés tienen en el cuerpo al nacer se llama lanugo y caerá pronto.

Genitales

Los genitales podrían tener un aspecto hinchado y dilatado.

Piernas y brazos

Las piernas y los brazos del bebé siguen doblados, en posición fetal.

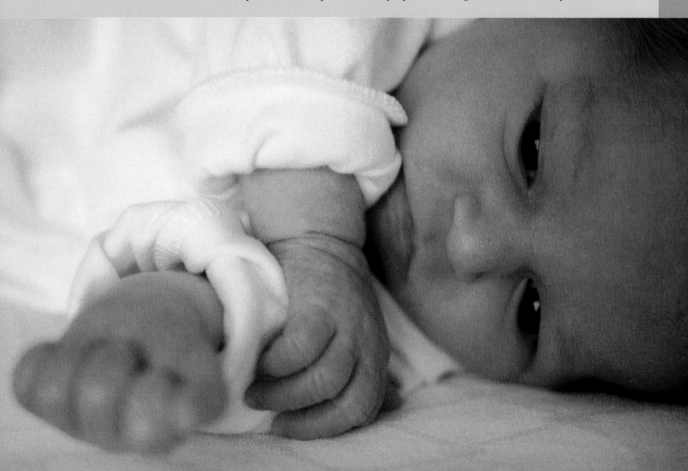

0-1
ayudar al bebé a dormirse

Algunos bebés duermen toda la noche desde un principio; otros, no. En general, mientras más activo sea y más energía use, mejor dormirá, con el sueño dividido entre siestas durante el día y la noche.

Patrones del sueño

La manera en que los bebés se quedan dormidos es diferente a la de los adultos; éstos se quedan dormidos de repente, mientras que los bebés duermen livianamente por unos 20 minutos, luego pasan por una etapa de transición antes de entrar en un sueño profundo. **Nada los despertará hasta que hayan dormido lo suficiente.** Esto significa que "se acuestan" y no necesariamente se quedarán dormidos en paz. Quizás tenga que arrullarlo durante un tiempo para que se duerma, así es que tenga paciencia, en especial si está tratando de hacerlo dormir de noche cuando usted anhela volver a la cama.

¿Dónde debería dormir un bebé?

Al principio no importa dónde duerme el bebé. No se quedará dormido automáticamente cuando lo acueste en un dormitorio oscuro; la luz no le molesta. Es mucho más probable que le moleste el tener demasiado calor o frío. Estará más contento quedándose dormido oyendo las voces de sus padres y los sonidos de fondo usuales, así es que sean amables con el bebé y con ustedes mismos desde un principio, permitiendo que duerma en una cuna colocada en la habitación donde ustedes se encuentren.

Usar un intercomunicador

Si deja al bebé en otra habitación, instale un intercomunicador para oírlo tan pronto despierte. Recuerde que podría sentirse perturbado por el silencio cuando usted sale de la habitación y por ello podría ponerse más inquieto; deje abierta la puerta para que le pueda oír al moverse por la casa, a menos que tenga un gato que podría subirse a la cuna. Evite volver a entrar a la habitación una vez que el bebé se ha dormido; podría despertar con el olor; desista de ir a mirarlo con demasiada frecuencia.

Fomentar períodos de sueño más largos en la noche

Un bebé pequeño requiere nutrición y calorías periódicamente, por lo que despertará para comer cuando su cuerpo lo necesite. La manera de fomentarle un período de sueño más largo (4, y luego 5 y 6 horas) en la noche es asegurar que esté ingiriendo suficientes calorías para ese fin. Eso significa amamantarlo cuando tenga hambre durante el día. Al aumentar de peso, podrá pasar más tiempo entre comidas, y a las seis semanas podría estar durmiendo al menos 6 horas, ojalá durante la noche. Cuando despierte para alimentarlo en la noche, amamántelo sin mucho alboroto: hágalo en la cama; si necesita mudarlo, cámbielo suavemente y a media luz. Que no sea un tiempo para conversar y jugar; pronto aprenderá que despertar en la noche no trae privilegios especiales.

Chupetes

Los bebés nacen con el reflejo de succión. Sin él, no mamarían ni podrían nutrirse. **Pienso que es importante permitir que satisfagan este deseo.**

Algunos son más succionadores que otros. Uno de los míos quería succionar todo el tiempo, tuviera hambre o no. A todos mis hijos les ponía el pulgar en la boca para que lo succionaran y se calmaran. **No veo nada malo en usar chupete, aunque los bebés muy pequeños no se acostumbrarán rápidamente.** Existen varios tipos de chupetes.

Algunos tienen la forma de la boca del bebé, otros se diseñan para dilatarse y expandirse como un pezón cuando se succiona.

Los chupetes para los más pequeños deben esterilizarse igual que los biberones. Pero una vez destetado el bebé, y cuando comienza a comer con los dedos, no tiene mucho sentido esterilizarlos. Sólo hay que lavarlos y enjuagarlos minuciosamente. Disponga de varios chupetes para reemplazar los que se rompen.

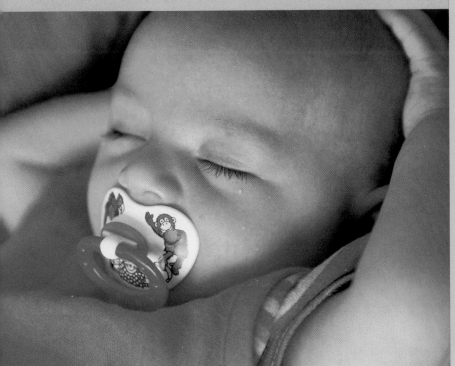

Consejos para hacer dormir a los bebés más grandes

● Haga que el tiempo justo antes de acostarse sea tan alegre y agradable como sea posible.

● Trate de mimarlo dándole pecho o el biberón justo antes de acostarlo.

● Desarrolle una rutina y sígala. No lo acueste directamente en la cama: establezca una rutina de juego, baño, cuento, canción y luego diga buenas noches. Pero no se vaya de la pieza; ordene todo tranquilamente y sin hacer ruido para que él aprenda que puede quedarse dormido sin "perderle".

● Permita que desarrolle hábitos de consuelo como usar pañal, una muñeca o el propio pulgar. No hay nada malo en ello. No hay una edad en particular para dejar esas cosas; al igual que mojar la cama, perderán el hábito cuando crezcan.

Tranquilizar y calmar al bebé

Hay muchas formas de tranquilizar y consolar al bebé si se pone a llorar. En general, la mayoría responde al movimiento, al ruido o a ambos.

● Cualquier movimiento que lo acune, ya sea acomodándolo en los brazos, columpiándose lentamente con él en brazos o meciendo la cuna.

● Caminar o bailar con un movimiento rítmico, ya que le recordará el tiempo cuando daba tumbos en el útero.

● Hágalo brincar en los brazos o en la cama.

● Colocarlo en un portabebé y pasearlo; si está solo, simplemente siga en lo que estaba y trate de no prestar atención a los llantos.

● Salir a pasear en auto o en coche o a caminar con él en el portabebé,

incluso de noche (podría llevar un teléfono celular).

● Cualquier tipo de música, siempre que sea tranquila y rítmica; hay CD especiales disponibles en el mercado.

● Un ruido casero constante, como el de la lavadora.

● Su propia voz, especialmente si canta una canción de cuna.

0-1 cuidar al bebé

Cuidar a su bebé no requiere ninguna habilidad especial, sólo unos conocimientos básicos, mucho sentido común y la voluntad de pedir ayuda y consejos.

Vacunaciones

La vacunación es vital para cada niño en edad de crecimiento, pues asegura que el sistema inmunológico se fortalezca. **La mayoría de los padres no sabe que al vacunar a nuestros bebés no solamente los protegemos a ellos, sino también a los otros.** Si la cantidad de bebés vacunados contra el sarampión se reduce a menos del 75 por ciento, este mal podrá brotar en las comunidades. Para proteger a una comunidad de bebés, debe vacunarse el 95 por ciento.

● Antes de agregar la vacuna contra las paperas para crear la vacuna triple, éstas provocaban el ingreso de 1.200 niños por año a hospitales en el Reino Unido y eran la causa más común de la meningitis viral en niños menores de 15 años. Las paperas pueden también ser causa de sordera permanente.

● El sarampión conlleva complicaciones desagradables, incluyendo encefalitis, infecciones del oído y neumonía.

● El 15 por ciento de los niños que padezcan encefalitis por sarampión morirá y entre 20 y 40 por ciento de los sobrevivientes padecerá de daño cerebral.

● Sinceramente, no creo que haya alguna evidencia científica que sustente una conexión entre la vacuna triple y el autismo.

● Tampoco hay evidencia alguna que sustente la idea de que dar la vacuna en tres dosis separadas es más seguro que darla en una sola dosis.

¿Cuán eficaz es la vacuna triple?

Luego de la introducción de la vacuna triple en 1988, sólo se han producido 11 muertes por sarampión en los últimos 10 años, comparado con un promedio de 13 por año entre 1970 y 1988.

¿Por qué vacunar si las enfermedades son tan poco comunes?

Existen varias razones importantes:

● Las enfermedades son poco comunes ahora, pero sólo seguirán siéndolo gracias a la vacunación.

● Estas enfermedades pueden tener consecuencias graves. Dado que la administración de la vacuna ha disminuido en el Reino Unido, habrá muertes entre los bebés.

● Algunos visitantes podrían introducir en el Reino Unido estas enfermedades, haciendo que la salud de los niños no vacunados corra peligro.

● Siempre habrá niños susceptibles que no pueden ser vacunados, así es que deben mantenerse las altas tasas de vacunación para prevenir las epidemias.

Amamantar

Hay que aprender a dar pecho y debe pedir ayuda y consejos a la familia, amigas que tienen bebés, a la matrona o enfermera. Sobre todo aprenderá de su bebé, entendiendo las señales que da y descubriendo cómo reaccionar a ellas.

Calostro y leche de mama

Durante las primeras 72 horas después del parto, las mamas producen un líquido claro y de color amarillo denominado calostro que consiste en agua, proteína y minerales. Contiene anticuerpos que protegen al bebé contra una variedad de infecciones intestinales y respiratorias. En los primeros días deberá poner al bebé en el pecho periódicamente tanto para la leche como para el calostro y para que se acostumbre al pezón.

Una vez que las mamas empiecen a producir leche, quizás se sorprenda por su aspecto, ya que la primera leche que recibe el bebé, al mamar, es diluida, acuosa y le quita la sed. Luego viene la leche más rica en proteína y grasas.

Destete vegetariano

Un bebé que está creciendo puede recibir todos los nutrientes que necesita para su salud y vitalidad de una dieta que excluye carnes, pescados y aves, siempre que se mantenga un equilibrio apropiado de los diferentes grupos alimentarios.

● La fuente principal de calorías del bebé seguirá siendo la leche, así es que désela en cada comida.

● Los cereales y los granos proporcionan los carbohidratos y algo de proteína para la energía; las verduras y frutas, proporcionan vitaminas y minerales esenciales. Las legumbres (puré de fréjoles o lentejas), huevos, queso y salsa de queso suministran la proteína y minerales para el crecimiento y el desarrollo del bebé. **No debe darle queso duro, huevos, nueces y gluten antes de los seis meses de edad.**

Alimentos en la dentición

Cuando al bebé le salen los dientes quiere masticar y chupar para calmar las encías. Cualquier verdura cruda o fruta suficientemente grande para que la tome, chupe y mastique constituye una buena comida, en especial si está bien fría, pero no congelada. Algunos ejemplos son:

● trozo de apio
● grisín italiano
● galletas duras
● pepino pelado
● manzana cruda y pelada
● galleta de avena
● trozo de zanahoria

Nunca deje al bebé solo cuando está comiendo, por si se atraganta.

Consejos para alimentar con biberón

Alimentar con biberón es sencillo, pero deberá asegurarse de que el bebé pueda tragar apropiadamente y que no esté ingiriendo aire además de la leche.

● Antes de dar el biberón, pruebe la temperatura de la leche dejando caer una gota en la cara interna de la muñeca. No debería sentirse ni muy fría ni muy caliente.

● Nunca deje al bebé con el biberón apoyado en un cojín o una almohada; podría incomodarse mucho si tragara un poco de aire con la leche y asfixiarse. Además, añorará los mimos que debería disfrutar cuando come.

● Coloque el bebé inclinado, cabeza arriba, en su brazo. Le cuesta mucho tragar en una posición horizontal, así es que no lo alimente en esa forma; podría atragantarse o incluso vomitar.

● Si tiene la nariz congestionada, no podrá tragar y respirar al mismo tiempo. El médico le podrá dar unas gotas para ser suministradas antes de cada biberón.

● No cambie la preparación de la leche sin antes consultar a la matrona o al médico, aun si piensa que al bebé no le gusta. Es muy poco usual que una marca de leche sea la causante de que un bebé no coma bien. Sucede rara vez que la leche de vaca causa alergias y quizás el médico le aconseje usar una preparación sustituta de soya.

● El bebé sabe cuando ha tomado lo suficiente, así es que no le obligue a seguir tomando para terminar el biberón una vez que ha dejado de chupar.

Mantener sanos los dientes del bebé

Haga que lavarse los dientes sea divertido para el bebé.

● Empiece a lavar los dientes del bebé tan pronto aparece el primero.

● Los bebés siempre le imitan, y una de las maneras en que aprende es observándole lavarse los dientes, así es que asegúrese de que lo haga.

● Use un cepillo pequeño para bebés y pruebe un poquito de pasta de dientes con flúor.

● Haga que esto forme parte de las rutinas del bebé en la mañana y al ir a la cama.

● Puede ser que las pastas de dientes para bebés tengan un sabor más suave, pero no tanta protección de flúor. Consulte al dentista para saber si la pasta tiene suficiente flúor para proteger sus dientes.

● Cante una canción al lavarle los dientes. Invente una canción del cepillo usando una melodía infantil favorita.

Consejos prácticos sobre el destete

Los cinco o seis meses, dependiendo del desarrollo del bebé, son un buen momento para comenzar el destete y empezar a darle alimentos sólidos. Pese a tomar leche a plena capacidad, no recibirá las suficientes calorías para satisfacer sus necesidades.

Tenga a mano una pequeña porción de alimento preparado. Comience dándole pecho o medio biberón, luego dele una o dos cucharaditas de alimento. La comida del mediodía es ideal, porque no estará tan hambriento, pero sí estará despierto y dispuesto a cooperar.

● Puede ser que el bebé sea reacio a probar nuevos alimentos, así es que dele tiempo para que se acostumbre a ellos y no insista si parece que algo no le gusta.

● Use cereales sin procesar para bebés, en vez de los que vienen ya mezclados, y prepárelos en cantidades pequeñas.

● No le dé alimentos que contengan nueces, gluten, leche de vaca entera o huevo hasta que haya cumplido al menos seis meses, para minimizar el riesgo de alergias más adelante.

● Introduzca un alimento nuevo a la vez. Pruébelo y espere unos días antes de repetirlo para ver si se produce alguna reacción.

0-1
habilidades del bebé

	0-1 meses	1-2 meses	2-3 meses	3-4 meses	4-5 meses

Todos los bebés siguen el mismo camino en el desarrollo de sus habilidades de lenguaje y movimiento, pero el tiempo que toman para alcanzar cada hito difiere entre uno y otro. Las edades que se indican a continuación sólo constituyen una guía aproximada. Todo lo que usted tiene que hacer para ayudar en el desarrollo de una habilidad, es dejarse guiar por el bebé.

mente
- se emociona al ver el pecho o el biberón
- se mira la mano
- sonrisa espontánea
- escucha y está alerta

movimiento
- sostiene la parte superior del cuerpo
- levanta la cabeza a 45°

habla
- hace sonidos y burbujas con la boca
- chilla
- mueve los labios

manos
- agarra el sonajero
- mantiene las manos abiertas
- toma el dedo de su madre con fuerza

sociabilidad
- llora frente al tono de desaprobación de su voz
- sacude todo el cuerpo al verla

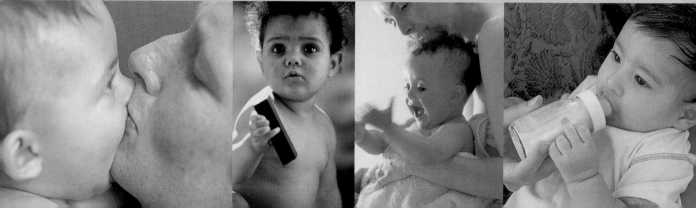

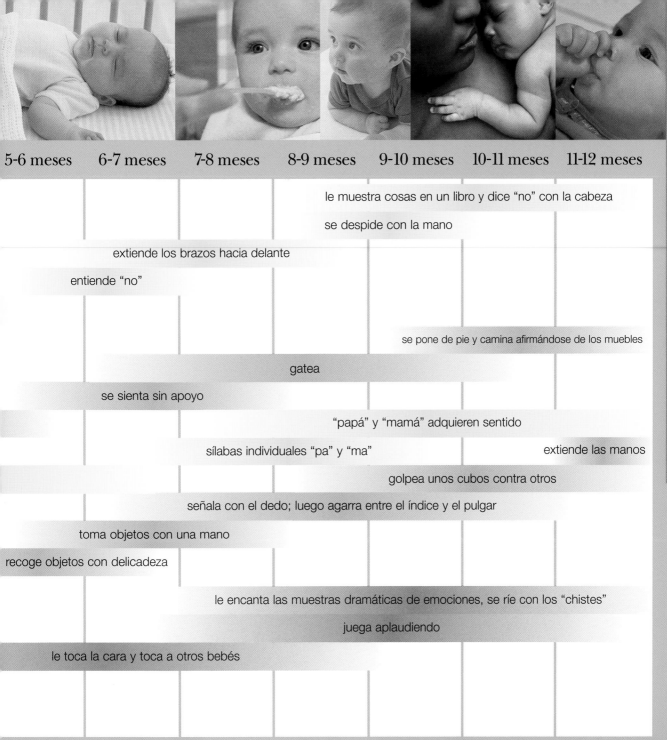

5-6 meses	6-7 meses	7-8 meses	8-9 meses	9-10 meses	10-11 meses	11-12 meses

le muestra cosas en un libro y dice "no" con la cabeza

se despide con la mano

extiende los brazos hacia delante

entiende "no"

se pone de pie y camina afirmándose de los muebles

gatea

se sienta sin apoyo

"papá" y "mamá" adquieren sentido

sílabas individuales "pa" y "ma"

extiende las manos

golpea unos cubos contra otros

señala con el dedo; luego agarra entre el índice y el pulgar

toma objetos con una mano

recoge objetos con delicadeza

le encanta las muestras dramáticas de emociones, se ríe con los "chistes"

juega aplaudiendo

le toca la cara y toca a otros bebés

0-1 cómo el bebé aprende a moverse

El movimiento comienza con el control de la cabeza. El bebé no puede sentarse, ponerse de pie o gatear sin controlar la posición de ésta. El desarrollo va desde la cabeza hacia los dedos de los pies.

Levanta la cabeza

A los 2 ó 3 meses de edad, el bebé realmente está aprendiendo a usar y controlar su cuerpo. Esto significa que:
● los músculos del cuello están más fuertes, se le cae menos la cabeza cuando usted lo sienta. La cabeza se mantiene fija por varios minutos al sentarlo o apoyarlo en almohadas, pero la espalda sigue curva
● levanta la cabeza y la sostiene cuando está boca abajo y ha aprendido a levantar el pecho del plano horizontal apoyándose ligeramente en las manos, muñecas y brazos
● practica doblando las rodillas cuando está tendido boca abajo
● disfruta del control que ejerce sobre sus movimientos y patea y mueve los brazos cuando está acostado; por consiguiente, nunca lo deje solo sobre el mudador o la cama.

Sostiene la parte superior del cuerpo

A los 4 ó 5 meses, sus músculos se están desarrollando a toda velocidad. Está alcanzando el control, tan importante, de la cabeza, que le permite:
● mover la cabeza de lado a lado fácilmente, sin bambolearse
● mantener la cabeza alineada con el cuerpo cuando se le sienta, sin que ésta quede atrás: un hito importante en el desarrollo
● mantener la cabeza fija cuando está sentado, incluso si se mece de un lado para otro

● levantar el pecho del piso cuando está boca abajo y mirar hacia delante fijamente, apoyándose sobre los brazos.
Ahora que tiene fuerza y movilidad en la parte superior del cuerpo y tiene control completo sobre la cabeza, usted podrá hacerle "caballito". Quizás también comience a cambiar de estar boca abajo a estar boca arriba, así es que juegue con él en el piso.

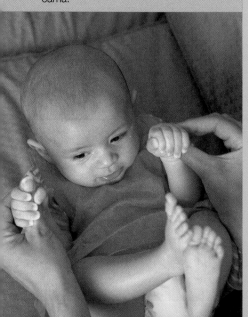

Consejos prácticos sobre la seguridad

Antes que el bebé empiece a caminar, asegúrese de que la casa esté "a prueba de niños".
● Nunca deje al bebé solo.
● Saque de la habitación todos los muebles con bordes afilados.
● Saque de las superficies a menos de un metro de altura cualquier cosa que se podría romper.
● Asegúrese de que no haya ningún cable eléctrico tirado en el piso.
● Asegúrese de que todos los enchufes tengan tapas de seguridad.
● Asegúrese de que todas las entradas, salidas y escaleras tengan puertas de seguridad ajustables.
● Trate de mantener el piso libre de juguetes pequeños y afilados.
● Asegúrese de que todos los lugares con fuego estén protegidos.

● No deje ropa colgando de los muebles que el bebé podría agarrar y tirar.
● Asegúrese de que todos los muebles y artefactos sean firmes y estén bien fijos.
● Nunca deje algo caliente sobre una mesa en la misma habitación donde se encuentra el bebé.
● Asegúrese de que las barandas de las escaleras no permitan que un niño pequeño pase entremedio.
● Asegúrese de que todas las puertas de los closets estén bien cerradas y que las manillas estén fuera del alcance del bebé; si no lo están, póngales llave o séllelas con cinta adhesiva protectora.
● Asegúrese de que no haya ningún recipiente con sustancias venenosas en el piso o al alcance del bebé.

Se sienta sin apoyo

A los 6 ó 7 meses, el bebé progresa mucho en la forma como se mueve. Ahora puede:

● levantar una mano del piso y apoyar todo el peso sobre un solo brazo

● sentarse con mucha seguridad y sin apoyo

● tener suficiente fuerza para levantar la cabeza y mirar alrededor cuando está tendido boca arriba

● cambiar de estar boca arriba a estar boca abajo (mucho más difícil que al revés)

● usar los músculos para enderezar las piernas sin tambalear, de modo que sostienen todo el peso del bebé cuando usted lo pone de pie en su regazo

● dar botes doblando y estirando los tobillos, rodillas y caderas. Ahora que puede cambiar de estar boca arriba a estar boca abajo, intente jugar en el piso. No tema hacer el ridículo: él está desarrollando un gran sentido del humor, le hace bien a y a usted también. Al estar boca abajo puede apoyarse en una mano, así es que dele cosas que pueda alcanzar en esa posición para mejorar su equilibrio y fuerza.

Empieza a moverse

A los 8 ó 9 meses, el bebé descubre que sentarse no es suficiente: quiere impulsar su cuerpo y tratar de ponerse de pie. Estimúlelo a hacerlo colocando muebles donde podrá agarrarse y sosténgalo usted. Los músculos se han desarrollado al punto que:

● se sienta por diez minutos antes de cansarse

● se inclina hacia delante sin caerse, aunque no puede hacerlo hacia el lado ni girar la cintura

● no se dará por vencido si quiere alcanzar un objeto; intentará varias formas de moverse para alcanzarlo, pero todavía pierde el equilibrio

● podrá darse vuelta para sentarse e intentará movilizarse en esa posición

● si usted lo pone boca abajo y pide que avance, quizás trate de gatear; no se sorprenda si se mueve hacia atrás: el cerebro aún no puede descifrar los músculos correctos para moverse hacia delante y hacia atrás

● podrá ponerse de pie, afirmándose de la orilla de la cuna o de los muebles, pero se desplomará al sentarse porque no tiene el equilibrio ni la coordinación para hacerlo de una manera controlada.

Gatea

A los 9 ó 10 meses, el bebé realmente se mueve y

● se pone de pie afirmándose de algo con facilidad, confianza y buen equilibrio

● gatea o se mueve sentado, y avanza apoyándose sobre las manos, pero quizás el vientre no esté completamente levantado del piso cuando gatea

● quizás nunca gatee, pero independientemente de cómo se mueve, lo hace con confianza y se deja caer sobre las manos y rodillas cuando está sentado

● le encantan las habilidades de movimiento que ha desarrollado: da vueltas y vueltas en el piso, se sienta, se levanta afirmándose de algo y luego se sienta de nuevo

● casi puede controlar el cambio de posición, de estar de pie a sentado, sin desplomarse

Ahora está aprendiendo a mantener el cuerpo en equilibrio porque

● comienza a mover el tronco tratando de girar, pero le falta confianza

● se cambia de estar boca abajo a sentarse y viceversa

● cuando está sentado tiene equilibrio perfecto

● gatea tan bien que si usted trata de hacerlo a la misma velocidad, quedará exhausto. Cree túneles de gateo y juegue a pillarse gateando en el piso o afuera, en el césped del jardín.

Se pone de pie y camina afirmándose de los muebles

A los 10 u 11 meses, el bebé se esfuerza por ponerse de pie la mayor parte del tiempo y

● Practica tentativamente muchos movimientos previos a caminar, de modo que, al estar de pie afirmado de un mueble, levantará un pie como si fuera a dar un paso y quizás zapatee un poco.

● Si gatea, podrá moverse rápidamente con el vientre bien levantado del piso.

● Se inclina hacia el lado cuando está sentado, sin caerse.

● Gira completamente el tronco para alcanzar algo a sus espaldas sin perder el equilibrio.

● Caminará afirmándose de los muebles para alcanzar algo que realmente desea. Ahora que se para y camina afirmándose, ayúdelo colocando tesoros para que los busque u obstáculos que tenga que superar; tómelo de la mano para alentarlo a caminar. ¡Sea audaz!

0–1 aprendiendo a usar las manos

El bebé nació con el reflejo de agarrar cualquier cosa colocada en la palma de su mano, por ejemplo, el dedo de la madre, y no soltarla. Al principio, no le interesan mucho las manos; pero a medida que va tomando más conciencia de su cuerpo, le empiezan a fascinar más y más y se vuelve diestro.

Le toma el dedo con fuerza

Pasará un tiempo antes de que el bebé se dé cuenta de que las manos forman parte de su cuerpo y que las puede controlar. Durante las primeras tres semanas de vida, los puños están cerrados.

Una vez que pierde el reflejo de prensión con el cual nació, las manos se relajan y los puños se empiezan a abrir. Mientras tanto, se agarrará de su dedo incluso cuando está durmiendo. Juegue con sus manos y dedos para estimularlo a abrir los puños.

Agarra el sonajero

A los 4 ó 5 meses, el bebé comienza a darse cuenta de que las manos son grandes herramientas y
● ha descubierto los dedos del pie y que puede introducirlos en su boca
● se introduce todo a la boca, incluyendo los puños, puesto que es su área más sensible
● trata de agarrar los juguetes por primera vez con el puño abierto y la palma de la mano hacia abajo, principalmente doblando el dedo meñique hacia la palma de la mano: sólo puede hacer esto con objetos grandes, porque aún no desarrolla movimientos finos
● extiende las manos para agarrar y pegarle a todo: pero, cuidado, le encanta agarrar el pelo largo de su madre
● le encanta arrugar pedazos de papel, ropa o frazadas.

Mantiene las manos abiertas

Al mes o 2 meses, le fascinarán las manos, preparándose para esto,
● para el fin del segundo mes de vida, ha perdido completamente el reflejo de prensión con el cual nació. Rara vez la mano está empuñada, ahora permanece abierta la mayor parte del tiempo, lista para agarrar las cosas que desea en la palma de la mano
● empieza a estar consciente de los dedos y los empieza a estudiar intensamente para fines del segundo mes
● las yemas de los dedos son muy sensibles y le encanta que usted los tome, acaricie y haga masajes
● quizás trate de golpear un juguete. En esta etapa, no dará en el blanco: aunque los movimientos de los brazos se vuelven más definidos, la capacidad de medir la distancia entre el objeto y la mano (la coordinación entre ojo y mano) es aún limitada, así como la coordinación muscular.
Aumente la movilidad de las manos usando todo tipo de situaciones de tacto. Abra sus puños y hágale cosquillas en la palma de la mano.

Toma objetos con una mano

A los 6 ó 7 meses, su bebé agarra las cosas cada vez con más precisión: es la clave de futuros aprendizajes e independencia. También es un experto en introducirse cosas a la boca para conocerlas, así es que no permita que tome objetos muy pequeños que podría tragar. Ejerce mucho más control sobre sus manos y los brazos y, ahora

● pasa fácilmente un juguete de una mano a otra

● extiende una mano para agarrar un juguete, no las dos como lo hacía antes

● agarra un cubo con los dedos en vez de con la palma de la mano

● sostiene un cubo con una mano y toma un segundo cubo que se le ofrece con su otra mano.

Ayude al bebé a practicar el agarre y mejore su coordinación dándole alimentos que pueda comer con los dedos, y su biberón para que lo sujete; empiece a darle un tazón con dos asas. Entréguele objetos pequeños que pueda tomar con los dedos (pero no tan pequeños que los pueda tragar y atorarse). Le encanta hacer ruidos así es que enséñele cómo hacerlo con la palma de la mano y juegue con él dando aplausos.

Recoge objetos con delicadeza

A los 9 ó 10 meses, podrá hacer mucho más con los juguetes, porque ahora

● se extiende para tomar objetos pequeños usando el dedo índice para guiar su mano hacia ellos

● toma objetos con delicadeza entre el índice y pulgar

● tiene excelente coordinación entre ojos y manos, de modo que puede recoger un objeto pequeño fácilmente (por lo que hay que fijarse en lo que se deja tirado)

● ahora que controla el agarre, le encanta jugar dejando caer los objetos y recogiéndolos: los soltará una y otra vez desde su silla alta y los observará; sabe exactamente dónde caen, incluso si ruedan fuera de su vista, gritará y señalará; para que usted los recoja de nuevo

● le encanta hurgar en bolsas y cajas, sacará y volverá a poner las cosas dentro una y otra vez.

En este tiempo, perfecciona el movimiento más fino que puede: agarrar cosas entre el dedo índice y el pulgar; entréguele objetos pequeños y seguros que pueda recolectan en la bandeja de su silla o una canasta de tesoros donde pueda hurgar.

Señala cosas con el dedo; luego las agarra entre el índice y el pulgar

A los 8 ó 9 meses, agarra las cosas con más delicadeza. Mejora la habilidad de manejar objetos pequeños y lo demuestra a la perfección cuando

● trata de dar vuelta las páginas de un libro, aunque a menudo da varias vueltas a la vez

● sostiene un cubo en cada mano y los golpea uno contra otro

● toma un objeto entre el índice y el pulgar.

● recoge pedazos pequeños de comida, como las pasas, entre el índice y pulgar.

Señalar con el dedo es un hito importante del desarrollo. Controlar el índice es lo primero para dominar la habilidad muy fina de juntar el pulgar y el índice para agarrar objetos pequeños, lo que sucede entre los 10 y 12 meses. Entréguele objetos pequeños, como pasas y arvejas cocidas, que pueda recoger para practicar el agarre y la coordinación entre ojos y manos.

Aliéntelo a señalar cosas con el dedo preguntandole: "¿Qué quieres?" y "Muéstrale a papá". Señale los dibujos cuando vean libros juntos y estimúlelo para que le imite.

Muéstrele cómo amontonar cubos unos encima de otros, porque ahora ya puede soltar las cosas.

Apila cubos

A los 11 ó 12 meses, los huesos de la muñeca del bebé han crecido, así es que puede maniobrar mejor con las manos y

● es mucho más preciso al llevarse una cucharada de comida a la boca

● ha dejado de meterse todo lo que recoge a la boca: ahora es más importante cómo se siente el objeto en la mano

● lanza las cosas bastante bien

● toma dos cubos en una mano

● es capaz de edificar una torre de dos cubos, gracias a una mejor coordinación entre ojos y manos y un mejor pulso

● tomará un lápiz y quizás trate de escribir si le muestra cómo hacerlo.

0-1 la mente del bebé

Al principio, el mundo del bebé consiste en una borrosa confusión de visiones y sonidos, durante las primeras semanas, se dedica completamente a identificar aquello que tiene significado. La voz y la cara de sus padres estarán entre las primeras cosas que reconocerá.

Escucha y está alerta

El bebé "entiende" desde el momento en que nace: no es inanimado. Usted podrá registrar el progreso durante el primer mes. Por ejemplo:

Primer día: Se queda quieto cuando escucha su voz: se pone alerta, deja de moverse y se concentra en escuchar.

Tercer día: Reacciona cuando le habla y su mirada se vuelve intensa.

Quinto día: Se siente atraído por las cosas que se mueven a los 20 ó 25 cm: observará con interés el movimiento de sus labios y de sus dedos.

Noveno día: Los ojos girarán rápidamente hacia el sonido de una voz con tono alto, lo que indica que le puede oír.

Decimocuarto día: La puede distinguir de otras personas.

Decimoctavo día: Gira la cabeza hacia los ruidos.

Vigésimo octavo día: Aprende cómo expresar y controlar las emociones y adapta el comportamiento al sonido de su voz: se alterará si le habla bruscamente o a gritos y se tranquilizará si le habla con ternura.

Póngale música clásica. Además de tranquilizarlo, le estimulará a escuchar, hacer sonidos y, créalo o no, a sumar más adelante.

Sonrisa espontánea

Al mes o 2 meses, se interesa más en su entorno y pronto

● sabe quién es usted y le reconoce; se interesa mucho en verle y muestra lo emocionado que está sacudiendo todo el cuerpo de puro placer, pateando y moviendo brazos y pies

● sonríe de buena gana tan pronto los ojos enfocan a cualquier distancia, normalmente alrededor de las seis semanas

● observa lo que sucede a su alrededor; si está apoyado en cojines o en una silla, mirará en la dirección de los ruidos o movimientos

● mira fijamente las cosas que le interesan como si las estuviera "capturando" con los ojos.

Cuando el bebé sonría, devuélvale la sonrisa y dígale que es inteligente. Sonreír significa que está contento, así es que déjelo saber que usted está o también. Le encanta mirar cosas, por esto asegúrese de que tenga muchas que mirar: cambie los dibujos o móviles a menudo para renovar sus estímulos.

Se mira la mano

Incluso a los 2 ó 3 meses es, el bebé un pensador agudo y

● su propio cuerpo le fascina y empieza a darse cuenta de que lo puede mover: el primer paso es entender el concepto de causa y efecto

● disfruta al observar atentamente sus manos y dedos moviéndolos delante su cara

● los objetos en movimiento lo atraen y controla lo suficiente la cabeza para seguir con los ojos algo que se mueve lentamente: si usted sostiene un juguete de colores brillantes delante de él, le tomará un momento enfocar el objeto y luego lo seguirá con los ojos a medida que usted lo mueva lentamente de un lado a otro (dentro de una o dos semanas podrá enfocar en forma instantánea y seguir el movimiento con mayor facilidad)

● es muy curioso sobre lo que sucede en su entorno y observa todo con interés: siéntelo apoyado en cojines para que pueda ver mejor.

Se emociona al ver el pecho o el biberón

A los 4 ó 5 meses, hace valer su personalidad y se relaciona más con las personas.

● le encanta el pecho o el biberón y lo demuestra dándoles palmaditas de afecto cuando está amamantando

● tiene un repertorio de emociones como temor, enojo, disgusto, frustración, tristeza y agrado a las que quiere que usted reaccione con simpatía; debería hacerlo, porque le hace sentir cómodo con ellas

● le encantan los juegos, porque así es como aprende, y como quiere aprender; participará en cualquier cosa que usted sugiera. Incluso inventará juegos sencillos como salpicar el agua de la tina y estudiará atentamente el efecto en el agua de manos y pies

● está aprendiendo a concentrarse y pasa mucho tiempo simplemente mirando algo que tenga en las manos, aunque a menudo se le cae

● sonríe cuando ve su reflejo en el espejo, aunque todavía no se da cuenta de que es él mismo

● mueve los brazos y las piernas para atraer la atención y hace sonidos para llamar la suya

● quiere desesperadamente aprender e imitar, así es que pruebe con juegos nuevos con rimas y movimientos.

Entiende "no"

A los 7 u 8 meses, usted se dará cuenta de que el bebé entiende lo que dice, aunque no puede decir palabras con sentido. A esta edad

● se acuerda de cosas opuestas mediante el tacto (caliente y frío; duro y blando)

● entiende algunas diferencias, por ejemplo, "abrigo de mamá", "abrigo del bebé"

● empieza a discernir sobre el tamaño de los objetos hasta a un metro de distancia

● entiende frases si forman parte de rutinas; así es cómo, que cuando entra al baño, entiende: "Es hora de bañarse"

● entiende que "no" significa parar, no hacer o no tocar

● muestra determinación y se estira para alcanzar un juguete que realmente quiere: es persistente y quizás llore de frustración si no lo logra

● juega largo rato con los juguetes, examinándolos y concentrándose en ellos.

● se impone para mostrar que quiere comer solo.

Ahora que entiende las palabras "sí" y "no", úselas siempre. Sea muy positivo al decir "sí" y tenga cuidado con el uso de "no".

Trate de evitar que "no" sea una reacción automática, porque el bebé no tardará en darse cuenta de que usted sólo está abusando de su autoridad. Siempre haga que "sí" sea una celebración.

Se despide con la mano

A los 9 ó 10 meses disfruta de mostrar lo que entiende. Observe cómo

● está familiarizándose con las rutinas y empieza a disfrutarlas

● levanta el pie cuando usted le muestra el calcetín y levanta la mano para meterla en la manga del abrigo

● se despide con la mano cuando usted dice "hasta pronto"

● conoce sus peluches favoritos y los acaricia y les da palmaditas de afecto cuando usted dice: "Lindo peluche".

Le muestra cosas en un libro y dice "no" con la cabeza

A los 10 u 11 meses mejoran las habilidades de reconocimiento y el entendimiento de conceptos, de modo que

● señala con el dedo cosas conocidas en un libro que le gusta

● entiende que el gato y el gatito en el libro, el gato de juguete y el gato de la abuela son todos gatos, aunque se ven muy diferentes

● disfruta los juegos donde hay cosas opuestas: caliente/frío, áspero/suave, redondo/cuadrado, grande/pequeño, especialmente si usted las dramatiza

● aún tiene una capacidad de concentración limitada cuando mira los libros y querrá dar vuelta las hojas rápidamente

● está aprendiendo sobre causa y efecto: deja caer el libro y usted lo recoge; golpea el tambor y se produce un ruido; mueve el sonajero y suena una campana

● disfruta introduciendo y sacando cosas de un recipiente y vertiendo agua en cubos, en la tina

● dice "no" y "sí" con la cabeza respondiendo a preguntas sencillas como "¿Quieres jugo?".

0-1 cómo el bebé aprende a hablar

Los bebés quieren y necesitan comunicarse desde los primeros días; antes de empezar a hablar, escuchan y tratan de imitar los sonidos.

Mueve los labios

El bebé nació con todas las conexiones para emitir sonidos y anhela hablar. Es un hablador por naturaleza.

● Desde el momento de nacer reaccionará moviendo labios y lengua, como un pez, si usted le habla en forma animada con la cara a 20 ó 25 cm de distancia.

● A partir de la segunda semana de vida hace sus propios sonidos.

● A partir de la tercera semana tiene su propio vocabulario de sonidos.

● A partir de la cuarta semana entiende el intercambio de palabras y sabe cómo reaccionar cuando usted le habla. Desde muy temprano lleva la delantera en la conversación y usted le sigue.

Mientras más le habla y estimula a responder, más fácilmente aprenderá a hablar y la calidad de su habla será mejor. Comience a hablarle desde el mismo momento que nace y no pare. Diga su nombre una y otra vez (y observe cómo reaccionan sus ojos).

Chilla

A los 2 ó 3 meses sabe que tiene una voz y practica la gama entera de sonidos cuando puede. Al hacer eso,

● emite todo tipo de sonidos para indicar agrado: usted escuchará chillidos, burbujeos, gritos y otros sonidos

● quizás empiece a añadir consonantes a los sonidos de vocales; el primero normalmente es "m", luego los explosivos; usted le puede ayudar enseñándole cómo hacer sonidos

● tiende a usar "p" y "b" cuando no está contento y luego, a los tres meses, usará los sonidos más guturales como "j" y "k" cuando esté contento.

Hable con ritmo, con una voz cantarina y ríase mucho; muévalo al ritmo del habla. Responda a los muchos sonidos diferentes que el bebé ahora empieza a hacer, hablándole todo lo que pueda mientras lo mira directamente a los ojos. Repita todos los sonidos que él hace.

"Papá" y "Mamá" adquieren sentido

A los 9 ó 10 meses entiende el lenguaje como algo más que sólo patrones vocales. Como prueba de esta nueva habilidad, él:

● entiende el significado preciso de varias palabras, aunque todavía no las puede decir

● quizás diga una palabra con sentido a esta edad, pero no se preocupe si no lo hace; por ahora, es más importante entender el significado de las palabras.

● desarrolla la palabra "mamá" poco después de "papá" y la dice con más frecuencia cuando está la madre que cuando no está

● tal vez comience a decir las primeras sílabas de palabras, como "ga" por gato; ayúdelo a oír la segunda sílaba enfatizándola con otra sílaba, por ejemplo, "gatito", "mamita", "papito".

Está balbuceando feliz, así es que balbucee con él. Hágale muchas preguntas sencillas y recite canciones infantiles para fomentar el entendimiento de las palabras. Repite palabras como "papá" o "gato", pero con sentido: diga "Sí, allí está papá" o "Mira qué lindo es el gato".

Sílabas individuales

A los 5 ó 6 meses empieza a acostumbrarse a esperar su turno en una conversación y a hacer nuevos sonidos. Escuche mientras
● trata de conversar burbujeando con su reflejo en el espejo
● crece su repertorio de sonidos de habla, especialmente los burbujeos y sonidos con labios, que practica a cada rato
● hace sonidos especiales para llamar la atención, incluso trata de toser
● empieza a unir vocales y

consonantes reales de una forma sencilla, diciendo "ka", "da" y "ma"
● trata de imitar las conversaciones y usa mucho la lengua, sacándola, entrándola y jugando con ella entre los labios
● empieza a responder cuando le dice su nombre: úselo todas las veces que pueda para que desarrolle un sentido de identidad y se sienta importante
● entiende parte de lo que usted dice, como "Aquí está tu biberón", "Viene el papá", "sí" y "no"

● empieza a balbucear, repite sonidos una y otra vez, escucha y luego trata de decirlos de nuevo. Háblele siempre; cuéntele lo que está haciendo, muéstrele cosas interesantes, especialmente animales, cuando están cerca. Repita frases y alábelo cuando parece entender. Cántele y recite canciones infantiles. Juegue con él juegos con aplausos. Lean libros juntos, señalando, nombrando y haciendo los sonidos de los animales.

Hace burbujas con la boca

A los 3 ó 4 meses tratará de "conversar" con usted, pues ahora
● hace más sonidos que simplemente vocales y consonantes.
● trata de imitar frases como las suyas, uniendo sonidos o diciendo palabras como "gaga" o "agú"
● aprende a soplar a través de los labios: muestra esta nueva habilidad haciendo burbujas con la boca
● usa un buen repertorio de sonidos, y para la decimosexta semana expresará los sentimientos, muchos de ellos de placer, con risas y chillidos. A todos los bebés les encanta hacer reír porque es una reacción inmediata.

Comienza a hablar

A los 11 ó 12 meses realmente está empezando a hablar y
● dice dos o tres palabras con sentido y hace sonidos de animales
● empieza con su jerigonza, imitando lo que usted dice a otras personas o intentando imitar lo que usted habla sin cesar cuando está con él; usted escuchará largas secuencias de sonidos intercaladas por algunas pocas palabras entendibles
● domina completamente decir "sí" y "no" con la cabeza

● entiende preguntas sencillas como "¿dónde está tu zapato?" o "¿dónde está tu libro?", y buscará los objetos
● ya no babea tanto, una señal de que está empezando a controlar la lengua, la boca y los labios, preparándose para hablar. Estimule esas primeras palabras que dice repitiendo cuentos y canciones infantiles con él, jugando a llamar y responder, con aplausos, música y con títeres.

0-1 el bebé amigable

El bebé necesita intercambiar amor y amistad, en especial con usted, padre o madre. Aprende a ser tierno y amigable imitándole, primero con expresiones faciales, luego con gestos y movimientos, finalmente con toda una gama de conductas amigables.

Sacude todo el cuerpo al verla

Desde el momento de nacer, el bebé es una persona altamente desarrollada con muchas habilidades. Nace amigable y anhela compañía, así es que
● reacciona frente a usted y escucha y mira con atención incluso al nacer
● demuestra esto con movimientos de todo el cuerpo, sacando la lengua, moviendo la cabeza, extendiendo las manos y separando los dedos
● sonreirá desde el momento de nacer, si le puede ver hablándole y sonriéndole a una distancia de 20 a 25 cm
● le encanta mirarle a los ojos y tener contacto con su piel, especialmente cuando está amamantando
● muestra emociones usando los músculos faciales correctos para sonreír y hacer muecas; se alterará si escucha una voz discordante. Mímelo cuando esté despierto. Trate de que tenga contacto de piel con ambos padres cuando sea posible. Se sentirá amado y seguro cuando usted lo acaricie, lo toque y le haga masajes.

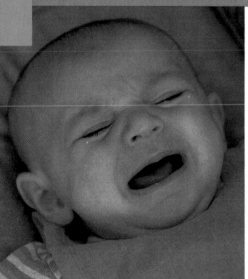

Llora fuerte si el tono de la voz es de desaprobación

A los 4 ó 5 meses está aprendiendo a expresar los sentimientos de varias formas diferentes. Al final del quinto mes
● conoce muy bien su voz y las modulaciones, y no le gusta el tono de voz diferente cuando usted dice "no", aunque no sabe lo que significa
● sonríe con ganas al ver a personas que conoce
● usa movimientos corporales, expresiones faciales y sonidos, además del llanto, para mostrar cambios de humor.

Tono de voz

Como se altera con un tono de voz enojado, se detendrá cuando escuche su tono de desaprobación, para ver si usted está realmente disgustado. Esta reacción es la base de toda disciplina futura: todo lo que se requiere es un cambio en el tono. Le encantan amigables y hará casi cualquier cosa para escucharlos, incluso dejará de hacer lo que quiere.

Le toca la cara y toca a otros bebés

A los 5 ó 6 meses muestra amor por primera vez. Haga que le toque la cara y diga "hola" cuando lo hace. Coloque un espejo donde se pueda ver y ayúdele a dar palmaditas a su reflejo. Hay muchos juegos que se pueden jugar con los reflejos. Enséñele a mostrar amor acariciando y dando palmaditas a las mascotas y los peluches, muéstrele libros con fotos de animales hembras con sus crías. Observará que
● se acerca mucho a usted y quiere tocarle, pero como no ha desarrollado aún los movimientos finos, tiende a darle palmaditas un poco fuertes
● le encanta su cara: se acurrucará contra ella y la acariciará y ¡también tratará de agarrar un mechón de pelo!
● quizás muestre timidez con desconocidos hacia el final del sexto mes: esconderá la cabeza en su pecho si alguien desconocido entra y le habla a usted o a él; quizás llore si alguien que no conoce lo toma en brazos.

Sociable por naturaleza

A los 3 ó 4 meses es sociable por naturaleza y para nada tímido. Esto se ve claramente cuando
● mira, sonríe, burbujea y susurra con cualquiera que le habla o le presta atención
● les reconoce a usted y al resto de la familia y reconoce las mascotas de la casa
● se siente solo y le hace saber que no le gusta estarlo por mucho tiempo cuando está despierto
● deja de llorar cuando usted se acerca y muestra agrado por su presencia
● mueve el cuerpo al verle
● usa la risa para conquistarle.

Da palmaditas de afecto a otros bebés

A los 6 ó 7 meses le gusta la compañía, pero también es más independiente y se contenta sólo con lo propio. Ahora él:
● reconoce que los otros bebés se le parecen y se acerca a ellos en forma amigable
● da palmaditas de afecto a otros bebés o a su propio reflejo, y también a usted
● se habla a sí mismo y a otros bebés, tal como a usted
● participa en juegos básicos con los dedos y las manos
● es muy sociable y quiere que usted le entienda, así es que tose, se ríe, llora, chilla, hace burbujas con las boca, sonríe y frunce el ceño para conversar con usted.

Juega aplaudiendo

A los 8 ó 9 meses, la personalidad del bebé está emergiendo: podría ser sereno, rezongón, ruidoso, determinado, irritable o sensible. Independientemente de cómo es,
● le encanta participar en todo lo que usted hace, aunque juega bastante bien solo
● disfruta jugando con usted, con globos o juegos con aplausos, se anticipa a las acciones involucradas
● entiende cuando alguien se va y quizás empiece a despedirse con la mano
● disfruta de bromas y juegos con humor, divertidos. Pruebe con juegos cooperativos como rodar una pelota hacia delante y hacia atrás, "desaparecer y aparecer" y otros.

Es amigable

A los 11 ó 12 meses sabe el poder del afecto y lo entregará o retendrá con intención clara. Por ejemplo,
● da besos a pedido; pero si no quiere, no lo hará
● muestra muchas emociones, especialmente afecto; le dará palmaditas al perro, besará a la madre y abrazará al padre
● tiende a ser tímido con los desconocidos, pero le encantan las reuniones familiares y las salidas en automóvil o en su coche de paseo
● le encanta estar entre la gente, especialmente con otros niños, pero se sujetará de usted hasta que tenga suficiente confianza para participar solo, y aun así, seguirá verificando que usted está cerca; si usted sale repentinamente de la habitación, quizás llore.

Le encantan los bebés de su edad, así es que invite a amiguitos y amiguitas para que jueguen en la casa e intégrese a grupos de madres con niños pequeños donde pueda relacionarse con otros bebés.

"su hijo se verá a sí mismo como una entidad separada de usted; estará consciente del yo"

etapas de la vida: de 1 a 4 años

Durante el primer año de vida del bebé, el énfasis recae en el aprendizaje de movimientos físicos: aprende a gatear, a ponerse de pie y quizás hasta a dar unos pasos. El poder realizarlos trae consigo un sentido de logro físico y de independencia. Puede salir y explorar el mundo sin tener que esperar que usted le lleve el mundo.

En los próximos años no sólo consolidará las habilidades físicas que adquirió durante el primer año, sino que también llegará a dominar una de las habilidades intelectuales más difíciles: el habla. Se esforzará por expresar sus pensamientos y sus deseos a través de ella y, con su cerebro cada vez más hábil, se verá a sí mismo como una entidad separada de usted; estará consciente del "yo". Probablemente se frustre bastante a menudo y haga más berrinches. Requerirá mucho afecto, aliento y un apoyo constante.

Períodos de aprendizaje

Su hijo no crece, ni se desarrolla y aprende a un ritmo constante. Todos los niños tienen períodos de aprendizaje intenso. Durante éstos, él recibirá nuevas ideas, adquirirá nuevas habilidades y las pondrá en práctica de inmediato. Sin embargo, mientras pase por uno de estos períodos, quizás parezca que algunas actividades y posiblemente ciertas habilidades ya aprendidas desaparezcan. No se preocupe, no se habrán ido para siempre. Significa solamente que su hijo se está concentrando por completo en aprender algo nuevo; pero una vez que lo haya aprendido, recuperará todas las otras habilidades que había llegado a dominar con anterioridad.

Durante estos períodos, trate de hacer que la vida de su hijo sea lo más interesante posible. Obviamente, si él demuestra que disfruta con ciertas cosas, entonces usted deberá hacerlas cuantas veces pueda, pero no dude en presentarle otras nuevas; está listo para aprender y absorber información muy rápidamente. Y no discrimine demasiado en cuanto al tipo de entretenimiento.

Los niños pequeños rescatan lo que prefieren y entienden y dejan pasar lo demás. Estos períodos inevitablemente dan paso a otros en los que pareciera que el desarrollo se desacelera. Trátelos como si fueran de recuperación, durante los cuales su hijo consolida las habilidades aprendidas y se prepara para la siguiente etapa. No se ponga ansioso por esto: déjelo practicar las habilidades que ya ha aprendido. Usted puede ayudar durante estos períodos más lentos jugando y practicando con él, diciendo, por ejemplo: "Cantemos esa canción de nuevo" o "Tratemos de pasar nuevamente la clavija por el agujero".

Permita que su hijo sea el guía

A través de toda la vida, los maestros tienen éxito ayudándonos a desarrollar y alcanzar nuestro pleno potencial. Maximizan nuestras fortalezas y minimizan nuestras debilidades. En el papel de maestro del bebé, usted deberá resaltar sus fortalezas y minimizar sus debilidades.

También debe proporcionarle el tipo de ayuda que necesita cuando la requiere. Dar ayuda no sirve de nada si la persona a quien se le está proporcionando no la necesita o no la aprecia, así es que usted deberá ser un ayudante activo, pero no entrometido. El bebé no debe aprender lo que usted quiere, sino lo que él quiere, y ésa debe ser la primera prioridad.

Deberá desechar las ideas que tenga sobre lo que un niño de su edad debería realizar y responder a lo que él quiere hacer. Eso significa que debe permitir que su hijo sea el guía y responder a sus necesidades. Aunque su trabajo como buena madre o buen padre es presentarle una amplia gama de cosas interesantes, no es su trabajo decidir acerca de aquéllas que deberían interesarle. Es decir, usted le presenta el menú, pero él escoge lo que va a comer.

En las páginas siguientes, ofrezco pautas que pueden ser apropiadas, consejos donde pienso que son necesarios, y estrategias para tratar situaciones potencialmente difíciles.

Cuerpo

Ámbito Social

"permita que
su hijo sea el guía,
y responda
a sus necesidades"

Mente

> **los niños pequeños necesitan de actividad constante para desarrollarse en forma normal**

> **está listo para aprender y absorber información muy rápidamente**

1-4 el hijo que crece

Observar a su hijo crecer y desarrollarse es uno de los aspectos más emocionantes de ser padre, se sorprenderá durante los primeros años por la rapidez con que cambia.

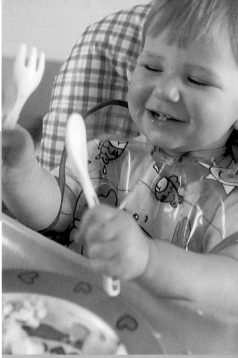

Por qué su hijo debería hacer ejercicio

Los seres humanos nacieron para ser activos, no sedentarios. Los niños pequeños se mueven casi sin cesar, y así debe ser. Sus cuerpos necesitan de actividad casi constante para desarrollarse en forma normal. Pobre de aquél que no es alentado a correr por todas partes o, peor aun, que se deja sentado con una golosina para ser cuidado por los "Teletubbies". Éste engordará porque no está quemando suficientes calorías mediante el ejercicio natural; un niño gordo cuando es pequeño implica que lo será también en el futuro. Un niño con sobrepeso posiblemente sea diabético en la adolescencia y será candidato a un infarto entre los 20 y 30 años de edad.

La raza humana ha evolucionado muy eficientemente para poder sobrevivir sin comida durante un tiempo. Nunca ha tenido que acomodarse a una vida sedentaria. Una vida que comienza así en la infancia podría ser fatal, por lo que el ejercicio es esencial para su hijo. Foméntelo siempre que pueda. Participe. Practique un deporte familiar, aun si sólo se trata de lanzar una pelota.

Alentar a su hijo a comer

En alimentación, la palabra clave es flexibilidad. Usted y su hijo deberían disfrutar juntos, así es que dese un tiempo para idear horas de comer que sean entretenidas.

● Si quiere usar un cuchillo, dele uno sin filo o plástico.

● Permita que use a veces una pajilla para beber. Para que no vuelque el vaso, corte la punta de la pajilla de modo que no sobresalga mucho más allá del borde.

● Los barquillos no sólo se pueden usar para helados. Llene uno con queso o tomate picado con atún para darle a su hijo de tres años un refrigerio.

● Sea abierto a la innovación, y de vez en cuando sirva la comida de su hijo en un plato de muñeca o en la superficie plana de un juguete.

● Llene unas fuentes con una variedad de alimentos para comer con los dedos, como trocitos de queso, fiambres, verduras crudas, fruta, patatas y pequeños sándwiches de mantequilla de maní, y deje que su hijo se sirva lo que quiera.

● Permita que su hijo "construya" la comida sobre la base de sándwiches, cubitos de queso y verduras. Podría armar una casa o un auto y luego comerlo cuando termine.

Hitos físicos

Recuerde que cada niño se desarrolla a su propio ritmo. No trate de forzar a su hijo a progresar más rápidamente de lo que él quiere: será inútil. Permita que avance a su ritmo, proporcionándole todo el apoyo y la ayuda que pueda.

13 meses

Permita que practique ponerse de pie solo. Si coloca los muebles juntos, se paseará por todas partes afirmándose en ellos y quizás hasta dé el primer paso solo. Juguetes estables o muebles con bordes redondeados son ideales para que se afirme y facilitan sus "paseos" y caminatas independientes. Una vez que sepa desplazarse, vigílelo siempre.

15 meses

Dele una silla robusta para que pueda arrodillarse y sentarse sin apoyo, y disfrutar de sentarse en ella y levantarse. Le ayudará a practicar la flexión de rodillas y caderas. Asegúrese de que ésta no se dará vuelta si se afirma al levantarse. Los pasos que le da son altos y tambaleantes y de longitudes y direcciones diferentes. Coloque puertas de seguridad en las escaleras: ahora el niño puede subirlas.

18 meses

Enséñele cómo ponerse en cuclillas para acelerar el desarrollo muscular. Aliéntelo a imitarle. Suba las escaleras con él hasta que lo pueda hacer sin ayuda, con ambos pies en cada peldaño, aunque necesite afirmarse. Ahora camina con un paso más firme, no tan alto, corre, camina hacia atrás y casi nunca se cae.

21 meses

Permita que participe en los quehaceres diarios, porque todo lo que usted hace le fascina y querrá imitar sus movimientos. Ahora puede recoger objetos sin caerse. Fomente los juegos como el fútbol para que pueda demostrar la fluidez de sus movimientos; camina hacia atrás fácilmente. También sube las escaleras, con ambos pies en cada peldaño, pero sin afirmarse, y se detiene rápidamente y cambia de rumbo.

2 años

Fomente el baile y el canto, porque su hijo empieza a tener ritmo y disfrutará de hacer movimientos al compás de la música. Baile con él: le ayudará a practicar muchos movimientos. Sabe comer pero no controlar la velocidad; también se encuclilla fácilmente, así es que agáchese con él.

2½ años

Dele un juguete móvil con ruedas donde se pueda sentar y usar los pies para impulsarse. Probablemente sea demasiado pequeño para un triciclo, pero hay muchos juguetes con ruedas más sencillos y apropiados. Le encantará saltar y caminar en las puntas de los pies. Camina en forma suficientemente estable para cargar un objeto frágil, y es capaz de sentarse y tener a un hermano menor en las rodillas por unos momentos.

3 años

Jugar a saltar. El niño ya es mucho más ágil, así es que enséñele juegos con saltos, como "Simón dice", que también sirven para quemar energía. Incluya saltos en otros juegos igualmente. Sube la escalera con un pie en cada peldaño, se para en una pierna por un segundo, mueve los brazos como un adulto cuando camina y anda en triciclo.

4 años

Enséñele cómo usar una cuerda para saltar, porque ahora es muy activo y debería tener buena coordinación. Los músculos trabajan juntos y este tipo de juego le permite ejercitar varios movimientos. Asegúrese de que tenga acceso a juegos al aire libre. Corre por todos lados saltando y, brincando, y sube y baja las escaleras rápidamente con un pie en cada peldaño. Incluso puede llevar un vaso con líquido sin derramarlo.

Visita al dentista

Lleve a su hijo a su primer chequeo dental a los dos años, más o menos, y asegúrese de que la visita sea agradable. Haga que se acostumbre a ver los instrumentos y oler el entorno llevándolo con usted al dentista. Si el niño es tranquilo y el dentista no se opone, permita que su hijo se siente en su falda mientras le examinan sus dientes. Observará fascinado y le encantará seguir su ejemplo. Justo antes de la primera visita con su hijo, juegue a actuar una visita al dentista y examínense la boca mutuamente. Luego, cuando vaya al dentista, arregle de antemano para que éste examine su boca antes de examinar la de su hijo.

1-4 aprendiendo destrezas manuales

Entre 1 y 4 años, la destreza en el uso de las manos y los dedos realmente florece. Ya que son esenciales para escribir, aliente a su hijo lo más que pueda.

Coordinación ojo-mano

El primer intento del niño de coordinar ojos y manos se produce cuando empieza a comer solo. Aprende rápidamente a llevar la comida a la boca , y desde ese momento su destreza aumenta con rapidez. Usted puede iniciar a un niño de un año dándole cubos para amontonar y pinturas para pintar con los dedos, y posteriormente pasar a un Lego y juegos con bate y pelota.

13 meses

Ofrezca alimentos para comer con una cuchara. Si le da alimentos más sólidos que se adhieren a la cuchara y no se caen tan fácilmente, lo estimulará a comer solo. A medida que aprende a girar la mano para llevar la comida a la boca, tendrá cada vez más precisión. Lanzar cosas es uno de los juegos favoritos; también podrá dibujar líneas con un lápiz y tomar dos cubos en la mano. Si domina la técnica de relajar el puño para soltar los objetos, puede construir una torre de dos cubos.

15 meses

Ayúdelo a construir torres para mejorar la destreza manual. Ahora apila tres cubos, uno encima de otro. También trata de dar vuelta las páginas de un libro, así es que lea mucho con él. Deje que intente vestirse solo. Comer solo con una cuchara y llevar la comida a la boca sin que se caiga se le hace muy fácil.

18 meses

Dele un centro de actividad o un juguete parecido para que pueda practicar movimientos como girar, marcar y deslizar. Maneja bien las cremalleras y le fascinan. Tiene dedos hábiles, así es que proporciónele materiales para que pinte con ellos y raye con un lápiz. Leerá un libro con usted, dando vuelta dos o tres páginas a la vez. Si le da la oportunidad, comerá todo solo y beberá de un vaso sin derramar.

2 años

Incentívelo a vestirse y desvestirse solo y a ponerse los calcetines, zapatos y guantes hasta donde pueda: es un buen ejercicio para desarrollar los movimientos finos de los dedos. Ya que domina el de girar, gira la manilla de la puerta y desenrosca las tapas sueltas de los frascos, y sube y baja los cierres de su ropa; pídale que le muestre cómo lo hace. Usa un lápiz en forma más libre, así es que dibujen juntos. Deje que le muestre cómo construye una torre de cuatro cubos.

2½ años

Dele cubos y juguetes para construir modelos que requieren armar piezas usando los músculos pequeños de la mano. Permita que ensarte cuentas y que le muestre cómo abrocha un botón en un ojal suelto. Los dibujos son más representativos; y quizás construya una torre de ocho cubos.

3 años

Pídale que le ayude con tareas sencillas que implican varios movimientos coordinados, como poner la mesa. Aliéntelo a abrochar y desabrochar botones para que pueda vestirse y desvestirse, si quiere. Dibujará cosas reconocibles y las torres ahora podrían tener nueve cubos. Ayúdelo a tratar de usar tijeras, un gran paso en la coordinación cerebro/músculo y en la destreza manual.

4 años

Ayúdele a practicar a menudo movimientos específicos, como ordenar juguetes pequeños. Está mejorando mucho en las tareas finas, así es que pídale que ponga la mesa, que se lave la cara y las manos, que haga la cama y guarde la ropa en forma ordenada. Muéstrele cómo dibujar un círculo y lo hará. También copiará dos líneas rectas que se cruzan formando un ángulo recto, aunque en forma imperfecta.

Juguetes apropiados

Regálele juegos para ayudarle a desarrollar habilidades de coordinación y manipulación. Los juguetes que usen ambas manos darán mayor entretención, pero tenga presente que él será un poco torpe al principio, así es que regálele juguetes más bien grandes y fáciles. Ciertos objetos del hogar tienen buena acogida, pero hay otros juguetes que podrían ayudar más al desarrollo de la coordinación y los procesos mentales:

- cajas de encaje
- cubos para apilar
- cubos para construir
- mesa para martillar
- juguetes que se tiran/empujan
- resbalín
- piscina para niños
- carrito
- columpio
- pinturas y brochas
- pizarra
- libros
- plasticina
- cajón de arena
- muñecas
- autos
- fotos
- lápices de cera y marcadores

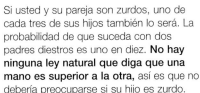

¿Diestro o zurdo?

Si usted y su pareja son zurdos, uno de cada tres de sus hijos también lo será. La probabilidad de que suceda con dos padres diestros es uno en diez. **No hay ninguna ley natural que diga que una mano es superior a la otra,** así es que no debería preocuparse si su hijo es zurdo.

Él no ejerce ningún control sobre esto: el cerebro en desarrollo decide cuál de las manos dominará. Piense en el cerebro como en dos mitades enlazadas, cada una de las cuales controla actividades diferentes. Una de éstas se vuelve dominante a medida que crece el cerebro. Si domina el lado izquierdo, el niño será diestro; si domina el lado derecho, será zurdo. Durante los primeros meses parecerá que el bebé no prefiere ni uno ni otro, pero, de hecho, la mayoría de los recién nacidos gira la cabeza más a la derecha que a la izquierda.

A medida que su hijo mejora la coordinación y empieza a adquirir destrezas manuales, quizás descubra que empieza a usar más una mano. No se preocupe si no lo hace. Su hijo se desarrollará a su propio ritmo. Nunca trate de disuadirlo de ser zurdo. Tal vez piense que al alentar a usar la mano derecha en vez de la izquierda le está haciendo un favor para su vida. No es cierto; es más, al alterar lo que su cerebro quiere hacer por naturaleza, usted podría causarle efectos psicológicos secundarios, como el tartamudeo, y problemas de lectura y escritura.

¿Recibe mi hijo suficientes estímulos?

Si usted proporciona el entorno y los materiales correctos, no tendrá porqué preocuparse de si su hijo está recibiendo suficientes estímulos. En esta etapa, él está desarrollando el pensamiento sobre la base de juegos; lo que necesita es libertad para permitir que sus procesos mentales se desarrollen de modo de poder seguir las nuevas ideas que se le ocurran, y llegar al final del juego. Su labor es proveer suficiente espacio en el piso, las herramientas y el tiempo necesario sin interrupciones. No le puede enseñar a usar la imaginación, pero sí puede alentar su don natural de la fantasía mediante lo siguiente:

- Juegue juegos de imaginación con él.
- Al contar un cuento, actúe los papeles de los personajes e invénteles voces.
- Juegue juegos de "¿Qué es esto?". Haga que su hijo cierre los ojos y luego acaricie su piel suavemente con un objeto. Pídale que adivine lo que es.

- Ayúdele en el mundo de la imaginación regalándole títeres, ya sea comprados o hechos de bolsas de papel con las caras dibujadas en ellas.
- Empiece a armar un baúl con disfraces. Llénelo de zapatos, camisas, faldas, vestidos, sombreros y bufandas viejos; además, unas joyas de fantasía baratas. Confeccione una capa de un pedazo de tela y ponga un broche en una de las puntas.

1-4 cuidado diario

Mantenga sano a su hijo cuidando de su higiene y necesidades de sueño, y asegurándose de que viva en un ambiente seguro.

Seguridad

Una vez que su hijo empieza a desplazarse por la casa, su mayor preocupación será cuidarlo.

Dentro de la casa

● Coloque rejas en las escaleras y en todas las áreas poco seguras. Deben ser de malla rígida con un borde superior recto y girar sobre un punto fijo y estable.
● Puede que haya sustancias peligrosas y venenosas en el baño y la cocina: nunca se debe dejar que los niños anden solos en esos lugares. Muchas plantas interiores también son peligrosas para los niños pequeños.

Fuera de la casa

● Cierre las puertas del jardín con cerraduras a prueba de niños.
● Instale los columpios, resbalines y juguetes para escalar sobre pasto o arena, nunca sobre cemento o en lugares pavimentados. Revise los juegos periódicamente para constatar su resistencia, estabilidad e indicios de corrosión.
● Revise todos los juegos para asegurarse de que no haya ningún peligro de lesiones por quedar atrapado o pincharse, y que las superficies estén libres de astillas y escollos.
● Instruya detalladamente a los niños sobre lo que pueden y lo que no pueden hacer en los juegos.

Rutinas al acostarse

La hora de acostarse debería ser un tiempo feliz, e incluso si usted está agotado, deberá esforzarse por estar relajado. Si no lo está, su hijo se contagiará con su ansiedad y se pondría inquieto, y quizás tenga que pasar el doble de tiempo haciéndolo dormir que si le hubiera dado unos cinco minutos adicionales de atención exclusiva en forma tranquila y directa.

Ayudar a su hijo pequeño a dormir

● No lo acueste inmediatamente después de un juego emocionante o brusco: le costará mucho quedarse dormido y usted se frustrará. Dele tiempo para que se tranquilice sentado con usted mirando televisión o leyendo un libro.
● Incluso los niños pequeños disfrutan de hojear un libro en la cama; si a su hijo le gusta, déjelo con uno que no le asuste.
● Coloque una pizca de su perfume o loción para después de afeitarse en la almohada de su hijo y sugiera que lo huela profundamente. La respiración profunda relaja y facilitará el sueño del niño.
● Báñelo antes de acostarlo y luego dele una bebida caliente y cuéntele un cuento en la cama.
● Los dormitorios no tienen nada de mágico. Permita que su hijo se quede dormido donde sea que se sienta más cómodo: a sus pies en el piso, en el sofá, en su regazo.
● Sea flexible sobre la hora de acostarse. Si los dejan solos, la mayoría de los niños se duerme a las siete u ocho de la tarde, ya sea que uno los acueste o no. ¿Por qué forzarlos a estar descontentos en una habitación solos, en vez de hacerlos felices en compañía de sus padres?

Enseñar al niño a ir al baño

Me opongo rotundamente a cualquier cosa que se parezca a entrenar al niño para ir al baño. Pienso que no existe ningún argumento a favor, sólo en contra. Creo que se debe eliminar del cuidado y la crianza de niños todo entrenamiento para ir al baño y todas las actitudes que promuevan "entrenarlo" para que controle los esfínteres.

Existen buenas razones para ello: no es posible entrenar a los niños para hacer algo a menos que sus cuerpos se hayan desarrollado al punto de ser anatómica y fisiológicamente capaces de realizar las tareas exigidas. Eso significa, con relación al control de esfínteres,

que no es posible que su hijo los controle a menos que los músculos de la vejiga y de los intestinos sean lo suficientemente fuertes para retener la orina y las heces, y que los nervios del intestino y la vejiga estén maduros para obedecer la orden emanada del cerebro y evacuar.

Si no ha alcanzado ese nivel de desarrollo, su hijo no podrá cumplir con sus expectativas. Y eso coloca al niño en una posición terrible: sabe lo que usted quiere, pero su cuerpo no es capaz de hacerlo. El deseo de su hijo de agradarle supera casi todos los otros deseos y en esto se frustra. Se pone triste porque no puede hacer lo que usted quiere y

quizás se sienta inepto, avergonzado, culpable y resentido.

Si insiste en un programa de entrenamiento de control de esfínteres cuando su hijo no está listo, sólo provocará tristeza. La relación con su hijo se deteriorará. Usted se convertirá en una fuente de desgracia, y el control de esfínteres y dejar los pañales se convertirán en un campo de batalla donde se medirá la voluntad de su hijo contra sus propios nervios, y usted siempre saldrá perdiendo. No puede forzarlo a evacuar o mantener seco el pañal, y si trata de hacerlo, él sufrirá cada vez que ocurra lo inevitable.

Consejos prácticos para enseñar a su hijo a ir al baño

● Permita que se desarrolle a su propio ritmo. No se puede acelerar el proceso; usted sólo debe estar allí para ayudar a su hijo a lograrlo.
● Permita que él decida si va a sentarse en la bacinica o no. Puede sugerir que lo haga, pero no debería forzarlo.
● Trate las heces de su hijo en forma sensata y nunca muestre desagrado frente a ellas.

Constituyen una parte natural del hijo y al principio se sentirá orgulloso de ellas.
● No demore cuando su hijo le indique que quiere usar la bacinica, ya que el control sólo es posible durante un corto tiempo
● Alabe a su hijo y trate el control que ejerce como un logro.
● Cuando viajen, asegúrese de llevar la bacinica, ya que su hijo irá al baño en cualquier momento sin esperar.
● Dígale amistosa y firmemente que usted ignorará y perdonará

los accidentes, así es que no debería preocuparse por ellos.
● Algunos niños controlan esfínteres mucho más tarde que otros, y en casi todos los casos es un error culpar al niño. La mayoría de los médicos cree que no es necesario indagar las causas de esta dificultad antes de los tres años, y si su hijo sólo moja la cama en la noche, el médico quizás piense que las investigaciones pueden esperar hasta que cumpla cinco años.

1-4 un niño tierno

Para ayudar a nuestros niños a convertirse en adultos generosos y tiernos debemos responder a sus necesidades sociales desde el principio. Al hacerlo, los convertiremos en personas receptivas, amigables, sociables y cariñosas.

Hitos de sociabilidad

12–15 meses

Incluya a su hijo en tantas actividades como sea posible y asegúrese de que esté en primera fila. Las reuniones sociales son divertidas y seguirá las conversaciones, haciendo sonidos entre una y otra. Dice una o dos palabras con sentido, pide cosas, agradece y dejará de hacer algo si escucha la palabra "no". Pero no es tan independiente como para no querer sujetarle la mano y así sentirse seguro.

15–18 meses

Aliente a su hijo a expresar amor. Alábelo cuando demuestre cariño hacia otros: hermanos, parientes, mascotas, juguetes.

Aliente el deseo de ayudar, ya sea con tareas de la casa o para vestirse y desvestirse. Manténgalo a su lado, porque le encanta estar con los adultos y quiere imitarlos, pero no espere mucho de él. En una reunión social, jugará al lado de otros niños, aunque no con ellos.

18 meses–2 años

Ayúdelo a entender el concepto de compartir. Invite a sus amiguitos a la casa para que juegue en grupo y reparta material de juego. Técnicas para llamar la atención, como agarrarle del brazo, pegarle y hacer cosas prohibidas, son comunes y muchas veces rehusará obedecer. Pero hay menos peleas y más cooperación con otros niños, así es que modificará su conducta egoísta para adaptarse a un amigo.

2–2½ años

Haga del compartir un juego. Inicie juegos que implican dar cosas a otros y aprenderá a compartir. Le cuesta hacerlo y mostrará sentimientos de rivalidad y tratará de imponer su voluntad frente a otros niños. Quiere ser independiente, pero también busca su aprobación, así es que entréguela a menudo. Quizás reaccione frente a la frustración con berrinches; lo mejor es hacer caso omiso de ellos.

3 años

Aliéntelo a jugar con otros. Compartir se traduce en aceptación social y eso en generosidad. Deje que sus amigos jueguen y se queden en la casa. Está más independiente y más sociable con otros niños. Empieza a florecer la generosidad y se forman amistades sólidas con otros adultos y niños. Mostrará compasión cuando alguien está afligido y será más generoso: comparta esas cualidades.

4 años

Converse con él sobre sus sentimientos lo más que pueda. A los 4 años, su hijo empieza a mostrar señales de ser un adulto en ciernes en términos del desarrollo emocional. Ama los animales, quizás llore si se lastiman y corre para ayudarlos. También quiere mucho a su familia y a los amigos que, son claramente muy especiales para él.

Cómo ayudar a un niño tímido

La timidez afecta a muchos niños. Los típicos comportamientos tímidos incluyen la aversión a las experiencias nuevas, la renuencia a participar en reuniones sociales, no estar dispuesto a hablar con personas desconocidas y la dificultad en hacerse de nuevos amigos. No piense que ésta significa que algo anda mal con su hijo; muchos adultos lo son. La mejor forma de manejarla no es criticándolo o obligándolo a cambiar, sino preparándolo para las situaciones que probablemente le sean difíciles, quizás con cuentos o psicodramas. En la mayoría de los casos, todo lo que se necesita es tiempo y paciencia.

Si su hijo tiene poco hábito social, usted o la educadora del jardín lo podrán ayudar de las siguientes maneras:

Formar parejas de opuestos: Formar una pareja con un niño poco sociable o abandonado y uno sociable y extravertido. Al ser visto como el amigo del niño popular, el tímido adquirirá un nivel bastante más alto de aceptación social en poco tiempo: en algunos casos, dentro de sólo tres semanas.

Formar parejas con un niño más pequeño: Formar una pareja con un niño con poco hábito social y un niño más pequeño es otra forma de darle categoría. Un estudio realizado en los años 80 demostró que cuando niños no muy sociables de 4 y 5 años de edad jugaban con niños menores, aumentaba su nivel de popularidad al menos en un 50 por ciento. Los compañeros de juego más jóvenes ofrecen amistad, lo que ayuda a edificar la autoestima y la seguridad en sí mismo.

Actividades de pandillas: Aunque pareciera malo que los niños formen pequeños grupos exclusivos dentro de un grupo grande, permitir que se junten con su grupo preferido los motiva a llevarse bien con sus compañeros fuera de él. Las pandillas les dan un sentido de seguridad y confianza con respecto a todas las relaciones sociales.

Grupos pequeños: A veces se presume erróneamente que un niño poco sociable se volverá sociable cuando esté rodeado de un grupo grande. De hecho, los grupos pequeños facilitan las amistades más que los grandes, porque en un grupo grande, el niño poco sociable puede quedar en segundo plano; en un grupo pequeño, no puede pasar inadvertido. La educadora del jardín puede ayudar colocando a un niño poco sociable en un grupo pequeño –digamos de tres o cuatro niños– y luego, paulatinamente, aumentar la cantidad de niños en el grupo.

Responsabilidad estelar: Establecer papeles definidos, como dar al niño más popular tareas que implican responsabilidad, parece tranquilizar a todos los niños de edad preescolar. Éstas podrían incluir repartir las pajillas para la leche u organizar el orden de la sala. Pareciera que los niños poco sociables se benefician de esta estrategia tanto como los otros niños.

Dejar a su hijo

A los niños de esta edad no les gusta estar separados de sus padres, incluso si usted sólo va a pasar una tarde fuera de la casa. Es muy normal que un niño llore hasta que no lo tranquilicen con respecto a algunos detalles de la jornada. Eso podría incluir la hora en que usted va a salir, cuán lejos va a ir, con quien estará, qué estará haciendo y a qué hora regresará.

● Empiece a vestirse 15 minutos antes para poder pasar un poco de tiempo con su hijo haciendo algo entretenido antes de partir. Nunca salga apurado sin despedirse apropiadamente.

● Si promete que va a regresar antes de una hora determinada, cumpla la promesa y, al salir, recuerde a su hijo que usted siempre volverá.

● Desarrolle un ritual de despedida: cuéntele un cuento, juegue con él, abrácelo o tire un beso al subir al auto.

● Invente juegos: bese la palma de su mano, doble los dedos sobre el beso y diga que si necesita un beso cuando usted esté afuera, allí habrá uno para él.

● Nunca le esconda el hecho de que usted va a salir; hable de ello mucho antes de que suceda. Trate de mencionarlo casualmente el día anterior y un par de veces durante el día.

● Cuando su hijo es muy pequeño, no use escalas de tiempo que no puede entender; compare el tiempo con una de sus actividades favoritas. Por ejemplo, "Me iré por media hora, eso es la duración de cuatro historias de dibujos animados".

● Si va a tener a alguien que cuide a su hijo, pida que venga al menos media hora antes de que usted tenga que salir, para que pueda participar en un juego con su hijo antes de que se vaya.

1-4
aprendiendo a congeniar

Los niños de entre 1 y 4 años se enfrentan a muchos cambios al madurar y puede ser que se sientan "apresurados". Tenga paciencia frente a los problemas y permita que su hijo se desarrolle a su propio ritmo.

Lo bueno y lo malo

Su hijo sólo aprenderá la diferencia entre lo bueno y lo malo, si se le indica claramente. Si entiende por qué usted quiere que haga o no haga algo, es más probable que lo haga de buena gana, así es que trate de explicárselo y luego pregúntele qué piensa.

Sin embargo, hay situaciones que no son negociables: si está en juego la seguridad de su hijo, si debe considerar los pensamientos y los sentimientos de otros y si su hijo se está tentando a alterar la verdad. En esos puntos, usted debe ser muy firme y paulatinamente aprenderá un sentido de responsabilidad para ir disciplinándose mientras va creciendo. A menudo la frescura y la impertinencia se pueden confundir, pero, a menos que su hijo esté abusando de los sentimientos de otros, podría ser que sólo esté mostrando una sana resistencia a la autoridad que podría ser muy útil, si se canalizara en forma sensata.

Un niño mimado o malcriado se comportará de una forma egocéntrica y eso podría ser el resultado de una sobreprotección, favoritismo o de las expectativas demasiado altas de los padres. La mejor cura es dejar que vaya a un jardín infantil a los dos y medio o tres años para "aterrizarlo". Se acostumbrará a mezclarse con otros niños y comenzará a aprender cómo congeniar con ellos.

Rabietas

Los niños de 2 y 3 años a menudo tienen rabietas como una forma de manifestar su frustración al no poder hacer o conseguir lo que quieren.

Se trata de una conducta completamente normal. A esta edad, su hijo no tendrá suficiente criterio para controlar la fuerza de voluntad ni el lenguaje para expresarse claramente. Sin embargo, a medida que amplía su conocimiento y experiencia del mundo, serán menos probables las ocasiones en que la voluntad de su hijo se enfrente a la suya.

Una rabieta puede ser causada por sentimientos de frustración, enojo, celos y aversión. El enojo es causado por no lograr lo que quiere y la frustración, por no ser lo suficientemente fuerte o bien coordinado para hacer lo que desea. Una rabieta normalmente consiste en que el niño se tira al piso, patalea y grita.

Lo mejor que usted puede hacer durante una rabieta es calmarse, ya que prestarle atención sólo la prolongará. Si esto ocurre en un lugar público, aléjelo de donde pueda recibir demasiada atención sin causar un escándalo.

En la casa, una técnica eficaz es simplemente salir de la habitación. Explíquele que, aunque usted sigue amándolo, debe salir de la pieza porque usted se está alterando. Nunca lo confine en otra habitación, porque eso le priva de la opción de regresar y pedir perdón.

La posición del hijo en la familia

No se puede considerar ninguna posición en la familia como la óptima. Los primogénitos crecen en un ambiente más centrado en el niño, en el cual las actividades familiares se concentran en él más de lo que es posible en el caso de los niños posteriores. Los primogénitos reciben más guía y ayuda durante el desarrollo, más lenguaje complejo de parte de los padres en la infancia y, debido a la presión que ejercen sobre ellos, normalmente logran más que los hermanos menores. Los primogénitos tienden a ser aceptados con mayor facilidad por los adultos y es más probable que asuman papeles de liderazgo, porque se ajustan más a las expectativas sociales.

Por otra parte, los padres son menos diestros con el primer hijo y tienden a entrometerse, intervenir, restringir y usar más disciplina coercitiva y más castigos de todo tipo que con los hijos menores. Esto puede traducirse en que los primogénitos sientan más ansiedad frente a los padres, en otras palabras, "¿Estoy haciéndolo bien?". Sin embargo, no cabe duda de que si los hijos posteriores nacidos en una familia recibieran la misma orientación y atención que los primogénitos, también lograrían tanto como ellos y la misma aceptación social.

Los efectos de la posición en la familia se hacen reincidentes con mucha rapidez y ejercen una gran influencia sobre las adaptaciones personales y sociales que realizan los niños al crecer. Por ejemplo, hay evidencias que indican que los primogénitos son más conscientes de la salud que los hermanos menores y, siendo adultos, consultan más al médico. También tienden a ser más cautos y arriesgarse menos.

La cantidad de niños pequeños en la familia afecta enormemente el desarrollo de un niño. Aquéllos con muchos hermanos menores deben compartir la atención de los padres. Si un hijo tiene una necesidad especial, probablemente reciba una gran parte de la atención de los padres, lo que hace que los otros sean sensibles frente al favoritismo. Se intensificará la rivalidad entre hermanos, la competencia y los sentimientos de rencor y resentimiento. También, es más probable que un hijo necesitado presente un patrón de personalidad de "seguidor", y desarrolle sentimientos de ineptitud y martirio, mientras que el más fuerte podría sentirse discriminado y aprender a jugar el papel de líder.

Fantasía y realidad

Para que un niño mienta, debe haber alcanzado una etapa de desarrollo psicológico en que distingue entre la fantasía y la realidad. Por ejemplo, si la madre reprende a un bebé de 15 meses por manchar la pared con pintura, y él mueve la cabeza vigorosamente de un lado a otro en señal de negación, no estará mintiendo: puede ser que genuinamente se haya olvidado del incidente, quisiera no haberlo hecho o simplemente no puede distinguir entre la fantasía y la realidad. Un niño sólo es capaz de mentir cuando alcanza los 3 ó 4 años, y, en general, mentirá si se ve enfrentado a una situación suficientemente intimidatoria. Así es que para criar a un niño que no mienta, evite un ambiente intimidatorio y recompénselo cuando dice la verdad.

¿Cuán grave es mentir?

Los niños mienten por muchas razones diferentes y algunas mentiras son más graves que otras. Por ejemplo, una mentira imaginaria forma parte natural de la vida de fantasía del niño, mientras que una mentira para encubrir un acto es un intento consciente de evitar el castigo. Puesto que los niños mienten por diferentes razones, se debe tratar a cada niño y cada mentira en forma individual.

Sí

 Actúe con calma: puede ser que su hijo sólo confunde la realidad y la fantasía.

 Trate de entender la razón de la mentira. Él no miente con mala intención, sino porque teme el castigo.

 Explíquele por qué es malo mentir. Use ejemplos que su hijo pueda entender.

 Asegúrese de él entiende que, aunque la mentira le molesta, todavía lo ama.

No

 Ridiculice al niño que persiste en fanfarronear diciendo mentiras. Fanfarronear indica una baja autoestima y usted debería trabajar para aumentar la confianza del niño en sí mismo mediante la alabanza y el cariño.

 Castigue físicamente a un niño que llora. Las investigaciones han demostrado que castigar las mentiras constantemente con un palmazo sólo estimula al niño a mentir más, porque teme que le den otra palmada.

1-4 actitudes abiertas

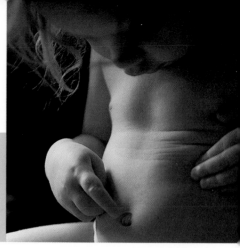

Es más probable que los niños que crecen en hogares seguros y con amor, donde pueden conversar sobre cualquier cosa con sus padres, se conviertan en adultos responsables y equilibrados, pero en el camino, la mayoría igual tendrá algunas inquietudes.

Contestar las preguntas difíciles de su hijo

Los padres que contestan las preguntas controvertidas en forma furtiva y solapada no solamente dificultan las discusión dentro de la familia sobre temas como el sexo, la raza, la religión o las drogas, sino que también alientan a sus hijos a ser así. Los padres abiertos, receptivos y honestos fomentan la autoestima, el equilibrio y la equidad de los hijos y les dan espacio para pensar, sopesar las opciones, tomar decisiones y actuar en forma responsable. Este diálogo sano

entre padres e hijos debe comenzar a temprana edad, a partir de la primera pregunta, y debería continuar durante todo el tiempo que vivan juntos.
● Trate las preguntas de su hijo en forma seria e intente siempre darle la respuesta más exacta y veraz posible.
● Considere el propósito de la pregunta. Si un niño pregunta lo que es una regla, por ejemplo, quizás quiera saber más que simplemente cómo se llama. Explíquele para qué sirve y trate de medir algo con él.

● Si no sabe la respuesta a una pregunta, diga la verdad, que usted no sabe, y sugiera que lo investiguen o pregunten a otra persona juntos.
● No tenga miedo de dar respuestas exactas y veraces a los niños sobre temas difíciles. Siempre conteste preguntas sobre temas como la muerte o el sexo. Sin embargo, no piense que debe decir toda la verdad. Diga tanto como piensa que su hijo puede manejar y entender en ese momento.

Haga que se sienta orgulloso de su cuerpo

La educación sexual del menor comienza con el primer abrazo. A todos los niños les agrada el contacto físico y gozan recíprocamente con sus padres. Se crían dándose cuenta de que las personas se tocan como un gesto de amistad además de como un acto de amor.

A medida que el niño crezca, llegará a estar gratamente consciente de su cuerpo, sin cohibirse. **Usted puede fomentar esta actitud abierta hacia la desnudez dentro de la familia.** Al igual que todo lo demás, el niño aprende los patrones de comportamiento y actitudes de los padres. El niño que ve a sus padres desnudos sin avergonzarse, tomará la desnudez como algo normal y es poco probable que crezca preocupado por ella. Pero si usted se preocupa, él se preocupará también; si usted se avergüenza, él probablemente también lo haga.

Emociones infantiles

Las emociones de su hijo pequeño se desarrollan rápidamente. Siente culpa, vergüenza, celos y aversión a tal punto que llora. Incluso en un niño seguro y amado, el temor también se encuentra presente y causará llanto.

Manejar los temores

Los temores infantiles más comunes son causados por la oscuridad y los truenos. Una de las mejores formas de disipar el miedo es conversar sobre ello, así es que aliente a su hijo a ser abierto y honesto respecto a lo que lo provoca. Préstele toda la atención y haga preguntas para que sepa que lo está tomando en serio. A menudo cuesta describir el miedo con palabras, pero escuche a su hijo hasta que termine. Ayúdelo a explicarlo dándole ejemplos y confesando que usted también ha sentido algo parecido. Nunca reprenda ni ridiculice al niño por esto. Haga algo sencillo y reconfortante, como mostrarle que estar en la piscina es divertido y que no hay por qué temer al agua. Él confiará en usted y el temor desaparecerá paulatinamente. Cuando tenga edad suficiente, trate de explicar cómo funcionan las cosas: por ejemplo, que los relámpagos son parecidos a una gran chispa de luz, como prender un fósforo.

Un bebé recién nacido en la familia

Sin duda su hijo se alterará bastante al pensar sobre un hermano menor recién nacido y el "destronamiento" que imagina se producirá. Haga todo lo que pueda para hacer que se sienta bien acerca del bebé. Al hablar de él, nómbrelo como su nuevo hermano o hermana y permita que su hijo toque su vientre para sentirlo cuando patalea.

Muéstrele dónde va a dormir el bebé y enséñele todas las diferentes cosas que podrá hacer para ayudar a cuidarlo. Si va a dar a luz en el hospital, asegúrese de que su hijo se sienta bien con la persona que lo va a cuidar mientras usted esté allí. Cuando regrese a casa, pida a otra persona que cargue al bebé; usted debe tener los brazos libres para tomar a su hijo y darle un gran abrazo. No vuelva a mirar al recién nacido sino hasta que el niño pida verlo. Asegúrese de traer un regalo de parte del recién nacido. Si debe quedarse en el hospital, permita que la visite cuando quiera y preocúpese de que cuando llegue, el bebé no esté en sus brazos, sino en una cuna, para que usted pueda abrazar sin problemas a su hijo mayor.

Fatiga

Un niño de esta edad a menudo se emociona y fatiga a la hora de acostarse. Tratará de postergar el acostarse al máximo, volviéndose más y más irritable. Quizás llegue a tal punto de fragilidad, que llore desconsoladamente frente a la más mínima incomodidad y frustración.

Si usted sabe que su hijo estará despierto hasta tarde por algo especial como un cumpleaños o una obra teatral en el colegio, asegúrese de que duerma una siesta durante el día para que la energía le dure. Si se emociona y fatiga en demasía, será muy importante que usted permanezca calmada y tranquila. Háblele con ternura, abrácelo mucho, tenga mucha paciencia y llévelo con ternura al dormitorio. Cántele y léale un cuento hasta que se tranquilice y esté listo para dormir.

1-4 aprendiendo a hablar

Durante estos años, el lenguaje de su hijo progresará rápidamente. Conversará con usted y pedirá lo que desea; y también importante, entenderá lo que le dice.

Converse con su hijo

Si usted quiere que su hijo adolescente se sienta con libertad para hablar con usted sobre cualquier cosa, entonces deberá establecer eso tempranamente y hablar de cualquier cosa con él. **Converse con su hijo pequeño sin cesar introduciendo palabras nuevas y aclarando el significado con expresiones faciales y gestos.** Sin embargo, también es importante darle espacio para responder, así aprenderá que la conversación fluye en ambas direcciones. Si

inicia una conversación para mostrarle algo o le hace una pregunta, siempre mírelo a los ojos y préstele mucha atención. Si usted es impaciente o sólo responde ¡me alegro!, sin mirarlo siquiera, se desanimará y ya no intentará conversar con usted.

Hable sobre todo lo que usted está haciendo detalladamente. Cuando lo está vistiendo, cuéntele todo lo que está haciendo: "Ahora abrocharemos los botones ... uno, dos, tres".

Describa los objetos que usted está empleando: "Coloquemos las manzanas en la fuente de vidrio". "¿Quieres un dulce rojo o uno amarillo?".

Aunque no debería corregir a su hijo cuando se equivoca, no hay ninguna razón por la cual debería hablarle en su idioma de bebé. Si él se equivoca en cuanto a la gramática o la pronunciación –"ela casa"–, sólo repita las palabras en la forma correcta: "Sí, la abuela fue a la casa".

Desarrollo del lenguaje

Su hijo pequeño aprende palabras nuevas todo el tiempo y quiere juntarlas aun si son sólo dos a la vez: "gato cae". La pronunciación será poco clara, pero no hay de qué preocuparse: si está usando palabras con sentido y juntándolas, entonces su lenguaje se estará desarrollando. Pequeños defectos del habla, como el ceceo, son muy comunes en los niños y normalmente desaparecen sin ninguna intervención.

Lenguaje en las niñas
● Desde el momento de nacer, las niñas son más receptivas que los niños a la voz humana y tienen mejores habilidades verbales durante toda la infancia
● Empiezan a hablar y a armar frases antes que los niños. Articulan y pronuncian mejor, su gramática es mejor y su razonamiento verbal también. Asimismo, aprenden a leer antes.
● Se cree que la razón de las mejores habilidades verbales de las niñas es la

estructura del cerebro, ya que los centros del habla se encuentran mejor organizados en el cerebro femenino que en el masculino y tienen más y mejores conexiones con otras partes de este órgano.

Lenguaje en los niños
● Los niños casi siempre desarrollan las habilidades verbales más lentamente que las niñas y esto perdura toda la infancia.
● Empiezan a hablar más tarde que las niñas, demoran más en juntar palabras en frases y en aprender a leer. Los problemas del habla, como el tartamudeo, son más comunes en los niños que en las niñas y hay cuatro veces más niños que niñas en clases de recuperación de lectura
● Aunque esta diferencia en las habilidades lingüísticas se nivela bastante durante la adolescencia, usted puede ayudar a su hijo a desarrollarlas en la época preescolar, leyéndole en voz alta y jugando muchos juegos de palabras.

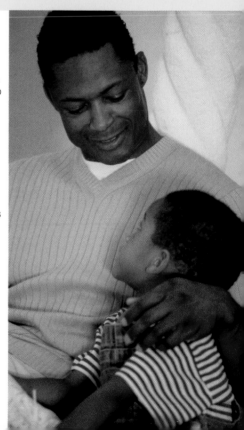

Hitos del habla y del lenguaje

Los niños aprenden a hablar a ritmos muy diferentes, así es que no sienta que deba comparar a su hijo con otros niños de su edad y no se preocupe si no se desarrolla conforme al cronograma siguiente. Doy estos rangos sólo como una guía promedio, pero ningún niño se rige según promedios.

12–18 meses

● El entendimiento de su hijo pequeño sobrepasa enormemente su capacidad de expresarse; por ejemplo, "mamá" puede significar un sinfín de cosas, incluyendo "Mamá, quiero jugo". Cuando usted descubre lo que quiere decir, diga "Mamá le dará un jugo" y repita nuevamente la palabra "jugo". Pronto dirá "mamá jugo".
● Haga que escuche muchos sonidos diferentes, como los de animales, vehículos y música. Está muy perceptible a los sonidos, así es que identifíquelos: las puertas chirrían, las llaves gotean, el papel cruje.
● Lea libros todas las veces que pueda, repitiendo los favoritos una y otra vez, así como nombres y objetos. Señale los objetos conocidos. Nómbrelos. Pida que repita los nombres. Alégrese cuando los recuerda.
● Nombre todo en todas partes: los colores, las texturas y otras propiedades.
● Empiece a contar y use los números cuando sea posible.

18 meses–2 años

● Empiece a usar adjetivos apenas pueda. Los primeros, normalmente, son "bueno", "malo", "bonito", "feo", "caliente", "frío".

Júntelos con sustantivos ("leche fría", "niña bonita"), en especial al describir los alimentos, las personas y los juguetes que son los temas favoritos de su hijo pequeño.
● Use adverbios también, como "aquí" y "dónde". Enfatice todos los verbos y añada acciones para facilitar la comprensión.
● Su hijo entiende las preposiciones mucho antes de usarlas, pero destáquelas siempre y muéstrele lo que quieren decir. Siempre indique dónde están: "debajo", "encima" o "detrás".

2–3 años

● Su hijo hablará más con niños de su edad que con los adultos; provocan lo más posible la compañía de otros niños facilitará el desarrollo de sus habilidades lingüísticas. Ésta es una de las razones de la importancia del jardín infantil a esa edad. El lenguaje deja de ser egocéntrico y se vuelve más social, por lo que el contacto con otros niños es importante para que su hijo lo desarrolle.
● Repita los cuentos favoritos, para que el niño pueda entender lo que siente acerca del mundo que lo rodea.
● Lea cuentos más complejos e introduzca palabras nuevas, explicándolas mediante el uso oral repetido.

3–4 años

● Nunca corrija abiertamente los errores de su hijo; sólo repita lo que él recién dijo, pero en la forma correcta. Si vacila sobre una palabra, proporciónela instantáneamente para mantener el ímpetu y el interés.
● Su hijo es receptivo al razonamiento, así

es que inclúyalo en la resolución de problemas sencillos con preguntas, opciones y soluciones, conversando abiertamente sobre cada paso. Pregunte su opinión acerca de algo con lo cual usted sabe que estará de acuerdo, para que sienta que ha tomado una decisión.
● Forme frases más largas y complejas. Cuando su hijo le hable, mírelo y escuche con atención. Asienta con la cabeza e incline la cabeza para mostrar que está escuchando.
● Siempre conteste las preguntas. No hay por qué decirle toda la verdad, sólo la cantidad que usted piensa que él puede manejar, pero nunca mienta ni la oculte. Su hijo lo notaría y desconfiará de usted. Le hará la misma pregunta una y otra vez; sólo conteste de nuevo y nunca se impaciente.
● A los niños les gusta susurrar; juegue juegos con susurros para facilitar la expresión.
● Incluya los cuentos de hadas en su lectura, porque le ayudan a aceptar su propio mundo sin que le haga daño y porque mejoran su concepción de la realidad y la fantasía; el pasado, el presente y el futuro; la equidad y la injusticia; el bien y el mal; la bondad y la crueldad, y así sucesivamente.
● La adquisición del lenguaje no es un proceso fluido, se detiene y se retoma; por eso, deje que su hijo lleve la delantera y no lo presione. No lo compare con otros niños: cada uno aprende a su ritmo.

1-4
una mente que crece

Compartir el placer de su hijo, a medida que aprende nuevas habilidades y obtiene nuevos logros, es una de las grandes alegrías de ser padre. Ayúdelo con mucha alabanza y motivación.

Televisión

Algunos padres piensan en la televisión como en un "babysitter" incorporado, porque entretiene a los niños cuando no hay nadie que los quiera cuidar. Para muchos niños, la televisión es más popular y consume más de su tiempo de juego que todas las otras actividades de este tipo juntas.

La televisión es lo menos útil cuando un niño queda viéndola solo. Incluso si está viendo un programa muy educativo, le será de menos provecho si lo ve de una manera completamente pasiva. Si lo ve con otros niños que lo comentan o con un adulto que hace preguntas y observaciones, el programa funcionará como un trampolín para ideas y conversaciones, en vez de una comunicación no participativa que fluye en una sola dirección.

La televisión impide que su hijo:
- escudriñe la información, la pase por el colador y la analice para luego aplicarla a las situaciones cotidianas
- practique las habilidades motrices
- use más de dos sentidos a la vez para ampliar el reconocimiento del entorno
- haga preguntas y reciba respuestas educativas y beneficiosas
- explore y use la curiosidad
- ejerza la iniciativa o la motivación
- sea desafiado y resuelva problemas.
- piense analíticamente
- use la imaginación
- converse con el resto de la familia y mejore las habilidades verbales
- lea y escriba
- sea creativo o constructivo
- desarrolle la capacidad de concentrarse por largos períodos debido al parpadeo de la pantalla
- desarrolle un pensar lógico y secuencial, porque la acción de los programas cambia constantemente hacia atrás y hacia delante y lateralmente en el tiempo.

Hitos del desarrollo mental

Muchas habilidades cerebrales y corporales avanzan sobre una ola de crecimiento y desarrollo a medida que aumenta el entendimiento. Los factores determinantes son la sociabilidad y la personalidad del niño y el ambiente que usted crea para él.

15 meses

Permita que le ayude lo más que pueda con tareas sencillas, como ordenar, que se encuentran dentro de sus capacidades y que le harán sentirse orgulloso. Haga que señale partes del cuerpo, que imite sonidos de animales y que ayude a sacarse la ropa; le encanta. Entiende el concepto de lo que es un gato: sabe que una foto de un gato, un gato de peluche y un gato de verdad son todos gatos, aunque son muy diferentes; siga, entonces, enseñándole las características que definen las cosas.

18 meses

Use la repetición para facilitar el aprendizaje. Cuando usted hace algo, repita las frases clave una y otra vez: "Juan tiene una manzana. Sí, Juan tiene una manzana". Ayúdelo a reconocer cosas en una página y pida que las señale cuando usted las nombra. Dele algunas tareas; quiere intentar hacerlas e imitará sus acciones. Hará algo que usted le pide y que necesita evaluación y memoria: "Ve a buscar tu peluche".

21 meses

Describa las características de las cosas. Al mostrar algo a su hijo, indique si es duro o blando, el color, si hace ruido, etc. Enséñele los opuestos como áspero y suave. Aliéntelo a pedir la comida, los juguetes e ir al baño. Comienza a entender pedidos más complicados: "Por favor, tráeme el cepillo del baño". Quizás le agarre del brazo o haga otros gestos para llamar la atención.

2 años

Estimule su sentido espacial ayudándole a colocar los cubos, rectángulos y cuadrados en los espacios correctos de la caja o juguete de encaje. Nombre todas las cosas siempre para estimular un rápido aumento del vocabulario de nombres y objetos y para que pueda describir las características de objetos conocidos e identificarlas. Dele intrucciones bastante complicadas y pídale que encuentre un juguete con el cual jugó antes para estimular una buena memoria. Anímelo a hablar respondiendo a sus preguntas y formulándole otras.

2½ años

Juegue muchos juegos con números. Incorpore los números en todo lo que hace. Al ir de compras, vestirse o explicar lo que tiene que hacer, cuente los ítems. Una granja de juguete es muy bueno para esta edad: úsela para contar vacas, ovejas, cerdos y gallinas. Su hijo ya está empezando a añadir detalles a los conceptos generales –un caballo tiene una cola– y se sabe un par de canciones infantiles: pídale que las encuentre en su libro. Comienza a preguntar "¿por qué?" y a todo contesta "no", "no puedo".

3–4 años

Refuerce su conciencia de sí mismo. Aliente la independencia involucrando a su hijo en la toma de decisiones sencillas, como escoger la ropa y la comida. Su hijo hace preguntas incesantemente: "¿qué?", "¿dónde?", "¿cómo?", "¿por qué?". Siempre contéstele. Fomente una buena memoria refiriéndose al pasado y recordándole lo que hicieron ayer. Ya sabe su género, así es que enséñele las diferencias entre niños y niñas.

Libros y lectura

Si tuviera que escoger una sola manera en que un padre enriqueciera el entorno de sus hijos y les ayudara a un buen desarrollo, recomendaría tener libros en la casa. Si a usted le gusta leer, haga que sea obvio y hable de ello; su hijo también lo hará. Las palabras son cruciales para el funcionamiento del cerebro; por esto, leer es muy importante y existe una correlación entre la cantidad de libros que hay en casa y cuánto su hijo leerá al crecer y cuando sea adulto.

Los libros son uno de los grandes placeres de la vida y son fundamentales para que su hijo aprenda palabras para expresar sus sentimientos, ideas y pensamientos. Es más, pueden ayudar a explicar el mundo donde vive: describen relaciones, situaciones y presentan a personas.

Proveen el ímpetu para los juegos de imaginación, presentan ideas y son divertidos. En nuestro hogar, a los niños se les regalaban desde el momento de nacer y la lectura era una experiencia compartida hasta los 10 años.

Pesadillas

Pesadillas Los niños de 3 y 4 años a menudo tienen pesadillas. Su hijo puede hablar dormido, ser sonámbulo o sufrir terrores nocturnos. Son normales porque, aunque su comprensión del mundo está aumentando, no le puede dar sentido y se duerme con preguntas no resueltas. También está más conectado con los sentimientos y sabe lo que es sentir miedo o que algo no está bien, y esos sentimientos afloran en la noche.

Un niño, con frecuencia, no puede explicar sus sueños y le cuesta volver a dormirse. En las pesadillas, los lobos o los osos podrían estar persiguiendo a su hijo y podría soñar con personas raras, feas o malas. Sólo debe tomarlo en brazos y consolarlo si despierta. Si

sigue dormido, no intente despertarlo; sólo quédese a su lado. Si camina mucho dormido, coloque una reja en la escalera para que no se caiga.

Terrores nocturnos. A veces encontrará a su hijo en la cama, aparentemente despierto y posiblemente revolcándose y gritando. Quizás esté enojado o muy alterado. Se trata de un terror nocturno más que de una pesadilla y puede ser bastante alarmante. El dolor y el temor le causarán angustia, pero sólo podrá permanecer a su lado y esperar que pasen. No tiene sentido tratar de reconfortar a su hijo en forma específica, porque está más allá de toda razón. No se vaya ni lo reprenda; eso sólo empeoraría las cosas. Él no se acordará de nada en la mañana.

1-4 aprender jugando

El juego es esencial para el desarrollo de su hijo preescolar. Una vez que haya practicado sus talentos creativos jugando, podrá aplicarlos en el mundo real.

Los padres como maestros

Un niño comienza a absorber información desde el nacimiento, y la mayor parte de ella la recibe de los padres. Un padre tiene la responsabilidad de fomentar la imaginación del niño y enseñarle amabilidad y autocontrol, entre otras cosas; hay algunos métodos sencillos de enfocar esas enseñanzas.

Fije metas propias

Nunca busque la perfección, ya que se traducirá en frustración y terminará con un niño descontento, desmoralizado, que no podrá florecer ni desarrollarse bien. Nunca caiga en la trampa de esperar demasiado muy pronto, sino que esté consciente de los pequeños éxitos diarios de su hijo. Trate de no concentrarse en las deficiencias, sino en notar y alabar cada acción positiva o logro.

Siempre participe

Una de las tareas al enseñar a su hijo es que usted tiene que HACER COSAS. Él aprende imitando su ejemplo hasta los 8 años y más, así es que levántese y haga algo delante de él o con él. Esto significa que no se tiene que fiar solamente de darle órdenes o directrices. En vez de decir "Vé a ordenar los juguetes", arrodíllese con él y convierta esta actividad en un juego para los dos.

Repita, repita, repita

Con todos los niños, y en especial con los más pequeños, es frustrante pero necesario decirles una y otra vez que hagan la misma cosa. Por ejemplo, un niño pequeño no se quedará sentado tranquilamente mientras está almorzando o esperando algo. Usted debe repetir ciertos mensajes como: "No se patea la mesa cuando se está comiendo", durante meses y meses hasta que no solamente la mente del niño reciba el mensaje, sino también su cuerpo.

Sepa cuándo prohibir

Encontré sólo tres situaciones en las que era absolutamente necesario decirle "no" a un niño:
- Cuando mi hijo podría causarse daño: por ejemplo, extendiendo la mano para tomar la olla de la cocina.
- Cuando las acciones de mi hijo podrían lastimar a otros: por ejemplo, algo tan sencillo como jugar haciendo mucho ruido o golpeando juguetes cerca de un bebé dormido.
- Cuando la acción de mi hijo causaría daños reales: por ejemplo, rayar las paredes de la sala de estar con un lápiz de cera. Incluso cuando usted dice "no", no tiene por qué ser una confrontación directa. La mejor manera es distraer a su hijo con algo más interesante.

Dé ejemplos positivos

Recuerde, cuando sea posible, decir las cosas de una forma positiva. Diga: "Sí, es un perrito lindo; hagámosle cariño" y enseñe a su hijo cómo hacerlo. No grite: "No le pegues a ese cachorro". Las frases que empiezan con "no" comunican el desagrado desde el momento de abrir la boca. El cerebro del niño no necesariamente procesa cada palabra, por lo que en este caso el mensaje podría salir como "...pega .... cachorro", lo opuesto de lo que usted quiso decir.

No interrumpa

A muchos niños les cuesta concentrarse durante períodos largos y es algo difícil de promover, porque un niño pequeño simplemente no puede concentrarse tan bien como un adulto. Algo que usted puede hacer para ayudar a su hijo a concentrarse es no interrumpir cuando claramente está absorto en algo.

Preste atención

Un niño sólo siente que usted le está escuchando si le mira a los ojos y deja lo que está haciendo para escuchar. Si hace eso desde muy temprana edad, su hijo sabrá que le escucha y respeta como persona.

Dibujar le ayuda a entender…

…las emociones. Usted puede ayudar a su hijo a conectarse con los sentimientos propios y reconocer las emociones de otros haciendo que dibuje caras felices y tristes, al principio con su ayuda. Luego ayúdelo a mirar las fotos de personas conocidas y decidir cómo se sienten en éstas. Esto no solamente ayuda a su hijo a reconocer las emociones, sino también a identificarse y relacionarse con ellas. Más adelante, podrá mostrarle fotos en los diarios o revistas. Cuando sea un poco mayor, podrá dibujar figuritas con palitos y preguntarle lo que significan las diferentes posturas en términos de sentimientos. Luego haga que su hijo dibuje figuras de palotes y que exprese las diferentes emociones que sienten.

…el mundo. También puede usar dibujos para ampliar la visión que tiene su hijo del mundo. Una idea muy sencilla sería lo que sucede al volcar un jarro con agua. Usted y su hijo podrían dibujar un jarro con agua que se vuelca y derrama líquido al piso formando una gran poza, quizás derramándose por el borde de la mesa y cayendo al piso con goterones y salpicaduras. Ese tipo de ejercicio refuerza la memoria de su hijo y le proporciona una experiencia propia.

Cuando usted le está contando un cuento o escribiendo uno, o cuando su hijo tenga edad suficiente para hacerlo, siempre pregúntele si hay una parte de la historia que se podría ilustrar. Al principio, ayude a su hijo para que pueda visualizar lo que está en su imaginación y expresarlo en los dibujos, no solamente en palabras, y luego pídale que lo haga solo.

También puede introducir la idea de imágenes mentales en las conversaciones y pedir a su hijo que describa en palabras la imagen que visualiza y no solamente mediante un dibujo.

Ideas de juegos

A veces su hijo estará absorto en un mundo imaginario propio y no será necesario que usted participe. En ocasiones, también puede contribuir sugiriéndole juegos nuevos u otras formas de jugar con sus juguetes.

Juegos imaginarios. Su hijo creará un pequeño mundo propio como parte de su imitación de los adultos. Usted puede usar un par de sillas o una mesa chica cubiertas con una frazada para hacer una carpa o casa de juguete instantánea. A los niños les encanta jugar con las cajas de cartón, siempre que sean lo suficientemente grandes para meterse adentro. Las cajas pequeñas se convierten en autos y botes; montones de cajas se convierten en castillos y casas. Disfrazarse es otro juego favorito a esta edad: unos pequeños accesorios pueden transformar a su hijo en médico o bombero, y, en su mundo imaginario, su hijo es el adulto, y el peluche o la muñeca representan al niño.

Juegos sucios. Cualquier juego usando agua, arena, barro o masa ampliará el intelecto de su hijo. Para facilitar la supervisión del juego, establezca una hora cuando se permite el juego sucio y un lugar donde la suciedad se puede contener, y aliente a su hijo a esperarlo con ganas.

Juegos domésticos. Ayudar en los quehaceres de la casa es más bien un juego que un trabajo, porque tiene muchas ganas de imitarle a usted. Ayudará en la cocina deshojando la lechuga o poniendo el pan en la panera y disfrutará de poner la mesa; de ese modo mejorará sus habilidades de manipulación y de conteo, además de independencia y autoestima.

Juegos musicales. Todos los niños nacen con un oído absoluto, así es que todo niño con buen oído disfruta de los sonidos musicales. Probablemente no sea capaz de tocar melodías, pero quizás las pueda tararear y disfrutará de golpear algo con ritmo. Los sonajeros, las trompetas y los tambores sirven muy bien para este propósito, así como tarros de café vacíos u ollas viejas y cucharas de madera. Un xilófono le permitirá identificar los sonidos musicales y experimentar con notas altas y bajas.

"un niño necesita creer en sí mismo para alcanzar su potencial"

etapas de la vida: de 4 a 11 años

Entre los 4 y los 11 años, su hijo en edad preescolar, enérgico, amoroso y travieso, crecerá, y se desarrollará convirtiéndose en un adolescente reflexivo, tierno, diligente y cooperador con quien usted puede entablar una conversación seria, en quien todos pueden confiar y de cuya compañía todos disfrutan. Esta es una misión difícil para cualquier niño de 4 años y deberá adquirir muchas habilidades complejas en el camino, entre ellas, especialmente, el autocontrol y la autodisciplina.

Sólo podrán alcanzar la mayoría de los hitos importantes si los padres les demuestran un cuidado amoroso. Los niños no pueden sobrevivir, menos florecer, sin el interés íntimo de éstos. Obviamente pueden arreglárselas y la mayoría lo hace, incluso, sin su cuidado.

Llegar a creer en sí mismo

Sin embargo, hay algunos hitos que difícilmente los niños logran solos y pueden errar el camino sin orientación y consejos. Permítame hacer énfasis en uno que implica un paso importante en el desarrollo personal: **creer en sí mismo.**

Se puede llamar confianza en sí mismo, se puede llamar seguridad en sí mismo, pero sin ella, un niño no solamente no alcanzará su potencial, sino que podría meterse en problemas de todo tipo, porque no sabrá controlar las emociones ni recanalizar las frustraciones y los enojos hacia un propósito beneficioso.

Usted pensará, bueno, se convertirá en un niño tímido, inseguro de sí mismo. Eso en sí sería malo, pero se equivoca, es peor que eso.

● Se convierte al crecer en un niño solitario que no tiene amigos, lo que le parte el corazón a los padres.

● Quizás busque llamar la atención y recibir cariño para levantar el amor propio decreciente mediante una serie de conductas inapropiadas, que a veces se llama **hiperactividad.**

● Y luego, si nadie le ayuda a edificar la creencia en sí mismo, recurrirá a la mentira, el robo, la intimidación, incluso el alcohol y las drogas para sentirse bien.

Es obvio que si no puede **creer en sí mismo**, tendrá problemas futuros. Éste y otros hitos cruciales son tan importantes, que los he denominado **islas del desarrollo.** Si un niño no lograse llegar a las costas de estas islas, podría sufrir secuelas desastrosas.

Piense que su hijo está navegando en el río del desarrollo tratando de negociar lo equivalente a aguas rápidas, avanzando velozmente cuando pasa por una racha de adquisición de habilidades y luego más lento y apacible cuando consolida sus logros.

Estas islas permiten navegar exitosamente por el río; son lugares donde su hijo descansa, por así decirlo, hace un balance y luego sigue avanzando hacia el siguiente hito, obviamente con mucho aliento y elogios de los padres.

Las islas también son una garantía. Si usted puede ayudarlo a alcanzar una, enfrentará la siguiente etapa de aguas rápidas con determinación, valentía y sensatez. Además, habiendo disfrutado de la seguridad de haber alcanzado una de esas islas, él podrá recibir de usted más responsabilidades, de mayor peso tanto para él como para otros.

En las páginas siguientes, propongo pautas a seguir, según sea adecuado; consejos, si fueran necesarios, y estrategias para el manejo de situaciones conflictivas.

La edad correcta para que...

● un niño esté listo para aprender a atarse los zapatos es, más o menos, los 4 años

● un niño sea cambiado de una cuna a una cama, es a los 5 años, aproximadamente

● un niño, probablemente, esté listo para recibir una mesada y decidir cómo gastarla, a los 6 años

● un niño pueda aprender a cruzar la calle solo, es a los 7 años

● un niño de 8 podría quedarse a dormir en la casa de un amigo

● un niño de 9 está listo para aprender sobre la pubertad

● un niño de 10 podría disfrutar de cuidar una mascota

● un niño de 11 se puede dejar solo en casa por períodos cortos.

Cuerpo

Ámbito Social

> " los niños no pueden sobrevivir, menos florecer, sin el interés íntimo de los padres "

Mente

" fomente la
actividad física
en su hijo lo
antes posible *"*

" enseñe a su hijo
sobre la
reproducción
sexual tan
pronto empieza
a preguntar *"*

4-11 alimentar a los niños

La mejor manera de asegurar que sus hijos coman una dieta sana y balanceada durante toda su vida, es ayudarles a desarrollar buenos hábitos alimentarios desde el principio.

Horas de comer felices

Sí

 Haga de la comida un rito familiar importante para que su hijo aprenda a formar parte de un grupo.

 Establezca algunas reglas básicas para las comidas, de modo que todos sepan que no pueden hacer un berrinche o simplemente agarrar su plato e irse.

 Fije horas regulares para las comidas para establecer un ritmo de vida familiar: a los niños les encanta eso.

 Fomente la consideración por los demás: nunca se sirva la última porción de comida sin antes ofrecerla a todos los otros comensales.

 Promueva la conversación y el debate y asegúrese de que cada hijo es escuchado, incluso el menor.

 Réstele importancia a los accidentes y los derrames para no estropear lo ameno.

No

 Permita que las comidas se conviertan en campos de batalla. No puede obligar a un niño a comer. Permita que rechacen la comida; la pedirán muy pronto si usted no insiste.

 Permita que un niño eche a perder la tranquilidad y armonía familiar en la mesa: llévelo a otra habitación.

 Excluya los hijos de la conversación: se empiezan a portar mal para atraer la atención.

 Permita que las comidas terminen sin un fin formal. Cada niño debería decir que ha comido lo suficiente y preguntar si puede levantarse de la mesa y salir a jugar.

 Sirva la comida en último lugar al más pequeño. Sírvale primero: tiene menos paciencia.

 Deje prendida la televisión o la música durante las comidas.

Niño vegetariano

No hay problema alguno en que un niño sea vegetariano desde la edad del destete, pero piense en lo siguiente:

● La dieta debería incluir productos lácteos y huevos y se debería planificar cuidadosamente para contener todos los ingredientes esenciales.

● Con suplementos dietéticos y mucho ingenio, incluso una dieta vegetariana estricta, es decir, sin productos lácteos, huevos ni carne, podría ser adecuada.

● Los niños destetados que se alimentan de un dieta vegetariana estricta tienden a ser más pequeños y más livianos que el promedio. Aunque normalmente "alcanzan" a los otros niños en cuanto a altura, generalmente siguen siendo más livianos y delgados.

● El crecimiento lento se debe a que una dieta vegetariana estricta carece de algunos alimentos de alto contenido energético que el crecimiento requiere.

● Los niños necesitan alimentos de alto contenido energético para crecer y jugar, como las nueces, el queso y la palta. A los niños vegetarianos estrictos se les debe dar leche entera para suministrar las calorías esenciales. Que no se le pase la mano con los alimentos voluminosos, como una gran cantidad de frutas, verduras y cereales con mucha fibra, porque reducen la capacidad de absorción de hierro y cinc.

● La clave es la variedad. Se debe incluir los cuatro grupos alimentarios en las siguientes proporciones diarias: cereales y granos: cuatro o cinco porciones; fruta: de una a tres porciones; verduras: dos porciones; legumbres, nueces y semillas: una o dos porciones; proteína de origen animal (leche, queso y huevos): tres porciones.

● Los niños vegetarianos deberían consumir algo de aceite vegetal, mantequilla o extracto de levadura.

● Las nueces, legumbres, tofu y cualquier tipo de soya son buenas fuentes de proteína vegetariana. La leche, los productos lácteos y los huevos son proteínas "completas".

● Para mantener el nivel requerido de ingestión de calcio, hierro y vitamina C, los niños deben comer muchos alimentos enriquecidos, por ejemplo, cereales y pan integral, fruta picada, verduras de color verde oscuro y productos lácteos.

● La vitamina C promueve la absorción de hierro, por eso se deben comer juntos los alimentos que contienen esos nutrientes.

Comida chatarra

■ **¿Cuántas veces por semana come la familia comida rápida?**

Rara vez (0)   Una vez (2)
Dos veces (3)   Más de dos veces (4)

■ **¿Sirve usted patatas con la comida?**

Nunca (0)   Ocasionalmente (1)
Frecuentemente (3)   Muy frecuen-
               temente (5)

■ **¿Cede usted si su hijo pide un Big Mac lloriqueando?**

Nunca (0)   A veces (1)
A menudo (3)   Siempre (4)

■ **¿Cuán a menudo usa usted comida rápida como un "soborno"?**

Nunca (0)   De vez en cuando (2)
A menudo (5)   Siempre (7)

■ **¿Anota usted hamburguesas y salchichas en la lista de la compra semanal?**

Nunca (0)   Una vez al mes (1)
Cada 2 semanas (3)   Todas las semanas (5)

■ **¿Tiene usted bebidas gaseosas en el refrigerador?**

Nunca (0)   A veces (1)
A menudo (3)   Siempre (5)

■ **¿Termina usted las comidas con un postre dulce, por ejemplo, un helado?**

Nunca (0)   De vez en cuando (1)
Todos los días (5)   Todas las comidas (7)

■ **¿Pone ketchup en la mesa?**

Nunca (0)   Ocasionalmente (1)
A menudo (2)   Siempre (3)

■ **¿Con qué frecuencia come la familia comida para llevar?**

Nunca (–5)   Semanalmente (1)
De vez en cuando (2)
Más de una vez por semana (4)

■ **¿Sirve usted mucha comida frita?**

Nunca (0)   A veces (1)
A menudo (5)   Frecuentemente (7)

Ahora sume los puntajes.
Hasta 15 OK: la dieta de la familia decae ocasionalmente, pero en general es buena.
Hasta 25 Demasiado: el nivel de consumo de comida chatarra está subiendo. Trate de reducirlo.
Más de 35 ¡PARE! La familia está consumiendo demasiada comida chatarra y ella dañará su salud.

Dulces

No estoy de acuerdo en dar dulces a los niños libremente, ni tampoco en prohibirlos por completo; esto último sólo los alienta a ser furtivos y deshonestos. Sí creo en racionarlos, y eso siempre funcionó con mis hijos. Si usted permite que su hijo coma unos dulces después de la comida y le exige lavarse los dientes inmediatamente al final, estará ayudándolo a desarrollar buenos hábitos alimentarios, autocontrol y correcta higiene oral. Los dulces parecen ser buenos premios para los niños, y lo son, pero no todo el tiempo. No hay ninguna regla absoluta en esto y no hay ninguna razón por la cual usted no pueda premiar a su hijo de vez en cuando con dulces, siempre que le recalque que se trata de algo especial. Sin embargo, bien vale hacer el esfuerzo para buscar otros tipos de premios, como un yogur favorito o un juguete pequeño.

4-11 niños activos

Los niños sanos y contentos tienen una energía ilimitada. Estimule su sentido de aventura y permita que sean independientes.

Importancia de la actividad física

Existe bastante evidencia médica que demuestra que la actividad física de los niños tiene un efecto positivo sobre la acción eficiente de los músculos del corazón y los pulmones, una tendencia mayor a la delgadez, y la fortaleza y crecimiento de los huesos. Puesto que los beneficios de la actividad física dependen de su intensidad y duración, se entiende que los niños que juegan enérgicamente y que hacen mucho ejercicio probablemente se conviertan en adultos con mejor estado físico. Los activos generalmente son más flacos y demuestran mayor capacidad física en todas las edades que sus compañeros menos activos.

No se sabe exactamente cuánto ejercicio se necesita durante los años de crecimiento, pero es buena idea estimular la actividad física de su hijo a la edad más temprana posible. Promueva el interés por pasatiempos y actividades deportivas que implican un ejercicio arduo y no sea sobeprotector impidiendo que su hijo sea físicamente activo y con sentido de aventura. Mientras más participe la familia entera, mejor, y no les hará mal tampoco a los padres que no salen nunca de la oficina.

Un niño sedentario es casi siempre gordo y así puede desarrollar diabetes, simplemente por tener sobrepeso. Los niños obesos también arriesgan contraer afecciones de "viejo", como las enfermedades cardíacas entre los 20 y los 30 años de edad. Es otra razón importante para alentar a su hijo a ser activo.

Pies sanos

Los niños nacen con pies blandos y flexibles. Al crecer los pies, los huesos de los dedos se endurecen al final, así es que pierden su forma fácilmente. Permita que los niños pequeños caminen con los pies descalzos por la casa para que los dedos tengan espacio para moverse.

Al comprar zapatos para su hijo, es importante que un especialista mida correctamente el largo y el ancho de los pies: vaya a una tienda que se especialice en zapatos para niños. Los zapatos deben dejar espacio suficiente para que los dedos del pie queden cómodos cuando el niño está de pie: la mitad del tamaño de la uña del pulgar entre la punta del zapato y los dedos es una buena guía aproximada. Escójalos con una tira ajustable en el empeine y con la parte superior delgada y flexible que de apoyo pero se doble fácilmente. Recuerde que los pies de su hijo probablemente crezcan al menos dos números por año hasta los 6 años, más o menos, así es que vigile el crecimiento de éstos.

Dientes

El primer diente permanente de un total de 32 probablemente aparezca cuando su hijo tenga alrededor de 6 años. Se trata de las primeras muelas, una a cada lado al fondo de la mandíbula superior e inferior. Aparecen antes de que caiga el primer diente de leche. Luego, entre los 7 y 9 años de edad, salen los incisivos, los dientes afilados en la parte delantera de la boca que usamos para cortar los alimentos. Después aparecen los premolares o bicúspides, aquellos de forma cuadrada, en la parte posterior que usamos para desgarrar la comida.

Su hijo probablemente tenga el juego nuevo de dientes permanentes entre los 13 y 14 años de edad; las muelas del juicio aparecen varios años después. No hay ninguna diferencia entre el momento en que aparecen los dientes del lado derecho y del lado izquierdo de la boca, pero sí hay una diferencia marcada entre los de un niño y los de una niña: todos aparecen antes en el caso de las niñas: dos meses en el caso de las primeras muelas y hasta 11 meses en el caso de los colmillos. No se preocupe si los dientes de su hijo tardan en aparecer. El cronograma del desarrollo dental varía de un niño a otro, igual como el de altura y peso.

Lavar los dientes

Tal vez tenga que ayudar a su hijo a cepillarse los dientes hasta los 8 años. Algunos niños lo harán solos antes, pero usted deberá revisarlos periódicamente para ver cómo lo están haciendo y hasta que esté seguro y pueda confiar en que lo harán bien.

Sentido de la aventura

Es muy beneficioso incentivar en su hijo el sentido de la aventura. Entre otras cosas le ayudará a llegar a su límite y alcanzar su pleno potencial. Es la forma más rápida de desarrollar la confianza en sí mismo.
● Los buenos padres separan los temores propios de los de sus hijos. Los temores de su hijo son suficientes para que sea prudente y cauto; los suyos paralizan su curiosidad y temple.
● Los padres sobreprotectores no permiten que los hijos prueben sus habilidades, dominen las nuevas destrezas adquiridas y alcancen nuevas metas. Retienen a los niños de modo que les falta la coordinación y la confianza que les dan un sentido de orgullo y confianza en sus propios cuerpos y habilidades.
● A los 4 años, su hijo tiene un sentido claro de su persona y sus habilidades, y experimenta para descubrir lo que puede

hacer solo sin peligro. Los juegos con estructura de barras permiten esos experimentos, y los estudios han demostrado que si se deja que los niños hagan lo que quieren, rara vez se sobrepasarán de los límites.
● Su hijo tiene una energía ilimitada y puede realizar actividades exigentes como escalar, pedalear y andar en patines fuera de la casa. El papel de los padres es proporcionar las herramientas necesarias para controlarlos desde el interior de la casa.
● Si es necesario, guíelo en las tareas más difíciles o añada ruedas estabilizadoras a la bicicleta, pero no lo detenga. De esa forma establecerá la base de toda una vida de placer y le dará a su hijo el deseo de mejorar sus habilidades y la confianza de aventurarse en lo desconocido; ayudará a ser una persona equilibrada y confiada.

Aliente a las niñas a tener un sentido de aventura:
● Nunca se queje si se ensucia.
● Fomente los juegos con movimientos enérgicos.
● Piense en ella como si fuera un niño; aliéntela a jugar los juegos de "niños": escalar, columpiarse, equilibrarse, patear una pelota.
● Regálele juguetes físicos, como una bicicleta, a temprana edad.

Aliente a los niños a tener un sentido de aventura:
● Comience desde pequeño los juegos físicos, con cojines grandes en el piso.
● Presente los juegos "espaciales", como Lego, a temprana edad para estimular un pensar aventurero.
● Ayude la curiosidad imaginativa entregándole ítems como tubos de papel higiénico y cajas de huevos vacías para que construya lo que quiera.
● Regálele aparatos físicos: escalera de cuerda, columpio, bicicleta, patineta, pelota de fútbol.

4-11 creciendo

Los niños de este grupo etario crecen rápidamente. Los padres deberían asegurarse de que sus hijos estén preparados para los cambios que se producirán en sus cuerpos y lo que significan.

Principios rectores

Existen ciertos principios rectores bien establecidos que los padres deben tomar en cuenta:

● Cada niño es un individuo. Su crecimiento y su desarrollo serán diferentes a los de los otros niños y en distintos momentos de la vida. Estas variaciones se deben en parte al ambiente donde se crió: por ejemplo, cuán bien se nutre. Los padres nunca deben esperar que cada uno de sus hijos crezca, se desarrolle y se comporte igual que los otros.

● La felicidad de un niño varía y eso puede afectar el desarrollo. Los niños felices normalmente son enérgicos y sanos, mientras que la infelicidad tiende a minar la fuerza y la energía y disminuye el bienestar. Los niños felices usan la energía resueltamente, mientras que los que no lo son tienden a disipar la energía en tristeza y autocompasión.

● No tiene sentido que los padres traten de marcar la altura y el peso de sus hijos un gráficos complicados para ver si están "correctos" para la edad. Los promedios de crecimiento físico no son tan importantes para el desarrollo normal de su hijo como lo son su salud y felicidad.

Altura

En el primer año de vida, los niños aumentan su altura en la mitad. Durante el tercer, cuarto y quinto año, el crecimiento disminuye un poco, pero se mantiene más o menos constante en 6 u 8 cm por año. Entre ese momento y la aceleración del crecimiento (alrededor de los 11 años para las niñas y los 13 años para los niños), el peso queda más o menos constante con un incremento en altura de aproximadamente 1 cm por año.

Peso

Durante el segundo y tercer año de vida, el peso de un niño aumenta entre 1,4 y 2,3 kg por año, después de ese momento, tiende a desacelerarse. En el tercer, cuarto y quinto año, el peso aumenta en forma bastante constante, unos 2 kg por año. Además, los niños generalmente se vuelven más delgados en comparación con la forma anterior del cuerpo.

En los primeros años en el colegio, el peso aumenta lenta, pero constantemente, más o menos 3,2 kg por año, en promedio. Cuando el niño cumple cinco años, por lo general pesa casi cinco veces más de lo que pesaba al nacer, y al llegar a la adolescencia, pesa entre 36 y 40 kg.

Hacia la madurez sexual

La edad de inicio de la pubertad varía, pero a menudo es alrededor de los 10 u 11 años, para las niñas, y aproximadamente a los 12, en los niños. Además de crecer con mayor rapidez, los niños notarán cambios en el cuerpo. En el caso de una niña, lo primero que sucede es que el área oscura que rodea el pezón (la aréola) crece o se hincha levemente. Luego comienzan a desarrollarse los senos, con una forma levemente cónica al principio y luego más redonda hasta que se inician los períodos menstruales.

En el caso de un niño, la pubertad significa que, además de crecer el pene y los testículos, aparece el vello púbico. Después se empieza a quebrar la voz y se hace más grave. Aunque la pubertad se presenta más tarde en los niños que en las niñas, puede suceder incluso a los 10 años, en el caso de algunos con un desarrollo temprano.

La mejor forma de preparar a su hijo o hija consiste en explicarle de una manera tranquila y reconfortante lo que le va a suceder. Si la primera regla de una niña sucede sin advertencia, será una experiencia espantosa, especialmente porque el flujo no será de un color rojo brillante, como podría esperar, sino negro parduzco. En promedio, hoy las niñas experimentan la primera regla 9 meses antes de lo que sucedió con sus madres. La cantidad de niñas que tienen la primera regla a los 10 u 11 años, antes de que dejen la educación primaria, está aumentando. Una de cada seis niñas tiene su primer período a los ocho años, y uno de cada 14 niños de 8 años tiene vello púbico. Por primera vez hay niñas de 8 años de edad que tienen conciencia sexual. Deben recibir una buena educación al respecto y los padres son quienes deben impartirla.

Menstruación

La regla comienza porque las hormonas de una glándula del cerebro (la pituitaria) ordena a los ovarios que fabriquen las hormonas sexuales femeninas, estrógeno y progesterona. Éstos empiezan a producir un óvulo mensual y se inicia la menstruación (período menstrual o regla). Aunque los 12 años es la edad promedio en que se inician estos períodos, cualquier edad entre 8 y 16 es normal.

La primera menstruación se denomina menarquia. Una niña puede ser fértil incluso antes del primer período menstrual, lo que significa que podría quedar embarazada si tuviera relaciones sexuales sin tomar las debidas precauciones. La menstruación termina con la menopausia, alrededor de los 50 años. Es común sentir algo de dolor durante la regla, pero si es muy fuerte, deberá consultar al médico.

Si se calcula a partir del primer día de sangrado, el ciclo menstrual es de aproximadamente 28 días. Las hormonas hacen que los ovarios produzcan un óvulo y el revestimiento uterino crece. El óvulo viaja por las trompas de Falopio hacia el útero y si no se fertiliza, se eliminará junto con el revestimiento uterino.

Días 1-5: Menstruación: se elimina el revestimiento uterino por la vagina.

Días 1-12: Las hormonas pituitarias estimulan el desarrollo de un folículo en el ovario; el estrógeno de los ovarios engrosa el revestimiento uterino.

Días 12-16: Ovulación: se libera un óvulo. El ovario empieza a producir progesterona.

Días 17-24: El óvulo viaja al útero por las trompas de Falopio.

Días 24-28: Si no se produce la concepción, el ovario dejará de producir progesterona, provocando la menstruación.

Sobrellevar los períodos menstruales

Elección de toallas higiénicas y tampones

Toalla higiénica normal: Toalla gruesa que se coloca dentro de su ropa interior, normalmente con un lado autoadhesivo.

Toalla anatómica: Encaja dentro de las bragas: queda sujetada en su lugar por un lado autoadhesivo.

Toalla con alas: "Alas" autoadhesivas fijan la toalla dentro de las bragas con más seguridad.

Protector diario: Para un sangrado leve. Tiene un lado autoadhesivo.

Tampón: Pequeño, conveniente, pero requiere inserción manual.

Tampón con aplicador: Con aplicador para empujar el tampón hacia la vagina.

Cómo funcionan las toallas y los tampones

Toalla higiénica: Se usa externamente dentro del refuerzo de las bragas.

Tampón: Se usa internamente dentro de la vagina. Se retira con un hilo por la abertura de la vagina.

Higiene sanitaria durante el período menstrual

● Cambie la toalla higiénica o el tampón tres a cuatro veces por día.

● Lave las manos antes y después de cambiar las toallas y tampones.

● Lave la vulva todos los días de adelante hacia atrás y con jabón para bebés y agua. No use talco ni desodorantes.

● Para minimizar los riesgos de infección, no use tampones durante la noche. Use una toalla higiénica.

● Existe una infección muy poco común que se denomina síndrome de shock tóxico, que se cree que está ligada al uso de tampones. Para evitarla, elija siempre el tipo de tampón menos absorbente que satisfaga sus necesidades y nunca use un tampón más de ocho horas.

4-11
crecer en confianza

Más que cualquier otra cosa, los niños necesitan padres interesados y afectuosos que les ayuden a hacer su camino en el mundo y desarrollar su autoconfianza.

Vacaciones fuera del hogar

Su hijo desarrollará bastante confianza e independencia al estar fuera del hogar, ayudar con los quehaceres domésticos y responsabilizarse por mantener sus pertenencias ordenadas. Para muchos, la primera experiencia de salir de vacaciones con personas de su propia edad, en vez de con los padres, es un viaje de camping con los scouts. El costo no es muy alto, y los encargados del campamento están entrenados para cuidar niños y tienen experiencia. La añoranza por el hogar normalmente desaparece tan pronto empieza la diversión, pero sólo usted puede juzgar si su hijo está listo a los nueve años, más o menos, para dar este paso hacia su independencia. Probablemente sea mejor dejarse guiar por el entusiasmo del menor; no lo obligue a hacerlo porque usted piensa que le hará bien.

Los campamentos muchas veces incluyen días abiertos donde pueden ir los padres; es importante que usted vaya si puede. Un niño se sentirá decepcionado y aislado si todos los otros padres están allí menos los suyos.

Mesada

La capacidad de administrar dinero no es algo que surge en forma natural; debe aprenderse. La mayoría de nosotros tiene menos dinero de lo que necesitamos o de lo que nos gustaría tener, así es que siempre tendremos que decidir cómo gastarlo. Para un niño, la mesada es la primera oportunidad de aprender a administrarlo.

● A los niños menores de seis años entrégueles algo de dinero que puedan gastar cuando están haciendo compras juntos, para que aprendan a manejarlo y se den cuenta de que pueden escoger entre comprarse un helado o una revista.

● Al decidir la cantidad de la mesada, pregunte a otros padres para tener una referencia y así su hijo tenga más o menos lo mismo que sus amigos.

● Cuando cumpla siete años, más o menos, siéntese con su hijo y confeccione un "balance" para que calcule cuánto necesitará y sepa lo que debería cubrir la mesada: ¿es sólo para helados y dulces? o ¿cubre además la suscripción de los scouts y los pasajes del bus?

● Aliente a su hijo a colocar algo en su alcancía todas las semanas como ahorro para gastos adicionales o dinero para las vacaciones.

● Cuando los parientes de visita le regalen dinero, es razonable permitir que el niño lo gaste como quiera, como algo especial. Si las sumas son grandes, podría gastar una parte y colocar el resto en una cuenta de ahorro a su nombre.

● La mayoría de los niños disfruta de ganar un poco de dinero haciendo trabajos en la casa y el jardín. Esto no significa que debería pagarles todas las veces que ayude, porque se podrían volver mercenarios; pero si hacen un trabajo de verdad, como limpiar el auto por dentro, entonces podrán ahorrar las pequeñas cantidades de dinero ganadas para la compra de algo que realmente desean.

Confianza en sí mismo

Un niño no nace con un sentido de "conciencia de sí mismo". La desarrolla paulatinamente a través de su relación con otras personas: padres, hermanos y hermanas, amigos y maestros. Se forma su propia imagen por la manera en que ellos lo ven y cómo él quiere que lo vean. Si el círculo inmediato de familia y amigos es feliz, relajado y sociable y lo ama y acepta tal como es, entonces tendrá una buena imagen de sí mismo, se adaptará bien al mundo que lo rodea, desarrollará la independencia y se llevará bien con los demás. Sin embargo, si ese círculo es tenso y crítico, de modo que siempre piensa que los está decepcionando, tendrá una mala imagen de sí mismo, estará siempre demasiado ansioso y a la defensiva y le resultará más difícil interrelacionarse.

Al ir creciendo, debe aprender a dominar todo tipo de habilidades, desde vestirse y aprender a leer hasta las habilidades sociales, hacerse amigos y conversar fácilmente con personas del sexo opuesto. Necesita suficiente confianza para saber que puede enfrentarse a todas estas cosas. Si nunca desarrolla esa confianza, se sentirá inferior e inepto. Mientras más inepto se siente, mayor será la probabilidad que fracase.

Si su hijo nota que usted se fija en él y demuestra interés cuando él intenta dominar una nueva habilidad, o cuando se esfuerza en los estudios, él querrá esforzarse más. Asegúrese de alentarlo cuando evidencia progreso, incluso si termina aprendiendo a leer más lentamente que los hijos de sus amigos o si le cuesta mantenerse al mismo nivel que el resto del curso. Es fácil destruir la confianza de un niño si usted sólo parece fijarse en él cuando comete errores o le va mal y lo regañán y critican por ello. Obviamente, usted sólo trata de alentarlo a un mayor esfuerzo, pero él no lo ve así.

El interés de los padres es vital para ayudar a un niño a desarrollar bien sus habilidades, siempre que no sea demasiado intenso o exigente. En ese caso, podría causar más mal que bien. Si las expectativas de los padres son demasiado altas y poco realistas, de modo que el niño nunca puede alcanzarlas, se dañará su autoestima. Entonces podría desentenderse del asunto y dejar de esforzarse por completo. Es posible que el fracaso motive a un niño confiado a un mayor esfuerzo. En el caso de un niño que ya piensa que "no sirve para nada", el fracaso podría simplemente confirmar lo que teme y se dará por vencido. Algunos nunca alcanzan el potencial pleno, porque temen tanto el fracaso, que evitan las situaciones que los podrían poner a prueba.

Seguridad en la calle

Nunca es demasiado pronto para enseñar a los niños sobre la seguridad en la calle. Cada vez que usted ande con su hija en la calle, tómele la mano para estar muy juntas, y comente continuamente lo que ve, para que ella aprenda a discernir la velocidad de un automóvil que se acerca, sepa que nunca debería cruzar la calle corriendo, sino siempre caminar a paso seguro, etc. Nunca se debería dejar a un niño menor de 6 años solo en la calle, y los niños de entre 6 y 10 años no son lo suficientemente maduros para estar seguros en la calle. Una vez que su hijo tenga edad suficiente para andar solo en la calle, enséñele varias reglas inquebrantables:

● Nunca cruzar la calle corriendo tras una pelota o una mascota.
● Nunca caminar ni jugar en la cuneta, especialmente cerca de una curva con poca visibilidad.
● Parar, mirar y escuchar antes de cruzar una calle, incluso antes de cruzar una entrada de automóviles donde la visualidad se encuentra tapada por una muralla.
● Nunca cruzar la calle entre los automóviles detenidos, si se puede evitar.
● Cuando tenga que cruzar la calle, hágalo en un lugar donde haya buena visibilidad del tráfico en ambas direcciones. Si puede, siempre use un cruce peatonal.
● Considerar un cruce peatonal como si no existiera: acercarse a la cuneta, parar, mirar y escuchar. Siempre cruzar caminando, nunca corriendo.

4-11 aprender a vivir con otros

A los padres les toca la enorme tarea de convertir a los niños pequeños en niños mayores sensatos y sociables, y, finalmente, en adultos responsables y cariñosos que se relacionan bien con otras personas.

Saber fijar los límites

La mayoría de los padres se llena de dudas en algún momento sobre cuándo y cómo disciplinar a sus hijos. Obviamente quieren lograr un equilibrio entre siempre estar regañándolos y ser demasiado permisivos. A todos nos gusta pensar que somos motivadores positivos, no dictadores castigadores. Lo último que queremos es que nuestros hijos nos teman y haremos cualquier cosa para mantener los canales de comunicación abiertos. Sin embargo, día tras día se producen momentos cuando no sabemos exactamente dónde fijar los límites.

El propósito de enseñarles disciplina es ayudarles a ejercer la autodisciplina. No se trata de controlarlos o abusar de la autoridad sobre ellos. Se hace más daño al ser demasiado rígido. Un estudio famoso de Berkeley en California examinó tres estilos de disciplina y cómo afectaban a los niños.
● Los padres autoritarios (controladores,

fríos y distantes) tenían hijos descontentos, retraídos y desconfiados.
● Los padres permisivos (cariñosos, pero no exigentes) al otro extremo de la escala, tenían hijos con menos independencia, curiosidad y autocontrol.
● Los padres serios y con autoridad (fijando límites serios, pero cariñosos, racionales y receptivos), sin embargo, tenían mayor probabilidad de tener hijos independientes, con autocontrol y contentos.

Establecer el equilibrio
Su hijo le ruega quedarse más tarde de lo normal para ver algo en la tele. ¿Cómo reacciona usted?
● Demasiado duro: "¡A la cama ahora! o te prohíbo la televisión por un mes."
● Demasiado blando: "Bueno, está bien, pero sólo esta vez".
● Más o menos bien: "Vamos, hijo. Conoces las reglas. Puedes ver televisión hasta tarde sólo los viernes y sábados".

Su hijo quiere usar un par de jeans hecho jirones para asistir al cumpleaños de la abuela.
● Demasiado duro: "¡Ponte los pantalones de vestir, y punto!".
● Demasiado blando: "Bueno, está bien, pero ponte un chaleco bonito".
● Más o menos bien: "No quiero alterar a la abuela y deberías vestirte bien para ella. Si quieres, yo te ayudaré a escoger una ropa elegante."

Como madre, quise tener un mínimo de reglas para mis hijos, pero aquellas importantes no eran negociables. Por ejemplo;
● las actividades peligrosas para mis hijos o para otros estaban prohibidas.
● el respeto por los otros y la generosidad estaban a la orden del día.
● la crueldad en la vida o en la televisión no se aceptaba en nuestra familia.
● siempre se recompensaba la verdad (sin importar lo que se confesaba).

Los niños y el desconocido demasiado amigable

Cuando los niños andan solos, posiblemente se encuentren con un desconocido indeseable y, ya que la mayoría de ellos es confiada, podría enfrentar una situación peligrosa. Es deber de todo padre informarles sobre los peligros de estar en lugares públicos. La explicación no tiene por qué causar alarma, pero todos los niños deberían estar alertas a la presencia de desconocidos amigables que les hablen, les ofrezcan dulces o algo especial o a

dar una vuelta en el auto cuando se encuentran en los parques, sitios eriazos, lugares de juegos, baños públicos e incluso caminando por la calle.

Siempre es mejor ser lo más honesto posible con los hijos y, en este caso, las palabras de advertencia podrían salvarles la vida. Sea totalmente honesto y dígales que los adultos enfermos mentales podrían hacer más que simplemente acercarse a ellos, sino que podrían tocarlos, invitarlos a mirar una fotografías,

tratar de desnudarlos o tocar sus genitales. Estos adultos también podrían desvestirse o tocarse a sí mismos.

Dé instrucciones muy claras sobre lo que su hijo deberá hacer si eso sucede. La prioridad es buscar ayuda. No debería preocuparse dónde: debería entrar a una tienda, detener a un transeúnte o golpear la puerta de una casa. También advierta a su hijo que nunca debería salir a jugar con otro niño sin antes pedir permiso.

Ser atento

Los buenos modales y ser atento en el trato con otros (decir "por favor" y "gracias", ofrecer ayuda, ceder el asiento a una persona anciana o enferma, esperar su turno en la fila) son indicios externos de que creemos que las otras personas y sus necesidades son importantes. Las acciones en sí podrían ser poco relevantes, pero lo que demuestran de nuestro interés por otros, ya sea amigos o desconocidos, es muy importante. Sin un código de modales generalmente aceptados, la vida se volvería salvaje y desagradable, por eso los padres deben trasmitirlo a los hijos.

La mejor manera de enseñarles buenos modales es mediante el ejemplo consistente. Si ve a una madre que grita a su hijo: "¡Oye! ¡Ven acá!", no se sorprenderá descubrir que el hijo tiene modales detestables. Un padre que se abre paso con los codos para pasar a la delantera de la fila, arrastrando a su hijo detrás de él, probablemente produzca el tipo de hijo que empuja a los demás, sacándolos de su camino, para coger el trozo más grande de torta.

Si usted es atento en el trato con otras personas, incluyendo a su hijo, no tendrá que dar muchas instrucciones formales sobre los buenos modales. Obviamente, deberá recordar y explicarlos de vez en cuando. Un niño comienza la vida siendo un ser egocéntrico y no piensa naturalmente en otras personas. Al crecer e identificarse con usted, querrá copiar su estilo de conducta, y si usted es atento en el trato con otras personas, él también lo será.

Patrones de amistad cambiantes

Los patrones de amistades cambian drásticamente según la edad, y los factores que gobiernan las amistades en los niños pequeños difieren mucho de los que operan entre adolescentes y adultos.

Por lo general, las relaciones de niños en edad preescolar son más cooperativas y amistosas, que hostiles y competitivas, incluso en el caso de los niños más agresivos. Suelen tener varios amigos y ningún favorito entre ellos. No se preocupe si su hijo no es muy popular durante esta etapa. Las amistades son superficiales y poco estables: hoy existen y mañana no; así es que es muy probable que no tengan un efecto duradero sobre la personalidad del niño.

Estudios realizados en jardines infantiles muestran que las niñas buscan establecer amistades y pasan más tiempo jugando con las amiguitas, mientras que los niños prefieren alguna actividad física como saltar y correr.

Una vez que vayan al colegio a los 5 ó 6 años, probablemente desarrollen más amistades individuales y se junten con algunos amigos especiales. Los escogen de la misma edad, quizás el niño que se sienta al lado en la sala de clase o en las comidas o que está en el mismo grupo cuando se turnan jugando en la casita de juguete. Es poco común que un niño de esta edad juegue casi siempre solo.

Los niños pequeños parecen no darles importancia a las diferencias de género cuando juegan, pero a los 8 ó 9 años de edad empiezan a jugar en grupos de un mismo sexo. Los niños de 9 a 13 años probablemente pertenezcan a una pandilla o grupo, aunque podrían tener un amigo especial dentro del grupo. Las niñas normalmente tienen una mejor amiga, aunque no siempre la misma todo el tiempo, y si pertenecen a un grupo o club es menos unido e importante para ellas. Niños y niñas ahora están formando las amistades sobre la base de intereses más que por proximidad.

El temperamento de los niños varía, así como sus necesidades sociales. Usted podría tener a una hija que se aferra a la misma amiga íntima durante años y se interesa poco en las otras niñas, y otra que tiene un círculo de amigas tan grande y cambiante, que usted ni siquiera puede recordar todos los nombres. Siempre que su hija esté contenta con las cosas como están, no hay ninguna razón para interferir.

4-11 temas sensibles

Problemas y preguntas que los padres deberán manejar con cuidado surgirán en algún momento en la vida de todos los niños.

Niños agresivos

Los niños agresivos son uno de los problemas más insidiosos en los colegios, y se encuentran en todos ellos, sin importar el sistema o la edad de los niños. Los maestros alertas en un colegio con una política positiva sobre la violencia querrán cortarla de raíz, así es que si las preguntas de su hijo insinúan algún tipo de intimidación, hable de inmediato con el rector del colegio.

● La intimidación de estos niños es siempre mala y debe detenerse. Convenza a su hijo de este hecho. Le será más fácil contarle sobre alguna amenaza si tiene clara esta creencia básica.

● Los niños son especialmente conscientes del código ridículo de que no deben delatar a los más violentos, incluso si son las víctimas. Convenza a su hijo de que este código está mal y que debe buscar ayuda si un matón lo está molestando.

● Quizás se pregunte si su hijo debería tomar represalias frente a la intimidación. Yo solía decir a mi hijo de menos de 9 años que le diera una advertencia al agresor y luego le diera un puñetazo, pero no deberá hacer eso si se enfrenta a varios. Un niño podría buscar ayuda de uno mayor y de confianza para tratar con los matones; sin embargo, usted siempre debería informar al colegio sobre situaciones de este tipo, incluso si suceden fuera del recinto. Pida ayuda de parte del profesorado para exigirle cuentas a estos niños, pero de una manera discreta para proteger a su hijo.

● Las niñas son capaces de ser igual de agresivos que los niños, y, muchas veces, la intimidación toma la forma de una campaña cruel de murmuraciones o la exclusión de una niña de un grupo de amigas. Si se prolonga en el tiempo, herirá tanto como la violencia física y debería tomarse en serio.

● Los niños no son violentos de nacimiento, pero a menudo aprenden un patrón de egoísmo, trato discriminatorio e intimidación de los adultos en su propio hogar. Esto se puede deber a la severidad excesiva de un padre autoritario o surgir en un hogar desorganizado, donde el niño está más solo.

● La intimidación es la respuesta del niño al dolor y la falta de amor. Aunque ésta nunca se puede aprobar, los matones necesitan ayuda para cambiar su patrón de conducta.

Conducta problemática

¿Cuándo deberíamos comenzar a preocuparnos porque la conducta problemática se está pasando de los límites y volviéndose anormal? No hay respuesta simple. El asunto con las conductas problemáticas "reales" y las emociones es que son demasiado frecuentes e intensas y, por ende, producen consecuencias graves para el niño y las personas que lo rodean. Una cosa es mojar la cama a los dos años y medio, pero imagínese los problemas terribles que tendría un niño de 11 años que no pudiera controlar sus esfínteres durante la noche.

Existen varios criterios que ayudan a definir si una conducta problemática se ha pasado de los límites. Los primeros tres tienen que ver con la frecuencia, persistencia e intensidad de un síntoma en particular. Muchos niños sienten temor, mienten o roban; pero en el caso de la mayoría, se trata de una mala etapa que pronto dejará atrás. Pero, de vez en cuando, un niño puede estar tan lleno de temores; que tan pronto se disipa uno aparece otro, o podría seguir inventando historias de fantasía que le son totalmente reales mucho tiempo después de que la mayoría de los niños ha aprendido a distinguir entre la realidad y la fantasía. En ese caso, podría tener un problema psicológico de desadaptación al mundo en el cual vive y requerir tratamiento.

La mayoría de los niños se come las uñas en algún momento. Sin embargo, pocos lo hacen con tanta fuerza que hacen sangrar la uña. Ese tipo de intensidad sugiere una perturbación emocional más que sólo un mal hábito. Otro ejemplo es el niño que parece ser incapaz de decir la verdad, incluso cuando le iría mejor si la dijera.

El cuarto criterio es la edad. Debemos medir la conducta del niño según la norma de su etapa de desarrollo. Es común que un niño de cuatro años tenga berrinches, pero son tan poco comunes en los niños de 11 años, que probablemente indiquen una perturbación emocional.

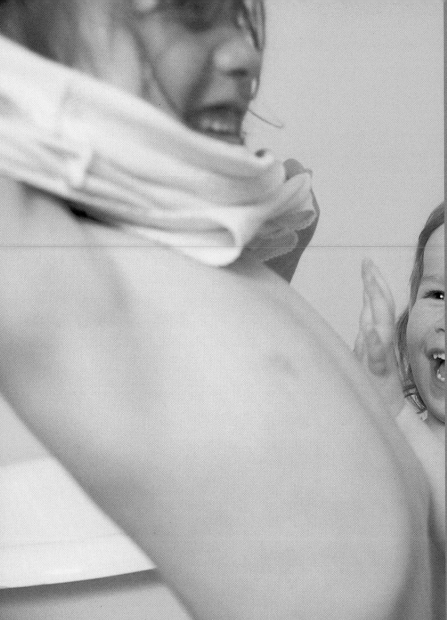

Una actitud sana hacia la desnudez

Desafortunadamente, el tema de la desnudez muchas veces se encuentra rodeado de tabúes, pero no hay porqué tener inhibiciones dentro de una familia con hijos menores de 11 años.

● Trate de no programar a sus niños con sus propios complejos sobre la desnudez, si los tiene. Por naturaleza, los niños menores no sentirán ninguna vergüenza, así es que siga su ejemplo.

● A los 8 ó 9 años de edad, sin embargo, algunos niños (especialmente las niñas) darán señales claras de que ya no se sienten cómodos exponiendo su cuerpo. Descubrirá que su hija empieza a cerrar la puerta del baño con llave y se cubre la desnudez al cambiarse ropa para hacer natación o deportes. Cuando eso sucede, respete la privacidad que ella necesita.

● Mientras menos restricciones, mejor. Mis hijos entraban conmigo al baño hasta los 5 ó 6 años y tenían plena libertad para entrar al dormitorio en cualquier momento cuando me estaba vistiendo. Algunos padres quizás sientan vergüenza, pero mi interés primario era estar disponible para mis hijos en todo momento, así como que se sintieran cómodos con la desnudez y, por lo tanto, con sus propios cuerpos.

● Obviamente, su hijo también deberá aprender que fuera del hogar no todos son tan abiertos, especialmente gente mayor, como los abuelos, que podría tener una perspectiva diferente. Tal vez tenga que explicar que no es bueno hacer que otros sientan vergüenza. Lo que se acepta sin tapujos en la casa, quizás no sea posible o aconsejable en otro lugar.

La masturbación es normal

La masturbación puede ser un tema difícil para los padres, no porque el tema en sí sea complicado, sino debido a sus propias actitudes en ese sentido. Su hijo tiene derecho a estar tranquilo con respecto a la masturbación; entender claramente que es normal y beneficiosa ayudará a disipar los mitos en torno a ella.

● Muchos padres se sienten muy confundidos acerca de la masturbación debido a malentendidos que se remontan a su propia niñez. En sí no es mala; trátela como una parte normal del proceso de crecimiento y no siembre las semillas de la vergüenza,

● Tolere o haga caso omiso de la masturbación. Si surgen preguntas, contéstelas; esté de acuerdo en que "se siente bien al tocar el pene", pero fije límites: "Eso es algo que se hace en privado". Si su hijo se masturba en público, trátelo como si fuera una falta de cortesía o malos modales.

● Hasta los 5 años, que un niño toque a otro es casi siempre inocente. Asegúrese de que uno de los niños no sea víctima y que no intenten insertarse cosas en el cuerpo. La excepción seria un niño abusado sexualmente cuando muy pequeño.

● Si un niño cuenta que alguien bastante mayor y más desarrollado lo ha tocado, usted deberá tratar eso como una señal de alerta. Averigüe con calma exactamente lo que sucedió (si es que sucedió algo) y esté atento cuando el niño esté con esa persona.

● La masturbación es una forma natural y sana de liberar tensiones. Yo sólo me preocuparía si un niño se masturbara habitualmente para escapar de un mundo horrible, debido a carencias emocionales. Ese tipo de niño necesita ayuda y la forma de corregirlo es con amor, no con castigos.

4-11 iniciando el colegio

Si prepara a su hijo tierna y cuidadosamente, debería tomar la entrada al colegio y aprender a leer y contar con calma.

Preparando su hijo para el colegio

Si su hijo puede hacer lo siguiente, eso le ayudará a enfrentar las primeras semanas en el colegio.
● decir claramente su nombre, apellido y la dirección de su casa.
● manejar un cuchillo y tenedor para cortar la comida
● pedir permiso para ir al baño sin usar apodos familiares
● manejar los botones y cierres de su ropa
● utilizar los grifos, las toallas y tirar la cadena.
Es natural que los padres se pongan ansiosos a medida que se acerca el día en que su hijo dará el primer gran paso en el mundo exterior, especialmente si es el primer o único hijo. Los padres que han

pasado cuatro o cinco años cimentando una relación estrecha con el niño, a veces piensan en el colegio como algo que les arrebata su bebé y destruye una parte de esa queridísima relación.

Si su hijo ha ido al jardín infantil, ya estará acostumbrado a la idea del colegio y estar alejado de la casa durante parte del día, así es que no debería tener problemas de adaptación. Si es el segundo o tercer hijo de la familia, quizás ya tenga envidia de sus hermanos mayores, que parecen ser más sofisticados.

Si su hijo nunca fue a un jardín infantil, y especialmente si es hijo único, asegúrese de que esté acostumbrado a estar separado de usted durante

períodos cortos, quizás dedicando una tarde a jugar con los hijos de una vecina, y sabiendo que usted lo recojerá a una hora determinada. Pasar por el colegio a la hora del recreo en forma regular también ayuda. Le da la oportunidad de mirar y ver lo que está sucediendo. Verá a los otros padres frente a la reja, quizás saludando a sus hijos, y usted podría prometerle que irá a saludarlo de vez en cuando esté en el patio. La mayoría de los colegios alienta a los padres nuevos a que visiten el colegio con sus hijos al menos una vez antes de que asista en forma definitiva, para que vea a los otros niños trabajando felices y sepa que no le espera nada aterrador.

Proyectos

Se han diseñado una serie de proyectos de actividades para que los niños usen su curiosidad natural para explorar una gama amplia de temas. En vez de aprender a recitar listas de fechas o capitales de países, desarrollan un aprecio y entendimiento real de la historia, la geografía y otros temas del currículo escolar.

Si están trabajando un proyecto sobre los romanos, por ejemplo, podrían realizar un mapa de asentamientos romanos en Gran Bretaña, debatir las razones de la elección del sitio, y estudiar los métodos que éstos usaron para construir los caminos. Podrían graficar las batallas que pelearon, investigar las creencias religiosas, hacer un modelo de un fuerte romano, o escribir y actuar una obra de teatro sobre Julio César. Al finalizar el proyecto, cada niño debería tener una carpeta personal de trabajos escritos, dibujos y tablas, y habrá aprendido mucho sobre la recopilación, el registro y la presentación de datos.

Cómo los padres pueden ayudar con las primeras lecturas

Si pareciera que su hijo no está progresando mucho en las primeras etapas de lectura, podría ser que tiene el enfoque equivocado y se está confiando demasiado de los ojos en vez de usar el cerebro. Siéntese con él una tarde y pídale que lea un poco del libro del colegio. Si al leer le cuesta pasar de una palabra a otra y termina con una frase que no es más que un revoltijo sin sentido, está sólo mirando una serie de símbolos en vez de pensar sobre el significado de ellos. Si no toma en cuenta el significado de la palabra, no podrá chequear para ver si está correcta o no. Sin embargo, cuando su madre le habla entiende sin necesidad de identificar cada palabra y sílaba. Por alguna razón, no está aplicando la misma técnica a la lectura. No está usando el conocimiento del idioma para adivinar lo que viene a continuación, para hacer más fácil la interpretación de los símbolos.

Usted lo puede ayudar con un sencillo juego de lectura. Al leerle un cuento, deslice el dedo por la línea de palabras para que él lo siga con los ojos. Después de dos o tres frases, pare repentinamente y permita que su hijo adivine la siguiente palabra. Si la frase fue: "Mamá dijo que Jenny podía salir a jugar, pero tenía que estar de vuelta antes de las ...", su hijo podría adivinar "las cinco de la tarde". Quizás se equivoque pero sabe que lo que falta debe ser una hora y sabe que los niños deben regresar de jugar a la hora del té. Pronto se dará cuenta de que sólo necesita adivinar las primeras dos letras de una palabra desconocida para dar la respuesta correcta. Si repiten el juego una y otra vez, debería finalmente desarrollar el hábito de usar el cerebro además de los ojos al tratar de leer.

Leer para información

Si se puede alentar a los niños a pensar en la lectura como una parte útil y necesaria de la vida en decenas de diferentes maneras todos los días, entonces aceptarán la palabra escrita en forma natural y fluida sin el nerviosismo de muchos adultos que les dura toda la vida. Ayude a su hijo encargándole la lista de compras, por ejemplo, y pidiendo que lea los ítemes uno por uno cuando hace la compra en el supermercado. O pídale que lea la receta cuando usted está cocinando o que busque la hora de una película en el periódico.

Ayudar con los números

Muchos padres todavía enseñan a sus hijos a contar hasta diez de memoria o con los dedos, pero les será mucho más útil si aprenden moviendo las fichas o las pasas o las monedas y colocándolas en grupos. Entonces no partirán con la idea de que cuatro significa el cuarto objeto de una serie, sino los cuatro objetos en un conjunto de objetos.

Una vez que su hijo entiende la idea, podrían practicar contando hombres con paraguas o perros con correa cuando caminan por la calle: esto facilitará la concentración además de la habilidad de contar. En vez de hilvanar cuentas grandes de madera tal como salen, podría intentar hilvanar dos cuentas rojas juntas, luego tres verdes y así sucesivamente.

Los juegos de clasificación son excelentes para el aprendizaje. Pídale a su hijo que clasifique las cosas de la casa, como separar diferentes tipos de nuez, agrupándolas de una fuente grande en cuatro fuentes chicas.

4-11
problemas al crecer

Todos los niños pasan por etapas de conducta problemática que preocupan a los padres. La mayoría se resuelve a tiempo; pero entretanto, los niños podrían requerir de comprensión y sensibilidad.

¿Por qué hace trampa un niño?

Los padres normalmente se horrorizarán si se descubre que su hijo, criado para pensar que la honestidad es muy importante, está haciendo trampa en el colegio.

Un niño normal hace trampa cuando quiere tapar un debilidad real o imaginaria. Si tiene confianza en sí mismo, rara vez sentirá la necesidad de hacer trampa. Si usted descubre que su hijo hace trampa reiteradamente, pregúntese por qué siente que no puede valerse de sus propias habilidades. Muchas veces el problema viene de poner a los niños en situaciones de competencia feroz y sólo alabando a los que salen primeros. Quizás su hijo piense que no puede mantenerse al nivel del resto de la clase, en cuyo caso el maestro podría sugerir una forma de solucionar el problema. Podría ser que usted lo esté empujando demasiado y esperando mucho de él, así es que hace trampa en un intento errado de no decepcionarle.

¿Por qué miente un niño?

Los niños, a menudo, tratan de aumentar su prestigio en un mundo donde se sienten pequeños e insignificantes, contándoles a todos los amigos historias exageradas sobre el flamante auto deportivo nuevo de la familia, que realmente es un sedán a maltraer, o el estilo de vida de jet set de su padre, cuando realmente trabaja en una oficina común. Sólo hacen eso porque han aprendido de los adultos a su alrededor que ésas son las cosas que le traerán admiración y aprecio.

Sin embargo, a veces los niños que "mienten", simplemente no ven las cosas de la misma forma que usted, y su hijo pensará que usted lo ha juzgado mal si le dice que falta a la verdad. Cuando dos hermanos pelean, siempre es el otro quien empezó. Es siempre la otra hermana quien sugirió subirse al techo del cobertizo o sacar flores del jardín.

Cuando usted juzga si un niño miente o no, tome en consideración la forma en que ve el mundo. La niñez es un período de imaginación vívida y fantasías. En el caso de un niño con imaginación activa, el límite entre la verdad y la fantasía no está bien definido. Lo que ha deseado y soñado podría ser más real para él que un simple hecho. Así, si entra y dice que ha estado hablando con un pequeño hombre verde en el jardín: "estaba allí, de verdad mamá, no lo estoy inventando", ¿por qué no seguir el juego y, al mismo tiempo, dejar en claro que usted sabe que es una fantasía?

A medida que un niño crece y adquiere mayor confianza, normalmente descubre que ya no necesita todas las mentiritas que aumentaban su autoestima. Sin embargo, algunos siguen mintiendo hasta ser adultos y terminan sin la capacidad de distinguir entre la verdad y la mentira.

La mentira constante es una señal de alerta. Los padres deben asegurarse de que no estén empeorando el problema por ser demasiado estrictos. Si el castigo por romper las reglas es demasiado severo, el niño hará de todo para nunca admitir que las ha infringido. Si un niño rompe un ornamento preciado y lo confiesa, sólo para descubrir que usted se enfurece y le da una buena palmada, es mucho más probable que la próxima vez culpe al gato. El paso principal para enseñar a un niño a no mentir es reconfortarlo lo suficiente, de modo que no siente que tiene que mentir.

Si su hijo piensa que mentir es la única forma de mantenerse al nivel de sus compañeros, que quizás vivan en un barrio más exclusivo, y él finge que su casa es tan grande como las suyas, enséñele que las posesiones no son tan importantes y las personas lo querrán por lo que es, no por lo que se jacte de ser.

Por último, asegúrese de fijar un buen ejemplo para su hijo. Puede ser que usted le diga "mentiritas" por las mejores razones, diciendo que no quedan dulces cuando tiene muchos escondidos; pero le costará a él entender por qué las mentiras que él dice son malas, mientras que las suyas no lo son.

Hiperactividad

Por falta de una etiqueta, se dice que algunos niños difíciles, pero completamente normales, son hiperactivos. En mi opinión, eso no se justifica. La palabra "hiperactividad" es el término amplio que antes solía describir a los niños con Desorden de Déficit Atencional y Desorden atencional con Hiperactividad, condiciones conductuales que incluyen la conducta problemática, falta de concentración, insomnio y excitabilidad (véase pág. 529). Contrario a las creencias de los padres, nunca se ha probado que ciertos colorantes y saborizantes contribuyan a la hiperactividad, y el manejo comprensivo de los padres mejora la conducta de la mayoría de los niños. Existen sólo unos pocos grados de hiperactividad que son anormales, graves o que necesitan atención médica. Personalmente estoy en contra del uso de drogas como Ritalin sin ser asesorado muy de cerca por varios médicos, en especial ya que muchos niños reaccionan favorablemente con terapias cognitivas y conductuales más amables.

Los niños genuinamente hiperactivos tal vez requieran la ayuda de especialistas para reentrenar los hábitos; se trata de la terapia conductual. Sin embargo, si la energía sin límites de su hijo lo deja sin fuerzas y fatigado al final del día, lo más probable es que **no** sea hiperactivo, sólo excesivamente activo. Si su hijo siempre está "en movimiento" y nunca quiere acostarse, asegúrese de que tenga muchas oportunidades de rebajar su energía jugando juegos bulliciosos al aire libre, y luego aplique las reglas básicas que funcionan para un niño pequeño que sólo está probando los límites que le ha fijado. En lo posible, haga caso omiso de la conducta "mala", siempre que no lastime a alguien. Pero nunca pase por alto la conducta "buena" y alábelo siempre que esté calmado y cooperador. En vez de retarlo cuando bota las cosas al pasar volando por la pieza, haga que recuerde que ha hecho algo bueno al entrar caminando normalmente. Requerirá de mucha paciencia, pero paulatinamente producirá los resultados deseados.

¿Por qué puede robar un niño?

Un niño de 4 años toma las cosas porque no tiene una idea clara de lo que le pertenece por derecho y lo que pertenece a otro. Siempre se le está exigiendo que comparta sus juguetes, así es que si el niño de al lado tiene algo que le gusta, no entiende por qué no puede llevárselo a la casa.

Pronto aprende que es malo robar o usar las cosas de otros sin antes pedir permiso. Sin embargo, los niños tienen un concepto diferente de robar a diferentes edades. Los pequeños tienden a pensar que robar es algo malo porque temen el castigo que recibirán. Los mayores probablemente piensan que robar es malo porque lastima a otros.

Cómo tratar con el robo

La mayoría de los padres se alarma cuando un niño roba, porque como adultos hemos aprendido a pensar que el robo es un delito grave. Sin embargo, los estudios muestran que es común que los niños mayores roben. Los castigos no son muy eficaces para erradicarlo. Trate de evitar los sermones y el melodrama, haciendo que su hijo piense que ha hecho algo imperdonable y que usted nunca lo podrá amar del mismo modo de nuevo. Háblele con calma y firmeza, explicando que está lastimando a otro al robarle lo que le pertenece. Si les ha robado a sus propios amigos, asegúrese de que devuelva lo robado. Si ha robado artículos de una tienda, llévelo ahí, y explique al vendedor que él tomó algo sin pagar y quiere disculparse y devolverlo.

Un niño podría robarle a su madre si pensara que no está recibiendo suficiente cariño y atención de su parte: quizás piense que ya ha terminado la edad de niño pequeño con todo los mimos y que usted no lo ama tanto, así es que deberá mostrarle que está equivocado. A veces, un niño roba cosas que no necesita, o que no quiere, para probarse de una manera u otra; quizás la disciplina en casa es demasiado estricta o la madre es demasiado rezongona y protectora, por lo que necesita escaparse.

Los niños que siguen robando sí requieren ayuda profesional, pero si están gravemente perturbados, robar no será el único síntoma. A menudo están haciendo la cimarra y evidenciando otros problemas.

4-11 sigan conversando

Manténgase en contacto con su hijo en todo: desde cómo se reproducen los seres humanos hasta lo que ve en televisión.

Juego sexual: tocarse es normal

La forma en la cual usted maneje el juego sexual de su hijo es importante, porque puede afectar lo que su hijo piense del sexo más adelante. El juego sexual se hace más común cuando los niños ingresan al colegio básico. A los 13 años, dos tercios de los niños han participado en ellos, aunque la actividad sexual de las niñas es menos común.

Juego homosexual

Este juego, entre niños que se tocan genitales unos a otros, también se hace más común a medida que crecen. Es más probable que suceda en los internados sólo para niños o niñas que en otros colegios, por razones obvias, pero no hay ninguna evidencia concluyente que muestre que esta fase pasajera de homosexualismo tenga algo que ver con la homosexualidad adulta.

El interés y el comportamiento sexual de los niños es intermitente, superficial y nada de intenso. Así es que ¿por qué no tratarlo del mismo modo? No se altere y no diga a los niños que están haciendo algo "malo" o "sucio". El niño podría empezar a sentirse culpable y

furtivo en cuanto a sus sentimientos sexuales, o podría emocionarse e interesarse más porque piensa que está prohibido. Si usted lo convierte en algo grave, implicará que el sexo es antinatural. Trate la curiosidad sexual como algo normal y natural, pero insista amablemente en que existen convenciones conductuales que deben seguirse.

Se puede evitar la mayoría de los problemas con una actitud abierta hacia los temas sexuales desde el momento en que los niños comprenden que hay una diferencia entre los sexos. Si su hijo pequeño quiere comparar el tamaño de su pene con el de su padre, entonces no hay nada que apague su curiosidad más que echarle un buen vistazo. Le ayudará mucho a no ser neurótico con respecto a su propio cuerpo.

Cómo se reproducen los seres humanos

Usted puede fomentar un enfoque positivo hacia el sexo enseñando a su hijo cómo se reproducen los seres humanos tan pronto empieza a preguntar, para que sepa que no hay nada

que esconder. Así es que explique claramente a sus hijos cómo crece el bebé en el útero de la madre. Una vez que ha tratado este punto, es importante enseñarles cómo nace el bebé para que ellos no crezcan pensando que el abdomen se abre y nace el bebé, como un arveja de una vaina.

Déjese guiar por su hijo

Si puede, separe el relato del embrión que crece de un debate sobre el coito. Los padres se pueden guiar por las preguntas de sus hijos para darles toda la información que desean en ese momento, sin entrar en una larga explicación de las relaciones sexuales que ellos no pueden entender completamente.

Trate de explicarlo con un lenguaje sencillo y preciso, para que tales palabras como pene, vagina o semen nunca sean causa de risa. Si le preocupa que no podrá comunicar la información apropiadamente, hay muchos libros sencillos en la biblioteca que le ayudarán; pero no entregue solamente el libro a su hijo para que lo lea solo, siéntese con él y léanlo juntos.

Respondiendo preguntas sobre sexo

Responder preguntas tales como "¿Qué significa hacer el amor?", "¿Qué es el pene?", etc., constituye una oportunidad para hacer énfasis en los niños que el sexo debe ser fruto del amor y no está excento de responsabilidades: la responsabilidad de pensar en la otra persona antes que en uno, la responsabilidad de nunca obligarla, presionarla o forzarla, y de respetar a los demás.

● No se restrinja en decirle la verdad a su hijo. Le debe una respuesta honesta y abierta, sin que exista el temor de sentirse avergonzado.

● No se sienta con la obligación de darle a su hijo pequeño hasta los más mínimos detalles, ya que no es ni necesario ni bueno para él o para ella. Sus hijos podrían asustarse al darse cuenta de que no pueden comprenderlo todo. Recuerde que rara vez es necesaria información detallada sobre la mecánica del sexo para un niño menor de 8 años.

● Considere cada pregunta que su hijo formula como una oportunidad para transmitir sus criterios y valores, y para ayudarle a sentirse amado y bien informado.

● Trate de anticiparse a las preocupaciones de su hijo. Recuerde que el sexo también exige autocontrol y abstinencia, cualidades que usted debería enseñarles.

● Nunca reprenda a su hijo por ser sexualmente curioso con personas del sexo opuesto. Satisfaga esta curiosidad respondiendo franca y honestamente a sus preguntas.

● Hábleles a su hijo e hija conjuntamente. Los niños necesitan saber sobre las niñas, porque el conocimiento y la comprensión ayudarán a infundirles un sentido de responsabilidad y entendimiento respecto a las necesidades de niñas y mujeres desde temprana edad.

¿Televisión?

La mayoría de nosotros tiene sus propias convicciones sobre si la influencia general de la televisión es buena o mala. Sin embargo, nos guste o no, ésta ha llegado para quedarse. Muchos padres encuentran difícil o imposible reducir el tiempo que sus hijos pasan viendo televisión, además se preocupan del efecto que tendrán las frecuentes escenas de violencia sobre ellos y de la cantidad de tiempo "malgastado" que podría ser usado para leer, practicar un hobby, escuchar música, etc.

Violencia en la televisión

Investigaciones al respecto demuestran que es probable que el efecto de la violencia en niños pequeños sea más bien leve. Esto tal vez se deba, en gran parte, a que la violencia que ven es aquella que aparece en caricaturas o en películas de acción, donde abundan personajes que son parte de un mundo de fantasía bastante diferente del propio. Los niños imitan a gente como ellos: otros niños, hermanos y hermanas o a sus padres y maestros. Están muy conscientes de la diferencia que existe entre la gente de verdad y Tom y Jerry, o un personaje de La guerra de las galaxias.

Las películas de "policías y ladrones" podrían tener una influencia levemente mayor, pero aun así muchos niños, quizás la mayoría de ellos, se dan cuenta de que existe un alto grado de fantasía en ellas. Saben que sus padres y hermanos no conducen autos rápidos ni pasan el tiempo en costosos clubes nocturnos; además, saben que cuando una persona golpea a otra, de verdad duele. La evidencia

demuestra que son los adultos jóvenes, más que los niños menores de 12 años, quienes están más propensos a ser afectados por la violencia de las películas, ya que ésta siempre es perpetrada por personas de su misma edad, y podrían querer imitar este comportamiento.

Sorprendentemente, las noticias de la vida diaria o los documentales son los programas que tienen más probabilidades de afectar a un niño, pues en ellos puede ver a otros niños apedreando soldados en Ulster o a jóvenes iguales a su hermano peleando en las graderías durante un partido de fútbol. Éstas son personas reales en situaciones reales. Ya sea que tengamos o no un televisor, nuestros hijos están propensos a ser influenciados por las actitudes y acciones de la sociedad que los rodea. Los padres no pueden protegerlos contra todo aquello que es horrible en esta vida.

Sin embargo, una de las cosas más útiles que los padres pueden hacer es ver los noticieros junto a sus hijos, de manera que puedan comentar lo que están viendo y cómo se sienten. La discusión posterior a los programas, con el mero fin de entretenerse, también puede ser útil, ayudando así a los niños a formar y comprender fehacientemente sus pensamientos respecto de los "buenos" y los "malos", y cómo los personajes se tratan entre sí.

Usted puede tener la seguridad de que el comportamiento familiar y aquel entre los amigos en donde se observe un trato gentil y considerado ejercerá una influencia mucho más fuerte sobre su hijo que cualquier otra cosa que vea en televisión.

"Los adolescentes
necesitan
experimentar y
poner a prueba sus
límites y los de
otras personas"

etapas de la vida: de 11 a 18 años

Hasta que los niños tienen 10 años, la mayoría de los padres pueden afirmar con confianza que los conocen bien, ya que los niños pequeños son un reflejo de lo que se les enseña. Esto cambia al llegar a la adolescencia. Esta etapa es descrita a menudo como una "locura normal", ya que, en la mayoría de los casos, las cosas eventualmente se calman.

La rebeldía es normal

Es natural que a los adolescentes les guste arriesgarse. Necesitan experimentar y poner a prueba sus límites (los propios y los de otras personas). La rebeldía es algo usual al lidiar con los cambios emocionales de la adolescencia. Podrían sentir rebeldía ante reglas y mandatos que la sociedad intente imponerles o que sus padres esperan que sigan.

Gran parte de esta rebeldía tiene su origen en la necesidad de ser diferentes a sus padres y de establecer su propia identidad. Esta actitud podría no ser particularmente cómoda para los mismos adolescentes y éstos podrían tomar decisiones o actuar de una manera en particular, sólo porque saben que sus padres no quieren que lo hagan.

Pero recuerde: la mayoría de las veces un mal comportamiento es un signo de que su hijo está encontrando la vida difícil. Según mi experiencia, las cosas serán más fáciles para todos si los padres:

- **vigilan** lo que pueden
- **evitan** la confrontación excesiva y buscan formas de llegar a acuerdos
- son **tolerantes**

En lo personal recomendaría muy enfáticamente evitar confrontar el fuego con fuego, ya que sólo empeora las cosas y acrecienta el resentimiento del adolescente en contra de todos. Por esto es tan importante tratar de entender la causa del comportamiento problemático, no únicamente concentrarse en la discusión en sí.

Por ejemplo, si sus hijos tienen problemas en la escuela, aliéntelos para que le expliquen cuál es su motivación para comportarse inadecuadamente. ¿Hay maestros o lecciones que les ocasionan algunas dificultades en particular? A menudo, una baja autoestima es la causa de este comportamiento, por

lo tanto, elogie a su hijo adolescente cada vez que haga algo bien, para así alimentar su confianza.

Ningún problema debiera ser demasiado serio para ellos como para no compartirlo con usted. Si hablar con sus hijos adolescentes se presenta como algo imposible, porque pareciera que usted está enfrentando una pared en blanco o los ánimos se alteran por ambos lados es conveniente, pedirle a una tercera persona, como a un amigo o un pariente, que converse con ellos.

El punto de vista del adolescente

Tus años de adolescencia son una parte muy preciada de tu vida: tus horizontes se amplían de manera única y constantemente se presentan nuevas opciones. Esta época también es especial debido al crecimiento mental experimentado. Uno ingresa a la adolescencia sintiéndose inepto, torpe, tímido y confundido, para luego abandonarla teniendo opiniones e ideas claras acerca de sus estudios, el tipo de relaciones que se está buscando y, tal vez, el tipo de vida que lo hará feliz. Quizás en ninguna otra etapa de la vida tú crecerás a un ritmo tan vertiginoso, tanto emocional como intelectualmente.

Intenta hablar con tus padres, los necesitas a ellos y su apoyo; además, es difícil que encuentre a alguien que esté tan interesado en ti como ellos lo están. Un punto esencial es persuadirlos que tienes cosas importantes que hablar mientras estás creciendo y necesitas su ayuda. Pocos padres pueden resistirse a tal petición.

Existen pocos períodos en nuestras vidas que parecen tan difíciles como los años de la adolescencia; cuando ésta termine, probablemente, mirarás atrás y sentirás que supiste llevarlos muy bien. Si consigues esto, tu logro será enorme; si llegas al final de esta etapa sintiéndote bastante satisfecho con una perspectiva positiva de la vida, será un triunfo y podrás estar muy orgulloso de ti mismo.

En las páginas siguientes, ofrezco pautas (en donde sea necesario), consejos (donde siento que podría ser necesario recibirlos) y estrategias para lidiar con situaciones potencialmente difíciles.

Cuerpo

> la clave para sobrellevar la adolescencia es la autoestima

Ámbito Social

Mente

> la adolescencia es una etapa muy hermosa en tu vida

> la única razón
> para tener
> relaciones
> sexuales es
> porque tú así
> lo quieres

el cuerpo de una joven

11-18

Entre los 8 y los 18 años, el cuerpo de una joven cambia por la influencia de la hormona femenina llamada estrógeno, la cual la transformará de niña en mujer.

Crecimiento físico

Alrededor de los 8 años, aproximadamente uno antes de la pubertad, en la mayoría de las jóvenes los huesos pélvicos comienzan a crecer y se empieza a depositar grasa en los pechos, caderas y muslos. En la fase de la adolescencia, la cual comienza generalmente entre los 10 y 16 años, tus pezones comienzan a crecer y aparece vello púbico y bajo tus axilas. En esta etapa, los órganos genitales se desarrollan y se inician tus períodos. Se deposita más grasa en tus caderas, pechos y muslos. Para cuando tengas alrededor de 18 años, el crecimiento óseo habrá terminado y alcanzarás tu estatura adulta.

La velocidad a la cual tu cuerpo cambia depende de muchos factores y varía enormemente entre una chica y otra, así es que no te preocupes si tus amigas se desarrollan más rápido o más lento que tú.

Vello axilar A los 14 años, aproximadamente, empieza a aparecer vello en las axilas y las glándulas sudoríparas comenzarán a funcionar.

Piel La hormona andrógena afecta la piel, produciendo una mayor secreción de grasa. Comienzan a aparecer puntos negros y espinillas.

Cintura A diferencia del ensanchamiento de caderas y pechos, la cintura comienza a verse mucho más esbelta y definida.

Vello púbico Aparece por primera vez cuando tienes 12 años, poco más o menos, y luego se torna gradualmente más grueso y encrespado, extendiéndose hasta alcanzar una forma triangular. Al principio, este vello podría no ser del mismo color que tu cabello.

Muslos La parte interna y externa de los muslos desarrolla depósitos de grasa desde alrededor de los 14 años, lo que le da al cuerpo una apariencia más curva y femenina.

Caderas A medida que los huesos pélvicos crecen, las caderas comienzan a ensancharse. Después se acumula grasa en las caderas, lo que ayuda a darle al cuerpo su forma femenina característica.

Cuida mucho tu piel

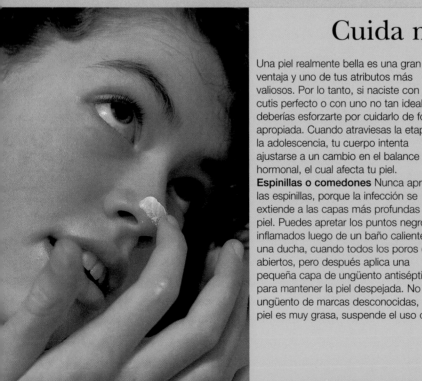

Una piel realmente bella es una gran ventaja y uno de tus atributos más valiosos. Por lo tanto, si naciste con un cutis perfecto o con uno no tan ideal, deberías esforzarte por cuidarlo de forma apropiada. Cuando atraviesas la etapa de la adolescencia, tu cuerpo intenta ajustarse a un cambio en el balance hormonal, el cual afecta tu piel.

Espinillas o comedones Nunca aprietes las espinillas, porque la infección se extiende a las capas más profundas de la piel. Puedes apretar los puntos negros no inflamados luego de un baño caliente o una ducha, cuando todos los poros están abiertos, pero después aplica una pequeña capa de ungüento antiséptico para mantener la piel despejada. No uses ungüento de marcas desconocidas, y si tu piel es muy grasa, suspende el uso de un limpiador abrasivo, ya que esto sólo disemina las bacterias.

Acné Casi todo adolescente padece de acné en alguna ocasión. Durante la adolescencia se producen altos niveles de hormonas sexuales, lo que origina grandes cantidades de secreción sebácea en la piel. Esta secreción es un agente irritante que podría bloquear los poros, produciendo una protuberancia purpúrea que podría infectarse y formar una pústula. Un punto negro ocasional es algo característico de esta edad, pero el acné severo tiende a herir profundamente, por lo que debes pedirle consejo a un médico para poder solucionar este problema. Existen muchas preparaciones que son bastante eficaces para combatirlo, aunque las mejores necesitan de una prescripción.

Desarrollo de los pechos

Existen pechos de todas las formas y tamaños. Recuerda que no es verdad que los jóvenes prefieren a las mujeres con grandes pechos y que si los tuyos son pequeños, no podrás amamantar a un bebé.

Es normal que tus pechos se sientan delicados a medida que crecen durante la pubertad y en la semana anterior a tu período. Podrás sentir que usar un sostén ayuda a aliviar cualquier molestia. Un buen sostén los sujetará firmemente y evitará que se muevan mucho.

La compra de un sostén

No es necesario usar sostenes pesados y rígidos con armazón interna. Hoy existen muchos en el mercado diseñados especialmente para jóvenes que llevan vidas activas, que necesitan refuerzo y que desean verse lo más natural posible. El algodón es la mejor tela que se puede encontrar, sobre todo si practicas mucho deporte. Sin embargo, también hay buenos sostenes hechos de telas sintéticas.

La medida de un sostén

Mídete debajo del busto y aproxima hasta la talla más cercana. Por ejemplo, si tu medida es de 84 cm (33 pulgadas), entonces necesitarás un sostén de 86 cm. (34 pulgadas). Para el tamaño de tu copa mide alrededor de la zona más grande de tus pechos y toma la primera medida lejos de ésta. Si la diferencia es menor a los 12,5 cm (5 pulgadas), tu copa es A; si es menor a los 15 cm (6 pulgadas), necesitas una copa B; de los 15 a los 22 cm (6 a 8 pulgadas), una copa C; 23 cm (9 pulgadas) o más, una copa D.

Muchas tiendas ofrecen un servicio de entallado con asistentes capacitados y la oportunidad de probarte diferentes sostenes antes de comprarlos, lo que te ayudará a establecer qué tipo de sostén te acomoda más.

Períodos problemáticos

Las jóvenes a menudo experimentan angustia física real durante sus períodos, cuyas causas han sido investigadas. Ya existe tratamiento disponible. Los períodos dolorosos (dismenorrea; pág. 247) pueden llegar a impedir la realización de cualquier actividad, lo que significa ausentarse de la escuela o del trabajo.

La dismenorrea se traduce en calambres menstruales, los cuales pueden variar desde dolores leves hasta incapacidad de desarrollar ninguna actividad. Lo que alguna vez se pensó que era una condición neurótica, hoy se sabe con certeza que es producto de nuestras hormonas, no de nuestras mentes. Si una joven tiene períodos muy dolorosos, se debe a que produce demasiada hormona prostaglandina o a que su útero es más sensible de lo usual a cantidades normales de ésta.

Medicamentos que contienen antiprostaglandinas tales como el ibuprofeno, el cual llega a la raíz del problema y alivia en más de un 80 porciento de los casos, están disponibles en el mercado de Estados Unidos, Gran Bretaña y en la mayoría de los países europeos. El uso de antiprostaglandina ha probado ser muy útil para muchas mujeres. Puede acortar el tiempo durante el cual se siente dolor, disminuyendo de esta forma el tiempo que debe pasar en cama, para así continuar con sus estudios o trabajo. Comience a tomar el medicamento el día antes de su período.

Compartir preocupaciones

Muchas jóvenes se preocupan de cómo se ve y se siente su cuerpo, además se sienten incómodas con su creciente conciencia sexual. Las "supermodelos" que aparecen en revistas de modas promueven una imagen "ideal" falsa de cómo deberían verse las jóvenes, lo cual puede llegar a ser muy frustrante al constatar que ellas no se adecúen con este ideal, pues podrían sentir que carecen de control sobre sus cuerpos. De vez en cuando, también se sienten fuera de tono con sus familias, compañeros de escuela, amigos y especialmente con sus parejas. Muchas de ellas (y cada día más hombres) culpan a su baja autoestima a cómo lse ven, lo que a su vez podría causarles problemas más serios. Si se siente mal consigo misma, es mejor pedir ayuda antes de que las cosas empeoren.

Hablando del tema

● Tu madre es la mejor persona a quien pedirle un consejo, pero si no puedes hablar con ella, pregúntale a otra pariente que sea mayor y con la cual simpatizas.

● Habla con una maestra de biología, enfermera escolar, orientador; visita a tu doctor y lee cuanto puedas sobre el tema.

● Compara tus inquietudes con las de tu mejor amiga. Casi todas se preguntan si es que otras jóvenes son iguales a ellas y la respuesta es, a menudo, un tranquilizador "sí". La mayoría experimenta las mismas ansiedades.

11-18
el cuerpo de un joven

El cuerpo de los jóvenes comienza a cambiar entre los 11 y los 12 años. Su voz "se quiebra" y comienza a aparecer vello entre los 14 y los 15. La mayoría tendrá que comenzar a afeitarse a los 16 ó 17 años.

Conversando los problemas

- Al igual que muchos jóvenes, puede que encuentres difícil hablar sobre los problemas de la adolescencia con amigos o la familia por temor a quedar mal. Sin embargo, trata de superar esto.
- Lee libros sobre el tema o pídele información a tu médico.
- Un maestro u orientador escolar te ayudará en temas relacionados y puede aconsejarte a dónde te puedes dirigir para encontrar ayuda.
- Si es posible, habla con tu padre, un hermano mayor u otro pariente. Pregúntale sobre su adolescencia y cómo enfrentaba los problemas que tenía.

Cómo cambia tu cuerpo

- Los hombros y el pecho se ensanchan.
- Los músculos se desarrollan.
- Alrededor del pene crece vello suave, el cual se vuelve grueso y encrespado.
- El pene aumenta en tamaño y longitud, y la piel del escroto se oscurece.
- Los brazos, las manos, las piernas y los pies aumentan en tamaño y longitud.
- La laringe crece y se convierte en una "manzana de Adán".
- La voz cambia.
- Crece vello en las axilas, el pecho y en brazos y piernas.
- Los testículos aumentan de tamaño, se hinchan y se vuelven sensibles.
- Empiezan a ocurrir sueños eróticos y erecciones.
- Existe producción de esperma.
- Aumentan el peso y la estatura.
- El cuerpo suda más.
- La cara madura a medida que sus huesos crecen.
- La piel se vuelve grasa y se presentan comedones.

Fíjate bien cómo está cambiando tu cuerpo. Los jóvenes se ven afectados por las hormonas en la misma medida que las jóvenes.

Preocupaciones y preguntas

La velocidad a la cual tu cuerpo cambia en la pubertad podría tomarte por sorpresa. Las transformaciones ocurren cuando tus testículos comienzan a producir la hormona sexual masculina llamada testosterona, la cual también provoca la producción de esperma y te hace estar sexualmente despierto. Empezarás a tener erecciones, ya que tu pene es más sensible al tacto o porque te excitas con algo en que estás pensando o con alguien que ves.

El tamaño del pene

La mayoría de los chicos se preocupa del tamaño de sus penes, pero el tamaño de las partes corporales de una persona no tiene nada que ver con lo bien que ellas funcionen. Además, el tamaño en reposo no tiene ninguna relación con el tamaño cuando está erecto. De hecho, a menudo ocurre lo contrario: los penes pequeños parecen ganar más tamaño cuando se erectan que los penes grandes. Lo más importante que hay que recordar es que a las jóvenes no les interesa realmente el tamaño, porque un pene grande no te convierte en un mejor amante. Recuerda esto: luego de que comienzas a producir esperma eres fértil, lo que significa que podría convertirte en padre si tienes relaciones sexuales sin protección.

Sueños eróticos

Cuando comienza la producción de esperma, ésta se deposita en las vesículas seminales. Los sueños eróticos actúan como una válvula de seguridad; la presión aumenta hasta el punto que llegas a eyacular en tus sueños, por esto el nombre "sueño húmedo". Es probable que te avergüences cuando tengas un sueño erótico, pero es algo completamente normal –todos los jóvenes los tienen– y éstos, por lo general, se detienen a medida que maduras físicamente.

Circuncisión

Se llama circuncisión a la remoción del prepucio, la capa protectora de piel flexible que cubre el pene. Es una operación simple y puede ser hecha por razones religiosas o médicas, pero no afecta su funcionamiento.

Nuevos sentimientos

Los cambios hormonales pueden afectar tu estado de ánimo. Todos los jóvenes los experimentan y se sienten deprimidos y confundidos, pero es algo normal.

A medida que tu cuerpo cambia, también comenzarás a experimentar nuevos sentimientos. Tus estados de ánimo van de arriba abajo al igual que un yo-yo: en un momento te estás riendo y luego estás llorando.

El deseo sexual irrumpe en la vida de un adolescente. Apenas comiences a sentirte atraído por el sexo opuesto, descubrirás que tus emociones están desbordadas y te sientes realmente ansioso respecto a tu cuerpo. Tus confusas emociones no son el fin del mundo, aun cuando a veces lo sientas así. Estás aprendiendo a enfrentar los altibajos de la vida y esto es una valiosa lección. Es de gran ayuda comparar inquietudes con un amigo cercano o con alguien en quien puedas confiar.

Haz lo siguiente

Sé positivo
Piensa en las veces en que has triunfado.

Sé activo
Trata de tomar la iniciativa.

Sé cuidadoso
Asegúrate de que tus acciones no hieran a nadie en el camino.

Sé cauto
No esperes que todos respondan a tus sentimientos.

Hacerlo solo

Tocarte "allí abajo" es un hábito perfectamente normal, no importa cuál sea tu edad, sexo u orientación sexual. **Todos se masturban, chicos y chicas, hombres y mujeres, y para la mayoría de nosotros constituye nuestra primera experiencia sexual.** La masturbación nunca produce daño, a menos que se convierta en una ocupación obsesiva. En tal caso, esto podría ser un indicador de problemas relacionados con una autoestima baja.

A pesar de que es común que los jóvenes se masturben con más frecuencia que las jóvenes, la masturbación es más importante para ellas, porque les permite explorar y experimentar con sus cuerpos mucho antes de que tengan sexo con otra persona. Una joven puede estimular su cuerpo para descubrir cuáles son sus respuestas y qué es lo que le gusta.

Pese a que a menudo podrían no admitirlo, muchos chicos y chicas alcanzan sus mejores orgasmos por medio de la masturbación. Hoy, tengo el agrado de decir que la mayoría de los jóvenes cree que es aceptable e inofensivo hacerlo y, por supuesto, que tiene razón.

La masturbación no te hará quedar ciego. Tampoco te producirá acné, enloquecerás o crecerá pelo en tus palmas. Son todos mitos. También es muy normal fantasear con alguien mientras te masturbas y estas fantasías son casi siempre inocentes. La mayoría de las personas no tienen problemas en trazar una línea divisoria entre la fantasía y la realidad, y no quieren hacer realidad sus fantasías.

problemas de la adolescencia

Un factor fundamental que influye en la forma como los adolescentes se sienten con respecto a sí mismos es su apariencia externa. Las preocupaciones por el peso, por ejemplo, pueden afectar la autoestima.

Mantener un peso saludable

Muchos adolescentes atraviesan fases en las que se preocupan mucho de su peso. Es posible que sientan que en general están muy gordos o que algunas partes de su cuerpo son demasiado gruesas.

Además, en esta etapa de la vida, tu peso podría fluctuar –por un lado, puede deberse a que todavía estés creciendo–, y en el caso de las niñas, ellas también podrían pesar más debido a que están en su período premenstrual. Así es que no es una buena idea tomar en cuenta sólo el peso, sino también considerar tu apariencia general, y el hecho de que éste en realidad aumenta a medida que maduras y tus pechos y caderas se desarrollan. Si de verdad te preocupa, conversa con la enfermera de la escuela o un médico, de manera que puedan evaluarlo apropiadamente.

Es bueno tener algo de grasa
Todos necesitamos algo de grasa corporal para mantenernos saludables. Las mujeres necesitan más que los hombres –en especial una vez que empieza el período– para poder fabricar suficientes hormonas femeninas o estrógenos, para ser fértiles y para tener huesos fuertes. Por lo tanto, ¡sí es bueno tener algo de grasa!

Cuando por cualquier razón tu ingesta alimenticia sobrepasa tu gasto energético, entonces tienes un exceso que se almacena en forma de grasa adicional. El proceso contrario ocurre cuando el gasto sobrepasa a la ingesta; en este caso, la grasa se convierte en una fuente de energía, es quemada y finalmente se pierde peso. Si deseas mantener un peso saludable, la mejor manera de hacerlo es mantenerse activa y disfrutar de una dieta sana. No se necesitan dietas estrictas ni ser delgada como una modelo, éstas medidas son nocivas e irreales.

El balance energético
La meta consiste en mantener un balance energético. Existen ciertos factores que pueden influir en el balance de la ecuación energética. Uno de ellos es tu Índice Metabólico Basal (IMB), que es la medida de la cantidad de energía alimenticia que tu cuerpo utiliza para nutrir todas las funciones esenciales para la vida y la salud, tales como la respiración y la digestión. Lo anterior explica los cerca de dos tercios de las necesidades energéticas corporales y se relaciona con tu peso y cuánta musculatura tengas. Mientras mayor sea tu peso, mayor será tu IMB.

Cuando se planea perder peso, la mayoría de la gente opta por reducir la cantidad de comida que ingiere, porque piensa que así puede lograrlo rápidamente. De hecho, es mucho más beneficioso aumentar la cantidad de ejercicio que haces, ya que esto, a largo plazo, puede influir en la ecuación energética de forma muy rápida y más efectiva.

Dieta rápida

La dieta rápida es una forma muy nociva de perder peso a largo plazo. A pesar de que la cantidad que pierdes a corto plazo podría parecer impresionante y podría ser de hasta 4 kg ($8\frac{1}{2}$ lb) en la primera semana, menos de la mitad será grasa, que es aquello que deseas perder. Si reduces tu ingesta alimenticia en, digamos, 400 calorías al día, más de la mitad de la reducción del peso inicial corresponderá a pérdida de agua.

La reducción de la comida de esta forma es casi como morir de hambre. Todo lo que lograrás es poner a tu cuerpo en un estado de hibernación, disminuirá la quema de energía para conservarla y mantenerse con vida. También te sentirás hambriento, aburrido, irritable y propenso a comer en demasía, lo que sólo te hará más desdichado, especialmente a medida que el peso vuelve.

La dieta rápida no hace nada por mejorar tus hábitos alimentarios. Si quieres perder peso y mantenerte así permanentemente, debes cambiar tu forma de comer y ajustar tus niveles de actividad.

Ejercicio para mantenerse esbelto

El ejercicio no sólo influye en la ecuación energética de manera más sutil que a través del gasto directo de energía, sino también es la única manera conocida de alterar nuestro índice de metabolismo basal (IMB). Si ejercitas lo suficiente como para ser esbelto, es decir, 4 veces a la semana por 30 minutos o más durante varios meses, los músculos se hacen más fuertes y se controla mejor la grasa corporal. Un músculo ejercitado tiene cerca del doble de IMB que uno con grasa y en reposo, por lo que el cuerpo se adapta y se prepara para el trabajo adicional realizado por el corazón, los pulmones y los músculos al trabajar o metabolizar a un ritmo levemente mayor, usando de esta manera más energía incluso en días en los que no haces ejercicios.

Esto es lo que transforma al ejercicio en una de las ayudas más valiosas para el control del peso. Investigaciones muestran que una actividad regular es la forma más efectiva para controlar el peso a largo plazo.

Tu pérdida de peso depende de cuántas calorías evites o quemes. Si tus necesidades calóricas promedio son de 2000 al día, incluso una dieta muy abundante, de 1500 calorías, origina un déficit energético de 500 calorías diarias o 3500 a la semana, lo que equivale en términos de energía a 0,5 kg (1 lb) de grasa corporal. Se puede duplicar esto realizando una cantidad moderada de ejercicio.

Autoestima

La clave para disfrutar la adolescencia es una alta autoestima. Sin ella, los adolescentes caen en desórdenes alimentarios, se exponen a mala compañía o incluso se causan daño. La mayoría de la gente no tendrá la más mínima idea acerca de su autoestima, pero sí tendrá varias visiones, dependiendo del escenario en que estén.

Un adolescente podría demostrar tener una alta autoestima frente a sus amigos, quienes consideran que es "sobresaliente"; frente a sus padres, quienes piensan que es "flojo" e "irresponsable", demostrar una autoestima menor, y a un menor nivel de autoestima frente a extraños, quienes, según él, lo consideran un "completo idiota".

En general, son los estilos de paternidad los que contribuyen mayormente a la autoestima de un niño. Pero mientras el comportamiento de los padres continúa siendo importante durante la adolescencia, la perspectiva de sus compañeros juega un rol cada vez más crucial a medida que se hacen adultos.

Otro factor fundamental que influye en la autoestima, particularmente durante el comienzo de la adolescencia, es la apariencia física. Para los jóvenes que se encuentran en esta edad, es la satisfacción de la imagen corporal lo que más se correlaciona con una autoestima completa. Al principio de esta etapa, las chicas tienen niveles mucho más altos de insatisfacción con sus cuerpos que los chicos, tanto durante como después de la

pubertad. Ellas dependen más de la aprobación de sus pares en esta etapa de sus vidas y son más sensibles ante las opiniones de sus amigas.

La autoestima no se mantiene constante durante la niñez y la adolescencia. Una serie de factores entrarán en juego para determinar la forma en que la autoestima varía, dependiendo de temas como el éxito escolar, la situación familiar, el comportamiento de los amigos, etc. Las investigaciones en esta área han proporcionado algunos nuevos descubrimientos sobre la manera en que la autoestima de los adolescentes cambia. Investigaciones han identificado cuatro grupos distintos: uno con una autoestima consistentemente alta; otro que muestra niveles en aumento de autoestima entre los 12 y los 16 años; un tercero que muestra una autoestima consistentemente baja, y, por último, uno cuya autoestima realmente disminuyó durante la adolescencia. Se podría ayudar a los jóvenes del tercer grupo con ejercicios que los alienten a sentirse mejor con ellos mismos (por ejemplo, escribir una lista de todos sus puntos positivos o anotar cada cosa positiva que les ha pasado en el día). En el cuarto grupo, el objetivo podría ser identificar habilidades, ya sean académicas, sociales o deportivas, y luego trabajar para mejorarlas, teniendo en mente que un mejor desempeño en algunas áreas importantes logrará un mayor sentido de valor personal en otras.

11-18
relaciones

Los amigos se vuelven más importantes en tu adolescencia. Ellos te ayudan a ampliar tus intereses y te entregan lealtad y apoyo. Algunas amistades podrían incluso transformarse en relaciones más profundas.

Relaciones más profundas

A medida que creces y comienzas a pensar en tener relaciones más profundas (las cuales eventualmente podrían involucrar sexo), tienes que comenzar a prestarles atención a tus responsabilidades. No sólo con tu novia o novio, sino también con tu familia, tus amigos y tú mismo. La responsabilidad involucra moralidad, lo que no significa que tengas que ser un puritano; significa tener una idea clara de los límites de equidad y bondad en tu comportamiento con los otros. Tratar las relaciones responsablemente es un tema delicado; la irresponsabilidad conlleva problemas a largo plazo. Tú sabrás cuándo estás siendo irresponsable, porque las consecuencias son difíciles de sobrellevar. Y cuando sientes vergüenza y culpa, todo lo que esto hace es

hacerte desdichado, porque seguramente lo demostrarás a los otros. Trata de ser honesto y sincero contigo mismo, la gente te respetará por eso.

Buenas relaciones

Una buena relación es personalmente enriquecedora. Te provee bienestar, comprensión y apoyo. Te sentirás que estás siendo amado; también obtendrás placer al entregar. Es posible que tus valores sean similares a los de tu pareja, pero cualquier diferencia es estimulante y deberías ser capaz de respetar la perspectiva del otro sin ninguna fricción importante. Las buenas relaciones no son demasiado excluyentes. Ellas no impiden que participes en otras cosas que siguen siendo importantes.

Pensando en el sexo

El sexo, particularmente el buen sexo, es divertido y entrega mucho placer en varios contextos. Puede ser emocionante, excitante, conmovedor, reconfortante e incluso consolador. Éstas son razones positivas para tener relaciones sexuales.

Pero luego vienen las preguntas sobre sexo seguro y anticoncepción. El sexo es como un campo minado y debes reflexionar a fondo antes de entrar en él.

¿Qué edad deberías tener?

Para todos los adolescentes, ésta es la pregunta decisiva.¿Realmente importa la edad?, te preguntarás. Yo creo que sí.

Por razones meramente médicas, estoy en contra de que chicas muy pequeñas tengan relaciones sexuales, porque como doctora sé que si comienzas a tener actividad sexual, especialmente con varias parejas a muy temprana edad en tu adolescencia, te puede hacer más vulnerable al cáncer de

cuello uterino. También me opongo a que cualquier adolescente tenga relaciones sexuales antes de que sean emocionalmente maduro y haya establecido sus sentimientos y valores sexuales. Para la mayoría de nosotros, esto es un gran problema y toma años resolverlo; incluso los adultos lo encuentran difícil.

Además de estas consideraciones personales, creo que sería insensato de tu parte ignorar las opiniones tan rígidas que tiene la sociedad en general. A pesar de que el pensamiento convencional no importa tanto como las opiniones de tus padres, maestros, amigos y parientes, sí importa un poco y eso no lo puedes ignorar. Todos tienen opiniones sólidas respecto de la sexualidad adolescente y casi de seguro piensas que tus opiniones se contradicen con las de quienes te importan. No ignores esta situación completamente, ya que tu relación con esa persona sólo se deteriorará si estás en contra de su perspectiva.

Nadie puede decirte cuando el sexo está bien, pero hay algunas cosas que deberías tener en mente. La primera es la ley. La ley varía respecto a la edad de consentimiento (la edad a la cual es un delito tener relaciones sexuales) en distintas partes del mundo, pero usualmente varía entre los 16 y 18 años. Por lo tanto, estarás infringiéndola si tienes relaciones sexuales antes de la edad de consentimiento. De cualquier manera, lidiar con el sexo es algo difícil si tienes menos de 16 años.

Otro requerimiento básico al pensar en tener relaciones sexuales por primera vez es asegurarse de que no hay riesgo de embarazo no deseado. En otras palabras, ambos deberían investigar, decidir y usar un método anticonceptivo que tenga el margen más bajo de falla (ver pág. 118). Finalmente, es vital que tengas la confianza de no exponerte a enfermedades de transmisión sexual, incluyendo el SIDA.

Amistades

Los amigos de tu edad importan mucho y quieres pasar todo el tiempo posible con ellos. Podrías comenzar a sentir que hay una creciente brecha entre tú y tus padres y que ellos, a menudo, no pueden entender tus puntos de vista. A cambio, prefieres a tus amigos: ellos saben por lo que estás pasando, comparten tus opiniones y te hacen sentir que perteneces al grupo.

Las amistades sinceras con otra gente de tu misma edad son igual de importantes que aquellas que involucran atracción sexual. De hecho, una relación que no es al mismo tiempo una amistad no va a funcionar. No obstante, hacer amigos es difícil para muchas personas. El unirse a un club o grupo es una magnífica manera de conocer amigos, pero al llegar podrías descubrir que no tienes la confianza personal como para dar el primer paso. Ayuda saber que otros están pasando por los mismos problemas.

● No juzgues a nadie muy apresuradamente; las apariencias pueden decepcionarte.

● Sé tú mismo en vez de tratar de imitar a otros o ser el que manda.

● Pregúntales a los otros sobre sus intereses, tales como música o deportes.

● Felicita a alguien que hace algo bien. La amistad significa dar y recibir. Concéntrate en tu contribución a un amigo, no en lo que te da, así obtendrás más de la relación.

Recuerda que cada compañero de una relación tiene derecho a:

- ● tener opiniones
- ● ser respetado
- ● ver a su familia
- ● recibir confianza
- ● mostrar sentimientos
- ● pasar tiempo solo
- ● recibir apoyo
- ● la paciencia
- ● hablar
- ● sus creencias religiosas
- ● cometer errores
- ● ver a sus amigos
- ● afecto
- ● la tolerancia
- ● ser escuchado
- ● la seguridad
- ● pedir ayuda
- ● decir "no"
- ● divertirse
- ● ser cuidado
- ● la lealtad

Usa la siguiente lista como punto de partida para tus propias listas; luego, una vez que hayas establecido una relación, revisa tu lista de "gustos" y ve qué tanto se acercan a tu ideal.

Lo que puedo ofrecer

Diversión	Entendimiento
Apoyo	Respeto
Felicidad	Solidaridad
Amor	Compañía
Confianza	Paciencia
Ayuda con los problemas	Sentido del humor

Lo que me gustaría

Alguien con quien me pueda reír mucho
Alguien con quien ir a bailar
Alguien con quien poder realmente hablar
Alguien en quien apoyarse
Alguien a quien cuidar
Alguien a quien no le importa que llore
Alguien que realmente me entienda
Alguien que no se ponga celoso

Los riesgos de la promiscuidad

La gran mayoría de las personas decide tener una pareja a la vez. Algunas deciden tener varias al mismo tiempo, y si así lo hacen, se están comportando de una forma que alguna gente llamaría promiscua. Ésta podría ser tu opción, aunque hay ciertos puntos que deberías considerar, ya que bastante cerca de cualquier juicio moral y religioso sobre lo que está bien o mal, existen problemas y unos cuantos riesgos que conlleva el tener relaciones sexuales con más de una persona.

● Las posibilidades de contraer una Enfermedad de Transmisión Sexual (ETS) y, en el caso de las jóvenes, de desarrollar cáncer de cuello uterino aumentan considerablemente.

● Si tú o tu pareja ha tenido otras parejas, existe riesgo de contraer el VIH que produce el SIDA. Por lo tanto, es crucial que todas las parejas jóvenes usen condón y espermicidas cada vez que tengan relaciones para reducir el riesgo, sin importar cualquier otro anticonceptivo que utilicen.

● Al malgastar tiempo y energía emocional en más de una relación podrías descubrir que no tienes suficiente tiempo ni energía para seguir con alguna de ellas.

● Estás aumentando considerablemente el riesgo de herir a otras personas que no aprueban lo que haces.

● Podrías no pensar así actualmente, pero estás corriendo el riesgo de no respetarte si tienes la más mínima sospecha de que lo que estás haciendo no es lo correcto.

● La gente que desaprueba tus valores tiene la misma inclinación a etiquetarte y podrías ganarte una mala reputación.

11|18 decidir respecto al sexo

Las chicas y los chicos necesitan valor para resistirse a la presión del momento; para darse cuenta de que pueden decir "no" sin quedar mal. Existen muchas razones por las que podrías sentirte inseguro o incómodo respecto al sexo.

Decir "no" al sexo

La única razón para tener relaciones sexuales es porque así lo deseas. Nunca se debería tomar a la ligera esta decisión. Los jóvenes enfrentan muchas decisiones difíciles y presiones para hacer cosas que les incomodan, como ingerir drogas, beber alcohol, fumar y tener relaciones sexuales.

Por respeto a ti misma, no te sientas presionada a tener relaciones sexuales porque piensas que tu novio o novia te dejará o quedará desilusionado(a). Sólo tú eres quien decide si deseas sostener una relación sexual. Si aún no has podido poner en orden tus valores sexuales, entonces realmente deberías decir no.

No es no

La gente puede inventar muchas razones aparentemente plausibles para persuadir a sus parejas de tener relaciones sexuales cuando realmente no lo desean. Entre las tácticas típicas se incluyen cosas como "Si no lo haces, les diré a todos que eres fácil", "Sabes que de verdad quieres hacerlo" o "Te dejaré si no lo haces". No es aceptable engañar a tu pareja de esta manera. Si una persona dice "no", entonces deberías respetar su deseo.

¿Por qué es difícil para las jóvenes decir no?

Casi cualquier joven tiene dificultades para decir "no" alguna vez y se encuentra en una cita teniendo contacto sexual cuando realmente no lo quiere.

Hay muchas razones por las que las jóvenes encuentran difícil decidirse y decir "no" firmemente, de las cuales la más común es porque no desean herir los sentimientos del joven o temen ser consideradas mojigatas.

Algunas se preocupan al percatarse de que no están siguiendo lo que otras jóvenes aparentan estar haciendo. Con todas estas presiones, se necesita ser una joven muy valiente para decir "no", pero debes decirlo si eso es lo que lo sientes. Si tu novio realmente te quiere, aceptará. Por otro lado, perderás mucha dignidad si dices "sí" cuando realmente quieres decir "no".

Formas para decir no

Si realmente estás interesada en saber cómo rechazar el relaciones sexuales, puedes practicar estas respuestas:

- No, odio que me fuercen a hacer algo.
- No, no me siento lista para esto.
- No, realmente me da mucho miedo.
- No, no creo que te conozca lo suficiente aún.
- No, ¿en verdad quieres tener relaciones sexuales con alguien que no quiere?
- No, quiero que seamos amigos por más tiempo. Después puedo decidir si quiero tener sexo contigo.
- No, me estás forzando. Yo sabré cuando esté lista.
- No, no siento que confíe en ti lo suficiente aún.
- No, creo que debería esperar hasta el matrimonio.
- No, sólo quiero tener relaciones sexuales como parte de una relación a largo plazo.
- No, no hasta que hayamos hablado de los métodos anticonceptivos.
- No, no hasta que sepamos que no hay ningún riesgo.
- No, no quiero y si me obligas, eso sería una violación.
- No, me estás dando la impresión que de verdad no te importo nada.
- No, me estás haciendo pensar que me dejarás si no lo hago.
- No, vas muy rápido para mí.
- No, me estás asustando mucho.
- No, estás actuando como una persona que realmente no quisiera conocer.

Una pregunta que de verdad detendrá las cosas en seco es: "¿Acaso estás listo para ser padre?"

Los riesgos: ETS (Enfermedades de Transmisión Sexual)

El sexo es una manera de mostrar afecto, aunque si no usas preservativo, es también una forma de diseminar ciertas enfermedades que son transmitidas sexualmente (ETS, Enfermedades de Transmisión Sexual), la mayoría de las cuales es muy desagradable e incluso incurable. Éstas son casi siempre infecciosas y se contraen sólo por tener relaciones sexuales con otra persona. Aquí hay algunas de ellas:

● Las verrugas genitales y el herpes genital son infecciones virales. Las verrugas tienen remedio; el herpes, no, pero los síntomas pueden ser tratados. El virus de las verrugas también puede originar cáncer al cuello uterino.

● La gonorrea, la sífilis y la clamidia son infecciones bacterianas, las cuales pueden ser tratadas con antibióticos. Sin embargo, la clamidia es difícil de diagnosticar, puesto que a menudo no hay síntomas. También puede causar Enfermedad Inflamatoria Pélvica (EIP).

● El VIH / SIDA y la hepatitis B son infecciones virales incurables; el SIDA es mortal, no así la hepatitis B.

● Los piojos púbicos ("ladillas") y la sarna son parásitos que se tratan con insecticidas.

● La candidiasis ("afta") es una infección por hongos que se trata con fungicidas.

● La tricomonas es un parásito unicelular que se trata con agentes antiparasitarios.

Cómo contar que padeces una ETS (Enfermedades de Transmisión Sexual)

Algunas ETS son asintomáticas en las primeras etapas o tienen síntomas muy leves; pero si tienes sospechas de haber contraído una ETS, deberías buscar ayuda médica inmediatamente:

● dolor al orinar o al defecar
● presencia de una secreción vaginal incolora y maloliente que aumenta en cantidad y cuyo olor se hace cada vez peor
● cualquier secreción vaginal acompañada de una erupción o que lastima y da comezón
● dolor en la parte inferior de la espalda, dolor en la pelvis o en la entrepierna.
● dolor al tener relaciones sexuales
● una protuberancia dolorosa o mancha en cualquier parte del área genital, incluyendo alrededor del ano
● una fiebre combinada con cualquiera de estos síntomas.
● el sexo oral podría provocar síntomas alrededor de la boca, incluyendo una irritación de la garganta
● el sexo anal podría ocasionar síntomas alrededor del ano.

¿Dónde pedir ayuda? A la mayoría de la gente que piensa que tiene una ETS le avergüenza mucho visitar a su médico. Esto no debería tomarte mucho tiempo. Existen clínicas especiales, llamadas clínicas para ETS en cada ciudad grande, las cuales están bien publicitadas y garantizan un trato confidencial. Si deseas encontrar la clínica más cercana, pregunta en tu centro de salud local, llama al hospital o busca en el directorio telefónico.

Satisfacción sin sexo

En una buena relación sexual existe gran cantidad de formas de explorar el cuerpo del otro, sin que esté presente el acto sexual en sí. El sexo es un iceberg, del cual el acto sólo representa su punta (sólo una octava parte es visible sobre la superficie). El preámbulo corresponde a las siete octavas partes que están debajo de la superficie y puede ayudarte a superar cualquier ansiedad que pudieses tener respecto al sexo. A menudo puede llevar a un orgasmo e incluso podría ser más satisfactorio que el acto sexual, particularmente para chicas que pueden encontrar más fácil tener un orgasmo a través del preámbulo que de la penetración, ya que éste se concentra en el clítoris.

Diferentes tipos de estimulación

● La masturbación mutua consiste en acariciar o frotar los órganos genitales del otro. Una chica acaricia o frota el pene de su novio, mientras que él acaricia el clítoris de ella.
● El sexo oral consiste en besar, lamer, frotar con la nariz y succionar los órganos genitales del otro; las chicas lo hacen con el pene (lo que se llama felación), los chicos lo hacen con el clítoris (lo que se llama *cunnilingus*).
● "69" es cuando un chico y una chica realizan una felación y un *cunnilingus* al mismo tiempo (lo que estimula a los órganos).
● El orgasmo simultáneo es posible si un chico frota el clítoris de una chica con su pene; él debería de todas formas usar un condón, ya que podría ingresar semen a la vagina a pesar de que no exista penetración.

11-18
tu sexualidad

No importa si eres heterosexual u homosexual, sólo practica el sexo seguro. Esto significa que siempre debes usar preservativo.

Practicar sexo seguro da tranquilidad

Para evitar contagiarte de las ETS deberías usar preservativo durante cualquier tipo de actividad sexual penetrativa, anal y oral, así como vaginal. Asegúrate de saber cómo se usa uno apropiadamente y nunca uses preservativos cuya fecha de expiración se haya cumplido. Practica el sexo seguro; piensa cuidadosamente en tu comportamiento sexual. Es cierto que los condones son ideales para tener relaciones sexuales seguras, pero no confíes sólo en ellos para evitar los embarazos. El semen puede salirse si no has aprendido bien a usarlo o si has usado uno vencido. Para las chicas es mejor tomar la píldora o usar, además un diafragma.

Obtención de ayuda

● Tu médico, clínica para la planificación familiar o centro de consejo con gusto te darán información sobre los preservativos.
● Existe una gran variedad de condones disponibles y algunos de ellos han sido diseñados para hacer del sexo una cosa aún más interesante. Están disponibles en almacenes minoristas, supermercados, farmacias e incluso baños públicos.
● El sexo seguro también significa que debes reportar una ETS inmediatamente a una clínica para ETS, en donde puedes obtener tratamiento confidencial y también contar acerca de los contactos de quienes sospechas. Si contraes una ETS, como herpes genital, debes ser honesto con tus parejas posteriores.

Consejos para el sexo seguro

Siempre lleva contigo un condón
Tanto las chicas como los chicos deben llevar siempre consigo un condón.

Practica primero
Asegúrate de que sabes cómo usar un condón antes de tener relaciones sexuales con alguien.

Condones todo el tiempo
Usa un condón hasta que estés absolutamente seguro de que no hay riesgo de infecciones sexuales para tu pareja o para ti.

Sólo una vez
Nunca intentes usar un condón más de una vez.

Sé franco
Sé abierto respecto a tus experiencias sexuales previas cuando inicies una relación y cuéntale a tu pareja sobre cualquier infección crónica, como el herpes.

No tengas sexo casual
No tengas relaciones sexuales con alguien a quien apenas conoces y que difícilmente podrías volver a ver, ya sea en una fiesta o en las vacaciones. Ten especial cuidado luego de haber bebido mucho.

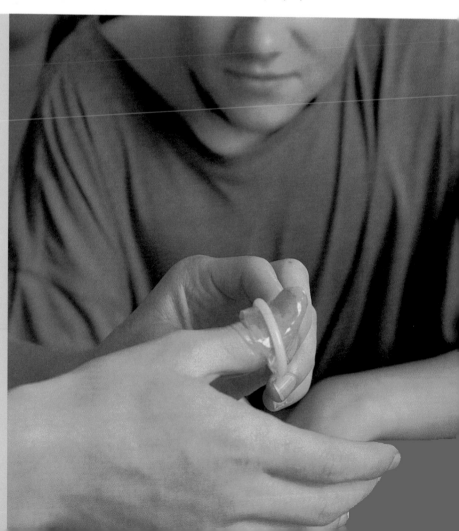

Aceptar que eres homosexual

El sentirse fundamentalmente distinto a la familia y amigos puede ser una experiencia de extrema soledad y tristeza. Lo que puede complicar aún más las cosas es escuchar a los amigos y a la familia haciendo comentarios despectivos o abusivos respecto a los homosexuales. Experiencias como ésta pueden llevar a muchos homosexuales jóvenes a sentirse culpables y avergonzados, y, en consecuencia, forzados a guardar este secreto personal por mucho tiempo. Hay mucha gente que no tiene idea de que existe un gran número de personas que se sienten atraídas sexualmente por miembros de su propio sexo tal como son. **De hecho, un alto número de la población es homosexual.** Nadie sabe la cifra exacta, ya que existe un gran abismo entre ser exclusivamente heterosexual y exclusivamente homosexual. Muchos jóvenes tienen sentimientos o experiencias homosexuales, pero esto no refleja necesariamente su sexualidad adulta.

Una persona homosexual no puede evitar su manera de ser, al igual que una persona rubia no puede evitar tener su cabello claro. La evidencia médica sugiere que la orientación sexual de un individuo se forma antes de los 5 años. Así es que resulta muy improbable que un adolescente se pueda "volver" homosexual o lesbiana sólo por el contacto con otra persona homosexual, a pesar de que tal contacto podría hacer surgir una orientación que no era reconocida previamente.

Enorgullécete por ser quien eres
Aceptar el hecho que eres homosexual es el primer y más importante paso en el proceso de aceptar tu identidad como homosexual. No puedes, ni tampoco deberías vivir en las sombras o no estar orgulloso por ser quien eres. Sin embargo, es importante que no te sientas

presionado a anunciarle al mundo entero la noticia. La sexualidad es un asunto privado y si prefieres mantener en secreto la tuya temporalmente, ésa es tu decisión. El punto es que te sientas cómodo contigo mismo: "confesarle" esto a los amigos y a la familia no lo logrará necesariamente.

Saber que no estás solo
Conocer a otros miembros de la comunidad homosexual debería ser tu próximo paso. El hablarles a otros jóvenes que pasan o que pasaron por una situación similar a la tuya ayudará a cimentar tu confianza y a reducir los sentimientos de alienación. En primer lugar, puede que prefieras no conocer a nadie cara a cara. En tal caso, deberías llamar a The Gay Switchboard (ver pág. 567), entidad que es dirigida por homosexuals para entregar ayuda, apoyo y consejo a otros homosexuales. El saber que no estás solo te ayudará a sentirte más fuerte y a enfrentar los desafíos a futuro.

El último paso, y probablemente el más crucial, consiste en compartir lo que ha sido una parte secreta de tu vida con aquellos que tú más amas en el mundo: tu familia. Este último paso puede ser especialmente intimidante, porque los padres de la mayoría de las personas homosexual son

heterosexuales con ideas y expectativas muy arraigadas para con sus hijos, las que, por lo general, tienen que ver con el matrimonio y una familia propia. Es posible que creas que tu familia y amigos te odiarán si llegan a descubrir que eres homosexual, pero esto no necesariamente ocurre. **Muchas personas se dan cuenta ahora de que la atracción por un miembro del mismo sexo es absolutamente normal para una persona homosexual.**

No obstante, se debe aceptar que algunas personas sean homofóbicas. Ellas, generalmente nunca han conocido a una persona homosexual en sus vidas y están satisfechas por concordar con aquello que sus amigos dicen, porque no quieren que se les considere diferentes. No han tenido la oportunidad de darse cuenta de que la gente es como es y se le debería juzgar por su personalidad, no por su sexualidad.

Sería maravilloso decir con confianza que tu familia y amigos no te abandonarán cuando descubran que eres homosexual, pero esto es algo imposible de predecir. Sin embargo, es muy improbable que se vuelvan en tu contra. Luego de que se hayan enterado de la noticia, estoy segura de que se darán cuenta de que todavía eres la misma persona que han amado todos estos años. Por eso debes tratar de **recordar. Si ahora te aman, ¿por qué no habrían de amarte una vez que sepan que eres homosexual?** Después de todo, nada habrá cambiado, excepto su falsa impresión de la verdad.

Como dije antes, no existe una regla que diga cuándo deberías contarles a tus padres o si tienes que contarles a ellos. Eso queda completamente a tu juicio. Luego de que se sepa la noticia, no será posible ocultarlo, así es que no es algo que debieras hacer a menos que te sientas completamente listo.

11-18
prevención del embarazo

Luego de que decides tener relaciones sexuales plenas, es fundamental que evites los embarazos no deseados. Si quedas embarazada, nunca guardes el secreto. Cuéntales a tus padres o a tu médico de inmediato.

Anticoncepción

Si estás considerando iniciar una relación sexual, asegúrate muy bien en primer lugar de que así lo deseas. Conversen sobre sus dudas en conjunto y tomen su propia decisión. Después de que decides tener una relación sexual plena, es fundamental evitar los embarazos no deseados. Antes de que empieces a tener relaciones sexuales, lo más responsable sería buscar consejo sobre la anticoncepción de una clínica para la planificación familiar o de tu médico.

Según lo establece la ley, una jóven menor de 16 años puede buscar consejo sobre la anticoncepción y recibirlo sin que el médico dé cuenta de esto a sus padres. Éste es uno de los derechos de cada chica adolescente.

Métodos naturales

Dentro de estos métodos se incluyen las formas más antiguas de anticoncepción.
Abstinencia periódica Abstinencia de relaciones durante el tiempo de la ovulación. Este método se basa en cálculos usando el calendario, además del aumento y el descenso en la temperatura corporal de la mujer y un equipo para predecir la ovulación. Usando estos indicadores puedes decidir si te abstienes del sexo penetrativo durante la ovulación. El margen de error es alto, porque este proceso es difícil de calcular con precisión.
Retiro Éste es otro método antiguo que tiene un alto margen de error. El pene es retirado justo antes de la eyaculación. No requiere discusión sobre métodos en las clínicas y no implica incurrir en ningún gasto, pero también le deja gran parte de la responsabilidad al hombre. El margen de error es muy alto, ya que a menudo los hombres esperan demasiado para retirarlo.

Métodos de interrupción

Estos métodos evitan físicamente que el esperma alcance el óvulo.
Condón masculino Es una funda de goma, látex o plástico con el que se recubre el pene erecto antes de la penetración. Debería ser lubricado con un lubricante acuoso, nunca uses uno que sea aceitoso o grasoso, y sin aire para que no se reviente dentro de la vagina. Previene la difusión de enfermedades de transmisión sexual, como el SIDA.
Condón femenino Tan efectivo como el condón masculino, este método está diseñado para revestir el interior de la vagina. Consiste en una funda de plástico lubricada, que posee un anillo de anclaje para mantenerlo en su lugar dentro de la vagina y de un anillo externo que mantiene la funda abierta para permitir la inserción del pene. Es incómodo.
Diafragma y tapa cervical Un diafragma es un domo de goma con un resorte de metal enrollado en su borde. Se ajusta diagonalmente a lo largo de la vagina y se usa con un agente espermicida. Se debe dejar en su lugar por seis horas después del acto. La tapa cervical es más pequeña y rígida, y se ajusta al cuello uterino, en donde se mantiene firme gracias a la succión. Es muy eficiente.

Métodos hormonales

Estos métodos usan hormonas (estrógeno y progesterona sintética) para suprimir la ovulación; son prácticamente efectivos en un 100 porciento si se usan adecuadamente. Interfieren con la mucosa cervical, espesándola y haciéndola impenetrable para el esperma. Por otro

lado, adelgazan el revestimiento uterino para que la concepción no tenga lugar.

Entre las píldoras se incluyen la píldora combinada, la minipíldora de bajas dosis (sin estrógenos, sólo progesterona), inyecciones hormonales e implantes y la píldora posterior al coito. La píldora combinada se debe tomar durante el curso completo de 21 ó 28 días para ser efectiva. La minipíldora de bajas dosis se debe tomar continuamente.

Los anticonceptivos inyectables, que son ideales para las mujeres que olvidan fácilmente tomarse la píldora con regularidad, contienen sólo progesterona y son administradas cada dos ó tres meses.

¿Cuáles son los riesgos?

Una píldora que contiene estrógenos podría no ser adecuada para ti si estás excedida de peso, si fumas o si sufres de diabetes, presión sanguínea elevada, problemas cardíacos, trombosis venosa o migraña.

Métodos para después de las relaciones sexuales

Existen dos medios para prevenir la concepción después de tener relaciones sexuales sin protección y se deben poner en marcha dentro de uno a cinco días después de la relación, pero no se recomiendan como una forma rutinaria para el control de la natalidad.

El método hormonal involucra un tratamiento corto de altas dosis de la píldora combinada ("la píldora del día después"). Para mujeres que no pueden tomar la de altas dosis, se puede insertar un DIU de cobre dentro de 5 días desde el acto sin protección. Este método previene un posible embarazo.

Embarazo adolescente

Después de haber comenzado una relación sexual, siempre existe la posibilidad de quedar embarazada, incluso si usas un método anticonceptivo.

¿Cómo saber si estás embarazada?

Si tienes algunos de los síntomas que aparecen más abajo, visita de inmediato a tu médico o clínica para la planificación familiar y pide un test de embarazo. Será necesario que les entregues una pequeña muestra de tu orina. Para un resultado más rápido, se pueden comprar tests caseros de embarazo en cualquier farmacia.

- Suspensión de un período si éstos son regulares.
- Un período corto y reducido en la fecha correcta.
- Comezón e hinchazón en los pechos y pezones oscurecidos.
- Deseos de orinar más frecuentes.
- Más secreción vaginal de lo usual.
- Cansancio en extremo.
- Te desagradan comidas que antes te gustaban.
- Sensación extraña en la boca.
- Mareos, particularmente luego de estar mucho tiempo sin comer, por ejemplo, temprano en la mañana.

Cómo contarles a tus padres

- Si encuentras que es más fácil contarle a tu madre, cuéntale primero y pídele que ella le diga a tu padre.
- Puede ser de ayuda si le cuentas a un pariente cercano, alguien en quien tus padres confían, y que éste te acompañe.
- Considera tus opciones antes de hablar con tus padres; hazles ver cuán responsable eres.

Chicas: cómo contarle a tu pareja

Si el padre desea involucrarse, pero desaprueba el manejo de la situación, escúchalo, pero explícale que la decisión final es tuya. Si no te apoya, trata de seguir adelante sin él por ahora; ya tienes mucho de qué preocuparte.

Chicos: cómo recibir la noticia

Intenta recordar que eres igualmente responsable, pero la carga de tu novia es infinitamente mayor. Finalmente, no puedes controlar los hechos; sin embargo, nunca tendrás una mejor oportunidad que ésta para darle a tu pareja tu completo apoyo.

Si aún estás en la escuela

Si aún no has terminado tu educación, pero decides tener el bebé, necesitas considerar cuidadosamente cuáles son tus opciones.

- ¿Estás por sobre o por debajo de la edad legal para cumplir con la escolaridad obligatoria? Tu escuela o autoridad educacional te puede aconsejar sobre cómo continuar con tus estudios durante y después del embarazo.
- Te podrías sentir tentada a abandonar la escuela inmediatamente, pero intenta pensar en tu futuro a largo plazo antes de tomar cualquier decisión apresurada. Aún necesitas adquirir capacidades académicas y autoestima.

Si eres el padre

Si tu novia está embarazada, de seguro tendrás opiniones respecto a lo que ella debería hacer, incluso si éstas son negativas.

En la mayoría de los países no tienes el derecho legal para opinar si ella sigue adelante o no con el embarazo. No obstante, esto no

significa que deberías ser excluido de las discusiones. Tu actitud y apoyo serán de gran importancia para ayudar a que tu pareja cambie de parecer. Los padres tienen derechos una vez que nace el bebé y con éste vienen todas las responsabilidades que acarrea tener una familia.

Chicas: algunas de las opciones

- Casarse: casarse con el padre y tener el bebé.
- Vivir juntos: vivir con el padre y criar juntos a su hijo.
- Ser una madre soltera: educar al niño por ti sola como único padre.
- Comenzar de nuevo: a veces un aborto es la única respuesta.
- Asunto familiar: tener el bebé y quedarte con tus padres, quienes podrían estar muy contentos de ayudarte a cuidar el niño.
- Otro hogar: que una familia afectuosa cuide o adopte al bebé. Es un alivio saber que tu bebé estará en buenas manos.

La decisión correcta para ti

Al igual que tu pareja, padres y un pariente cercano, intenta hablar con un médico o un ministro o sacerdote si eres creyente.

Sin embargo, al final no importa lo que digan los demás. Tienes que pensar en tu futuro, en tus fortalezas, tus debilidades, tus ambiciones y solidez de tu impulso materno. Sólo tú sabes cómo quieres que sea tu vida, así es que solamente tú puedes tomar la decisión correcta.

Advertencia

No dejes que te fuercen a tomar una decisión que no te hace feliz porque parece la más fácil. Siempre lo lamentarás.

Exámenes al cuello uterino

Los exámenes al cuello uterino son importantes para las jóvenes que comienzan a tener relaciones sexuales al principio de la adolescencia, ya que el cuello uterino juvenil parece vulnerable a los cambios cancerosos cuando se ve expuesta muy temprano al semen durante la vida fértil. El examen es simple y rápido, y los resultados deberían estar listos dentro de seis semanas.

Existen más probabilidades de cambio canceroso si tienes varias parejas. El sexo promiscuo también aumenta las posibilidades de que te infectes de verrugas genitales, el virus que también promueve la aparición de cáncer al cuello uterino.

11-18
alcohol y drogas

Cada vez más adolescentes están bebiendo y experimentando con drogas, y cada vez un mayor número de ellos libran una batalla contra los problemas de alcoholismo y drogadicción. Nunca tengas miedo de admitir que necesitas ayuda.

Drogas

Cuando los padres les preguntan a sus hijos si consumen drogas, ellos buscan una respuesta: NO. Algunos progenitores ni siquiera llegan tan lejos como para preguntar. No están preparados para tener ningún tipo de discusión sobre las drogas, excepto, posiblemente, condenarlas con firmeza. Esto es lamentable, ya que perfectamente podría pasar que necesites hablar sobre drogas con tus padres, y no sólo porque han descubierto que has estado consumiendo. Podría ser que un amigo haya estado ingiriendo drogas y estás preocupado por su salud; quizás otro amigo pudo haber sido descubierto con drogas y te asusta lo que podría ocurrirle.

El enfoque intransigente no funciona. El ser realmente intransigente sólo significa que la gente llega a extremos aún mayores para ocultar lo que están haciendo. Ésa es la naturaleza humana: todo lo que es prohibido de inmediato se vuelve atractivo.

Toma la iniciativa

El último tema del cual te gustaría hablar con tus padres son las drogas, especialmente si se trata de admitir que las has consumido.

Pero por tu bien y el de ellos, es una buena idea intentar tomar la iniciativa para comenzar un diálogo con ellos sobre las drogas antes de que ocurra una crisis. Les preocupa tu bienestar, así es que diles lo que sabes. Muchos padres sólo conocen historias terroríficas sobre las ampliamente publicitadas muertes relacionadas con las drogas y llegan a la conclusión de que las llamadas drogas suaves inevitablemente conducen a las drogas duras, o creen que todas las drogas ilícitas son más dañinas que el tabaco y el alcohol. Si su pensamiento es muy rígido, te podrías sentir inclinado a abandonar los intentos de sostener una discusión razonable y de llevar un comportamiento honesto. Intenta evitar esto, porque a largo plazo saldrán perdiendo todos.

Los padres y las drogas

Algunos adultos probablemente están confundidos y mal informados, al igual que algunos jóvenes.
● Muéstrales a tus padres el material educativo sobre drogas que te dan en la escuela.
● Muéstrales libros sobre drogas.
● Entrégales panfletos sobre drogas de agencias reconocidas a nivel nacional, tales como la Health Education Authority.

Lo que pueden hacer los padres

En vez de ser prejuiciosos y tener mano dura, existen pasos prácticos que pueden seguir para ayudar a sus hijos:
● Aprendan sobre las drogas y ayuden a su hijo a aprender sobre ellas también.
● Piensen cuidadosamente sobre sus puntos de vista respecto a las drogas y sean honestos consigo mismo y con su hijo acerca de su consumo de drogas pasado y presente, ya sea alcohol, nicotina, tranquilizantes o cannabis (marihuana).
● No sean autoritarios o perderán a su hijo.
● Infórmense sobre dónde obtener ayuda si es que alguna vez la necesitan.
● Mantengan las drogas en su debida perspectiva.

Alcoholismo adolescente

El alcohol es una sustancia intoxicante hecha de féculas fermentadas, y a pesar de estimularse en un comienzo, se trata realmente de una droga depresiva. Retarda las respuestas (afectando la coordinación) y la manera en que funciona el cerebro (afectando el juicio), volviendo torpes y lentas a las personas. Es una de las drogas que se usan más ampliamente, por sobre y debajo del límite legal de edad.

El efecto del alcohol

Beber alcohol hace a las personas:
● sentirse como si se estuviesen divirtiendo más
● sentirse en confianza
● sentirse relajados
● sentirse capaces de abrirse y hablar más
● dejar de lado y olvidarse de sus inhibiciones
● sentirse bien socialmente
● sentirse realmente felices y reírse más
● pensar que tienen el valor para superar sus temores.

Efecto contrario

Beber mucho alcohol tiene efectos horribles.
● Beber puede ponerte más agresivo y violento. Estás más propenso a iniciar discusiones y buscar peleas.
● Te vuelves descoordinado y torpe.
● Mucho alcohol te hace ver doble y hablar con dificultad.
● Beber cuando estás deprimido puede deprimirte aún más.
● El alcohol tiene muchas calorías. Puede hacerte engordar y es malo para tu piel.
● Una mala resaca te hace sentir realmente frágil. Te duele la cabeza y tu estómago se descompone.
● El alcohol puede dañar la fertilidad de un hombre y su potencia.

¡Advertencia!

El alcohol es responsable de muchas más muertes que las drogas duras.

Emergencias por drogas

Las drogas son impredecibles: la misma droga puede afectar a distintas personas de diferentes maneras. En un caso extremo, un amigo podría quedar inconsciente luego de ingerir alguna. Pero una de ellas también podría causar que un individuo se excite demasiado, quede adormecido, tenga horribles alucinaciones o incluso sufra algún ataque.

Toma medidas

La experiencia de ver a un amigo sufrir efectos colaterales adversos al ingerir drogas puede ser aterradora para ti, pero en su caso podría incluso hacer peligrar su vida. Es muy importante ser capaz de reconocer que algo no está bien, así como saber qué hacer en caso de emergencia: una rápida acción puede salvar vidas.

- Si ves a alguien que piensas ha tenido una reacción adversa con las drogas, no dudes en conseguir ayuda y evita que cunda el pánico.
- Si estás en una discoteca, grita para que acudan los guardias de seguridad y pide que venga un encargado de primeros auxilios calificado.
- Si no estás en una discoteca, llama una ambulancia o, mejor aún, pídele a otra persona que llame mientras cuidas a tu amigo.

Llamar a una ambulancia

Llama a los servicios de emergencia, pide una ambulancia y entrégales la siguiente información tan claro como te sea posible:

- el número telefónico desde donde estás llamando.
- dónde estás (el nombre de la discoteca, por ejemplo).
- qué le sucede a tu amigo: está muy excitado, deprimido o ha a perdido el conocimiento. No temas decir que ha estado consumiendo drogas y de preferencia indica el nombre de éstas; la información que puedas dar podría salvar su vida.

Si alguien más hace la llamada, pídele que regrese y confirme que ha sido realizada.

Liberarse de una adicción a las drogas

Salirse de las drogas es difícil y no deberías intentar hacerlo solo, pero si es lo que deseas, significa que puedes. Antes que tú, muchas personas han salido de las drogas y si emprendes este camino de la forma correcta y con la ayuda adecuada, también tendrás éxito.

Obtención de ayuda

Encuentra en la National Drugs Helpline (ver pág. 567) qué servicios están disponibles en tu ciudad; ellos pueden aconsejarte sobre qué tipo de ayuda es la más apropiada. Por otro lado, pídele a tu médico general que te derive a la organización más adecuada. Cualquiera que elijas, debes recordar que todas las agencias y servicios médicos de drogas tienen el compromiso irrestricto de tratar tu caso con completa discreción.

Salirse de ellas

Limpiar tu organismo puede demorar desde unos días a unos pocos meses; además, por razones de seguridad, se debe hacer bajo supervisión médica. Algunas drogas pueden suspenderse de inmediato, pero otras, como barbitúricos y tranquilizantes, deben reducirse gradualmente (suspenderlas rápidamente es muy peligroso). Los primeros días son los más difíciles, así es que luego de que los has podido superar, sé firme: todo saldrá mejor, aunque toma tiempo.

Mantenerse fuera de ellas

El salirse es sólo la mitad de la batalla: la parte más dura es mantenerse fuera de ellas. Haz que todo salga bien:
- Mantente ocupado.
- No ingieras ninguna droga, incluso alcohol.
- Evita situaciones en las que haya drogas y lugares donde solías ir a conseguirlas. Evita a personas que las ingieran.
- Obtén ayuda cuando sientas que puedes tener una recaída.

11-18 una buena educación

La educación debería ser una prioridad en la vida: es la mejor herramienta que una persona puede tener para ayudarle a manejar su vida, alcanzar la felicidad y disfrutar de la libertad.

¿Por qué los deberes ayudan?

Cuando haces los deberes estás entendiendo y consolidando lo que te han enseñado durante el día. A pesar de que puedes pensar que son un trabajo rutinario, éstos podrían ser la ruta hacia grandes logros, porque, además de entregarte información para rendir buenos exámenes, te enseñan muchas destrezas personales.

● Los deberes te enseñan a estudiar independientemente sin ninguna guía externa y a usar tu juicio.

● Te enseñan disciplina: no sólo de la rutina, sino también la adecuada para abordar tu trabajo, planificarlo, presentarlo y redactarlo por completo.

● Cuando tienes algún trabajo difícil o extenso que terminar antes de un plazo, te enseña persistencia y determinación, cualidades muy importantes de las cuales necesitarás si deseas seguir una carrera exigente.

● Aprender a manejar tu trabajo escolar, junto con otros intereses externos y la vida social normal que todos los adolescentes necesitan y disfrutan, te prepara realmente para el mundo laboral que vendrá. Te infunde destrezas como el manejo del tiempo y la habilidad de controlar la presión.

● Todos estos logros te traerán un sentido de respeto personal y confianza, sin mencionar el orgullo que tus padres y maestros sentirán por tus éxitos.

Trabajo escolar lejos de la escuela

La mayoría de la gente tiene que trabajar y estudiar muy duro y por muchas horas para preparar exámenes. A menudo tienes que estudiar varias asignaturas y esta labor puede parecer una verdadera rutina. Si no amas la información por sí misma, entonces la manera más práctica de enfrentar este trabajo es pensar que tienes que hacerlo para así darte la libertad de hacer lo que quieras más tarde; es un trabajo penoso por el que tienes que atravesar.

Es bueno para ti aprender determinación y desarrollar la fuerza para resistir desde un principio tu carrera educacional, porque necesitarás gran cantidad de estas cualidades más tarde si es que deseas conservar exitosamente un empleo en un mundo competitivo. La vida más allá de la escuela es quizás no tan directa como solía ser, incluso algunos graduados de la universidad con buenos títulos tienen dificultades para encontrar trabajo.

Acostumbrarse No hay duda de que mientras estás estudiando en las noches, a veces sentirás celos y resentimiento de aquellos amigos que han terminado la escuela, tienen empleos y dinero y salen todas las noches aparentemente sin ninguna preocupación. No eres el único; todos los que estudian han experimentado esto y muchos antes que tú lo han ignorado, continuaron estudiando y fueron muy exitosos.

La cantidad adecuada de deberes Se espera que la mayoría de los jóvenes dediquen a sus deberes cerca de dos horas cada noche durante la semana, además de cuatro horas los fines de semana, así como algún proyecto adicional durante el período de las vacaciones. Tu escuela debería guiarte en cuanto a la cantidad de deberes que se supone que hagas. Si te dan muy pocos o encuentras que puedes cumplir con ellos en muy poco tiempo, esto no será de mucha ayuda a largo plazo. Sin embargo, si repentinamente te das cuenta de que estás haciendo por tres ó cuatro horas cada noche y más los fines de semana, podrías estar sobrecargándote o trabajando muy lentamente. Habla con tus padres y maestros acerca de mantener un equilibrio o de cómo aprender a trabajar más rápido.

Lo que la educación puede ofrecer

No fue hasta que atravesaba por la adolescencia que me di cuenta que continuar con mi educación me ofrecía el tipo de libertad que nada más en la vida podría posiblemente darme. Al contar con buenas calificaciones me era posible postular a empleos bien remunerados, de manera tal que no tendría que preocuparme por pagar las necesidades básicas, como un techo bajo el cual vivir, comida y vestuario. **Mi educación me hizo fuerte e independiente no sólo financieramente, sino también desde un punto de vista emocional e intelectual.** Con esto, fui capaz de seguir mis preferencias y ejercer mis opciones.

Tener una educación también significa que siempre tendrás intereses a los que podrás recurrir durante períodos bajos o solitarios de tu vida, ya que te dará una vasta reserva de recursos internos. También debería significar que serás capaz de analizar los problemas, encontrar soluciones y acciones expeditas en el trabajo, en la comunidad y en tu vida social.

Hacerse un espacio para estudiar

Tus estudios son importantes y si la disposición hogareña lo permite, deberías asegurarte de que el resto de la familia entienda que estar al día con tus deberes escolares es una de tus principales prioridades.

Necesitarás:

● **Un espacio silencioso.** Si vas a estudiar solo durante largas horas, es bastante justo que tengas una habitación o al menos un espacio en tu casa donde puedas hacerlo, el cual sea silencioso, cómodo y temperado. Probablemente esta habitación sea tu dormitorio, pero no importa cuál sea, debería ser un lugar tranquilo que todos reconozcan como tuyo y donde las interrupciones del resto de la familia sean mínimas.
● **Amoblado adecuado.** Necesitas un mínimo de muebles, tales como un escritorio, unos cuantos cajones o repisas para tus documentos y equipo o algunas repisas para tus textos escolares y de referencia.
● Una buena luz de lectura y una silla cómoda que te brinde un buen apoyo.

11-18 presiones de la escuela

Cumplir con las exigencias de la escuela y resistir otras tentaciones no siempre es fácil, pero si perseveras, descubrirás que de verdad es valioso.

Ausentismo escolar

Algunos se ausentan de la escuela porque ésa es su manera de rechazar la monotonía y las aparentemente estúpidas reglas que tienen que seguir allí. Pero también puede ocurrir que estén presionados a quedarse en casa por uno o ambos de sus padres, ya que no hay nadie más que haga las tareas hogareñas o cuide al niño pequeño mientras están en el trabajo. Si de verdad comienzas a quedarte en casa, te atrasarás con tus deberes escolares y ponerte al día será cada vez más difícil. Luego de que empiezas a no asistir, es fácil evitar la escuela y pasar tu tiempo saliendo o sólo quedándote en la casa escuchando música. Así es que, si estás recibiendo presión de tus padres, en vez de recibirla de tus propios amigos, recuérdales a los primeros que es ilegal de parte de ellos mantenerte en casa. Sin embargo, si no asistes a la escuela porque así lo quieres y tus padres no saben de esto, recuerda que pronto se pondrá en contacto con ellos y te llamarán para que justifiques tus ausencias.

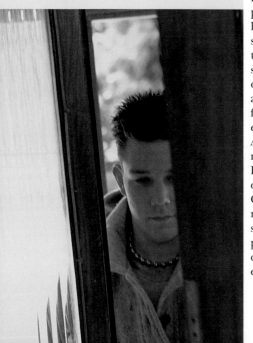

Computadores e Internet, una guía para los padres

Un equipo de investigación conformado por psicólogos y educadores en Estados Unidos descubrió que la sobreexposición a los computadores puede producir obesidad y daños emocionales a largo plazo. Los jóvenes sólo aprenden realmente a través de la interacción humana. Los computadores simplemente les proporcionan una gran cantidad de información que no pueden digerir en forma apropiada.

Tal informe, el cual concluye que los computadores sólo deberían usarlos niños que cursen la escuela secundaria y no los más pequeños, también advierte que nada permite probar que los computadores o la Internet ayuden al éxito académico.

Seguridad e Internet

La mayoría de los padres están preocupados de la seguridad de sus hijos al usar Internet. Prevenir es siempre mejor que lamentar; por lo tanto, los padres deberían buscar un servicio proveedor de Internet certificado que provea sitios adecuados para la familia. De esta forma puede confiar en que sus hijos están navegando con seguridad. Algunos, por ejemplo, ofrecen un rango de niveles de censura en Internet especial para niños menores de 12 años, adolescentes y jóvenes. Otros filtran automáticamente las malas palabras y las referencias sexuales, y cuentan con un adulto para revisar mensajes en la sala de chat. También existen servicios de e-mail para niños que vienen con restricciones similares, incluyendo uno que sólo envía e-mails que son aprobados primero por los padres.

Todos saben que las salas de chat adolescentes son usadas por pedófilos. No estoy segura de por qué se les permite entrar.

¿Una herramienta educacional?

Su hijo podría insistir que necesita Internet para la escuela, y no hay argumento que niegue que puede convertirse en una buena herramienta educacional. Se dice mucho acerca de la eficacia educacional de Internet. Él podría incluso llegar a aducir que no puede hacer sus deberes sin esta herramienta. No obstante, según lo descubrió un estudio, cuando los niños obtienen el tan deseado computador, un cuarto de aquellos menores de 17 años ingresan y visitan directamente sitios de apuestas o porno. De los cinco millones de jóvenes menores de 16 años que usan computadores regularmente, 1,15 millones gastan gran parte de su tiempo en línea en las salas de chat. Por esto, los padres tienen el derecho a estar preocupados y a controlar.

Si su hijo ya usa un computador en casa, asegúrase de que el teclado y la pantalla estén bien ubicados para evitar daños por tensión repetitiva y sobrecarga a la espalda. Trate de limitar las horas que pasa usando el computador y aliéntalo a tomar descansos.

Sobrevivir a la escuela

Todos tienen problemas en la escuela. Puede haber maestros con los cuales no te llevas bien y compañeros que no te agraden. Es posible que descubras que ciertas personas te superan. También podrías descubrir que las preocupaciones sobre tu apariencia, vida social y popularidad te distraen de los deberes y a veces parecen más importantes que tus destrezas académicas.

A medida que vas avanzando en la escuela y posiblemente prosigues con tu educación, es a veces tentador rendirse y tener tiempo para disfrutar. **Trata de que no te influyan los amigos que han dejado sus estudios o que abandonaron antes la escuela para obtener un empleo,** o que sienten que el matrimonio y una familia a los 18 años es lo correcto para ellos.

Recuerda que ellos, y no tú, son los que podrían estar disminuyendo sus opciones para el resto de sus vidas.

No tiene sentido afirmar que es fácil para una persona joven sobrevivir al duro período escolar y a las largas horas de trabajo nocturno, especialmente cuando las recompensas no llegan de inmediato o no son fáciles de apreciar, porque no lo es. Se necesita mucha fuerza para resistir, esfuerzo, agallas y determinación; también adaptabilidad. Habrá veces en que te sentirás deprimido y pensarás que no es válido todo el esfuerzo. Bueno, nadie puede darte la voluntad para seguir adelante y tener éxito. Tendrás que encontrar esto en algún lugar dentro de ti.

Si sientes que tu fuerza de voluntad se desmorona, conversa con los maestros que más respetas y pídeles consejos. En la actualidad, la mayoría de las escuelas sabe que los exámenes pueden ser especialmente estresantes y para esto brindarán clases de reforzamiento y consejos acerca de cómo enfrentarlos.

11-18
luego de los 16, ¿qué más viene?

Creo que el seguir en la escuela o universidad después de los 16 te ofrece oportunidades profesionales mucho mejores. Pero si decides dejarla, haz tu mejor esfuerzo por encontrar un empleo que te interese.

Seguir con tu educación

Al igual que muchos otros adolescentes, yo quería dejar la escuela a los 16. Tenía muchos deseos de ser independiente, de trabajar y de ganar mi propio dinero. Quería dejar de estudiar y empezar a pasarla bien. Afortunadamente para mí, mis padres y maestros me persuadieron para que hiciese lo contrario. Entré a la universidad después de las vacaciones de verano y seguí estudiando para obtener excelentes calificaciones; luego entré a la Escuela de Medicina. Gracias a Dios, mis padres y mis maestros me convencieron.

Si eres un adolescente con aptitudes académicas, sería una gran vergüenza que no continuaras con tus estudios, porque es en ese momento cuando realmente puedes empezar a disfrutar de un trabajo más complejo y especializado. Junto con esto, tu relación con los maestros se volverá más amable, amistosa e informal; recibirás responsabilidades y te tratarán como a un adulto. En la educación superior tienes más opciones: puedes quedarte en tu propia escuela o ser transferido a un centro designado o a uno de educación superior, en donde podrás estudiar junto a adultos. También deberías estar consciente de que al seguir con tu eucación, posiblemente te estarás preparando para una carrera universitaria y para la vida que ésta conlleva, la cual te ofrecerá independencia, una vida lejos de tu hogar, una nueva vida social y un currículum académico abierto. Por tal razón, no te tientes con dejar la escuela por un mero capricho.

Pensar respecto a una carrera

Si ya sabes qué tipo de empleo o carrera quieres para ti, hazte aconsejar sobre una profesión a temprana edad, es decir, usualmente a los 14 ó 15 años. La mayoría de las escuelas comienza con sus guías profesionales en esta etapa, o en ocasiones antes, y cada vez hay más oportunidades para una experiencia de trabajo útil en las empresas locales y profesionales organizadas a través de la escuela.

Una guía profesional te ayudará a elegir los temas correctos para estudiar, de manera que encuentres una carrera apropiada para ti. **Sin embargo, ten cuidado con cerrarte a cualquier opción futura por especializarte demasiado temprano.** Podrías cambiar de parecer más tarde y será más difícil volver atrás, a pesar de que puedes tomar ciertos GCSE (General Certificate of Secondary Education, UK) adicionales mientras logras calificaciones sobresalientes.

El objetivo de los sistemas más modernos de educación, es entregar una formación completa por todo el tiempo que sea posible y mantenerte estudiando el rango más amplio posible de temas. Asegúrate de que tus orientadores profesionales sepan qué tipo de carrera quieres seguir, de manera que puedan ponerte en contacto con departamentos de admisión en distintas carreras profesionales e industrias. También pueden orientarte hacia los distintos cursos de capacitación o superiores que deberías seguir.

Preparación de un currículum vitae

Si decides buscar un empleo en vez de asistir a la universidad o a un instituto de formación técnica, obtén toda la ayuda posible acerca de cómo postular a trabajos y cómo comportarse en una entrevista. Algunos orientadores organizarán entrevistas simuladas, a menudo con profesionales o gente de negocios de la comunidad para ayudarte con las técnicas. También deberían mostrarte la forma de escribir una buena carta de postulación y llenar los formularios correspondientes. El redactar un currículum atractivo es una parte importante de esto.

Escribir tu currículum vitae

Si es posible, haz un borrador de tu currículum en un computador, incluso antes de que sea necesario pensar en postular a trabajos. Luego, todo lo que tienes que hacer es adaptarlo para que agrade a tu futuro empleador.

Obviamente, no vas a tener mucha experiencia laboral anterior, aunque el trabajo en vacaciones o de fines de semana es importante, puesto que éste muestra algo de tu

experiencia en las rutinas de un lugar de trabajo. Da el nombre de dos personas como referencia. La mayoría de los empleadores piden esto de todas maneras, pero anticípate a ellos. Es necesario que sean personas con cargos de responsabilidad y que te conozcan, por ejemplo, maestros, trabajadores en asociaciones juveniles, líderes de la iglesia o antiguos empleadores. Pídeles su autorización, en primer lugar, y avísales que podrían ser contactados por potenciales empleadores.

¿Qué poner en un currículum vitae?

Tu currículum debería incluir la siguiente información en este orden:
● Tu nombre, dirección y número de teléfono.
● Los nombres de las escuelas y las universidades a las que asististe y el tiempo que estuviste en cada una.
● Tus calificaciones y contenidos (con la calificación obtenida) más cualquier otro certificado, como en música, teatro, deportes, premios juveniles.

● Si estás buscando un puesto a corto plazo por unos pocos meses antes de ingresar a una universidad, entrega detalles del curso que vas a estudiar, así como la fecha de inicio, de manera de que tu empleador sepa exactamente cuánto tiempo estarás disponible para el trabajo.
● Empleos temporales previos, como por los fines de semana, por las noches o durante las vacaciones, incluyendo fechas y nombres de los empleadores.
● Trabajos voluntarios, incluyendo cualquier trabajo comunitario, proyectos artísticos para recaudar fondos o aficionados, como haber participado en un grupo de danza o teatro o una orquesta.
● Todos tus intereses (no dejes ninguno fuera); incluso jugar juegos de computador puede contar, ya que esto demuestra que estás familiarizado con la computación y probablemente tienes reflejos rápidos.
● Planes futuros de capacitación o educativos. No olvides explicar si te vas a tomar un año libre antes de ingresar a la universidad.

Asistir a entrevistas

Es emocionante y a la vez muy estresante acudir a tu primera entrevista de trabajo, pero puedes ir confiado al seguir unas pocas y simples reglas.
● Cuando te inviten a una entrevista, responde lo antes posible para confirmar que puedes asistir ese día a la hora fijada. Si te es difícil, sé sincero y pide otra cita. Los empleadores y universidades comprenden que la gente puede tener otros compromisos.
● **Obtén toda la información posible sobre la compañía (o universidad) con antelación,** para que puedas ajustar tus respuestas. Casi todos los entrevistadores te preguntarán por qué quieres unirte a la organización.
● Acuéstate temprano la noche anterior y prepara lo que vas a vestir con anticipación, para que en la mañana no estés sobrecargado o apurado. Busca vestirte elegante, pero no ostentoso.
● Planea cómo llegar a tiempo a la entrevista y sal de casa con tiempo de sobra para que no te retrases: esto da una mala impresión desde un principio. Sin embargo, en caso que pierdas el transporte público, asegúrate de llevar el número telefónico para que puedas avisar.
● No te preocupes si te pones nervioso, pues el entrevistador está acostumbrado, y si es bueno en lo que hace, tratará de hacer que te relajes. Siéntate cuando te lo pidan. Siempre trata a tu entrevistador como Señor A, Señora B o Señorita C, a menos que te permitan dirigirte a ellos por sus nombres de pila.
● Cuando contestes preguntas, no digas sólo sí o no. Expláyate sobre aquello que te preguntaron. Habla claro y mira al entrevistador a los ojos. Nunca olvides sonreír.
● **No temas hacer preguntas:** a menudo, casi al final de la entrevista, la mayoría de los entrevistadores te preguntarán si hay algo que quisieras saber. Si no te ha quedado claro o no estás seguro, pídele al entrevistador que confirme el sueldo y te informe sobre posibles horas adicionales o trabajo los fines de semana, también sobre las vacaciones.
● Es posible que te ofrezcan un empleo de inmediato. Si no estás seguro, pide tiempo para pensarlo, incluso si es de un día para otro. Ve a casa y cuéntales a tus padres o maestros, para que puedas decidir con calma.

ENFOQUE
sobre embarazo y nacimiento

Si está esperando que todo esté perfecto antes de tener un bebé, mejor se olvida desde ya, y se dedica a practicar un pasatiempo en vez. Muy raras veces sucede que una pareja sienta que el momento adecuado para tener un hijo ha llegado, pero actualmente, en una época en que hombres y mujeres tienen control sobre su fertilidad, sí se dispone de tiempo para considerarlo.

¿CUÁL ES LA MEJOR EDAD PARA TENER UN BEBÉ?

Muchas mujeres están demorando el embarazo hasta que llegan a los 30 e incluso a los 40 años. Este período no es más peligroso que durante los 20, siempre y cuando esté en buena forma y saludable. Cualquiera sea su edad, es posible que tenga un embarazo y un parto normales, aunque problemas como la infertilidad y los defectos cromosómicos (por ejemplo, el síndrome de Down) se hacen en realidad más frecuentes mientras mayor es la edad de los padres. A las mujeres mayores siempre se les ofrecen exámenes para las anormalidades cromosómicas.

¿CUÁNDO DETENGO LA ANTICONCEPCIÓN?

Si usa métodos de interrupción, como preservativos o diafragma, puede concebir con toda seguridad luego de dejar de usarlos. No obstante, la mayoría de los médicos prefiere que tenga a lo menos un período normal después de cesar otras formas de anticoncepción antes de que comience a tratar

de concebir. Esto le permite que sus funciones metabólicas vuelvan a la normalidad.

Si ha estado tomando la píldora, el mejor plan para usted es dejar de tomarla tres meses antes de la concepción. Con un mes basta, siempre que tenga un período normal antes de concebir.

Si usa dispositivo intrauterino (DIU), se aplica la misma escala de tiempo: debe hacer que lo quiten tres meses antes de intentar quedar embarazada. Tenga a lo menos un período normal antes de detener toda la anticoncepción: use un método de interrupción mientras tanto.

¿NECESITO CONSEJO GENÉTICO?

Busque consejo y hágase exámenes por anticipado si existe algún trastorno genético en su familia. Como ejemplos de condiciones hereditarias se incluyen: fibrosis quística, distrofia muscular y hemofilia.

¿Qué ocurre en la consulta?

El consejero explica la condición y el trasfondo familiar, luego le muestra el patrón hereditario a través de las generaciones pasadas. No todas las cadenas de un gen defectuoso contienen la condición: si es recesivo, puede ser cubierto con una versión saludable; mientras que si es dominante, éste siempre aparecerá. Con un gen dominante, las posibilidades de que su bebé sea afectado son de una en dos; en tanto que con un gen recesivo son de una en cuatro.

¿CÓMO ME PREPARO PARA EL EMBARAZO?

Es bastante sensato prepararse por adelantado si se toma la decisión de convertirse en padres. Investigaciones demuestran que para tener un bebé saludable los factores más importantes son principalmente su propio estado físico y alimentación. Como futura madre, mientras mejor sea su estado físico, mejor resistirá su cuerpo las presiones y esfuerzos del embarazo. Incluso el estado físico y el estilo de vida también podrían influir en la habilidad de un hombre para ser padre, al afectar la producción de esperma. Es mejor si ambos tratan de pensar sobre su salud y estilo de vida en general, por lo menos tres meses antes de que planeen detener la anticoncepción. Mi objetivo no es el uso de tácticas que infundan temor en la difusión de este mensaje, pero

existen hechos que debería conocer para el bien de su propio cuerpo.

¿Debo dejar de fumar?

Fumar es una de las mayores amenazas para la salud de su bebé que está por nacer y la principal causa de problemas de salud evitables. Los riesgos asociados incluyen aborto y el nacimiento de un feto muerto, daños a la placenta, bebés que nacen con un peso menor al normal que les impide sobrevivir y un riesgo mayor de anormalidades en el feto. Puede causar un bajo conteo espermático; además, un hombre que fuma continuamente mientras su pareja está embarazada pone en riesgo la salud de su hijo que está por nacer, pues lo convierte en un fumador pasivo.

¿Qué pasa con el alcohol?

El alcohol es un veneno que puede dañar el esperma y los óvulos antes de la concepción, como también dañar al embrión en desarrollo. Los principales riesgos para el bebé son retardo mental, crecimiento retardado y daños cerebrales y al sistema nervioso, lo que se conoce con el nombre de síndrome alcohólico fetal. También puede causar el nacimiento de un feto muerto. Las investigaciones sugieren que su efecto es variable: lo único seguro es que no habrá efectos si se evita el alcohol.

¿Y las drogas?

Sólo se deberían ingerir medicamentos autorizados cuando sea necesario; por el contrario, las drogas sociales deben ser restringidas **definitivamente** antes del nacimiento.

La marihuana interfiere con la producción normal de esperma masculina y los efectos demoran entre tres a nueve meses en desaparecer. Drogas duras como la cocaína, la heroína y la morfina pueden dañar los cromosomas en el óvulo y la esperma, causando anormalidades. Es mejor evitar la ingesta de cualquier droga durante el embarazo, a menos que su médico determine que el beneficio para usted es más importante que cualquier riesgo para el feto.

¿DEBERÍA CAMBIAR MI DIETA LUEGO DE QUEDAR EMBARAZADA?

Su cuerpo utiliza mucha energía durante el embarazo y necesita alimentarse bien para satisfacer sus requerimientos y los de su bebé en crecimiento. La etapa del embarazo no es la más adecuada como para ponerse a dieta; al mismo tiempo, también debería olvidar aquel mito de "comer por dos". La regla consiste en comer para calmar su apetito y nada más. A medida que avanza esta etapa, es posible que que simplemente no puede comer mucho en algunas ocasiones, así es que coma poco y en forma habitual. Tenga una reserva de

Primeros signos de embarazo

Si ha estado planificando un embarazo y hay ausencia de menstruación, podría pensar que está embarazada. Al comienzo, es posible que no note otros cambios excepto el ya citado; sin embargo, la mayor actividad hormonal que experimenta confirmará su estado, con uno o más de los cambios físicos indicados a continuación:

• Sensación de náuseas a cualquier hora.
• Cambios en el gusto, por ejemplo, puede repentinamente no tolerar el café o el alcohol.
• Preferencia por ciertos alimentos, casi como un antojo.
• Sabor a metal en su boca.
• Cambios en sus pechos, pueden sentirse sensibles y con sensación de hormigueo.
• Necesidad de orinar con mayor frecuencia.
• Cansancio a cualquier hora del día; también puede incluso desmayarse o sentir mareos.
• Aumento en la secreción vaginal.
• Cambio repentino de emociones.

bocadillos sanos, como fruta seca, tortas de arroz, pan tostado y fruta madura en su bolso, automóvil u oficina, además de queso bajo en grasas, yogur, vegetales crudos, fruta fresca y jugo de fruta en el refrigerador de su casa.

¿Qué debería comer?

Para suplir las necesidades de su bebé, así como también las suyas, fíjese en los siguientes consejos para una dieta.

• Se necesitan carbohidratos complejos como pastas, patatas o legumbres (fréjoles y lentejas) para proveer de energía.

• Se necesitan proteínas para el crecimiento de su bebé. Coma pescado y pollo, productos lácteos, cereales, granos y legumbres.

• No elimine todas las grasas, sólo trate de no comer muchas. Obtendrá las necesarias de los productos lácteos y de los métodos de cocinar habituales.

• Obtenga vitamina C diariamente de la fruta fresca y los vegetales, y el complejo B de los cereales, frutas secas y legumbres, verduras, lácteos, huevos, pescado y carne.

• El hierro ayuda a la formación de glóbulos rojos. Se le encuentra en carnes rojas, pescado, yemas de huevo, duraznos y cereales.

¿Qué pasa con el malestar matutino?

Aunque se le llama malestar matutino, lo cierto es que se pueden presentar náuseas a cualquier hora del día. Para combatirlo, muchas mujeres consideran que ingerir pequeños refrigerios en forma frecuente ayuda durante las semanas difíciles. Aquí doy ideas de algunos que puede preparar en casa o tener en su trabajo para reducir la náusea en aumento durante su día laboral.

¿Es seguro hacer ejercicio?

Tanto usted como su bebé se benefician del ejercicio: su sangre comienza a circular mejor; gran cantidad de oxígeno llega a su cerebro; las hormonas del ejercicio, como las endorfinas, entregan a ambos una maravillosa sensación y su bebé adora el vaivén del movimiento. El ejercicio aumenta su fuerza, flexibilidad y resistencia, lo cual hará más fácil el embarazo y te preparará para los rigores de esta tarea.

No obstante, el ejercicio durante el embarazo no sólo se trata de estado físico; le ayuda a entender su cuerpo, creer en su poder y te da la clave para la relajación, de esta forma puede hacer frente a la fatiga y prepararse para el nacimiento.

Ejercicio con todo el cuerpo

Trate de incorporar algo de ejercicio durante su día, comenzando gradualmente a un ritmo que sea cómodo para usted. Siempre deténgase cuando se canse o sienta dolor. Ejercitar todo el cuerpo es lo mejor, ya que fortalece su corazón y pulmones; por

lo tanto, caminar o nadar son excelentes ejercicios. Bailar también es bueno, siempre que no sea haga con demasiada energía. El yoga es ideal, porque estira los músculos y articulaciones apretados y libera tensiones; sus ejercicios también le ayudan con su trabajo de parto y a aliviar el dolor.

Ejercicios que debe evitar

El embarazo no es una etapa como para aprender un deporte de contacto enérgico. Sin embargo, puede continuar practicando actividades durante un tiempo si ya está en forma y lo practica a menudo. No practique deportes como esquí, el ciclismo o montar a caballo luego de 20 semanas, ya que el equilibrio podría volverse un problema desde esa fecha. Tome con calma los deportes enérgicos como el tenis o el squash y no haga sesiones de ejercicio muy recargadas en el gimnasio, especialmente para los abdominales.

• Verduras crudas, tales como zanahorias, apio, fréjoles tiernos, habichuelas en su vaina y tomates.

• Rebanadas de pan integral secado al horno.

• Emparedados hechos con pan integral y queso sólido.

• Nueces, pasas y damascos secos.

• Tartas de fruta (preferiblemente hechas de harina integral con germen de trigo).

• Manzanas verdes.

• Galletas de agua y requesón.

• Jugos de fruta fresca.

• Barras de cereal que venden en el comercio.

• Yogur natural sin sabor, con miel.

• Té de hierbas.

• Batidos lácteos hechos con leche descremada.

• Frutas jugosas, como duraznos, ciruelas y peras.

Haciéndose más grande

El tener un bebé creciendo dentro de usted es como ser parte de un milagro de la vida real. Algunas veces palmoteará su barriga y sentirá que apenas puede creer que su bebé está ahí, ¡parece tan sorprendente y extraordinario! Averigue tanto como pueda sobre cómo su bebé se desarrolla. Le ayudará a entender tanto los pequeños contratiempos como aquellos cambios de ánimo que una mujer embarazada siente.

SIGUIENDO SU EMBARAZO

Ninguna parte del cuerpo de la mujer se escapa cuando tiene un bebé, y usted y su pareja necesitan recordar esto. Por ejemplo, los pechos sensibles que se alistan para la lactancia deben ser tratados cuidadosamente por el padre cuando los acaricia, el útero que crece ejerciendo presión en sus órganos internos le da a entender que no debe estar demasiado lejos de un baño durante los últimos tres meses de embarazo. La guía que sigue a continuación constituye un breve panorama de los complejos cambios que ocurren en su cuerpo.

¿Qué ha ocurrido al llegar al tercer mes?

Los tres primeros meses de embarazo (el primer trimestre) son tremendamente importantes en el asentamiento de las

bases del desarrollo saludable de su bebé, aunque hay algunas señales claras del increíble crecimiento de él o ella.

Usted

- Estará lista para comenzar a subir de peso y cualquier tipo de náuseas producidas por el embarazo pronto desaparecerán.
- El útero se eleva fuera de la pelvis y lo puede sentir.
- El riesgo de pérdida es casi nulo ahora.
- Su corazón está funcionando al máximo y seguirá así hasta el momento mismo del parto.

Su bebé

- Tiene ya un cuerpo completamente formado con dedos en las manos, pies, además de orejas.
- Sus ojos se mueven, aunque sus párpados aún están cerrados.
- Su cuerpo está cubierto de vello.
- Se mueve si lo toca (sus músculos están creciendo).

¿Qué ha ocurrido al llegar a los seis meses?

El período que comprende desde el tercer al sexto mes (segundo trimestre) es cuando las náuseas del embarazo terminan, su bebé realmente crece y usted

Sexo durante el embarazo

Muchas mujeres señalan que el sexo cuando están embarazadas es el mejor que jamás hayan tenido. Hay numerosas razones para esto.

- Factores físicos: la cantidad de sangre a los órganos pélvicos aumenta y las hormonas del embarazo hacen que la vulva sea una zona más erógena.

- Los pechos se vuelven más sensibles mientras se prepararan para la lactancia y se estimulan con mayor facilidad.

- Una mujer que está relajada y feliz con su embarazo puede sentir tal repentina explosión de amor por su pareja que se vuelve apasionadamente sensible ante él.

Puede tener relaciones sexuales durante el transcurso del embarazo siempre que se sienta cómoda. A propósito, tal vez le gustaría saber que su bebé siente el orgasmo con usted y lo disfruta del mismo modo.

Algunas mujeres se asustan al pensar que el sexo puede hacerle daño al bebé. Esto no es posible, porque éste se encuentra suspendido en el saco amniótico y rodeado de fluido amniótico, el cual lo protege de cualquier contusión.

Por otro lado, no es seguro tener sexo si experimentas cualquiera de estos síntomas:

- Si ocurre sangramiento, en cuyo caso es mejor consultar a un médico.

- Si tiene secreciones vaginales con pérdida de sangre, lo que anuncia el comienzo del parto, o si se rompe la bolsa.

Además, si ha tenido abortos espontáneos en el pasado, busca consejo médico con respecto a tener relaciones sexuales. Es posible que le aconsejen abstenerse durante los primeros meses de embarazo.

se empieza a sentir un poco mejor. Está llena de energía, vitalidad y bienestar.

Usted

● Está subiendo casi 0,5 kg (1 lb) a la semana.
● Su útero está a unos 5 cm (2 pulgadas) sobre la pelvis.
● Puede tener episodios de indigestión.
● Desde las 16 semanas, aproximadamente, sentirá cómo se mueve el bebé.

Su bebé

● Su audición se agudiza, puede reconocer su voz.
● Esta volviéndose más proporcionado; su cuerpo alcanza el tamaño de su cabeza.
● Esta bien formado, pero delgado.
● Sus pulmones están madurando rápido.

¿Qué ha ocurrido al llegar al noveno mes?

Las últimas 12 semanas de embarazo (tercer trimestre) son aquellas en las que el bebé engorda alistándose para el nacimiento, y el cerebro y los pulmones maduran preparándose para una vida independiente.

Usted

● Puede sentir que "su vientre desciende" cuando la cabeza del bebé baja hacia la pelvis.
● Se le hace más difícil encontrar una posición cómoda para dormir.
● Visita la clínica prenatal cada semana.
● Sus pechos secretan un nutritivo líquido de color claro: el calostro.

Su bebé

● Pesa alrededor de 2,7 a 3,5 kg (6 a 8 lb) y mide entre 35 y 38 cm (14 a 15 pulgadas) desde la coronilla a las nalgas.
● Su cabeza está posicionada, recostada justo en la parte superior de la pared cervical.
● La placenta mide entre 20 y 25 cm (8 a 10 pulgadas) a lo largo y ya hay 1,1 litros (2 octavos de galón) de fluido amniótico.
● Sus pechos pueden estar hinchados por la acción de sus hormonas.

MANEJO DE LA FATIGA

La fatiga es un problema constante en el embarazo, especialmente durante los primeros tres meses y las últimas seis y ocho semanas. Su magnitud podría tomarle por sorpresa: es la clase de cansancio que le hace sentir como si ni siquiera tuviera la energía para pestañear, sólo mirar hacia delante. Se siente somnolienta durante las primeras etapa del embarazo, debido a que está

sedada por altos niveles de progesterona. Su metabolismo se acelera para adecuarse a los requerimientos de su bebé y el trabajo extra que se le exige a sus órganos. Más tarde en el embarazo, se siente cansada porque su

cuerpo está trabajando al máximo, 24 horas al día y tiene que llevar peso extra que fatiga su corazón, pulmones y músculos. Ayúdese descansando cuando pueda, elevando sus pies cuando se siente y acostándose temprano a lo menos tres veces a la semana. ▶

El nacimiento

En la actualidad es posible planear exactamente el tipo de nacimiento que usted desea experimentar, ya que la mayoría de los médicos, obstetras y comadronas están conscientes de que una madre relajada, confiada e informada estará más propensa a tener un embarazo más agradable y un alumbramiento exitoso.

FORMULACIÓN DE UN PLAN DE NACIMIENTO
El formular un plan para el nacimiento del bebé se ayudará a corroborar que está involucrada activamente en la manera como nacerá y en lo que le sucede a la familia después del nacimiento. Al considerar cuidadosamente cuáles son sus preferencias, y al discutirlas con quien le asiste en el parto y su pareja, será capaz de establecer un lazo de confianza y así crear un ambiente de parto más feliz y cómodo. Los siguientes puntos son algunos de los que podría considerar.

COMPAÑEROS DE PARTO
Toda mujer que va a asumir un trabajo de parto debería estar acompañada por alguien

además de los médicos y enfermeras, para ofrecerle apoyo, bienestar y ánimo. El mejor acompañante es su pareja, en especial si él ha participado con usted en las clases prenatales, y sabe cómo ayudarle en cada etapa del trabajo de parto, pero no necesariamente tiene que ser él. Su madre, hermana o mejor amiga pueden ser una excelente elección. Especialmente si ellas ya han tenido sus propios hijos y pueden mantener la calma si algo no resulta como había sido planeado. Quienquiera que sea la persona que elija, debe ser alguien en quien confíe al punto de que pueda tomar decisiones en su nombre, si es necesario; por esto asegúrese de que conozca su forma de pensar a cabalidad. Puede ser de ayuda que tu acompañante en el parto realice todos los arreglos con el personal del hospital (tal vez no quiera desconcentrarse).

PERMANER ACTIVA
Lo más importante para una madre al comienzo del trabajo de parto es mantenerse activa. El moverse es de gran ayuda para llegar y establecer este trabajo; además, muchas mujeres consideran que es más fácil manejar las contracciones si permanecen de

pie. Si tiene una contracción, tan sólo detengase y respire hasta que termine. En la medida que transcurre el trabajo de parto, mantengase erguida tanto como sea posible; esto ayudará a que la contracción funcione con la gravedad y no en contra de ella.

ALIVIO DEL DOLOR
Para muchas mujeres, y particularmente para las madres primerizas, la anticipación al nacimiento del bebé puede verse ensombrecida por la preocupación sobre el dolor durante el parto. Éste, inevitablemente, involucra algún nivel de dolor, pero puede aumentar su confianza preparándose para la intensidad de las contracciones, tratando de entender sus propios límites de tolerancia al dolor y aprendiendo sobre diferentes métodos para aliviarlo. Considere el dolor como un elemento positivo del parto: cada contracción acerca el nacimiento del bebé

Averigue cuanto pueda acerca de los tipos de alivio disponibles para el dolor. Converse con su médico o comadrona y después haga una lista con sus preferencias en su plan de nacimiento. Prepárese por si su plan cambia en caso que surja alguna complicación.

Anestesia local
Suprime la sensación en parte de su cuerpo, bloqueando la transmisión del dolor por las fibras nerviosas. La forma más ampliamente conocida de este tipo de método es la epidural. Ésta previene que el dolor se extienda desde su útero actuando como un "bloqueo nervioso" en su columna. Después de una inyección de anestesia local en su espalda para adormecerla, el anestesista inserta una aguja fina y profunda en el espacio epidural, la región alrededor de la médula espinal, a través de la que se inyecta la anestesia.

Una epidural bien efectuada quita toda sensación desde su cintura a sus rodillas, pero usted permanece alerta y no afecta a su bebé. Se recomienda si padece de pre-eclampsia o asma aguda. Ahora bien, si el parto es difícil, tal vez sea necesario el uso de fórceps.

Inhalación de analgésico
El Entonox es un gas que se autoadministra usando una máscara facial. Contiene óxido nitroso y oxígeno. Inhálelo profundamente cuando comience la contracción y siga hasta que alcance el máximo o haya tenido suficiente. Después puede dejar la máscara a un lado y respirar normalmente. Este gas funciona adormeciendo el centro del dolor en el cerebro y puede hacerle sentir como si estuviera flotando.

Etapas del parto

El trabajo de parto puede comenzar de diversas maneras, pero una vez que se está desarrollando, se dará cuenta por completo. Si no está segura, tal vez no está en etapa de parto.

Hay varias señales que indican que el parto está comenzando.
• **El indicio:** la descarga, entre pardusca y rosada, que indica que el tapón de mucus que sellaba la pared cervical durante el embarazo ha sido eliminado como preparación para el parto.
• **El rompimiento de la bolsa:** algunas veces, el saco amniótico se rompe antes de que comience el parto, lo que provoca que el fluido gotee lentamente o salga como un chorro de su vagina.
• **Comienzan las contracciones:** el estrechamiento muscular del útero –contracciones– empieza gradualmente a pujar y abrir la pared cervical. Si sucede con regularidad entre cada 10 a 15 minutos, significa que está en trabajo de parto.

Hay tres etapas en el parto.
• **Primera etapa:** durante esta etapa, la pared cervical se dilata para permitir que la cabeza del bebé logre pasar. Antes de que se dilate, la pared se hace más delgada, y suave, y es empujada paulatinamente por los músculos que contraen al útero. Cuando el cuello alcanza un diámetro aproximado de 10 cm se dice que está completamente dilatado. Éste es el punto final de la primera etapa del parto.

• **Segunda etapa:** ésta es la etapa de la expulsión, cuando empujar a su bebé a través del canal del parto. Este proceso se extiende desde la dilatación total de la pared cervical hasta cuando nace el bebé. En este período, las contracciones tienen una duración de 60 a 90 segundos y ocurren en un intervalo de dos a cuatro minutos. Mientras el bebé es empujado gradualmente hacia abajo por el canal del parto, debería tratar de usar lo más posible la gravedad como ayuda, así es que mantengase erguida el mayor tiempo que pueda. La primera señal de la llegada del bebé es el abultamiento de su ano y perineo. Con cada contracción, la cabeza del bebé aparece más y más en su abertura vaginal, hasta que la cabeza no vuelve a resbalarse más hacia atrás entre las contracciones. Esto se denomina coronamiento. Si se toma su tiempo y deja que su vagina se estire lentamente, podría prevenir una rasgadura. Mientras la cabeza sale, la comadrona le pedirá que jadee, no que puje. Con las próximas contracciones ella girará al bebé con suavidad para que los hombros salgan uno a la vez y el resto del cuerpo de su bebé pueda deslizarse hacia afuera. Éste es el momento por el que ha esperado nueve meses.
• **Tercera etapa:** Una vez que su bebé ha nacido, su útero descansará por 15 minutos. Más tarde comenzará a contraerse nuevamente para expulsar la placenta.

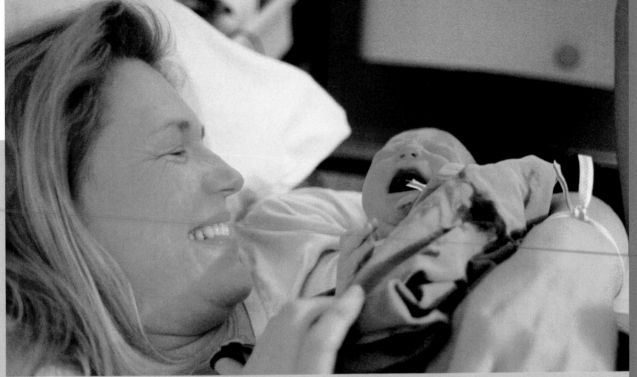

Narcóticos

El más usado es la petidina, derivado de la morfina. Se inyecta en la primera etapa del parto y suprime la sensación de dolor; sin embargo, también reduce el estado de conciencia y tiende a hacer que el parto sea más largo.

ENET

ENET significa Estimulación Nerviosa Eléctrica Transcutánea y es un medio de aliviar el dolor del parto al estimular la producción natural de calmantes corporales (endorfinas) y al bloquear la sensación de dolor con una corriente eléctrica. Los electrodos se colocan en el cuerpo de la mujer y pueden regular la intensidad de la corriente por sí misma. Ha sido usada con éxito, pero no es útil para todas las pacientes. Se aconseja realizar una prueba antes del parto.

Acupuntura

Yo recomendaría el uso de acupuntura para aliviar del dolor sólo si ya lo ha experimentado exitosamente. Para algunas mujeres funcionará sin lugar a dudas, pero el acupunturista debe tener experiencia en calmar el dolor durante el parto.

Masaje

Ésta es una forma maravillosa de obtener apoyo de su pareja, al tiempo que se alivian las molestias, ya sea que esté recostada, de pie o agachada. Puede ser de ayuda si sufre dolor de espalda durante el parto, algo común en la mayoría de las mujeres.

Respiración

Relajar su cuerpo y concentrarse en su propia respiración le ayudará a aliviar su ansiedad y le permitirá soportar sus contracciones. Practique antes del parto con su acompañante.

EPISIOTOMÍA

Éste es un corte quirúrgico para agrandar la salida de la vagina durante el parto y es la operación que se realiza más comúnmente en el mundo occidental. Las episiotomías se practican para evitar rasgaduras, las cuales presentan bordes irregulares y son más difíciles de suturar y se creía que sanaban de peor forma. Esto no es así. Se pueden evitar rasgaduras o desgarros si a la mujer se le anima a dejar de pujar cuando la cabeza está saliendo y se le permite que deje que su útero libere la cabeza de forma gradual en vez de apresuradamente. Cuando la cabeza sale demasiado rápido se suele practicar una episiotomía, pues se cree que el perineo está bajo presión. Si desea evitar esta intervención, establezca en su plan de nacimiento que no quiere que se realice una a menos que sea absolutamente necesario.

Ayúdese durante las contracciones

• Relájese, en especial durante las contracciones; concéntrese en la salida de su respiración mientras exhala y relaja los hombros.
• Muévase entre las contracciones, después adopte una posición que le acomode. Se puede estar en cuclillas con ayuda, apoyarse en su compañero, estar a gatas o arrodillada e inclinada hacia delante sobre una almohada ubicada en una silla.
• Trate de contar de atrás para adelante desde 100 mientras dure la contracción; la concentración necesaria para esto sacará de su mente el dolor. Mantenga sus ojos abiertos para externalizar el dolor, concéntrese en algo de la habitación, como un cuadro.
• Tome sorbos de agua mineral de una esponja si su boca está seca y pídale a su pareja que le masajee la espalda durante la contracción.
• No tenga temor de decir o gritar lo que quiera durante el parto, ya que al cabo de éste nadie guardará resentimientos en su contra.

Nacimiento en el agua

El uso de una piscina de nacimiento puede ayudar a relajartle y a reducir el dolor de las contracciones. Es menos probable que se realicen procedimientos de intervención, debido a los límites de tiempo impuestos. Esto a su vez implica que tendrá el tiempo necesario para que sus tejidos y músculos se abran y estiren. Su pareja puede compartir la intimidad de un nacimiento en el agua y su bebé puede ser recibido con una caricia de piel a piel de ambos padres justo después de nacer.

Estas piscinas son un método para aliviar el dolor. El nacimiento no necesariamente se efectúa bajo el agua. Puede haber algún tipo de peligro si el bebé es recibido bajo el agua y su cabeza no es sacada de inmediato. Los nacimientos en el agua deben ser supervisados siempre por personal calificado. Muchos hospitales ofrecen ahora este servicio y hay empresas que arriendan piscinas portátiles. Éstas se pueden llevar a un hospital (consulte primero) o se pueden usar en casa.

"la felicidad consiste en entender bien la realidad"

etapas de la vida: de 18 a 40 años

Vivir en el siglo XXI es casi la forma más estresante de vida que se pueda imaginar. Los seres humanos no están bien diseñados para vivir en estas condiciones, ya que cada aspecto de la existencia moderna conlleva una parte de estrés. Vivimos en una sociedad orientada hacia el éxito, en la que es imposible escapar de la competitividad y del deseo de tener éxito. Además, durante nuestros 20 y 30 años podemos estar especialmente expuestos al estrés mientras luchamos por establecernos en nuestras carreras y relaciones.

Aunque muchas personas aún piensan que el estrés es completamente negativo, éste podría ser, de hecho, positivo o negativo. Existe evidencia que señala que un grado moderado de estrés puede ser bueno para nosotros, pues mejora el desempeño, la eficiencia, la productividad y a muchos de nosotros nos trae beneficios. Incluso, hay algunas personas que necesitan el estrés y que funcionan a máxima potencia cuando están bajo presión, sin embargo, son pocos. Para la mayoría, si el estrés va mas allá de cierto punto, todo se desintegra y esto puede conducir tanto a enfermedades mentales como físicas. Es, por lo tanto, muy importante para todos entender sus causas, reconocer la importancia que tiene en nuestra salud o, al contrario, en nuestra enfermedad, y finalmente tratar de averiguar cómo podemos deshacernos o lidiar con él.

Manejo del estrés

En realidad, una de las mejores maneras de sobrellevar el estrés es reaccionar; hacer algo, lo que sea. He descubierto que una de las formas óptimas de manejar el estrés es comenzar a analizar el problema en un papel. Defínalo, escriba tantas soluciones como se le ocurran y elija dos o tres que sean más realistas. Seleccione una de ellas y redacte un plan de acción, considerando cada paso que debe realizar para alcanzar una solución. Incluso, sólo el hecho de escribir todo debería ayudarle a ver su dificultad en su real dimensión y reducirá las dificultades que produce el estrés. Siga su plan a cabalidad y se sentirá menos estresado(a). Si no funciona, siempre puede intentar con otra opción.

Aprender a amarse

Una de las principales causas de estrés y enfermedades mentales puede ser la diferencia entre las expectativas y los logros, entre lo esperado y lo real. La felicidad y el bienestar mental no tienen relación con desempeñar un papel ficticio creado por escritores y periodistas. La felicidad consiste en entender bien la realidad. Una de las partes más importantes de esto es saber lo que quiere hacer, decidirse a hacerlo lo mejor que pueda y no sentirse incómodo porque no coincide con lo que cree que debería hacer. Olvídese de lo que debería hacer. Aprenda a vivir consigo mismo, y, lo que es más importante aún, aprenda a amarse por quien es.

Nuestro desarrollo no se detiene a los 18 años. La mayoría de los adultos aprenden que el período de crecimiento real comienza después de esta edad y que el lograr la verdadera felicidad puede tomar otras tres décadas de intenso trabajo. El pasar por un período de análisis personal, elección y cambio de vida requiere valor, por lo tanto, debe ser valiente. En las páginas siguientes ofreceré orientaciones cuando sea apropiado, consejo cuando sienta que es necesario y estrategias para manejar situaciones potencialmente difíciles.

Vencer el estrés

- Haga una lista de sus tres mejores cualidades. ¿La gente le describe como generoso, afectivo y confiable, por ejemplo? Lleve la lista consigo y léala cuando se encuentre pensando en cosas desagradables.

- Tenga una lista de aseveraciones para decirse a sí mismo cuándo está bajo estrés. Es sorprendente, pero el repetir simples frases como "realmente, puedo manejar esto" puede desviar la respuesta al estrés.

- Mantenga un diario de vida de todos los sucesos pequeños y placenteros que ocurren y hable de ello con su pareja o algún amigo cada día. Anote qué hizo para entretenerse o divertirse. Revise su diario cada semana para ver sus progresos y planear lo que intenta lograr la semana siguiente.

Cuerpo

Ámbito Social

> "pocas parejas se dan cuenta del efecto que tendrá un nuevo bebé en sus vidas"

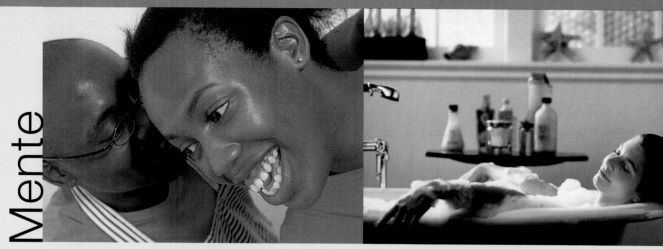

Mente

> « nunca es demasiado tarde para comenzar a cuidar su corazón »

> « la salud mental es tan importante como el buen estado físico »

> « dese cuenta de que no puede controlar el mundo que le rodea »

18-40
corazón sano, cuerpo sano

Nunca es demasiado pronto para comenzar a cuidar su corazón. Haga algo ahora para mejorar su estado físico general y controlar su peso, así tendrá menos problemas de salud posteriormente en su vida.

Detenga las dietas drásticas y comience a comer

La cantidad de energía que quema diariamente, aparte de cualquier actividad específica que realice, es variable y puede lograr un efecto positivo con ella; también puede hacer lo contrario.

La popularidad que han adquirido las microdietas (dietas en las que se consume sólo unas 350 calorías diarias) en los últimos años ha aumentado la preocupación respecto a que al final termina perdiendo demasiado masa muscular magra en vez de solamente grasa. Pero el argumento más fuerte en contra de estas microdietas es su efecto en su metabolismo basal. Si hace que su cuerpo siga una dieta de hambre, éste verdaderamente piensa que se está muriendo de hambre y hará algo al respecto. Esto es muy cercano a la hibernación, aunque no tan drástico. El cuerpo simplemente baja en intensidad y quema entre un 15 y un 20 por ciento menos de energía. Perderá peso con estas dietas, pero no de manera saludable. Tampoco aprenderá nada sobre hacer cambios importantes en su estilo de vida y su comportamiento; ambos son necesarios para perder peso y seguir manteniéndolo a largo plazo.

Un patrón de alimentación sensato
En vez de pasar hambre, coma una porción apropiada cada día de diferentes comidas; es decir, muy poca grasa, sal, azúcar, carnes rojas, y alimentos procesados, así como cantidades moderadas de pollo, huevos y pescado, mucha fruta fresca y verduras, fréjoles, legumbres, arroz integral y avena. Al dividir sus comidas en seis porciones pequeñas, se dará cuenta de que quemará más energía que si comiera lo mismo en tres grandes comidas. Comer poco y a menudo también puede ayudar a regular los niveles de glucosa y el apetito. Recuerde además, que si no hace ejercicio, perderá peso más lentamente, así es que haga ejercicio en forma regular.

Controles médicos

Mujeres
● Existen programas de proyección nacional para el cáncer de útero y el cáncer mamario. Toda mujer, desde los 20 años en adelante, debería revisar sus pechos diariamente (ver pág. 243).
● Para ayudar a prevenir el cáncer uterino, cualquier mujer que empiece su vida sexual debe realizarse exámenes ginecológicos regulares.

Hombres
● El cáncer testicular es la forma más común de cáncer en los hombres jóvenes en el Reino Unido y es la mayor causa de muertes relacionadas con el cáncer en hombres entre los 15 y 35 años.
● El número de casos se ha triplicado en los últimos 20 años.
● El cáncer testicular es casi siempre curable y se puede tratar si se detecta en una etapa inicial. Todo hombre, desde los 15 años en adelante, debería autoexaminarse periódicamente los testículos para asegurarse de que todo está bien (ver pág. 264).
● Más del 50 por ciento de quienes lo padecen consultan al médico después de que el cáncer ha comenzado a ramificarse. Esto hace más difícil un tratamiento exitoso y los efectos colaterales de la enfermedad y el tratamiento en sí son más desagradables.

Mantenga su corazón saludable

Las enfermedades cardíacas son las que causan un mayor número de muertes en el Reino Unido. Nunca es demasiado pronto para comenzar a cuidar su corazón. La falta de actividad física es, probablemente, el factor de riesgo más común de las enfermedades cardíacas en dicho país; 7 de cada 10 personas no hacen suficiente ejercicio de manera frecuente como para lograr beneficios saludables que protejan su corazón. Debería proponerse hacer por lo menos 30 minutos de actividad que le deje levemente sin aliento tres veces a la semana.

El ejercicio tiene beneficios directos para el corazón
● Ayuda a mejorar los niveles de colesterol en la sangre.
● Ayuda a prevenir coágulos sanguíneos.
● Ayuda a disminuir la presión sanguínea y a prevenir la presión arterial alta.
● Ayuda a alcanzar y mantener un peso saludable.
● Ayuda a recuperarse después de un ataque cardíaco.

Causantes de riesgo
● Inactividad física.
● El cigarrillo.
● Presión arterial alta.
● Colesterol sanguíneo alto.
● Obesidad.
● Beber demasiado alcohol.

Elimine el cigarrillo
Dejar de fumar tiene beneficios inmediatos para su corazón.
● En 20 minutos la presión arterial y el pulso bajan.
● En 8 horas, los niveles de monóxido de carbono disminuyen y el nivel vuelve a ser normal.
● En 24 horas, el riesgo de un ataque cardíaco disminuye.
● En 72 horas, la vía aérea de los pulmones se relaja haciendo más fácil la respiración y el volumen de aire en los pulmones puede aumentar.

Reduzca el alcohol
Demasiado alcohol puede dañar los músculos del corazón, aumentar la presión arterial y también provocar aumento de peso. El beber en exceso puede contribuir a dolencias del corazón, incluidos accidentes vasculares encefálicos y presión arterial alta. Las mujeres profesionales son especialmente propensas a beber demasiado, ellas tienden a beber tres veces más de la cantidad aconsejada en comparación con las mujeres sin preparación que ejercen trabajos manuales.

Reduzca la sal
Las personas que tienen una alta ingesta de sal tienden a tener presión arterial alta. La mayoría consume una mayor cantidad de sal que la necesaria. En promedio comemos nueve gramos por día, siendo el máximo recomendado de seis gramos. El cuerpo sólo necesita un gramo.

Elija productos con menos sal, restrinja los productos ahumados y trate de comer tantos alimentos no procesados como le sea posible. Cerca de tres cuartos de la sal que consumimos viene de alimentos procesados. Para disminuir la sal, en primer lugar trate de no ponerla en la mesa. Posteriormente trate de cocinar sin añadir nada de sal. Dentro de un mes, su paladar se habrá acostumbrado y no le gustarán las comidas saladas.

Reduzca el colesterol
Bajar los niveles de colesterol en la sangre tan sólo en un 1 por ciento reduce el riesgo de enfermedades coronarias del corazón entre un 2 y 3 por ciento. Para reducir los niveles de colesterol disminuya drásticamente las grasas saturadas, tales como las carnes altas en grasa y productos lácteos y reemplázelos por pequeñas cantidades de grasa polinsaturadas y monosaturadas, por ejemplo, aceite de oliva, aceite de semillas, nueces y aguacates. Base sus comidas en carbohidratos (pan, pasta, arroz, cereales y patatas) y recuerde comer cinco o más frutas y verduras cada día.
● Los alimentos tales como avena, lentejas, fréjoles y fruta tienen fibra soluble, la cual es útil para acabar con el colesterol.
● Un tazón de avena cada mañana, hecho con leche descremada, puede ayudar a reducir los niveles de colesterol.
● El ajo también es útil. Grandes dosis de ajo (siete dientes al día) podrían ayudar a prevenir que se formen coágulos sanguíneos. También podría reducir los niveles totales de colesterol.
● Una porción de pescado graso (merluza, salmón y sardina) por lo menos una vez a la semana no ayudará a bajar los niveles de colesterol, pero reducirá el riesgo de un ataque al corazón.

Los músculos en forma ayudan a la pérdida de peso

Cuando se tiene sobrepeso, el problema no es tan simple como se cree inicialmente. No sólo está por sobre tu peso ideal, sino que también probablemente tiene una cantidad desproporcionada de grasa en vez de músculo. El punto es éste: cuando hace dieta, mientras más musculatura pierda en proporción a su peso corporal, necesitará menos energía y esto conducirá a un desequilibrio entre grasa y músculo.

Sin embargo, si combina una dieta apropiada con ejercicio, no sólo fortalecerá la masa muscular y tonificará los músculos en mala condición, sino que, además,

aumentará su ritmo metabólico y, por lo tanto, quemará más energía no importando lo que haga. Asimismo, al hacer ejercicio, ya sea una caminata rápida, bailar o correr en un maratón, quemará más energía por sobre los requerimientos de su metabolismo basal, lo que implica que una vez que su peso sea satisfactorio, puede consumir más calorías y aun así puede mantener su peso ideal.

Por lo tanto, el ejercicio es la clave para la pérdida de peso. Nada de esto es nuevo; sin embargo, es sorprendente cómo puede llegar a ser pasado por alto.

preocupaciones comunes

Tanto hombres como mujeres en esta edad podrían padecer ansiedades en cuanto a su apariencia y su desempeño sexual, pero siempre existen maneras para remediar esto.

Pérdida del cabello en los hombres

La caída del cabello puede ser una causa importante de ansiedad en los hombres que se encuentran en esta edad. La calvicie masculina es una condición hereditaria y la forma más común de alopecia (pérdida del cabello). El proceso comienza cuando el cabello normal en las sienes y la coronilla es reemplazado por uno fino y suave. Después, el límite del pelo retrocede gradualmente. Sólo un dermatólogo calificado puede determinar si el folículo capilar está tan dañado como para hacer de la pérdida del cabello un problema permanente.

Durante los últimos años se han venido usando diferentes estrategias para ayudar a hombres que se quedan calvos, registrándose éxitos y fracasos. A continuación aparece un breve resumen de los métodos disponibles actualmente.

Pelucas

Ésta es la manera más segura y menos dolorosa (en términos de salud y dinero) para disimular la pérdida del cabello. Algunas pelucas pueden sujetarse permanentemente a la cabeza, ya sea atándose a los cabellos existentes o siendo cosidas al cuero

cabelludo. Esto último puede causar infecciones, por lo que no es muy recomendada. El único efecto colateral posible de las pelucas es que las personas podrían ser muy sensibles al adhesivo que a veces se usa en ellas.

Tejido capilar

Es un procedimiento no quirúrgico que agrega cabello nuevo al cabello existente, cubriendo así las zonas de calvicie. El nuevo cabello es trenzado uno por uno en los bordes del mismo cabello. El tejido capilar requiere mantención y limpieza cuidadosas.

Implante capilar

Éste es un procedimiento semiquirúrgico en el que tiras de cabello son sujetadas al cuero cabelludo en la forma de hilos quirúrgicos implantados en la zona calva. Los implantes son a menudo sintéticos, por lo que no se debiera usar un secador de pelo.

Transplante capilar

Es un procedimiento quirúrgico que, por lo general, se traduce en el reemplazo permanente del cabello, y que, incluso cuando está bien hecho, no se ve también como el cabello que usted ha perdido.

Se cortan extractos de cabello saludables que aún quedan en los lados y la parte posterior de la cabeza y se implantan en las áreas calvas. Este cabello normalmente se cae luego del transplante, pero es reemplazado por cabello nuevo. Se deben transplantar unos cuantos folículos capilares en la misma sesión y es necesario repetir el proceso para cubrir las áreas calvas.

Medicamentos

Durante investigaciones sobre drogas para controlar la hipertensión, se descubrió que el minoxidil promovía el crecimiento capilar, y ahora está disponible para este propósito. Tiene que ser aplicado al cuero cabelludo dos veces al día durante un período mínimo de cuatro meses para que sea notorio. El tratamiento debe ser continuo o la pérdida de cabello volverá a aparecer.

Se ha descubierto que el finasteride, un segundo medicamento usado para tratar el agrandamiento benigno de la glándula prostática, ayuda a combatir la calvicie masculina al reducir el efecto de la enzima alfa reductasa, la cual se piensa es la causante de la calvicie.

La opción del celibato

Se le da gran énfasis al sexo y a tener relaciones sexuales exitosas, pero se debe afirmar que no hay nada malo en no querer tener relaciones sexuales del todo. El deseo sexual varía desde nada hasta

mucho y todas las variaciones son normales. **No hay absolutamente nada de malo si no desea relaciones sexuales.** Si realmente no quiere y le molesta tener relaciones sexuales, sea claro al respecto y

hágalo saber. Se supone que el sexo es un placer, no una carga. Si es engorroso y desagradable, no tenga relaciones sexuales y no se sienta culpable por esto.

La imposibilidad de una mujer para llegar al orgasmo

El problema sexual más común que padecen las mujeres es probablemente la dificultad de alcanzar un orgasmo (o clímax). Existen dos grupos principales: el primero consiste en mujeres que nunca han alcanzado el orgasmo, mientras que en el segundo grupo se encuentran aquellas que han tenido orgasmos, pero sólo en circunstancias especiales.

Sólo porque una mujer sea incapaz de alcanzar el clímax no significa que sea frígida. Perfectamente podría tener un poderoso impulso sexual y ser capaz de enamorarse. Si una mujer a menudo fracasa en alcanzar el clímax, es probable que quede desilusionada y tal vez pueda perder todo interés en el sexo.

Una mujer podría enfrentar dificultades al alcanzar el clímax si no está segura de su compromiso con su compañero o si teme perder el control. Si nunca ha alcanzado el clímax, esto tal vez se deba al hecho que no ha obtenido suficiente estimulación sexual para que ocurra el orgasmo. Si ha tenido bastante estimulación y aún es incapaz de alcanzar el clímax, ya sea durante el acto sexual o por estimulación del clítoris, entonces éste es un problema que requiere de atención.

Se ha descubierto que es más fácil para una mujer alcanzar un orgasmo por sí sola que cuando su pareja está presente. Así es que para comenzar, luego de asegurarse de que está sola y no será molestada, debería estimular su clítoris por medio de la masturbación. Perfectamente podría sentir que es incorrecto alcanzar un orgasmo de esta manera, pero es importante que alcance su primer clímax a través de cualquier medio posible. Tan pronto como esté lo suficientemente excitada, debe contraer los músculos del estómago, ya que esto la ayudará a alcanzar el clímax.

Alcanzar el orgasmo

Ella debería continuar con estas sesiones de masturbación hasta que sea capaz de alcanzar un orgasmo fácilmente. El acto sexual puede ocurrir en esta etapa, pero la mujer, de ninguna manera, debería intentar alcanzar el orgasmo mientras el pene está en la vagina. Luego de que el hombre ha eyaculado, éste debería estimular el clítoris para que, a su vez, ella también pueda alcanzar el orgasmo. La mujer tendría que concentrarse sólo en sus propias sensaciones sexuales. Hay muchas que pueden alcanzar un orgasmo por medio de la estimulación directa del clítoris, pero a pesar de considerar el acto sexual una experiencia agradable, todavía son incapaces de alcanzar un orgasmo con el pene dentro de la vagina.

Cuando hay un problema de este tipo, la pareja debería disfrutar de un preámbulo hasta que la mujer esté excitada, y es en este punto cuando el hombre inserta su pene en la vagina y comienza a empujar lentamente. Luego, él retira el pene para, después de unos pocos minutos, penetrar la vagina otra vez.

Si la mujer aún es incapaz de alcanzar el orgasmo a través de este método, entonces el hombre debería estimular el clítoris de su pareja con su dedo entre una y otra penetración. Nuevamente, el hombre debería esperar hasta que la mujer esté todavía más excitada antes de penetrarla de nuevo. A medida que ella se acerca al orgasmo, acelera sus movimientos de empuje para ayudarse a alcanzar el clímax.

Autoestimulación

Si todas estas medidas fracasan, entonces la mujer debería estimular su propio clítoris durante el acto sexual; cesa la estimulación a medida que se acerca al orgasmo y acaba por medio de los movimientos de empuje. Si estas instrucciones se siguen con cuidado, existe una alta probabilidad de alcanzar un resultado exitoso. En un pequeño número de los casos, cuando esto no es suficiente, se recomienda que la pareja consulte con un médico especialista luego de una visita al médico general.

Alcanzar el clímax con el pene dentro de su vagina es una experiencia en extremo gratificante para una mujer. Esto podría originar un gran mejoramiento en la relación de pareja en su conjunto.

18-40
problemas sexuales

La eyaculación precoz y la ansiedad respecto al tamaño de su pene son preocupaciones comunes para un hombre y pocos consiguen escapar completamente de ellas.

El tamaño del pene

Muchos hombres se preocupan del tamaño o la forma de su pene, por lo general debido a que creen que el tamaño refleja su masculinidad y hombría. Mientras más grande es el pene, mejor será el hombre. Por supuesto, esto no tiene sentido y se basa más en respuestas emocionales que en hechos concretos. Se puede comparar con juzgar a una mujer por las dimensiones de sus pechos, lo que es igual de ridículo.

Además de su función sexual, el pene, al igual que los pechos, tiene una tarea física que cumplir, y si bien es cierto que tiene que ser lo suficientemente grande para realizarla bien, no existe ninguna ventaja por su tamaño. El tamaño del pene no se relaciona con la potencia sexual; de hecho, un pene excesivamente grande podría causar dolor a una mujer y esto no tiene ningún sentido.

¿Cuál es el problema real?
Es difícil decir si la carencia de autoestima causa preocupación sobre el tamaño del pene o si el tamaño del pene en sí constituye la causa principal. De cualquier manera, siempre existe pérdida de autoestima en aquellos hombres que sufren de ansiedad por el tamaño de su miembro.

¿A quién le importa realmente?
El tamaño del pene importa mucho más a los hombres que a las mujeres. Cuando una mujer siente atracción por alguien del sexo opuesto, esto no es importante. Es más probable que las mujeres busquen simpatía, calidez, generosidad y sentido del humor. Además, la mayoría de las sensaciones que una mujer siente en el acto sexual provienen del clítoris y de las terminales nerviosas que se ubican principalmente en la primera parte de la vagina, así es que la longitud del pene es de verdad irrelevante. Todo está en la habilidad que tenga el hombre y en

su paciencia como amante para darle a su pareja satisfacción sexual, no en el tamaño de su miembro.

¿Existe algún tratamiento?
No existe ninguna operación que pueda alargar un pene, pero sí existe una que posibilita aumentar su diámetro. Se recoge grasa de otras partes del cuerpo y se usa en un proceso llamado lipoescultura. Es doloroso y no está disponible en el National Health (Servicio Nacional de Salud), sino sólo en el sector privado. Es necesario consultar a un médico general para que lo derive a un especialista apropiado.

Es muy posible que su médico se muestre reacio a que se practique esta operación. Si lo desea, usted puede visitar a otro para una   segunda opinión. Sin embargo, debería considerar detenida y profundamente los riesgos asociados a cualquier procedimiento quirúrgico y preguntarse si el resultado final merece arriesgarse de esta manera.

¿Qué es la apariencia?
A todos les importa la manera como se ven y la mayoría intentamos hacer nuestro mejor esfuerzo para vernos lo mejor posible. Pero si el preocuparse de un aspecto particular de la apariencia corporal evita que una persona disfrute su vida al máximo, éste es un síntoma de falta de confianza personal y autoestima.

Lamentablemente, algunos hombres permiten que su temor al fracaso se convierta en una obsesión, lo que puede arruinar sus vidas. El tamaño del pene no hace ninguna diferencia con respecto a la personalidad y el carácter de un hombre, y es erróneo pensar que uno más grande podría hacer a un hombre mejor y más deseable de lo que ya es. Esto simplemente no debería ocurrir. Si el preocuparse por el tamaño del miembro representa un problema para usted, la que necesita ayuda es su autoestima.

Eyaculación precoz

La eyaculación precoz es la liberación de semen antes o poco tiempo después de la penetración. El aspecto más importante de esta eyaculación es que el hombre es incapaz de controlar en lo más mínimo su eyaculación, por lo que luego de que está sexualmente excitado, él alcanza el orgasmo de forma muy rápida. El tiempo entre la inserción del pene en la vagina y alcanzar el orgasmo es corto (a menudo, menor a los 30 segundos). Esto no permite que la contraparte femenina tenga el tiempo suficiente para excitarse sexualmente, en especial si no ha existido estimulación del clítoris, y puede provocar frustración de parte de la mujer y sentimiento de culpa en el hombre, lo que bien podría tener un efecto adverso en su relación.

Si la eyaculación prematura siempre ha estado presente en un hombre saludable, entonces la causa es casi siempre sicológica. Pero si un hombre desarrolla eyaculación precoz inesperadamente, su médico debería excluir la posibilidad de enfermedad física. Esta última clase de eyaculación precoz no es usual.

¿Cuál es la causa?

La mayoría de los hombres experimentará eyaculación precoz alguna vez en su vida, quizás más de una vez y sin razón aparente. Gran parte de ellos considerará que las dificultades pasan espontáneamente tan rápido como aparecieron. Los hombres jóvenes o sin experiencia que se han abstenido del sexo durante un largo tiempo o que están ansiosos y carecen de confianza están más propensos a experimentar eyaculación precoz.

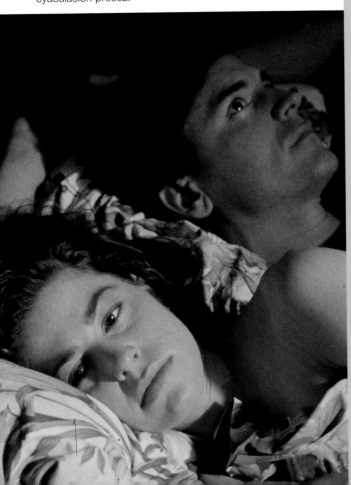

¿Qué puedo hacer si tengo eyaculación precoz?

Cuando la eyaculación precoz es el resultado de un problema psicológico, es importante que el hombre dirija toda su atención a sus propias sensaciones sexuales antes de alcanzar el orgasmo, usando el método de "detente-continúa".

Intente con estos pasos

1 Primero, la pareja debería realizar un poco de preámbulo para que el hombre tenga una erección. Luego, él debería acostarse para que su compañera estimulase su pene con la mano. Durante esta etapa debería concentrarse sólo en sus propias sensaciones sexuales.

2 Tan pronto como el hombre sienta que está cerca del orgasmo, debe decirle a su pareja que deje de estimularlo hasta que la sensación desaparezca nuevamente. Antes de dejar que la erección desaparezca por completo, él le pide a su pareja que lo estimule una vez más.

3 Este ciclo es repetido posteriormente para permitir la eyaculación sólo a la cuarta vez. Queda a juicio del hombre indicarle a su pareja cuándo debiera dejar de estimularlo y cuándo comenzar de nuevo.

4 Luego de que el hombre es capaz de centrar su atención en sus propios sentimientos sexuales y es capaz de reconocer las intensas sensaciones inmediatamente previas al orgasmo, la pareja puede pasar a la siguiente etapa.

5 Este paso involucra repetir las instrucciones previas, pero ahora usando algún lubricante, ya que el orgasmo ocurre más rápido en un ambiente húmedo. Esto se debe a la semejanza entre el lubricante y las secreciones vaginales.

6 La tercera etapa es el acto sexual. En la primera instancia el hombre se acuesta y su compañera se sienta sobre él. Luego la baja hasta su pene erecto.

7 Nuevamente hay que utilizar el método "detente-continúa", y antes de que él llegue al orgasmo, se detienen todos los movimientos, pero el pene se queda dentro de la vagina. Cuando la sensación sexual desciende, y con anterioridad a que la erección desaparezca, la pareja comienza a moverse nuevamente. Al igual que antes, sólo se permite el orgasmo en la cuarta ocasión.

8 Luego de que la pareja descubre que esta posición en el acto sexual da resultados, repetirán el mismo procedimiento en posición lado a lado, para terminar con el hombre sobre la mujer. Mientras, practiquen los ejercicios de "detente-continúa" una vez cada dos semanas hasta que él se haya recuperado completamente.

¡Una buena perspectiva!

Si la pareja sigue estas instrucciones cuidadosamente, prácticamente todos los hombres con eyaculación precoz podrán tener una completa recuperación.

Si el tratamiento no tiene éxito, esto se podría deber ya sea a problemas emocionales fuertemente arraigados en el hombre o bien a que su pareja considera que es difícil cooperar. Puede ser de ayuda para ambos buscar asistencia especializada de un médico experimentado, luego de discutirlo primero con su propio médico.

abortos espontáneos e infertilidad

Estos problemas son sorprendentemente comunes. Uno de cada cinco embarazos termina en aborto espontáneo; una de cada seis parejas tiene dificultades para concebir.

Aborto espontáneo

El aborto espontáneo es la pérdida natural de un bebé y puede ocurrir en cualquier momento, desde alrededor de la fecha de la primera ausencia de regla, hasta la vigésima cuarta semana de embarazo. La angustia por esta desgracia es más intensa, porque todas las esperanzas y expectativas construidas por la llegada de un hijo repentinamente se derrumban.

¿Cuáles son las causas de estos abortos?

Un aborto espontáneo sucede como consecuencia de factores relacionados con los padres, con el feto o una combinación de ambos. Las siguientes son las causas principales de que algo salga mal:
● Óvulos o esperma defectuosos dan origen a un feto anormal.
● Un útero de forma anormal no puede soportar un embarazo.
● Miomas en el útero que impiden el crecimiento del feto.
● Una pared cervical débil que se podría abrir durante el embarazo.

● Una placenta débil que podría no desarrollarse apropiadamente.
● Diabetes o una hipertensión arterial muy severa que no pueden controlarse con medicamentos.
● Incompatibilidad del factor Rh.
● Infecciones maternas causadas por bacterias o virus que dañen al feto.
● Las hormonas del embarazo no están equilibradas y el feto no puede crecer.

¿Debería ver a un médico?

Si sabe que está embarazada o cree estarlo, experimenta sangramiento vaginal y/o calambres abdominales, visite a su médico inmediatamente. No deseche ninguna secreción, ya que su médico deseará examinarla.

¿Cuál es el tratamiento quirúrgico?

● Si tiene un aborto incompleto (cuando el feto es expulsado, pero quedan partes de la placenta), es esencial practicar una EPRC (Evacuación de Productos Retenidos

de la Concepción) para evitar una infección. Si tal infección no es tratada, puede provocar infertilidad.
● Si el feto muere en el útero pero se queda allí, el primero tendrá que ser extraído quirúrgicamente.
● Si tiene varios abortos seguidos, su médico llevará a cabo exámenes para tratar de descubrir la causa específica y prevenir que ocurra de nuevo.
● Es posible que le practiquen un histerosalpingografía para comprobar la condición de su útero y trompas de Falopio.
● Su médico analizará el feto muerto y la placenta para asegurarse de que son normales y tratar su caso adecuadamente. En algunos casos, le podrían derivar a un experto en infertilidad para obtener consejo.
● Si tiene un aborto séptico (es decir, sus órganos internos se han infectado), le recetarán antibióticos en grandes dosis para detener la infección.

La superación de un aborto espontáneo

Cualesquiera sean las razones de un aborto y el tratamiento que prescriba su médico, los efectos emocionales pueden ser devastadores. Además de los sentimientos naturales de aflicción, probablemente sentirá rabia porque su cuerpo le ha decepcionado.

La única emoción que debería tratar de controlar es la culpa. No es su culpa y, a pesar de que pueda sentir ganas de esconderse y quizás castigarse, ésta no es la forma de hacer que las cosas vuelvan a la normalidad. Trate de no aislarse e intente ser

positiva sobre lo que puede hacer en el futuro.

La ansiedad es una de las emociones que pueden obstruir la concepción. Su médico debería darle lo antes posible una respuesta franca acerca de si puede tener un bebé hasta el final sin necesidad de tratamiento médico. Si dice que es posible, siga intentando, pero no trate de volverse obsesiva; si tiene un problema que puede ser tratado, no malgaste el tiempo: busque un tratamiento.

Un aborto espontáneo es una gran

desgracia y es difícil enfrentarlo. El consejo profesional podría ser de ayuda y está disponible. Si piensa que obtendrá beneficios de él, pídale a su médico que le ponga en contacto con un consejero.

Usualmente puede retomar la actividad sexual dentro de tres semanas, cuando el sangramiento se haya detenido y la pared cervical se haya cerrado, pero es probable que le aconsejen esperar alrededor de seis meses antes de tratar de concebir de nuevo.

Dificultades para concebir

Tener problemas para concebir no siempre significa ser infértil. La mayoría de las parejas que piensan que son infértiles sólo son menos fértiles y con la ayuda necesaria pueden concebir exitosamente.

¿Qué es la infertilidad?

Para la mayoría de la gente, la infertilidad significa una incapacidad para tener hijos; sin embargo, se trata de algo más complejo que eso. Una pareja podría no tener dificultades para concebir su primer hijo, pero descubren que no pueden tener otro; esto significa que padecen de infertilidad secundaria. Otra pareja en la cual ambos han tenido hijos con sus anteriores parejas podría descubrir ahora que no pueden concebir con la actual. Esto se conoce con el nombre de subfertilidad y ocurre porque la fertilidad de una pareja es la suma de sus fertilidades individuales.

Si la fertilidad de ambos es marginal, la concepción no tendrá lugar. No obstante, si la fertilidad de uno de ellos es poderosa, aún es posible que la pareja pueda concebir. Sólo un 50 porciento de las parejas conciben dentro de tres meses; si una no ha concebido en seis meses y luego pide consejo a su médico, es muy probable que éste los despida con palabras de aliento y les aconseje regresar si no ocurre nada luego de un año.

Las mujeres producen óvulos de menor calidad a medida que envejecen, por lo tanto la edad es, sin duda, un factor importante. Las estadísticas muestran que cerca de un 90 porciento de las mujeres que están en la etapa de los 20 años quedarán embarazadas dentro de un período de un año de intentos, mientras que el resto aún tiene una alta probabilidad estadística de quedar embarazada en un período superior al año. Sin embargo, las mujeres en la etapa de los 30 tienen una probabilidad estadística mucho menor de quedar embarazadas luego de un año de intentos, así es que deberían buscar ayuda pasado este tiempo.

Hoy existen muchas formas distintas por las cuales una pareja puede recibir ayuda para concebir un hijo. Éstas van desde simples consejos sobre técnicas sexuales hasta tratamientos con medicamentos, cirugía y, por último, nuevas Tecnologías de Reproducción Asistida (TRA).

La importancia del asesoramiento

Dadas las tensiones que rodean el tratamiento de la infertilidad, las parejas merecen y deberían conseguir apoyo psicológico. Cuando decidan embarcarse en investigación y tratamiento, pídanle a su médico que los derive a un asesor capacitado en tratar con el estrés de la infertilidad en todas sus etapas. No deberían esperar hasta que lleguen a la consulta de un segundo especialista; ambos necesitan ayuda y consejo desde un principio. Algunos procedimientos requieren gran cantidad de autocuestionamiento profundo; además, una pareja necesitará mucho apoyo debido a la naturaleza prolongada y adversa del tratamiento, en especial por los temas éticos que rodean la reproducción asistida, la inseminación y cualquier técnica que involucre donantes.

Factores psicológicos que afectan la fertilidad

La manera en que se sientan puede, en sí misma, influir en su fertilidad, causando un desorden hormonal o impotencia. Por ello, sin el apoyo adecuado, el tratamiento de la fertilidad podría empeorar. Los médicos cuentan con mucha evidencia anecdótica de parejas que conciben repentinamente poco tiempo después de someter su infertilidad a exámenes, como si al iniciar estos análisis se liberaran las tensiones psicológicas que podrían haber estado afectando la fertilidad.

Consideraciones previas acerca de la fertilidad

Incluso antes del asesoramiento, vale la pena que se formulen ciertas preguntas para que algunos de estos temas salgan a discusión.

● ¿Contarían esto a los amigos o a la familia o intentarían mantener su tratamiento de fertilidad en completo secreto?
● Si intentan mantenerlo en secreto, ¿pueden estar seguros de que la verdad no se sabrá, quizás negativamente, en tiempos de crisis?
● ¿Podrían enfrentar un embarazo múltiple?
● ¿Qué sucedería si uno, alguno o todos los bebés fallecen?
● Luego de haber invertido tanto tiempo y dinero en tener un bebé, ¿cuán fácil consideran que sería dejarlo(a) ir luego de que crezca?
● ¿Cuánto tiempo insistirán con el tratamiento de infertilidad?
● ¿Considerarían algún donante de óvulos o esperma?
● ¿Está entre sus opciones la adopción?

18-40
aborto

Optar por un aborto nunca es una decisión fácil. Algunas personas sienten que es moral, religiosa y biológicamente inaceptable interferir en un embarazo y se oponen a él con vehemencia. Otros lo apoyan con igual fervor.

Decidir sobre el aborto

Muchas de nosotras podríamos experimentar una serie de sentimientos encontrados cuando se confirma un embarazo no deseado. Podríamos temer que nuestras familias y amigos lo descubran y seamos castigadas; podríamos sentir temor a no ser capaces de decidir qué hacer, y es esta indecisión la que aumenta nuestra ansiedad. Tememos estar solas al tratar de decidir qué hacer y, por supuesto, nos aterra la inminente maternidad.

También podríamos temerle al aborto, a pesar de que sabemos que es legal y seguro. "¿Costará más de lo que puedo pagar?", "¿está incluido en el plan de Salud Nacional?", "¿será doloroso?", "¿tendré algún tipo de sanción si sufro de complicaciones posoperatorias?", "¿quedaré estéril después?", "siento remordimiento ahora, pero ¿seguiré con este sentimiento de culpa por el resto de mi vida?", "¿me arrepentiré de lo que he hecho y desearé haber tenido al bebé?", "¿le temeré al sexo y nunca seré capaz de tener nuevamente una relación normal con un hombre?"

Búsqueda de ayuda y apoyo

Es bastante normal que sienta todos estos temores y que se vea, en algunos casos, muy afectada psicológicamente. Pero las noticias alentadoras son que la mayoría de las mujeres se sienten aliviadas luego de practicarse un aborto, aunque hay otras que sienten tristeza. Va a pasar por un período que bastante difícil y necesita apoyo, así es que búsquelo antes. Busque la ayuda de un amigo, asegúrese de que esté con usted y le consuele durante y después del aborto. Si este amigo es su médico, mejor aún; si es uno de sus padres, significa que tienes mucha suerte; si es su pareja, tiene la mejor ayuda del mundo. No importa a quién elija, sólo hagalo, porque va a necesitarlo y saldrá más rápido de las molestias posteriores al tener a alguien cerca de usted durante este tiempo.

¿Dónde obtener consejo?

Primero, consulte al médico de cabecera de la familia (quien debería estar al tanto de su historial médico) o dirijáse a una organización que se especialice en dar ayuda a personas en su situación. Ellas ofrecen un servicio de asesoramiento completo y sin presiones. Tendrá la oportunidad de formular todas las preguntas que quiera. Se le recordará cualquier cosa que haya olvidado; se le informará de las diversas alternativas al aborto existentes y se tomarán en consideración sus compromisos domésticos y financieros.

Luego de que se ha decidido por el aborto, su propio médico general necesitará hacer una segunda cita, usualmente con un ginecólogo o psiquiatra. Esto puede hacerse dentro de uno o dos días. Después de ver al segundo médico, se harán los preparativos para el aborto lo antes posible. Lo más temprano podría ser una semana y el promedio será de dos a tres semanas.

Exigencias legales para el aborto

En el Reino Unido, por lo menos en teoría, deben testificar dos médicos respecto a las siguientes razones para que el aborto pueda practicarse:

● Si no se interrumpe el embarazo, la vida de la mujer corre un gran riesgo.

O

● No interrumpir el embarazo implica un mayor riesgo a la salud física y mental que el aborto en sí.

O

● Si no se interrumpe el embarazo se corre el grave riesgo de dañar la salud

mental o física de los niños de la familia.

O

● Existe un riesgo sustancial de que la criatura nazca seriamente deformada (por ejemplo, problemas a la columna vertebral o síndrome de Down).

El momento para abortar

Si decide practicarse un aborto, debería hacer los preparativos lo antes posible, ya que mientras más temprano se haga, más seguro es. Mientras más lo aplace, mayores son las posibilidades de complicaciones.

No hay ningún problema con aquellos abortos realizados antes de las 12 semanas. Después, y ciertamente después de las 16 semanas, no sólo se vuelve más difícil, sino también más peligroso si se efectuara a través de la vagina. Pasado este período, usualmente se completa un aborto inyectando prostaglandina a la misma cavidad uterina, lo cual estimula a que el útero se contraiga. El aborto podría demorar 12 horas y puede ser doloroso.

Abortos tardíos

Sólo 1 de cada 100 abortos se lleva a cabo después de las 20 semanas y casi la mayor parte de éstos se practica debido a que se ha descubierto una anormalidad muy grave del feto o por extrema necesidad o enfermedad de la madre. En estas instancias, el aborto se practica por histerotomía, es decir, una operación a través de la pared abdominal para abrir el útero, al igual que una cesárea, o por inducción médica.

Después de un aborto

Si le practican un aborto dentro de las primeras 12 semanas de embarazo, podrá volver físicamente a la normalidad dentro de una semana.

Sin embargo, psicológicamente le podría tomar más tiempo volver a sentirse como antes. Esto varía de persona a persona. La mayoría de las mujeres demoran entre tres y cuatro semanas en recuperarse de los efectos psicológicos de un aborto. Algunas demoran meses. Después de un aborto es común sentirse apartada, sensible e incapaz de tomar decisiones. Pero piénselo bien: junto con la tristeza vendrá un sentimiento de alivio.

Si la tristeza persiste, visite a su médico. Muchos servicios de aborto cuentan con un consejero en el cual puede confiar y su apoyo profesional puede, sin duda, ayudarla a sentirse mejor.

¿Cuándo puedo volver a tener relaciones sexuales?

Si está empleando anticonceptivos, puede reiniciar su vida sexual en dos o tres semanas, si así lo desea. No tenga relaciones sexuales antes de este período, pues está más propensa a infecciones en el tracto genital en la etapa inmediatamente posterior a un aborto.

Sí

 Relájese
Cuídese tomando las cosas con mucha calma y descansando por lo menos un día.

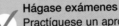 **Hágase exámenes**
Practíquese un apropiado chequeo médico dentro de una semana luego del aborto, incluso si se siente bien.

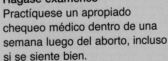 **Síntomas**
Consulte a su médico inmediatamente si comienza a vomitar o sangrar en exceso, si tiene secreciones vaginales prolongadas o malolientes o si presenta dolores intensos o fiebre.

No

 Ejercicio
No haga ejercicios vigorosos por lo menos en tres días.

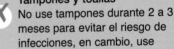 **Tampones y toallas**
No use tampones durante 2 a 3 meses para evitar el riesgo de infecciones, en cambio, use toallas higiénicas.

 La próxima vez…
El aborto es una tragedia, así es que asegúrese de que no habrá una "próxima vez". Obtenga consejo sobre anticoncepción de inmediato (ver pág. 118). Finalmente, piense en los resultados de todas sus acciones.

18-40
adaptarse a la paternidad

Pasar de ser una pareja a una familia constituye un gran salto. Pocas parejas se dan cuenta del impacto que tendrá el nuevo bebé en sus vidas, su trabajo, sus emociones y lo que sienten el uno por el otro.

Consejos para los nuevos papás

Como nuevo padre podría sentirse más bien separado de su pareja. El mejor antídoto es preocuparse del bebé y ofrecer su ayuda en cada momento. Incluso si en un principio su pareja se nota un poco distante, su comprensión y ayuda derribarán cualquier barrera.

¿Cómo ayudar?

● Tome la iniciativa; no espere a que le pidan que comparta los cuidados del bebé. Aprenda mientras su hijo es aún un recién nacido.

● Comience a conocer a su bebé. Use estos primeros días para establecer una relación cercana con él al mudarlo y al aprender a tomarlo. Sosténgalo cerca de usted, para que pueda ver su cara. Pasee con el bebé usando un cabestrillo si es posible, trate de estar presente para su primer baño, sus comidas, mudas y baños regulares.

● Prepárese para los cambios de humor de su pareja. En algún punto durante la primera semana, su pareja probablemente experimentará algo, la denominada

"depresión posparto" (baby blues), que se produce como reacción a la supresión repentina de las hormonas del embarazo y al cansancio después del parto. Esta sensación es temporal; desaparece luego de una semana a 10 días.

● Nunca menosprecie ni se burle de los sentimientos de su pareja, pues ya tiene bastante que soportar. Sea sensible con sus necesidades y háblale acerca de ellas. Si su depresión se prolonga más de dos semanas, asegúrese de que vea a un médico.

Consejos para las nuevas mamás

A pesar de que desea volver a casa, trate de aprovechar su tiempo en el hospital para recuperar sus fuerzas y obtener apoyo y consejo de su comadrona, enfermera y médico. No tenga vergüenza de preguntar: obtenga toda la ayuda que pueda. Los amigos y parientes, por lo general, también se pondrán muy felices de poder colaborar.

¿Cómo adaptarse?

● Comparta cualquier aspecto del cuidado de su bebé con su pareja que le haya sido enseñado por las comadronas. Si aprenden juntos a cuidar al bebé, comenzarán desde un mismo punto y será más probable que él tome la iniciativa para ayudarle una vez que esté en casa.

● Prepárese para pasar tiempo a solas. Cuente con la red de apoyo que creó en las clases prenatales, antes de que naciera el bebé. Dentro

de una a dos semanas desde el nacimiento, su pareja ya habrá regresado al trabajo, y los amigos y la familia habrán retornado a su vida diaria.

● Prepárese para los cambios de humor. En algún punto durante los primeros días podría experimentar momentos tristes, lo que a menudo pasa en el momento en que su leche comienza a bajar, tres a cuatro días después del nacimiento. Es la reacción normal a la repentina supresión de hormonas del embarazo y, usualmente, se mantiene por 10 días. No intente ocultarle sus sentimientos a su pareja: sea franca con respecto a ellos.

● Procure darse un tiempo para su pareja. Puede que el bebé consuma gran parte de su tiempo, pero es bueno para su relación que dediquen algo de tiempo y atención a su relación.

Nuevos padres

Lo que una madre desea de parte de su pareja

● Admitir su vulnerabilidad. Un padre necesita reconocer cuán vulnerable se siente una nueva madre, tanto física como emocionalmente, en los días posteriores al parto.

● Apreciar la profundidad de sus sentimientos. Un padre necesita aceptar la fortaleza del abrumador compromiso de su pareja con el bebé y no tomarlo como un rechazo hacia él.

● Proteger su privacidad. Uno de los papeles más importantes de un nuevo padre es asegurarse de que su compañera no sea incomodada por visitas y darle tiempo y espacio para consolidar la lactancia materna y recuperarse del estrés físico del embarazo y el nacimiento.

Lo que un padre necesita de su pareja

● Reconocer sus dificultades. Ella debería estar lista para aceptar que ésta también es una etapa confusa y emotiva para su compañero.

● Permitirle cometer errores. Luego del nacimiento, una nueva madre necesariamente tiene más tiempo en el hospital para acostumbrarse al bebé, pero necesita permitirle a su pareja que cargue y cuide al bebé y no criticarlo si lo hace torpemente.

Sexo y paternidad

No hay una fecha mágica en la que pueda empezar a tener relaciones sexuales otra vez. Algo que le será de ayuda es comenzar con sus ejercicios pélvicos de piso inmediatamente después del parto, incluso si su área genital está un poco dolorida. Tómelo con lentitud y calma.

● La ocasión ideal para comenzar a hacer el amor nuevamente es cuando los dos así lo quieran, así es que discutan y prueben de a poco.

● Si ambos lo desean, no hay razón por la que no puedan intentar sexo no penetrativo, el cual es igual de provechoso y satisfactorio, dentro de unos pocos días después del parto. Algunas mujeres quieren tener orgasmos unos pocos días después del nacimiento. Tener un orgasmo puede ser beneficioso, porque, al parecer, ayuda al útero a encogerse.

● Es posible que te sientas un poco dolorida o apretada, pero el esperar no hará que se estire. También es útil el que la vagina esté bien relajada antes de la penetración, así es que concéntrese en el preámbulo antes de esta fase.

● Intente una posición distinta acostándose para que el pene pueda presionar la pared posterior herida y sensible de la vagina. Su pareja puede ayudar con una dilatación manual suave si su vagina parece estar muy apretada. No se preocupe por cualquier retroceso, éstos son normales, así es que trate de nuevo suavemente.

● Muchas parejas reinician su vida sexual a las seis semanas (período correspondiente al control posnatal). Si se ha practicado una episiotomía, estará dolorida y delicada por más tiempo, por lo que su pareja debería evitar la penetración hasta que se sienta cómoda. Sin embargo, esto no descarta las posibilidades de exploraciones suaves. De hecho, haga que su pareja sienta la cicatriz de la episiotomía. Es inmensa y así él podrá entenderlo inmediatamente.

● Mientras está amamantando, sus pechos podrían sentirse doloridos y pesados. Ahora, si tiene los pezones resquebrajados, no deberá acariciarlos.

● Lo más importante es hablar de sus sentimientos y mantener una comunicación fluida con su pareja.

● Si luego de varios meses uno de ustedes se opone a retomar su relación sexual, pidan ayuda. Les sorprenderá lo fácil que es luego de hablar con alguien.

Efectos posteriores de la episiotomía

Una cicatriz por episiotomía es a menudo dolorosa y, si es particularmente grande, puede hacer del sexo algo tan incómodo que esta área femenina se contrae incluso ante el menor indicio de actividad sexual. Las mujeres podrían sentirse excitadas y listas para hacer el amor, pero la cicatriz duele tanto que la penetración es imposible, a menudo hasta por seis meses después del parto.

18-40
nuevas responsabilidades

La paternidad está llena de altibajos, especialmente en un primer momento. Si tiene una relación positiva y equilibrada con su pareja o, en el caso de padres solteros, una buena red de apoyo, esto puede facilitar en gran medida la transición.

Paternidad

Prepárese, pues podrían surgir barreras entre usted y su pareja debido al hecho de que, como lo dijo un psicólogo, "a pesar de que hombres y mujeres se convierten en padres al mismo tiempo, ellos no se convierten en padres de la misma manera". Existen muchas razones sociológicas, financieras y ambientales para afirmar esto, pero el resultado es, a menudo, un resentimiento directo o celos.

Celos

Un hombre puede rápidamente sentirse aislado dentro del núcleo familiar. De pronto considera que el tiempo de su pareja le pertenece por completo al recién llegado y, a menos que esté jugando un papel activo en el cuidado del bebé, él ya no está seguro si cabe en esta situación. Es muy común encontrar padres que desarrollan celos de su propio hijo. Esto podría verse exacerbado si hubiesen diferencias de opinión respecto a tener al bebé en un principio (los hombres, a menudo, se quejan de ser "presionados" a tener un bebé).

Un padre podría considerar que es particularmente difícil lidiar con estos sentimientos si también se siente rechazado a nivel sexual. Con frecuencia los hombres toman el disminuido impulso sexual de la madre como un rechazo personal. Si no es muy tarde, antes de la llegada del bebé analicen los efectos que esto podría tener en su relación.

Muchos recordamos que nuestros padres se mostraban aparentemente más inaccesibles y distantes que nuestras madres, pero no hay razón por la que un niño no pudiese disfrutar de una relación igual de cercana con ambos. Las relaciones de un bebé no operan sobre una base de uno o ambos, por esto los padres nunca deberían preocuparse de que si el bebé pasa la misma cantidad de tiempo con su padre, podría amar menos a su madre. Cada niño pequeño necesita todo el amor que pueda recibir, y son ambos padres los que deberían hacer su mayor esfuerzo por entregárselo.

Para que un padre asuma un rol similar al de la madre, tendrá que superar presiones culturales y quizás cambiar también sus propias actitudes. Al mismo tiempo, tendrá que reconocer su rol como alguien que entrega cariño y no como un mero proveedor. Algunos hombres confunden la paternidad con el pago de las cuentas, ya que ésta es la imagen que guardan de sus propios padres.

¿Quién cuida al bebé?

En la actualidad, son posiblemente factores económicos los que determinan quién se queda cuidando al bebé. Si una mujer gana más que su pareja o si él está desempleado, muchas parejas no están en condiciones de dejar que un errado orgullo masculino reduzca sus ingresos. Al mismo tiempo que el aumento de los "dueños de casa" ha beneficiado sin duda a muchas familias, es importante tener en mente que el hombre que se queda en casa con un niño pequeño podría sufrir los mismos problemas que una mujer: aislamiento y aburrimiento. Cualquiera sea su acuerdo, cuando estén juntos esfuércense por hablar acerca de cómo se sienten.

Padres solteros

Existen muy pocos hombres que quedan solos a cargo de un bebé, pero para aquellos que lo experimentan, los placeres y la mayoría de los problemas serán los mismos que tiene una madre soltera. Los hombres solteros no están en más desventaja respecto a los cuidados prácticos de su bebé sólo por ser hombres; lo único que no pueden hacer es amamantar.

Los beneficios

A pesar de que cuidar solo a un bebé no es una situación ideal, un padre soltero podría beneficiarse de maneras impensadas si hubiese compartido este cariño con su pareja. Investigaciones han demostrado que los padres solteros están más satisfechos, se sienten más cerca de sus hijos y tienen más confianza y efectividad que un padre promedio.

Los problemas

El problema principal que podría ocurrirle a un padre soltero es el aislamiento. Podría descubrir que tiene que luchar por obtener reconocimiento en ambientes dominados por mujeres y, tristemente, habrá algunos que cuestionarán su habilidad de criar a su hijo de manera apropiada. Pero a medida que pase el tiempo, un padre de tiempo completo dejará de ser el atípico y se convertirá sólo en otro padre que comparte los mismos placeres y problemas de la paternidad como sus amigas.

Cambios en el estilo de vida

La llegada de un hijo disminuye sus opciones: por ejemplo, si antes ninguno de los padres quería limpiar el piso del baño, esto se podía dejar para más tarde. No obstante, un bebé no puede dejarse para después. Sus necesidades adquieren prioridad y alguien tiene que tomar la responsabilidad inmediata de satisfacerlas. El tiempo que antes se ocupaba en otras cosas debe ahora dedicarse al bebé.

Idealmente, estos cambios en el estilo de vida son compartidos en partes iguales dentro de una pareja; pero en la práctica, las mujeres, muy a menudo, son quienes terminan asumiendo las principales responsabilidades. Dependiendo de las expectativas individuales, esto puede conducir a un profundo resentimiento dentro de la relación, lo que causa que una pareja se separe luego del nacimiento del bebé.

Aumento en los conflictos

Investigaciones realizadas en Estados Unidos han demostrado que 1 de cada 2 matrimonios se deteriora después del nacimiento del primer hijo. Todas las parejas del estudio, sin importar qué tan bien se llevaran, experimentaron en promedio un aumento de un 20 por ciento en sus conflictos matrimoniales durante el primer año de paternidad. A pesar de que los conflictos a veces pueden ser saludables, por lo general no es algo que los padres estuviesen esperando. Para reducir el estrés que surge en una pareja es vital que cada uno tenga, a lo menos, alguna idea de lo que espera y sea capaz de comprometerse. Tener un bebé significa reorganizar su vida.

Paternidad solitaria

Al ser un padre soltero, no tendrá el lujo de compartir el cuidado diario de su bebé o la alegría de verlo crecer. Puede ser física y emocionalmente extenuante el no contar con una buena red de apoyo, pero el hecho de estar consciente de que lo hizo solo también puede ser en extremo gratificante para usted y beneficioso para su hijo.

¿Madre soltera por opción?

Si ha elegido ser madre soltera, es probable que esté más preparada emocional, práctica y financieramente para cuidar un bebé y tener una perspectiva sólida. Si se separó de su pareja durante el embarazo o apenas después del nacimiento, es posible que tenga más dificultades. El enfrentar los problemas emocionales de separarse de alguien mientras cuida de un bebé recién nacido de seguro repercutirá en su capacidad para superar un problema. En esta situación, es más importante que pida y acepte ayuda.

La paternidad solitaria puede ser positiva

El ser padre soltero no significa que todo sea tristeza y melancolía. usted y su bebé se pueden beneficiar de muchas maneras de la especial relación que van a formar.

● Los padres solteros tienden a desarrollar un vínculo mucho más cercano con sus bebés; no tienen que compartir su amor entre su pareja y su hijo.

● Las familias extendidas (abuelos, tías y tíos) a menudo se involucran más cuando sólo está uno de ambos padres. El bebé puede beneficiarse enormemente de esta red de apoyo y amor.

● Cuidar solo a un bebé es un gran logro. Se fortalecerá como persona a medida que vea a su hijo desarrollarse.

● Si quedó soltero(a) porque su relación se terminó, ha tomado la decisión correcta; es mejor que el bebé viva con una persona totalmente satisfecha que con dos personas que están en conflicto.

problemas de paternidad

En alguna etapa de cualquier relación surgirán problemas. En algunos casos, las parejas viven felices para siempre; pero en muchas otras, la situación es distinta. Ciertos problemas pueden superarse, aunque para otros, la separación es la única solución.

Efectos del divorcio sobre los hijos

Una investigación sugiere que los niños están en mejores condiciones con padres desdichados que con padres divorciados. Sin embargo, la investigación no entrega detalles sobre las diferentes situaciones de divorcio, lo cual es esencial para determinar los efectos sobre el niño. Un divorcio en términos amistosos podría ser apenas dañino y su efecto, completamente distinto al de uno amargo y áspero. La razón principal de esto es que en una situación difícil, cada padre hace lo imposible para que su hijo esté contra su otro progenitor. Esto tiene un efecto muy negativo y perjudicial sobre los niños y se debería evitar. Recuerde que un niño tiene el derecho, y sin duda la necesidad, de amar y respetar a ambos padres, incluso si viven separados. Ningún hijo puede hacer que se dividan.

Una explicación para su hijo

Un niño pequeño es como una esponja que absorbe señales emocionales, vayan éstas o no dirigidas a él. Si está feliz, lo más posible es que su hijo esté feliz; si está triste, entonces estará triste. A pesar de que siempre vale la pena hacer un esfuerzo "por el bien de los niños", no crea que no sabrán

lo que está pasando. A menudo perciben cuando algo no está bien, aunque usted esté sonriente.

Debido a esto, siempre es mejor explicarles, al menos parcialmente, lo que ocurre. Si no lo hace, ellos inventarán sus propias explicaciones, culpándose erróneamente por los problemas de la familia. Esto se debe a que los niños menores de 5 años conciben el mundo en relación a ellos mismos. Si no le da una explicación creíble de por qué usted y su pareja discuten o se van a separar, ellos podrían inventar explicaciones que son inconcebibles para un adulto, pero que tienen mucho sentido para un niño, tales como: "Papá se fue porque no aseo mi habitación adecuadamente" o "mamá está molesta porque mojé la cama".

Los sentimientos de culpa son muy perjudiciales, en especial para un niño que ya se encuentra luchando para entender el torbellino emocional y la inseguridad que los quiebres maritales pueden provocar. La duda es uno de los peores temores en un niño, así es que nunca dejen a su hijo con dudas de que lo aman y que lo seguirán cuidando.

Visita

Cualesquiera sean los sentimientos por su pareja, lo mejor para su hijo será que tenga una buena disposición con respecto a la visita.

● No sea punzante ni confrontacional: esto hace que su hijo desarrolle angustia. Entréguelo a su pareja en algún lugar tranquilo, como en su casa, no en sitios como un parque o un centro comercial, ya que él se sentirá como un objeto.

● Planéelo bien y con anticipación, no rompa sus promesas al último minuto, y si su pareja se retrasa, tómelo con humor, de otra forma su hijo se preocupará por ambos. No haga de ésta una oportunidad para denigrar a su otro progenitor; séa espontáneo y mantenga tranquilo a su hijo: "¿Juguemos mientras llega?" o "El tráfico debe estar horrible".

● Si su pareja está algo o demasiado retrasada, organice otro encuentro para discutir esto, sin que se entere su hijo. La única razón que tiene para considerar impedir que su ex pareja tenga derecho a visitar a su hijo, es si piensa que está en riesgo de ser raptado(a) o sufrir daño. En tales casos busque ayuda profesional.

Separación y divorcio

Cada vez más parejas están experimentando problemas en sus relaciones. Esto no refleja necesariamente un descenso en los valores morales, sino que es más una evidencia de las complejidades y presiones de la vida moderna. Los sistemas de apoyo son más débiles y las expectativas, mayores.

Las estadísticas indican que hoy, 2 de cada 3 divorcios los inician las mujeres, muchas de las cuales sienten que se les exige hacer mucho sin contar con el apoyo adecuado de sus parejas. El matrimonio en promedio dura 8 años, un hecho desalentador para un número cada vez mayor de niños criados sin sus dos padres.

Períodos de cambio

El problema para casi todas las parejas es que, con el tiempo, las personas cambian. A pesar de que esto podría ser difícil, también puede ser fortalecedor y constructivo. Si aprenden a desarrollarse juntos, evitarán aburrirse en su relación.

Al final de los períodos de cambio, los cuales a menudo están llenos de inseguridad emocional, crecerán juntos o por separado. Lo que sea que ocurra, es vital que sus hijos siempre se sientan seguros de su futuro. Para los niños pequeños, el cambio dentro de una unidad familiar (o el temor a él) es muy perjudicial. No cuentan con los mecanismos de defensa para protegerse de la severa inseguridad emocional que puede causar una separación.

Violencia doméstica

Muchas mujeres viven con una pareja que recurre a la violencia física cuando no puede ganar una discusión. Utiliza amenazas para controlar su libertad de hablar y de moverse e invade su privacidad espiándola y entrometiéndose. Ante el mundo exterior, él aparenta ser el marido ideal; pero cuando la puerta se cierra, la historia es muy distinta. Tal como lo muestran los últimos informes, estos ataques ocurren cada seis segundos en el Reino Unido.

Propiciar el quiebre

Comenzar una nueva vida sola es muy difícil. Al librarse de un conjunto de problemas, inevitablemente se encontrará con otros que posiblemente no esperaba. Pero controlará su propio futuro y puede que encuentre que esto compensa las penurias que enfrentará. Algo que podría ayudar a fortalecer su determinación es visualizar el resto de su vida como si siguiera con lo mismo que ha venido ocurriéndole en los últimos años, luego comparar esto con cuán feliz podría ser si se valiera por sí misma.

No es fácil cambiar la propia vida y poco se puede hacer para evitar esa confrontación final a la que teme llegar con su pareja. Los obstáculos que ha superado para alcanzar su independencia son muy similares a los que enfrenta un adicto. Es sólo cosa de reunir la voluntad y la determinación, y después que su mente esté lista, el resto será sorprendentemente fácil.

Sus hijos

Si es una madre golpeada, su primera preocupación tiene que ser el bienestar de sus hijos, y cómo ellos lo enfrenten dependerá, en gran medida de cómo se comporte.

Al ser criados en un hogar violento, los niños rápidamente llegarán a considerar el comportamiento masculino como algo violento y a las mujeres como débiles e indefensas. En un hogar violento, los niños necesitan con urgencia una madre que sea lo suficientemente fuerte para seguir adelante, incluso si está en un estado vulnerable: una madre que aún tenga la capacidad emocional de amar. La mayoría de las mujeres puede ser fuerte y valiente como para hacer esto, aun cuando al principio no siempre considera que lo es.

Terminar una relación violenta

- Reconozca que le está pasando y deje de restarle importancia al abuso que está experimentando. Es usual que algunas mujeres minimicen o justifiquen lo que les está ocurriendo.
- Reconozca que no es su culpa. Nadie merece ser agredida, humillada o sufrir abusos, menos aún por su pareja en una relación donde, supuestamente, existe afecto. Las mujeres, a menudo, se culpan porque se les ha dicho que sí son culpables. Una exposición prolongada a la violencia podría convencerle de que merece ser maltratada. Pero no existe justificación alguna para la violencia, jamás.
- Comience a buscar ayuda y apoyo. Este paso incluye ganar apoyo emocional y ayuda práctica. Incluso podría empezar por hablar con un amigo en quien confíe o llamar a una organización como la Women's Aid National Helpline o al refugio local de Women's Aid.
- Quizás quiera considerar la idea de mudarse a algún lugar seguro, lejos de quien abusa de usted, o emprender acciones legales que le protejan y detengan la violencia en su contra.

18-40
buena salud mental

Muchos de nosotros gastamos gran parte del tiempo, de la energía e incluso del dinero tratando de hacer algo por tener una buena salud física. Lamentablemente, no siempre se hace el mismo esfuerzo por la salud mental, aun cuando es igual de importante.

Las mujeres y una buena salud mental

La salud mental debería ser igual de importante, e incluso más, que la salud física, especialmente en el caso de las mujeres. ¿Por qué? Porque no existe duda de que las mujeres, sin considerar su estado marital, padecen de más enfermedades mentales que los hombres: superan a éstos en consultas a clínicas psiquiátricas y están más propensas a recibir tratamiento en hospitales. Consumen más medicamentos que afectan la actividad mental que los hombres y, a menudo, los médicos les diagnostican un mayor número de problemas.

La razón de estos fenómenos tiene dos caras. Primero, nuestra condición física nos hace más vulnerables. Las mujeres están propensas a sufrir desórdenes psicológicos relacionados con el comportamiento hormonal, no sólo cada mes, sino especialmente luego del embarazo y el parto; además, vivimos más como para experimentar un duelo, soledad y la depresión de la ancianidad. Segundo, la condición de la mujer ha significado que no siempre hemos recibido la libertad suficiente para elegir nuestro estilo de vida, lo cual conduce a la frustración. No importa qué estilo elijamos, existen conflictos que pueden producir infelicidad, como hacer un balance entre la familia y el trabajo; incluso, el matrimonio en sí podría ser un trauma mental progresivo mucho mayor para nosotras.

Este gran número de traumas mentales significa que debemos luchar por mantener un estado básico de salud mental, de manera de poder sufrir un revés y no hundirnos; así podremos salir airosas de las emergencias y enfrentarlas de buena forma. También podremos ser lo suficientemente flexibles para sobrevivir a situaciones estresantes de larga duración, de esta manera seremos capaces de lidiar con la posible pérdida de nuestros seres queridos.

El mantener un equilibrio psicológico, no obstante, requiere de un tipo distinto de autoconocimiento de la salud física. También exige un realismo supremo. Es esencial darnos cuenta de que nuestras dificultades no son únicas. Todas atravesamos períodos de estrés y, sin importar que tan desagradables sean, la mayoría sobrevive. La adversidad es algo normal; es, sin duda, un hecho de la vida y no debemos reaccionar mal ante ella o sentir que hemos arruinado nuestras vidas irremediablemente y que somos un fracaso porque la estamos experimentando.

Cuando las cosas no van bien, es natural pensar que somos nosotras las culpables. **Pero deberíamos tener en mente que las dificultades en nuestro entorno, sobre las cuales no tenemos control, podrían ser un factor relevante.** Frente a aspectos como la sobrepoblación y la violencia podemos hacer muy poco. Particularmente, la pobreza es un factor poderoso y agravante, y al igual que con las enfermedades físicas, las mentales son mucho más comunes entre la gente más pobre.

Formas para enfrentarlo

Es importante que alcancemos un cierto grado de crecimiento emocional. El comprender la manera como nos sentimos respecto a las cosas, el ser capaces de trabajar con nuestras propias emociones, así como con las de otras personas en un estado mental no destructivo, sino útil e incluso afectuoso, es una meta que deberíamos tratar de alcanzar. El aceptarnos por lo que somos y el permitirnos un grado apropiado de autoestima significa que podemos asumir la responsabilidad de nuestras propias acciones y buscar y aceptar el perdón de otros cuando sea necesario, sin dañar nuestra imagen personal. Este proceso de independencia es largo y podría incluso continuar toda la vida, pero es necesario buscar selectivamente la bondad en nuestro interior.

Otro esfuerzo a realizar consiste en no fijar nuestros estándares a niveles muy altos: no es necesario y puede convertirse en una gran dificultad. Es aceptable que cualquier persona se deje llevar de vez en cuando, rompa a llorar, le cuente sus problemas a un amigo o que regañe y se enfurezca para dejar salir la rabia. Es mejor que guardarse todo y terminar enfermo.

Pero es posible prepararse para las catástrofes, y la respuesta la tiene usted: debe desear enfrentar y sobrevivir a un período de mala suerte. Si practica con los "desastres" manejables, descubrirá que los más difíciles le causan menos tensión, aunque siempre debe tener en mente que una vez que su salud mental estuvo en peligro, tomará tiempo volver a la normalidad. Sin embargo, existen dos formas en las que puede controlar su cuerpo y su mente de forma inmediata: relajación y respiración a un ritmo calmado y lento (ver pág. 292).

Combatir el estrés

Disocie
Esto significa sacar las preocupaciones de su cabeza. Trate de ignorar su problema todo el tiempo que sea posible. Mientras más lo mantenga a raya y en calma, más tiempo habrá para que la reacción de batalla y evasión disminuya, reduciéndose así el estrés y la ansiedad.

Diviértase
Distráigase; salga a comer con un amigo, tómese la tarde libre para ir de compras o pase un fin de semana en el campo. Mientras se esté divirtiendo, e incluso después, fíjese cómo la mayoría de los problemas van disminuyendo.

Actividad física
Deshágase del estrés por medio de cualquier tipo de ejercicio que disfrute y que sea físicamente capaz de hacer. La actividad física de casi cualquier tipo contrarresta los efectos del estrés y casi siempre le deja sintiéndose más relajado y centrado respecto a su problema.

Obtenga otra opinión
La mayoría de los problemas que nos parecen tan abrumadores e individuales son comunes. El obtener consejo de alguien con experiencia en esta situación, que no tenga ninguna relación personal, puede ayudar a lograr un nuevo entendimiento. Un problema compartido es un problema partido por la mitad.

Agrupaciones como Weight Watchers, Alcohólicos Anónimos y los Samaritanos están dedicadas especialmente a tratar con situaciones particulares de mucha tensión.

Fíjese en la forma como maneja su tiempo
El estrés, a menudo, es causado por un mal manejo del tiempo, tal como quedarse atrás en el trabajo o en las tareas hogareñas. Asigne prioridades a las tareas y haga las cosas importantes primero. Fíjese cómo emplea el tiempo. Por unos pocos días anote todas sus actividades, la relevancia que tienen para resolver su problema y el resultado que alcanzaron. Al final de este período será sorprendente ver cómo gastó el tiempo: cuánto de él fue malgastado y cuánto fue usado en propósitos útiles.

Vaya reduciendo sus expectativas
Reconozca sus propias limitaciones y encárguese sólo de lo que pueda cumplir en el tiempo que le ha dejado. Tome nota que no es posible controlar totalmente el mundo que le rodea. El fijarse y cumplir metas realistas puede disminuir el estrés, mientras que el fracasar en cumplir sus expectativas puede hacer que se haga presente.

Retírese
Una alternativa más radical consiste en desligarse de la situación que le está causando estrés. El retiro, no obstante, podría involucrar un esfuerzo sustancial. Por ejemplo, si encuentra que no puede soportar a su jefe, tendrá que cambiarse de empleo. Si detesta la casa en la que vive, tendrá que considerar mudarse a una nueva, posiblemente en otra área.

ENFOQUE
sobre la cirugía cosmética

Pocas personas lamentan el haberse sometido a una cirugía cosmética, mientras que, por otro lado, muchos otros lamentan no haberlo hecho. Si usted está dispuesta, un cirujano puede cambiar su apariencia. Pero cuidado, tal operación requiere que esté bien motivada o podría no quedar conforme con los resultados.

Se sentirá muy incómoda y de alguna forma deprimida hasta que los efectos se hagan aparentes. Es importante que se opere por razones correctas y no porque su pareja la presiona a hacerlo.

Si padece de problemas psicológicos serios, la cirugía cosmética no los resolverá. Si su relación se está desintegrando o su matrimonio se acaba, la cirugía plástica no remediará la situación. Por otro lado, si ha padecido de tensión psicológica severa debido a su apariencia, esta cirugía puede tener beneficios a largo plazo que afectarán todos los aspectos de su vida. Hoy, una buena razón para someterse a una cirugía podría ser simplemente que su cuerpo se ve más viejo de cómo se siente. No necesita buscar mayor justificación.

Luego de la cirugía, la gente a menudo está más cómoda y se siente más segura. Tan sólo esto hará sentirse mejor.

LA ELECCIÓN DE UN CIRUJANO
El primer paso consiste en encontrar un buen cirujano plástico con quien pueda llevarse bien.

No tema buscar otro. A continuación encontrará algunos consejos que le ayudarán en esta tarea:

● Obtenga una recomendación fidedigna de un médico o amigo.

● Como regla, no crea en los avisos de diarios o revistas. La publicidad va en contra del código ético de los médicos en el Reino Unido.

● Un cirujano confiable le aconsejará respecto de qué operación le dará mejores resultados. Sospeche de cualquier cirujano que acepte llevar a cabo exactamente la operación que solicita sin darle una opinión profesional sobre lo que necesita.

● Ningún buen cirujano le dará un cien por ciento de éxito garantizado. Él debería tomarse el tiempo para explicar en detalle lo que involucra la operación y lo que se puede lograr con ella, además de darle una estimación realista sobre las probabilidades de éxito. Sea escéptica con un cirujano que no sea así.

● Sólo deposite su confianza en un cirujano si le es agradable desde un principio. Si no le gusta en una primera impresión, menos lo hará después.

QUITAR LOS SIGNOS DE LA EDAD
Los cirujanos dicen que las típicas pacientes de una cirugía facial no son mujeres vanidosas y ricas que no tienen nada mejor que hacer con su dinero, sino personas activas y energéticas, que están más interesadas en verse tan jóvenes como se sienten, que en esconder su edad. Éstas creen que un rostro en evidente envejecimiento deteriora la autoestima e incluso podría llegar a causar pánico. Una pregunta típica que una paciente podría formularse es: "¿Por qué tengo que seguir viéndome así cuando todas las otras partes de mí se sienten jóvenes?".

Muchas mujeres de entre 40 y 50 años no están preparadas para que se considere que están envejeciendo. Sienten que sería más fácil sobrellevar el envejecimiento si pudiesen evitar verse viejas durante el proceso. Además, a menudo sienten que es injusto que empiecen a mostrar signos de deterioro cuando recién están comenzando a alcanzar la madurez intelectual y emocional. En consecuencia, cuando empiezan a aparecer surcos, arrugas y ojeras, deciden combatirlas.

Una mujer que se somete a una cirugía facial no quiere que sus amigas o familiares se sorprendan al verla por primera vez después de la intervención. Preferiría una apariencia natural; un mejoramiento casi indescriptible de su apariencia. Por esta razón, una piel totalmente tersa no es el resultado deseado. Si la piel es estirada demasiado, una falsa apariencia oriental alrededor de los ojos podría despojar a la cara de gran parte de su calidad expresiva. La mejor propaganda para un buen cirujano es una paciente que se vea naturalmente joven para su edad, no aquella cuya piel parezca artificial.

MEJORAMIENTO DE LOS RASGOS
En algunas ocasiones, la decisión de someterse a una cirugía plástica no tiene ninguna relación con el envejecimiento. A veces, un rasgo facial característico, como una nariz larga o abultada, puede tener profundos efectos psicológicos que comienzan en la adolescencia. Una adolescente podría considerar que no importa cómo se arregle el cabello o se aplique el maquillaje, el defecto sigue siendo notorio. Esta situación podría provocar que una buena alumna se sienta incómoda como para continuar con su educación o lleve a quien deja la escuela a desarrollar una serie de empleos. En algún momento, las circunstancias alcanzan

Operaciones faciales

Cirugía facial – quita las arrugas mayores y levanta la piel floja.

Blefaroplastia – quita la piel floja que hace ver los ojos abultados, levanta los párpados caídos o da una nueva forma a las cejas.

Aumento de las mejillas o del mentón – inserta implantes moldeados para reformar el mentón o los pómulos.

Otoplastia – devuelve las orejas prominentes a su lugar.

Reducción del doble mentón – quita hueso y cartílago para reformar el mentón.

Aumento labial – reforma los labios, usando células grasas para hacerlos más abundantes.

Rinoplastia – reforma, alisa o endereza la nariz.

Antes de una cirugía facial

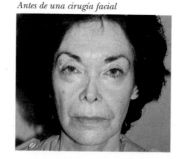

Después de una cirugía facial

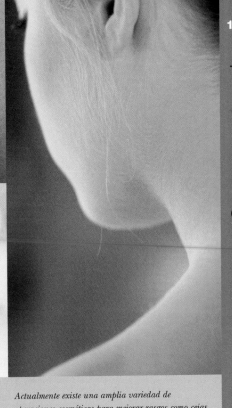

un punto crítico: la paciente podría requerir tratamiento psicoterapéutico, por ejemplo, debido a problemas con su confianza personal, indecisión e incapacidad de disfrutar del sexo. Podría considerar que es imposible relajarse en la presencia de personas, ya que su conciencia le dice que no se ve atractiva. Muy a menudo, el deseo tan intenso de que el rasgo afectado pueda repararse no supera el sentimiento continuo de depresión causado por saber que no se ve bella. Es razonable esperar que muchos de estos sentimientos disminuyan abruptamente o desaparezcan, luego de que la deformidad haya sido corregida con cirugía cosmética.

Por supuesto, podrían surgir los mismos sentimientos por un defecto tan trivial que casi nadie más percibe. Incluso en estos casos, la cirugía cosmética puede traer consigo un considerable mejoramiento psicológico, a pesar de que siempre es posible que el sentimiento de la paciente respecto a su apariencia alterada para mejor podría desvanecerse al no ver cambios aparentes en la reacción de los demás. La calidad interna que hace a algunas personas atractivas es algo que ninguna cirugía puede entregar y no está vinculada necesariamente a rasgos bellos.

LIPOSUCCIÓN

La liposucción es una de las tres cirugías plásticas más populares, junto con el agrandamiento de pechos y la remoción de las bolsas bajo los ojos. Sin embargo, no debe tomarse a la ligera. Se deberían investigar las implicaciones antes de continuar con ella.

El número de personas con obesidad en el Reino Unido está en constante aumento, y con las revistas mostrando modelos altas y delgadas, muchas mujeres quieren alcanzar tal tipo de delgadez. No satisfecha con hacer dieta, es posible que se sienta tentada a dirigirse a un cirujano capaz de entregarle un estómago plano y muslos bien formados. La liposucción puede sonar como un procedimiento menor, pero existen riesgos asociados.

¿Qué es la liposucción?

La liposucción es una manera de quitar grasa de áreas del cuerpo como caderas, muslos, glúteos, mentón y el pecho, en el caso de los hombres. No fue diseñada para curar la obesidad, sino para sacar los depósitos de grasa que no responden ante la dieta y el ejercicio.

¿Cómo se hace la liposucción?

● La liposucción no es un procedimiento inocuo. En primer lugar, se injecta una solución salina fría, que también contiene adrenalina, un anestésico local y un producto químico para destruir células grasas en el área adiposa del cuerpo.

● Después se inserta una aguja grande y hueca (por lo general de 3 mm de diámetro y que va unida a una poderosa máquina de succión) a través de varias incisiones pequeñas hechas en la piel y se introduce en los depósitos de grasa para succionarla con gran fuerza. La grasa es bastante sólida y se necesita de una solución salina para que ayude a soltarla y licuarla.

● Es peligroso sacar demasiada grasa. Todos los fluidos corporales están en equilibrio y el cuerpo responde a la pérdida de grasa tal como lo hace ante una pérdida de sangre; si se quita mucha grasa, el paciente sufrirá un shock quirúrgico con una presión sanguínea muy baja.

Actualmente existe una amplia variedad de operaciones cosméticas para mejorar rasgos como cejas, párpados, mentón y labios, al igual que para reducir grasa en los glúteos y el estómago.

Recuperación

Puede presentarse una incomodidad considerable y rigidez luego de la operación, y mientras más ancha sea la aguja usada, el dolor será más intenso y duradero. En el caso de una liposucción menor, será posible retomar sus actividades normales dentro de dos ó tres días; pero en el caso de sacar una cantidad importante de grasa, el proceso podría tomar de dos a tres semanas.

La operación puede ocasionar severas magulladuras. Para minimizar tales síntomas, durante dos o tres semanas después de la intervención se deben usar prendas elásticas especiales que compriman la piel para ayudarla a contraerse y apoyar el sitio de la operación, evitando así una acumulación de líquido.

Efectos colaterales

Sus resultados son variables. El procedimiento funciona mejor en mujeres menores de 40 años, cuya piel es elástica y retoma su forma con relativa facilidad. En mujeres mayores pueden quedar rastros de piel floja y pliegues de aspecto desagradable. Si se quita mucha grasa de un lugar o si se hace desigualmente, el resultado son arrugas y estrías. Las quejas más comunes son que la piel estirada no se recoge a su tamaño original, entumecimiento en los músculos que rodean el área operada, y succión desigual de grasa, lo que deja protuberancias. ▶

Cirugía a los pechos

Existen varias y distintas formas por las cuales la cirugía cosmética puede alterar el tamaño, la forma y levantar sus pechos. Aquí se incluyen el levantamiento (mastopexy), el agrandamiento y la reducción de pechos. Asegúrese de entender exactamente lo que involucra la operación antes de aventurarse.

MASTOPEXY

Una operación para levantar los pechos se practica usualmente para senos caídos: se quita el exceso de piel y se elevan los pezones. Mientras más pequeño es el pecho, mejores son los resultados. Se puede combinar con un aumento si sus pechos son pequeños o con reducción si son muy grandes. Sin una reducción, la mastopexy no es muy efectiva en pechos grandes, porque la gravedad los tirará hacia abajo nuevamente.

Sea realista: la mastopexy no puede brindarle los pechos de una adolescente, además le dejará estrías. Hable sobre algunos detalles de la operación con su cirujano antes de proceder.

Al igual que en todas las operaciones a los pechos, asegúrese de ver fotografías de antes y después para que pueda evaluar los resultados buenos, moderados e insuficientes. Pida una descripción del tipo de cortes que se harán, e incluso pídale al cirujano que dibuje en sus pechos cómo serán las cicatrices.

Debería considerar que un levantamiento de pechos, al igual que una cirugía facial, no es para nada permanente. Sus pechos continuarán envejeciendo y finalmente volverán a caerse.

Pregúntele a su cirujano si la técnica que será usada le da la opción de amamantar, si esto es importante para usted. Es aconsejable practicarse una mamografía antes de someterse a cualquier tipo de cirugía a los senos.

La operación

Como es usual, se utiliza un anestésico general. Su cirujano quitará la piel excesiva y la grasa que está ubicada debajo de los pechos y moverá el pezón hacia arriba empujándolo a través de un agujero en la piel más arriba de su seno.

Efectos posteriores y seguimiento

La mastopexy es, a menudo, muy exitosa y existen pocos efectos colaterales; sin embargo, podría notar una pérdida de sensación en su pezón y aréola. Existe una probabilidad de un 50 por ciento de ser capaz de amamantar después de la operación, siempre que los ductos de leche no hayan sido cortados. Después de dos semanas le podrán sacar todos los puntos y, si es una persona activa, tendrá movimiento total de sus brazos y hombros, y podrá hacer deporte después de tres semanas.

Aunque podría ser levemente incómodo, es aconsejable usar un buen sostén de apoyo después de la operación para sostener el pecho y la piel inflamada y ayudar a que sane. Debería estar preparada para usar su sostén día y noche por lo menos tres meses después de la cirugía.

REDUCCIÓN DE LOS SENOS

Existen dos grupos de mujeres que quieren una reducción. Al primer grupo no le agradan sus enormes pechos, debido a las inconveniencias y la vergüenza social. El segundo desea alcanzar por medio de la reducción cosmética unos pechos firmes y bien posicionados, y son felices usando copa C o D mientras los pechos se vean bien.

La operación

Mientras que distintos cirujanos tienen técnicas levemente distintas para reducir el tamaño de los pechos, la operación básica en sí, es la misma, no importa quién la practique. Se requiere de anestesia general y probablemente se extenderá por cuatro horas. Los pezones son importantes. Pregunte si su cirujano sólo va a subir sus pezones o a sacarlos y luego injertarlos en una posición distinta.

Puede pedir que su pezón sea preservado en un trozo de tejido, llamado pedículo, así el tejido será retirado de los costados y el lado de abajo de este trozo. Esto es esencial si desea amamantar en el futuro. Si desea saber exactamente qué es lo que van a sacar, pídale a su cirujano que dibuje la forma en su pecho con un lápiz. El pezón puede ser levantado y cosido al pecho en un nivel superior. Los colgajos de piel que están debajo se cosen, lo que da como resultado una reducción y un leve levantamiento.

Le quedarán cicatrices alrededor de la aréola, en una línea desde el pezón hasta el lado de abajo del pecho y en el pliegue de piel en donde el pecho se une con la piel del tórax.

Efectos posteriores y seguimiento

Los resultados de la operación son por lo general muy buenos, pero esto es una cirugía mayor, así es que puede estar segura de que sentirá algo de incomodidad por varias semanas. No obstante, para cuando regrese a casa en dos o tres días más, el dolor debería haber pasado. Use un sostén día y noche para que apoye y ayude a sanar. Le deberían sacar los puntos en un plazo de cerca de dos semanas, luego de las cuales podría retomar su trabajo. Luego de un mes, virtualmente estará de vuelta a la normalidad.

AGRANDAMIENTO DE LOS SENOS

Sólo puede realizarse con la ayuda de implantes, los cuales se insertan frente o detrás de los músculos de la pared torácica, los pectorales, debajo de los pechos. Los implantes han recibido mucha atención médica en los últimos años y su seguridad ha sido cuestionada. Si está considerando un aumento de senos, es importante que se informe.

• El aumento de los pechos puede traer complicaciones, así es que lea cuanto pueda sobre esto. Pídale a su cirujano si puede ponerse en contacto con alguien que haya sido operada, para que pueda operarse conociendo los riesgos involucrados.

• Tenga una discusión detallada con respecto al tamaño con el que le gustaría que quedaran sus pechos. Sea realista. Si su estructura es pequeña y ya tiene pechos pequeños, piénselo dos veces antes de elegir un tamaño de copa D. De todas formas, lo más probable es que su cirujano le prevenga de practicársela. Las mejores prótesis actualmente son moldeadas y de tamaño estándar. Le tomarán medidas para encontrar su talla y forma adecuada de prótesis biodimensional.

• Asegúrese de que su médico examine la presencia de quistes en el pecho, lo cual podría requerir tratamiento en el futuro. Será difícil para él tratar las mamas luego de que el implante haya sido colocado.

• Pregúntele sobre la posibilidad de contracturas (ver pág. siguiente) y sobre el lugar donde quedarán las cicatrices.

• Pregúntele si las incisiones interferirán con el proceso de amamantar o la sensación de los pezones.

● Asegúrese de que su cirujano le diga el
tamaño y el fabricante de su implante en caso
de necesitar uno de reemplazo en el futuro.

La operación

Lo que dure la operación estará determinado
en gran parte por el lugar donde se coloque el
implante. Si se ubica debajo de los músculos de
la pared torácica, tomará menos tiempo que si
se coloca debajo del tejido del pecho, pero
sobre la capa muscular, ya que existe menor
sangramiento en el primer tipo de operación.
Podría desear quedarse en el hospital por 24
horas para recuperarse de la anestesia, luego de
lo cual puede ir a casa. Se le pedirá que regrese
al hospital en 10 días para que le saquen los
puntos.

La incisión en el caso de una operación
aumentativa puede realizarse en la axila,
alrededor o a lo largo de la aréola o debajo del
pecho. Puede presentarse cicatrización en
cualquiera de estas áreas, dependiendo de qué
incisión utilice su cirujano.

Efectos posteriores y seguimiento

Haga preparativos para quedar libre del trabajo
por lo menos 10 ó 15 días. No intente conducir
un automóvil durante dos semanas completas y
evite los levantamientos de pesas por alrededor
de cuatro semanas. Debería volver a la
normalidad en unas tres semanas, pero lo
mejor es evitar la actividad deportiva por cerca
de seis semanas.

PREOCUPACIONES POTENCIALES

Cáncer de mamas

No existe evidencia de vinculación entre los
implantes de silicona y el cáncer. La Food and
Drug Administration (FDA) de Estados Unidos
concluyó en 1989 que no se podía descartar
completamente un efecto carcinógeno en seres
humanos, aunque si existiese tal efecto, el
riesgo sería muy bajo. En todo el mundo, los
cirujanos especialistas han considerado que tal
posición es lo suficientemente tranquilizadora
como para continuar usando implantes de
silicona.

Mamografía

Los implantes pueden dificultar la lectura
precisa de las mamografías. Esto significa que las
mujeres que tienen un historial familiar sólido
de cáncer de mamas probablemente deberían
abstenerse del uso de implantes de silicona. Es
una buena idea que todas las mujeres se
practiquen una mamografía antes de cualquier
cirugía de los senos. Es posible obtener una
buena mamografía en pechos con implantes,
pero es necesaria más de una perspectiva.

Tipos de implantes

Los implantes de gel de silicona se sienten más
naturales que aquellos rellenos con una solución
salina y siguen siendo la opción más usual de la
mayoría de los cirujanos del Reino Unido. La
probabilidad de contracturas es casi la misma en
ambos tipos de implante, pero obviamente no
existe riesgo de derrame de silicona en aquellos
rellenos con solución salina. Si los implantes de
silicona se derraman, se desinflarán y será
necesario reemplazarlos. Todos los implantes solían
ser suaves, pero hoy es preferible una superficie
texturada, ya que, al parecer, reduce la frecuencia
de las contracturas. Se está investigando acerca de
materiales alternativos para el relleno de implantes.
Se espera que estos nuevos materiales sean
absorbidos por el cuerpo si ocurre algún derrame,
que no reaccionen con el tejido del pecho y que no
oscurezcan las mamografías. Un nuevo implante
que está disponible en el Reino Unido contiene
triglicéridos, que son similares a la grasa corporal, y
tiene un chip integrado con un código único para
identificarlo.

Contracturas

La cápsula del tejido cicatrizal que se forma
naturalmente alrededor de cualquier implante
puede ser bastante delgada y flexible, pero se
podría contraer y volverse tan dura como la
madera. Una investigación ubica la posibilidad
de contracturas en el lugar 7 de un máximo de
10, luego de dos a cuatro años después de la
cirugía. El masajear los pechos podría reducir
la rigidez, pero si éstos están demasiado rígidos,
el tratamiento puede complicarse aún más.

Su cirujano puede aliviar la tensión
cortando un espacio más ancho alrededor del
implante. Por otro lado, si el implante yace
sobre los músculos de la pared torácica, puede
ser quitado para insertar uno nuevo debajo del
músculo, lugar menos propenso a desarrollar
contracturas.

Otras complicaciones

Dolor en el pecho, pérdida de la sensación en
el pecho, dificultades al amamantar,
infecciones, desplazamiento y derrame de un
implante corresponden a las complicaciones
más usuales. Una menos común es la ruptura
del implante, lo cual puede ocurrir
espontáneamente o a través de alguna fuerza
física, por ejemplo, un golpe. Si esto sucede,
necesitará cirugía inmediata para sacar todos
los rastros de silicona del pecho.

Algunas autoridades afirman que la mitad
de todas las pacientes que se someten a un
aumento de pechos sufrirán algunos efectos
colaterales alrededor de 10 años después de la
operación. Otros estiman una probabilidad de
uno de cada tres casos. Por lo tanto, no todo
será tan fácil, a pesar de que ninguno de los
efectos colaterales nombrados anteriormente
constituye un peligro de muerte.

"la vida se vuelve plena, satisfactoria y, quizás por primera vez, un placer"

etapas de la vida:
de 40 a 60 años

Los adultos atraviesan por una serie de hitos en sus vidas, al igual que los niños. Sin embargo, mientras en su juventud pudo haberse apresurado por saltarte etapas teniendo el rumbo fijado constantemente en búsqueda de la siguiente, a medida que pasan los años tiende a mirar atrás, reflexiona sobre lo que ha hecho y podría llegar a considerar que es tiempo de elegir un nuevo estilo de vida.

El dicho dice "la vida comienza a los 40", y así es como les ocurre a algunos. No obstante, muchos de nosotros llegamos a una encrucijada alrededor de los 35, cuando hacemos un recuento, para luego tardar entre dos y tres años antes de que nuestra vida se vuelva a estabilizar. De esta manera, la mitad y el final de la década de los 40 años pueden esperarse como un período de equilibrio. Los principales problemas de la vida y de su lugar en ella, junto con los ajustes que debe realizar para sentirse bien consigo mismo, ya han sido resueltos en su mayoría y la vida se vuelve plena, satisfactoria y, quizás por primera vez, un placer.

El que se sienta renovado o resignado dependerá de las opciones que tomó en las encrucijadas de su vida. Si se negó a hacer algún cambio, entonces el sentimiento de estancamiento podría transformarse en resignación y en un sentimiento de descontento. Así no estará creciendo y se dará cuenta de que se está quedando inmóvil. Lo que sucede es que las cosas que le han hecho sentir seguro y que le han apoyado, gradualmente se irán alejando. Sus hijos crecerán y le dejarán; su pareja podría desarrollarse más rápido que usted y prosperar lejos de usted; su carrera podría parecer menos satisfactoria y convertirse en un trámite que tiene que ser terminado.

Más aún, cada uno de estos eventos se hará gradualmente menos tolerable y de seguro llegará a una encrucijada alrededor de los 50, y, tenga la certeza, le impactará con más fuerza que la de los 40.

Un sentido renovado del propósito

Si, por otro lado, se enfrenta a los desafíos de los 35 y hace los ajustes necesarios, descubrirá un sentido renovado del propósito de su vida, además de un impulso y una energía que vienen desde su interior que le ayudan a construir un buen estilo de vida. También tomará conciencia de que los mejores años de su vida están por delante. Para la mayoría de la gente que está preparada a asumir esta difícil etapa, la felicidad personal está en ciernes. Surgirá una confianza personal que nunca antes había experimentado y podrá enfrentar los problemas y las dificultades calmada y racionalmente. Se volverá menos posesivo con sus hijos y con su pareja, se sorprenderá al verse apreciando y haciendo más grata la vida y la relación con otras personas. Las prioridades repentinamente se aclararán y será más fácil tomar decisiones.

Enfrentar los 50

Los 50 son una época en que, nuevamente, las personas hacen un recuento de sus vidas. Podríamos sentirnos cada vez más consciente de la importancia de mantenernos, en lo posible, física y mentalmente en forma. En el caso de las mujeres, la menopausia es, sin duda, el evento biológico y fisiológico más importante del período, pero no hay razón por la que no debiéramos sentirnos tan saludables, y hasta más saludables, que antes. Nuestra conciencia física puede llevarnos a una mayor conciencia emocional y nos volvemos más reflexivos. Nos volvemos más tolerantes respecto a nuestras propias habilidades y las ajenas; nuestros puntos de vista se hacen cada vez más filosóficos y, para fines de los 50, si hemos logrado seguir casados, a menudo estamos más cercanos a nuestra pareja que en ninguna otra época anterior de nuestra vida.

Hacer planes para el futuro

Hacer planes para los años venideros es como planear un viaje. Recuerde sus últimas vacaciones importantes. La mitad de la diversión se concentró en pensar en ellas con mucha anticipación. Mientras más a futuro hacía sus planes, más anhelaba ir y más disfrutaba el viaje. Podría haber habido algunas aventuras inesperadas, pero debido a que se había preparado rigurosamente fue capaz de enfrentar cualquier eventualidad.

La vida puede ser en gran parte lo mismo. En las siguientes páginas ofreceré pautas donde sea apropiado, consejos donde sienta que es necesario y estrategias para lidiar con situaciones potencialmente difíciles.

Cuerpo

Ámbito Social

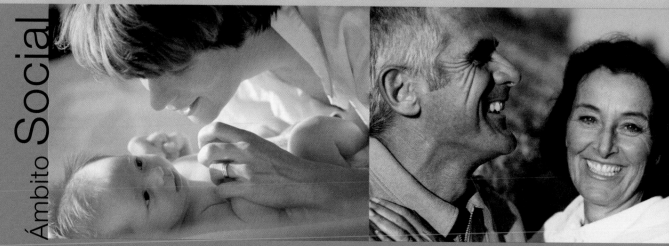

Mente

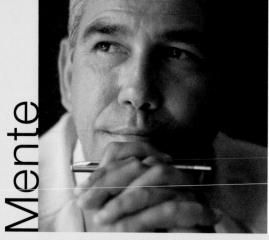

> " a medida que envejecemos, deberíamos estar preparados para cambiar nuestras actitudes "

"el ejercicio es fundamental a medida que se envejece"

"el equilibrio entre el trabajo y la familia es un tema de importancia para muchas personas"

"si no piensas, tu cerebro lentamente se irá volviendo flojo"

40-60

su cuerpo cambia

Signos reveladores, como las arrugas y cambios en la forma del cuerpo, podrían empezar a aparecer, aunque si se cuida, podrá estar tan saludable como siempre.

Aumento de peso

El que una mujer esté muy delgada en cualquier etapa de la vida puede significar que no esté sana. Algo de grasa es esencial para una buena salud, y lo es aún más durante la etapa de la menopausia. El ser muy delgada puede aumentar el riesgo de osteoporosis; además, su cuerpo no acumula "reservas" necesarias en caso de enfermedades.

Tasa metabólica en disminución

El aumento de peso es gradual tanto en hombres como en mujeres a medida que su edad aumenta, pero en ellas puede ser especialmente notorio durante la menopausia y la posmenopausia. Existen al menos dos factores involucrados. Primero, la falta de estrógeno genera un cambio en la forma del cuerpo y en la distribución de las grasas; por ende, la cintura se ensancha y la grasa se localiza en la parte frontal del abdomen (las células adiposas de todo el cuerpo también aumentan de tamaño) Segundo, la velocidad de la tasa metabólica disminuye a medida que envejecemos (en alrededor de un 5 por ciento óo 100 calorías diarias cada 10 años) y, bordeando los 55 años, necesitamos menos calorías.

Ejercitar regularmente

La razón principal por la cual nuestro metabolismo se vuelve más lento con la edad es porque perdemos fuerza muscular al volvernos menos activas. A menos que llevemos un régimen de ejercicios regular y frecuente, mantenernos en nuestra dieta cotidiana nos hará subir de peso. Para combatir esto necesitamos comer en forma razonable y ejercitarnos constantemente. Aunque necesitamos menos calorías, los

requerimientos nutricionales de nuestro cuerpo permanecen intactos. Contar las calorías podría tomar mucho tiempo si es que alguien pretende hacerlo; por lo tanto, es mucho mejor llevar una dieta bien balanceada que contenga pocos alimentos "vacíos" altos en calorías, como el azúcar y el aceite.

Cambios en sus patrones alimentarios

Depende de ud. cambiar no sólo lo que come, sino también la forma como come. A medida que envejecemos, la mayoría de nosotros descubre que no es posible consumir tres comidas principales al día. Intenta comer cinco o incluso seis pequeñas raciones al día, de este modo, la carga nutricional será mayor. Este hábito alimentario es muy efectivo en cuanto al control del peso, ya que raciones pequeñas y frecuentes previenen que bajen los niveles de azúcar en la sangre, lo cual suele provocar antojos. Comiendo poco y más seguido ganará seguridad para controlar su apetito.

Se han realizado diversos estudios para demostrar las diferencias entre las personas que comen porciones pequeñas varias veces al día y aquellas que comen porciones abundantes, pero menos veces. Estos últimos siempre tienen más grasa corporal que los primeros. Algunas personas que están a dieta creen que una alimentación basada en un patrón de "refrigerios" ayuda a evitar los ataques de hambre y existe evidencia de que esto podría acelerar la pérdida de peso. Su sistema digestivo preferirá un patrón de bocadillos, especialmente si padece de indigestión o úlcera péptica.

Reducir las grasas saturadas

contenidas en su dieta también le ayudará a mantener su peso y le protegerá de muchas enfermedades.

Evitar las dietas relámpago

Trate de no hacer dietas rápidas, ni dietas muy largas en las que falta poco para que se muera de hambre. La pérdida de peso inicial puede ser impresionante: de 3 a 5 kg (6 a 11 lb) en la primera semana, aunque menos de la mitad de esto corresponderá a grasa; el resto será agua, la que incluso podría contener proteínas preciadas para su cuerpo. Una dieta que restringe el consumo calórico total a menos de 1.000 calorías es apenas adecuada. Las dietas muy estrictas, de aproximadamente 500 calorías, no proporcionan todos los nutrientes necesarios para un adulto. Incluso podría tener problemas con las dietas de 1.000 calorías.

Existen diversas investigaciones para demostrar que al terminar largas dietas, la pérdida de peso no sólo se desacelera, sino que también el peso empieza a recuperarse.

Comer en exceso

Mientras menos calorías le entregue al cuerpo, más difícil será mantener la dieta. Volver a los patrones normales de alimentación produciría un inevitable aumento de peso, ya que se sustituyen las reservas de glicógeno. Esto es en extremo deprimente cuando ha hecho un gran esfuerzo por perder sobrepeso. Es común que una persona que recién ha terminado una dieta muy estricta empiece a comer en exceso y se vea inmersa en un círculo vicioso donde se muere de hambre y luego come, lo cual es extremadamente perjudicial para su salud y su autoimagen.

Cambios en la forma de su cuerpo

Uno de los principales cambios en las niñas que se acercan a la adolescencia es la aparición de grasa en las caderas, en la parte superior de los brazos, en los pechos y en la parte superior de los muslos. **Durante la vida fértil, el estrógeno y la progesterona mantienen las formas femeninas, con un cintura estrecha y caderas redondeadas.** Actualmente, sabemos que estas proporciones son más que una simple expresión del género femenino. Éstas tienen una importancia aun mayor tanto para la salud como para la vejez.

El prototipo de la distribución de grasas en las cinturas estrechas y las caderas redondeadas está directa e inequívocamente relacionada con la salud coronaria. En general, el promedio entre las medidas de las caderas y la cintura es menor que 1, lo que se asocia a un bajo riesgo de ataque al corazón. Si el promedio entre su cintura y sus caderas supera a 0,8, está en un riesgo mayor.

Después de la menopausia, cuando los niveles de estrógeno y progesterona son bajos o incluso inexistentes, una de las primeras cosas que una mujer puede notar es el ensanchamiento de su cintura y así aparentar más de 50 años. También puede aparecer una hinchazón abdominal producto de un incremento de las grasas en la parte frontal del abdomen. La silueta de la mujer comienza a parecerse más a las formas masculinas **y aumenta su riesgo de sufrir un ataque al corazón debido a este cambio en la distribución de las grasas.**

La primera parte del cuerpo que engorda en un hombre es el abdomen, lo cual está acompañado de un aumento de su contorno. La regla del promedio entre la cintura y las caderas también se aplica a ellos. Si aumenta el promedio, también aumenta el riesgo de sufrir un ataque al corazón.

Arrugas

Tradicionalmente se ha pensado que las arrugas son el signo más evidente del envejecimiento de la piel. Sin embargo, las arrugas aparecen ya a los 20 años y luego continúan apareciendo a un ritmo constante por el resto de nuestras vidas. Utilizamos nuestras expresiones faciales como un modo de comunicarnos con el resto y de manifestar la ira, furia, desilusión, felicidad, sorpresa y consternación, entre otros. Estas expresiones se reflejan en nuestro rostro mediante líneas que se forman en los lugares de mayor movimiento. Sólo algunos llegamos a los 40 sin tener ninguno de estos signos reveladores.

Cómo disminuir el efecto de las arrugas (en ambos sexos)

● Humedezca su rostro con agua y manténgala con una crema hidratante para evitar la deshidratación de su piel.

● Nunca se exponga al sol sin usar protector solar y mientras mayor sea el factor, mejor será la protección. Recuerde, un día de esquí en la cordillera puede ser tan dañino como un día en la playa.

● Si tiene pequeñas venas en la superficie de su piel, evite la comida caliente y muy condimentada y también las bebidas alcohólicas, porque agravan el envejecimiento de la piel.

● Deje de fumar. El cigarrillo puede acelerar la aparición de "arrugas" y producir marcas profundas. La piel de un fumador es 10 años mayor que la de un no fumador.

● Para mejorar su cutis mantenga su cuerpo relajado mediante un buen dormir.

● Los ejercicios faciales ayudan a relajar los músculos del rostro, que producen líneas y arrugas "tensionales". También pueden ayudar a mantener flexibles los músculos faciales y del cuello, además de aliviar dolores de cabeza producidos por la tensión. No obstante, no pueden detener la formación de arrugas. Intente sonreír todo el tiempo en vez de fruncir el ceño y así ejercitará más músculos.

Para las mujeres

● Si no usa maquillaje, asegúrese de usar una abundante máscara de crema hidratante enriquecida que prevenga la pérdida de agua.

● Si usa maquillaje, éste le ayudará a reducir la cantidad de agua que pierde su piel. Evite los tónicos astringentes: cambie los jabones de limpieza por cremas.

40-60
inhibición sexual

Todos los niveles de deseo sexual, sean altos, medianos o bajos, son normales. Lo único que importa es la capacidad de acomodarse a las necesidades de la pareja, por limitadas o amplias que sean.

Sequedad vaginal

Un típico mito sobre la menopausia es que marca el comienzo del decaimiento sexual femenino. **La mayoría de las mujeres puede continuar experimentando placer sexual a cierta edad hasta que su salud lo permita.** Incluso, algunas señalan que su placer sexual aumenta después de la menopausia, lo que puede deberse a un mayor nivel de testosterona con relación al estrógeno.

Sin embargo, la mayoría de las mujeres que experimentan la menopausia nota ciertos cambios en la respuesta de sus cuerpos ante la excitación y el sexo. Usualmente, esto se produce por cambios en el tracto urogenital, no por una disminución psicológica del deseo sexual. Hace algunas décadas, Alfred Kinsey realizó un estudio sobre el placer sexual, el cual demostró que las mujeres que tienen una vida sexual plena antes de la menopausia probablemente seguirán disfrutando del sexo. Por el contrario, en aquellas que no han disfrutado el sexo durante sus vidas, probablemente la menopausia se asociará a una disminución de todos los tipos de actividad sexual.

Uno de los problemas sexuales más comunes después de la menopausia es la falta de lubricación. En la juventud, la irrigación sanguínea de los genitales es más lenta durante la excitación, provocando hinchazón y sensibilidad al tacto. Después de la menopausia existe una menor

dilatación del clítoris, vagina y vulva, lo que conduce a una excitación menor.

En una mujer joven, la vagina se dilata durante la excitación sexual para permitir una penetración más fácil. Posterior a la menopausia, la vagina no se dilata tanto, pero aún se expande lo suficiente como para adecuarse al pene erecto (siempre y cuando haya una lubricación adecuada).

Tener las glándulas suprarrenales saludables también es de vital importancia para el deseo sexual. Una preocupación permanente, tal como la muerte de un ser querido o el divorcio, puede provocar un efecto adverso en la actividad glandular.

Este deseo también puede disminuirse por efecto de las drogas, como tranquilizantes y antidepresivos. El alcohol, el cigarrillo, el café, el exceso de trabajo, la tensión y la depresión tienen el mismo efecto.

Consejos de autoayuda

● Antes del sexo aplique en el borde de la abertura vaginal un gel estéril, soluble en agua. Si quiere, puede aplicar una pequeña cantidad en el interior de la vagina, en el pene o en los dedos de su pareja. Los geles a base de agua son mejores que los basados en aceite, porque promueven menos el desarrollo de bacterias e infecciones y no provocarán la ruptura del condón.
● Evite chorros de agua violentos,

los talcos, el papel higiénico perfumado y cualquier tipo de aceites o espumas de baño con fragancia, que puedan irritar la vagina.
● Evite los medicamentos para la picazón genital que contengan antihistamínico o perfume.
● Prolongue el juego sexual para que su cuerpo tenga más tiempo de producir su propia lubricación. Un masaje suave en los pechos, estómago, muslos y genitales puede ayudar y ser sumamente erótico.
● Estudios demuestran que tener relaciones sxuales en forma regular o practicar la masturbación pueden ayudar a mantener la vagina lubricada. Esto puede ocurrir debido a que la actividad sexual estimula las glándulas suprarrenales, las que a su vez ayudan a mantener la vagina lubricada.
● A las mujeres que tienen bajos niveles de histamina les es más difícil llegar al orgasmo, mientras que aquellas con niveles más altos llegan al orgasmo fácilmente. Las mujeres que ingieren antihistamínicos en forma regular deben estar conscientes de que podría disminuir el deseo sexual y retardar el orgasmo.
● Los ejercicios pélvicos de piso (ver pág. 169) le harán conocer más tu vagina y aumentarán su placer sexual; mientras más tonificados estén los músculos, más posibilidades tiene de apretar firmemente el pene de su pareja.

Pérdida de la libido

El sexo es una parte de nuestras vidas tremendamente compleja y está influenciado por nuestros estados de ánimo y emociones anexas. Si estamos deprimidos, cansados o enfermos, tendremos menos deseos de hacer el amor. Uno de los problemas más comunes y frustrantes de una pareja es que uno quiere más sexo que el otro. Es importante reconocer que sin importar cuán compenetrados estén, habrá momentos en que su deseo sexual no concuerde con el de su pareja. Al igual que cualquier otro apetito, el sexual crece y decrece. Es un mito popular que el hombre está siempre listo y dispuesto para tener relaciones sexuales, no es así.

Si cree que existe una diferencia sustancial en sus apetitos sexuales, necesitará idear una estrategia a largo plazo que evite que se sienta permanentemente insatisfecho, rechazado o no amado, y que su pareja no sienta que está constantemente bajo presión para tener más relaciones sexuales del que quiere.

Recuerde que la necesidad sexual no sólo implica coito. Si su pareja no se siente excitada, también puede recurrir a la estimulación manual u oral. Para despertar el deseo sexual, las siguientes sugerencias pueden ser útiles:

● Hacer el amor en otro lugar que no sea la cama (en una silla, sofá, etc.)

● Tomar un baño o ducha juntos.

● Crear una atmósfera íntima a la luz de las velas y con música.

● Hacerse masajes con aceites corporales aromáticos.

● Hacer el amor a una hora inusual.

● Hacer el amor en la oscuridad si usualmente prefiere algo de luz y viceversa.

● Darse el tiempo suficiente para hacer el amor.

No considere la masturbación como algo negativo, puesto que a veces, gracias a ésta, a un hombre le es más fácil lograr y mantener una erección. Es posible que él perciba algunas diferencias que son perfectamente normales en su rendimiento, pero que a él le preocupan.

El envejecimiento influye en el sexo. Un hombre mayor tarda más en excitarse y su erección puede no ser tan intensa. Podría necesitar una estimulación más directa del pene, ya sea oral o manual. Su pene no se endurecerá totalmente o su ángulo no será tan agudo como cuando era joven. Los orgasmos podrán ser menos intensos que antes.

Debido a que generalmente la eyaculación pierde potencia con la edad, el semen se filtra en vez de salir en grandes cantidades.

Muchos hombres creen que el deseo debe ser espontáneo, que ellos no necesitan estimulación directa para excitarse. Éste no es el caso, menos aún cuando envejecen. Por lo tanto, anime a su pareja a que le deje excitarlo.

Viagra

Actualmente existen diversos métodos disponibles para tratar la disminución de la potencia sexual: el más conocido es el Viagra. Surgió como la solución a las plegarias fallidas de los hombres, sin embargo, no todos pueden usarlo para estimular la libido. Posee efectos secundarios, y para que sea efectivo, el aparato reproductor debe funcionar medianamente bien.

Requerimientos de salud

Para principiantes, los vasos sanguíneos y los nervios del pene deben estar intactos, de lo contrario, ningún tipo de medicamento podrá lograr una erección. El corazón y la presión sanguínea deben estar cerca de los niveles normales. En estas condiciones, los hombres que padezcan las siguientes enfermedades podrían experimentar una mejora en su rendimiento sexual si es que toman Viagra: diabetes, esclerosis múltiple, enfermedad de Parkinson, poliomielitis, cáncer a la próstata, prostatectomía, cirugía pélvica radical, insuficiencia renal (tratada con diálisis o transplante), daño pélvico grave, enfermedad neurológica del gen único, lesiones en la médula espinal y la espina bífida.

¿Funciona?

El Viagra no es una cura milagrosa. En la primera investigación, casi la mitad de los individuos tuvieron mejores erecciones que las anteriores, suficientes para lograr una penetración, pero no con la rigidez que tenían en la juventud. La otra mitad no lo consiguió.

cómo prevenir el deterioro de su cuerpo

No caiga en la trampa de descuidar su cuerpo cada vez más, de lo contrario, sus músculos se atrofiarán y sus pulmones y corazón estarán menos capacitados para enfrentar un esfuerzo excesivo.

Caminata

Al igual que otros hábitos, el ejercicio debe realizarse regularmente y convertirse en una actividad de por vida. Caminar un tiempo razonable (20, 30 o más minutos diarios) es un buen hábito y puede aumentar progresivamente después de algunos meses. Este tipo de rutinas se tornan muy importantes después de la jubilación, cuando la mayoría de las personas gastan menos energía, pero siguen ingiriendo la misma cantidad de comida y bebida que antes.

Consejos para caminar

- Realice ejercicios de elongación moderados antes de salir.
- Comience caminando en un suelo nivelado y aumente paulatinamente hasta llegar a subir cuestas a las que su cuerpo se acostumbre.
- Camine a una velocidad que acelere su respiración, pero no al extremo de no poder hablar.
- Nunca se exija más de lo que puedes hacer cómodamente.
- Intente aumentar la distancia o el tiempo que dedica a caminar, en vez de aumentar la velocidad.
- No camine cuando haya viento, ya que requiere un esfuerzo mayor. Si padece de alguna enfermedad cardíaca, debiera estar capacitado para caminar sin problemas con un clima normal, pero caminar cuando hay viento puede provocar angina de pecho.

El ejercicio como tónico mental

Hacer ejercicios en forma regular también puede tener un efecto significativo en nuestra agilidad mental, ya que la cantidad de oxígeno que llega al cerebro es mayor. Se comparó un grupo de mujeres mayores que son sedentarias y otro que ejercita regularmente, y después de cuatro meses se realizaron diversas pruebas, en las que el segundo grupo procesó la información mucho más rápido. Este efecto es particularmente notorio en personas mayores. Además, el ejercicio también puede reducir la pérdida de dopamina en el cerebro. Ésta es un neurotransmisor que ayuda a prevenir la enfermedad de Parkinson y el entumecimiento que se puede producir a cierta edad. La falta grave de dopamina provoca esta enfermedad. En el cerebro, la dopamina se reduce aproximadamente en un uno por ciento al año (desde los 25 años en adelante), y si viviésemos hasta los 100, probablemente todos sufriríamos de este mal. Debido a que el ejercicio disminuye la pérdida de dopamina, es particularmente beneficioso cuando envejecemos. Hacer ejercicio también puede evitar que nuestros reflejos se tornen más lentos.

Los beneficios del ejercicio regular

El ejercicio es vital durante su vida, pero a medida que envejece, sus beneficios son particularmente significativos:

- menor riesgo de enfermedades cardiacas.
- menos posibilidades de manifestar una diabetes.
- los músculos se mantienen fuertes.
- mayores niveles de buen colesterol en la sangre.
- huesos más sanos y menor probabilidad de presentar osteoporosis (si realiza levantamiento de pesas).
- sistema inmunológico más eficiente.
- reducción de la grasa corporal.
- mayor control del apetito.
- menor riesgo de estreñimiento.
- aumento de la agilidad mental.
- menos dolores de cabeza.
- mejoramiento en la calidad del sueño.
- articulaciones más flexibles.

Es evidente que el tipo de ejercicio que realice dependerá principalmente de sus recursos, de cuánto tiempo disponga y de sus preferencias personales. Para obtener los mejores resultados, intente buscar algo que le acomode. Existe una amplia gama de oportunidades disponibles en centros deportivos, clases de entrenamiento físico y, para quienes prefieren ejercitar en casa, en el mercado hay muchos libros, videos y casetes.

También podría optar por deportes como el tenis o el squash, que ofrecen la atracción suplementaria de conocer gente. Del mismo modo, tomar clases puede estimularle a ejercitar regularmente. Otras formas menos rigurosas, pero más tradicionales, como caminar a mayor velocidad o la natación, constituyen una alternativa viable y mantienen el cuerpo flexible y en forma. Recientemente, las personas se han cambiado del ejercicio aeróbico a los ejercicios de resistencia y al levantamiento de pesas. Algunas investigaciones señalan que cualquier actividad física que involucre peso puede retardar la pérdida de tejidos en huesos y músculos, lo que es una consecuencia natural del envejecimiento. El levantamiento de pesas también ayuda a normalizar el flujo de azúcar desde la sangre a los tejidos, donde pueden ser metabolizados apropiadamente. Gracias a esto es posible disminuir el riesgo de diabetes y de enfermedades cardíacas.

Ejercicios pélvicos de piso

Casi todas las mujeres que han tenido hijos notan un pequeño escape de orina cuando tosen o levantan peso. No obstante, los ejercicios pélvicos activos regulares ayudan a solucionar este problema. A continuación se explica cómo debe realizar estos ejercicios.

- El primer paso es encontrar la serie de músculos que forman una figura similar a un ocho y que se ubican alrededor de la vagina, uretra y ano. Puede hacerlo mientras orina, reteniendo el flujo varias veces.
- Contraiga los músculos durante cinco segundos, relájelos cinco segundos y vuelva a contraerlos. Asegúrese de no estar apretando solamente sus nalgas e intente no tensar los músculos del estómago al mismo tiempo.

Probablemente al principio no sea capaz de mantener los músculos tensos por los cinco segundos completos, pero lo logrará cuando sus músculos pélvicos activos se fortalezcan.

- El próximo paso es contraer y relajar los músculos 10 veces, tan rápido como pueda y de modo que parezcan "palpitar". Lo más probable es que necesite practicar esto un tiempo.
- Posteriormente, apriete los músculos con firmeza, como si tratara de introducir un objeto en su vagina. Mantenga la contracción por cinco segundos.
- El último paso es pujar, como si estuviera evacuando, pero haciendo más fuerza con la vagina que con el ano. Mantenga los músculos tensos por cinco segundos.

Poco a poco, aumente los ejercicios hasta las 10 contracciones, 10 veces al día o más, descansando varias horas entre cada sesión. Revise su progreso una o dos veces por semana reteniendo el flujo de orina. Aproximadamente, después de realizar esto por seis semanas, descubrirá que retener el flujo es mucho más fácil que al principio. Esto es lo interesante de los ejercicios pélvicos activos, una vez que domine la técnica, puede hacerlo en cualquier lugar: acostada, viendo televisión e ¡incluso cuando esté lavando la loza o esperando el autobús!

40-60 verse bien

Pensar en un nuevo peinado, cambiar el maquillaje y modernizar las rutinas del cuidado de la piel pueden quitarle 10 años de encima. Necesita un estilo acorde a la mujer que actualmente es, no a la que solía ser.

Cremas

La ciencia no ha descubierto ninguna sustancia que sea capaz de restaurar el colágeno, las proteínas, la grasa y el agua que nuestro rostro pierde a medida que envejecemos. Tampoco es posible restaurar las fracturas que se producen en el colágeno de nuestra dermis, provocando que el rostro comience a arrugarse. Las cremas no pueden controlar las arrugas ni las líneas de expresión, sin importar cuán exóticos sean sus ingredientes. No obstante, las cremas de limpieza enriquecidas y las hidratantes pueden prevenir que la superficie de la piel se deshidrate.

Cabello

Después de la menopausia, el crecimiento del cabello se vuelve más lento, la cantidad de pelo disminuye y las canas comienzan a ser más prominentes. Es un mito que el cabello canoso es más áspero. Las canas sólo se ven así porque empiezan a aparecer cuando el cuero cabelludo se reseca. Esto se debe a que las glándulas sebáceas reducen su producción. Es el momento de cambiar su champú y su acondicionador por otros enriquecidos y con fórmulas más hidratantes. Estos productos no son trucos para aumentar las ventas, realmente hidratan su cabello.

Consejos para el cuidado capilar

Si ha tenido el mismo corte durante años, pregúntele a su peluquero qué estilo modernizaría su look. Busque en revistas y recorte las fotografías de los estilos que le gusten. A diferencia de lo que se cree, a los peluqueros les gusta ver fotos con los cortes de cabello que le agradan, porque si simplemente los describe, hay mayor margen de error.

● Para cubrir las primeras canas use una tintura semipermanente, de un tono más claro que su color natural.

● Hacerse reflejos o algunos visos más oscuros puede eliminar el efecto óptico de las canas.

● No intente tener el mismo color de pelo que cuando era joven. Los tonos de la piel y del cabello cambian conjuntamente, por lo tanto, los tonos más claros le favorecerán.

● Suavice el cabello color grisáceo con un tinte rubio pálido semipermanente. Obtendrá el mismo efecto de los carísimos reflejos.

● Si desea un tono gris muy elegante, pero su cabello tiene tonalidades amarillas, use champú y tonificantes perlados o plateados para realzar el color.

Colores del maquillaje

Existen arco iris de tonalidades para elegir, pero, afortunadamente, la naturaleza nos dice qué colores nos favorecen. Con una lupa mire en el espejo los puntitos de diversos colores que hay en el iris de sus ojos. Todos estos colores le sentarán bien si los usa como sombra de ojos. Cuando los seleccione, tenga en cuenta la tonalidad de su piel. Si tiene un tono de piel cálido, escoja tonalidades doradas y bronces. Las de tez más claras debiesen optar por colores frescos como los plateados y los lilas. Si su piel es pálida, evite los tonos muy oscuros. Si es morena, los colores pálidos se perderían, por ello escoja sombras más oscuras.

Morenas

Las sombras más intensas le sientan mejor. Pruebe el verde oliva, el bronce y el terracota, junto a un rubor durazno cálido o un marrón tostado. En los labios puede usar un color vino o tonos corales neutros y cálidos.

Rubias con tez clara

Los grises suaves, lilas y azules fríos son excelentes sombras de ojos que puede probar, junto a ruborales rosa suave o palo de rosa. Pruebe labiales frambuesa o rosa oscuro.

Cabello canoso

Las sombras de ojos color azul piedra y azul acero favorecen al cabello gris, más aún si se acompañan de un rubor fucsia suave. Los labios pueden maquillarse con tonos frambuesa o palo de rosa.

Piel negra

Escoja sombras de ojos brillantes o cobre y bronce, y los ruboreos deben ser rojizos o fucsias. Un color vino dorado intenso o los tonos bronces son perfectos para los labios.

Cambiar su maquillaje

Cuando tenía 17 años usaba maquillaje para verse mayor, pero si actualmente ocupa mucho, podría verse aún mayor. Busque en su cosmetiquero y sea realista; los colores que le quedaban bien hace algunos años podrían no sentarle ahora. Cuando envejece, su piel cambia de tono; por lo tanto, pruebe con algo nuevo, colores que le favorezcan. Mire en las revistas para saber qué está de moda, cuáles son los nuevos productos y cómo puede incorporarlos en su estilo de vida. Si cree que las revistas sólo satisfacen las necesidades de las adolescentes, entonces busque un centro de maquillaje y consulte la opinión de un esteticista capacitado. No se olvide de que ellos están ahí para vender sus productos, así es que consulte en varios centros antes de decidir qué es lo que realmente necesita comprar.

Uno de los métodos más fáciles para verse joven es replantearse cómo usar la base. Una muy espesa no tapará las líneas de expresión, al contrario, se acumulará hasta en las más diminutas, acentuando aún más las arrugas. Mientras más envejece, menos base debería usar.

Consejos de maquillaje

● Trate de maquillarse sin usar base. Puede emplear una para el contorno de ojos y así tapar las ojeras o las venas. También utilice un poco de polvo compacto con color para quitar el brillo.

● Si cree que necesita usar algún tipo de base, elija una fórmula con efectos luminosos o cámbiese a una crema hidratante con color.

● No agregue color a la base, eso déjeselo al rubor. Asegúrese que la base sea del mismo tono de su piel y no la aplique en toda la cara, sólo donde necesita, generalmente en el sector de las mejillas, mentón y nariz.

● Depílese los vellos que están de más en la parte inferior de las cejas para que sus ojos se vean más grandes.

● Si tiene depilado más de lo necesario, use un maquillaje en polvo para cejas en vez de rellenar con un delineador, ya que puede verse muy tosco. Aplíquelo con un pequeño cepillo encorvado para que las cejas se vean más suaves y naturales.

● Evite las sombras de ojo muy brillantes, ya que realzan las líneas de expresión. Elija sombras semibrillantes, las sombras mates le hacen ver pálida.

● Un delineado de ojos muy grueso sólo se ve bien cuando tiene 18 años. Use un delineador de ojos fino y una sombra en polvo oscura y hágase una línea fina lo más apegada posible a las pestañas. El efecto es más suave y le favorece.

● Las brochas para rubor demasiado pequeñas y delgadas le dejan una franja de color en las mejillas. Mejor use una para polvos, ya que las otras hacen ver la cara más gorda. No se detenga en las mejillas, deslice la brocha por el mentón, las sienes y la frente para lograr un brillo perfecto.

● El rubor perfecto para su tono de piel debe ser del color que toman sus mejillas cuando se sonroja en forma natural.

● Aplique el rubor en capas moderadas. No sólo se verá más natural, sino que también permanecerá por más tiempo.

● Si su piel es naturalmente seca, cámbiese a un rubor en crema. Espárzalo por los pómulos después de hidratar aplicándolo cuando la piel aún esté húmeda.

● Los labios pueden perder cuerpo y los bordes quedan menos destacados. Use un delineador de labios.

● Evite los delineadores que sean más oscuros que sus labios; se ven muy toscos. Elija un tono que realce el color natural de los suyos. Delinear el contorno también ayuda a evitar el derrame del lápiz labial.

Cuidados de la piel

Después de la menopausia, la piel se vuelve más seca y más delgada. Las células muertas no se eliminan tan rápido, lo que provoca una pérdida del brillo y la aparición de manchas de sequedad. Para mantener la piel lo más húmeda posible, use cremas hidratantes para día y noche, así como exfoliantes dos veces a la semana para remover las células muertas.

Recuerda que la regla básica de limpieza, hidratación y protección, ahora, es más importante que nunca.

● **Proteja su piel del sol.** Alrededor del 80 porciento de las arrugas son causadas por el sol. Protéjase de un daño mayor usando un protector solar factor 15, por lo menos.

● **No se olvide de proteger el cuello y las manos.** Son los más expuestos al sol junto con su cara.

● **Aumente el consumo de agua.** El agua ayuda al metabolismo del cuerpo. Haga ejercicios, incluso si éstos son sólo caminar o nadar.

● **No aplique cremas hidratantes cerca de los ojos.** Simplemente terminará con los ojos hinchados en la mañana. Utilice una crema de ojos y aplíquela con la yema de los dedos sobre el párpado inferior y espárzalo con el dedo anular.

40-60 menopausia masculina

Poco se conoce acerca de la menopausia masculina o "andropausia". Además, no se manifiesta de igual forma que en las mujeres, hormonalmente hablando.

¿Existe una menopausia masculina?

¿Experimentan todos los hombres una menopausia o "andropausia"? Si existe, ¿cuáles son los síntomas? Al hacer un paralelo con los síntomas de la menopausia femenina, ¿deberían los hombres ser beneficiarios de una terapia de reemplazo hormonal (TRH)? Una vez planteada esta pregunta, siguen otras. ¿Qué pasaría con la andropausia si la TRH fuera de uso generalizado? ¿Cuál sería el margen de éxito? ¿Cuáles serían los efectos perjudiciales? Existen muy pocas respuestas para cualesquiera de estas interrogantes, ya que se han realizado pocas investigaciones al respecto. Sin embargo, esto cambiará en un futuro cercano, puesto que más personas se interesan por los síntomas masculinos.

La menopausia masculina no es tan dramática como en las mujeres. Es más paulatina, discreta y, en cierto modo, insidiosa. Además, no ocurre exactamente en los mismos años. Se conoce más como andropausia, que involucra todos los cambios que ocurren en el cuerpo y en la mente a medida que el aparato reproductor masculino comienza a decaer.

Miedo al fracaso

Sin duda, el "miedo al fracaso" juega un papel importante en el retraimiento del hombre mayor frente a las actividades sexuales.

Una vez que el hombre nota que su potencia está disminuyendo o que en una ocasión no fue capaz de alcanzar la satisfacción sexual, puede renunciar a cualquier tipo de actividad sexual. Esto se debe principalmente a que la mayoría es incapaz de enfrentar la terrible experiencia de la incompetencia sexual en reiteradas ocasiones. Casi todos los hombres son incapaces de aceptar que la pérdida del deseo sexual y la disminución del rendimiento son parte del proceso normal del envejecimiento; inventan todo tipo de excusas y culparán a factores externos antes de reconocer que sus cuerpos están envejeciendo.

Masters y Johnson formularon una hipótesis en 1970, que consistía en que el hombre que cree que su potencia sexual está disminuyendo puede mostrar signos de menores niveles de andrógenos, lo que puede significar una deficiencia. Se demostró que existe un requerimiento general para someter al cuerpo a una terapia de sustitución de andrógeno (testosterona) durante la andropausia. Algunos casos tuvieron que ser tratados individualmente.

En muchas partes del mundo existen endocrinólogos que hacen un estudio especial sobre la andropausia y que aplican la terapia de sustitución en sus pacientes. Sin embargo, aquí se sigue esperando una definición clara y las pautas a seguir. **Para ese entonces, la TRH para hombres permanecerá dentro de un campo muy especializado, el cual no se practicará usualmente.** Respecto a este tema, las mujeres están en mejores condiciones que los hombres. Esto puede deberse a que las mujeres son lo suficientemente honestas y valientes como para reconocer que sus cuerpos son deficientes, mientras que los hombres, en especial en el área sensible de las actividades sexuales, tienen que aprender a lidiar con sus cambios físicos.

Tensiones laborales y familiares

La mayoría de los hombres entre los 40 y los 60 años atraviesa una de las etapas más competitivas de su carrera. Las tensiones laborales no son fáciles de llevar debido a la necesidad económica de velar por una familia creciente que tiene diversas necesidades y actividades. **Por un lado, los hombres se esfuerzan por obtener un prestigio personal y, por otro, se preocupan por la seguridad de la "familia".** Un hombre en esta situación cree que gasta más tiempo en cumplir con su trabajo que con su familia. El trabajo deja muy poco tiempo para las relaciones amorosas con la pareja y el estrés conlleva una disminución paulatina de la actividad sexual.

El cansancio mental y físico tiene una influencia aún mayor en la actividad sexual. **Una vida sexual activa en la madurez significa estar en buen estado,** porque, si un trabajo requiere de gran esfuerzo físico, un hombre podría simplemente no tener la energía suficiente al final del día como para disfrutar de una vida sexual activa. Algunas veces, si un hombre no está en forma, un fin de semana de recreación es más agotador que lo exigido en su trabajo, en especial en el grupo mayor de 50 años. Nuevamente, esto deja muy poca energía para la actividad sexual. Si un hombre está expuesto a una actividad física excesiva o inusual, puede sentir una pérdida de la respuesta sexual por un día o más, lo que se sumará a su pesimismo.

Sexualidad en el hombre mayor

Masters y Johnson, un equipo de investigación pionero en sexualidad humana, hizo un estudio detallado de los factores psicológicos y fisiológicos que podrían contribuir a la disminución de la capacidad sexual de un hombre cuando envejece. Según sus estudios, quedó de manifiesto que existen factores que afectan la respuesta sexual masculina:

● monotonía, que se define como el resultado de repetidas relaciones sexuales
● preocupación por la carrera profesional y por las actividades económicas
● cansancio mental o físico
● abuso de comida y bebida
● debilidad mental o física
● el miedo a que su rendimiento sexual no sea óptimo puede ser mayor que en cualquier otra etapa de su vida, en especial durante un período de decisiones laborales estresantes.

A menudo, la monotonía se considera como el factor que conduce a una pérdida del interés por el sexo y por el rendimiento sexual.

El resultado final de esto puede ser una satisfacción cumplida y la necesidad de liberación sexual. Algunas veces, esto surge a raíz de no haber sabido llevar la parte sexual de la relación a lo largo del matrimonio. Se debe a una sobrefamiliaridad con la pareja, ya que quizás la mujer no estimule a su hombre lo suficiente. Puede que ella esté absorta en velar por los niños u ocupada con su carrera profesional. Además, las mujeres se avejentan más que los hombres durante los 40 y 50 años en términos de apariencia física. Una mujer puede verse mayor que su pareja si no se cuida.

Problemas sexuales

Cuando los hombres envejecen, comen y beben más, lo que tiende a reprimir su deseo sexual. Además, si se sienten satisfechos con la buena comida, disminuirá su capacidad de lograr satisfacción en otras áreas. El exceso de alcohol tiene un efecto negativo sobre la potencia sexual. A menudo, el desarrollo de la impotencia en un hombre, hasta ahora potente, hará que beba alcohol en forma excesiva y, por otro lado, se comportará de un modo extraño.

La mayoría de los hombres que están madurando se preocupan de su rendimiento sexual. Una de las formas de manejar cualquier preocupación es evitando el contacto sexual. Esto conduce a una evasión total del sexo dentro del matrimonio. Si un hombre además bebe en exceso, sólo hará que el problema empeore. Puede producirse un problema dentro del matrimonio, ya que un hombre puede pensar que es impotente sólo con su esposa, pero con otra pareja, que no puede comparar el rendimiento sexual actual con el del pasado, es perfectamente normal.

A cualquier edad, la debilidad mental o física puede disminuir o incluso eliminar el deseo sexual. Después de los 40, las dificultades físicas o emocionales tienen un efecto mayor y, sobre los 60, influencia tremendamente negativa. La incapacidad física a corto o a largo plazo disminuye la respuesta sexual en cualquier variante del sexo. Sin embargo, si la enfermedad es grave como una neumonía, la pérdida de la libido, es en general pasajera y es aceptada por ambas partes. Si la discapacidad es más antigua, como la artritis, el interés por el sexo puede disminuir hasta desaparecer por completo. Las enfermedades prolongadas como la diabetes pueden provocar impotencia en los hombres por razones médicas, y dichos problemas necesitan ser discutidos con la pareja.

40-60 menopausia femenina

Para la mayoría de las mujeres, la menopausia puede ser un cambio significativo a nivel psicológico, emocional, intelectual y también físico; sin embargo, no significa que esté en decadencia.

Superar los estereotipos

Referirse a la menopausia como "el cambio de la vida" es confuso y puede ser contraproducente. No es el único cambio que ocurre durante la vida y está lejos de ser el más significativo. **La vida es una serie de cambios graduales, no los experimentamos repentinamente ni empezamos a envejecer cuando llegamos a la edad adulta.** Envejecer es un proceso continuo que empieza justo al momento de nacer. Creo que una actitud saludable ante la menopausia es verla como si fuera un período en el cual usted. redescubre y evalúa su vida, y su propósito es establecer nuevas metas y objetivos.

La mayoría de nosotras piensa que ha pasado gran parte de su vida tratando de complacer al resto. Hemos hecho un gran esfuerzo por preocuparnos de nuestros hijos, esposos, familiares y amigos. Intentamos ser tal como ellos quieren y frecuentemente perdemos la noción de quiénes

somos y qué queremos. A medida que intentamos dar lo mejor de nosotras al resto, podemos terminar siendo nada. Cuando llegamos a la mitad de nuestras vidas, la mayoría lleva consigo la "sabiduría" que adquirimos de la sociedad, de las costumbres y tradiciones más antiguas, creencias y miedos que suelen estar obsoletos. Si no ordenamos estos sentimientos superfluos, podemos perder contacto con nuestro yo interior.

Es importante oponerse a los estereotipos negativos asociados a la menopausia. Generalmente son creados por la sociedad y no reflejan la realidad de nuestras experiencias individuales. En los países donde la edad es venerada y las mujeres mayores son respetadas por su experiencia y sabiduría, se registran muy pocos síntomas físicos y psicológicos de la menopausia. Muchas mujeres asiáticas, árabes y africanas

realmente dan la bienvenida al término de la fertilidad y de la crianza de hijos, y quizás, como resultado, parecen enfrentarse a menos dificultades que las occidentales. En países donde no existe una tradición de mitos y conceptos errados acerca de la menopausia, el envejecimiento parece concebirse como un proceso más natural; las mujeres no son perjudicadas con imágenes negativas y están menos confundidas por lo que les está ocurriendo.

Si cree que para ser bella y exitosa debe ser joven, entonces no disfrutará esta etapa del todo. Si esta convencida que la calidad de vida se deteriora a partir de los 50 años en adelante, esto puede convertirse en una profecía que se cumple por su propia naturaleza, ya que si cree que ocurrirá, sin querer hará que así sea, al no cuidarse y resignarse a adoptar actitudes resignadas y negativas.

La menopausia

La palabra "menopausia" generalmente se utiliza para describir el período de la vida de la mujer que va de los 45 a los 55 años, donde se termina la época fértil y la menstruación acaba. Literalmente, la palabra significa el "cese de la menstruación". Ha sido objeto de mucha atención por ser un acontecimiento de gran relevancia. Existen diversos cambios:

hormonales, físicos, mentales y emocionales, y también surge un hecho obvio e inevitable: no más períodos menstruales. Para sentirnos seguras, es necesario que sepamos lo que está ocurriendo con nuestro cuerpo y así comprenderemos que es un proceso normal (ver pág. 497).

La menopausia está directamente

relacionada con la adquisición de una nueva visión de mundo, madurez, cambios en la calidad y estilo de vida, así también produce nuevas opiniones y prioridades. Puede ser un estado confuso o algo extremadamente simple. Debemos recurrir a nuestra serenidad y madurez más profundas.

Desarrollar una actitud positiva

El primer paso para desarrollar una actitud positiva ante la menopausia es pensar en el pasado y valorar lo que se ha logrado. Esto puede tranquilizarnos y darnos el ímpetu que necesitamos para decidir sobre el futuro. Si olvidamos reconocer lo que hemos logrado, haremos que nuestros objetivos futuros parezcan inalcanzables.

No importa cuán activas hemos sido o qué contribuciones hemos hecho a nuestros trabajos y familias, reflexionar sobre el futuro puede hacer que surja una mezcla de emociones. Podríamos estar planteando dos alternativas: tratar de seguir viviendo y trabajando como siempre, o comenzar a hacer cambios, por ejemplo, reducir nuestra carga laboral. Con justa razón puede decirse a sí misma que ha trabajado toda su vida, entonces, ¿por qué debería sentirse culpable de no trabajar ahora? **A medida que envejecemos, se hace más importante aprender a disfrutar nuestro tiempo libre y descubrir nuevas y variadas diversiones.**

Descubra qué cosas le entusiasman y motivan. Deje de gastar tiempo en cosas que no le interesan, por ejemplo, los quehaceres domésticos. Tiene tanto potencial como cuando era joven, pero ahora está más capacitada para aprovecharlo. **Haga una lista de las cosas que "debe" hacer durante el resto de su vida, cosas que quizás nunca antes intentó.**

Algunas cambian su estilo de vida rutinario luego de muchos años como esposa, madre y mujer preocupada de la familia, y satisfacen su espíritu de emprendedoras desarrollándose, ya sea instalando una pensión, abriendo una tienda o manejando un pequeño negocio. Debería recordar a su madre cuando tenía 50 años y reclamaba porque estaba envejeciendo. Si aún está viva a los 85, como mi madre, se dará cuenta que 35 años es demasiado tiempo para envejecer y que es un período intolerablemente largo como para estar inactiva.

Somos responsables con nosotras mismas de aprovechar al máximo cada mes, año y década. Repita esto todos los días y si siente que pierde energía, la mejor técnica es enojarse, especialmente si siente que ha ahogado la rabia que tenía guardada. Póngase en contacto con su ira y úsela como combustible. Es crucial que respete y crea en lo que es. Necesita respeto propio antes de poder respetar a los otros y de entenderlos como individuos. Las mujeres mayores son perceptivas, experimentadas y sabias en cuanto a las relaciones personales y a la vida. Podemos beneficiarnos aún más si nos unimos a un grupo de mujeres de edad similar a la nuestra para compartir experiencias.

Una fuerte interacción entre su mente y su cuerpo significa que puede hacer su menopausia más difícil si tiene pensamientos negativos. Si cree que está enferma, puede comenzar a comportarse como tal.

Repita algunas de estas afirmaciones todos los días como si fuera un mantra y gradualmente se convencerá de su verdad. Las actitudes positivas mantendrán alta su autoestima.

- Mi cuerpo es fuerte y saludable y puede volverse más fuerte cada día.
- Mis órganos femeninos están en buenas condiciones.
- La química de mi cuerpo es efectiva y equilibrada.
- Como en forma saludable y nutritiva.
- Estoy aprendiendo a enfrentar el estrés.
- Estoy calmada y relajada.
- Soy eficiente y competente en mi trabajo.
- Tengo la libertad y la confianza de disfrutar la vida.
- Puedo ser feliz y optimista en esta etapa de la vida.
- Mi vida me pertenece y me brinda placer.
- Dedico tiempo a mí misma cada día.
- Disfruto a mis amigos y a mi familia más que nunca.
- Cada día que pasa aprendo a llevar mi menopausia de forma más fácil y cómoda.

40-60
la vida cambia

En estos tiempos, algunas personas de 40 años están decidiendo comenzar una familia, mientras otras se enfrentan al término de un matrimonio de muchos años. Para la mayoría, la vida a los 40 y 50 cada vez se pone mejor.

Madres mayores

Aunque la fertilidad disminuye con el tiempo, las estadísticas muestran que se puede tener un embarazo exitoso a casi cualquier edad, siempre que esté sana. Se han realizado diversos estudios en embarazos normales de mujeres mayores de 40 años y todos concluyen que la salud general de la madre es mucho más importante que la edad para predecir cómo terminará el embarazo. **Si tiene buena salud, la decisión de tener un bebé no debería abandonarse sólo por la edad.**

La edad siempre será un factor a considerar cuando decida tener un bebé, pero no uno negativo como podría pensar. **Factores como la libertad personal y los cambios de trabajo provocan que cada vez más y más mujeres esperen hasta después de los 30 e incluso 40 para embarazarse;** no obstante, algunas aún temen que pueden estar dejándolo para muy tarde. Esto, porque probablemente han oído que mientras más esperan, mayor es la posibilidad de tener un embarazo complicado o, incluso, posiblemente, un bebé con alguna anomalía. Sin embargo, a pesar de que el riesgo de tener un hijo con síndrome de Down aumenta con la edad, ciertos estudios de casuística bien documentados muestran que no es físicamente peligroso para la mujer si aplaza el embarazo hasta después de los 30 años.

Indudablemente, el riesgo aumenta con el paso de los años, pero cualquier decisión de tener un hijo es única y la edad de los padres es sólo un factor, y menor, al considerar los riesgos y los beneficios. La edad del padre se relaciona más con la infertilidad que con un factor de riesgo. Muchos otros aspectos afectan al factor de riesgo en el caso de cada mujer. Desde luego, lo que estas estadísticas hacen es juntar a todas las madres mayores de 30 años, sin importar su salud ni su situación financiera, aunque un factor importante de riesgo es la situación socioeconómica de la madre.

Las complicaciones durante el embarazo y el parto que pueden sufrir las madres mayores no se relacionan con la edad, sino que con otros factores como la malnutrición. Una mujer embarazada necesitará un cuidado especial, sobre todo si está mal alimentada (sin importar la edad).

Aunque pueda estar físicamente mejor preparada para dar a luz a los 20 años, emocionalmente no está lista para ser madre. Cuando la mujer es menor, puede estar muy comprometida con su carrera como para tener hijos o, simplemente, puede no haber encontrado a la persona correcta para que sea el padre.

Estar satisfecho con la vida

Gail Sheehy, en su libro *"Pathfinders"*, realizó un cuestionario a los miembros de la American Bar Association. La mayoría de los abogados que resultó estar feliz y contento era mayor de 47 años. Aquellos mayores de 45 años pensaban que la vida es maravillosa y la disfrutaban, pero el grupo que demostró estar más contento fue el de los abogados mayores de 56 años.

37 a 45 años

"No tengo tiempo para nada más que no sea el trabajo."
"Obsesionado con el dinero y el éxito material."
"Siento que es mi última oportunidad de superar al resto."
"Me preocupa que mis compañeros descubran que no soy tan bueno como ellos pensaban. Me inquieta el hecho de estropear mi vida personal."
"Estoy indeciso sobre mis objetivos y ambivalente sobre mis valores."
"Envidio la espiritualidad de los demás."

46 a 55 años

"Finalmente siento que tengo todo lo que quiero."
"Tengo la seguridad suficiente para dejar de correr y de luchar."
"Me relajo fácilmente, estoy más abierto a sensaciones nuevas y me tomo vacaciones."
"No me preocupa lo que otras personas piensen de mí."
"Tengo más voluntad de ayudar a otros, no soy tan competitivo ni compulsivo."
"Siento que el tiempo se acaba."
"De pronto me doy cuenta de que mis amigos se ven más viejos y están más enfermizos."
"Controlo mi salud."

56 a 65 años

"Me deleita ver cómo las ganas de vivir continúan."
"Pongo más atención a mi cuerpo y estoy en mejor condición física que hace cinco años."
"El sexo sigue siendo importante."
"Soy mucho más tolerante. He establecido una amistad con mis compañeros."
"Me fijo más en la dimensión espiritual."
"Las vacaciones son esenciales."
"No me preocupa tanto el dinero, sino la comodidad."

Divorcio

Generalmente, el divorcio es más difícil para las personas cuando son mayores que si lo hubiesen vivido cuando eran jóvenes. Debido al divorcio, muchos creen que están "en decadencia" y se sienten poco atractivos. Temen que nunca otra persona se volverá a fijar en ellos. A muchos les desagrada ir solos a bailes y fiestas después de vivir tantos años con una pareja. Algunos se amargan, porque han sido abandonados después de 30 años o más.

La mujer divorciada

Las mujeres, en especial después de haber sido abandonadas por alguien más joven, protegen ferozmente su pensión alimentaria, sobre todo si nunca han estudiado o si se sienten muy mayores como para comenzar una carrera laboral. Es como echar sal en una herida cuando una mujer recuerda que ella incitó a su marido a estudiar y a capacitarse para que optase a un mejor salario para ambos. Algunas sienten que se merecen cada peso que puedan recibir después de haberle entregado una familia a su esposo y ayudado a triunfar en su carrera.

Esta visión tan pesimista puede lograr que las mujeres terminen creyendo que el divorcio es el fin de sus vidas. Sin embargo, después de vivir un dolor desesperado, un odio hacia nosotras mismas y una autocompasión, la mayoría nos damos cuenta de que la vida es mucho mejor después del divorcio.

Algunas, por primera vez trabajan tiempo completo para mantenerse ocupadas y mentalmente activas. Hay otras que se sienten lo suficientemente seguras para salir con otros hombres. Es posible que ciertas mujeres descubran el sexo por primera vez, luego de haber estado atrapadas en un matrimonio claustrofóbico. Antes de divorciarse y conocer otros hombres, algunas erróneamente piensan que tienen un deseo sexual muy bajo y creen que el sexo nunca se puede disfrutar de verdad. A veces, sienten que renacen cuando sostienen una relación más satisfactoria con una nueva pareja más comprensiva.

Es fácil sentirse frustrada por haber pasado mucho tiempo con una pareja bastante desagradable, no obstante, la mejor forma de afrontarlo es pensar que quedan muchos años por delante. Es la época más importante de la vida, no existe la preocupación de quedar embarazada, la menopausia ya pasó. Los hijos ya han crecido y, por ende, ya no debe preocuparse por cuidarlos. Es posible tener un departamento más pequeño y funcional, que requiera menos tiempo para mantenerlo. Descubrirá que la única preocupación que tendrá es saber cuál es la mejor forma de pasarlo bien, al igual que en sus años de soltera.

El hombre divorciado

Ahora que las mujeres han descubierto que pueden mantenerse económicamente por sí solas, están dejando a sus maridos con mayor frecuencia. Cada vez son más los hombres mayores de 50 años que están siendo abandonados por sus esposas, quienes siempre quisieron terminar con el matrimonio.

No siempre se da que el hombre mayor que se ha divorciado sea culpable ni que haya dejado a su esposa por una mujer más joven. Por el contrario, su esposa puede haberlo dejado por un hombre menor. En esta situación, los hombres se sienten deprimidos, solos y la mayoría busca una relación duradera en el futuro.

Ellos parecen estar muy bien preparados para el matrimonio. Algunas estadísticas de salud muestran que los hombres, al estar casados, son más felices, más sanos y menos depresivos. Por lo mismo tratan de volver a casarse.

40-60
la generación sándwich

Generalmente, las personas pertenecientes a este grupo de edad están atrapadas, por un lado, entre el cuidado de sus hijos que están creciendo, y el de sus padres que envejecen, por el otro.

Cuidar a la familia y a sus padres

Aunque las relaciones familiares han cambiado radicalmente en el último siglo, una cosa que ha permanecido constante es la forma en que los miembros menores de la familia asumen la responsabilidad de cuidar a los mayores. No cabe duda de que esto puede provocar un severo estrés emocional, físico y económico. Debido a que nuestra sociedad actual es tan agitada, la familia no siempre está reunida en un solo lugar. Incluso, unos pocos minutos de viaje pueden hacer que la relación familiar se dificulte, en especial si tenemos otros compromisos, como el trabajo. A veces, la mezcla de responsabilidades, como cuidar la casa, la familia y los padres, así como lidiar con los síntomas posmenopáusicos, puede parecer agobiante. Intente delegar tantas responsabilidades como pueda. Consiga la ayuda de su pareja, sus hijos y sus hermanos.

Si tiene padres ancianos o enfermos, quizás tenga que tomar la decisión de albergarlos en una casa de reposo. Ninguna familia debe sentirse culpable de hacer esto, es una opción sumamente responsable, la cual asegura que ellos estarán bien cuidados. Nadie debe sacrificar su propia familia por cuidar a sus padres.

El cuidado temporal de mis padres, un respiro para mí

He recibido muchas cartas de hijos ya adultos que están agobiados por tener que cuidar a sus padres ancianos y enfermos. Estas personas mayores pueden estar delicadas, pero siguen siendo agradables y agradecidos. Esto es aún más difícil cuando los cuidados son los siete días de la semana, sin embargo, la tensión aumenta cuando la persona mayor es malhumorada, difícil, irascible, malagradecida y, peor aún, tiene problemas mentales. De este modo, el cuidar a alguien puede ser una carga insoportable.

Las personas que me escriben se encuentran en el dilema de estar exhaustos e imposibilitados de seguir adelante, no obstante desean seguir cuidando a sus padres y no sentir la culpa de pensar en entregar este cuidado a terceros, aunque sea por un período corto.

Algunos me escriben esperando que les autorice a tomar unas vacaciones reparadoras a solas, lejos de las necesidades de ese padre o esa madre que está atado a una cama. Siempre lo hago. Nadie debe sentirse culpable de recurrir a este tipo de servicios externos. De hecho, pienso que aquellos que se dedican al cuidado de sus padres deberían hacer uso de esta opción al menos dos quincenas al año. De lo contrario, podrían sufrir una crisis nerviosa. Alguien debe preocuparse de ellos también.

El síndrome del nido vacío

Fue muy duro para mí cuando a mis hijos les llegó la hora de abandonar el nido. Es difícil aceptar que desde el día en que un bebé nace, la misión de los padres es prepararlo para ese momento. Algunos padres se sienten emocionados, orgullosos o aliviados, ya que el conflicto y el alboroto de vivir con un adulto joven se reemplaza por una mayor privacidad y paz. Sin embargo, algunos padres sienten que en sus vidas hay una pérdida del rol sobreprotector, el cual les proporcionaba una definición, actividades y los hacía sentirse necesitados. Éste es un acontecimiento muy importante. Después de años de criar, proteger y alimentar a un niño, es duro dejarlo ir, pero esto debe ocurrir. No es justo tratar de controlarlo o asfixiarlo con su amor.

Un sentimiento de pérdida

El mito de que las mujeres que reaccionan mal ante la menopausia tienen una mala opinión de sí mismas no es nuevo. Aquellas que definen su rol en la vida en términos de embarazo y maternidad son especialmente vulnerables. Para ellas, la menopausia puede llevarse parte de su identidad y, en algunos casos, hacerles creer que sus vidas no tienen sentido. Si la maternidad fue el centro de atención de su vida, es fácil de entender cómo la menopausia puede llevar a un sentimiento de pérdida. Esto también les sucede a las que nunca han tenido hijos, pero que han ansiado tenerlos.

Diversas mujeres, de distintas edades,

reprimen sus propios deseos, talentos y crecimiento personal y gastan todas sus energías en cuidar a sus hijos, maridos y familias; por lo tanto, sólo se expresan a través de actividades y logros de otros. Cuando los hijos se van de la casa, ellas sufren un trauma emocional e intelectual similar al de la pérdida de un ser querido.

Estas mujeres tienen que encontrar un nuevo sentido a sus vidas y la menopausia puede ser una época de revaloración. La dependencia es un indicio de lo infantiles que podemos llegar a ser. Si se involucra demasiado en el asunto, no será por el bien de su hijo, sino que estará satisfaciendo egoístamente sus propias necesidades. Los sentimientos de depresión, tristeza y/o dolor y pérdida de un objetivo son reacciones normales. Encontrar a alguien con quien hablar del tema, tal vez su pareja o un amigo, puede ayudar.

Hacer nuevos planes

El síndrome del nido vacío implica que, una vez que los hijos se fueron de la casa, los padres se quedan sin un rol definido. Nada podría estar más alejado de la verdad. Simplemente este tiempo sirve para crearse nuevos roles. ¿Cuánto se preocupaba por usted. antes de tener hijos? Ahora, devuélvale a su vida esos intereses. Recuerde, mientras más roles tiene, más feliz es. Podría convertir los dormitorios de sus hijos en un espacio útil y práctico lo antes posible. Esto evitará que esté en sus habitaciones poniéndose melancólica y cuestionándose por cosas del pasado. Por ejemplo, ¿ha tenido siempre ganas de tener un pasatiempo como la pintura?, la habitación de su hijo podría ser su estudio. ¿Qué piensa acerca de hacer planes de viajes?, ¿cambiarse a una casa más pequeña?, haga cualquier cosa que la mantenga ocupada.

Recuerde que también puede ser un período para vigorizar la relación con su hijo; tiene la posibilidad de dejar de ser un padre y convertirse en un amigo confiable y en un adulto joven y vital.

Equilibrio entre la vida familiar y el trabajo

Uno de los asuntos más importantes de la primera década del siglo XXI será la necesidad de encontrar un equilibrio entre el trabajo y la vida familiar. Casi todas las personas que trabajan, hombres y mujeres, están preocupados por tener que trabajar en su tiempo libre y por los problemas que tienen para incorporar la familia y los pasatiempos a una semana laboral.

Lograr un equilibrio

Los padres que trabajan se esfuerzan tanto por conseguir este equilibrio, que algunos hombres rechazan ascensos si éstos implican reducir el tiempo que tienen disponible para sus familias, pasatiempos y actividades deportivas. Las mujeres eligen cada vez más trabajar sólo para compañías que sean compatibles con la familia y que ofrezcan beneficios de maternidad, horas de trabajo flexibles, trabajo compartido y teletrabajo.

Este efecto también se ve en los empleados, ya que cada hombre que tiene una pareja con problemas para encontrar un trabajo en equilibrio con la vida familiar se encuentra en la misma situación. Los empleadores responsables son comprensivos con las necesidades de los padres de familias jóvenes y tratan de satisfacer sus necesidades lo mejor posible.

40-60
bienestar mental

Cuando envejecemos deberíamos dejar atrás las ideas preconcebidas y los prejuicios y estar preparados constantemente para cambiar nuestras actitudes. Necesitamos trabajar con nuestras emociones de manera constructiva y útil, y ser cariñosos y tiernos con nosotros mismos.

Mantener la memoria

A medida que envejecemos, nuestra memoria a largo plazo mejora, pero la de corto plazo se ve alterada. Puede olvidar dónde dejó algo o una cita, y las cosas que generalmente son fáciles de recordar, pueden requerir de un gran esfuerzo. Si está preocupado por volverse olvidadizo, existen diversos ejercicios y técnicas que ayudarán a su memoria a corto plazo.

● Cuando lea un libro o un artículo de revista, resuma la trama y los puntos principales, luego cuénteselos a un amigo. Mencione nombres, lugares y fechas,

● Cuando vaya de compras, trate de reunir la mayor cantidad de artículos que pueda sin mirar su lista.

● Si hay ciertas cosas que quiere recordar, trate de hacerlo con una figura. Por ejemplo, tareas como planchar, hacer una llamada telefónica o escribir una carta se pueden abreviar en una sola palabra. Tome las primeras letras o cada tarea y transfórmelas en una palabra, por ejemplo, "PTC" (plancha, teléfono, carta), lo cual será de ayuda para su memoria.

● Si entra a una habitación y olvida a qué fue, regrese al lugar donde estaba antes y no se vaya hasta haber recordado la razón por la cual fue a esa habitación.

● Si ha perdido algo, localícelo mediante un proceso de descarte. Anote las seis últimas cosas que hizo antes de perderlo y dónde estuvo para cada actividad. Si es necesario, dibuje un crucigrama con las cosas que hizo hacia el lado y donde estuvo hacia abajo. El objeto que perdió está en uno de esos cuadros, sólo revise cada uno de ellos y debería encontrarlo.

Estar mentalmente sano

El bienestar mental puede ser tan fácil de mantener como el físico, y debemos esforzarnos por mantener un estado de salud mental básico para enfrentar los desafíos, solucionar las emergencias y tener la resistencia para sobrevivir a situaciones estresantes a largo plazo. Cuando envejecemos tenemos que lidiar con traumas emocionales, tales como la pérdida de los padres o posiblemente de su pareja.

El autoconocimiento requiere de un realismo absoluto: tenemos que aprender que no somos los únicos sufriendo; que los momentos difíciles vienen y van; que la adversidad es normal, y que algunos fracasos son inevitables. Podemos aprender mucho observando las cualidades de las personas cuya resistencia mental y emocional admiramos. Las siguientes cualidades son el resultado de franqueza emocional, flexibilidad y confianza en sí mismo:

● autosuficiencia y reconocimiento de la independencia de los demás, intimidad y paz.

● falta de autocompasión; por lo tanto, cuando surge un problema, hay que mirarlo objetivamente.

● una actitud en que nada es imposible y que los problemas están ahí para resolverlos.

● un sentimiento de seguridad interior en vez de una seguridad que se consigue controlando a los demás.

● estar preparado para asumir la responsabilidad de sus propios errores.

● pocas pero buenas amistades en vez de muchas superficiales.

● un sentimiento de realismo con relación a las metas que puede proponerse.

● estar en contacto con sus emociones y sentirse libre de expresarlas.

Así como un músculo se debilita si no se ejercita, su cerebro se entorpecerá y se debilitará si no piensa. El mejor ejercicio mental es trabajar. Un experimento realizado a octogenarios japoneses demostró que aquellos que siguieron acudiendo a sus oficinas, al menos una hora al día, tenían mayor fuerza mental que aquellos que jubilaron a los 60 años y que renunciaron a pensar disciplinadamente. Trabajar ayuda si sus esfuerzos reciben el veredicto de sus pares; sin embargo, cualquier tipo de trabajo proporciona estímulos mentales. La interacción con otros se obliga a evaluar lo que ellos están diciendo y a responder con preguntas y comentarios. Su cerebro tiene que asimilar la información y su proceso cognitivo permanece activo.

Manténgase pensando

Cuando envejecemos, perdemos la capacidad de formar nuevas conexiones cerebrales, por lo tanto, tenemos que asegurarnos de que las conexiones antiguas y preestablecidas se usen constantemente. La única manera de hacerlo es pensando. Pensar no es un proceso pasivo, implica cuestionar, absorber e involucrarse en lo que está pasando a nuestro alrededor. Por ejemplo, los "ejercicios" aritméticos a menudo se encuentran en nuestra vida cotidiana y usted puede tomar parte de ellos más activamente. Anticipe la cuenta del supermercado calculando el costo total de su compra o cuánto recibirá de cambio.

Trate de agregar nuevas palabras a su vocabulario. Tenga un diccionario a mano para revisar los significados y utilice las palabras en conversaciones posteriores. Lea un artículo del diario del día o mire las noticias en la televisión y discuta los principales acontecimientos con un amigo.

Si tiene la posibilidad, piense en tomar clases nocturnas. La variedad de cursos para adultos disponibles es enorme. Existen cursos de artesanía que toman sólo un par de horas a la semana, o bien puede elegir algunos de tiempo completo en materias académicas, tales como historia o literatura.

¿Cómo saber si mi pareja tiene el mal de Alzheimer?

Como esta enfermedad se diagnostica cada vez más, muchas familias se preguntan si un padre o un familiar está en la etapa inicial de esta afección. Sin embargo, temen que al pedir un diagnóstico, éste sea cruel. Intente con este test, objetivamente, y podrá darse una idea de si él o ella necesita o no ver a un médico, pero procure no presionar ni disgustar a su pariente.

Pregúntele lo siguiente y ponga 1 punto por cada respuesta incorrecta. Las preguntas están puntuadas de acuerdo a la importancia. Multiplique el número de errores por los puntos. Luego sume para obtener el puntaje final.

¿Cómo leer el resultado?
El resultado puede ir desde 0 (sin errores) hasta 28 (todo malo). Un resultado mayor que 10 puede indicar la presencia de Alzheimer.

Test 1: ¿Cuán bien están su memoria y su concentración?

Preguntas	Máximo de errores	Multiplicado por puntos	
1 ¿En qué año estamos?	1	x 4	=
2 ¿En qué mes estamos?	1	x 3	=
Repite esta frase después de mí: *María Rodríguez, Pasaje La Pérgola # 73, Madrid.*			
3 ¿Alrededor de qué hora es? (dentro de una hora).	1	x 3	=
4 Cuenta hacia atrás (de 20 a 10).	2	x 2	=
5 Di los meses del año en orden inverso.	2	x 2	=
6 Repite la frase nuevamente.	5	x 2	=
		Resultado	

¿Qué tan independiente es él?

Mediante este test puede medir cuán dependiente de los demás se ha vuelto su familiar. Mientras más alto el número, más dependiente.

De la siguiente lista seleccione las respuestas que mejor describan su situación actual y asigne puntos según corresponda. Súmelos para obtener el resultado.

3 puntos: Dependiente
2 puntos: Necesita ayuda
1 punto: Lo hace por sí solo (o podría hacerlo), pero con dificultad
0 puntos: Lo hace (o podría hacerlo) sin dificultad

¿Cómo tabular el resultado?
El resultado puede ir desde 0 (totalmente independiente) hasta 30 (totalmente dependiente). Un resultado mayor que 9 puede indicar Alzheimer.

Resultado final
Sume los resultados de ambos tests para obtener el total. Un total mayor a 20 puntos puede indicar mal de Alzheimer.

Test 2: Vida cotidiana

Preguntas	Puntos
1 Hace cheques, paga cuentas, etc.	
2 Completa la declaración de renta o documentos, maneja asuntos de negocios.	
3 Compra su ropa, artículos domésticos o comestibles por sí solo.	
4 Realiza juegos de habilidad, tiene un pasatiempo.	
5 Les sigue la pista a los acontecimientos actuales.	
6 Prepara una comida equilibrada.	
7 Lleva registro de los eventos actuales.	
8 Toma atención, entiende, discute respecto a la televisión, a un libro o a una revista.	
9 Recuerda las citas, las ocasiones familiares, las vacaciones o tomar los medicamentos.	
10 Sale fuera del vecindario, conduce, toma el transporte urbano.	
	Resultado

"el optimismo es el rasgo más importante de su personalidad si desea vivir una vida larga"

etapas de la vida:
60 años y más

El grupo perteneciente a los 60 años en adelante es el más numeroso y de mayor crecimiento en el mundo occidental. Tener 60 ya no significa ser viejo y, por primera vez, es posible decir que el envejecimiento no es inevitable. La razón por la que envejecemos no se debe a que estemos programados para morir, sino a que nuestros tejidos acumulan una serie de deficiencias que eventualmente nos abrumarán. Ahora que lo sabemos, podemos mejorar en forma natural los sistemas de reparación del cuerpo y prolongar la vida. Existe cada vez más evidencia que avala la opinión que el envejecimiento se puede controlar.

Los dos puntales principales de la longevidad son, y siempre serán, buena alimentación y actividad. De los dos, el segundo es el más importante, porque mantiene al cerebro alerta, junto con el hecho que los músculos en forma queman tantas calorías que es posible controlar el peso. Además, mantener bien los músculos actúa como un supresor natural del apetito, por cuanto éstos "exigen" nutrientes saludables. El cerebro interpreta tal demanda como una orden para tomar decisiones saludables al momento de elegir qué comer.

Recuerde, nunca es tarde para cambiar y para empezar. Las alteraciones a su estilo de vida tienen un efecto inmediato.

Actitudes positivas

Existen otros factores clave para controlar el envejecimiento.

Las actitudes positivas, las redes sociales y una sólida vida espiritual aumentarán su ciclo vital a través de un sentido de bienestar y satisfacción con la vida. Una personalidad resistente al estrés vive mucho más. La gente que vive hasta los 100 años, a menudo tiene un carácter en el que resalta una fuerte voluntad y actitudes juveniles y dispuestas. También alcanzan un alto nivel de confianza en sí mismos y de flexibilidad, lo cual les ayuda a hacer frente a eventos de alta tensión, como guerras o la muerte dentro de la familia.

Las redes sociales sólidas son importantes para el bienestar físico y espiritual. Los lazos cercanos con la familia y los amigos pueden realmente fortalecer la flexibilidad del sistema inmunológico, lo cual afecta la resistencia de una persona a las enfermedades, incluyendo el cáncer, y puede protegerla contra otras enfermedades y la muerte prematura. Sin embargo, bastante independencia puede ser una de las razones por las cuales los mayores pueden estar activos y ser autosuficientes dentro de la comunidad hasta una edad muy avanzada.

La adaptabilidad es otro factor para una vida larga. El estrés acelera el envejecimiento y podría hacerlo por medio del encogimiento del hipocampo del cerebro, el área principal de la memoria. Son las respuestas negativas al estrés las que provocan el daño al causar envejecimiento prematuro, además existe evidencia convincente respecto a que la adaptación a los eventos tensionales de la vida por medio del enfrentamiento es uno de los factores más importantes para un envejecimiento exitoso. Parece ser que la clave para lograr esta destreza de adaptarse es no percibir los hechos como si fuesen causa de tensión. Por lo tanto, es importante la manera como reaccionamos ante las tensiones de la vida moderna: ruido excesivo, contaminación del aire, embotellamientos, gente grosera y presiones del tiempo. Aquel que vive hasta los 100 sabe manejar mejor el estrés que la persona promedio.

Sea optimista

El optimismo es el aspecto más importante de su personalidad si desea vivir mucho. Un estudio reciente sobre hombres enfermos de SIDA reveló que los optimistas sobre su futuro vivían nueve meses más que aquellos que no lo eran. En otras palabras, el optimismo con respecto a nuestra salud podría influir en nuestra expectativa de vida. También tiene un efecto positivo sobre el sistema inmunológico. Los hombres que se someten a cirugías de by-pass de coronarias se recuperan más rápido si tienen una perspectiva optimista. Lo opuesto es igual de cierto. La creencia que somos incapaces de influir sobre las situaciones, lo que se conoce como "desamparo adquirido", describe la pérdida de poder de voluntad que promueve las enfermedades inducidas por el estrés. Una personalidad emocionalmente estable y flexible nos ayuda a mantenernos sanos hasta una edad bien avanzada. La fuerza de voluntad y la confianza son un punto adicional.

Hoy tenemos la esperanza de vivir mucho más que nuestros antecesores. Si nos cuidamos bien, podemos estar seguros de que disfrutaremos estos años. En las siguientes páginas ofreceré pautas donde sea apropiado, consejos donde sienta que es necesario y estrategias para lidiar con situaciones potencialmente difíciles.

Cuerpo

Mente

"una vida larga está determinada más por una perspectiva positiva que por cualquier otro factor"

Ámbito Social

> "cerca del 80% de las personas mayores son sexualmente activas"

> "la jubilación es una época para adquirir nuevas habilidades e intereses"

60+
planear una vida plena y larga

Comer los alimentos adecuados, hacer ejercicio y mantenerse activo le ayudará a disfrutar la vida al máximo si tiene 60 o más años.

Consejos para vivir con enfermedades crónicas

Pocos de nosotros nos salvamos de tener cierto grado de artrosis cuando envejecemos y para algunos puede ser bastante agotador, pero si sigue algunas reglas clave, esto puede atenuarse.

Osteoartrosis

● No haga movimientos bruscos como abrir puertas con las manillas apretadas ni botellas con tapa de rosca. Use su mano completa para levantar objetos pesados, nunca use el índice y el pulgar.
● Hacer ejercicio y caminar está bien, pero tenga cuidado con estar de pie o caminar por superficies duras durante períodos muy largos.
● Sentarse en asientos incómodos se vuelve doloroso después de media hora o más. Si esto sucede, es bueno ponerse de pie, caminar o masajear sus rodillas.
● Sentarse con las piernas cruzadas no es bueno para sus rodillas.
● Las caderas se entumecen rápidamente si no las ejercita. Siéntese como Buda; aunque

sea malo para sus rodillas, es bueno para sus caderas. Un ejercicio importante para usted es doblar sus rodillas en ángulo recto.
● La espalda se entumece con la edad, por lo tanto, es útil ejercitar su columna después de una ducha o de un baño de tina caliente. También es bueno nadar.
● El cuello también se entumece si no se ejercita. Los ejercicios de relajación mantienen su cuello flexible.
● Un calzado cómodo es fundamental. No use zapatos con punta porque aprietan el dedo gordo del pie.
● Cuando levante objetos pesados doble sus rodillas y enderece su columna.
● Manténgase delgado. El sobrepeso significa menos ejercicio y articulaciones inmóviles.

Artritis reumatoide

● La energía es importante, por lo tanto, presérvela.
● Es necesaria una amplia gama de ejercicios. Manténgase ágil: haga ejercicios

después de una ducha o de un baño de tina. No hacer la cantidad suficiente producirá entumecimiento, pero hacer mucho aumentará el dolor e hinchará las articulaciones.
● Coma como cualquier persona sana. Una dieta no influye en la artritis reumatoide, excepto que algunas personas se ven beneficiadas con una dieta libre de azúcar.
● Mantenga los pasatiempos e intereses. Lleve una vida lo más ocupada posible. Una buena regla general que debe seguir es: si cualquier cosa que hace le provoca dolor por más de dos horas o le hace sentir mal al día siguiente, significa que ha hecho demasiado.
● Ingiera los medicamentos que le recetaron; si alguno le causa molestias, dígaselo a su médico.
● No espere una cura milagrosa. Lo que más se necesita es tolerancia y paciencia.
● Pídale a su médico que le practique fisioterapia para evitar que se entumezcan sus articulaciones.

Ayude a su circulación

Nuestras extremidades son las primeras en sufrir cuando disminuye la circulación sanguínea, por lo tanto, es importante que cuidemos nuestras piernas y pies.

Levantar los pies (20 veces). Manteniendo sus piernas rectas, apunte con sus pies y dedos hacia arriba y levante una pierna en 45 grados. Cuente hasta 3 y luego bájela lentamente hasta el suelo. Repítalo con la otra pierna.

Doblar el pie (10-15 veces). Apunte con sus pies y dedos hacia arriba lo máximo que pueda y luego hacia abajo. Repita esta acción vigorosamente.

Hacer círculos con el pie (15 veces). Trabaje con los tobillos. Haga círculos con su pie en una dirección. Repítalo en la dirección contraria.

Comer para evitar enfermedades

Una vez que usted pasa los 60 años, una dieta adecuada es más importante que nunca para reducir el riesgo de cáncer y de enfermedades cardíacas. Sin duda, ésta debe incluir abundantes frutas, vegetales, fibra, aceite de pescado, algunos frutos secos, legumbres y ajo. Una dieta estilo mediterráneo es excelente.

● Reduzca la cantidad de grasas saturadas en su dieta. Reemplace la mayoría de la grasa animal por grasa vegetal no saturada, como margarina liviana, aceite de oliva, maíz, colza o semilla de soya. No consuma más de 7 g de mantequilla al día y nunca utilice manteca de cerdo para cocinar.
● Coma carne sin grasa, por ejemplo, carne de res y no de cerdo. Si es posible, retírele siempre la grasa. Nunca coma el pellejo; la

grasa se almacena en una capa bajo la piel.
● Cuando pueda, cocine a la plancha, nunca fría.
● Trate de comer menos carnes rojas y más carnes blancas, como aves y pescado.
● Coma pescado por lo menos una vez a la semana. Los aceites de pescados protegen el corazón. Si tiene una enfermedad cardíaca, auméntelo a dos o tres veces a la semana.
● Sin dudarlo, coma cinco porciones de fruta todos los días, verduras y tubérculos comestibles para proporcionar alimentos ricos en fibra.
● No hay problema con los huevos, puede comer tres o cuatro a la semana.
● Evite la crema cada vez que pueda.
● Incluya tres porciones de pan integral y cereales al día.

El ejercicio para evitar el entumecimiento

La disminución de la actividad física está directamente relacionada con el envejecimiento. Hacer ejercicio ayuda al metabolismo de los alimentos que realiza el cuerpo, disipa la tensión y también estimula el bienestar mental. Si por cualquier motivo nuestra energía disminuye, el deseo y capacidad de tomar parte en una actividad física se ven afectados. El estrés mental, producto de la depresión y la preocupación, puede desanimar nuestras intenciones de participar en cualquier tipo de actividad física. Es posible que luego se presente un ciclo crónico de menos actividad, más estrés, retraimiento y depresión.

Síndrome de estrés e inactividad

Este síndrome es más común cuando envejecemos. Perjudica nuestra energía y nuestra motivación sin importar qué intentemos hacer. Abarca todos los aspectos de nuestro diario vivir y hace que disfrutemos menos la vida. Somos menos capaces de participar, disfrutamos menos y nos volvemos cada vez más tristes. No se necesitan argumentos para ser partidarios de la actividad física.

Los beneficios de hacer ejercicio

Cuando envejecemos no podemos esperar tener articulaciones ágiles, músculos flexibles y huesos fuertes. El ejercicio es nuestra póliza de seguro, ya que proporciona un cuerpo vital y sano, el cual responderá rápidamente. Necesitamos tener músculos sanos que soporten el esfuerzo y que nos proporcionen resistencia. También es importante tener mentes saludables y entusiastas que estimulen nuestros cuerpos. Nada de esto sucederá si nos descuidamos. Los ejercicios se deben llevar a cabo paso a paso y en forma regular para obtener cierto nivel de bienestar físico, el cual debe ser mantenido. Hacer ejercicio nos mantiene jóvenes. Cualquier persona que haya hecho ejercicio le dirá el sentimiento de euforia que tiene después de completar una sesión. Esto no es sólo un sentimiento de satisfacción por haber hecho algo bien, también es un efecto hormonal. Si hacemos ejercicio, liberamos hormonas beneficiosas y una de ellas influye en nuestro estado mental. Esto contrarresta los efectos de la depresión, nos hace sentir tranquilos y, generalmente, contentos con la vida.

Efectos tranquilizantes

No es un hecho falso que si dejamos que nuestro cuerpo disminuya su actividad, el cerebro también lo hará. Ejercitar en forma regular puede acelerar la velocidad con que nuestro cerebro trabaja y estimula los recuerdos, por lo tanto, mejora nuestra memoria. El ejercicio es el mejor medicamento para la preocupación. Tiene un efecto tranquilizante en todas las partes de nuestro cuerpo, contrarresta los efectos de los dolores de cabeza y ayuda a dormir bien.

planear una vida sexual larga y agradable

Sólo hay buenas noticias con respecto a la sexualidad en nuestros últimos años. Una reciente investigación ha confirmado de hecho, que para muchas personas mayores, el impulso y el placer sexual son más intensos de lo que eran durante su juventud.

Ajustar sus expectativas

Hacer el amor de forma frenética y apasionada es un hecho poco usual. Si ponemos nuestros sentidos en este ideal romántico y esperamos que ocurra con alguna frecuencia, es casi seguro que quedaremos desilusionados. **Existen, no obstante, muchas formas de tener relaciones sexuales placenteras** y todos pueden experimentar con la misma pareja, relaciones perfectamente satisfactorias, que podrían ser bastante distintas dependiendo de la ocasión. Ésta es una de las emociones de una relación a largo plazo: descubrir gradualmente nuevas formas de sexo satisfactorio al estar juntos con el correr del tiempo. Para muchas mujeres, un orgasmo no es la última finalidad de un acto sexual agradable, y a medida que un hombre envejece, podría no ser capaz de llegar al orgasmo cada vez que tiene relaciones sexuales.

Muchos sienten que su deber es perseguir el esquivo orgasmo en cada acto sexual, pero **¿por qué debe ser así cuando existe la misma satisfacción en el sexo cálido y menos apasionado?**

Varios escollos nos esperan si continuamos creyendo que el sexo debe ser excitante y que sólo con estas características es válido. Esto nos hace tender a evitarlo a menos que estemos seguros de que la excitación será fundamental y, de esta forma, estrechamos el espectro de experiencias alcanzables y nos privamos de una relación alegre, relajada y apacible. Otro resultado lamentable es que el sexo se vuelva un trabajo pesado y, de esta manera, lo consideremos aburrido y monótono.

La hostilidad, el resentimiento, el desprecio y la aversión pueden arruinar una buena relación,

incluso un matrimonio estable, además del gozo sexual. Ninguna relación buena requiere un estado constante e intenso de éxtasis o incluso de un compromiso emocional permanente. Sin embargo, sí requiere de buena voluntad, cariño, atención, deseo de comodidad e intimidad compartida. De seguro aparecerán problemas cuando uno de los cónyuges tenga dificultades para ser cariñoso y comprensivo con el otro. Podría existir una separación sostenida en vez de un avenimiento si uno de ellos siente que el otro está exigiendo más afecto del que cómodamente él o ella puede entregar. **Ninguna pareja puede sentirse cercana y en intimidad si no existe un respeto mutuo básico y afecto.** Además de esto, ninguna terapia sexual va a lograr los resultados esperados.

Su dieta y el sexo

El sexo mejora si está en buena forma y lleva una dieta saludable. Mientras que, por un lado, no existe evidencia que confirme que ciertos nutrientes mejoran el deseo o el desempeño, sí se piensa que varios minerales tienen un papel de importancia. Cuando sus niveles de cinc están bajos, los de histamina sanguínea también lo

están, lo cual podría dificultar en parte su capacidad para alcanzar un orgasmo. La falta de cinc es bastante común en las mujeres, ya que muchas no consumen suficientes alimentos ricos en este mineral, tales como carnes rojas y cereales; el proceso de refinación de los cereales remueve un 80 por ciento de su contenido

de cinc. Puede compensar esto comiendo mariscos y pescados, como almejas, ostras, arenques y sardinas. **Las semillas y los frutos secos también son una buena fuente de cinc.** La niacina, una de las vitaminas B, es otro nutriente que podría ser asociado a la producción de histamina.

Desafiando los mitos

Los años posteriores a los 60 pueden convertirse en nuestra mejor época. La evidencia sobre el placer sexual en personas mayores desafía los mitos ampliamente difundidos respecto a que ellos ya no están en edad de tener actividad sexual.

● El sexo se considera comúnmente una parte crucial de la vida durante la ancianidad y brinda un sentido de bienestar y una opinión positiva respecto de nosotros mismos.

● El sexo hace que la gente mayor se sienta hermosa, deseable, animada y mística, y en el caso de aquellos que le dan importancia al culto a la juventud, los hace sentirse jóvenes. Además, es relajante y alivia las tensiones. Podría ser uno de los momentos más exquisitos de la vida, durante el cual cada problema y preocupación se queda fuera de nuestras mentes temporal o permanentemente.

● Sólo una minoría (menos del 30%) siente que existe una declinación en la respuesta sexual y en los sentimientos. Esto es especialmente cierto en hombres que tienen problemas con su erección y, por lo tanto, se abstienen de toda actividad sexual.

● Casi tres cuartos de la gente mayor siente el sexo igual que cuando era más joven; más de un tercio opina que el sexo es mejor ahora que cuando era más joven.

● Para aquellos de nosotros que encontramos el sexo más gratificante cuando somos mayores, la clave es contar con la pareja adecuada, perder las inhibiciones y comprender mejor el sexo.

● Para aquellas parejas que se casan por primera vez o que vuelven a casarse a más avanzada edad, sentimientos como el amor, el cariño, el compartir y la compañía se ven realzados; lo mismo ocurre con el sexo. La mayoría de la gente considera que éste es muy importante a edades avanzadas.

● De aquella gente mayor que es sexualmente activa, la mitad tiene relaciones sexuales alrededor de una vez por semana o más; un 30 por ciento tiene relaciones sexuales tres veces a la semana, y un 20 por ciento da cuenta de relaciones sexuales dos veces a la semana.

● El sexo trae consigo amor, fe y confianza, aprobación y calidez. Éstas son necesidades y deseos comunes para personas de todas las edades.

Hacer madurar las respuestas sexuales

En ambos sexos, el impulso sexual declina con la edad, aunque el patrón general difiere en hombres y mujeres. Este impulso en un hombre alcanza su punto más alto al final de su adolescencia para después declinar gradualmente. El sentimiento sexual en una mujer alcanza su punto máximo mucho más tarde durante su vida adulta y es sostenido en un nivel de sensibilidad que, si es que va en descenso, tiende a hacerlo sólo a fines de los 60 años. **Existen muchas investigaciones que apoyan la existencia de un fuerte impulso sexual en mujeres de 70 y 80 años, al igual como ocurre en algunos hombres.** Usualmente, no existe una pérdida abrupta del impulso sexual con la menopausia, como muchas temen.

Llegada la etapa de la menopausia, una mujer podría volverse ansiosa respecto a la pérdida de su atractivo de juventud y al hecho de que cualquier hijo que pudiese tener ya no necesita sus cuidados maternales. Estas inseguridades podrían indisponerla a responder sexualmente.

Beneficios psicológicos
En esta misma etapa, tanto hombres como mujeres podrían haber alcanzado la posición más alta a la que se puede aspirar en su profesión. Si las primeras ambiciones no han sido cumplidas, podrían sentirse amenazados por los colegas más jóvenes y sus sentimientos podrían encontrar una vía de expresión a través de una carencia de interés sexual o un sentimiento de insuficiencia sexual. Tanto hombres como mujeres podrían buscar una salida a esto al embarcarse en aventuras sexuales en un intento desesperanzado por volver a capturar las experiencias de la juventud. Sin embargo, es probable que una relación sexual satisfactoria en una pareja mayor sea sostenida si la pareja disfruta de un buen entendimiento, compañía y respeto mutuo a lo largo de su edad madura. Esto está completamente dentro del alcance de la mayoría de las parejas y vale la pena planearlo y trabajarlo.

60+ preocupaciones sexuales

El sexo es una parte altamente compleja de nuestras vidas, la cual se ve influenciada por nuestros estados de humor y emociones fuera del dormitorio. Si estamos ansiosos, cansados o enfermos, tendremos poca inclinación por él, pero existen estrategias que pueden ayudar.

Sexualidad y enfermedades al corazón

En conjunto, las noticias sobre enfermedades al corazón y sexo son extremadamente positivas. Los médicos se dan cuenta que una vida sexual normal puede realmente beneficiar a muchos hombres que padecen de ataques al corazón, pero es importante que no se exijan demasiado. A continuación presentamos la evidencia.

● No existe ninguna necesidad de eliminar totalmente la actividad sexual, a menos que la condición cardíaca sea muy severa.

● Investigaciones han demostrado que menos de un 1por ciento de todas las muertes por razones coronarias ocurren durante o después del acto sexual. La mayoría de los médicos cree que los beneficios terapéuticos superan los riesgos.

● La abstinencia total puede ocasionar gran estrés psicológico, lo cual empeorará cualquier condición cardíaca.

● En muchos casos de enfermedades cardíacas, la actividad sexual puede ser beneficiosa, ya que hacer el amor puede ser equivalente a hacer ejercicio en forma moderada, lo que provoca un aumento en el ritmo cardíaco, un leve incremento en la presión sanguínea y un mejor consumo de oxígeno.

● Intente hacer el amor en la mañana después de una buena noche de sueño, cuando ambos se sientan descansados. Una de las grandes ventajas de estar jubilado es que usted ya no tiene que levantarse todos los días a las siete de la mañana.

● Un cambio en la posición también podría ayudar a personas con problemas cardíacos. El acostarse juntos, cara a cara, es una posición más relajada que la posición de misionero. Pueden encontrar posiciones que eviten calambres musculares y la tensión, por ejemplo, con la mujer arriba para que sea ella quien haga la mayor parte de los movimientos, lo cual evitará que el hombre se canse en exceso.

Mantener vivo el amor

El deseo sexual individual varía cada día, y al igual que el resto de nuestro comportamiento, depende de lo que esté ocurriendo a nuestro alrededor. Por ejemplo, no hay forma en que el deseo sexual pueda superar un golpe repentino, una enfermedad severa o un luto, y sería absurdo esperar que lo hiciera.

El sexo podría no ser agradable todas las veces; al igual que cualquier otra experiencia sensorial, puede ser buena o mala. Mientras que, por una parte, es realista y saludable aceptar que puede ser menos que bueno, por otra, no disfrutarlo una vez no significa que ocurrirá frecuentemente o incluso que se repetirá alguna vez. Es una variación natural y debería ser aceptada así.

Es un mito popular el que los hombres estén siempre listos para hacer el amor, porque realmente no es cierto. Mientras que una mujer puede participar incluso cuando no está de humor para hacerlo, en el caso del hombre no es tan fácil, ya que es necesaria una erección.

Un enfoque sensato
Una pareja comprensiva y paciente es muy importante cuando existen problemas sexuales, porque mientras más se preocupe el hombre por lograr una erección, más probabilidades tiene de fallar. Un enfoque sensato ayuda a una pareja a centrarse en las sensaciones que sienten cuando suavemente exploran y acarician sus cuerpos.

Al principio no hay acto sexual, ni contacto genital. La excitación se deja fuera, así es que no hay razón para sentirse ansiosos respecto a su habilidad de disfrutar del sexo.

● **Etapa uno:** exploren sus cuerpos, masajeándolos y acariciándolos para redescubrir los sentimientos sexuales. En esta etapa deberían concentrarse en sus sentimientos y no preocuparse del acto sexual.

● **Etapa dos:** túrnense para darse masaje por todo el cuerpo y hablar de sus sentimientos y de lo que les da placer. No obstante, en esta etapa no deben tocarse sus genitales o las partes altamente sensibles.

● **Etapa tres:** tóquense las partes sexualmente sensibles y los genitales. Háblense todo el tiempo. Durante estas sesiones, su pareja podría estar ansioso(a) por llegar al acto, pero es esencial esperar hasta que estén listos.

Sexo en mujeres mayores

No sólo algunas mujeres se autocastigan luego de atravesar por la menopausia, también la sociedad hace lo mismo con ellas, y en ambos casos se comete un grave error. **Hasta los 60 años, cualquier cambio que ocurra es extremadamente lento y gradual.** Existen algunos cambios fisiológicos que llegan con la edad, como la lubricación vaginal, la cual en mujeres jóvenes demora sólo entre 15 y 30 segundos, mientras que en mujeres mayores podría tardar uno, dos e incluso cinco minutos. Podría presentarse un adelgazamiento y pérdida de elasticidad en las paredes de la vagina, además de un acortamiento en su longitud y anchura, cambios que tienen un efecto mínimo o nulo sobre la sensación y el orgasmo. Cerca de un 80 por ciento de las mujeres mayores no informan de dolores o incomodidad durante el acto sexual, aun cuando el mito que sostiene esto es común.

Los estudios demuestran que las mujeres tienen un impulso sexual más estable que los hombres. Las mujeres mayores de 65 siguen buscando y respondiendo a los encuentros eróticos, tienen sueños eróticos y siguen siendo capaces de sentir orgasmos, incluso múltiples. La mayoría de los aspectos de la estimulación son los mismos tanto para las mujeres mayores como para las más jóvenes. Los pezones todavía se erectan y el clítoris es el principal órgano de estimulación sexual. La excitación generada por su estimulación es exactamente la misma. **Una mujer de 80 años tiene el mismo potencial físico para alcanzar el orgasmo que tenía a los 20 años.**

Sexo en hombres mayores

A medida que un hombre envejece, usualmente le toma más tiempo lograr una erección o ésta podría no ser mantenida tanto como él quisiera. Además, podría no ser tan completa o rígida como antes. Muchos consideran que esta incapacidad es el fin de todo.

Podría ocurrir que un hombre necesite estimulación para mantener una erección. La erección podría negarse a aparecer debido a diversas razones, y si de verdad no se produce, un hombre tiende a entrar en pánico y pensar que es impotente.

Luego de que comienza a preocuparse de su erección, entra a un círculo vicioso en el que la ansiedad conduce a la flacidez. La inseguridad se ve agravada por el hecho de que un hombre que no puede tener una erección se le cataloga, a veces, de impotente. **Después de que un hombre se relaja y deja de preocuparse por su potencia, casi siempre se registra un regreso a la actividad sexual normal.**

Es de gran ayuda que él se dé cuenta de que no es necesario eyacular siempre; los períodos de descanso de varios días entre cada encuentro sexual ayudan a la erección y al orgasmo. Si los hombres mayores responden a su ritmo natural en vez de sentirse forzados por los instintos de macho de tener relaciones sexuales frecuentemente, entonces sus vidas sexuales estarán cada vez más controladas. Es importante que un hombre sea abierto y honesto consigo mismo y su pareja para que así mantengan una relación afectuosa.

60+
planear una mente saludable

Las últimas investigaciones sugieren que una vida larga está determinada por una perspectiva positiva y la predisposición a vencer los obstáculos más que por cualquier otro factor.

Consejos para hacer frente a la soledad

Una de las mejores maneras de hacer frente a la soledad es encararla. Obtendrá un gran discernimiento acerca de cuán solitario se es si escribe un diario. Anote las veces en que siente que está en sus puntos más bajos y cuando se siente más solo. Por ejemplo, podría darse cuenta que las peores etapas ocurren en las tardes, a partir de las seis, los domingos y los días feriados. Luego que ha identificado estos períodos, éstos podrían empezar a ser menos frecuentes de lo que cree.

Planear el tiempo

Comience dividiendo sus tardes durante la semana destinándolas a distintas actividades. Podría asistir a la escuela nocturna o aprender un nuevo pasatiempo, ocupación o tema de estudio. Podría dejar una tarde para invitar amigos a su casa y otra para visitar a alguien más. Podría destinar otra para ir al cine, al teatro o a un concierto con un amigo. Otra podría dedicarla a mantenerse en forma asistiendo a una clase de yoga, jugando tenis o yendo al gimnasio. Otro día puede quedarse en casa dedicado(a) a

pintar, a su jardín, carpinterear o cualquier trabajo casero. La noche del sábado puede hacer algo especial, por ejemplo, unirse a un club cuyos miembros compartan sus intereses.

Los domingos debería planearlos con dedicación. A menos que se distraiga o salga con otros, es un día largo, ya que es más difícil salir de compras o hacer alguna diligencia. La mejor y más satisfactoria forma de ocuparlos es invitar amigos a su casa a almorzar. Haga que sea una ocasión muy relajada y disponga la comida de manera que la gente pueda tomar lo que desee.

Encontrar nuevos intereses

Nunca va a conocer gente si se queda en casa. Una de las mejores maneras de salir es que decida retomar algunas de sus pasiones favoritas. ¿Siempre le ha interesado la política? Si es así, asista a la próxima reunión local. ¿Siempre ha querido pintar o esculpir? Matricúlese en las clases nocturnas de alguna escuela cercana. Si tiene mucha confianza en sí mismo, asista a alguna discoteca para solteros. Si le interesa viajar, podría tomar un crucero o un programa de viaje-estudio en el cual puede aprender a la vez que está de vacaciones en un país extranjero.

Envejecimiento exitoso o desafortunado

Muchos de nosotros somos propensos a tener formas evolucionadas de hacer adaptaciones personales que nos ayudan a evitar situaciones desagradables, pero así y todo existen factores que pueden dificultarlas.

La ansiedad aumenta sostenidamente con la edad, en especial entre las mujeres. La ansiedad producto de lo que los psicólogos llaman "presiones cruzadas", típicas de la adolescencia, probablemente disminuye con la edad, ya que mientras más envejecemos, es más probable que nuestras dificultades y contradicciones sean subsanadas por las circunstancias y relaciones con otras personas. Todos nos diferenciamos cuando envejecemos; sin embargo, muchos nos volvemos más cautos y menos confiados.

La rigidez es la incapacidad de modificar los hábitos. Las formas naturalmente habituales de pensar y comportarse aumentan con la edad, en parte debido a la familiaridad con un ambiente estable que ha "moldeado" el comportamiento. Apegarse a los viejos hábitos finalmente hará del envejecimiento una transición difícil.

La inteligencia es también un factor importante de ajuste personal; de esta forma, los cambios en la inteligencia traerán cambios en la personalidad que hacen del envejecimiento un proceso más o menos complicado.

El ajuste personal se considera alto si una persona puede vencer las frustraciones, resolver conflictos y alcanzar satisfacciones y logros socialmente aceptables. Tal como podría esperarlo, un buen ajuste se expresa en felicidad, confianza, sociabilidad, autoestima y una actividad productiva.

El ajuste personal se considera bajo si el individuo no puede superar las frustraciones, resolver conflictos o alcanzar resultados satisfactorios por medio de las formas socialmente aceptables de comportamiento. Los signos comunes de un ajuste deficiente son hostilidad, infelicidad, temor a la gente, ansiedad mórbida, dependencia, culpa, sentimientos de inferioridad, apatía, retraimiento, incompetencia.

Nuestros últimos años de vida no necesitan ser estáticos e inalterables. Podemos continuar aprendiendo y creciendo hasta que fallezcamos. Si estamos preparados, el ajuste personal debería evolucionar sostenida y lógicamente a partir de los primeros patrones de comportamiento. Si es posible mantener un sentido de continuidad e identidad pese a los cambios psicológicos, sociales y fisiológicos, el proceso de volver a comprometerse puede darse exitosamente. Esto es esencial para el ajuste y asegura un uso más efectivo de nuestros reducidos recursos. El envejecimiento normal es gradual, por lo menos desde un punto de vista psicológico, y contando con prudencia, planificación y apoyo social se puede lograr mucho para el objetivo de facilitar los problemas de ajuste y mejorar el nivel general de logros y felicidad.

Antes de poder ser felices, una adaptación adecuada para una edad avanzada requiere de ciertas habilidades.

• Nuestro estado mental y las circunstancias externas están en equilibrio. Existe un grado de continuidad entre los patrones de adaptación pasados y presentes.

• Aceptamos nuestra avanzada edad y la muerte.

• Sentimos algún grado de euforia que surge de la seguridad y el alivio de las responsabilidades.

• Tenemos seguridad y las circunstancias financieras adecuadas para mantener el estilo de vida al que estamos acostumbrados.

Mantener una mente tranquila

La gente joven y tranquila probablemente mantendrá estas características cuando envejezca. **Como regla general, nuestras personalidades no cambian a medida que envejecemos.**

Si somos serenos y tenemos una actitud más bien filosófica frente a la vida, esto casi de seguro se extenderá a nuestra vida adulta y vejez. Si somos entusiastas y precipitados, existen muchas probabilidades que lo sigamos siendo. Si hemos sido ansiosos, nerviosos y preocupados, más tarde todo será igual. Si hemos tenido períodos de depresión, somos malhumorados y evitamos el contacto social, las probabilidades indican que nada cambiará cuando seamos mayores.

Al envejecer, nuestro bienestar mental se ve amenazado por todo tipo de tensiones ambientales. Podríamos sufrir de arranques de depresión durante y después de hechos desgarradores, como la jubilación, la separación o el luto.

A diferencia de otras etapas, estamos en mejores condiciones para hacer frente a las situaciones, incluso tan serias como las antes mencionadas, siempre que estemos bien preparados para ellas y sepamos dónde buscar ayuda.

Si siente que cuenta con la fuerza y el apoyo, los traumas mentales serán menos perturbadores y le permitirán enfrentar el futuro de manera más calmada y confiada en la seguridad de tener un futuro feliz.

60+
superar una depresión

Conforme vamos envejeciendo, la depresión no es inevitable. No obstante, los problemas que podríamos tener que enfrentar cuando nuestra edad avanza, como el divorcio, el luto y una mala salud, nos pueden predisponer a ella.

Depresión y envejecimiento

En ciertas etapas de nuestro desarrollo podríamos hacernos más vulnerables a los cambios externos, y esta tensión interna se manifiesta en la depresión. Nuestra vulnerabilidad individual estará basada en factores hereditarios, en nuestras fortalezas y debilidades y en nuestra composición psicológica. Es posible ver cómo la depresión podría expresarse a medida que envejecemos y enfrentamos la jubilación.

Es triste descubrir que no podemos realizar las cosas que solíamos hacer y que tampoco tenemos el estatus de poseer un empleo. Una mujer que llega a la menopausia todavía aprecia su sexualidad y capacidad de tener hijos. Un hombre aprecia su poder, el cual está representado en gran parte por su capacidad salarial. **Conforme atravesamos la vida adulta, podríamos comenzar a sentir que nos vamos quedando atrás.** Luego de que llegamos a

la etapa la jubilación y envejecemos, comenzamos a reconocer que estamos más lentos que antes.

La depresión no es inevitable en ninguna etapa de la vida, aunque quienes son más propensos a ella, más tarde en la vida cuando algún cambio les provoca estrés, son aquellas personas que han sufrido una pérdida temprana en la infancia o cuyas necesidades no fueron satisfechas cuando eran jóvenes.

Causas de la depresión

La depresión se origina por razones sociales, psicológicas y físicas. Algunas de las causas físicas, incluidas las infecciones, particularmente virales y, en forma muy común, la influenza, la encefalitis y la hepatitis, frecuentemente son seguidas por un período de depresión que dura varios meses. Los cambios en el cerebro, como la epilepsia o ataques apopléjicos, pueden derivar en cambios de humor, alteración del comportamiento y depresión. Las mujeres experimentan ciertos cambios bioquímicos en su cuerpo, por ejemplo, aquellos que ocurren durante la menopausia, que pueden causar una depresión. Existen drogas cuyo efecto colateral, al tratar alguna enfermedad, puede ser una depresión en ciertas personas susceptibles.

Las causas sociales de depresión están asociadas casi siempre a una separación o pérdida. El ser pobre no es necesariamente una causa de depresión, pero si la pobreza significa perder estatus, sí podría serlo. El mal tiempo no significa necesariamente una causa de depresión, pero si este factor implica que se tiene que abandonar algún placer, entonces sí es posible. El pertenecer

a un grupo minoritario no provoca depresión, aunque si por pertenecer a él le discriminan o le persiguen, entonces no es de sorprender que sufra de depresión. **La mayoría de la gente cree que existe sólo un factor social, el aislamiento, que parece estar vinculado muy de cerca con una tendencia a la depresión.** Diversos estudios han demostrado que los actos autodestructivos son más comunes en personas discriminadas. Los solteros, solteras, viudos o viudas que están aislados son los más propensos a terminar suicidándose. Debido a que el matrimonio evita el aislamiento social, éste es una causa menos usual de suicidio, a pesar de la infelicidad que podría traer consigo.

A medida que envejecemos, existe una gran variedad de tensiones sociales y psicológicas que contribuyen a la depresión. El luto es probablemente una de las más dramáticas para todos, pero otras causas de aislamiento, tales como el que nuestros hijos se casen, se muden a otra parte del país o se reubiquen lejos del vecindario familiar, son ejemplos que pueden causar intranquilidad.

El luto

La aflicción asociada con el luto no siempre es fácil de describir. Podría existir un alto grado de ambivalencia en este período; por ejemplo, el dolor y la decepción podrían mezclarse con la ira, la culpa y la ansiedad. El luto es una tensión que puede originar desórdenes psiquiátricos, enfermedades psicosomáticas o suicidios. Por ejemplo, muchas mujeres experimentan culpa por su papel en los hechos que llevaron a la muerte de sus esposos; asimismo, la viudez reduce la expectativa de vida.

La reorganización necesaria luego del fallecimiento de un esposo constituye una fuente adicional de estrés con respecto a la privación emocional y los ajustes domésticos, además del riesgo de muerte aumentado de la persona viuda. Existen buenas razones para suponer que la preparación y el apoyo psicológico ayudan a aliviar la angustia que conduce a un conflicto personal. En personas mayores, la conciencia de la muerte se desarrolla lentamente. Ha habido tiempo suficiente para adaptarse a las circunstancias y aprender estrategias apropiadas de adaptación. Sin tal adaptación, el luto y la conciencia de la muerte podrían evocar sentimientos de temor asociados a uno de aislamiento o rechazo.

La importancia de la aflicción

El luto es la pérdida de un ser muy preciado; la aflicción es la experiencia emocional resultante de esta privación. Muchos creen que la aflicción es una respuesta natural al luto. Sin duda, sospechan de aquellos que niegan la suya. Casi todos nosotros consideramos la aflicción como algo terapéutico y a menudo nos dicen "desahógate y llora todo lo que quieras".

Es más complicada que eso. Es dinámica y sobrevivimos a ella. Atravesamos varias etapas, cada una de las cuales exige un gran esfuerzo. No es un proceso pasivo que consiste en sacar afuera los sentimientos reprimidos, sino uno activo, de adaptación. Consiste en "dejar ir" algo o a alguien que ha sido muy preciado para uno por mucho tiempo.

Hacer frente al luto

● Es importante darse cuenta que los sentimientos que está experimentando son normales. Es normal sentir rabia e ira. No sería un ser humano si no se sintiera culpable, así es que no gaste mucha energía emocional recriminándose.

● Trate de encontrar una persona que le comprenda para que pueda hablar con ella. Puede superar mucha de su ira, culpa, vergüenza y aflicción con alguien que sólo le escuchará, le corregirá cuando reaccione mal y compartirá el momento por el que está atravesando. En esta etapa, cuando encuentre que la esperanza le abandona, un punto de vista objetivo que no considere que la vida es completamente negra o blanca es una de las mejores ayudas que podría encontrar.

● Sentir pena es importante. Sufra en su tiempo a solas. No se fije en personas que le animen a olvidarse de todo y volver a su vida normal. Cuando su trabajo de aflicción haya terminado lo sabrá, porque sentirá que éste ha encontrado el camino para salir de usted, y sentirá ganas de partir de nuevo. Así es que si realmente quiere llorar cuanto quiera o conversar con su compañero muerto, hágalo.

● Cuando se acaba la pena, es importante comenzar a pensar en la recuperación de su identidad o incluso en la posibilidad de construir una nueva. Resista a vivir en el pasado. Trate de ser usted mismo y construir su propia identidad. Comience reformando su vida como más le plazca haciendo cosas que realmente le interesen, en vez de continuar viviendo una vida pasada.

● No tome decisiones a la rápida, en cambio, deje tiempo para pensarlo lentamente. Algunas decisiones podrían ser bastante difíciles de tomar al principio. Si un problema que parecía imposible se deja reposar por varios meses o un año, luego podrá encontrarle una solución adecuada.

● Cualquier cosa que haga, siempre trate de estar en movimiento. No se sienta encadenado a su casa, sin posibilidad de salir. No sólo visite gente, sino también haga las compras esenciales para así cambiar la rutina.

● No descuide sus finanzas. Éstas no deberían escaparse de su control durante este período para que luego esté endeudado. Vigílelas, haga un presupuesto con todos sus gastos y mantenga en orden todas sus fuentes de ingreso.

● A pesar de que parece imposible, mientras está afligido la vida continúa y usted sigue viviendo. Mientras tanto, debería cuidarse muy bien. Dese unas vacaciones. Pase algo de tiempo en su entorno favorito o tome un curso para estudiar algún pasatiempo. Visite a miembros de su familia y quizás quédese en su casa durante unos días.

60+ convertirse en abuelo

Una de las felicidades reservadas para muchos de nosotros a medida que envejecemos es convertirse en abuelo. Existen pocas experiencias tan maravillosas como la de estar con su nieto, enseñarle y aprender de él.

Abuelos: una parte de la familia

Según mi opinión, los abuelos son una parte extremadamente importante de la familia, sea ésta nuclear o extendida. Personalmente considero que esto es una estructura fundamentalmente estable que incluye relaciones sólidas y duraderas, las cuales se vinculan a un grupo extendido en donde un niño puede crecer sintiéndose seguro y amado, a la cual él debe contribuir y en donde su voz es escuchada. También creo que es importante para él ser capaz de relacionarse con gente de todas las edades y así conocer parientes y amigos que sean mayores.

Los abuelos son vitales en ayudarlo a hacer eso. Ellos también juegan un papel único al permitirle al niño desarrollar su personalidad, y son personas muy útiles para una familia. En virtud de su edad, a menudo son más filosóficos, sufridos y compasivos que los padres. La extensa práctica significa que han aprendido a tratar a los niños con facilidad.

Los mejores abuelos pueden interpretar los signos de advertencia, anticipar los problemas y resolverlos. Ellos pacifican con distracción, no con insistencia, de esta forma obtienen obediencia más pronto. A diferencia de aquellos padres que "gobiernan" por la fuerza, los abuelos, muy a menudo, persuadirán por medio de la paciencia.

¿"Malcriar a los niños"?

Se dice que los abuelos malcrían a sus nietos. Aquí se le debe estar dando un mal uso a la palabra "malcriar". Si malcriar un niño significa darle explicaciones en vez de hacerlo salir, surgerirle alternativas en vez de negaciones y ayudarle en vez de ignorarlo, entonces los abuelos sí lo malcrían. La presencia de los abuelos en el hogar a menudo puede ser una bendición para la familia y, siempre que no causen fricciones con los padres, son bienvenidos.

Ellos pueden renovar sus alegrías de antaño con sus nietos. Una abuela puede enseñar a su nieta el arte de coser o de hacer el jardín. Un abuelo puede una vez más disfrutar de la tranquilidad mientras le enseña a su nieto a pescar y descubre un nuevo sentido de propósito y utilidad si puede llevar a pasear al bebé y detenerse a hablar con sus amigos en el camino. Los abuelos deberían vivir con sus nietos en vez de sobrevivir a ellos. Si hacen esto último, podrían sufrir una caída emocional si la mala suerte golpea a la generación más joven.

Ser un participante, no un observador

La edad no es razón para ser dejado de lado. En estos días, la mayoría de la gente espera seguir perteneciendo a las tendencias de moda a medida que avanzan en edad, tal como en su juventud. La "moda" podría ser levemente distinta, pero la participación es igual de enérgica y entusiasta.

Por supuesto, ser un participante y no un observador exige algo de esfuerzo. Primero, tiene que estar en forma para así poder disfrutar 16 horas al día y no quedarse dormido frente al televisor luego de 12. Esto significa prestarle atención a lo que come y hacer ejercicio regularmente. También significa que tiene que ser algo así como una persona llena de iniciativa y muy activa. Si esto le parece demasiado, considere los beneficios: vacaciones con los "niños", ya que está en condiciones de resistirlo bien; seguir con un pasatiempo preciado como la pesca del salmón, el cual le lleva a lugares lejanos; disfrutar de los lugares al aire libre practicando deportes vigorosos como cabalgar o esquiar.

Sí, se requiere de determinación y vigor, pero ¿a quién le gustaría quedarse en casa y entumecerse por completo? También se puede agregar que nunca estará solo, siempre tendrá compañía, ya que es una persona interesante. No hay duda.

Trastornos familiares

Cuando las cosas van mal en nuestras relaciones adultas, es común esconderlo a nuestros padres por todo el tiempo posible, para así "no preocuparlos o molestarlos". Usualmente, existe otra parte de nosotros que se siente culpable. A menudo desestimamos la capacidad de la gente mayor para perdonar y olvidar. Es posible que las ansiedades de nuestra niñez se extiendan y nos impidan comunicarnos, incluso en una edad adulta, con nuestros padres.

No sólo la gente mayor experimenta la separación de sus hijos; los padres podrían estar aún en la edad adulta cuando se rompen los lazos familiares. **En ambos casos, los efectos del rompimiento familiar pueden ser profundos en los miembros de más edad, quienes podrían sentirse indefensos.**

Las tensiones y presiones dentro de la familia que experimenta cambios serán, en gran parte, privadas y manejadas por los propios integrantes. A menudo no se piensa ni existe lugar para los trabajadores sociales, pero en asuntos de divorcio y custodia de los niños, ellos sí se involucran.

También podría ser necesario que los miembros mayores tomen parte activa de este proceso. Los abuelos podrían jugar un papel activo en el divorcio. Pensando positivamente en qué tipo de ayuda se les puede ofrecer a los niños o a los padres que se divorcian, un trabajador social podría perfectamente recomendar la custodia a los abuelos, lo que beneficiaría a los niños, padres y abuelos.

Con lazos cada vez más estrechos entre niños y abuelos, esta opción de custodia podría volverse cada vez más común.

El rol de los abuelos

Lo mejor que puede hacer es mostrarle a su hijo y a su nieto cómo enfrentar el cambio. Ha vivido más que cualquiera de su familia, así es que ha tenido que hacer frente a una sociedad que cambia rápidamente más que cualquiera cercano a usted Su joven nieta podría estar muy deprimida porque no puede encontrar un empleo. Sólo usted, con una perspectiva histórica sobre el desempleo y sabiendo cuánto desmoraliza esto a las personas, puede ayudarla a desarrollar una distancia crítica y sana entre las negativas que obtiene en las entrevistas de trabajo y sus sentimientos personales. Puede compartir con ella lo que recuerda del desempleo en su tiempo.

Puede permitirle a su nieto que le conozca como una persona real por primera vez, haciendo un paralelo entre el desarrollo de él y el suyo. Por ejemplo, durante una conversación sobre política, puede dejar de ser una persona arrugada y de pelo cano y contarle cuando fue soldado en el ejército durante la Segunda Guerra Mundial. Puede volver a narrar algunas de sus experiencias o momentos de gloria. No hay ningún nieto en el mundo que no sea cautivado por este tipo de historias y que no aprenda mucho de ellas.

Puede mostrarle a su familia que no es un abuelo senil e inútil. Puede ser independiente y actuar de esta misma manera. Puede ser activo y ágil para dar un paseo con los miembros más jóvenes. También puede escuchar. Los padres no disponen de mucho tiempo para eso. No obstante, puede escuchar sin dar consejo; puede contarle a la familia qué experiencias ha tenido en su vida y qué le han llevado a creer.

Abuelos y adolescentes

También descubrirá que tiene mucho más en común con los nietos adolescentes de lo que jamás pensó. En extremos opuestos de la vida puede estar buscando un cambio de identidad y formulándose las mismas preguntas "¿Quién soy?", "¿Qué quiero en verdad"?, "¿Cómo lo haré?". Los adolescentes, muy a menudo, tienen más en común con sus abuelos que con sus propios padres. Éstos usualmente están muy ocupados avanzando en sus carreras como para tener tiempo para ser analíticos e introspectivos.

60+ planear la jubilación

Si es saludable, tiene los recursos económicos suficientes y ha hecho planes para su jubilación; entonces se adaptará rápida y completamente a su nueva vida.

Prepararse para dejar de trabajar

A medida que se acerca a la jubilación, podría comenzar a reducir su carga de trabajo, buscar consejo financiero o decidir mudarse a una casa más pequeña. A nivel personal, es probable que comience a poner más énfasis en sus relaciones con la familia y los amigos.

Mientras que algunas personas consideran la jubilación como una transición natural, otros, particularmente aquellos que han tenido carreras muy provechosas, podrían encontrarlo más difícil. Necesita prepararse para esta etapa, porque puede haber poco tiempo para la adaptación.

La preparación es hoy una necesidad ampliamente reconocida. Muchas empresas, organizaciones voluntarias y centros de educación para adultos entregan consejo o imparten cursos sobre planificación financiera, compra y diseminación de propiedades y activos personales, atención a necesidades de salud y organización del tiempo libre.

Planificación financiera

● Obtenga el mejor consejo posible para hacer que su dinero dé buenos frutos durante sus años de retiro. Varios años antes de que jubile, piense en inversiones, seguros, hipotecas y un testamento. Personas como un contador o un encargado bancario estarán dichosos de aconsejarle. Trate de alcanzar un presupuesto amplio basado en cuáles serán sus ingresos luego de que deje de trabajar y cuáles serán aproximadamente sus gastos.

● Comience a vivir de su ingreso por jubilación proyectado alrededor de seis meses antes de que usted o su pareja se retiren. Si se acerca a la jubilación de esta manera, antes de que esté bajo las presiones de otros cambios que suceden con la jubilación, los ajustes financieros serán más fáciles de enfrentar. También habrá ahorrado el dinero que no utilizó en los seis meses anteriores, lo cual le dará un respaldo y un sentido de seguridad.

Podría recibir una agradable sorpresa y descubrir que no es tan difícil como pensaba.

Organizar su tiempo

● Si su pareja se jubila y usted sigue trabajando, o viceversa, descubrirá que sus días repentinamente pierden su sincronización. En vez de levantarse ambos en la mañana e ir a la cama a la misma hora, uno de ustedes estará cansado, mientras que el otro aún está deseoso por salir. Si esto se vuelve un problema, convérsenlo y encuentren una solución satisfactoria para ambos. Lleguen a un acuerdo para hacer cosas juntos los fines de semana cuando sus relojes corporales vuelvan a sincronizarse.

● Si se encuentra en casa, tiene tiempo disponible y siente ganas de hacer algo, probablemente estará enfrentando problemas con la transición emocional para la jubilación. Su pareja podría ser capaz de ayudarle al adaptarse poco a poco. Discutan una lista para los deberes hogareños. Hagan una lista de amigos y parientes que están libres ciertos días durante la semana (quizás gente que no ha visto en varios años) y comparta sus intereses con ellos.

● Si se ha jubilado mientras su pareja sigue trabajando, emprenda nuevos proyectos y reviva antiguos pasatiempos. Si tiene mucho tiempo libre, dedíquelo a mimarse. Duerma hasta tarde, reúnase a almorzar con un amigo, lea en las tardes y relájese cada vez que quiera hacerlo.

Comprométase con la acción

Nunca es muy tarde para hacer cambios en su vida. Luego de que ha recapacitado sobre lo que quiere cambiar y cómo hacerlo, comprométase. Esto no quiere decir mudarse de casa o pensar en el divorcio, sólo significa dar un paso en la dirección correcta, ya sea se trate de buscar otros lugares donde podría vivir o pasar más tiempo de esparcimiento lejos de su pareja.

Trate de evitar considerarse un egoísta; otros cercanos a usted, como su pareja, también se pueden beneficiar de cualquier cambio que decida hacer. Por ejemplo, si ha pasado la mayor parte de su vida en casa criando a sus hijos, un nuevo trabajo de medio tiempo o algún curso podrían aumentar tu sentido de independencia y hacerle sentir más satisfecho, lo que podría tener un efecto positivo en su relación. Por otro lado, si siempre ha trabajado a tiempo completo, podría estar en búsqueda de una jubilación tranquila.

Recuerde, ya ha tomado muchas decisiones y experimentado muchos cambios en su vida y cuenta con los medios para hacer frente a nuevas experiencias. Piense en la jubilación como en un período de autorrenovación y que no debería convertirse en el cambio abrumador que la gente siempre piensa.

Cuando a la gente le preguntan acerca de lo que más extrañan de la vida laboral, muchos mencionan el dinero y el ambiente laboral. Pero la jubilación trae muchas ventajas: puede seguir su propio reloj corporal: comer, dormir y estudiar cuando desee hacerlo; ya no tiene que cumplir con la autoridad; tiene más tiempo para pasarlo con su familia, amigos y pasatiempos; por último, el estar fuera de toda la presión puede reducir considerablemente sus niveles de estrés.

Antes de la jubilación
- Otras personas deciden respecto a su vida.
- Su vida está estructurada alrededor del trabajo.
- Su tiempo de esparcimiento es limitado.
- Su carga tributaria podría ser pesada.
- Está preocupado por prosperar.

Después de la jubilación
- Puede vivir la vida como quiera.
- Puede fijar su propio ritmo.
- Puede elegir sus propios amigos.
- Tiene menos expectativas.
- Tiene tiempo para estar con su familia.

Cambiar para mejor

Conforme va envejeciendo, podría atravesar un período de reevaluación considerable. Podría tener preocupaciones persistentes respecto a algo en su vida que le gustaría cambiar, pero consciente o inconscientemente ha postergado hacer cambios porque el tiempo nunca fue el adecuado. Podría estar insatisfecho con el lugar donde vive. Podría sentir que no está pasando el tiempo suficiente haciendo las cosas que le gustaría hacer. Su matrimonio podría sentirse claustrofóbico y le gustaría hacer cambios en su relación o incluso alejarse algún tiempo de su pareja.

Si cualesquiera de los síntomas anteriores describen lo que siente, confronte sus sentimientos y trate de de ser honesto consigo mismo. Converse sobre lo que piensa con su pareja, amigos o quizá, incluso, un consejero. Si deja que la gente sepa qué está buscando, el compartir sus pensamientos podría abrirle la puerta a nuevas oportunidades.

60+ disfrutar la jubilación

Para sacar el máximo de provecho de su jubilación, probablemente querrá adquirir nuevas habilidades, actitudes, intereses y, en algunos casos, nuevas relaciones. Tiene las mejores posibilidades de tener éxito si enfrenta la vida con un estado mental positivo, con energía, resolución y determinación.

Los matrimonios luego de la jubilación

La jubilación puede, a veces, poner presiones a los matrimonios. **Las parejas pueden vivir juntas muy felices en las tardes, pero los fines de semana descubren que puede ser difícil hablar y tolerarse todo el tiempo.** Podría encontrar problemas que nunca anticipó. Su pareja podría compensar su pérdida de poder y prestigio en el trabajo demandando atención excesiva y usted podría responderle con regaños.

Por otro lado, un hombre y una mujer que están atrapados en su trabajo y en los hijos podrían considerar que, cuando dejen sus empleos y los hijos se vayan de la casa, tendrán menos cosas en común de las que imaginaron.

Si un matrimonio nunca ha sido bueno y los problemas nunca han sido resueltos, la situación se intensificará considerablemente cuando estas personas estén juntas la mayor parte del día. Las presiones emocionales en este período pueden ser enormes, pero es preferible que trate los problemas cuanto antes.

Consejos para aliviar situaciones tensas

- Planee actividades separados y en conjunto.
- Trate de disponer su hogar de manera que ambos tengan un espacio de escape, por ejemplo, una sala de televisión o un estudio.
- Respete a los amigos, las conversaciones y las rutinas de su pareja.
- Desarrollen un interés común, como un pasatiempo, un pequeño negocio o una clase nocturna.
- Háblense siempre. Su pareja puede ser su mejor amigo(a).
- Mantengan un círculo amplio de amigos: necesitarán planear no sólo para hoy, sino también para el futuro, cuando uno de ustedes llegue a estar solo.
- Planeen sus finanzas en conjunto.
- Una vida plena incluye amor físico. Si la frecuencia con la cual usted y su pareja hacen el amor declina, traten de analizar las razones y encuentren soluciones.

Aprovechar al máximo la jubilación

Piense en los años futuros en términos de posibles áreas problemáticas y visualice las soluciones más apropiadas para ellas. Cualquiera sea la situación, siempre será beneficioso pensar que ésta nos favorecerá y enriquecerá nuestra vida. Compartir la responsabilidad de la planificación con su pareja puede ser de ayuda; si es soltero(a) y piensa que necesita ayuda, júntese con otra persona en iguales condiciones o busque ayuda en su familia, en sus amistades o en una organización especializada.

La jubilación de su pareja
Se haya usted jubilado o no, probablemente tenga que brindarle apoyo emocional a su pareja si ella no puede aceptar la jubilación. Aliéntela a hablar del tema y ayúdela a ver los aspectos positivos; haga planes para ambos.

Dinero
Una vez que se jubile, use el dinero en forma sensata: nunca compre comidas preparadas; tendrá tiempo para cocinar carnes de bajo costo y verduras frescas. Esté atento a las ofertas: ya sea en ropa o alimento; haga sus reservas para vacaciones por adelantado y aproveche al máximo todos los descuentos en medios de transporte.

Mudanza
Para algunos, la jubilación es la oportunidad ideal para hacer cambios y mudarse, pero es una decisión que se debe evaluar cuidadosamente. Por ejemplo, si desea mudarse, asegúrese de conocer suficientes personas en la nueva localidad para poder hacer vida social. Averigüe si existen lugares adecuados para su deporte o pasatiempo favorito; cerciórese de que las tiendas sean de fácil acceso, y de que en verdad le agrade el área tanto de día como de noche. Estas sugerencias pueden parecer fastidiosas, pero el aumento del tiempo libre hace que sea mucho más importante disfrutar del entorno y aprovecharlo al máximo.

Relaciones sociales
Si puede, siga realizando algunas de sus antiguas actividades laborales y manteniendo relaciones sociales con ex compañeros de trabajo. Le dará un sentido de pertenencia y participación y evitará el abandono traumático y repentino de todas sus relaciones profesionales. Al mismo tiempo, use sus nuevos contactos.

Tiempo de ocio
Ahora, más que en cualquier otra etapa de la vida, usted realmente dispone de su tiempo, pero debe planificarse para darle el mejor uso. El conocido adagio "loro viejo no aprende a hablar" no es cierto, así es que si desea asistir a clases nocturnas o diurnas para aprender algo poco común, hágalo. Mantener el cerebro alerta sólo le traerá beneficios; de hecho, notará que está logrando algo y se sentirá útil y feliz. Para asegurarse de que pueda aprovechar todas las nuevas oportunidades al máximo, cerciórese de cuidar la dieta, el estado físico y la salud.

Encontrar otro trabajo
Algunas personas descubren que, aunque disfrutan su nuevo tiempo libre, lo que realmente desean es otro trabajo. La idea de encontrar uno es admirable, ya que podría restaurar la autoestima perdida y mantener la mente alerta. Si tiene visión para los negocios y el respaldo financiero, podría decidirse a comenzar uno. Quizás no quiera esa responsabilidad y opte por trabajar media jornada en una tienda local o por hacer trabajo voluntario. El único inconveniente sería que éste fuera demasiado exigente o agotador; en ese caso, debería dejarlo o al menos reducirlo.

Viajar
La etapa de la jubilación es ideal para viajar, porque se puede aprovechar la temporada baja y las tarifas económicas. Si desea hacerlo, ya sea dentro del país o al exterior, será una instancia ideal para ampliar sus horizontes y también conocer a otras personas, en entornos nuevos.

Lo que debe hacer, sin embargo, es planificarse mucho antes de partir, con la ayuda de un agente de viajes si fuera necesario. Asegúrese de elegir los planes que más le acomodan: por ejemplo, ¿quiere que todo esté organizado, desde vuelos y alojamiento hasta los tours y los restaurantes? o ¿prefiere comprar un pasaje abierto y explorar por su cuenta?

Si puede, evite viajar solo. Es más entretenido viajar con alguien, y en caso de tener algún problema, podría ser de gran ayuda contar con alguien. Si toma medicamentos o sufre de alguna alergia, lleve esa información por escrito en su billetera o en una medalla alrededor del cuello o de su muñeca.

60+
morir bien

La declaración de voluntad en vida le permite establecer los tratamientos que no desearía recibir si se enfermara de gravedad en el futuro y no pudiera manifestar lo que quiere que se haga. Tal declaración le puede ayudar a morir bien.

Declaración de voluntad en vida

Mediante una declaración de voluntad en vida, usted puede asegurarse de que no le suministrarán ningún tratamiento para prolongar su vida si, por ejemplo, sufriera un derrame cerebral masivo del cual no se recuperará. Le permite tomar el control del tratamiento y cerciorarse de que no lo mantendrán vivo, situación que le sería intolerable. Puede añadirle condiciones al formulario básico de la declaración o enmendarlo, para adaptarlo a sus creencias y sentimientos.

Las ventajas

Esta declaración le asegura de que no recibirá ningún tratamiento que no desee, aun si, en un momento dado, no está en condiciones de informar a los médicos de su decisión.

● La declaración de voluntad en vida le asegurará que su familia y amigos no tengan que tomar decisiones difíciles que usted no hubiese querido.

● Conocer su voluntad ayudará a los médicos a tomar la decisión correcta en situaciones difíciles.

● Esta declaración le permite analizar, lo que usted desea, junto a los médicos tratantes, la familia y los amigos cercanos, mucho antes de tener que tomar una decisión.

● Cuando un equipo médico enfrenta una decisión compleja sobre el tratamiento o el cuidado que deba darle en circunstancias que usted no pueda decidir al respecto, una declaración de voluntad en vida ayudará al equipo a entender lo que usted habría deseado si hubiese estado consciente.

No obstante, aún debe interpretarse para asegurar que la situación que describe se aplica al paciente. Además de permitirle controlar el tratamiento que reciba, le dará la oportunidad de analizar

sin presión temas difíciles con su familia y sus amigos.

Demuestre su fuerza de voluntad

Nunca se sabe lo que le espera a la vuelta de la esquina o en el futuro. Cuando suceda, podría ser demasiado tarde para tomar decisiones por encontrarse física o mentalmente incapacitado. Eso significa que la familia o los amigos que lo estén cuidando deberán tomar decisiones incluso más difíciles sobre su tratamiento, porque no sabe lo que usted habría querido. Podría sufrir una enfermedad grave o terminal; daño cerebral como consecuencia de un derrame, demencia o Alzheimer, o una enfermedad avanzada al sistema nervioso, como una que afecte a las neuronas motoras.

Podría sufrir daños cerebrales graves o perdurables producto de algún accidente. Podría quedar conectado a una máquina que mantenga sus signos vitales o en un coma profundo y con alimentación por sonda o intravenosa, con todas las funciones corporales controladas por este aparato. Los tratamientos ofrecerían escasa o ninguna posibilidad de mejoría, y quizás produzcan efectos secundarios que usted consideraría peores que la enfermedad o que lo dejarían en una condición insoportable.

Tal vez esté totalmente convencido de que no quiere pasar por ese tipo de tratamiento. Para eso existe la declaración de voluntad en vida, para pedirles a los médicos que no lo sometan a una intervención médica que busque mantenerlo vivo más allá de un determinado punto.

Los enfermos en el Reino Unido han pedido que haya declaración de voluntad en vida en los hospitales, porque piensan que el Gobierno debería adoptar un

sistema de formularios de consentimiento similar al de Estados Unidos. El British Medical Association, la Patient's Association, el Royal College of Nursing y el Gobierno han ratificado su apoyo a estas declaraciones. A todos los pacientes que ingresan a un hospital en Estados Unidos se les pide que informen por escrito lo que piensan sobre la reanimación, para que se actúe conforme a sus deseos en el caso de una emergencia, como un paro cardíaco.

¿Qué hace una declaración de voluntad en vida?

La mayoría de las personas teme que, si se enfermara, podría enfrentar una situación en la cual se le brinde un tratamiento muy complejo cuando existe escasa o ninguna posibilidad de mejoría, o uno que le dejaría en una condición insostenible. Una declaración de voluntad en vida establece que, en el futuro, en circunstancias específicas, usted no quiere un tratamiento que lo ayude a prolongar su vida (como antibióticos, alimentación por sonda) y que lo mantenga vivo indefinidamente conectado a una máquina que mantiene los signos vitales.

Actualizar la declaración de voluntad en vida

Si usted ha hecho una declaración de voluntad en vida, sería prudente revisarla periódicamente. Actualizarla no es algo estipulado por la ley. No obstante, es bueno hacerlo, asegurando así a los médicos que está vigente y que no ha cambiado de parecer. Sólo vuelva a firmar y a colocar la fecha en cada copia de su declaración cada 3 ó 5 años. Cerciórese de que su médico de cabecera archive la copia más reciente.

¿Es legalmente vinculante una declaración de voluntad en vida?

Aunque no hay ninguna ley que rija el uso de las declaraciones de voluntad en vida, en el derecho consuetudinario rechazar un tratamiento antes de requerirlo tendrá efecto legal siempre que cumpla con las siguientes condiciones:

● Usted estaba en pleno uso de sus facultades, no sufría de aflicciones mentales y tenía más de 18 años cuando hizo la declaración.

● Estaba completamente informado sobre la naturaleza y las consecuencias de la declaración al momento de hacerla.

● Usted tiene claro que esta declaración debe aplicarse a todas las situaciones y circunstancias que surjan en el futuro.

● No hubo ningún tipo de presión ni influencia cuando decidió lo establecido en la declaración de voluntad en vida. Ésta no se ha cambiado oralmente ni por escrito desde que se preparó.

● Usted ahora no está en pleno uso de sus facultades mentales como para tomar una decisión, ya sea por encontrarse inconsciente o incapacitado.

Adaptarse a la idea de morir

Se puede morir mal o bien. Por haber presenciado de cerca dos muertes de cada tipo, entiendo claramente que la diferencia entre morir bien y morir mal es el efecto sobre los que deja: pareja, hijos, familia y amigos.

Cuando alguien muere bien, como ocurrió con mi tío, todos nos sentimos tranquilos, íntegros, contentos por él, sin ningún tipo de vergüenza. Nadie hubiera querido que su muerte fuera diferente, ni deseado haber hecho más por él o sentido que hubo cosas que le hubiera gustado haber dicho o hecho por él. Esa tranquilidad y serenidad no son posibles cuando alguien muere mal. En ese caso, hay incomodidad, culpa, vergüenza, enojo, engaño, frustración.

Permitir el "cierre"

No tengo ninguna receta para morir bien, pero lo que he notado en quienes sí lo hacen y tienen el tiempo para hacerlo, es que le dan mayor prioridad al consuelo de la familia y los amigos que a sus consideraciones egoístas. Por ello, aceptan, son abiertos y generosos. Conversan íntimamente con quienes los rodean, permitiendo contactos profundos y espirituales antes de morir. Facilitan el "cierre" con aquellos que los aman. También son expresivos físicamente: abrazan y besan a los otros. Se puede palpar el amor y la energía a su alrededor, y eso les da gran paz a todos. Somos responsables de crear esa paz al enfrentar la muerte.

Guías de 3 Síntomas

GUÍAS DE SÍNTOMAS

A veces puede ser difícil decidir entre ir al médico o tratar una enfermedad en casa con medidas de autoayuda . Las guías de síntomas de esta sección están diseñadas para ayudarle a tomar una decisión. Cubren los principales síntomas que usted y su familia podrían experimentar y sugieren las enfermedades que éstos podrían representar. Estas guías NO sustituyen la atención médica y, si está preocupado, siempre deberá consultar al médico.

CÓMO SE USAN

Los síntomas se clasifican en categorías, las que están determinadas por factores tales como la edad, características distintivas y ubicación. Cuando una categoría no es significativa para el diagnóstico, no aparece.

La categoría etaria le permite determinar rápidamente qué afecciones pueden ser relevantes en función de los síntomas. Luego, la categoría de características distintivas le ayuda a chequear las peculiaridades de sus síntomas que son relevantes para diagnosticar. Por último, el mapa de ubicación le ayuda a diferenciar los síntomas según el lugar donde se presenten.

"Llame" al médico significa exactamente eso: hable con él o ella por teléfono para pedirle consejo sobre lo que debería hacer. "Vaya" al médico quiere decir que debería hacer una cita para ir al médico lo antes posible.

ERUPCIÓN

Por ubicación

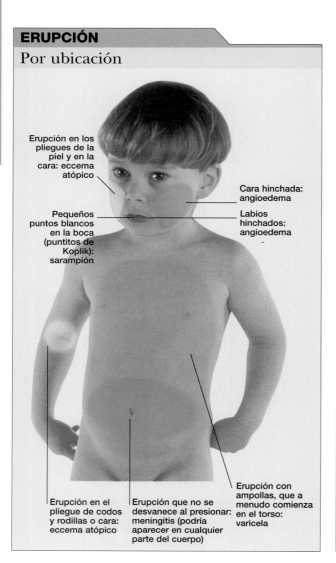

Erupción en los pliegues de la piel y en la cara: eccema atópico

Cara hinchada: angioedema

Pequeños puntos blancos en la boca (puntitos de Koplik): sarampión

Labios hinchados: angioedema

Erupción en el pliegue de codos y rodillas o cara: eccema atópico

Erupción que no se desvanece al presionar: meningitis (podría aparecer en cualquier parte del cuerpo)

Erupción con ampollas, que a menudo comienza en el torso: varicela

---

PICAZÓN

Por edad

En un bebé o niño pequeño

- Si es en los dedos, podría ser sarna (pág. 452) **vaya al médico para un tratamiento familiar**
- Si la erupción se presenta en todo el cuerpo, podrían ser picaduras de pulgas **vaya al médico; lleve su perro o gato al veterinario**
- Si afecta la cara, las manos y los pliegues de la piel, probablemente sea eccema infantil **autoayuda (ver Eccema en bebés y niños, pág. 313); vaya al médico y posiblemente al dermatólogo**

En un adulto

Podría ser:

- Sarna (pág. 452) **vaya al médico**
- Neurodermatitis (una forma de eccema atópico, pág. 312) como consecuencia de rascarse en forma crónica **vaya al médico**
- Picaduras de insectos **autoayuda (ver Mordeduras y Picaduras, pág. 564)**

En un adulto mayor

Con la edad, la piel se vuelve más propensa a ser afectada por picazones.

- Neurodermatitis (una forma de eccema atópico, pág. 312) **vaya al médico**
- Si persistiera, podría estar indicando un cáncer **vaya al médico para examinarse**

DOLOR DE PECHO

Por edad

En un niño
Existen pocas causas de dolor de pecho en los niños y jóvenes; la principal es una distensión muscular o algún tipo de contusión.

En un adulto joven
Un adulto sano rara vez sufrirá de dolores de pecho, salvo algunas excepciones.

Podría ser:
- Neumotórax (pág. 395), más común en hombres jóvenes y sanos **llame al médico**
- Bronquitis (pág. 392), neumonía (pág. 392) **llame al médico**
- Enfermedad de Bornholm o mialgia intercostal, una inflamación viral de los músculos intercostales **vaya al médico**

Podría ser en una persona mayor
- Angina (pág. 224), no se alivia con descanso (podría ser un infarto) **llame una ambulancia**
- Acidez (pág. 350) (podría ser hernia de hiato, indigestión) **vaya al médico para una endoscopía**
- Úlcera péptica (pág. 353) **ver al médico para una endoscopia y biopsia**
- Cálculo biliar (pág. 357) **vaya al médico para una colecistografía**
- Herpes (pág. 335) **vaya al médico**
- Angina (pág. 224), que se alivia con descanso **llame al médico inmediatamente para un ECG**
- Pleuritis (inflamación de la membrana que recubre los pulmones, pág. 393), causa dolor que empeora al respirar o toser **llame al médico**
- Embolia pulmonar (pág. 395), complicación de trombosis de las venas profundas de las piernas (pág. 235) o cirugía **llame al médico inmediatamente**
- Pericarditis **llame al médico**

Por ubicación

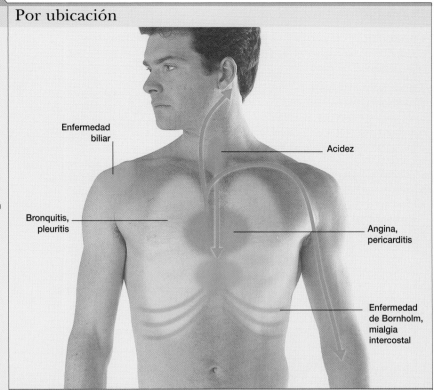

Enfermedad biliar

Acidez

Bronquitis, pleuritis

Angina, pericarditis

Enfermedad de Bornholm, mialgia intercostal

Características distintivas

Se dificulta la respiración
Podría ser:
- Embolia pulmonar (pág. 395) **llame al médico**
- Neumotórax (pág. 395) **llame al médico**

El dolor aumenta al respirar o toser
Podría ser:
- Enfermedad de Bornholm (inflamación de los músculos intercostales) **vaya al médico**
- Bronquitis (pág. 390) **llame al médico**
- Pleuritis (pág. 393) **llame al médico**

El dolor se alivia con
- Alimentos alcalinos, podría ser una úlcera péptica (pág. 353) o acidez (pág. 350) **vaya al médico**
- Descanso, podría ser angina (pág. 224) **vaya al médico**
- Sentarse inclinado hacia delante, podría ser pericarditis (inflamación de la membrana que recubre el corazón) **llame al médico**

El dolor aumenta con la comida
- No se alivia con alimentos alcalinos
- Debe descartar cáncer del estómago (pág. 354) **vaya al médico inmediatamente**
- Especialmente con alimentos grasos. Podrían ser cálculos biliares (pág. 357) **vaya al médico**

DOLOR DE ARTICULACIONES

Por edad

En un niño preescolar
El dolor de las articulaciones es siempre grave **llame al médico**

En un adulto joven
Este dolor podría deberse a una artritis reumatoidea (pág. 429), pero lo más común es que se deba a una actividad o posición corporal prolongada y no habitual; por ejemplo:
- Decorar la casa
- Desmalezar el jardín
- Una lesión deportiva **(tómese una radiografía)**
- Vuelo transcontinental

En una persona mayor
Probablemente se deba a una osteoartrosis leve, el proceso natural de envejecimiento de las articulaciones que todos debemos soportar en mayor o menor grado (pág. 428), pero también podría corresponder a:
- Osteoartrosis repentina en una articulación lesionada en el pasado y quizás sobreexigida **autoayuda (ver Ejercicios para personas con osteoartrosis, pág. 429)**
- Uso excesivo y poco habitual de las articulaciones, como colgar cuadros, limpiar ventanas
- Osteoporosis (pág. 423). Si es mujer y hay un historial familiar de huesos quebradizos o es posmenopáusica **hágase una densitometría**
- Fractura osteoporótica, si padece de osteoporosis y se ha caído o golpeado **vaya al médico**

Características distintivas

La articulación está caliente
Indica que hay algún tipo de inflamación de la articulación. Las causas más comunes son:
- Infección, por lo general, virus
- Trauma
- Una reacción alérgica a un alérgeno externo (un fármaco, por ejemplo, o reacción autoinmunitaria) **vaya al médico**

La articulación está hinchada
Indica que hay líquido en la articulación, formado para proteger sus superficies óseas contra las lesiones. Es la respuesta del cuerpo para minimizar el daño y siempre denota una patología de la articulación **vaya al médico**

La articulación está roja
Indica que hay una inflamación muy activa en ella y probablemente no se deba mover, puesto que el reposo permitirá que el proceso de curación siga su curso **vaya al médico**

Las articulaciones están rígidas o duelen al moverlas
- Temprano por la mañana, casi siempre indica artritis reumatoidea (pág. 429) o una afección relacionada.
- Durante el día, es un síntoma clásico de una articulación osteoartrósica después del uso **autoayuda (ver Ejercicios para personas con osteoartrosis, pág. 429)**
- Si hay fractura, la articulación no se PUEDE ni se DEBE mover **llame al médico**
- Si hay mucho líquido en la articulación, es casi imposible de mover ya que los nervios motores están dañados **llame al médico**
- El niño está cojeando y no quiere caminar ni mover la articulación; esto podría indicar una fractura de tallo verde cerca de la articulación o una afección ósea, y siempre es grave **llame al médico**

Fiebre
Denota que el dolor de la articulación es sólo un síntoma de una enfermedad que afecta al resto del cuerpo también, y SIEMPRE es grave **llame al médico**

Por ubicación

Articulaciones periféricas de los dedos, las manos y las muñecas, los dedos de los pies, los pies y los tobillos
- **Nota:** En un niño podría ser un virus o fiebre reumática
- En un adulto joven, casi siempre es causado por un virus **vaya al médico**
- En un adulto mayor podría ser artritis reumatoidea (pág. 429) o parte de una afección autoinmune, como lupus (pág. 324).
- **Nota:** Común en el último trimestre del embarazo, pero desaparece espontáneamente después del parto.

Articulaciones que soportan el peso, rodillas, caderas
- Casi siempre osteoartrosis (pág. 428), producto de la obesidad o lesiones antiguas **vaya al médico para un diagnóstico; pruebe con autoayuda. (Vear Ejercicios para personas con osteoartrosis, pág. 429)**

Articulaciones del tronco, como cuello, hombros, columna y parte inferior de la espalda
- En un adulto joven podría ser parte de una enfermedad autoinmune, como espondilitis anquilosante (pág. 430) **vaya al médico**
- En un adulto mayor, probablemente osteoartrosis de la columna (espondilosis, pág. 432) con o sin inflamación (espondilitis, pág. 430) **vaya al médico para un diagnóstico**
- Osteoartrosis (pág. 428) de las vértebras con formación osteofita (ósea) de vértebras, lo que produce compresión de los nervios y dolor referido (dolor que se origina en otra parte) del hombro, brazo y mano, si es en el cuello; o ciática, si es en la parte inferior de la espalda **tómese una radiografía**
- Hernia de disco (pág. 437). Se produce en la columna vertebral, donde se origina la mayoría de los movimientos, es decir, la espalda y la parte inferior de ella, causando dolor de las raíces nerviosas, sensación de adormecimiento y hormigueo en la distribución del nervio. Tómese una radiografía **pruebe con autoayuda (ver Prevenir el dolor de espalda, pág. 436); pruebe osteopatía.**

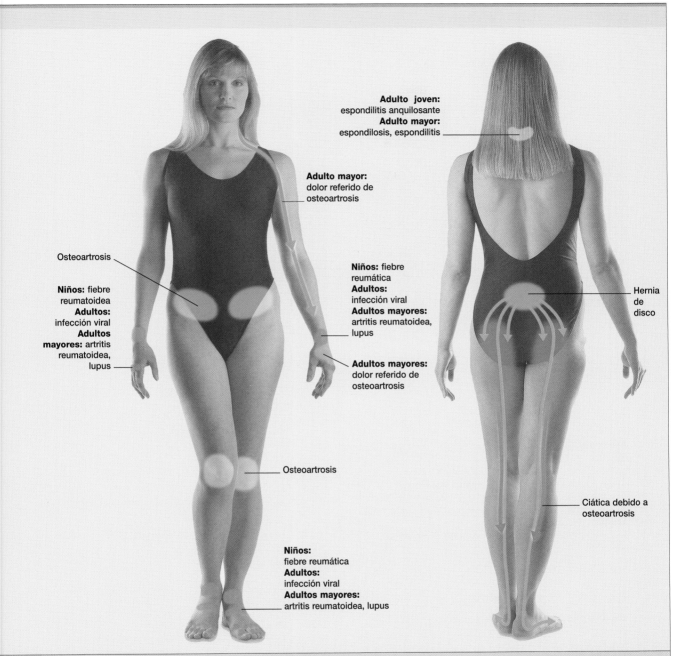

Adulto joven:
espondilitis anquilosante
Adulto mayor:
espondilosis, espondilitis

Adulto mayor:
dolor referido de
osteoartrosis

Osteoartrosis

Niños: fiebre
reumatoidea
Adultos:
infección viral
**Adultos
mayores:** artritis
reumatoidea,
lupus

Niños: fiebre
reumática
Adultos:
infección viral
Adultos mayores:
artritis reumatoidea,
lupus

Adultos mayores:
dolor referido de
osteoartrosis

Hernia
de
disco

Osteoartrosis

Ciática debido a
osteoartrosis

Niños:
fiebre reumática
Adultos:
infección viral
Adultos mayores:
artritis reumatoidea, lupus

Autoayuda

- Descanse la articulación.
- Si sospecha de una fractura, inmovilice la articulación.
  (ver Huesos fracturados y lesiones de tejido blando pág. 560).
- Si la fiebre es muy alta, aplique una esponja tibia **(ver Fiebre en los niños pág. 540).**
- Para las articulaciones de tobillos y pies, ponga la articulación en alto, cuando sea posible, para evitar que se hinche más.
- Para las articulaciones rígidas, muévalas con calor (baño caliente, luz infrarroja, paño caliente).
- Para el dolor, ingiera un analgésico antiinflamatorio.
- Para las articulaciones rígidas de la columna, pruebe con masaje suave.

DOLOR DE ESPALDA

Por ubicación: vista por detrás

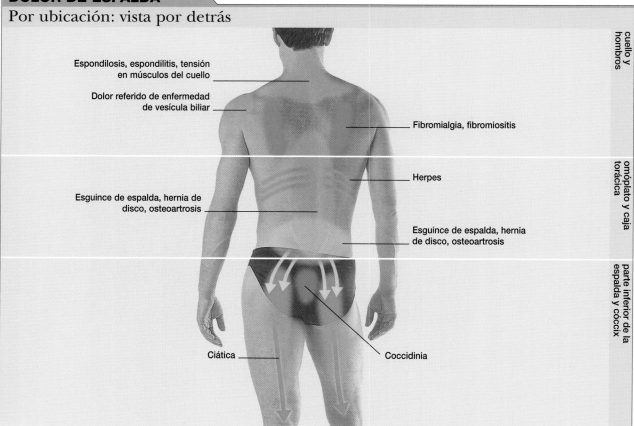

Espondilosis, espondilitis, tensión en músculos del cuello

Dolor referido de enfermedad de vesícula biliar

Fibromialgia, fibromiositis

Herpes

Esguince de espalda, hernia de disco, osteoartrosis

Esguince de espalda, hernia de disco, osteoartrosis

Ciática

Coccidinia

cuello y hombros

omóplato y caja torácica

parte inferior de la espalda y cóccix

En el área del cuello y hombros
Podría ser:
- Osteoartrosis de la vértebra cervical, espondilosis cervical (pág. 432) o espondilitis (pág.430) **vaya el médico**
- Dolor referido de la vesícula biliar (pág. 357) **vaya al médico inmediatamente para un colecistograma (examen radiográfico de la vesícula)**
- Músculos del cuello tensos **autoayuda (ver Relajación, pág. 292)**

En el área del omóplato
Podría ser:
Fibromialgia o fibrositis **vaya al médico**

En el área de la caja torácica
Podría ser:
Herpes (pág. 335) **vaya al médico**

En la parte inferior de la espalda
Podría ser:
- Infección renal (pielonefritis). Si hay fiebre, **vaya al médico**
- Hernia de disco. Si el dolor sobrevino repentinamente, **vaya al médico**
- Osteoartrosis de la vértebra lumbar = espondilosis lumbar o espondilitis **vaya al médico,** ingiera analgésicos
- Esguince de espalda **autoayuda**

En el área del cóccix
Podría ser:
- Coccidinia. Si es después de una caída, **vaya al médico**

Si el dolor se extiende a la pierna
Podría ser:
- Ciática **vaya al médico**

Por edad

En una persona joven
- Si el dolor es peor al despertar, podría ser espondilitis anquilosante (pág. 430) **vaya al médico**
- Si el dolor le impide moverse, podría ser una hernia de disco (pág. 437) **llame al médico**

En mujeres mayores
- Si es menopáusica, podría ser osteoporosis (pág. 423) **vaya al médico inmediatamente**

En hombres muy ancianos
- Osteoporosis **vaya al médico inmediatamente**

DOLOR ABDOMINAL

Por edad

En un niño preescolar
Podría ser:
- Intususcepción (pág. 546) **emergencia: llévelo a un servicio de urgencia**

En un niño
Podría ser:
- Apendicitis (pág. 547) (pérdida de apetito y fiebre) **emergencia: llévelo a un servicio de urgencia**
- Migraña abdominal (pág. 408) (¿tiene un historial médico la familia?) **llame al médico**
- Flatulencia (desaparece en una hora) **autoayuda (ver Flatulencia y distensión, pág. 390)**

En adulto
Podría ser:
- Infección renal (pág. 376) (acompañada por fiebre alta) **llame al médico**
- Cálculos renales o biliares (pág. 377) (el dolor podría comenzar en la espalda) **llame al médico**
- Herpes (pág. 335) (dolor en un costado) **llame al médico**
- Enfermedad biliar (pág. 357) **llame al médico**
- Apendicitis (pág. 547) **llame al médico**
- Úlcera péptica (pág. 353) **vaya al médico**
- Cistitis (pág. 378) **vaya al médico**
- Flatulencia (desaparece en una hora) **autoayuda (ver Flatulencia y distensión, pág. 361)**
- Quizás no se origine en el abdomen, la causa podría estar en el pecho **(ver Por ubicación, derecha)**

Por ubicación

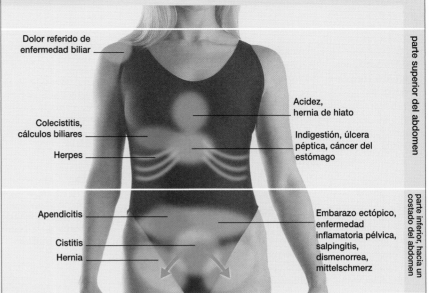

Dolor referido de enfermedad biliar

Colecistitis, cálculos biliares

Herpes

Apendicitis

Cistitis

Hernia

Acidez, hernia de hiato

Indigestión, úlcera péptica, cáncer del estómago

Embarazo ectópico, enfermedad inflamatoria pélvica, salpingitis, dismenorrea, mittelschmerz

parte superior del abdomen

parte inferior, hacia un costado del abdomen

En la parte superior del abdomen
Podría ser:
- Debajo de las costillas, al lado derecho: colecistitis (pág. 358), cálculos biliares (pág. 357) **cambie la dieta; vaya al médico**
- Detrás del esternón: acidez, hernia de hiato (pág. 350) **cambie la dieta; vaya al médico**
- En el centro, entre las costillas: úlcera péptica (pág. 353), cáncer del estómago (pág. 354) **vaya a un médico especialista**
- Indigestión, **autoayuda (ver Indigestión, pág. 352). Si es la primera vez que la padece, vaya al médico pronto**
- Por las costillas, a un costado: herpes (pág. 335) **llame al médico**

En la parte inferior del abdomen
Podría ser:
- Empeora después de orinar: cistitis (pág. 378) **beba jugo de arándano; vaya al médico**
- Ausencia de menstruación: embarazo ectópico, aborto espontáneo **llame al médico**
- Flujo vaginal que huele mal: enfermedad inflamatoria pélvica (EIP; pág. 251), salpingitis (inflamación de las trompas de Falopio) **llame al médico**
- Acompaña un período dismenorrea (pág. 247) **ingiera analgésicos, pida consejos al médico**
- Hinchazón en la ingle: hernia (pág. 371) **vaya al médico**

A un costado del abdomen
Podría ser:
- Pérdida de apetito; sensible al tacto: apendicitis (pág. 547) **emergencia: vaya a un servicio de urgencia**
- A mitad de mes: ovulación (dolor de mittelschmerz) **ingiera analgésicos**

Involucra la espalda
Podría ser:
- Proviene de la espalda: infección renal (pág. 376), cálculo renal **llame al médico**
- Pasa hacia la espalda: úlcera péptica, pancreatitis **vaya al médico**
- Sube hacia el hombro derecho: enfermedad biliar **vaya al médico**

Características distintivas

Duele al respirar o toser
Podría ser:
- Pleuritis (pág. 393) **llame al médico**

Sube al cuello y al hombro, luego baja por el brazo hasta el codo
Podría ser:
- Angina (pág. 224) **llame al médico**
- Infarto de miocardio (pág. 230) **llame al médico**

Acompañado por diarrea, sangre en la deposición y estreñimiento
Podría ser:
- Colon irritable (pág. 362) **cambie la dieta; vaya al médico**
- Diverticulitis (pág. 364) **cambie la dieta; vaya al médico**
- Colitis ulcerosa (pág. 367) **vaya a un médico especialista**
- Enfermedad de Crohn (pág. 366) **vaya a un médico especialista**
- Cáncer colorrectal (pág. 368) **vaya a un médico especialista**

autoayuda **guías de síntomas**

DIARREA

Por edad

En un niño preescolar
Podría ser:
- Nuevas bacterias contraídas en algún viaje al extranjero; éstas no necesariamente son dañinas **llame al médico, solución electrolítica por 24 horas para reemplazar el líquido perdido**
- Infección viral (gastroenteritis) **llame al médico**
- Intoxicación alimentaria **vaya al médico**
- Enfermedad celíaca **vaya al médico**
- Intolerancia lactosa (a veces después de una gastroenteritis, es pasajera) **vaya al médico**

En un adulto
Podría ser:
- Ansiedad (pág. 287) **autoayuda (ver Relajación, pág. 292)**
- Viaje (ver arriba) **llame al médico, solución electrolítica por 24 horas**
- Intoxicación alimentaria **llame al médico**
- Síndrome del colon irritable **vaya al médico, autoayuda (ver Síndrome del colon irritable, pág. 362)**
- Colitis ulcerosa (pág. 367) o enfermedad de Crohn (pág. 366) **vaya a un médico especialista**
- Efecto secundario de un medicamento **hable con el médico**

En una persona mayor
Podría ser:
- Diverticulosis (pág. 364) **cambie la dieta; vaya al médico**
- Diverticulitis (pág. 364) **cambie la dieta; vaya al médico**
- Cáncer colorrectal (pág. 368) **vaya al médico pronto**

Síntomas anexos

Vómitos
Podría ser:
- Intoxicación alimentaria
- Gastroenteritis
- Alergia alimentaria (pág. 320)
llame al médico; solución electrolítica por 24 horas para reemplazar el líquido perdido

Fiebre
Podría ser:
- Disentería
NOTA: La diarrea y la fiebre podrían causar deshidratación **consulte pronto al médico; solución electrolítica por 24 horas para reemplazar el líquido perdido**

Sangre en las deposiciones
En un niño pequeño:
Podría ser:
- Intususcepción (pág. 546) **emergencia: vaya a un servicio de urgencia**
En un adulto:
Podría ser:
- Hemorroides (pág. 370) **vaya al médico pronto**
- Enfermedad de Crohn (pág. 366) **vaya al médico pronto**
- Colitis ulcerosa (pág. 367) **vaya al médico pronto**
- Cáncer colorrectal (pág. 368) **vaya al médico pronto**
- Fisura anal (pág. 370) **vaya al médico pronto**

Características distintivas

Después de comer
- Hasta 6 horas después: Bacteria (probablemente estafilococos)
- 6-12 horas después: Bacteria (probablemente clostridios)
- 12-48 horas después: Bacteria (probablemente salmonella)

Hábitos de evacuación
NOTA: Un cambio repentino en los hábitos de evacuación a cualquier edad debe ser investigado de inmediato **vaya al médico pronto**

ESTREÑIMIENTO

Características distintivas/periodicidad

Siempre la ha padecido
Podría ser:
- Insuficiente fibra en la dieta **cámbiela**
- Uso excesivo de laxantes causando inactividad intestinal **suspenda los laxantes, mejore sus hábitos de evacuación**
- Hacer caso omiso del deseo de defecar; las heces se secan en el recto **haga caso al deseo de defecar**

Intermitente
Podría ser:
- Síndrome del colon irritable (pág. 362) **cambie la dieta; vaya al médico**
- Diverticulosis, diverticulitis (pág. 364) **cambie la dieta; vaya al médico**

De origen reciente
Podría ser:
- Hipotiroidismo (pág. 507) (sensible al frío) **vaya al médico para realizarse exámenes**
- Hemorroides (pág. 370) **vaya al médico**
- Fisura anal (pág. 370) **vaya al médico**
- Cáncer colorrectal (pág. 368) **vaya al médico para tomar exámenes**

PÉRDIDA DE APETITO

Por edad

En un niño
Siempre es una indicación grave, especialmente si viene acompañada de uno o todos los siguientes síntomas:
- Diarrea **llame al médico**
- Vómitos **llame al médico**
- Dolor abdominal **llame al médico**
- Fiebre **llame al médico**

En un adulto joven
Podría ser:
- Anorexia (ver Trastornos alimentarios, pág. 300) **vaya al médico**
- Ansiedad (pág. 287) **vaya al médico**
- Depresión (pág. 298) **vaya al médico**
- Consumo de drogas **consulte al médico**
- Infección renal (pág. 376; con dolor de espalda) **llame al médico**
- Resaca
- Infección viral
- Intoxicación alimentaria (con vómitos y diarrea) **llame al médico si no hay mejoría en 48 horas**

En una persona mayor
Podría ser:
- Úlcera gástrica **vaya al médico**
- Consumo excesivo de alcohol **vaya al médico**
- Enfermedad hepática **vaya al médico**
- Vejez **cuidado en casa**

PÉRDIDA DE PESO

Por edad

En un niño preescolar
No subir de peso podría deberse a:
- Enfermedad celíaca (las deposiciones son de color arcilla, abultadas y flotan) **vaya al médico con muestra de deposición**

En un adolescente
Las causas más comunes de pérdida de peso son:
- Dietas **vaya al médico y a terapia**
- Anorexia (ver Trastornos alimentarios, pág. 300) **vaya al médico y a terapia**

- Bulimia (ver Trastornos alimentarios, pág. 300) **vaya al médico y a terapia**
- Diabetes juvenil (pág. 504) (aumento de apetito, orina en grandes cantidades) **vaya al médico pronto**

En un adulto
Podría ser:
- Dietas
- Síndrome de malabsorción (pág. 365) (deposiciones iguales que en enfermedad celíaca) **vaya al médico con muestra de deposiciones**

- Diabetes (pág. 504) **vaya al médico pronto**
- Cáncer **vaya al médico pronto**
- Hipertiroidismo (pág. 506) (calor corporal, palpitaciones, palmas sudorosas) **vaya al médico**

En una persona mayor
Podría ser:
- No comer **consulte al médico**
- Depresión (pág. 298) **consulte al médico**

FIEBRE

Por edad

En un niño preescolar
- Siempre es grave cuando dura más de 6 horas **llame al médico** (recuerde que los bebés pueden presentar fiebre por distintas razones, no todas graves; así es que si su bebé no está decaído, con vómitos o diarrea, pruebe con una dosis de paracetamol líquido)
- Con vómitos y diarrea (pág. 364) **llame al médico inmediatamente**

En un niño con pérdida de apetito
Podría ser el primer indicio de:
- Apendicitis (pág. 547) confirmado por dolor abdominal **llame al médico**
- Alguna infección (incluyendo oído, nariz, garganta, tracto urinario, estómago, intestino) **llame al médico si no se normaliza dentro de 24 horas**
- Insolación **consulte al médico**

En un adulto
La causa más común es una infección viral:
- Gripe **autoayuda (ver Influenza, pág. 334)**
- Una infección bacteriana, por ejemplo, intoxicación alimentaria, bronquitis (pág. 390) **llame al médico si no se mejora en 48 horas**

Hasta 38 °C (100 °F)
- Está casi dentro de lo normal **pruebe con paracetamol y contrólelo**

Hasta 39 °C (102 °F)
- Definitivamente algo anda mal, pero no es demasiado grave, por ejemplo, resfriado (pág. 333), gripe (pág. 334) **pruebe con paracetamol y llame al médico si no se mejora en 24 horas**

Hasta 40 °C (104 °F)
- Podría ser una infección grave, por ejemplo, una infección renal (pág. 376) o salmonella **llame al médico**

Sobre 40 °C (104 °F +)
- Podría ser muy grave, por ejemplo, malaria (pág. 343) **llame al médico o llévelo a un servicio de urgencia**

Características distintivas/periodicidad

Más alta por la noche
- La temperatura de todas las personas es más alta por la noche que por la mañana
- La sudoración nocturna es un síntoma de menopausia (pág. 497) **vaya al médico**
- En un hombre, la sudoración nocturna podría ser causada por linfoma (pág. 328) **vaya al médico**

Intermitente
- La temperatura de todas las personas es más alta después de hacer ejercicio
- La fiebre causada por la tuberculosis habitualmente es intermitente **vaya al médico**

Prolongada
- Un alza de temperatura prolongada podría indicar una infección crónica, como la brucelosis (una infección bacterial poco común) **vaya al médico; registre la temperatura en un gráfico y muéstreselo al médico**

A mitad de mes
- En las mujeres, la temperatura sube con la ovulación y permanece alta durante el resto del mes

Síntomas anexos

Erupción
- Si es acompañada por fiebre, podría tratarse de una enfermedad infecciosa infantil, por ejemplo, sarampión (pág. 544) o varicela (pág. 335) **llame al médico**
IMPORTANTE una erupción que no se desvanece al presionarla (vea Trombocitopenia, pág. 239) es un indicio de meningitis (pág. 404) **emergencia: llévelo a un servicio de urgencia**

Vómitos
- Siempre es potencialmente grave cuando continúan por 6 horas o más, debido al riesgo de deshidratación
NOTA: Los vómitos pueden indicar una irritación cerebral como la meningitis (pág. 404), una infección al oído medio **llame al médico**

Diarrea
- Siempre es potencialmente grave cuando continúa por 6 horas o más debido al riesgo de deshidratación **llame al médico**

FATIGA

Por edad

En un niño
- El decaimiento es siempre grave **vaya al médico**

En un adolescente o adulto joven
Podría ser:
- Infección viral, por ejemplo, gripe (pág. 334)
- Fatiga posviral, por ejemplo, mononucleosis infecciosa, que podría demorar entre 6 y 9 meses en desaparecer **espere una semana, más o menos, antes de ir al médico**

En una persona mayor
Podría ser:
- Igual que para adolescentes y adultos jóvenes **espere una semana, más o menos, antes de ir al médico**
- Anemia (pág. 236) u otra afección sanguínea **vaya al médico para que le realice un examen de sangre y para averiguar la causa**
- Síndrome de malabsorción (pág. 365) **lleve muestra de deposiciones al médico**

- Depresión (pág. 298)**; evalúe su estilo de vida, en caso de haber estrés vaya al médico para un eventual tratamiento con antidepresivos; terapia con orientador; pruebe autoayuda con yoga, ejercicios de relajación** (ver pág. 292)
- Hipotiroidismo (pág. 507) (frío, cabello delgado, piel seca y gruesa) **vaya al médico para realizarse exámenes de la tiroides y tratamiento**

Características distintivas

Empeora temprano por la mañana
Podría ser:
- La forma endógena de la depresión (es decir, no causada por acontecimientos externos) (pág. 298), especialmente si viene acompañada de un despertar temprano **vaya al médico**

Empeora justo antes de la menstruación
Podría ser:
- Parte de síndrome premenstrual (pág. 302) (otros síntomas: falta de

concentración, llanto, insomnio) **vaya al médico; autoayuda (ver Síndrome premenstrual, pág. 302)**

Empeora desde la ausencia de la menstruación
Podría ser:
- Menopausia (pág. 497) **vaya al médico para terapia de sustitución hormonal (pág. 502); autoayuda sin terapia de sustitución hormonal, incluye dieta, ejercicio, hierbas medicinales (ver Enfrentar la menopausia sin sustitución hormonal, pág. 497)**

Empeora por la noche
Podría ser:
- Estrés (pág. 288), ansiedad (pág. 287), exceso de trabajo **evalúe su estilo de vida e identifique lo que haya que cambiar; autoayuda (ver pág. 288)**

MAREOS

Por edad

En un adulto
Podría ser:
- Embarazo **examen**
- Presión baja (pág. 234) **vaya al médico (no requiere tratamiento)**
- Bajo nivel de azúcar en la sangre **coma periódicamente**
- Respiración excesiva reaccionando a una ansiedad, un shock **autoayuda (ver Ansiedad, pág. 288)**
- Insolación **consulte al médico**

En una persona mayor
Podría ser:
- Presión alta (pág. 226) **consulte al médico**
- Síndrome de Ménière (pág. 477) **consulte al médico**
- Labirintitis (pág. 478) **consulte al médico**
- Osteoartrosis (pág. 428) **consulte al médico, tómese una radiografía**
- Ataque isquémico pasajero (pág. 402) **consulte al médico**
- Tumor cerebral (pág. 409) **llame al médico**

VISIÓN BORROSA

Por características distintivas

- Seguido de dolor de cabeza, podría ser migraña (pág. 408) **vaya al médico**
- Sólo dura entre 20 y 30 minutos, podría ser migraña óptica (pág. 470) **vaya al médico**
- Aparece en forma gradual y empeora, podría ser miopía (pág. 469) **vaya al oculista**
- Hipermetropía (pág. 469) **vaya al oculista**
- Astigmatismo (pág. 470) **vaya al oculista**
- Acompañada de sequedad en los ojos, podría ser síndrome de Sjögren (pág. 473) **vaya al médico**
- Pérdida de parte del campo visual con ataques de vértigo (pág. 418), hormigueos o agarrotamiento de músculos; podría ser esclerosis múltiple (pág. 412) **vaya al médico y al neurólogo**
- Aparición muy repentina en personas mayores, similar a cuando se baja una cortina, podría ser desprendimiento de la retina (pág. 467) **vaya al médico y al oftalmólogo**

DOLOR DE CABEZA

Por edad

En un niño
Podría ser:
- Migraña (pág. 408) (¿tiene la familia un historial?) **consulte al médico**
- Infección del oído medio; sinusitis (pág. 481) **llame al médico**
- Meningitis (pág. 404) (¿hay erupción?) **llame al médico**
- Depresión (pág. 299) (¿es un niño solitario?) **consulte al médico**
- Fobia al colegio **consulte al médico**

En un adulto
Podría ser:
- Efecto secundario de un medicamento **consulte al médico**
- Sinusitis (pág. 481) **vaya al médico**
- Migraña (pág. 403) **consulte al médico**
- Presión alta (pág. 226) **consulte al médico**

- Muy rara vez, si los dolores de cabeza fuertes y recurrentes empezaron de la nada, podría ser un tumor cerebral (pág. 409) **vaya al médico**
- Tensión debido al estrés (pág. 288); ansiedad (pág. 287) **autoayuda (ver Relajación, pág. 292)**

En una persona mayor
Podría ser:
- Artritis temporal (dolor punzante en la sien) **vaya al médico pronto**
- Neuralgia posherpética (pág. 408) (después de herpes, pág. 335) **vaya al médico**
- Neuralgia trigeminal (pág. 408) **vaya al médico**

DOLOR DE MAMA

Por características distintivas

Cíclico antes del período menstrual
Podría ser:
- Cambios menstruales normales de los senos **lleve un calendario de los dolores; vaya al médico; pruebe con una dosis alta de aceite de primavera por la noche (ver Dolor de mama, pág. 243)**

No cíclicos o no relacionados con los períodos menstruales
- Si es un dolor punzante alrededor del pezón, podría ser ectasia de los conductos lácteos (pág. 246) **vaya al médico**
- Zona sensible en el seno, podría ser un quiste (pág. 246) **vaya al médico para una ecografía**
- Podría no estar relacionado con el seno, como una mialgia intercostal (inflamación de los músculos intercostales) **vaya al médico**
- Síndrome de Tietze (artritis en articulaciones de las costillas) **vaya al médico**
- Lesión o esguince de músculos pectorales **vaya al médico**

DOLOR DE OÍDO

Por edad

En un bebé o niño
- Si hubiera fiebre, podría ser una infección del oído medio **llame inmediatamente al médico**
- Con una mancha roja en la mejilla y si el bebé tira su oreja, podría corresponder a la dentición **consulte al médico**
- Si hubiera secreción desde el oído, podría ser otitis externa (infección del oído externo) **vaya al médico**
- Con tos, resfriado, dolor de garganta, podría ser amigdalitis (pág. 536) **vaya al médico**
- Si es intermitente, podría ser un problema dental **vaya al médico y luego al dentista**

En una persona mayor
Podría ser:
- Problema dental **vaya al dentista**
- Afección de la articulación temporomandibular (mandíbula) (pág. 494) **vaya al médico**
- Herpes (pág. 335) **vaya al médico**
- Si es persistente y constante (descarte el cáncer de la faringe) **vaya al médico**

AUMENTO DE VOLUMEN EN EL ESCROTO

Por criterios anatómicos

Relacionado con los testículos
Problablemente sea:
- Espermatocele (ver pág. 264 Por qué es importante examinar los testículos) **vaya al médico pronto**
- Cistocele (ver pág. 264 Por qué es importante examinar los testículos) **vaya al médico pronto**
- Hidrocele (ver pág. 264 Por qué es importante examinar los testículos) **vaya al médico pronto**

Ninguno es grave.

- Descarte un cáncer **vaya al médico pronto**

No relacionado con los testículos
Podría ser:
- Varicocele (ver pág. 264 Por qué es importante examinarse los testículos) (al palpar uno de ellos, se siente como un ovillo) **vaya al médico**

Síntomas que podrían indicar cáncer si aparecieran repentinamente

- **Dolor de cabeza**
- **Ronquera**
- **Tos**
- **Sangre en esputo**
- **Sangre en las deposiciones**
- **Sangre en la orina**
- **Cambio en el hábito intestinal (evacuar)**
- **Indigestión o acidez**
- **Pérdida de peso**
- **Pérdida de apetito**
- **Dificultad al respirar**

Directorio 4

Cómo se usa esta sección

La sección de Directorio cubre una amplia gama de enfermedades que podrían afectar a usted y su familia. Contiene 16 capítulos, incluyendo uno sobre afecciones infantiles, cada uno dedicado a un sistema corporal o un área de especialización médica. Todos tienen una presentación que destaca las afecciones principales y que sirve como resumen personal sobre cada sistema. Las dolencias enumeradas en cada capítulo se agrupan en temas, lo que hace más fácil encontrar trastornos relacionados y comprender las causas compartidas por un grupo de ellas. A veces, un capítulo tendrá secciones propias si ayuda a explicar un conjunto de afecciones.

Cada enfermedad nombrada incluye las razones por las cuales podría aparecer (considerando los factores de riesgo relevantes, como la edad o el sexo), cómo se diagnostica, cómo la podría tratar el médico, lo que usted puede hacer para ayudarse y cuál sería el pronóstico. Los recuadros titulados "exámenes" y "tratamientos" ofrecen información muy actualizada sobre los procedimientos de diagnóstico y tratamiento, y explican cada proceso de una forma amena para el paciente. Cada capítulo también contiene temas especiales de "enfoque", en los cuales se analizan asuntos de interés particular en mayor profundidad. Al final de las entradas aparecen referencias cruzadas de temas afines, de modo que no se interrumpa el flujo de información.

Cómo funciona cada capítulo

RESUMEN PERSONAL **ANATOMÍA** **ENFOQUE**

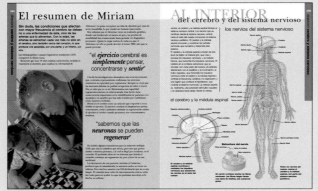

▲ **El resumen único de la Dra. Stoppard** de cada sistema corporal explica en forma amena los conceptos básicos.

▲ **Las páginas de anatomía** muestran la ubicación de las estructuras analizadas en los artículos de cada sección.

▲ **Los artículos de "enfoque"** presentan el punto de vista personal de la Dra. Stoppard sobre los temas de especial interés actual.

Cómo ubicarse en la página típica

Las afecciones comunes se explican a fondo con información sobre sus causas, síntomas, diagnóstico y tratamiento.

Los paneles de autoayuda incluyen información esencial sobre lo que usted puede hacer para ayudarse.

Los recuadros de advertencia destacan consejos importantes.

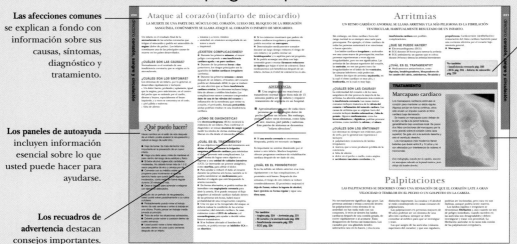

Las referencias cruzadas esenciales se indican claramente en recuadros sombreados.

Los recuadros de exámenes y tratamientos ofrecen información detallada y actualizada sobre los procedimientos de diagnóstico y tratamiento más recientes, explicando lo que está involucrado en cada proceso en forma amena para el paciente.

Corazón, Sangre y Circulación

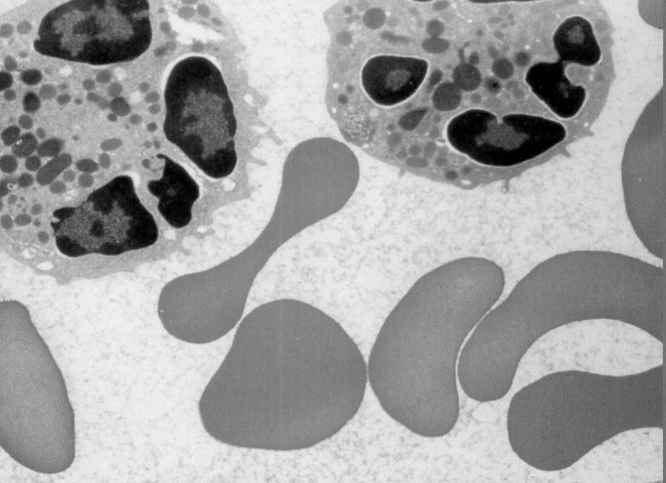

La imagen muestra un micrográfico electrónico de transmisión en colores de los glóbulos blancos y rojos

El resumen de Miriam

Los titulares de este capítulo son los infartos y la presión alta. En general, se puede prevenir el primero. No se puede prevenir el segundo, pero casi siempre es posible tratarlo con éxito.

La salud de su corazón está en sus manos, toda vez que se haya excluido alguna causa genética que cause un alto nivel de colesterol en la sangre. Todo lo que se requiere es un estilo de vida saludable para el corazón, lo que incluye alimentos sanos: cinco frutas diarias y, si se puede, dos porciones adicionales de verduras.

También significa que no puede llevar una vida sedentaria. El cuerpo es como un músculo: estará mejor si se ejercita. Bastará con una caminata a paso ligero, lo suficientemente rápido como para jadear un poco, durante media hora, tres veces por semana.

El corazón es puro músculo y, al igual que todos los músculos, requiere ejercicio, todos los días si se puede, aunque tres veces por semana lo mantendrá en buena forma.

De lo contrario, las arterias coronarias se revestirían de grasa, lo que se traduciría en una insuficiencia coronaria. Inevitablemente se manifestará en la forma de angina y quizás termine en un infarto que, si esta insuficiencia fuera excesiva, podría provocar una insuficiencia cardíaca e incluso la muerte.

¿Cómo saber si se es candidato a un infarto? El mejor indicador es tener un padre o una madre que haya sufrido uno. Si es así, entonces existirá la posibilidad que usted haya heredado un gen que podría incrementar el riesgo de contraer una enfermedad cardíaca.

En ese caso, un estilo de vida saludable es esencial y, si es mujer, deberá empezar la terapia de sustitución hormonal al inicio de la menopausia para que el estrógeno proteja el corazón.

Una presión arterial normal es fundamental para reducir las posibilidades de sufrir un infarto al miocardio. La hipertensión es el mayor factor de riesgo de esta dolencia y, si éste es su caso, será imprescindible que sea aconsejado por el médico para un tratamiento.

"el cuerpo es *como un músculo:* estará mejor *si se lo ejercita*"

El tratamiento de primera línea es muy sencillo y barato: un diurético para eliminar el exceso de líquido; eso sólo puede reducir las posibilidades de una trombosis.

El énfasis actual en las dietas equilibradas ha hecho bastante menos comunes las anemias de todo tipo y, especialmente, las que se deben a insuficiencias, como la anemia ferropénica.

También ha significado que las anemias hereditarias, como la anemia de células falciformes, hayan recibido la atención que merecen.

DENTRO
de su corazón

El corazón es un órgano muscular hueco, aproximadamente del tamaño de un puño, cuya función es bombear la **sangre** por el interior del cuerpo. Se divide en cuatro cámaras: dos superiores, que se llaman **aurículas**, y dos inferiores, que se llaman **ventrículos**. Cuando la sangre desoxigenada del cuerpo ingresa al corazón, se almacena en la aurícula derecha y desde ahí fluye al ventrículo derecho y se bombea a los **pulmones**. La sangre oxigenada de los pulmones ingresa a la aurícula izquierda y luego fluye al ventrículo izquierdo. Desde esta cámara se bombea a todo el cuerpo.

la estructura del corazón

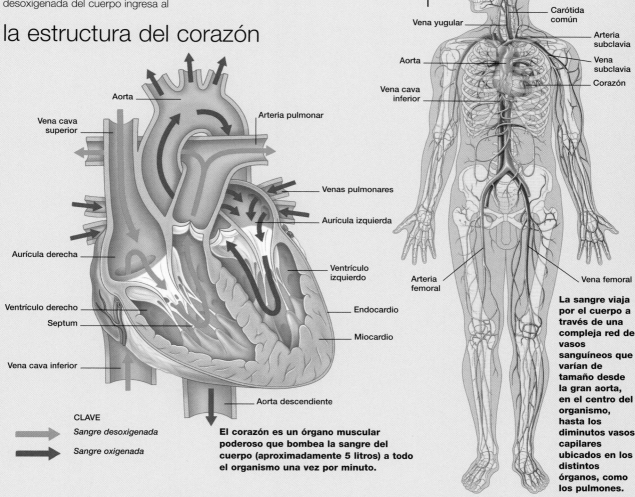

los principales vasos sanguíneos

Vena yugular

Carótida común

Aorta

Arteria subclavia

Vena cava inferior

Vena subclavia

Corazón

Aorta

Vena cava superior

Arteria pulmonar

Venas pulmonares

Aurícula izquierda

Aurícula derecha

Ventrículo izquierdo

Ventrículo derecho

Endocardio

Septum

Miocardio

Vena cava inferior

Aorta descendiente

Arteria femoral

Vena femoral

CLAVE

Sangre desoxigenada

Sangre oxigenada

El corazón es un órgano muscular poderoso que bombea la sangre del cuerpo (aproximadamente 5 litros) a todo el organismo una vez por minuto.

La sangre viaja por el cuerpo a través de una compleja red de vasos sanguíneos que varían de tamaño desde la gran aorta, en el centro del organismo, hasta los diminutos vasos capilares ubicados en los distintos órganos, como los pulmones.

Grupo sanguíneo

La presencia de ciertas proteínas, llamadas antígenos, en la superficie de los glóbulos rojos determina su grupo sanguíneo. Si se le suministra sangre que contiene antígenos no compatibles con los suyos, su sistema inmunológico los atacará y destruirá.

Determinar su grupo sanguíneo asegura que se le proporcionará sangre compatible.

Los principales grupos sanguíneos son ABO y Rh (Rhesus). Toda la sangre, independientemente del grupo ABO, se clasifica ya sea como Rh positivo o Rh negativo. En el embarazo, la sangre Rh negativa de la madre podría producir anticuerpos contra la sangre del bebé, si éste fuera Rh positivo. El problema se trata con éxito cuando se lo identifica antes del parto.

El corazón y la aterosclerosis

LA ACUMULACIÓN DE COLESTEROL Y OTRAS SUSTANCIAS GRASAS EN LAS PAREDES DE LAS ARTERIAS LAS HACE MÁS ESTRECHAS Y CONSTITUYE UNA AFECCIÓN GRAVE LLAMADA ATEROSCLEROSIS.

Cuando las arterias del corazón y del cerebro se ven afectadas por la aterosclerosis, aparecen muchos síntomas y enfermedades. **En el caso del corazón,** los síntomas comunes son **angina y palpitaciones,** y las enfermedades incluyen la **trombosis coronaria** y el **infarto. Con respecto al cerebro,** los síntomas son **mareos, caídas** y **pérdida de memoria,** y las dolencias son **accidente vascular cerebral** y **demencia.** En este sentido, la aterosclerosis es el denominador común de muchas afecciones importantes y la explicación de muchos síntomas.

Debido a su relevancia, inicio esta sección sobre el corazón y la circulación con la aterosclerosis. Si entiende esta última, automáticamente comprenderá mucho más sobre las enfermedades del corazón (cardiovasculares) y del cerebro (cerebrovasculares).

También sabrá cómo reducir las posibilidades de desarrollarlas y muchos de los tratamientos y cambios recomendados en su estilo de vida tendrán su justificación.

Asimismo, considero que un breve análisis del colesterol es útil para entender cómo se ha producido la afección cardíaca y cómo se la puede manejar. El colesterol se ha demonizado, pero no todo es malo. De hecho, un colesterol, llamado lipoproteínas de alta densidad (HDL), es bueno y lo protege de las enfermedades cardíacas de forma efectiva.

La aterosclerosis es una enfermedad que provoca estrechez de las arterias. La dolencia afecta las arterias en cualquier área del cuerpo y es una de las principales causas de accidentes vasculares encefálicos, los infartos y mala circulación sanguínea en las piernas. Las plaquetas, pequeñas células de la sangre (encargadas de la coagulación), pueden agruparse en la superficie de los depósitos grasos y formar coágulos. Uno suficientemente grande podría bloquear una arteria.

La aterosclerosis se hace más común a medida que se envejece. Sin embargo, rara vez causa síntomas sino hasta el período comprendido entre los 45 y 50 años. El estrógeno, hormona sexual femenina, ayuda a proteger de la aterosclerosis. Por consiguiente, la incidencia de este trastorno en mujeres premenopáusicas es mucho menor que en los hombres. No obstante, a los 60 años el riesgo para las mujeres aumenta hasta igualar al de los hombres. Por otro lado, aquellas que reciben terapia de sustitución hormonal, que contiene estrógeno, seguirán protegidas.

¿CUÁLES SON LAS CAUSAS?

Son dos los elementos que mayormente determinan el riesgo de desarrollar aterosclerosis: el nivel de colesterol en el torrente sanguíneo, que depende de los hábitos alimentarios y de factores genéticos, y también si existe la tendencia, genética, a que el colesterol se acumule en las paredes de las arterias. Puesto que los niveles de colesterol se encuentran muy ligados a las dietas con alto contenido graso, la aterosclerosis es más común en los países occidentales donde estas dietas son comunes. En algunas afecciones, como la diabetes mellitus, existe un alto nivel de grasa en la sangre independientemente de la dieta. Algunos trastornos hereditarios, como la hiperlipidemia (vea pág. siguiente), también provocan un nivel considerable de grasas en la sangre.

Los factores más favorables para el desarrollo de aterosclerosis incluyen fumar, no hacer ejercicio en forma regular, hipertensión y sobrepeso, especialmente si se acumula grasa en la cintura.

¿CUÁLES SON LOS FACTORES DE RIESGO?

Existen varios factores de riesgo de aterosclerosis comprobados y, dado que este mal precede a la mayoría de las enfermedades cardíacas, sus riesgos se aplican a las cardiopatías, como la angina, trombosis coronaria e infarto. Éstos son:

- historial familiar de angina o infartos
- fumar
- diabetes mellitus
- colesterol alto
- falta de ejercicio o sobrepeso
- hipertensión.

¿CUÁLES SON LOS SÍNTOMAS?

Normalmente, no hay síntomas en las primeras etapas de la aterosclerosis. Sin embargo, si se obstruyen las arterias coronarias que irrigan el corazón, los síntomas incluirán el dolor de pecho de la angina. Si afecta las arterias de las piernas, el primer síntoma podría ser un dolor similar a un calambre al caminar, causado por la mala circulación sanguínea hacia los músculos de estas extremidades.

¿CÓMO SE DIAGNOSTICA?

Puesto que la aterosclerosis no tiene síntomas sino hasta que se restringe el torrente sanguíneo, es importante someterse a un chequeo de detección precoz, evaluando los niveles de colesterol en la sangre, la presión y la diabetes mellitus. Si presenta factores de riesgo (vea arriba), deberá examinar sus niveles de colesterol cada cinco años después de cumplir los veinte años.

Existen técnicas modernas de imagenología que utilizan rayos X (angiografía) y ecografías (ultrasonido Doppler), y que muestran el torrente de los vasos sanguíneos cardíacos, cerebrales y pulmonares. Un electrocardiograma (ECG) permite observar la actividad eléctrica del corazón. Algunos de estos exámenes se pueden hacer mientras usted hace ejercicio para chequear el funcionamiento del suyo cuando está sometido a esfuerzo.

El colesterol

El colesterol es una sustancia grasa que se fabrica en el hígado a partir de las grasas saturadas de los alimentos. Demasiado colesterol en la sangre puede aumentar el riesgo de padecer una enfermedad cardíaca.

El colesterol presenta dos formas principales:

- lipoproteínas de baja densidad (LDL), que llevan el colesterol del hígado a las células del cuerpo, incluyendo las arterias
- lipoproteínas de alta densidad (HDL), que regresan el colesterol excesivo al hígado

Las LDL son el enemigo natural del cuerpo. Un alto nivel constituye un riesgo grave de enfermedad cardíaca, especialmente si el nivel de HDL es bajo. Por otro lado, las HDL son buenas y los niveles altos son muy saludables. La mejor situación, entonces, es tener un alto nivel de HDL y uno bajo de LDL.

Ahora debemos considerar la importancia de la dieta. Una dieta con un alto contenido de grasas saturadas (es decir, grasa de animal, principalmente productos lácteos enteros) eleva el nivel de LDL y reduce el de HDL, lo contrario de lo que se necesita. A la inversa, al cambiar las grasas saturadas por otras no saturadas (aceites) se revierte la tendencia. El nivel promedio de colesterol en la sangre de las personas que viven en el Reino Unido es 5,8 mmol/l (milimoles de colesterol por litro de sangre). La cifra es alta comparada con las de otros países. Por ejemplo, el promedio en China es 3,2 mmol/l. Si usted tiene más de 5,8 mmol/l, el médico querrá reducir esta cifra con cambios de dieta y, eventualmente, con medicamentos.

El colesterol es sólo uno de los riesgos de sufrir una enfermedad cardíaca. Si presenta otros factores de riesgo como fumar, sobrepeso o hipertensión, entonces éstos multiplicarán sus posibilidades de sufrir un infarto.

Aproximadamente 1 de cada 10 personas tiene un alto nivel de colesterol en la sangre debido a una afección hereditaria denominada hiperlipidemia secundaria. Si no se trata, podría provocar una insuficiencia coronaria y un infarto a muy temprana edad.

EXÁMENES

Composición química de la sangre y nivel de colesterol en ella

Análisis químicos de la sangre

Estos análisis miden los niveles de ciertas sustancias químicas y minerales en la sangre y constituyen una forma sencilla de averiguar si algunas células y tejidos en particular están funcionando en forma adecuada. Por lo general, se utilizan para chequear los niveles de sustancias producidas por los riñones, el hígado o los músculos. Estos exámenes también sirven para determinar los niveles de minerales óseos, como el calcio.

Análisis de niveles de colesterol en la sangre

Por su parte, estos análisis miden los niveles de determinadas sustancias grasas, llamadas lípidos, en la sangre. Los altos niveles de los lípidos, colesterol y triglicéridos causan acumulación de depósitos grasos en las paredes de las arterias, lo que provoca aterosclerosis. Éstos interrumpen el flujo sanguíneo y pueden causar una insuficiencia coronaria y derrames cerebrales.

Además de medir el nivel total de colesterol en la sangre y los niveles de otros lípidos, como los triglicéridos, también miden los niveles de 2 tipos específicos de colesterol: lipoproteína de alta densidad (HDL) y lipoproteína de baja densidad (LDL). Al parecer, las HDL protegen de la aterosclerosis, mientras que un alto nivel de LDL es un factor de riesgo de ella. Por lo general, se considera deseable un nivel de 5,0 mmol/l o menor. La relación HDL/LDL también es importante; idealmente, debería ser inferior a 4. Según los resultados de los análisis de niveles de colesterol, el médico podría recomendar cambios de dieta o de estilo de vida o recetar fármacos reductores de lípidos o ambos.

¿CUÁL ES EL TRATAMIENTO?

Las medidas preventivas incluyen seguir un **estilo de vida sano,** una dieta de bajo contenido graso, no fumar, hacer ejercicio en forma regular y mantener un peso acorde con la estatura.

■ Si usted tiene buena salud, pero un alto nivel de colesterol, el médico le recomendará una **dieta de bajo contenido graso.**

■ También le podría ofrecer **medicamentos** que reducen el nivel de colesterol de la sangre. Para las personas que ya han sufrido un infarto, los estudios han demostrado que reducir los niveles de colesterol es beneficioso, incluso si éstos se encuentran dentro del rango normal para personas sanas.

■ El médico le podría recetar un medicamento como **aspirina en bajas dosis** para reducir el riesgo que se formen coágulos de sangre en las paredes dañadas de las arterias.

■ Si pensara que usted posee un alto riesgo de complicaciones graves, el médico podría recomendar otro tratamiento, como una **angioplastia coronaria,** en la cual se infla un balón dentro de la arteria para agrandarla o mejorar el flujo sanguíneo.

■ Si este flujo hacia el corazón se encontrara gravemente obstruido, se podría hacer un **bypass coronario** para restaurarlo.

¿CUÁL ES EL PRONÓSTICO?

Una dieta y un estilo de vida sana pueden retardar el desarrollo de la aterosclerosis en la mayoría de las personas. Si usted sufre un infarto o un accidente vascular encefálico podrá reducir el riesgo de complicaciones mayores adoptando medidas preventivas.

Ver también:
• **Angina pág. 224** • **Angiografía coronaria pág. 224** • **ECG pág. 224**

Hiperlipidemia secundaria

LA HIPERLIPIDEMIA SECUNDARIA ES LA AFECCIÓN EN LA CUAL LA SANGRE CONTIENE NIVELES ANORMALMENTE ALTOS DE COLESTEROL Y/O TRIGLICÉRIDOS (OTRO TIPO DE GRASA)

La hiperlipidemia secundaria está presente desde el nacimiento, pero normalmente sólo se hace evidente en la primera infancia y se debe a un gen anormal heredado de uno de los padres o de ambos. Una dieta con un alto contenido de grasa y la falta de ejercicio agravan el trastorno. Los niveles elevados de triglicéridos, en especial de colesterol, aumentan el riesgo de **aterosclerosis** e **insuficiencia coronaria.**

¿CUÁLES SON LOS RIESGOS?

■ La forma más común afecta aproximadamente a 1 de cada 500 personas de ascendencia europea, quienes heredan una copia de un gen anormal. Ellos tienen un nivel de colesterol **dos o tres veces** mayor que el normal.

■ Existe un riesgo de **1 en un millón** que hereda el gen anormal de ambos padres. Si se heredan 2 copias del gen, el nivel de colesterol será entre **seis y ocho veces** más alto que lo normal.

■ Las personas afectadas tienen una alta probabilidad de **sufrir un infarto**, el que incluso, podría producirse en **la niñez.**

¿CUÁLES SON LOS SÍNTOMAS?

Además de los síntomas de aterosclerosis, los niveles muy altos de colesterol asociados con la hiperlipidemia secundaria podrían causar algunas de las siguientes afecciones que aparecen después de un período de varios años:

• tumefacción amarilla debajo de la piel (xantomas) de las manos

• tumefacción de los tendones alrededor de las articulaciones del tobillo y muñeca

• tumefacción amarilla en la piel de los párpados (xantelasmas)

• anillo de color amarillo claro alrededor del iris (la parte de color del ojo)

Los hombres con estas afecciones podrían sufrir de insuficiencia coronaria, como la angina desde muy jóvenes, entre los 20 y 30 años. En las mujeres, el estrógeno normalmente las protege de estos problemas hasta la menopausia.

¿QUÉ SE PUEDE HACER?

■ La hiperlipidemia secundaria no tiene cura, así es que se deben suministrar los fármacos reductores de colesterol a temprana edad.

■ Se pueden tratar los síntomas con una mezcla de ejercicio, una dieta de bajo contenido de grasas saturadas y fármacos.

■ El pronóstico varía, pero un tratamiento oportuno puede reducir el riesgo de un infarto.

■ Los parientes de una persona afectada deberían hacerse chequeos médicos para ver si padecen de la afección.

Ver también:
• **Angina pág. 224**
• **El corazón y la aterosclerosis pág. 222**

Angina

EL CARACTERÍSTICO DOLOR DE PECHO DE LA ANGINA A MENUDO SE DESCRIBE COMO UNA PESADEZ O UNA SENSACIÓN DE TENER EL CENTRO DEL PECHO APRETADO, Y QUE SE VA ESPARCIENDO HACIA LOS BRAZOS, CODOS, CUELLO, MANDÍBULA, CARA Y ESPALDA, CON FRECUENCIA CAUSADO POR UN ESFUERZO O ANSIEDAD Y QUE SE ALIVIA AL REPOSAR UNOS 10 MINUTOS.

EXAMEN

Angiografía coronaria

La angiografía coronaria se utiliza para visualizar las arterias que irrigan sangre al corazón. Una angiografía revelará si las arterias coronarias son estrechas o están bloqueadas, algo que no se ve en una radiografía normal. Se inyecta anestesia local y se introduce un catéter flexible y delgado en la arteria femoral, se pasa por la aorta y se introduce en la arteria coronaria. Se suministra un contraste radiopaco intravascular a través del catéter y se toma una serie de radiografías. El procedimiento es indoloro, pero usted podría experimentar una sensación de calor cuando se le inyecte el contraste.

Durante el procedimiento

El catéter se coloca en el corazón de modo que el extremo descanse en una arteria coronaria y luego se inyecta el contraste. Se visualizan la arteria y los vasos pequeños que salen de ella mediante una serie de radiografías. Se puede cambiar el catéter de posición y repetir el proceso para revisar todas las arterias coronarias.

La angina afecta a ambos sexos, pero rara vez se produce en mujeres menores de 60 años, porque el estrógeno las protege. Sin embargo, después de la menopausia, el efecto protector de esta hormona desaparece paulatinamente y, al igual que la insuficiencia cardíaca, se hace tan común en mujeres como en hombres.

Es el síntoma más común provocado por la acumulación de grasas en las arterias coronarias (aterosclerosis). Dado que la aterosclerosis precede la mayoría de las cardiopatías, la angina constituye una señal de advertencia de muchas enfermedades del corazón.

¿QUÉ LA PROVOCA?

El dolor se origina en el músculo cardíaco y se debe a un flujo inadecuado de sangre. Es una señal de insuficiencia coronaria (vea pág. siguiente) y de enfermedad coronaria. Puede aparecer cuando se está caminando, especialmente en un día frío, o después de una comida, pero también cuando se está descansando e incluso lo podría despertar durante la noche. Algunas personas reconocen que la ansiedad o la alteración producen angina.

¿QUÉ HAGO EN CASO DE ANGINA?

1. Deje de hacer lo que está haciendo.
2. Descanse. No se mueva hasta que haya desaparecido completamente el dolor.
3. Ingiera un medicamento (e.g., una tableta de nitrato sublingual) para aliviar el dolor.
4. Si el dolor dura más de 15 minutos o no se alivia con la tableta de nitrato, llame al médico: podría tratarse de un infarto. Infórmele

también si la angina aparece aun al realizar cada vez menos esfuerzo.

¿ES ANGINA REALMENTE?

Hay muchas cosas que causan dolor en el centro del pecho y que no son tan graves como la angina. Por ejemplo:

- acidez
- indigestión
- úlcera péptica
- cálculos biliares
- ansiedad
- esguince o inflamación de los músculos.

Normalmente, el médico puede diferenciarlo de una cardiopatía por la naturaleza del dolor, pero podría pedir un electrocardiograma (ECG), un cintigrama (talio), un angiograma o una cateterización coronaria. Un ECG de esfuerzo mostrará un corazón sometido a ejercicio o estrés.

¿CUÁL ES EL TRATAMIENTO?
TRATAMIENTO CON FÁRMACOS

■ Los fármacos de nitrato incrementan la irrigación sanguínea al corazón dilatando las arterias coronarias. Colocar una tableta de trinitroglicerol bajo la lengua produce un alivio inmediato. Siempre llévelas con usted y asegúrese que no se le acaben. También se puede usar como prevención antes de realizar un esfuerzo físico, como tener relaciones sexuales.

■ Los betabloqueadores, los antagonistas de los canales del calcio y los antagonistas de los

EXAMEN

ECG

El electrocardiograma (ECG) se utiliza para registrar la actividad eléctrica del corazón, investigar la causa de un dolor de pecho y diagnosticar ritmos cardíacos anormales. Se fijan varios electrodos a la piel para que transmitan la actividad eléctrica a una máquina de ECG. Cada traza muestra la actividad eléctrica de diferentes áreas del corazón. El examen, normalmente, toma varios minutos, no presenta riesgos y es indoloro.

La traza (registro en papel) producida por la máquina de ECG muestra la actividad eléctrica del corazón cuando se contrae y se relaja.

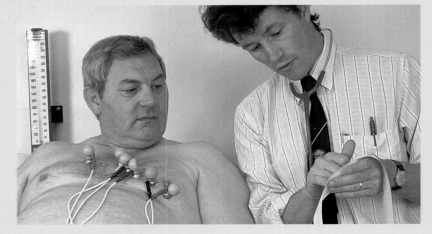

canales del potasio reducen la cantidad de trabajo del corazón desacelerando el ritmo cardíaco y reduciendo su necesidad de oxígeno. Los efectos secundarios son poco comunes, pero incluyen la impotencia, así es que informe al médico de cualquier cosa extraña y podrá cambiar el comprimido.

TRATAMIENTO QUIRÚRGICO
■ La angioplastia coronaria mejorará el flujo de sangre hacia el corazón. No se trata de una cirugía mayor, y estará de vuelta en casa dentro de dos días.
■ El bypass coronario consiste en realizar un desvío de las secciones estrechas de las arterias coronarias uniendo aquellas sanas mediante una arteria o vena injertada de otra parte del cuerpo, generalmente una pierna. Se trata de cirugía mayor y estará hospitalizado durante una semana.

CAMBIOS DE ESTILO DE VIDA
Un ataque de angina es una temprana señal de advertencia. Usted debe cambiar su estilo de vida si quiere prevenir otro ataque e impedir que la cardiopatía empeore.
■ Deje de fumar
■ Baje de peso y siga una dieta sana para el corazón con más pescados aceitosos y frutas y verduras frescas.
■ Empiece a hacer ejercicios paulatinamente

■ Controle su presión bajo la supervisión de un médico
■ Vigile el nivel de colesterol (menos de 5 mmol/l es lo óptimo)
Con estos cambios y los tratamientos que le da el médico, usted podrá volver a una vida, trabajo y relaciones sexuales normales.

Ver también:
• **El corazón y la aterosclerosis pág. 222**

Insuficiencia coronaria

EN LA INSUFICIENCIA CORONARIA, LAS ARTERIAS QUE IRRIGAN EL CORAZÓN SE ENCUENTRAN TAN TAPADAS POR LA ACUMULACIÓN DE GRASA QUE COMPROMETE SU SUMINISTRO DE SANGRE, LO QUE PUEDE DAÑARLO

La afección subyacente es aterosclerosis y el síntoma más claro es la **angina** (dolor de pecho). He incluido análisis detallados de los riesgos, las causas, las investigaciones, el tratamiento y los cambios de estilo de vida bajo esos títulos y sugiero que los lea junto con éste.

En la insuficiencia coronaria, que puede derivar en **insuficiencia cardíaca,** una o más de las arterias coronarias se vuelve más estrecha. Se restringe el flujo sanguíneo por ellas, lo que termina dañando el músculo cardíaco. La angina avisa de un daño inminente al corazón. Las enfermedades cardíacas graves, incluyendo los infartos, a menudo son producto de la insuficiencia coronaria. Por consiguiente, esta afección es una de las principales causas de muerte en muchos países occidentales.

¿CUÁLES SON LAS CAUSAS?
Por lo general, la insuficiencia coronaria se debe a la **aterosclerosis**, en la cual se acumulan depósitos grasos en las paredes internas de las arterias. Éstos las hacen más estrechas y restringen el flujo sanguíneo. Si se formara o estacionara un coágulo en el área angosta de una arteria, la podría bloquear completamente. Esta insuficiencia causada por aterosclerosis será más factible si el nivel de colesterol es alto y se ingiere una dieta con alto contenido de grasa animal. Esta insuficiencia también se asocia al tabaquismo, obesidad, falta de ejercicio, diabetes mellitus e hipertensión.

En las mujeres, el estrógeno reduce el riesgo de insuficiencia coronaria.

¿CUÁLES SON LOS SÍNTOMAS?
■ **Dolor de pecho** (angina).
■ **Palpitaciones** (conciencia de los latidos del corazón).
■ **Mareos o pérdida de conocimiento.**
■ **Latidos cardíacos irregulares** en algunas personas. Se producen como consecuencia de una anormalidad del ritmo cardíaco (arritmia).

Algunas arritmias graves pueden hacer que el corazón deje de bombear sangre por completo, paro cardíaco, lo que explica la mayoría de las muertes súbitas producidas por insuficiencia coronaria.
■ En las personas mayores, la insuficiencia coronaria puede terminar en una insuficiencia cardíaca crónica, cuando el corazón se vuelve paulatinamente demasiado débil para bombear suficiente sangre por el cuerpo. La insuficiencia cardíaca crónica puede producir una acumulación de **exceso de líquido en los pulmones** y tejidos, provocando síntomas adicionales, como dificultad respiratoria y tobillos hinchados.

¿CUÁL ES EL TRATAMIENTO?
■ El tratamiento de la insuficiencia coronaria se divide en 3 categorías: cambios de estilo de vida, tratamientos con fármacos y procedimientos quirúrgicos.
■ Si los exámenes demuestran que usted tiene un alto nivel de colesterol en la sangre, le tratarán con fármacos reductores de lípidos para desacelerar el avance de la insuficiencia coronaria y, por consiguiente, reducir el riesgo de un infarto.
■ La angina se puede tratar con medicamentos, como nitratos y betabloqueadores, que mejoran el flujo sanguíneo por las arterias y ayudan al corazón a bombear eficazmente. Un ritmo cardíaco anormal se trata muchas veces con fármacos antiarrítmicos.
■ El tratamiento quirúrgico incluye angioplastia y cirugía de bypass coronario.

Ver también:
• **Angina pág. 224** • **Arritmias pág. 231**
• **El corazón y aterosclerosis pág. 222**
• **Insuficiencia cardíaca crónica pág. 233**
• **Infarto de miocardio pág. 230**
• **Hipertensión pág. 226**

EXAMEN

Examen de esfuerzo
Normalmente se realiza un examen de esfuerzo cuando se sospecha de la presencia de una insuficiencia coronaria. Sirve para evaluar el funcionamiento del corazón cuando está sometido a un esfuerzo. El examen implica incrementar su ritmo mediante el ejercicio, por lo general caminando en una banda sin fin o pedaleando en una bicicleta estacionaria, y luego monitorear el funcionamiento del corazón. Se adecua el ejercicio para asegurar que el corazón sea examinado apropiadamente y sin riesgo. Se pueden usar diferentes tipos de monitoreo, incluyendo cintigrama (talio), que permite visualizar el funcionamiento del corazón, y un electrocardiograma (ECG), que monitorea la actividad eléctrica del corazón.

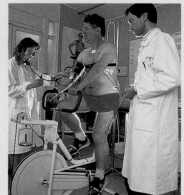

Pedalear en una bicicleta estacionaria permite examinar el corazón en forma segura.

ENFOQUE en hipertensión

Una presión alta persistente podría dañar las arterias y el corazón. Si no es tratada, se podría convertir en la causa más común de derrames cerebrales. En occidente, al menos una de cada cinco personas sufre de presión alta, también llamada hipertensión.

Ésta es perjudicial porque ejerce presión sobre el corazón y las arterias, dañando el tejido delicado. Si no se la trata afectará, eventualmente, los ojos y los riñones. Mientras más alta sea, mayor es el riesgo que las complicaciones, como infartos, insuficiencia coronaria y derrames cerebrales, acorten su vida. Bajar la presión sólo un poco puede reducir el riesgo de un infarto hasta en un 20 por ciento.

La presión sanguínea varía en forma natural durante el día según la actividad: sube cuando se hace ejercicio o se está estresado y baja cuando se descansa y se duerme. También varía de una persona a otra, aumentando paulatinamente con la edad y el peso.

La hipertensión sola rara vez le provoca malestar. A algunas personas les duele la cabeza, pero sólo si tienen la presión muy alta. Si su presión es así, podría sufrir de mareos, visión borrosa o hemorragia nasal. A la hipertensión a veces se la llama "el asesino silencioso", porque las personas podrían sufrir un infarto o accidente vascular cerebral fatal sin ninguna advertencia.

Sin embargo, si usted sabe que tiene la presión alta no estará sola y es más afortunada que muchos, pues al menos ya sabe que la tiene. Más de un tercio de los hipertensos no reciben tratamiento y su salud está en peligro.

¿CUÁLES SON LAS CAUSAS?
Aunque la hipertensión es más común entre los hombres, no hay una causa única. Todos estos factores podrían contribuir:
- sobrepeso
- beber grandes cantidades de alcohol
- un estilo de vida estresante
- ingesta excesiva de sal
- inactividad física
- insuficiencia renal.

En las mujeres embarazadas, una presión alta podría producir afecciones potencialmente fatales: eclampsia y preeclampsia, en las cuales la presión alta, por lo general, vuelve a su rango normal después del parto.

¿QUÉ SE PUEDE HACER?
- Para detectar la hipertensión es importante tomarse la presión en forma rutinaria al menos cada 2 años después de cumplir los 30.
- Si su presión es mayor a 140/90mmHg, el médico le pedirá que regrese en unas semanas para volver a tomarla.
- Normalmente no se diagnostica la hipertensión sino hasta tener el registro de presión alta en tres ocasiones distintas. El médico podría solicitar los siguientes exámenes:
- Exámenes del corazón, incluyendo electrocardiograma (ECG) o ecocardiograma.
- Exámenes de los ojos para detectar vasos sanguíneos dañados.
- Exámenes para detectar la causa. Por ejemplo, exámenes de orina y de sangre y ecografías para detectar alguna enfermedad renal o trastorno hormonal.

¿EXISTEN COMPLICACIONES?
La hipertensión grave que no es tratada podría dañar el corazón, las arterias y los riñones. Las arterias afectadas tienen más riesgo de contraer aterosclerosis, en la cual los depósitos grasos se acumulan en las paredes de los vasos sanguíneos, haciéndolos más estrechos y restringiendo el torrente sanguíneo.

Después de muchos años, el daño de las arterias de los riñones podría provocar una insuficiencia renal crónica. La hipertensión también podría dañar las arterias en la retina del ojo.

¿REQUIERE TRATAMIENTO INMEDIATO?
La necesidad de tratamiento depende del nivel de la presión, ADEMÁS de otros factores que podrían dañar los vasos sanguíneos, por ejemplo, diabetes,

Tomar la presión

Se coloca una banda de goma alrededor de la parte superior del brazo y se infla con una pera conectada a ésta mediante un tubo. La banda se desinfla lentamente mientras el médico escucha el flujo sanguíneo por una arteria del brazo con un estetoscopio.

La presión se expresa como dos cifras en milímetros de mercurio (mmHg). La presión de una persona joven y sana que ha estado sentada durante cinco minutos no debería ser mayor a 120/80 mmHg. En general, se considera que un individuo tiene la presión alta cuando ésta es mayor a 140/90mmHg en forma persistente después de tres lecturas en ocasiones separadas, incluso cuando está descansado.

140/90 – significa:
140 – presión sistólica
Es la presión cuando la contracción del corazón empuja la sangre alrededor del cuerpo.

90 – presión diastólica
Es la presión más baja que se produce entre latidos de corazón.

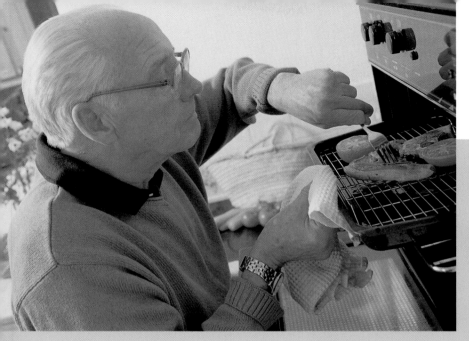

tabaquismo o sobrepeso. Así es que el tratamiento podría variar de una persona a otra y no siempre está relacionado con el nivel de la presión.
● La presión que promedia 160/100mmHg o más en varias lecturas se trata mejor con fármacos (vea la tabla a continuación).
● La presión alta leve (entre 140/90 y 159/99 mmHg) se chequea periódicamente, pero no se tratará si el riesgo de dañar las arterias es bajo. Es el caso especial de personas jóvenes, en su mayoría, mujeres.
● Por otro lado, es mejor tratar la presión alta leve en las personas mayores y en quienes ya padecen de síntomas de presión alta, como la angina.
● Probablemente, el médico le examine de tres a seis meses antes de empezar algún tratamiento.
● Para la hipertensión leve, el tratamiento médico de primera elección es a menudo diuréticos.

¿CUÁL ES EL TRATAMIENTO?
● Por lo general, la presión alta no se puede curar, pero sí se puede controlar mediante su tratamiento. Si usted padece de una hipertensión muy leve, la forma más eficaz de bajar la presión sanguínea será, muchas veces, cambiar el estilo de vida.
● Si las medidas de autoayuda no son eficaces, el médico le podrá recetar medicamentos antihipertensivos. Éstos funcionan de diferentes maneras y le podrían recetar sólo un tipo de fármaco o una combinación de varios. Existen muchos que tratan la presión y que la bajarán paulatinamente en varias semanas o meses.

¿TIENE ALGUNO DE ESTOS MEDICAMENTOS EFECTOS SECUNDARIOS?
La mayoría de los pacientes se sentirá bien, pero algunos sufrirán los efectos secundarios. Afortunadamente, son pocos, pero el más angustiante es la impotencia. Si sufre de impotencia, pregunte a su médico si los fármacos podrían estar causándola y si se puede cambiar el tratamiento.

MUJERES:
● con presión alta pueden recibir terapia de reemplazo hormonal
● que usan la píldora anticonceptiva deberían tomarse la presión cada seis meses.

¿CUÁL ES EL PRONÓSTICO?
En la mayoría de los casos, los cambios de estilo de vida y el tratamiento con medicamentos controlan la presión y reducen el riesgo de complicaciones. Tal vez tenga que seguir estas medidas durante el resto de su vida.

Medicamentos que se usan para tratar la presión alta

Tipo de medicamento	Lo que hace	Se le receta a	No se le receta a	Efectos secundarios ocasionales
DIURÉTICOS	Elimina la sal y el agua	Personas mayores	Personas con gota o diabetes	Gota Impotencia
BETABLOQUEADORES	Desaceleran el ritmo cardíaco	Personas más jóvenes	Personas con angina Personas con asma	Dedos de las manos y de los pies helados, Piernas cansadas Sueños intensos, Impotencia
INHIBIDORES ICA	Relajan las paredes de las arterias	Personas con diabetes o insuficiencia cardíaca	Mujeres embarazadas o que podrían embarazarse	Tos seca, molestias en la garganta Diarrea
ANTAGONISTA DE LOS CANALES DE CALCIO	Relajan las paredes de las arterias	Personas con angina	Personas con insuficiencia cardíaca	Tumefacción de los tobillos Piel colorada, Estreñimiento
ALFABLOQUEADORES	Desaceleran el ritmo cardíaco	Hombres con problemas de próstata	Personas con asma	Dolores de cabeza, mareos boca seca
ANGIOTENSINA II ANTAGONISTAS	Relajan las paredes de las arterias	Personas con angina	Personas con insuficiencia cardíaca	Tumefacción de los tobillos Piel enrojecida

AUTOAYUDA:
CAMBIAR EL ESTILO DE VIDA

Usted se puede autoayudar mucho cambiando su estilo de vida. El sobrepeso y la presión alta están estrechamente ligados.

Si pesa más de lo normal con relación a su estatura, debería proponerse perder los kilos adicionales y bajar la presión. No tiene por qué fijarse un peso ideal. Propóngase un peso dentro del rango saludable de acuerdo con su estatura. Bajar 10 kg reduciría la cifra inferior de la presión en 20 puntos.

Si no pudiera bajar de peso solo, el médico podría derivarlo a un nutricionista que le aconseje sobre cómo cambiar su alimentación. No tiene por qué dejar de comer todo lo que le gusta. Algunas personas descubren que formar parte de un grupo o club de adelgazamiento les ayuda y les da apoyo moral.

QUÉ HACER

Coma pescado, carnes blancas (por ejemplo, pollo sin pellejo), requesón, yogur de bajo contenido graso, leche semidescremada o descremada. Trate de comer siete frutas y verduras frescas cada día (coma las verduras y frutas de la estación, cuando pueda); cuando las verduras frescas estén muy caras, reemplácelas por verduras congeladas. Cuando sea posible, prepare las comidas a la plancha y no fritas.

Una dieta rica en frutas, verduras y cereales aumenta la ingestión de potasio, lo que también le ayudará a bajar la presión.

QUÉ EVITAR

No coma mantequilla, queso y leche entera, frituras y bocadillos, galletas, pasteles, chocolate y carne con grasa.

REDUZCA LOS NIVELES DE ALCOHOL

La alta ingesta de alcohol aumenta las posibilidades de tener una presión alta.

● Limite el consumo de alcohol a no más de 21 unidades por semana si es hombre o 14 unidades si es mujer. Una unidad es el equivalente de un vaso de vino o un cuarto de litro de cerveza o sidra o una medida de licor.

● Trate de distribuir las unidades uniformemente en la semana y evite embriagarse.

● El consumo de una gran cantidad de alcohol el día anterior le puede elevar significativamente la presión al siguiente.

● Hable con el médico si está bebiendo más alcohol de lo que debería y le cuesta reducir su consumo.

LIMITE LA SAL

Una alta ingesta de sal eleva la presión unos 10 puntos y también aumentará la cantidad de líquido retenido en el cuerpo.

Los alimentos frescos contienen muy poca sal. La mayor parte de ésta proviene de alimentos elaborados o de la sal añadida a las comidas, ya sea en la cocción o en la mesa. Así es que para reducir la cantidad de sal usted puede:

● Leer las etiquetas de los alimentos. Si dice **cloruro de sodio (NaCl), benzoato de sodio** o **glutamato monosódico,** entonces probablemente esté consumiendo más sal sin saberlo.

● Reducir la cantidad de alimentos elaborados. Muchos esconden grandes cantidades de sal: por ejemplo, sopas en sobre o enlatadas, cereales para el desayuno, pan, pescado enlatado o elaborado, papas fritas, maní, hamburguesas y comidas preparadas.

● Comer pan con bajo contenido de sal.

● Reducir el consumo de carne enlatada, quesos duros, jamón, tocino y salchichas, que contienen mucha sal.

● Usar muy poca o nada de sal al cocinar. Si piensa que no podrá sobrevivir sin ella, pruebe con un sustituto (después de consultar al médico). La sal de grano y de mar no son sustitutos.

Lo mejor es evitar completamente el sabor de la sal. Descubrirá rápidamente que el paladar se acostumbra, de modo que ya no le gustará su sabor, en especial si añade a los alimentos que está cocinando hierbas como albahaca, tomillo y romero, que liberan sales naturales en la comida.

EJERCICIO

El ejercicio ayuda a bajar la presión y el peso. También reduce el nivel de estrés. El estrés no es siempre una causa de la presión alta, pero agravará una presión elevada.

Si no ha hecho ejercicio últimamente, consulte primero al médico.

¿QUÉ TIPO DE EJERCICIO DEBO HACER?

Cualquier actividad vigorosa, como caminar, nadar, trotar, bailar o jardinear, le hará bien. Lo importante es escoger una que le agrade: si no le gusta una forma de ejercicio en particular, será mucho más difícil hacerlo con regularidad.

El ejercicio no tiene por qué ser extenuante. Debería empezar lentamente y aumentar poco a poco en intensidad. Comience caminando a paso ligero. No tiene que trotar a menos que quiera hacerlo. ¡Saque a pasear al perro, use las escaleras en vez del ascensor y manténgase activo! Propóngase hacer ejercicio entre 20 y 30 minutos al menos tres veces por semana.

No es aconsejable para algunas personas que levanten pesas muy pesadas o hagan actividades muy extenuantes, como jugar squash. Consulte al médico primero si está pensando practicar un deporte muy agotador.

DEJE DE FUMAR

Dejar de fumar no bajará la presión en forma directa, pero sí reducirá los factores de riesgo de una hipertensión, pues aminora en forma importante la posibilidad de daño a los vasos sanguíneos que podrían causar un infarto o un accidente vascular cerebral.

Es tan importante dejar de fumar que sugiero que haga un programa y se prepare para ello. Desarrolle un plan, prepárese bien y tendrá éxito.

Un farmacéutico, médico o enfermera podrá aconsejarle sobre la forma de dejar de fumar y las ayudas existentes, como el chicle y los parches cutáneos.

¿Sirve un monitor de presión en casa?

Sólo valdrá la pena que controle la presión arterial usted mismo si sigue el procedimiento correcto, como descansar durante cinco minutos antes de cada medición y no hacer mediciones aisladas, sino tomar el promedio de tres consecutivas. Existen dos tipos de aparatos:

● una manguera pequeña de goma inflable que se insufla, la presión se lee en un dial

● un manómetro electrónico que proporciona una medición de presión digital

Ataque al corazón (infarto de miocardio)

LA MUERTE DE UNA PARTE DEL MÚSCULO DEL CORAZÓN, LUEGO DEL BLOQUEO DE LA IRRIGACIÓN SANGUÍNEA, COMÚNMENTE SE LLAMA ATAQUE AL CORAZÓN O INFARTO DE MIOCARDIO.

Un infarto es el resultado final de la **aterosclerosis** de las arterias coronarias que irrigan el miocardio y podría ser antecedido de **angina** (dolor de pecho). Los infartos constituyen una de las principales causas de muerte en los países desarrollados.

¿CUÁLES SON LAS CAUSAS?

Normalmente es el resultado de una insuficiencia coronaria, que se origina en la aterosclerosis.

¿CUÁLES SON LOS SÍNTOMAS?

Los síntomas de un infarto, por lo general, se desarrollan rápidamente e incluyen:
• Un dolor fuerte, profundo y aplastante, igual que la angina, pero más intenso, en el centro del pecho que se extiende por el cuello, dientes y brazos, especialmente el brazo izquierdo, y a veces se concentra en el codo.
• piel pálida y sudorosa
• falta de aliento
• náuseas y, a veces, vómitos
• ansiedad, en ocasiones acompañada de un temor a morir
• inquietud.

¿EXISTEN COMPLICACIONES?

■ Durante los primeros **minutos**, el mayor peligro corresponde a una **insuficiencia cardíaca aguda** y **un paro cardíaco.**
■ Durante de las primeras **horas** y **días** posteriores, los riesgos principales son la aparición de **latidos cardíacos irregulares** (arritmia).
■ Durante las primeras **semanas** o meses después de un infarto, el bombeo del corazón podría ser demasiado débil, lo que se traduce en una afección que se llama **insuficiencia cardíaca crónica**. Los síntomas incluyen fatiga, falta de aliento y tobillos hinchados. Las complicaciones menos comunes comprenden **daño de una de las válvulas del corazón** o inflamación de la membrana que reviste su corazón, el pericardio, llamada **pericarditis**; ambas podrían resultar en una insuficiencia cardíaca.

¿CÓMO SE DIAGNOSTICA?

Un **electrocardiograma** (ECG) mostrará la evidencia de un infarto. Para confirmar el diagnóstico se toman **muestras de sangre** para medir los niveles de ciertas enzimas que se liberan en ella desde el miocardio dañado.

¿CUÁL ES EL TRATAMIENTO?

■ Los objetivos inmediatos del tratamiento son **aliviar el dolor y restaurar la irrigación sanguínea al músculo cardíaco** para minimizar el daño y prevenir más complicaciones. La mejor forma de lograr estos objetivos es ingresar a una **unidad de cuidados intensivos** (UCI). Le inyectarán un potente analgésico, como **morfina**, para aliviar el dolor.
■ Para ayudar a reducir el daño al corazón durante las primeras seis horas, también se le podría suministrar un **medicamento** para disolver el coágulo que está bloqueando la arteria coronaria.
■ En forma alternativa, se podría realizar de inmediato una **angioplastia coronaria** para abrir la arteria. Si se puede restaurar el flujo sanguíneo al músculo cardíaco dañado dentro de las primeras seis horas, habrá mayor probabilidad de una recuperación completa.
■ Una vez que se ha recuperado del ataque, se deberá evaluar la condición de las arterias coronarias y del músculo cardíaco. Se usan exámenes como el **ECG de esfuerzo** y el **ecocardiograma** para ayudar a decidir sobre futuros tratamientos.
■ Si se hubiese afectado el bombeo del corazón, se podría recetar un **inhibidor ICA** o un **diurético.**

■ Si los exámenes mostrasen que padece de latidos cardíacos irregulares y persistentes, podría necesitar un **marcapaso**.
■ Determinados medicamentos tomados durante un largo tiempo reducen el riesgo de otro infarto y se podría recetar un **betabloqueador** y/o aspirina para tal propósito.
■ Se podría aconsejar una dieta con bajo contenido graso y recetar **fármacos reductores de lípidos** que bajan el nivel de colesterol. Estos medicamentos son beneficiosos después de un infarto, incluso si el nivel de colesterol no es alto.

ADVERTENCIA:

■ Una angina que no reacciona al tratamiento normal o que dura más de 15 minutos podría ser un infarto y requiere tratamiento de urgencia en un hospital.

■ Aproximadamente uno de cada cinco personas no siente ningún dolor de pecho durante un infarto. Sin embargo, podrían haber otros síntomas, como falta de aire, mareos, piel pálida y sudorosa. Este patrón de síntomas se denomina "infarto silencioso".

■ Si **una arteria coronaria** se encontrara bloqueada, podría ser necesario un **bypass**.

Es importante no sentirse disminuido por el temor a otro infarto. Muchos hospitales ofrecen programas continuos de rehabilitación cardíaca después de ser dado de alta.

¿CUÁL ES EL PRONÓSTICO?

Si no ha sufrido un infarto anterior, si se trata rápidamente y no hay complicaciones, el pronóstico será bueno. Después de dos semanas, el riesgo de otro infarto se reduce considerablemente. El pronóstico mejorará si **deja de fumar, reduce la ingesta de alcohol, hace ejercicio en forma regular** y sigue una **dieta sana.**

¿Qué puedo hacer?

Hacer cambios en el estilo de vida después de un infarto podría acelerar la recuperación y reducir el riesgo de sufrir otro.

■ Deje de fumar. Se trata del factor más importante en la prevención de un nuevo infarto.
■ Haga una dieta sana y trate de mantener el peso dentro del rango de su estatura y físico.
■ Si bebe alcohol, ingiera sólo cantidades moderadas. No debería tomar más de 1 ó 2 vasos pequeños de vino o cerveza por día.
■ Converse con su médico sobre un programa para incrementar el nivel de ejercicio hasta que pueda hacer algunos moderados, como nadar en forma regular durante 30 minutos o más.
■ Dese el tiempo para aprender a relajarse con ejercicios adecuados.

Después de un período de recuperación, usted podrá volver paulatinamente a su rutina cotidiana.
■ Probablemente pueda volver al trabajo dentro de seis semanas o antes si trabaja en una oficina. Podría pensar en trabajar media jornada al principio.
■ Trate de evitar las situaciones estresantes.
■ Debería poder volver a conducir dentro de cuatro semanas.
■ Usted podrá volver a tener relaciones sexuales dentro de unas cuatro semanas después de un infarto.

Ver también:
• Angina pág. 224   • Arritmias pág. 231
• El corazón y la aterosclerosis pág. 222
• Insuficiencia coronaria pág. 225
• ECG pág. 224

Arritmias

UN RITMO CARDÍACO ANORMAL SE LLAMA ARRITMIA Y LA MÁS PELIGROSA ES LA FIBRILACIÓN VENTRICULAR, HABITUALMENTE RESULTADO DE UN INFARTO.

Sin embargo, un ritmo cardíaco fuera del rango normal no es siempre una razón para preocuparse. Por ejemplo, el ritmo cardíaco de todas las personas aumentará si se emocionan o hacen ejercicio.

Los latidos cardíacos **irregulares** y acelerados son una causa mayor de preocupación; muchas personas experimentan a veces algunas irregularidades, pero no son significativas. Las arritmias de las cámaras superiores del corazón, las **aurículas**, no son tan graves como las irregularidades en el latido de los **ventrículos**, las cámaras inferiores y más poderosas.

Existen dos tipos de arritmia: **taquicardia**, en la cual el ritmo cardíaco es muy alto, y **bradicardia**, en la cual es muy bajo.

¿CUÁLES SON LAS CAUSAS?

La enfermedad del corazón o de los vasos sanguíneos de éste provoca la mayoría de las arritmias. La afección subyacente más común es la **insuficiencia coronaria**. Las causas menos comunes incluyen trastornos de la **válvula del corazón** e **inflamación del músculo cardíaco**. Las causas de arritmias que se originan fuera del corazón incluyen **tiroides sobreactivas** y **falta de potasio**. Algunos **medicamentos**, como los **broncodilatadores** y **digitálicos**, podrían provocar arritmias, como también la **cafeína** y el **tabaco**.

¿CUÁLES SON LOS SÍNTOMAS?

Los síntomas no siempre son evidentes, pero de serlo, por lo general son repentinos e incluyen:
● palpitaciones (conciencia de latidos irregulares)
● mareos, que a veces producen pérdida de la conciencia
● falta de aliento
● dolor en el pecho o cuello, como angina.
● **accidentes vasculares cerebrales** y la

insuficiencia cardíaca son posibles complicaciones.

¿QUÉ SE PUEDE HACER?
■ Electrocardiograma (ECG)
■ ECG durante 24 horas para rastrear la arritmia
■ ECG ambulatoria: un aparato que se coloca durante 24 horas y detecta las arritmias intermitentes

¿CUÁL ES EL TRATAMIENTO?
■ Medicamentos antiarrítmicos, como **digoxina, betabloqueadores, bloqueadores de los canales del calcio, amiodarona, flecainida y**

propafenona. Cardioversión (desfibrilación): restauración del ritmo cardíaco haciendo pasar una corriente eléctrica por el corazón bajo anestesia general.
■ **Marcapaso**

> **Ver también:**
> ● **Insuficiencia coronaria pág. 225**
> ● **ECG pág. 224** ● **Infarto de miocardio pág. 230**

TRATAMIENTO

Marcapaso cardíaco

Los marcapasos cardíacos estimulan el corazón para mantener un latido regular. Algunos actúan en forma continua, otros sólo envían un impulso cuando el ritmo cardíaco baja demasiado.

Se inserta un marcapaso justo debajo de la piel y se fija a la pared torácica, generalmente bajo anestesia local. Se pasan dos hilos conductores del marcapaso por la vena grande sobre el corazón (vena cava superior). Se guía uno a la aurícula derecha y otro al ventrículo derecho.

Los marcapasos más modernos tienen baterías que duran entre 8 y 10 años y no son afectados por interferencia de radares ni microondas.

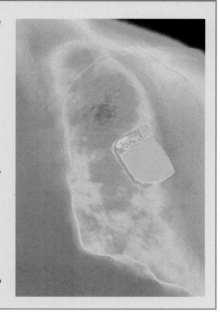

Esta radiografía, tomada por la espalda, muestra un marcapaso colocado en la pared torácica, justo debajo del hombro derecho.

Palpitaciones

LAS PALPITACIONES SE DESCRIBEN COMO UNA SENSACIÓN DE QUE EL CORAZÓN LATE A GRAN VELOCIDAD O TEMBLOR EN EL PECHO O UN GOLPETEO EN LA CABEZA.

No necesariamente significan algo grave. Las personas ansiosas y tensas a menudo sienten las palpitaciones como síntoma de su ansiedad: no hay nada malo con sus corazones. A veces se sienten los latidos cardíacos después de una comida pesada, de correr rápidamente o al acostarse. Éstos desaparecen de forma casi instantánea. Los causados por una glándula tiroides sobreactiva rara vez lo hacen, y ésa es una

distinción importante. La cocaína y el alcohol se están constituyendo en causas comunes de palpitaciones.

Las palpitaciones en personas mayores de 60 años podrían ser un síntoma de una afección cardíaca; siempre se debe consultar al médico para que se investigue y trate.

Las que surgen de las aurículas (cámaras superiores del corazón) y que son regulares,

podrían ser incómodas, pero rara vez son dañinas, aunque podría sentir mareos.

Los latidos rápidos e irregulares se denominan **fibrilación** y, aun cuando no son de peligro inmediato, cuando suceden en las aurículas son desagradables y deben investigarse y tratar con prontitud. La fibrilación auricular es la causa más común de las palpitaciones irregulares.

Fibrilación auricular

LA CONTRACCIÓN RÁPIDA Y DESCOORDINADA DE LAS CÁMARAS SUPERIORES DEL CORAZÓN O AURÍCULAS, CONSTITUYE UNA AFECCIÓN DENOMINADA FIBRILACIÓN AURICULAR.

La fibrilación auricular es el tipo de ritmo cardíaco rápido e irregular más común. Afecta a 1 de cada 10 personas sobre los 60 años de edad, debido, simplemente, al envejecimiento del corazón y la insuficiencia coronaria. Durante la fibrilación auricular, las aurículas se contraen débilmente a razón de 300 a 500 latidos por minuto; así, el **llenado** ventricular se hace insuficiente. Dado que las aurículas y los ventrículos ya no laten juntos, la fuerza y la sincronización de los **latidos cardíacos** y el pulso se vuelven irregulares y el corazón bombea menos sangre que lo normal hacia el resto del cuerpo, incluyendo el corazón y el cerebro.

La complicación más peligrosa de la fibrilación auricular es un **accidente vascular encefálico.** Como las aurículas no se vacían completamente durante las contracciones, la sangre queda estancada al interior y podría formar **un coágulo.** Si parte de éste se desprendiera e ingresara al torrente sanguíneo, podría bloquear una arteria en cualquier lugar del cuerpo. Un infarto cerebral se produce cuando parte de un coágulo bloquea una arteria que irriga el cerebro.

¿CUÁLES SON LAS CAUSAS?
La fibrilación auricular podría ocurrir sin ninguna razón aparente, especialmente en las personas de mayor edad. El tabaquismo, **la falta de ejercicio,** una **dieta de alto contenido graso** y el sobrepeso son factores de riesgo que posibilitan el desarrollo de esta enfermedad. Esta fibrilación también es común en individuos que presentan una **tiroides sobreactiva** o **bajos niveles de potasio** en la sangre. Podría producirse en quienes beben en exceso o consumen cocaína y crack.

¿CUÁLES SON LOS SÍNTOMAS?
No siempre hay síntomas, pero cuando se presentan lo hacen, en general, repentinamente. Pueden ser intermitentes o persistentes y lo usual es que incluyan:
● palpitaciones (conciencia de latidos cardíacos anormalmente rápidos o irregulares)
● mareos
● falta de aliento
● falta de aliento durante la noche, que despierta
● dolor de pecho (angina).

Posibles complicaciones son los accidentes vasculares encefálicos e insuficiencia cardíaca.

¿QUÉ SE PUEDE HACER?
■ Tomarse un electrocardiograma (ECG).
■ Exámenes para buscar la causa subyacente, como el hipertiroidismo.

¿CUÁL ES EL TRATAMIENTO?
■ Se podrían recetar medicamentos antiarrítmicos, incluyendo digoxina, para desacelerar los latidos cardíacos rápidos y betabloqueadores.
■ También se podría recetar el **anticoagulante warfarina,** que reduce el riesgo de un coágulo y, por lo tanto, de un infarto cerebral.

Ver también:
• **Insuficiencia coronaria pág. 225**
• **Hipertiroidismo pág. 506**

INSUFICIENCIA CARDÍACA

El corazón puede fallar repentina y gravemente, a menudo como resultado de un infarto (infarto de miocardio), y poner su vida en peligro. Esto se denomina insuficiencia cardíaca aguda.

También puede sucumbir tras un largo período de irrigación sanguínea inadecuada (insuficiencia coronaria) o por el bombeo contra una resistencia elevada (presión alta). Ese tipo de insuficiencia cardíaca crónica se presenta lenta y paulatinamente.

Ya sea la insuficiencia cardíaca aguda o crónica, casi siempre es del ventrículo izquierdo (la cámara de bombeo principal del corazón), que no puede bombear la sangre, lo que significa un aumento de la presión retrógrada que hace que el líquido se deposite primero en los pulmones y luego en los pies. Por eso se dice que en una insuficiencia

cardíaca, la persona se "ahoga" en sus propios fluidos corporales, puesto que los pulmones se llenan muy rápidamente y se detiene el intercambio gaseoso.

Los médicos también se refieren a insuficiencia cardíaca del lado DERECHO e IZQUIERDO. El lado derecho del corazón irriga los pulmones a través de la arteria pulmonar y un bloqueo en esa área hace que falle el **ventrículo derecho.** Las enfermedades pulmonares, como la **obstrucción pulmonar crónica,** también hacen que falle el lado derecho, porque este ventrículo se vuelve demasiado débil para vencer la resistencia del tejido pulmonar dañado. La insuficiencia cardíaca del lado izquierdo se debe a una presión alta persistente e insuficiencia coronaria, especialmente después de un infarto.

Insuficiencia cardíaca aguda

UN DETERIORO REPENTINO DEL BOMBEO DEL CORAZÓN, POR LO GENERAL EL VENTRÍCULO IZQUIERDO, SE DENOMINA INSUFICIENCIA CARDÍACA AGUDA Y PRODUCE UNA ACUMULACIÓN DE LÍQUIDO EN LOS PULMONES. SI NO SE TRATA INMEDIATAMENTE PONDRÁ LA VIDA EN PELIGRO.

¿CUÁLES SON LAS CAUSAS?
La causa más común de la insuficiencia cardíaca aguda es un infarto que daña una gran área del músculo cardíaco. La insuficiencia del lado derecho es poco común y con frecuencia se debe a un coágulo que bloquea la arteria pulmonar (embolismo pulmonar).

¿CUÁLES SON LOS SÍNTOMAS?
Los síntomas de la insuficiencia cardíaca aguda, por lo general, aparecen rápidamente e incluyen:
● falta grave de aliento
● sibilancias
● tos con esputo espumoso y de color rosado
● piel pálida y sudoración
Si es provocada la insuficiencia cardíaca, por un

embolismo pulmonar, botará sangre al toser y sentirá un fuerte dolor torácico que se agudiza al inhalar.

¿QUÉ SE PUEDE HACER?
■ La **insuficiencia cardíaca aguda** es una **emergencia médica** y requiere tratamiento hospitalario inmediato.

- Se le aconsejará que se siente con la espalda recta para facilitar la respiración y se le podrá suministrar **oxígeno** a través de una mascarilla.
- Quizás requiera un electrocardiograma (ECG) y un ecocardiograma para evaluar el funcionamiento del corazón y buscar la causa de la insuficiencia cardíaca.
- Una radiografía del tórax normalmente confirma la presencia de líquido en los pulmones.
- Se le puede hacer una angiografía coronaria.

¿CUÁL ES EL TRATAMIENTO?

Los diuréticos intravenosos y medicamentos apropiados para promover la eficiencia del corazón, como los inhibidores ICA y los betabloqueadores, por lo general, alivian.

Otros problemas comunes

Aneurisma aórtica

Es la dilatación de una sección de la aorta, producida por la debilidad de la pared arterial. Más común después de los 65 y, en varones, a veces es hereditaria. El tabaquismo, una dieta de alto contenido graso, falta de ejercicio y el sobrepeso son factores de riesgo.

Latidos ectópicos

Son contracciones adicionales del corazón que no siguen el patrón rítmico habitual, pero que son normales. Todos los tenemos de vez en cuando. La mayoría tiene un latido ectópico todos los días

Tromboflebitis superficial

Es la inflamación de una vena superficial (ubicada justo debajo de la superficie de la piel)

que puede provocar la formación de un coágulo. Más común después de los 20 y en las mujeres; a veces, hereditaria. **El consumo intravenoso de drogas es un factor de riesgo**. Un coágulo de este tipo rara vez se desprende o viaja, porque la inflamación lo sujeta firmemente a la vena.

Paro cardíaco

Es un fallo repentino del corazón que deja de bombear la sangre y, a menudo, es fatal. La causa más común es un infarto, pero la pérdida excesiva de sangre, la hipotermia, una sobredosis de drogas y un estado de shock también pueden provocarlo. Una persona que sufre uno padece un colapso repentino, a la vez que pierde la conciencia, el pulso y deja de respirar. Es más común en los hombres a medida que envejecen.

Insuficiencia cardíaca crónica

LAS PERSONAS QUE PADECEN DE INSUFICIENCIA CARDÍACA CRÓNICA SUFREN DE UN BOMBEO INEFICIENTE DEL CORAZÓN DE LARGA DATA, QUE SE TRADUCE EN UNA MALA CIRCULACIÓN SANGUÍNEA Y EN LA ACUMULACIÓN DE LÍQUIDO EN LOS TEJIDOS CORPORALES.

¿CUÁLES SON LOS SÍNTOMAS?

Los síntomas de la insuficiencia cardíaca crónica aparecen paulatinamente, a menudo son poco definidos e incluyen:

- fatiga
- falta de aliento, que empeora cuando se hace algún esfuerzo o al estar tendido
- pérdida de apetito
- náuseas
- tumefacción de pies y tobillos
- en algunos casos, confusión.

Las personas que padecen de insuficiencia cardíaca crónica también sufren de episodios repentinos de **insuficiencia cardíaca aguda**: los síntomas son una grave falta de aliento, respiración ruidosa y sudoración. Normalmente se producen **durante la noche**. En ocasiones, la insuficiencia cardíaca aguda se presentará si el corazón se somete a un esfuerzo adicional debido a un infarto o una infección pulmonar, como la bronquitis; es una emergencia médica y requiere tratamiento hospitalario inmediato.

¿CÓMO LO TRATARÍA UN MÉDICO?

El médico probablemente recete **diuréticos**, que eliminan el exceso de agua a través de la orina, e **inhibidores ICA**, que hacen que los vasos sanguíneos se ensanchen y se reduzca la carga del corazón. Además, podría recetar medicamentos que aumentan la eficiencia del corazón, como la **digoxina** o, en algunos casos especiales, betabloqueadores. También lo podría tratar para impedir el avance de alguna causa subyacente. Por ejemplo, si padece de insuficiencia coronaria, quizás se le aconseje tomar una **dosis diaria de aspirina**, lo que reduce el riesgo de un infarto. El médico

monitoreará la condición del corazón y ajustará los fármacos y sus dosis, según necesidad.

En algunos casos, el tratamiento con

medicamentos podría no ser eficaz y se considerará un trasplante de corazón si la persona se encuentra en un estado de perfecta salud.

TRATAMIENTO

Cirugía abierta

La mayoría de las intervenciones es a corazón abierto. Se hace una incisión en la piel lo suficientemente grande para ver con claridad las partes internas del cuerpo que requieren tratamiento y los tejidos circundantes. Aunque una incisión grande proporciona un acceso fácil, podría dejar una cicatriz notoria.

Casi todas estas intervenciones se realizan bajo anestesia general. Una vez que el paciente esté completamente anestesiado, el cirujano hace una incisión en la piel y en las capas subyacentes de grasa y músculos. Se usan pinzas para sujetar la piel y los músculos, y retractores para separar los órganos y tejidos que no serán intervenidos. Cuando el área en la cual se practicará la ciguría está totalmente visible, el cirujano puede realizar la intervención quirúrgica.

Los vasos sanguíneos que deben ser cortados durante la intervención quirúrgica se sellan para prevenir una pérdida grave de sangre. El cirujano se asegura que no haya hemorragias internas antes de suturar la herida. Ésta se cubre con un apósito estéril.

Todas las intervenciones quirúrgicas,

mayores o menores, implican algún riesgo. Una anestesia general podría causar cambios en el ritmo cardíaco durante y después de la cirugía; también se podría producir una reacción alérgica. Rara vez, si no se sellaran los vasos sanguíneos apropiadamente, podría producirse una hemorragia excesiva durante la intervención o después de ella. En ambos casos, podría necesitarse una transfusión de sangre.

Para evitar el riesgo que se formen coágulos luego de la intervención, se le pedirá al paciente que comience a moverse lo antes posible después de ella. Se le podría pedir que use medias neumáticas, que se inflan y desinflan rítmicamente para mantener el flujo normal de la sangre por las venas, o medias elásticas. Podría ser necesario el uso de medicamentos que previenen los coágulos. Los analgésicos también servirían para evitar la formación de coágulos, aliviando el dolor y permitiendo el movimiento con mayor facilidad. A menudo se dan antibióticos antes, durante o después de la intervención quirúrgica para ayudar a prevenir la infección.

Presión baja (hipotensión)

ALGUNAS PERSONAS PRESENTAN NIVELES DE PRESIÓN INFERIORES A LOS NORMALES DURANTE MUCHO TIEMPO. SIN EMBARGO, EN LA MAYORÍA DE LOS CASOS, ESTE TIPO DE PRESIÓN BAJA O HIPOTENSIÓN ES SALUDABLE, Y MIENTRAS MÁS ESTÉ ASÍ, MÁS SANO SE ENCONTRARÁ EL CORAZÓN.

Por lo tanto, salvo en personas muy mayores, no es necesario tratar la presión baja.

La hipotensión postural es un tipo común de presión baja, que produce mareos o desmayos al enderezarse o ponerse de pie. Puede ser efecto de algunos medicamentos, incluyendo los que se recetan para la presión alta. El shock constituye una forma grave de presión baja debido a la pérdida súbita de líquidos, de sangre o un infarto, y requiere tratamiento de urgencia.

¿CUÁLES SON LAS CAUSAS?

La deshidratación causada por la pérdida de grandes cantidades de líquido o sales del cuerpo bajará la presión. Por ejemplo, la sudoración profusa, pérdida de sangre o diarrea abundante podrían provocar diferentes grados de presión baja.

¿CUÁLES SON LOS SÍNTOMAS?

Quizás no tenga ningún malestar a menos que la presión esté muy baja. Los síntomas que se producen podrían incluir:

- fatiga
- debilidad general
- mareos y desmayos
- visión borrosa
- náuseas.

SHOCK

Sin embargo, si no hubiera pulso porque la presión fuera demasiado baja para irrigar los órganos vitales con suficiente sangre, esta condición podría ser fatal. La presión baja posterior a un infarto, insuficiencia cardíaca aguda o arritmia cardíaca grave debería tratarse en una unidad de cuidados intensivos, puesto que significa riesgo vital.

AUTOAYUDA PARA LA HIPOTENSIÓN POSTURAL

1. Incorpórese lentamente y descanse unos minutos.
2. Baje los pies lentamente hasta el piso y descanse unos minutos.
3. Incorpórese lentamente afirmándose de una silla o la cabecera de la cama.

Estos síntomas normalmente son temporales y la presión sube al tratar la causa.

Ver también:
- **Shock pág. 560**

CIRCULACIÓN

Los trastornos de los **vasos sanguíneos periféricos** (las arterias y las venas de los **brazos** y **piernas**) son parte de estas afecciones. Por el alcance de este libro, pienso que sólo hay espacio para las tres dolencias más comunes: una que afecta a las arterias, la **enfermedad de Raynaud** y el **fenómeno de Raynaud**, y dos que afectan las venas, las **várices** y la **trombosis venosa profunda**.

Cabe destacar el término flebitis, que se usa para describir la **inflamación** (no un coágulo) de una vena. Es importante diferenciar entre la flebitis y la trombosis venosa profunda. En la primera no hay mucha probabilidad que se desprenda un coágulo y que éste ingrese a los pulmones o el corazón; en la segunda, sí. Por lo tanto, el tratamiento de ambas afecciones es muy diferente.

Fenómeno de Raynaud y enfermedad de Raynaud

A MENUDO DENOMINADAS "DEDOS MUERTOS". ESTAS DOS AFECCIONES SIMILARES CAUSAN EL ENTUMECIMIENTO DE LOS DEDOS DE MANOS Y PIES Y PRODUCEN UNA SENSACIÓN DE HORMIGUEO. MÁS FRECUENTES EN LAS MUJERES Y SON, A VECES, HEREDITARIAS.

Los síntomas se deben al estrechamiento de las arterias de las manos o, rara vez, de los pies, debido a una **hipersensibilidad** al frío. **Fumar** y la exposición al frío podrían provocar una crisis.

En casi la mitad de las personas que sufren del fenómeno de Raynaud, la afección se asocia con otro problema, como la artritis reumatoidea. Se sabe que algunos medicamentos, como los betabloqueadores, provocan los síntomas del fenómeno de Raynaud como efecto secundario.

Cuando no existe causa aparente de la afección, se la denomina enfermedad de Raynaud y es más común en las mujeres de entre 15 y 45 años; por lo general es leve. La puede producir el cigarrillo, porque la nicotina

produce estrechamiento de las arterias. El estar expuesto al frío y el manejo de artículos helados también pueden provocar un ataque.

Rara vez la afección se debe a la presencia de proteínas anormales en la sangre, aglutininas frías, que aparecen cuando las extremidades o el cuerpo se enfrían.

¿CUÁLES SON LOS SÍNTOMAS?

Afecta tanto a manos y pies; una crisis dura algunos minutos o varias horas. Los síntomas incluyen:

- entumecimiento y hormigueo de los dedos de manos y pies, lo que podría empeorar y convertirse en dolor y sensación de ardor.
- cambio progresivo en el color de los dedos:

primero, blancos; luego, azules y después, a medida que la sangre regresa a los tejidos, rosados nuevamente.

Podría haber una diferencia marcada de color entre la parte afectada y el tejido circundante. En los casos graves que no se tratan, se podrían formar úlceras o gangrena en las puntas de los dedos.

¿QUÉ SE PUEDE HACER?

■ El médico le realizará exámenes para buscar la causa subyacente de los síntomas; por ejemplo, se podría hacer un análisis de sangre en busca de evidencia de **artritis reumatoidea** o **aglutininas frías**.

- También le podría sugerir medicamentos para dilatar los vasos sanguíneos durante una crisis.
- Si fuma, deberá dejar de hacerlo de inmediato.

- Es recomendable mantener el cuerpo abrigado.
- El uso de un gorro térmico, guantes y calcetines cuando hace frío ayuda a prevenir la aparición de los síntomas.

- La calefacción central debería mantener la temperatura ambiente más bien calurosa.
- Si los síntomas fueran muy graves, se podría considerar una intervención quirúrgica para cortar los nervios que controlan el estrechamiento de las arterias.

Várices

MUCHAS PERSONAS SUFREN DE VENAS VISIBLEMENTE DILATADAS Y DISTORSIONADAS, QUE SE ENCUENTRAN JUSTO DEBAJO DE LA PIEL, PRINCIPALMENTE EN LA PARTE INFERIOR DE LAS PIERNAS.

También se pueden encontrar venas varicosas en el **extremo inferior del esófago**, como resultado de una enfermedad hepática, y en el **recto** (hemorroides). Las várices tienden a ser hereditarias; el embarazo, el sobrepeso y estar de pie durante períodos prolongados son factores de riesgo. A veces se deben a una trombosis venosa profunda en la parte inferior de la pierna.

Las várices afectan a uno de cada cinco adultos y se vuelven más comunes a medida que se envejece. Aunque son incómodas y antiestéticas, normalmente no son dañinas para la salud. Afectan las piernas principalmente. Las venas tienen válvulas unidireccionales para impedir que la sangre refluya a la pierna, hacia abajo. Si las válvulas de las venas profundas no se cierran correctamente, la sangre se devolverá a las venas superficiales cerca de la piel. La presión de la sangre que retorna hace que éstas se dilaten y distorsionen, y se las denomina várices. Si no se trata, esta afección muchas veces empeorará. A veces aparece una **dermatitis** o incluso una **úlcera** sobre la vena varicosa, a menudo en la parte interna de los tobillo.

¿CUÁLES SON LAS CAUSAS?

■ Una debilidad hereditaria de las válvulas venosas podría provocar el desarrollo de las várices.
■ La **progesterona**, la hormona del embarazo, hace que las venas se dilaten y podría propiciar la formación de várices. Por consiguiente, la afección es más común en esta etapa. Durante el embarazo , la presión de las venas en la región pélvica aumenta a medida que va

creciendo el útero.
■ El sobrepeso es una causa.
■ Los trabajos que implican estar de pie sin moverse durante largos períodos y caminar poco pueden favorecer la condición.
■ Un coágulo que bloquea una vena profunda en la parte inferior de la pierna (trombosis venosa profunda), a veces se denominado "pierna blanca". Podría ser secuela de una intervención quirúrgica mayor, si el paciente no ha usado medias elásticas o ha permanecido inmóvil.

¿CUÁL ES EL TRATAMIENTO?

■ En la mayoría de los casos, las várices no requieren ningún tratamiento. Las medidas de autoayuda, como el uso de medias elásticas, serían suficientes.
■ Si las várices son pequeñas y están justo debajo de la rodilla, el médico quizás recomiende la inyección de una solución a las venas que hace que sus paredes se adhieran entre sí y de ese modo impidan la entrada de la sangre.
■ Para las várices sobre la rodilla, el tratamiento normal es cerrar la conexión a la vena profunda para que la sangre no ingrese a la vena varicosa.
■ Una opción para venas enteramente varicosas es extirparlas quirúrgicamente. Sin embargo, incluso después de la cirugía las várices podrían recurrir, por lo que el tratamiento tendría que repetirse.
■ La **dermatitis varicosa** y/o **úlcera varicosa** requieren tratamiento especial con ungüentos tópicos y vendas de apoyo.
■ Las várices en el **extremo inferior del esófago**, por lo general producto de una cirrosis hepática ligada al consumo de alcohol, pueden sangrar internamente y deben tratarse

Cómo enfrentar las várices

Existen varias medidas que usted podrá adoptar si padece de los molestos síntomas provocados por las várices.
■ Evite estar de pie durante largos períodos.
■ Salga a caminar regularmente para activar el flujo de sangre en las piernas.
■ Si es posible, mantenga las piernas levantadas al estar sentado.
■ Si el médico le ha recomendado el uso de medias elásticas, colóqueselas antes de levantarse, por la mañana, mientras las piernas aún se encuentran en alto.
■ Evite la ropa, como fajas, que restrinja el flujo sanguíneo en la parte superior de la pierna.
■ Si estuviera con sobrepeso, debe tratar de bajarlo.

como una urgencia médica.
■ Las várices en el recto son **hemorroides** y pueden provocar hemorragias rectales.

Ver también:
• **Cirrosis pág. 357**
• **Hemorroides pág. 370**

Trombosis venosa profunda

LA FORMACIÓN DE UN COÁGULO EN UNA VENA PROFUNDA, POR LO GENERAL, EN LAS PIERNAS, SE DENOMINA TROMBOSIS VENOSA PROFUNDA. SOLÍA LLAMARSE "PIERNA BLANCA" PORQUE SI SE FORMA UN COÁGULO DENTRO DE UNA VENA PROFUNDA EN LA PIERNA, ÉSTA SE HINCHARÁ Y ADQUIRIRÁ UN TONO BLANCO.

La trombosis venosa profunda es más común después de los 40 años y algo más frecuente en las mujeres. Puede ser hereditaria y los factores de riesgo incluyen la postración prolongada después de una intervención quirúrgica o parto y el sobrepeso. Una combinación entre

edad (sobre los 35), **tabaquismo**, **obesidad** y la **píldora anticonceptiva** también aumenta las posibilidades de desarrollo.

La formación de un coágulo en una vena profunda normalmente no es peligrosa en sí, pero existe el riesgo que un fragmento del

coágulo se desprenda y viaje al corazón a través del sistema circulatorio. Si el fragmento se alojara en un vaso que irriga los pulmones, se produciría un bloqueo potencialmente fatal, denominado **embolismo pulmonar**.

¿CUÁLES SON LAS CAUSAS?

La causa de la trombosis venosa profunda es, con frecuencia, una combinación de:
● flujo lento de la sangre por la vena
● un aumento de la tendencia natural de la sangre a coagularse, por ejemplo, después de una cirugía
● daños en la pared de la vena.

Los períodos largos de inactividad, como los experimentados durante **viajes** aéreos o terrestres o cuando se está **postrado** en cama, constituyen una causa común del flujo lento de la sangre. Otras incluyen la compresión de una vena por el feto durante el embarazo o por un tumor. Una lesión en una pierna también podría hacer que se forme un coágulo en las venas profundas.

¿CUÁLES SON LOS SÍNTOMAS?

Un coágulo en una vena profunda podría provocar:
● dolor o sensibilidad en la pantorrilla
● tumefacción de la parte inferior de la pierna o el muslo
● venas dilatadas debajo de la piel.

¿QUÉ SE PUEDE HACER?

Para confirmar el diagnóstico se puede realizar un **escáner de ultrasonido doppler,** que mide el flujo sanguíneo por las venas y, a veces, un **venograma** en el cual se inyecta un medio de contraste en la vena y luego se toma una radiografía para ubicar los coágulos. Se puede tomar una muestra de sangre para analizarla y ver cuán fácilmente se coagula.

¿CUÁL ES EL TRATAMIENTO?

■ Se usan **fármacos trombolíticos** para **disolver** el coágulo de la vena y reducir el riesgo de un embolismo pulmonar.
■ Se inyectan **anticoagulantes** para **prevenir** más coágulos.
■ Aunque el tratamiento se puede llevar a cabo en un hospital, quizás pueda inyectarse los fármacos anticoagulantes usted en casa.
■ un coágulo rara vez se elimina quirúrgicamente.

Una vez completado el tratamiento inicial, el médico recetará medicamentos que reducen el riesgo de que vuelva a producirse la afección.

¿SE PUEDE PREVENIR?

■ Si existe un alto riesgo, probablemente se administren dosis bajas de fármacos anticoagulantes de corto efecto antes y después de una intervención quirúrgica para prevenir la coagulación.
■ El médico también podría aconsejar el uso de medias elásticas especiales durante unos días después de la operación con el fin de ayudar a mantener el flujo de sangre por las venas de la pierna.
■ Las mujeres que ingieren un **anticonceptivo oral combinado** deberían suspenderlo dos o tres meses antes de la cirugía y utilizar un método alternativo.
■ Si estuviera **postrado** en cama, debería estirar las piernas y flexionar los tobillos periódicamente. El médico también podría recomendar el **uso de medias elásticas**.
■ **Durante un vuelo,** levántese y camine al menos una vez cada hora y, durante un viaje por tierra, deténgase periódicamente para estirar las piernas. Si va a emprender un viaje largo en que estará sentado gran parte del tiempo, converse con el médico sobre la posibilidad de ingerir una pequeña dosis de aspirina antes, durante y después del viaje.

¿HAY COMPLICACIONES?

■ Un fragmento del coágulo podría desprenderse y viajar hasta los pulmones. Ese tipo de **embolismo pulmonar sucede en 1 de cada 5 casos de trombosis venosa profunda**. La gravedad depende del tamaño del fragmento. Los síntomas relacionados con este mal por lo general incluyen falta de aliento y dolor de pecho. Rara vez habrá riesgo vital; sólo si el coágulo es suficientemente grande como para comprometer gravemente la irrigación sanguínea de los pulmones.
■ En algunos casos la trombosis daña la vena en forma permanente y posteriormente podrían aparecer várices.

¿CUÁL ES EL PRONÓSTICO?

A menudo, si la trombosis venosa profunda se diagnostica en las primeras etapas, el tratamiento con **fármacos trombolíticos** y **anticoagulantes** será exitoso. Sin embargo, si la vena afectada se dañara de forma permanente, se podría hinchar la pierna de manera constante y podrían aparecer las várices; también existiría el riesgo de que la afección recurriera.

> **Ver también:**
> ● **Embolismo pulmonar pág. 395**

SANGRE

Hay libros enteramente dedicados al tema, pero aquí sólo tengo espacio para referirme a lo más común, **las anemias**, y aquellas que están grabadas en la conciencia pública, las **leucemias**. Se menciona la **hemofilia**, que es hereditaria, y la **trombocitopenia**, porque causa la erupción clásica de la **meningitis**, y todos los padres deberían estar atentos a ella si su hijo presentara fiebre alta. Deberían saber distinguir la erupción de la trombocitopenia, denominada púrpura, y que provoca pequeñas hemorragias dérmicas llamadas petequias, las que siguen visibles cuando se presionan.

Anemias

EXISTEN CUATRO TIPOS PRINCIPALES DE ANEMIA QUE ES UN TRASTORNO SANGUÍNEO EN EL CUAL LA HEMOGLOBINA (EL PIGMENTO QUE LLEVA EL OXÍGENO EN LOS GLÓBULOS ROJOS) ES DEFICIENTE O ANORMAL.

Cuando se reduce la capacidad de la sangre para transportar el oxígeno, los tejidos del cuerpo no reciben lo suficiente y se manifiestan los síntomas clásicos de la anemia: **palidez, fatiga** y **falta de aliento.**

¿CUÁLES SON LOS TIPOS?

Existen cuatro tipos de anemia:
■ Sin duda, la más común es la **anemia deficitaria**, una de las cuales es consecuencia de los bajos niveles de **hierro** en el cuerpo: **anemia ferropénica.** Los niveles bajos de otras sustancias, como la vitamina B_{12} y el ácido fólico, pueden provocar otro tipo de anemia deficitaria, **la anemia megaloblástica.**
■ **Anormalidades hereditarias de la producción de hemoglobina**, como **la anemia de células falciformes** y **talasemia**. La hemoglobina es anormal desde poco después del nacimiento, pero los síntomas de la anemia podrían no aparecer hasta avanzada la niñez.

■ La destrucción excesivamente rápida de los glóbulos rojos (hemolisis) se denomina **anemia hemolítica**.
■ La incapacidad de la médula ósea de producir suficientes glóbulos rojos normales y otros tipos de células sanguíneas, se denomina **aplasia medular**, que podría ser congénita o, rara vez, aparecer como resultado de la exposición a venenos, como el benceno, y a determinados fármacos.

¿CUÁLES SON LOS SÍNTOMAS?

Todas las anemias tienen los mismos síntomas:

- fatiga y mareos
- palidez
- cansancio al mínimo esfuerzo
- palpitaciones.

Si la anemia fuera severa y prolongada, el esfuerzo del corazón podría provocar una **insuficiencia cardíaca crónica,** con los tobillos hinchados y un creciente cansancio.

¿QUÉ SE PUEDE HACER?

Los exámenes sirven para averiguar dos cosas:

1. Qué tipo de anemia es.
2. Por qué padece de esa anemia en particular; es decir, la causa.

La investigación comienza con simples **análisis de sangre,** pero a veces se necesitan exámenes más complicados, como tomar una **muestra de la médula ósea** de la cadera.

¿CUÁL ES EL TRATAMIENTO?

La mayoría de las anemias reacciona bien al tratamiento, aunque las más graves podrían requerir transfusiones para asegurar una mejoría inmediata. Si existe una afección subyacente, como una úlcera péptica crónica, el médico también la tratará.

ANEMIA FERROPÉNICA

La anemia ferropénica es la más común. El hierro es un componente esencial de la hemoglobina. Si la cantidad disponible es insuficiente, se reducirá la producción de hemoglobina y la incorporación de ésta en los glóbulos rojos de la médula ósea. Como consecuencia, habrá menos hemoglobina para unirse al oxígeno en los pulmones y transportarlo a los tejidos corporales. El resultado es que los tejidos no recibirán suficiente oxígeno.

¿CUÁLES SON LAS CAUSAS?

■ La causa más común de la anemia ferropénica es la pérdida de gran cantidad de hierro debido a una hemorragia persistente. Ésta se produce mayormente en mujeres que padecen de una pérdida regular de sangre durante un período, debido a importantes hemorragias menstruales profusas. Esta pérdida también puede ser consecuencia de una úlcera péptica. El uso prolongado de aspirina o de fármacos antiinflamatorio no esteroideos a largo plazo, es posible causa de hemorragia de las paredes estomacales. Los mayores de 60 años con frecuencia presentan pérdida de sangre debido al cáncer del intestino. Una hemorragia en el estómago o en la porción superior del intestino podría no notarse. La pérdida originada en la parte inferior del intestino o recto podría ser visible en las heces.
■ La segunda causa de la anemia ferropénica es una alimentación baja en hierro. Las personas que consumen poco o nada de este mineral, como los vegetarianos rigurosos, podrían correr el riesgo de contraer esta afección.
■ Esta anemia también tiene más

probabilidades de aparecer cuando el cuerpo necesita niveles más altos de hierro que lo normal y la dieta existente no cumple esta exigencia. Por ejemplo, las mujeres embarazadas y los niños que crecen rápidamente, en especial los adolescentes, correrán mayor riesgo de contraer este mal si su dieta no contiene una gran cantidad de hierro.
■ Otras causas de este padecimiento incluyen afecciones que impiden la absorción del hierro. Éste se extrae de los alimentos cuando pasan por el intestino delgado y las afecciones que lo dañan, como la enfermedad celíaca, podrían provocar una deficiencia de hierro.

¿CUÁLES SON LOS SÍNTOMAS?

Quizás sienta los síntomas de un problema subyacente, además de los síntomas generales de la anemia; por ejemplo:

- fatiga y mareos
- palidez
- cansancio al mínimo esfuerzo
- palpitaciones.

También podría tener síntomas que se deben específicamente a una marcada deficiencia de hierro. Éstos incluyen:

- uñas quebradizas y cóncavas
- piel reseca y dolorosa a un costado de la boca
- lengua lisa y roja.

Si la anemia fuera grave, podría correr el riesgo de una insuficiencia cardíaca crónica, porque el corazón tendría que trabajar más para bombear sangre al cuerpo.

¿QUÉ SE PUEDE HACER?

El médico le pedirá un examen para medir los niveles de hemoglobina y hierro en su sangre. Si la causa de la deficiencia de hierro no es evidente, se requerirán otros análisis. Por ejemplo, se podría investigar una muestra de heces para verificar si hay hemorragia intestinal.

El médico tratará cualquier problema subyacente, como una úlcera del estómago. Se usarán las tabletas de hierro, jarabe, para los niños o, menos usual, inyecciones para reponer el hierro faltante. Los casos de anemia graves podrían necesitar de una transfusión.

ANEMIA MEGALOBLÁSTICA

La anemia megaloblástica es causada por una falta de vitamina B_{12} o ácido fólico. Estas dos importantes vitaminas juegan un papel esencial en la producción de glóbulos rojos sanos. La deficiencia de cualquiera de éstas podría traducirse en anemia megaloblástica, en la cual se forman grandes glóbulos rojos anormales (megaloblastos) en la médula ósea y se reduce la producción de los normales.

¿CUÁLES SON LAS CAUSAS?

En occidente, la falta de vitamina B_{12} rara vez se debe a una deficiencia alimentaria. El problema, con frecuencia, se debe a un factor inmunológico, en el cual los anticuerpos lesionan la pared estomacal e impiden que formen el factor que es esencial para la absorción de dicha vitamina de los alimentos por los intestinos. La anemia resultante, denominada perniciosa, tiende a ser hereditaria y es más común en mujeres y en

Análisis de sangre

Los análisis de sangre están entre los exámenes médicos más comunes. La composición química de ésta proporciona mucha información sobre la salud general de la persona, y los más específicos se pueden usar para confirmar un diagnóstico, someter una enfermedad específica a una investigación, o evaluar la extensión de un mal. Las muestras se obtienen fácilmente y constituyen una de las maneras más rápidas para que el médico confirme un diagnóstico o evalúe la salud de un individuo. Se explican a continuación algunos de los análisis de sangre más comunes.

Exámenes de glóbulos

La sangre está compuesta de 3 tipos de células principales: los glóbulos rojos, que contienen la hemoglobina, el pigmento que transporta el oxígeno; los glóbulos blancos, que ayudan a defender el cuerpo contra las enfermedades, y las plaquetas, que permiten la coagulación. Los exámenes de estas células determinan la cantidad y la composición de éstas y ayudan al médico a diagnosticar enfermedades de la sangre, como la anemia, o de la médula ósea, como la leucemia. Estos análisis también pueden mostrar evidencia de una infección o inflamación, porque ambas hacen que suba la cantidad de glóbulos blancos en la sangre.

personas con otros trastornos inmunológicos. Las afecciones intestinales, como la enfermedad celíaca, o una intervención quirúrgica en el estómago también pueden interferir en la absorción de la vitamina B_{12}.

La deficiencia de ácido fólico a menudo se debe a una mala dieta. Las personas que ingieren demasiado alcohol presentan mayor riesgo, porque éste interfiere en la absorción de ácido fólico. De igual forma, las mujeres embarazadas son susceptibles, ya que se requiere más ácido fólico durante el embarazo. Las afecciones que provocan una renovación rápida de las células, incluyendo la psoriasis aguda, también pueden provocar una deficiencia de ácido fólico. Rara vez esta deficiencia es un efecto secundario de determinados fármacos, como anticonvulsivos y anticancerígenos.

¿CUÁLES SON LOS SÍNTOMAS?

Los síntomas iniciales de la anemia megaloblástica, que son comunes para todas las anemias, aparecen lentamente e incluyen:

- fatiga y mareos
- palidez
- cansancio al mínimo esfuerzo
- palpitaciones.

Estos síntomas empeoran con el tiempo.

Aunque la falta de ácido fólico no produce síntomas adicionales, la carencia de vitamina B_{12} podría, posiblemente, dañar el sistema nervioso, traduciéndose en:

- hormigueo en las manos y los pies
- debilidad y falta de equilibrio
- pérdida de memoria y confusión

¿QUÉ SE PUEDE HACER?

El diagnóstico requiere análisis de sangre para encontrar los glóbulos anormales y medir los niveles de vitamina B_{12} y ácido fólico. También se podría realizar una aspiración y biopsia de la médula ósea para su estudio.

La anemia megaloblástica causada por la incapacidad de absorción de vitamina B_{12} podría mejorar al tratar el problema subyacente, pero algunas personas, como aquellas que padecen esta anemia y malabsorción causada por cirugía, necesitarán inyecciones de vitamina B_{12} durante el resto de sus vidas. Los síntomas deberían desaparecer paulatinamente, pero los eventuales daños al sistema nervioso podrían ser irreversibles.

Si es causada por una dieta inapropiada, la afección normalmente desaparecerá luego de que ésta mejore y de ingerir comprimidos de ácido fólico por algún tiempo.

ANEMIA DE CÉLULAS FALCIFORMES

La anemia de células falciformes es una afección hereditaria causada por una forma anormal de hemoglobina en la sangre. La herencia es recesiva: es decir, ambos padres son portadores de un gen anormal, pero son sanos. La anemia que resulta de la afección sanguínea no está presente al nacer, sino que se presenta en los primeros seis meses. La anemia de células falciformes es más común en las personas de ascendencia africana.

¿CUÁLES SON LAS CAUSAS?

La hemoglobina es una proteína contenida en los glóbulos rojos de la sangre. Recoge el

oxígeno de ésta y lo transporta a diferentes partes del cuerpo. Esta anemia se produce cuando la hemoglobina anormal hace que los glóbulos rojos se vuelvan falciformes (en forma de hoz) producto de los bajos niveles de oxígeno. Podría traducirse en una crisis de células falciformes con fuertes dolores estomacales y articulares. Se requiere atención médica inmediata.

¿CUÁLES SON LOS SÍNTOMAS?

Las personas que sufren de anemia de células falciformes podrían tener los siguientes síntomas:

- anemia
- fatiga
- ictericia leve: la zona blanca de los ojos estará levemente amarilla
- dolor en las articulaciones y el estómago
- susceptibilidad a las infecciones, lo que se traduce en muchos resfríos y enfermedades.

¿QUÉ SE PUEDE HACER?

Es fundamental que las personas con esta anemia estén completamente inmunizadas contra todas las enfermedades infecciosas y tomen todos los suplementos vitamínicos recetados. Algunas podrían necesitar una dosis regular de penicilina para prevenir ciertas infecciones bacterianas. El ejercicio extenuante, especialmente en condiciones de frío y humedad, podría provocar una crisis de células falciformes, así es que debe evitarse. Si se produjera, se tratará con analgésicos.

Puesto que este mal es hereditario, es importante que los portadores potenciales se asesoren por especialistas antes de decidirse a tener un bebé. Un análisis de sangre mostrará si los futuros padres son portadores de la enfermedad.

TALASEMIA

La talasemia es una forma de anemia hereditaria. Se produce mayormente en las personas del área del mediterráneo, pero

también puede afectar a individuos de la India y el Sudeste Asiático. Esta enfermedad podría ser traspasada a un niño si ambos padres fuesen portadores del gen defectuoso.

En la talasemia, el cuerpo no puede fabricar la hemoglobina normal, la sustancia en la sangre que hace que los glóbulos sean de color rojo y que transporta el oxígeno a través del cuerpo. El problema se manifiesta con síntomas de anemia grave cuando el bebé cumple aproximadamente tres meses.

¿CUÁLES SON LOS SÍNTOMAS?

La talasemia provoca los siguientes síntomas:
- fatiga
- cansancio
- labios, lengua, manos y pies pálidos
- pérdida de apetito acompañada de distensión abdominal.

¿QUÉ SE PUEDE HACER?

El tratamiento de la talasemia requiere transfusiones sanguíneas periódicas, normalmente entre cada 6 u 8 semanas, para prevenir una anemia aguda. A veces también se extirpa el bazo, y así se reduce la necesidad de transfusiones frecuentes. Si una persona con talasemia tuviera demasiadas transfusiones, el hierro podría acumularse en el cuerpo y dañar el hígado, el páncreas y el corazón. Ahora hay un medicamento disponible que ayuda al cuerpo a deshacerse del exceso de hierro; a veces se hace el tratamiento durante toda la noche mediante una inyección continua en la piel.

Si pertenecen a un grupo altamente susceptible a la enfermedad, usted y su pareja quizás quieran pedir orientación genética antes de tratar de concebir, para así averiguar si uno o ambos podrían ser portadores del gen que causa la talasemia.

Ver también:
- **Malabsorción pág. 365**

Hemofilia

NORMALMENTE, UN CORTE DEJA DE SANGRAR DENTRO DE 10 MINUTOS, A MENOS QUE SEA MUY GRAVE. EN LA HEMOFILIA, UNA DEFICIENCIA HEREDITARIA DE LOS FACTORES DE COAGULACIÓN DEBIDO A GENES ANORMALES, INCLUSO UN CORTE MUY PEQUEÑO PUEDE SANGRAR DURANTE HORAS Y DÍAS, Y PODRÍAN PRODUCIRSE EPISODIOS DE HEMORRAGIAS ESPONTÁNEAS.

La enfermedad de Christmas (menos común) tiene características similares. Debe su nombre al primer paciente al que se le diagnosticó. Ambas afecciones afectan solamente a los **hombres.**

¿CUÁLES SON SUS CAUSAS?

Tanto la hemofilia como la enfermedad de Christmas se deben a una deficiencia de una proteína involucrada en la coagulación de la sangre. En la hemofilia, la proteína deficiente

es el **Factor VIII**, mientras que en la enfermedad de Christmas es el **Factor IX**. En ambas, la deficiencia es el resultado de un gen defectuoso, aunque diferente en cada caso.

En ambas enfermedades, el gen anormal se ubica en un cromosoma X (X o herencia ligada al sexo). Las mujeres no contraen esta enfermedad porque tienen dos cromosomas X y el gen normal del otro cromosoma X compensa al defectuoso. Los hombres con el gen anormal sí contraen la enfermedad, ya que

sólo tienen un cromosoma X (el otro es uno Y); por lo tanto, no tienen una copia normal del gen para compensar el anormal. Sin embargo, las mujeres podrían traspasar el gen defectuoso a sus hijos. Cada hijo, ya sea niño o niña, tiene una posibilidad de un 50 por ciento de heredarlo.

En un tercio de los casos, las afecciones se deben a un gen anormal espontáneo y no hay ningún historial familiar de hemofilia o enfermedad de Christmas.

¿CUÁLES SON LOS SÍNTOMAS?

Éstos son muy variables y su gravedad depende de la cantidad de Factor VIII o Factor IX que se produce. Los síntomas, por lo general, aparecen en la niñez e incluyen:

● aparición de hematomas con mucha facilidad, incluso después de un trauma menor
● hinchazón repentina y dolorosa de los músculos y articulaciones producto de hemorragias internas
● hemorragia prolongada después de una lesión o una intervención quirúrgica menor
● sangre en la orina.

Sin tratamiento, los episodios prolongados de hemorragia en las articulaciones podrían provocar daño a largo plazo y la **deformación** de éstas.

¿QUÉ SE PUEDE HACER?

El médico pedirá una serie de exámenes para averiguar cuánto tarda la sangre en coagular y medir el nivel del Factor VIII o IX.

El propósito del tratamiento es mantener los factores de coagulación en un nivel lo suficientemente alto como para impedir hemorragias. Si usted padece de una forma grave de alguna de estas dos afecciones, probablemente requiera **inyecciones periódicas intravenosas del Factor VIII o IX** para subir los niveles de éstos en la sangre. Si padece de una forma leve de la afección, probablemente sólo requiera las inyecciones después de una lesión o antes de una cirugía. También se le podría recetar **desmopresina**, que contiene **hormona pituitaria**, para elevar los niveles del Factor VIII. Algunas personas desarrollan anticuerpos contra los suplementos de Factor VIII, lo que dificulta el tratamiento. Ellas quizás tengan que tomar medicamentos inmunosupresores para destruir los anticuerpos.

¿CUÁL ES EL PRONÓSTICO?

Si sufre de hemofilia o enfermedad de Christmas, podrá llevar una vida activa, pero deberá evitar las lesiones. Las actividades como nadar, correr y caminar son beneficiosas, pero hay que evitar los deportes de contacto, como la lucha libre o el fútbol. Se debe recibir atención dental periódica para prevenir el riesgo de hemorragias provocadas por las encías inflamadas.

Si su familia tiene un historial de cualquiera de estas dos afecciones, deberá consultar al médico cuando planee un embarazo.

Leucemia

EN TODOS LOS TIPOS DE LEUCEMIA (CÁNCER DE LA MÉDULA ÓSEA), LOS GLÓBULOS BLANCOS ANORMALES O MUY INMADUROS SE MULTIPLICAN RÁPIDAMENTE Y SE ACUMULAN EN LA MÉDULA ÓSEA, DONDE, NORMALMENTE, SE PRODUCEN TODOS LOS TIPOS DE CÉLULAS SANGUÍNEAS.

La invasión de glóbulos blancos cancerígenos reduce la producción normal de glóbulos blancos, glóbulos rojos y plaquetas al interior de la médula ósea, provocando síntomas de **anemia** y **púrpura** (hemorragias debajo de la piel que pueden aparecer como cardenales sin causa aparente). Por consiguiente, la leucemia podría aparecer como anemia. Otros síntomas incluyen pérdida de peso, fiebre, sudoración nocturna, hemorragias excesivas e infecciones recurrentes.

En la mayoría de las leucemias, los glóbulos blancos cancerígenos se diseminan, provocando el agrandamiento de los ganglios linfáticos, hígado y bazo.

¿CUÁLES SON LOS TIPOS DE LEUCEMIA?

Los dos tipos principales son **leucemia aguda**, con síntomas que aparecen rápidamente, y la **leucemia crónica**, con síntomas que podrían demorar años en desarrollarse.
1. Los adultos podrían tener cualquiera de los dos tipos, pero los niños normalmente sólo padecen del primero. La leucemia aguda se puede dividir en leucemia linfoblástica aguda y leucemia mieloblástica aguda, dependiendo del tipo de glóbulo blanco involucrado.
2. La leucemia crónica se puede dividir en dos tipos, la leucemia linfocítica crónica y la leucemia mielocítica crónica.

¿CÓMO SE DIAGNOSTICA?

Se diagnostica a partir de los análisis de sangre y de la médula ósea.

¿CUÁL ES EL TRATAMIENTO?

■ El tratamiento se adecua a cada tipo de leucemia y, muchas veces, a cada caso en particular.
■ Normalmente se utiliza quimioterapia, a menudo como una combinación o "cóctel" de varios fármacos.
■ En algunos casos se aplica la radioterapia.
■ A veces se hacen necesarias las transfusiones de sangre.
■ En algunos casos, se realiza un trasplante de la médula ósea, siempre que exista un donante apropiado.

¿CUÁL ES EL PRONÓSTICO?

El pronóstico varía según el tipo de leucemia y su gravedad. Por ejemplo, la leucemia linfocítica crónica puede transcurrir larga y benignamente sin necesidad de mucho tratamiento radical.

El tratamiento de este mal en los niños es todo un éxito. Las décadas de investigación intensiva de los regímenes de la quimioterapia permiten aseverar que la mayoría de los niños será tratada exitosamente.

TRATAMIENTO

Trasplantes de médula ósea

Para realizar un trasplante de médula ósea, se extraen células ubicadas al centro de determinados huesos de un donante vivo, y se hace una transfusión directa de éstas a una de las venas del receptor, una vez destruida su propia médula ósea. Por otra parte, extraen células de la médula ósea del mismo receptor cuando la enfermedad subyacente está en remisión y se congela para su uso posterior. La médula ósea se descongelará y se utilizará para reemplazar la anormal en el cuerpo del receptor si vuelve a aparecer la enfermedad.

Trombocitopenia

La trombocitopenia corresponde a un nivel reducido de las células denominadas plaquetas en la sangre. Las plaquetas son necesarias para que la sangre coagule en forma normal; por lo tanto, su deficiencia provoca hemorragias en la piel y los órganos internos. Estas hemorragias producen hematomas y una erupción denominada púrpura, en la cual aparecen pequeñas hemorragias (petequias) en la piel. Existen muchas causas que podrían provocar trombocitopenia, pero quiero mencionar sólo una: la meningitis.

Meningitis

■ La trombocitopenia puede ser una complicación inicial de la meningitis y aparece en la piel como una erupción púrpura.
■ Es fácil distinguir esa erupción de todas las otras, porque es causada por pequeñas hemorragias en la piel; por lo tanto, NO DESAPARECERÁ SI SE LE APLICA PRESIÓN, como lo hacen casi todas las erupciones.
■ Si su hijo está enfermo, tiene fiebre alta y aparece una erupción, presione la piel con un vaso. Si permanece, lleve a su hijo inmediatamente al hospital.
■ La trombocitopenia de la meningitis se corregirá sola cuando se trate la infección; no requiere tratamiento específico.

Sexualidad y Fertilidad

La imagen muestra la representación artística computacional de los espermatozoides humanos

El resumen de Miriam

El tema es tan extenso, pues cubre toda la ginecología, que casi no sé dónde comenzar. Abarca toda la vida reproductiva y más, comenzando quizás a los 10 años con la primera menstruación y se extiende hasta el final de nuestras vidas, en lo que a nuestra sexualidad se refiere.

Sí, quizás la frecuencia y la importancia de las relaciones sexuales disminuyan a medida que envejecemos y no rindamos como antes, pero sigue siendo la fuente de consuelo y compañerismo más grande hasta el momento mismo de nuestra muerte.

De hecho, todas las noticias sobre el sexo son buenas. En un estudio realizado en Estados Unidos, mujeres de 80 años confesaron que aún les interesaba mucho el sexo; sólo les faltaba una pareja apropiada.

Al entrar al milenio, surgió un dato muy interesante de la investigación demográfica: 1 de cada 6 niñas está menstruando a los 8 años, y 1 de cada 14 niños en edad similar ya está produciendo espermatozoides.

Recuerdo haber pensado que cuando la edad promedio de la menarquia descendió a los 11,5 años, no podría bajar más. Sin embargo, esto ha sucedido y acarrea muchas consecuencias para la sociedad en general, y para los padres y maestros en particular.

Si su hija es fértil a los 8 años, ¿cuándo se debe empezar la educación sexual? Si ella podría ser sexualmente activa a los 9 ó 10, ¿cuándo se le da consejos sobre el uso de anticonceptivos? Niñas fértiles de 8 años generan un espectro de padres de 10 años y menores. Esa posibilidad nos obliga a cambiar nuestro enfoque hacia la sexualidad floreciente de nuestros hijos.

"todas las noticias *sobre el sexo son buenas*"

Según mi perspectiva, dos nuevas infecciones vaginales han recibido mucha atención últimamente. Una es provocada por la propia persona, aunque sin querer: vaginosis bacteriana. Se debe a una higiene personal excesiva, que incluye el uso de desodorantes y cremas de limpieza vaginales y desinfectantes en agua de la tina. Todos cambian la flora bacteriana protectora de la vagina, generando el desarrollo poco saludable de ciertas bacterias con un olor desagradable y característico. Sólo se puede controlar con antibióticos.

La segunda es la clamidia, a menudo una infección escondida por sus síntomas, especialmente en los hombres, que era de difícil diagnóstico. Ésta puede provocar una enfermedad inflamatoria pélvica y posterior infertilidad. Cuando esto se supo, la investigación se enfocó hacia un examen de diagnóstico fiable para comenzar el tratamiento antes que la infección causara daño.

Podemos asegurar que nuestra voluntad será tomada en cuenta al enfrentar una cirugía mutiladora, como la mastectomía y la histerectomía; pero tan sólo hace cinco años el caso no era tal y en algunos lugares del país no lo es todavía.

En los últimos 10 años se ha visto una revolución en el poder del paciente que ha sido favorecida por un enfoque más humano de parte de los cirujanos. En pocos años, la mastectomía se volvió algo del pasado cuando las investigaciones demostraron que la tumorectomía (extirpación sólo del bulto o tumor del seno), que desfigura menos, curaba con la misma eficacia.

Cuando se supo que una mujer podía retener el útero, se instó a los cirujanos a cuestionar la histerectomía como intervención quirúrgica rutinaria (y muchas veces innecesaria) de la edad madura. De pronto, las mujeres instruían a los cirujanos para que, al analizar la posibilidad de una histerectomía, dejaran los ovarios y el cuello del útero, esenciales si se deseaba seguir experimentando orgasmos.

Por primera vez en la historia, la tasa de curación del cáncer de mama está mejorando. En el Reino Unido sube más rápidamente que en cualquier otro lugar de Europa. El cambio se ha obtenido sólo con tamoxifeno, un fármaco anticancerígeno. Al ser ingerido por todas las mujeres cuyos cánceres son sensibles al estrógeno, controla el mal e impide que se difunda y vuelva a crecer. Probablemente, nunca haya existido un fármaco anticancerígeno tan poderoso.

La mayoría de las mujeres está consciente de la necesidad de autoexaminarse los senos, pero pocos hombres lo están respecto de la autoexaminación testicular ni de la importancia de hacer esto para la detección precoz del cáncer testicular, donde la tasa de cura se eleva al 90 por ciento.

Muchos hombres tampoco saben que existe un examen (PSA) que detecta el cáncer de próstata y que está disponible en el sistema de salud pública para los hombres que padecen de síntomas prostáticos.

DENTRO
de su sistema reproductor

El sistema reproductor masculino

Las partes externas del sistema reproductor masculino incluyen el **pene**, el **escroto** y los **testículos**, que cuelgan al interior de éste. Detrás de cada testículo hay un tubo enrollado denominado **epidídimo**, que conduce a otro tubo, el **conducto deferente**. Las partes superiores de cada conducto deferente se unen por otro que drena desde la vesícula seminal. Éstos se unen a la **uretra**, donde son rodeados por la **próstata**, y la uretra pasa por el pene hacia el exterior.

Después de la pubertad, los testículos fabrican espermatozoides con regularidad a una tasa de aproximadamente 125 millones por día. Éstos maduran en el **epidídimo** y viajan desde allí a través del conducto deferente antes de la eyaculación. Durante el viaje, los espermatozoides se mezclan con secreciones de otras glándulas para formar el semen. Éste contiene aproximadamente 50 millones de espermatozoides por mililitro.

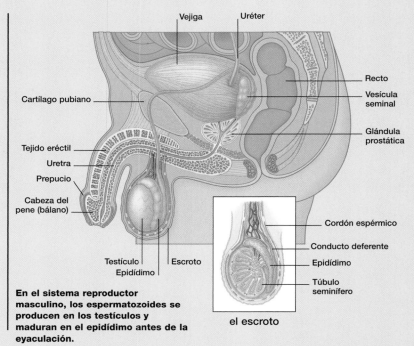

En el sistema reproductor masculino, los espermatozoides se producen en los testículos y maduran en el epidídimo antes de la eyaculación.

el escroto

El sistema reproductor femenino

Los órganos externos del sistema reproductor femenino consisten en el **clítoris** y los **labios** que lo rodean; juntos se denominan **vulva**. Dentro de los labios se encuentran las entradas a la **vagina** y la **uretra**. En la parte inferior del abdomen se ubican los dos **ovarios**. Estos órganos almacenan óvulos y, después de la pubertad, los liberan a las **trompas de Falopio**, que los conducen al **útero**. El cuello del útero se llama **cuello uterino o cérvix** y se proyecta hacia abajo a la vagina.

La fecundación de un óvulo por los espermatozoides normalmente se lleva a cabo en una de las trompas de Falopio, y luego este óvulo viaja por la trompa hasta el útero. Se implanta en el revestimiento del útero y se sigue desarrollando allí.

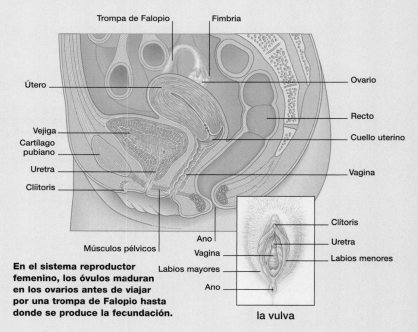

En el sistema reproductor femenino, los óvulos maduran en los ovarios antes de viajar por una trompa de Falopio hasta donde se produce la fecundación.

la vulva

LOS SENOS

Recomiendo que las mujeres de todas las edades desarrollen un conocimiento de sus senos (vea recuadro inferior). Se aconseja más chequeos para mujeres mayores, quienes enfrentan un riesgo más alto de cáncer, y para mujeres en otros grupos de riesgo, como aquellas cuyas familias tienen historial de cáncer de mama. Existen ahora claras evidencias que la detección precoz reduce la cantidad de mujeres que mueren de cáncer de mama. Estudios en Suecia y Estados Unidos muestran que, para las mujeres de entre 50 y 65 años, los chequeos de detección precoz pueden reducir las muertes hasta en un tercio. La detección precoz significa automáticamente un tratamiento más temprano y, si un bulto resulta ser cáncer de mama, eso aumentará las posibilidades de una recuperación plena. Esta detección también significa que usted también tendrá mayor capacidad de elegir la forma de tratar el cáncer. Es entendible que se sienta cierta ansiedad sobre la necesidad de mamografías periódicas. Sin embargo, es probable que usted sea una del 99 por ciento de mujeres examinadas que no tiene cáncer.

Dolor de mamas

EL DOLOR DE MAMAS, O MASTALGIA, ES UN DOLOR O MOLESTIA EN UNO O AMBOS SENOS. EL 60 POR CIENTO DE LAS MUJERES SUFRE DE ALGÚN TIPO DE MOLESTIA EN LOS SENOS. EL DOLOR DE MAMAS SE PUEDE DIVIDIR EN DOS TIPOS: CÍCLICO, QUE SE ASOCIA CON LOS PERÍODOS MENSTRUALES, Y NO CÍCLICO.

El dolor no cíclico podría originarse en el seno o en los músculos y articulaciones cercanas y, en ese caso, no es realmente un dolor de mamas.

DOLOR DE MAMAS CÍCLICO

El tipo de dolor de mamas más común se asocia con el ciclo menstrual y casi siempre se relaciona con las fluctuaciones de los niveles hormonales que todas las mujeres experimentan como parte del mismo. El dolor probablemente se relacione con la sensibilidad del tejido del seno a las hormonas y eso difiere dentro de un seno y de un seno a otro. No obstante, las hormonas no son la única causa, pues en la mayoría de las mujeres el dolor es más fuerte en un seno que en el otro. La mayoría experimenta cierto grado de dolor en los senos cuando se ponen sensibles justo antes de la menstruación. Sin embargo, algunas experimentan dolor y molestias cuando comienza la ovulación, en la mitad de ciclo y sigue durante dos semanas hasta que se produce la menstruación. Algunas descubren que este dolor premenstrual empeora luego del nacimiento del primer hijo.

¿CUÁL ES EL TRATAMIENTO?

■ **Aceite de primavera**: para que sea eficaz, se debe ingerir una dosis grande (3 g diarios) de este remedio natural. También debe ingerirse durante un tiempo largo, puesto que los efectos se acumulan lentamente. En la mayoría de los casos tarda hasta 4 meses antes de que se vea algún beneficio. A pesar de la dosis grande y el uso prolongado, el aceite de primavera tiene muy pocos efectos secundarios, razón por la cual debe ser la primera opción de tratamiento.

■ **Danazol**: este fármaco, que bloquea la ovulación, es exitoso en el 80 por ciento de los casos, convirtiéndose en el tratamiento ideal de segunda línea. A pesar de su éxito, no es adecuado para todos; algunas mujeres podrían sufrir los efectos secundarios, como subir de peso y períodos menstruales irregulares. Se receta Danazol con una dosis diaria de 200 mg durante dos meses; si surte efecto, la dosis se reducirá paulatinamente.

■ **Tamoxifeno**: se podría recetar este fármaco para las mujeres con fuertes dolores de mamas. La dosis normal, en ese caso, es de 10 mg, lo que podría generar una sensación de calor, pero no provoca los efectos secundarios más graves de las dosis más grandes. El tamoxifeno podría usarse en forma permanente o se podría restringir a la segunda mitad del ciclo menstrual.

DOLOR DE MAMAS NO CÍCLICO

Existen dos tipos de dolor de mamas no cíclico: dolor de mamas genuino, que proviene del seno, pero no está relacionado con el ciclo

Conocimiento de los senos

Se les solía aconsejar a las mujeres que revisaran sus senos todos los meses al momento mismo del ciclo menstrual. Sin embargo, muchas se ponían ansiosas o se sentían culpables si no lo hacían o responsables si encontraban algo malo. Ahora los médicos les aconsejan que conocer la forma y la textura de los senos es más importante que examinarlos periódicamente. Este "conocimiento de los senos" significa que usted podrá detectar cambios inesperados en ellos y consultar al médico de inmediato.

Para tener este conocimiento, debe saber cómo se ven los senos. Trate de adquirir el hábito de examinarlos en el espejo de vez en cuando: se puede hacer fácilmente después de la ducha o antes de vestirse. Levante los brazos sobre la cabeza y fíjese en cómo se mueven, para que sepa lo que es normal en su caso. Debe estar atenta a los posibles cambios, que incluyen uno en la forma del seno, como tener la piel arrugada o tirante, áreas hinchadas del seno o transformaciones en la forma del pezón, como arrugado.

También debe saber cómo se sienten los senos al tacto. Para poder detectar los cambios, pálpelos durante varios días hasta conocer la textura normal y cómo ésta cambia durante el ciclo menstrual. Los senos de la mayoría de las mujeres tienen bultos, especialmente en los días antes de la menstruación. Después de ésta, los bultos se reducirán o desaparecerán por completo.

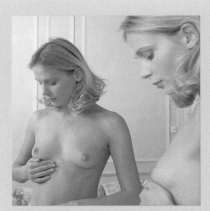

Si nota algún cambio en sus senos, vaya al médico lo antes posible. Estar ansiosa es normal, pero recuerde que 9 de cada 10 bultos en sus senos resultan no ser cancerígenos.

menstrual, y el dolor que se siente en la región del pecho, pero que proviene de otro lugar. Este último tipo casi siempre involucra los músculos, huesos o articulaciones y, por eso, se denomina **dolor musculoesquelético**. Dos tercios del dolor de pecho no cíclico son de origen musculoesquelético. Rara vez lo que aparenta ser un dolor de mamas se debe a una **enfermedad biliar** o **pulmonar subyacente**.

DOLOR DE MAMAS NO CÍCLICO GENUINO

Algunas afecciones de pecho benignas se asocian con el dolor de mamas genuino. Los dolores punzantes o ardientes centrados alrededor o debajo del pezón podrían deberse a la dilatación de los conductos (ectasia de los conductos) y tienden a seguir un curso intermitente, aunque inocuo. También podría deberse a una mastitis periductal, afección que afecta a las mujeres jóvenes, la mayoría fumadora.

Un punto sensible con un dolor punzante ocasional es común. La causa se desconoce, pero no hay por qué preocuparse. El dolor se alivia con una inyección de anestesia local mezclada con prednisona para ayudar a reducir la inflamación. En algunas oportunidades, el dolor se debe a un quiste debajo de un lugar sensible; se puede aliviar la molestia extrayendo el líquido del quiste.

DOLOR QUE NO SE ORIGINA EN LAS MAMAS

Un dolor que se origina en la pared torácica o en la columna vertebral podría sentirse en el área del pecho. La causa más común es una forma de **artritis** denominada **costocondritis**, que afecta los extremos de las costillas donde se unen al esternón. La afección se llama **síndrome de Tietze**. Si el dolor empeora al respirar profundo o apretar el esternón y las costillas, probablemente sea costocondritis. A menudo un analgésico alivia el dolor, como paracetamol o un fármaco antiinflamatorio no esteroideo, como ibuprofeno.

Bultos en las mamas

LOS BULTOS SON MASAS O HINCHAZÓN DEL TEJIDO DE LAS MAMAS. CUANDO SE ENCUENTRE UN BULTO EN UNA DE ELLAS, LOS MÉDICOS USARÁN MUCHAS TÉCNICAS DE INVESTIGACIÓN PARA LLEGAR A UN DIAGNÓSTICO ESPECÍFICO.

La secuencia de exámenes iniciales varía dependiendo de si fue usted quien encontró el bulto o si se detectó en una mamografía, en cuyo caso podría ser demasiado pequeño para palparlo. Sin embargo, en todos los casos habrá que examinar una muestra de las células o el tejido bajo un microscopio para determinar si el hallazgo es maligno. Si se confirma, habrá que realizar más exámenes para determinar el origen exacto del tumor y ver si se ha diseminado.

SUS DERECHOS

Cuando encuentre un bulto en el seno, tendrá derecho al mejor tratamiento posible. Podrá esperar lo siguiente:
■ Una derivación inmediata de su médico de familia a un equipo experto en el diagnóstico y tratamiento de cáncer de mama, incluyendo un especialista.
■ Un diagnóstico claro posterior al control médico.
■ La oportunidad de tener un diagnóstico confirmado antes de aceptar algún tratamiento, incluyendo la cirugía.

■ Información completa sobre los tipos de cirugía (incluyendo la reconstrucción de las mamas cuando corresponda) y el papel de los tratamientos adicionales, como la radioterapia, la quimioterapia, la terapia hormonal, etc.
■ Una explicación clara y detallada de los objetivos y beneficios de los tratamientos propuestos, y de los posibles efectos secundarios, incluso si fueran a largo plazo.

¿CÓMO SE DIAGNOSTICA?

El médico comenzará observando sus senos, usted estará sentada con los brazos a los lados y luego con ellos levantados sobre la cabeza, para ver fácilmente la asimetría entre ellos, la retracción del pezón (el pezón se verá retraído), la diferencia de nivel de los pezones o los hoyuelos de la piel. Luego le pedirá que se recueste de espalda con los brazos sobre la cabeza mientras él examina cuidadosamente los senos, palpando cada cuadrante de ambos con la palma de la mano extendida.

El objetivo es determinar si hay un bulto evidente o si los senos simplemente tienen bultos naturales: ¡y muchas los tienen!

CITOLOGÍA DE PUNCIÓN ASPIRATORIA CON AGUJA FINA (PAAF)

La PAAF es una de las tres técnicas para analizar el bulto en el seno.

Guiada por una mamografía o ultrasonido se inserta una aguja fina en el bulto; este procedimiento es indoloro. Si sale líquido, es un quiste; se puede succionar el líquido y el quiste desaparecerá. Si el bulto es sólido, se sacará una muestra de las células y se colocará en una placa de vidrio para luego examinarla bajo un microscopio.

BIOPSIA CON AGUJA FINA

La **PAAF** sólo produce una muestra diminuta de las células del tejido del seno, así es que no se puede determinar con exactitud el lugar de procedencia. Una biopsia con aguja fina proporciona una muestra de las células del bulto que se puede analizar para diferenciar las de otras.
1. Bajo anestesia local, se inserta, sin dolor, una aguja especial con una funda en el bulto para sacar un núcleo fino de tejido del interior.
2. La funda se desliza hacia atrás y el tejido del bulto cae dentro.
3. Se cierra la funda, que lleva un pequeño núcleo de tejido en su interior y se retira la aguja.
4. La piel queda virtualmente intacta: aunque podría producirse un hematoma después y casi no se siente molestia alguna.

BIOPSIA ABIERTA

Este tipo de biopsia es una alternativa de aquella que se realiza con aguja fina. Tal como indica su nombre, se abre la piel con una incisión para descubrir el bulto y extirparlo junto a parte de tejido sano. En términos

Fibroadenomas

Comunes en las adolescentes y mujeres entre los 20 y 30 años, los fibroadenomas son simplemente lóbulos sobredesarrollados y completamente benignos. No siempre hay que extirparlos, pero se debe hacer otra ecografía e ir a control dentro de seis meses. Cuando puede elegir, la mayoría de las mujeres prefiere la observación antes que la extirpación.

Los fibroadenomas pueden ser muy diferentes en tamaño: pequeños como una arveja o grande como un limón. Aunque crecen en cualquier lugar del seno, a menudo se encuentran cerca del pezón. Se sienten lisos, firmes y bien delimitados; además, se mueven libremente dentro del seno. La mayoría de los médicos los reconoce palpándolos, pero se debe asegurar el diagnóstico mediante una mamografía o ecografía y una citología de punción aspiratoria con aguja fina (**PAAF**) o biopsia con aguja fina.

Aunque son más comunes en las jóvenes, los fibroadenomas aparecen a cualquier edad hasta la menopausia (o más tarde si recibe terapia de reemplazo hormonal TRH). La mayoría de aquellas que tienen un fibroadenoma nunca volverá a tener otro, pero algunas tendrán varios durante su vida. Es posible tener más de uno a la vez o un fibroadenoma grande con compromiso de más de un lóbulo. Resulta extraño encontrar una tendencia hereditaria.

Mamografía

Una mamografía es una radiografía con bajas dosis de irradiación del seno. Se trata de un método de imagenología tan refinado, que es capaz de mostrar tumores pequeños y otras anormalidades que ni usted ni el médico pueden palpar.

¿Por qué después de los 50 años?

No se realiza la mamografía con la misma frecuencia en todos los grupos etarios. El cáncer de mamas es relativamente poco común en las mujeres menores de 50 años, así es que se recomienda la mamografía sólo después de esta edad. A aquellos grupos de alto riesgo se les ofrece mamografías siendo más jóvenes.

¿Qué ocurre en las mujeres más jóvenes?

La mamografía no es tan eficaz en las mujeres menores de 50 años, porque el tejido de los senos es más denso y no se visualizan las anormalidades con tanta claridad, pero, aun así, es más certero que el autoexamen.

Ésa es la razón por la cual se puede utilizar como una herramienta de diagnóstico para investigar algún bulto encontrado en un examen físico o para buscar otros cuando ya se ha ubicado uno. También se utiliza la ecografía para investigar los bultos en los senos de mujeres menores de 35 años.

¿Con qué frecuencia?

Por el momento, se ofrece una mamografía a todas las mujeres mayores de 50 cada tres años, aunque se sigue debatiendo este punto.

¿Cómo se obtienen los resultados?

Una vez tomada la mamografía, se revelan las películas y un radiólogo experto en la interpretación de estos análisis las examina.

Normalmente, sólo tarda unos días obtener los resultados, y a la mayoría de las mujeres se le informará que está bien y que únicamente deberá hacerse controles periódicos. A algunas se les pedirá que vuelvan a hacerse más análisis. Esto podría ser preocupante, pero las probabilidades de que todo esté bien siguen siendo altas.

Aunque las mamografías ayudan a detectar los bultos pequeños, no pueden determinar la naturaleza exacta de ellos, así es que se podrían necesitar pruebas adicionales para precisarla.

Las calcificaciones son depósitos de calcio diminutos que aparecen en la mamografía como manchitas muy tenues. Pueden ser totalmente normales y muchas mujeres las tienen, pero, debido a que en algunos casos se han asociado con el cáncer, el radiólogo siempre mencionará su presencia y quizás usted se pregunte por qué. Sólo habría razón para preocuparse si aparecieran repentinamente y agrupadas en un seno.

Si es la primera mamografía, el médico esperará un año antes de hacer otra para ver si ha habido algún cambio. Si el patrón de calcificaciones es muy anormal, se hará una biopsia de inmediato.

Si se encuentra un bulto

Si la mamografía revela algún tipo de bulto, se necesitarán más análisis.

■ Si el bulto es lo suficientemente grande para palparlo fácilmente con los dedos, se insertará una aguja fina para extraer algunas células. El procedimiento se llama citología de punción aspiratoria con aguja fina o PAAF.

■ Si el bulto está lleno de líquido, es un quiste, casi siempre inofensivo. El especialista aspirará el líquido con la aguja y por lo general lo botará. Sólo en ciertas ocasiones se envía una muestra al laboratorio para ser analizado.

■ Si el bulto es sólido, algunas de las células extraídas se colocarán en una placa de vidrio, se teñirán y se enviarán a un laboratorio.

■ Si el bulto no se puede palpar con facilidad, probablemente se haga una ecografía para determinar si es sólido o un quiste. En ambos casos se investigará mediante una PAAF o una biopsia con aguja fina.

Cuando un bulto no se puede palpar, se practican la PAAF y la biopsia con aguja fina usando el ultrasonido para localizar el tumor en forma exacta.

Información para usted

Al hacer una mamografía:

1. Se le pedirá que se desnude de la cintura hacia arriba y quite cualquier desodorante o talco de los senos. La razón es que éstos podrían aparecer como calcificaciones.

2. Luego se le pedirá que se pare frente a la máquina y el radiólogo le comprimirá el seno entre dos placas. El procedimiento podría ocasionar alguna molestia, especialmente si las placas estuvieran frías. Sin embargo, la sensación sólo dura 10 ó 15 segundos, así es que se puede tolerar sin problema.

3. Normalmente se tomarán dos perspectivas de ambos senos. El radiólogo comprime cada uno en forma separada entre las placas para obtener una buena imagen.

Hacerse una mamografía sólo toma unos minutos y es indolora, aunque algunas mujeres podrían sentirse incómodas con el procedimiento.

prácticos, la biopsia abierta casi siempre significa extirpar todo el bulto, es decir, una **tumorectomía**. Siempre se hace en un hospital bajo anestesia general.

No todas las mujeres mayores de 30 con un bulto evidente en el seno deberían extirpárselo. El objetivo es diagnosticar el bulto: los benignos, normalmente, se dejan y no se extirpan.

Análisis de la biopsia

La biopsia o el tumor se envía al laboratorio patológico, donde se corta en trozos muy finos, se tiñe para que se vean las células y se examina con un microscopio; este estudio se denomina **histología**.

Si se descubre que el tejido es canceroso, se hará un diagnóstico muy preciso del tipo de cáncer. También se clasifica el tumor, entregando información sobre su grado de peligrosidad.

Diagnóstico de la diseminación secundaria: fijar la etapa o el estadio del tumor

La diseminación del cáncer a las glándulas linfáticas en la axila o a otras partes más lejanas del cuerpo se chequea mediante una serie de análisis sencillos, los que por lo general se realizan durante la evaluación inicial; de ese modo se fija la etapa o el estadio del tumor (1, 2, 3 ó 4).

¿CUÁL ES EL TRATAMIENTO?

Si los síntomas son bultos en las mamas y dolor o ambos, pero el médico no encuentra ningún bulto evidente, el tratamiento dependerá de la edad. Si usted tiene menos de 40 años, es poco probable que sea cáncer y se le podría pedir que vuelva en seis semanas. Si los bultos en la mama todavía le provocan dolor, se recetará medicamentos. Si tiene más de 35 años, probablemente se indique una mamografía y una ecografía para asegurarse que no haya un cáncer oculto.

SUS DERECHOS

Cualquiera sean los consejos de los médicos, usted tiene derecho a tiempo, espacio y orientación para considerar el tratamiento. También tiene el derecho de involucrar a su pareja, quien podrá acompañarla a la clínica para darle apoyo moral. El cuidado debería incluir:

● atención de una enfermera especializada en el cuidado de mamas que le entregue información y apoyo psicológico y emocional.

● todo el tiempo que necesite para considerar las opciones de tratamiento y recopilar información.

● un servicio de prótesis de mama sensible y completo, si corresponde.

● la oportunidad de reunirse con una ex paciente de cáncer de mama especializada en ofrecer apoyo práctico, psicológico y emocional.

● información sobre todos los servicios de apoyo (incluyendo los grupos locales y nacionales) disponibles para las pacientes de cáncer de mamas y sus familias.

> **Ver también:**
> • **Cáncer de mamas pág. 261** • **Ecografías pág. 277** • **Radiografías pág. 422**

Quistes de mamas

UN QUISTE DE MAMAS ES UNA HINCHAZÓN FIRME Y LLENA DE LÍQUIDO DENTRO DEL TEJIDO DEL SENO. LOS QUISTES CASI SIEMPRE SON UNA VARIACIÓN DE LA ANATOMÍA NORMAL, NO UNA ENFERMEDAD GRAVE.

Los quistes de mamas se encuentran con más frecuencia en las mujeres de 30 a 60 años, alcanzando el punto máximo justo antes de la menopausia. Es posible, aunque muy poco probable, que aparezcan en las jóvenes o en las ya menopáusicas.

El médico probablemente sugiera una citología de punción aspiratoria con aguja fina (PAAF) o una ecografía como el paso siguiente para confirmar el diagnóstico.

¿CUÁL ES EL TRATAMIENTO?

En el caso de los quistes, la PAAF sirve tanto para el diagnóstico como para el tratamiento. La aspiración se hace de forma rápida, sencilla e indolora como parte de un procedimiento rutinario en una clínica especializada. Se puede hacer todo el procedimiento con la guía del ultrasonido, lo que permite que usted observe mientras el médico inserta la aguja, aspira el quiste y éste desaparece. Los quistes grandes, que se palpan fácilmente, se aspiran sin la ayuda del ultrasonido. Los quistes casi nunca son malignos ni dañinos; si se encontrara pruebas de crecimiento de células en él, el cirujano lo extirpará quirúrgicamente.

> **Ver también:**
> • **Ecografía pág. 277**

Afecciones de los pezones

LA FUNCIÓN PRIMARIA DE LOS PEZONES ES ENTREGAR LA LECHE AL BEBÉ, PERO TAMBIÉN JUEGAN UN PAPEL EN LA EXCITACIÓN SEXUAL. DURANTE EL TRANSCURSO DE LA VIDA DE LA MUJER, LOS PEZONES ESTÁN PROPENSOS A SUFRIR CIERTOS CAMBIOS Y AFECCIONES, ALGUNAS DE LAS CUALES SE PRESENTAN A CONTINUACIÓN

ECTASIA: DILATACIÓN DE LOS CONDUCTOS DE LECHE

El cambio subyacente de la anatomía de los conductos de leche a medida que una mujer envejece se llama ectasia o dilatación. Se produce en la última fase del ciclo de desarrollo del seno, y si la dilatación fuera excesiva, el pezón podría retraerse tomando el aspecto de una ranura. La condición es normal y afectará a ambos senos. A los 70 años de edad, el 40 por ciento de las mujeres padece de ectasia sustancial.

A veces va acompañada de secreciones del pezón o bultos. Aunque rara vez la causa de estas secreciones o bultos es el cáncer, siempre debería consultar al médico si esto sucediera. Si las secreciones del pezón o su aspecto invertido le molestan, quizás se le ofrezca corregirlo mediante una intervención quirúrgica.

SECRECIONES DEL PEZÓN

Las secreciones del pezón son mucho menos comunes que el dolor y los bultos, y no son de importancia alguna si sólo aparecen al apretar el pezón o el pecho. También es normal que las mujeres en la etapa premenopáusica que hayan tenido hijos y aquellas que fuman produzcan secreciones por el pezón. Es muy poco común que la causa de éstas sea el cáncer, especialmente cuando sucede en ambas mamas. Para establecer la causa es importante determinar si las secreciones provienen de un conducto o varios. Siempre consulte al médico si presenta secreciones.

PEZONES AGRIETADOS

Durante la lactancia, la piel alrededor del pezón se expone a la leche y a una succión vigorosa; ambas cosas pueden dañar la piel. La mejor manera de tratarlo es la prevención: se debe limpiar cuidadosamente cada pezón después de amamantar, y un bebé bien colocado al pecho no tendrá que succionar muy fuerte para alimentarse bien. La aplicación de un poco de loción para bebés en la pezonera también ayuda. Si los pezones se agrietan, será importante buscar consejo sobre cómo colocar correctamente al bebé en el pecho y luego sacarlo. La mejor forma es empujar el mentón del bebé suavemente hacia abajo para separar un poco la boca y el pezón. El tratamiento de los pezones agrietados con antibióticos debe hacerse pronto, ya que serán vulnerables a las infecciones.

MENSTRUACIÓN

La menstruación es el comienzo (no el final) del ciclo menstrual. El primer día del ciclo corresponde al comienzo del sangrado. Aunque se dice que el ciclo promedio es de 28 días, en pocas mujeres es tan regular. Uno normal puede durar entre 21 y 35 días, según las hormonas. No todos los ciclos son iguales. Durante los primeros años, las reglas pueden ser dolorosas, lo suficientemente como para que usted se sienta mal y no vaya a trabajar o al colegio. Sin embargo, tomar el medicamento correcto el día antes de la regla puede aliviar las molestias. Las reglas, a menudo, son más difíciles al acercarse a la menopausia: esto es la primera señal del comienzo de ésta.

Dismenorrea

ÉSE ES EL NOMBRE MÉDICO DE LOS PERÍODOS MENSTRUALES DOLOROSOS. CERCA DEL 75 POR CIENTO DE LAS MUJERES LA EXPERIMENTA EN ALGÚN MOMENTO DE SU VIDA REPRODUCTIVA.

¿QUÉ TIPOS HAY?
Los médicos dividen la dismenorrea en dos tipos:
■ **La dismenorrea primaria** tiende a comenzar dos o tres años después de la menstruación, una vez establecida la ovulación. Normalmente no hay ninguna enfermedad subyacente que la explique y el problema, muchas veces, disminuye después de los 25; es muy poco común luego de haber dado a luz. Sin embargo, es posible que continúe después de dar a luz y hasta, más o menos, los 35 años.
■ **La dismenorrea secundaria** es más frecuente con el correr de los años y provoca calambres estomacales una o dos semanas antes de la regla. Por lo general, se trata de un síntoma de una afección subyacente, como **endometriosis o adherencias fibrosas**.
El **síndrome premenstrual**, sentirse hinchada, irritable, con depresión y otros cambios que comúnmente suceden durante los días previos a la menstruación, podría acompañar los dos tipos de dismenorrea.

¿CUÁLES SON LOS SÍNTOMAS?
■ Calambres abdominales violentos que comienzan al inicio de la menstruación y pueden durar hasta tres días.
■ Diarrea.
■ Orinar con frecuencia.
■ Sudoración.
■ Dolor pélvico, que se irradia hacia los muslos y la espalda.
■ Distensión abdominal.
■ Dolor de espalda.
■ Náusea y vómitos.

¿CUÁL ES LA CAUSA?
Se ha demostrado que las mujeres que sufren de dismenorrea primaria producen cantidades excesivas de la hormona prostaglandina durante la menstruación o que son muy sensibles a ella. Ésta es una de las hormonas que se liberan durante el **parto** y, en cierta medida, es responsable de las contracciones del útero. Por lo tanto, se podría considerar la dismenorrea como un **miniparto**, en el cual la prostaglandina hace que el músculo uterino entre en un **espasmo** y otro provoque dolores similares a los de un calambre, parecido a los de un parto. El dolor también se podría deber al regreso a través de las trompas de Falopio de una cantidad pequeña de sangre menstrual, lo que provoca irritación.

¿CUÁL ES EL TRATAMIENTO?
Algunos médicos podrían insinuar que el dolor de los calambres menstruales es psicosomático, pero no es así. No deje de consultar al médico por pensar que el dolor pasará con el transcurso de los años o cuando tenga hijos. Toda mujer merece recibir alivio de la dismenorrea.
■ Insista que prueben con fármacos que inhiben la síntesis de la prostaglandina, como naproxeno, que debería tomarse justo antes de la menstruación y durante los primeros dos o tres días.
■ Muchas veces se receta la píldora anticonceptiva para aliviar la dismenorrea, porque inhibe la ovulación, altera el equilibrio hormonal y reduce el grosor del revestimiento uterino, por lo que se trata de un tratamiento muy eficaz. El DIU de **progesterona** también ayuda con esta enfermedad.
Si se producen períodos menstruales dolorosos después de varios años de reglas indoloras, el médico la examinará y recomendará un tratamiento acorde con la afección subyacente.

¿QUÉ PUEDO HACER?
■ La mayoría de nosotras tenemos nuestros métodos para aliviar este tipo de dolor, y la opción favorita de muchas es una o más bolsas de agua caliente. Un baño de tina caliente y guardar reposo también ayudan.
■ Le sugiero probar con aguas de hierbas que disminuyen el dolor espasmódico, como las infusiones de menta o manzanilla. La infusión de jengibre es otro remedio común. Añada una taza de agua caliente a una cucharadita de raíz fresca, rallada, deje en infusión durante diez minutos y tome según lo requiera.
■ También se pueden usar analgésicos de venta directa, como el ibuprofeno.

RELAJACIÓN Y YOGA
Los ejercicios especiales de relajación o de yoga también pueden aliviar el dolor. Por ejemplo, las posiciones de arco y cobra podrían ayudar (ver abajo).

MASAJE
Un masaje del vientre, la parte inferior de la espalda y las piernas alivia el dolor menstrual. Usted misma puede masajearse el vientre.

EL ARCO

LA COBRA

Las posiciones del arco (izquierda) y cobra (derecha) ayudan a aliviar el dolor estirando suavemente el abdomen. Respire mientras permanezca en cada posición durante unos segundos. No haga estos ejercicios si tiene un historial de problemas de espalda.

1. Tiéndase boca arriba en el piso o en la cama con las rodillas dobladas.
2. Coloque la palma derecha sobre el lado inferior derecho del abdomen y ponga la mano izquierda encima.
3. Presione hacia adentro con los dedos de ambas manos haciendo pequeños movimientos circulares.
4. Paulatinamente mueva las manos subiéndolas por el lado derecho del abdomen hacia la cintura, crúcelas por debajo de las costillas, bájelas por el otro lado y luego crúcelas por la parte inferior del abdomen, justo encima del vello púbico.

AROMATERAPIA

Bañarse en una tina caliente donde se han añadido al agua tres gotas de cada una de las esencias de manzanilla y mejorana, combinadas con 10 ml de esencia o loción portadora (disponible en las tiendas naturistas y farmacias), podría aliviar las molestias.

EJERCICIO

Yo sé que, probablemente, lo último en que estará pensando es en el ejercicio, pero si lo puede aguantar, éste aliviará la congestión pélvica y los calambres menstruales. Caminar hace muy bien, seguido por un baño de tina tan caliente como pueda tolerar con comodidad.

> **Ver también:**
> • **Síndrome premenstrual pág. 302**

Períodos menstruales intensos (menorragia)

EXISTEN PERÍODOS MENSTRUALES MÁS INTENSOS QUE LOS NORMALES. ESTOS PERÍODOS, ANORMALMENTE INTENSOS, SE DENOMINAN MENORRAGIA.

La menorragia podría ser sólo una instancia de sangrado excesivo, una regla que continúa por mucho tiempo (más de siete días) o reglas frecuentes, de modo que la pérdida de sangre en un mes determinado se vuelve excesiva.

El problema principal para diagnosticar la menstruación intensa es distinguir entre un sangrado que es más abundante que lo acostumbrado y uno que es anormal.

En un sangrado menstrual normal se pierden entre 30 y 50 ml de sangre, mientras que en uno anormal se pierden 80 ml o más.

¿QUIÉN CORRE RIESGO?

La menorragia es común y podría afectar a los siguientes grupos:
• mujeres que se acercan a la menopausia: el revestimiento uterino se vuelve muy grueso y se pierde más sangre al eliminarlo.
• las mujeres que tienen un DIU, lo que aumenta la pérdida de sangre.
• las mujeres con miomas, porque aumentan la superficie del útero y su revestimiento.

¿CUÁL ES LA CAUSA?

Los períodos menstruales intensos se deben a la ausencia de progesterona, hormona responsable de controlar la pérdida de sangre durante la menstruación. Por lo general, significa que la **ovulación está fallando.** Como consecuencia, el revestimiento uterino se va engrosando hasta que finalmente se descompone en forma natural, lo que provoca una hemorragia intensa y sin control.

A menudo se puede tratar con éxito un sangrado de este tipo, cercano a la menopausia con algunas terapias de sustitución hormonal.

¿QUÉ SE PUEDE HACER?

Por lo general, el médico querrá descartar problemas uterinos y chequear la coagulación normal. Hará lo siguiente:
• análisis de sangre
• examen ginecológico general
• ecografía
• si la ecografía revelara alguna anormalidad, se revisaría el revestimiento uterino para descartar el cáncer extirpando pequeñas muestras del revestimiento
• si el sangrado siguiera un patrón inusual, además de ser intenso, el médico podría decidir observar el interior del útero en forma directa. El procedimiento se llama una **histeroscopia** y se realiza bajo anestesia general.

¿CUÁL ES EL TRATAMIENTO?
PRIMERA OPCIÓN

La primera opción son los fármacos para tratar la menorragia, NO una histerectomía.

Se le podría recetar un **fármaco coagulante**, como el **ácido tranexámico**, que ayuda a detener la hemorragia del útero. Las **hormonas**, como la **progestogena** y la **píldora anticonceptiva combinada**, también podrían detenerla. El grupo de fármacos que inhiben la síntesis de la prostaglandina, como el **ácido mefenámico**, es menos eficaz, pero a veces ayuda.

Recién está disponible una nueva forma de tratamiento hormonal que será de gran ayuda para las mujeres con menorragia. Es un DIU de progestogena llamado **IUS**, que altera los niveles hormonales de una manera menos drástica que la píldora anticonceptiva, así que provoca pocos efectos secundarios. Pareciera ideal para las mujeres que ya han tenido hijos porque:
• cura el sangrado intenso
• es un anticonceptivo con una eficacia de casi 100 por ciento
• permanece durante la menopausia y forma parte del tratamiento de sustitución hormonal.
NOTA: SE DEBERÍA CONSIDERAR LA HISTERECTOMÍA SÓLO COMO UN ÚLTIMO RECURSO, Y SI LO RECOMIENDA EL MÉDICO, BUSQUE UNA SEGUNDA OPINIÓN.

SEGUNDAS OPCIONES
Resección histeroscópica a través del cuello uterino

Se visualiza la cavidad del útero con un pequeño telescopio insertado en la vagina y el cuello uterino. Al mismo tiempo se extirpa el revestimiento uterino con un espiral eléctrico. De esta forma se minimiza e incluso se detienen completamente los períodos menstruales y no se requiere ninguna intervención quirúrgica abdominal. Tiene muchas ventajas:
■ Es una alternativa a la terapia prolongada con fármacos.

Histerectomía: una advertencia

Si usted está considerando una histerectomía (vea pág. 256), debo mencionar algunos efectos secundarios graves, pero no muy publicitados.
■ La pérdida de deseo sexual es poco común cuando se dejan los ovarios intactos, pero es más frecuente cuando se extirpan. Si la terapia de sustitución hormonal no ayuda, los implantes de testosterona podrían servir. Algunas mujeres con una histerectomía total han descubierto que se produjo una pérdida significativa en su capacidad para alcanzar un orgasmo. La consecuencia emocional de una histerectomía, si la mujer siente que ha perdido su femineidad, podría afectar su sexualidad. Los terminales nerviosos del cuello uterino podrían jugar un papel esencial en la capacidad de tener un orgasmo: pregunte si puede retener el cuello uterino.
■ Una cantidad significativa de mujeres sufre de depresión después de una histerectomía. Principalmente son aquellas que no estaban convencidas de la necesidad de la intervención quirúrgica, a quienes no se les explicaron las alternativas, las que no probaron primero con fármacos y que no buscaron una segunda opinión cuando tenían dudas. En lo personal, nunca aceptaría una histerectomía sin una segunda opinión. Asegúrese de entender todas las opciones. La decisión sigue siendo suya.

- Se evita la histerectomía, una cirugía mayor.
- El tiempo de hospitalización y de recuperación son mucho menores que en el caso de una histerectomía.
- No se hace ninguna incisión y, por lo tanto, no queda cicatriz.

Terapia uterina de balón

El tratamiento más reciente de la menorragia es un procedimiento todavía en estudio que se realiza bajo anestesia local. El objetivo es la destrucción del revestimiento uterino mediante el calor y así aliviar los períodos menstruales. No está disponible en todas partes.

Se fija un balón suave e inflable a un catéter, se inserta en la vagina, se pasa por el cuello uterino y se coloca en el útero. El balón se infla con un líquido estéril y se calienta a 87° C durante aproximadamente 8 minutos.

Después del tratamiento se tiene un período de 7 a 10 días.

AUTOAYUDA

Se afirma que determinados alimentos y suplementos alimenticios ayudan, pero no hay ninguna evidencia de que sean útiles. Se dice que los **bioflavonoides**, que se encuentran en los cítricos, alivian la hemorragia intensa. El **ejercicio extenuante** y regular y mantener un **peso** bajo también ayudarían. Evitar el alcohol también podría aliviar la menorragia, pues en exceso inhibe la formación de plaquetas, lo

Histeroscopia

La histeroscopia implica examinar el interior del útero con una cámara telescópica pequeña que se pasa por el cuello uterino. Se puede hacer bajo anestesia general, cuando muchas veces se combina con dilatación y raspado, o ambulatoriamente. Se han desarrollado varios procedimientos de histeroscopia para tratar problemas específicos.

¿Cómo se hace?

- El procedimiento implica pasar el histeroscopio por el cuello del útero e introducirlo en la cavidad uterina. Si se realiza el procedimiento en forma ambulatoria, posiblemente se suministren analgésicos 1 ó 2 horas antes y, en ocasiones, se inyectará

una anestesia local en el área del cuello uterino para aliviar cualquier molestia.
- Para obtener una buena visualización de la cavidad, ésta debe extenderse mediante el uso de un gas inocuo, como dióxido de carbono, o un líquido.
- La mayoría de las mujeres vuelve a casa el mismo día de la intervención. Durante unos días, quizás haya un flujo muy leve. Tal vez algunas mujeres tengan que quedarse unos días en el hospital si la histeroscopia se combinó con otro procedimiento.

Asegúrese de entender por qué se está realizando el procedimiento y qué va a lograr. Normalmente no se hará una histeroscopía si está embarazada y será mejor evitarla si sufre de una enfermedad inflamatoria pélvica.

que significa que la sangre no coagulará tan bien como debería hacerlo y fluirá más profusamente durante la menstruación. Se dice lo mismo de la aspirina. Las **duchas y los baños de tina calientes** también podrían aumentar el sangrado, porque el calor dilata los vasos sanguíneos uterinos y el flujo aumenta.

Debería hacerse análisis de sangre periódicos en busca de las señales de **anemia** y, si la hemoglobina estuviera baja, debería comer más alimentos **ricos en hierro**, como **nueces, hígado, carnes rojas, yema de huevo, verduras de hojas verdes** y **frutas secas**.

Amenorrea

LA AMENORREA ES EL TÉRMINO MÉDICO QUE DESCRIBE LA AUSENCIA DE PERÍODOS MENSTRUALES. SE LLAMA PRIMARIA CUANDO ÉSTOS NUNCA EMPEZARON Y SECUNDARIA CUANDO LA MENSTRUACIÓN NORMAL SE VE INTERRUMPIDA DURANTE CUATRO MÁS MESES.

La amenorrea no significa necesariamente que usted está enferma, pero sí que no está produciendo óvulos y, por lo tanto, no puede concebir.

¿CUÁL ES LA CAUSA?

La amenorrea primaria normalmente se debe a la **llegada tardía de la pubertad**, aunque también se podría producir por una afección del sistema reproductor u hormonal. La razón más frecuente de la amenorrea secundaria es el **embarazo**. Sin embargo, si se interrumpe el equilibrio hormonal por alguna razón, los períodos menstruales se suspenderán. Por consiguiente, muchas mujeres en la lactancia descubren que sus períodos no vuelven a aparecer hasta después del destete.

Más grave resulta la amenorrea cuando es un efecto secundario de estar con un peso extremadamente bajo, como en el caso de la anorexia nerviosa. Se sospechará de esto último si pesa 12 kilos o menos por debajo del promedio de su estatura y contextura. El **estrés**, las **enfermedades crónicas**, como la enfermedad tiroidea, y los **medicamentos de uso prolongado** como los antidepresivos, también pueden causar amenorrea. De igual manera lo podría hacer el **ejercicio físico excesivo**, si se redujera a menos de 20 el índice de masa corporal (peso en kilogramos dividido

por la altura en metros al cuadrado).
La amenorrea es obviamente una afección constante después de la **menopausia** o si se ha sometido a una **histerectomía**.

¿CUÁLES SON LOS SÍNTOMAS?

- **Amenorrea primaria:** el no comienzo de la menstruación y desarrollo de la pubertad; no desarrollo de las características sexuales, como el vello, las mamas y el ensanchamiento de las caderas.
- **Amenorrea secundaria:** los períodos menstruales se detienen de forma abrupta o cesan paulatinamente mes tras mes hasta que no se produce flujo alguno.

¿DEBERÍA IR AL MÉDICO?

La tendencia de iniciar la menstruación tardíamente podría ser hereditaria: si su madre empezó con los períodos menstruales de esta manera, no se preocupe si usted no se está desarrollando al mismo ritmo que sus compañeras. Sin embargo, si tiene 16 años y no ha menstruado aún, consulte al médico para asegurarse de que no haya nada anormal. Si las reglas cesan repentinamente y usted es sexualmente activa, la razón podría ser un embarazo, por esto hágase la prueba de embarazo antes de ir al médico. Vaya al médico

si no ha tenido un período menstrual en seis meses y no está embarazada ni menopáusica.

¿QUÉ HARÁ EL MÉDICO?

- Si nunca ha tenido un período menstrual, el médico probablemente le haga un examen físico y uno de sangre para medir el nivel de las **hormonas pituitarias** (las responsables de la menstruación).
- Un vez descartado el embarazo en el caso de la amenorrea secundaria, debería hacerse examinar por un especialista y, si está tomando algún medicamento a largo plazo, éste se debería revisar y, si es necesario, suspender.
- El médico podría pedir una radiografía para cerciorarse de que el aspecto de la glándula pituitaria sea el correcto.
- Si usted no está ovulando y quiere concebir, el médico probablemente recete **fármacos de fertilidad** u **hormonas pituitarias**.

¿QUÉ PUEDO HACER?

- La ausencia de períodos menstruales no es peligrosa y en la mayoría de los casos no es causa de alarma; sea paciente y empezarán en forma natural.
- Quizás tenga que cambiar su estilo de vida para corregir cualquier problema dietético o físico, si se piensa que ésa es la causa.

INFECCIONES VAGINALES

Las infecciones vaginales son importantes porque algunas tienen la cualidad de "ascender", es decir, suben por el útero y entran a las trompas de Falopio e incluso a la pelvis. Allí provocan la **enfermedad inflamatoria pélvica**, que puede traducirse en **dolor pélvico crónico** y, lo que más preocuparía, en infertilidad. Por lo tanto, una

infección provocada por clamidia o gonorrea debe erradicarse mediante un tratamiento vigoroso no sólo para usted sino también para su pareja. Muchas mujeres con infecciones crónicas son reinfectadas por sus parejas que manifiestan mínimos síntomas. Los hombres deben aceptar eso y ser examinados y tratados al mismo tiempo.

Dolor pélvico crónico

EL DOLOR PÉLVICO CRÓNICO ES UN DOLOR PROLONGADO EN LA PARTE INFERIOR DEL ABDOMEN O PELVIS. ÉSTE DEBE HABER DURADO AL MENOS SEIS MESES Y NO ESTAR LIGADO A LA MENSTRUACIÓN O LAS RELACIONES SEXUALES. APROXIMADAMENTE 1 DE CADA 6 MUJERES PADECE DE DOLOR PÉLVICO CRÓNICO.

Estudios recientes sugieren que el dolor pélvico crónico podría ser incluso más común que el de espalda.

Es difícil evaluar el costo, pero en el Reino Unido se gastan alrededor de 160 millones de libras esterlinas en investigaciones médicas sobre el dolor pélvico crónico y las mujeres que lo padecen podrían faltar al trabajo durante varios días al mes.

Se puede hacer bastante para aliviar su sufrimiento y, sin embargo, las mujeres muchas veces piensan que deben luchar para lograr que se haga algo.

La mayoría de los médicos deriva a las pacientes con dolor pélvico crónico no diagnosticado a un ginecólogo, pero, aun así, a menudo no se sienten consideradas y creen que no les toman en serio sus síntomas.

Al tener la información correspondiente, es importante que cada mujer insista en la investigación y en el tratamiento de su afección, porque la consecuencia podría ser desarrollar una incapacidad para tener hijos.

¿CUÁLES SON LAS CAUSAS?
Varias afecciones podrían provocar el problema, incluyendo **endometriosis, síndrome del colon irritable, enfermedad inflamatoria pélvica** (ver pág. 251) y **daño musculoesquelético**.

A menudo, las mujeres se dan cuenta que el estrés intensifica el dolor, y algunos investigadores han demostrado que traumas psicológicos profundos, como el abuso sexual, podrían revelarse en la forma de dolor pélvico.

En ocasiones, varios de estos factores estarían presentes al mismo tiempo, lo que dificulta la investigación y el diagnóstico.

¿CÓMO SE DIAGNOSTICA?
Se necesita un especialista para averiguar la causa, así es que recomiendo que pida ser derivada a un ginecólogo desde un comienzo. No espere sufriendo.

LAPAROSCOPIA
El ginecólogo, probablemente, sugiera una investigación por laparoscopia (ver recuadro a la izquierda). Se puede hacer en un día bajo anestesia general, usando un instrumento de visualización insertado mediante una pequeña incisión justo debajo del ombligo. Eso permite que el ginecólogo visualice la región de la pelvis en forma directa.

Para ver claramente los órganos pélvicos se bombea dióxido de carbono en la cavidad abdominal para que la pared de esta área se levante y se despeje el camino.

No se sorprenda si le toma una o dos semanas recuperarse completamente. Se producen complicaciones menores, como náuseas y dolor, en 3 de cada 100 laparoscopias. Las más graves no son frecuentes, pero en 1 de cada 500 se producen perforaciones del colon o daños a los vasos sanguíneos, los que requieren otra cirugía y más tiempo de hospitalización.

ECOGRAFÍA
Las adherencias fibrosas (tejidos cicatrizados) y la endometriosis no se visualizan claramente en una ecografía, por lo que la ecografía no sirve de mucho para investigar el dolor pélvico a menos que se sospeche de un quiste ovárico.

IMAGEN DE RESONANCIA MAGNÉTICA
Las imágenes de resonancia magnética pueden ayudar a diagnosticar la endometriosis.

¿QUÉ SE PODRÍA DIAGNOSTICAR?
ENDOMETRIOSIS Y ADHERENCIAS FIBROSAS
El propósito de la laparoscopia es buscar la endometriosis y las adherencias fibrosas que resulten de la infección pélvica, pero en más del 50 por ciento de los casos no se descubre la causa del dolor. Incluso cuando se detectan

---

EXAMEN

Laparoscopia

Ciertas afecciones sólo se pueden diagnosticar con precisión si se visualizan directamente los órganos. La laparoscopia es un procedimiento que permite que, mediante un instrumento que se llama laparoscopio, un médico vea el interior de la cavidad abdominal y órganos como la vesícula, el hígado y el útero. El uso más común de la laparoscopia es en la ginecología, en la cual se usa comúnmente para lo siguiente:
• cirugía de las trompas, incluyendo la esterilización
• investigaciones de infertilidad
• quistes ováricos
• miomas
• embarazo ectópico
• histerectomía por laparoscopia
• intervenciones quirúrgicas de la vejiga para la incontinencia por estrés.

¿Cómo se hace?
■ El procedimiento normalmente se hace bajo anestesia general. Se realiza una

pequeña incisión en el abdomen, por lo general justo debajo del ombligo, de modo que no queda ninguna cicatriz visible. Se inserta una aguja en el abdomen y se bombea dióxido de carbono en la cavidad abdominal para poder visualizar los órganos.

■ Se inserta el laparoscopio y el médico lo puede mover para tener una visión clara. Si se usan otros instrumentos, éstos se insertan por una segunda incisión ubicada más arriba de la línea pubiana.

■ El procedimiento toma entre 30 y 40 minutos y se dejará un par de puntos en la piel. Debería poder volver a casa cerca de unas dos horas después de la laparoscopia, lo cual depende del motivo.

El remanente de gas en la cavidad abdominal puede ocasionarle alguna molestia y el lugar de la incisión puede estar dolorido. Sin embargo, la laparoscopia es muy segura y no debería tener ningún problema.

adherencias fibrosas o endometriosis, los ginecólogos discrepan sobre la posibilidad de que una de estas afecciones sea realmente la causa del dolor.

SÍNDROME DEL COLON IRRITABLE

Este síndrome se detecta confiablemente usando una lista de control de síntomas, denominados los Criterios de Roma.

Se trata de una lista que incluye el dolor que se alivia con la defecación, distensión y cambio del hábito de evacuación asociado con dolor.

CAUSAS DE DOLOR MUSCULOESQUELÉTICO

Si el dolor aumenta al moverse o agacharse, la causa podría ser musculoesquelética, como un nervio comprimido. En ese caso, un fisioterapeuta, quiropráctico u osteópata capacitado ofrecerá la mejor ayuda. El médico también podría pedirle una interconsulta con el psicólogo.

Si el ginecólogo no puede detectar con exactitud la causa del dolor, tal vez no sea de origen ginecológico.

Desafortunadamente, éstos no siempre están bien entrenados en la detección de las causas no ginecológicas del dolor pélvico. Un estudio reveló que la mitad de un grupo de mujeres que asistían a una clínica ginecológica padecían del síndrome del colon irritable, pero tenían menos probabilidades que otras de obtener un diagnóstico y más posibilidades que el dolor persistiera 12 meses después.

Sin embargo, usted debe averiguar la causa, así es que si el ginecólogo no puede hacerlo, pida ser derivada a un gastroenterólogo.

¿CUÁL ES EL TRATAMIENTO?

Depende del diagnóstico.

■ La endometriosis se puede eliminar quirúrgicamente o tratarla suprimiendo los ovarios con fármacos como la **píldora anticonceptiva combinada** o un grupo que se denominan **análogos de GnRH.**

■ Sin embargo, la endometriosis es una enfermedad recurrente y algunas mujeres finalmente optan por una **histerectomía** con extirpación de ovarios. Eso alivia los síntomas, pero no cura el mal.

■ La escisión quirúrgica de las adherencias fibrosas sólo funciona para algunas mujeres. Muchas veces las adherencias fibrosas simplemente vuelven a aparecer.

■ El síndrome del colon irritable reacciona bien a los cambios de dieta o a los **fármacos antiespasmódicos** y los **agentes que aportan fibra.**

■ El mejor tratamiento del dolor musculoesquelético probablemente sean los analgésicos, en especial los fármacos antiinflamatorios no esteroideos, manipulación y un programa de ejercicios graduado, bajo la supervisión de un fisioterapeuta.

■ Si los factores psicológicos juegan un papel importante, se deberán reconocer y tratar con delicadeza junto con cualquier otro tratamiento.

LOS FÁRMACOS QUE COMBATEN EL DOLOR

En el caso de algunas mujeres, no se llega a ningún diagnóstico claro. Sin embargo, se puede hacer mucho para aliviar los síntomas.

■ Los analgésicos más eficaces son los antiinflamatorios no esteroideos, como el ibuprofeno. Se pueden usar combinados con otros tipos de analgésicos, como el paracetamol o la dihidrocodeína.

■ Los fármacos con **amitripilina** (antidepresivo) o **carbamazepina** (anticonvulsivo) se pueden recetar para el dolor pélvico crónico; también son eficaces para afecciones como el dolor agudo de espalda. Esto se debe al hecho de que, además, actúan sobre el dolor.

■ Algunas mujeres descubren que el manejo del dolor mediante un control adecuado de las actividades y el ejercicio ayuda a vivir con el dolor pélvico crónico. Muchas reciben gran consuelo y ayuda de los grupos de autoayuda. En muchas mujeres, el dolor desaparece por sí solo.

> **Ver también:**
> • **Endometriosis** pág. 254
> • **Síndrome del colon irritable** pág. 362
> • **Imagen de resonancia magnética** pág. 409
> • **Ecografía** pág. 277

Enfermedad inflamatoria pélvica

LA ENFERMEDAD INFLAMATORIA PÉLVICA CORRESPONDE A UNA INFECCIÓN O INFLAMACIÓN DE CUALQUIERA DE LOS ÓRGANOS PÉLVICOS: EL ÚTERO, LAS TROMPAS DE FALOPIO Y LOS OVARIOS. LA ENFERMEDAD INFLAMATORIA PÉLVICA ES UNA GRAN AMENAZA PARA LA FERTILIDAD.

La complicación más grave es la aparición de cicatrices imborrables en las trompas de Falopio y ovarios, pues provocan esterilidad. Otras incluyen **dolor durante las relaciones sexuales** (dispareumia). Hace algún tiempo, la causa más común de la enfermedad inflamatoria pélvica era la tuberculosis; ahora es la **clamidia**. La prueba de que los **dispositivos intrauterinos (DIU)** sean un factor contribuyente son escasas.

¿CUÁLES SON LOS SÍNTOMAS?

■ Dolor abdominal.
■ Dolor de espalda.
■ Calambres tipo menstruales persistentes.
■ Manchas de sangre vaginales.
■ Fatiga.
■ Dolor durante y después de las relaciones sexuales.
■ Secreciones vaginales con mal olor.
■ Síntomas de fiebre y escalofríos, como en la gripe.
■ Baja fertilidad o infertilidad.

Se debe tratar la enfermedad inflamatoria

pélvica precozmente para prevenir problemas a futuro. Los síntomas podrían ser los de una **infección aguda**, es decir, fiebre, náuseas, malestar y dolor, lo que debería advertirle que algo anda mal. Una infección crónica podría provocar solamente un dolor leve y recurrente y un poco de dolor de espalda. Sin embargo, ambas se deben investigar. No espere que desaparezca: vaya al médico lo antes posible. Si usa un dispositivo intrauterino, acuda a la clínica de inmediato.

¿QUÉ HARÁ EL MÉDICO?

■ La examinará y le hará exámenes para identificar los órganos que están causando la infección. Probablemente recete antibióticos y reposo. Aliméntese bien y no tenga relaciones sexuales durante el tratamiento. Si los antibióticos no fueran los más apropiados en su caso, se aplicará otro tratamiento.

■ Si la enfermedad inflamatoria pélvica se convierte en una infección crónica, será difícil erradicarla. Quizás sea necesaria una

laparoscopia (ver recuadro en pág. anterior) para confirmar el diagnóstico. En los casos graves con una infección muy prolongada, la histerectomía con la extirpación de las trompas de Falopio podría ser la única solución, aunque debería estudiar a fondo todas las alternativas antes de aceptarla.

¿QUÉ PUEDO HACER?

■ No permita que una secreción vaginal continúe por mucho tiempo sin una investigación a fondo y un tratamiento adecuado. Puesto que la enfermedad inflamatoria pélvica es recurrente, hágase un chequeo completo para asegurarse de que la infección se haya erradicado completamente.

■ Si sospecha que usted o su pareja podría tener una enfermedad de transmisión sexual, vaya a una clínica especializada de inmediato.

> **Vea también:**
> • **Clamidia** pág. 278
> • **Histerectomía** pág. 256

ÚTERO Y OVARIOS

En la actualidad uno de los principales avances en esta área ha sido la definición del síndrome del ovario poliquístico. Es un gran paso, porque una vez que se diagnostica hay varios tratamientos que se pueden probar, cada uno con cierto grado de éxito. Por lo tanto su diagnóstico es importante. Los indicios normales incluyen una tendencia a la obesidad, exceso de vello y períodos menstruales escasos e irregulares o, a veces, inexistentes. La ovulación podría estar ausente, pero normalmente se puede inducir con clomifeno.

Quistes ováricos

LOS QUISTES OVÁRICOS SON BOLSAS LLENAS DE LÍQUIDO QUE CRECEN EN UNO O AMBOS OVARIOS. SON CASI SIEMPRE BENIGNOS Y UN PORCENTAJE SIGNIFICATIVO DE LAS MUJERES LOS TIENE.

Los quistes benignos se pueden subdividir en dos categorías principales. Los **funcionales** son meramente quistes pequeños (para ser más precisa, folículos) que se producen en forma normal durante el ciclo menstrual. Por lo general, no causan problemas, pero podrían ser varios y estar presentes en ambos ovarios. Rara vez crecen hasta un diámetro de más de 3 a 4 cm y es muy común que vuelvan al tamaño normal en forma espontánea. A veces se detectan en las ecografías de rutina. El segundo tipo corresponde a los quistes ováricos benignos verdaderos, de los cuales el más común es el **dermoide**. Se encuentran más a menudo en las mujeres entre los 30 y 40 años de edad. Podrían estar presentes ocasionalmente en ambos ovarios. Casi nunca causan problemas, a menos que tuerzan el ovario o se filtren.

Contienen células inmaduras capaces de crecer y formar diferentes tipos de tejido y, por lo tanto, no es extraño que contengan hueso, dientes y pelo. También existen quistes benignos menos comunes.

¿CUÁLES SON LOS SÍNTOMAS?
- Dolor durante las relaciones sexuales
- Períodos menstruales dolorosos e intensos
- Si un quiste se tuerce o se rompe, provocará un dolor abdominal fuerte, náuseas y fiebre

- Problemas urinarios por la presión sobre la vejiga.

Mientras sean pequeños provocarán pocos síntomas. Los quistes funcionales desaparecen sin tratamiento y quizás nunca sepa que los tuvo. Sin embargo, a medida que los quistes verdaderos crecen, pueden provocar dolor y molestias y también afectar el ciclo menstrual.

El dolor fuerte de un ovario torcido requiere una intervención quirúrgica de urgencia; así es que, si padece de algunos de estos síntomas, vaya al médico tan pronto como sea posible.

¿CUÁL ES EL TRATAMIENTO?
- El médico la examinará externa e internamente para determinar el tamaño del quiste ovárico. Según su edad y lo que encuentre le pedirá más exámenes.
- Éstos, probablemente, incluyan una ecografía de los ovarios, además de pruebas de sangre y una resonancia magnética.
- Se podría probar con cirugía por laparoscopia para diagnosticar el tipo de quiste y, en el caso de mujeres más jóvenes, extirparlo si es benigno.
- En el caso de las mujeres mayores o aquellas en las que el quiste es demasiado grande para extirparlo por laparoscopia, o si se sospecha que el quiste es maligno, se realizará una intervención quirúrgica abdominal. Durante la cirugía siempre se revisan ambos ovarios. Si se confirma un quiste maligno, normalmente se extirparán ambos ovarios y el útero (histerectomía).

Síndrome del ovario poliquístico

Los ovarios poliquísticos son aquellos en los cuales se forman múltiples "quistes" benignos. No son quistes verdaderos, sino folículos. Entre el 15 y el 20 por ciento de las mujeres los tiene. Las que padecen de la afección pueden tener otros síntomas, incluyendo una tendencia a la obesidad, mucho vello en el cuerpo y acné. Parece que el ovario produce una cantidad excesiva de hormonas masculinas. Esta afección puede provocar problemas de fertilidad y quienes lo padecen podrían tener períodos menstruales irregulares.

¿Cuál es la causa?
No se sabe la causa exacta, pero existe bastante evidencia de que se debe a la resistencia a la insulina, lo que provoca altos niveles de ésta en la sangre. Eso estimula los ovarios, perturbando la ovulación normal.

¿Qué hará el médico?
Muchas veces se descubren los ovarios poliquísticos como consecuencia de una de las afecciones mencionadas con anterioridad. El médico la examinará internamente y quizás pida una ecografía de los ovarios y análisis de sangre para confirmar el diagnóstico. Tal vez le den la píldora para estimular una menstruación mensual normal y combatir el exceso de hormonas masculinas. Una píldora combinada especial (dianete) ayuda con muchos de los síntomas, en especial el acné. Si quiere concebir, pero está experimentando dificultades, será necesario un tratamiento de fertilidad.

¿Qué puedo hacer?
Analice los síntomas a fondo con el médico, de modo que entienda la naturaleza de todos los tratamientos ofrecidos.

¿Cuál es el pronóstico?
Éste depende de la gravedad de los problemas diagnosticados. Los tratamientos disponibles en la actualidad controlan eficazmente la mayoría de los síntomas.

Ver también:
- Histerectomía pág. 256
- Laparoscopia pág. 250
- Ecografías pág. 277
- Radiografías pág. 426

Miomas

LOS MIOMAS SON TUMORES BENIGNOS DEL MÚSCULO UTERINO. EL TAMAÑO Y LA CANTIDAD VARÍAN: PUEDEN SER DEL TAMAÑO DE UNA ARVEJA PEQUEÑA HASTA EL DE UNA PELOTA DE TENIS.

Aproximadamente 1 de cada 5 mujeres desarrolla miomas antes de cumplir los 45 años.

Muchas veces no hay de qué preocuparse, porque, probablemente, los miomas no crezcan lo suficiente para deformar el útero o causar síntomas. Los miomas grandes hacen que la superficie del útero se sienta llena de bultos cuando el médico examina el abdomen durante el examen pélvico.

¿CUÁLES SON LOS SÍNTOMAS?

Aproximadamente un cuarto de las mujeres no tiene ningún síntoma. Cuando los hay, éstos incluyen:

● sangrado menstrual intenso o anormal
● hinchazón del abdomen y sensación de plenitud
● molestias o dolor durante las relaciones sexuales
● presión sobre la vejiga y el colon, lo que se traduce en problemas urinarios y dolor de espalda.

Si los períodos menstruales vienen acompañados de más dolor o sangrado, o si experimenta otros cambios en el ciclo menstrual normal, vaya al médico de inmediato.

¿QUÉ SE PUEDE HACER?

El médico comenzará con un examen pélvico de rutina y le preguntará sobre los síntomas.

Si piensa que es necesario, la derivará a un ginecólogo para más exámenes, los que, probablemente, incluyan una **ecografía** del útero, una **histeroscopia** y una **laparoscopia**.

Los miomas se tratan según la gravedad de los síntomas. Una vez que haya pasado la edad fértil, éstos normalmente se reducirán y quizás desaparezcan, a menos que reciba alguna terapia de sustitución hormonal.

● Se podría hacer un tratamiento de hormonas **antiestrógeno** para reducir el tamaño de los miomas. Sólo se puede dar por este tratamiento durante unos seis meses por riesgo a una osteoporosis.

● Si quisiera empezar una familia y tuviera muchos miomas, el médico podría sugerir una intervención quirúrgica para eliminarlos (**miomectomía**), dejando el útero normal e intacto.

● Si los síntomas fueran realmente molestos y ya hubiera tenido todos los hijos deseados, se podría recomendar una **histerectomía**. Debe considerarse como el último recurso y sólo después de recibir una segunda opinión y haber involucrado a su pareja al analizarlo con los médicos.

¿QUÉ PUEDO HACER?

■ Los miomas son la razón principal de las histerectomías en el Reino Unido, así es que esté atenta a la posibilidad de tener una cirugía innecesaria y de tal naturaleza. Si sufre de una anemia profunda o padece de síntomas insoportables, obviamente deberá considerarla; de otro modo, busque alternativas.

■ Sólo algunas mujeres con miomas contraen cáncer uterino, por lo que deberá informar al médico inmediatamente si sufre de un sangrado excesivo o alguna otra anormalidad durante el período menstrual.

> **Ver también:**
> ● **Histerectomía pág. 256**
> ● **Laparoscopia pág. 250**
> ● **Ecografía pág. 277**

El tijeretazo femenino: ligadura de trompas

LA LIGADURA DE TROMPAS ES UN MÉTODO DE ESTERILIZACIÓN FEMENINA. EN INGLATERRA Y GALES SE REALIZAN APROXIMADAMENTE 90.000 ESTERILIZACIONES FEMENINAS AL AÑO, LA MAYORÍA EN HOSPITALES PÚBLICOS.

Desde cualquier punto de vista, la esterilización es un método permanente de control de natalidad que imposibilita la fecundación del óvulo y la subsiguiente concepción.

La **ligadura** cierra las trompas de Falopio. Esto crea una obstrucción que impide que el óvulo pase por las trompas hacia el útero o que los espermatozoides lleguen al óvulo, y de ese modo no ocurre la concepción. Puesto que es una intervención permanente que difícilmente se puede revertir, los médicos, por lo general, no la aconsejan a mujeres sin hijos y a las menores de 30 años.

La decisión para algunas mujeres es difícil. Aunque se sienten liberadas del temor de un embarazo no deseado, deben aceptar los sentimientos involucrados al tomar una decisión como ésta. Quizás también tengan que luchar con la negativa de su pareja de hacerse una vasectomía, que es una intervención menos invasiva y que siempre debería considerarse primero.

¿CÓMO SE HACE?

■ Existen varios métodos de esterilización para la mujer, ya sea a través del abdomen o la vagina. La mayoría se realiza bajo anestesia general u, ocasionalmente, bajo anestesia epidural o local.

■ Podría ser necesario introducir dióxido de carbono en el abdomen para inflarlo, de modo que los órganos internos se vean con más claridad. Aunque todos los procedimientos implican el cierre o amarre de las trompas, casi invariablemente se extrae una pequeña parte de la trompa misma.

■ Las trompas se cortan o se amarran, se sujetan con abrazaderas o anillos, se tapan o se congelan. Todos los métodos se pueden hacer mediante cirugía endoscópica.

¿CUÁLES SON LOS RIESGOS?

La esterilización conlleva muy pocos riesgos graves o complicaciones, salvo los que siempre se deben esperar de una cirugía bajo anestesia. La esterilización por la vagina acarrea un riesgo algo mayor de infección; se realiza muy poco en el Reino Unido.

¿ES EFICAZ?

■ La esterilización es altamente eficaz y permanente.

■ La esterilizacion femenina tiene una tasa de eficacia muy alta: sólo un embarazo por cada 300 a 500 mujeres por año.

■ No afectará su libido ni su vida sexual.

¿ES REVERSIBLE?

En algunos casos, las técnicas de la microcirugía podrían restaurar con éxito la fertilidad de una mujer que se ha esterilizado, pero involucra cirugía mayor. Cerca del 70 ó 75 por ciento de las mujeres conciben posteriormente.

SECUELAS

■ Después de la esterilización, usted no notará ningún cambio en el patrón menstrual y la menopausia será normal cuando acontezca, porque los ovarios no se han tocado.

■ A algunas mujeres se les realiza una dilatación y raspado rutinario después de la esterilización para cerciorarse de que no haya anormalidades en el útero. Normalmente la vagina sangrará durante 1 ó 2 días.

■ Si la esterilización fue a través de la vagina, no podrá tener relaciones sexuales durante un par de semanas debido al peligro de infección, pero no habrá ninguna cicatriz externa.

■ Debe usar un anticonceptivo durante el ciclo en que fue esterilizada, ya que existiría el riesgo de un embarazo ectópico si un óvulo fecundado no pudiera entrar al útero después de la intervención.

> **Ver también:**
> ● **Microcirugía pág. 467**
> ● **El tijeretazo masculino: vasectomía pág. 269**

Endometriosis

LA ENDOMETRIOSIS ES MUY COMÚN Y SE DEFINE COMO LA PRESENCIA DE CÉLULAS DEL REVESTIMIENTO UTERINO EN OTROS LUGARES DE LA PELVIS.

La ruta principal de diseminación de estas "semillas" son las trompas de Falopio. Los depósitos llegan a los ovarios, colon, vejiga y pelvis, formando quistes muy pequeños y cicatrices locales. Las células responden a los cambios cíclicos de las hormonas ováricas, por lo que durante la menstruación se produce sangrado en los quistes, pero la sangre no puede salir. Los quistes se hinchan y se ponen sensibles, y en el ovario pueden crecer hasta un diámetro de 5 a 6 cm, provocando dolor menstrual, en las relaciones sexuales y sensibilidad generalizada de los ovarios. Se podrían formar adherencias fibrosas a su alrededor, interfiriendo en la ovulación y, posiblemente, en la concepción.

¿CUÁLES SON LOS SÍNTOMAS?
- Sangrado profuso o anormal
- Dolor abdominal y pélvico intenso, que comienza antes de empezar el período menstrual y continúa durante la menstruación, disminuyendo paulatinamente.
- Dolor al orinar o del colon, incluyendo diarrea.
- Problemas de fertilidad.

Si tiene casi 30 años y no ha podido concebir o si sufre de períodos menstruales muy dolorosos o de un dolor profundo en la pelvis durante las relaciones sexuales, deberá ir al médico lo antes posible. Si no ha sufrido nunca de **dismenorrea** (períodos menstruales dolorosos), es muy poco probable que aparezca cuando tenga casi 30 años sin una razón importante.

¿QUÉ HARÁ EL MÉDICO?
Los fármacos que se prescriben para tratar la endometriosis suprimen la ovulación y de ese modo permiten que la enfermedad entre en regresión. Éstos incluyen el uso continuo de altas dosis de estrógenos y/o progestágenos o fármacos llamados **análogos de GnRH** para suprimir las hormonas que estimulan los ovarios.

Todos estos tratamientos son anticonceptivos.

Por lo general, sólo se ofrece el tratamiento médico de la endometriosis a las mujeres que no están tratando de concebir; no se ha demostrado que incremente las tasas de fertilidad.

Para aquellas que desean concebir, el tratamiento quirúrgico, usualmente por laparoscopia, incluye la **diatermia** o **vaporización** de los depósitos de endometriosis por láser (vea recuadro) y la **extirpación de las adherencias fibrosas.**

La cirugía radical en la cual se extirpan el útero y los ovarios (**histerectomía**) podría ser necesaria en mujeres mayores en quienes la enfermedad estuviera muy avanzada y en aquellas que ya no quisieran tener más hijos.

Nota: Se debería ofrecer la fecundación in vitro de inmediato a las mujeres que tratan de concebir y que tienen adherencias fibrosas densas y muy difundidas, las que no se pueden tratar quirúrgicamente o que reaparecen después de la cirugía.

AUTOAYUDA
Únase a un grupo de autoayuda en el cual pueda compartir sus experiencias con otras mujeres y analizar los tratamientos más recientes y los efectos secundarios de éstos.

Tratamiento con láser

La luz de un rayo láser puede cortar o destruir el tejido o reparar el que esté dañado fusionando los bordes rotos. Esto permite que se use el láser en varios procedimientos quirúrgicos en vez de los bisturíes, tijeras y suturas. Puesto que se puede enfocar con precisión, es posible tratar secciones pequeñas de tejido sin dañar el circundante.

El tratamiento con láser se usa comúnmente en los procedimientos ginecológicos. Se lo puede dirigir a través de un endoscopio para remover el tejido cicatrizado dentro de las trompas de Falopio que podría provocar la infertilidad. También se usa para sacar los quistes que se forman en el área pélvica como consecuencia de la endometriosis y para destruir las células anormales del cuello uterino que podrían provocar cáncer si no se trataran. Igualmente, los rayos láser dirigidos mediante un endoscopio pueden destruir tumores pequeños o células precancerosas en otras áreas internas del cuerpo, como la laringe, o el tracto digestivo. También se puede usar esta técnica para abrir las arterias que se han estrechado debido a los depósitos grasos. En oftalmología, se utiliza para sellar pequeños desprendimientos de la retina, la capa sensible a la luz en el fondo del ojo.

A menudo se usa este método en la piel, especialmente la cara, para reducir cicatrices y las marcas de nacimiento, los lunares no cancerígenos, los tatuajes y las arrugas. Los resultados dependen de la extensión del problema, pero en la mayoría de los casos, las cicatrices son mínimas y el aspecto de la piel mejora considerablemente. También se puede usar externamente para solucionar problemas de venas superficiales y extirpar las verrugas tanto de la piel como de los genitales.

La mayoría de las formas de tratamiento con láser se hace bajo anestesia local o general, según el tipo de cirugía y el área que se tratará. Sin embargo, cuando son afecciones menores de la piel se puede hacer sin anestesia. Tal vez se produzca hinchazón, enrojecimiento y ampollas, pero normalmente desaparecen dentro de una semana. Las áreas extensas de la piel, por lo general, se tratan en varias sesiones.

Un grupo de apoyo puede ayudar a las mujeres con endometriosis para que enfrenten exitosamente el impacto psicológico de esta afección.

Prolapso uterino

PROLAPSO ES EL DESCANSO DE UNO O VARIOS ÓRGANOS PÉLVICOS EN LA VAGINA. CUANDO LOS MÚSCULOS DEL PISO PÉLVICO ESTÁN DEBILITADOS LAS PAREDES DE LA VAGINA SE DESPLAZAN, PRODUCIÉNDOSE EL PROLAPSO.

Uno o más de los órganos pélvicos, incluyendo el **útero**, la **vejiga**, el **recto**, el **colon** y la **uretra**, pueden prolapsar en la vagina, pero el más común es el útero.

Según la gravedad, el cuello del útero puede descender e incluso asomarse por la vagina. Este prolapso suele producirse en las mujeres mayores y casi nunca se produce en quienes no han tenido hijos.

Los músculos del piso pélvico se pueden debilitar con la edad, pero la causa del prolapso es casi siempre una lesión anterior de estos músculos durante el **parto**. Eso sucede particularmente si el parto fue rápido, estuvo en trabajo de parto por demasiado tiempo o si los hijos fueron grandes.

Puede ser útil entender los términos que usa el médico:

■ Si se produce una protrusión del **recto** en la pared vaginal posterior, se denomina **rectocele**.

■ Si se produce una protrusión de la **uretra** en la pared vaginal anterior, se denomina **uretrocele**.

■ Si se produce una protrusión de la **vejiga** en la pared vaginal anterior, se denomina **cistocele**.

¿CUÁLES SON LOS SÍNTOMAS?

■ Dolor de espalda.

■ Una sensación de tener algo protuberante en la vagina: dificultad para insertar y sacar un tampón.

■ Incontinencia de esfuerzo: la orina se escapa al levantar un gran peso, al toser o estornudar.

■ En el caso del prolapso uterino, una sensación de arrastre hacia abajo en la pelvis.

■ En el caso del uretrocele y el cistocele, orinar frecuentemente y la necesidad urgente de hacerlo.

■ En el caso de un rectocele, molestias al mover el vientre y dificultad al evacuar.

No espere que los síntomas se vuelvan realmente molestos: consulte al médico lo antes posible.

¿QUÉ HARÁ EL MÉDICO?

■ Le hará un examen pélvico interno para confirmar el prolapso y determinar el tipo específico.

■ Se le preguntará sobre los partos, si fueron difíciles, si los bebés eran más grandes que lo normal, si la segunda etapa del trabajo de parto demoró mucho tiempo y si se usaron fórceps para ayudar en el parto de alguno de los bebés.

■ Estar con sobrepeso empeora el prolapso, así es que se le aconsejará que baje de peso.

■ Si el prolapso es grave, el médico recomendará una intervención quirúrgica (ver recuadro).

■ Siempre recomendaría hacerle caso, porque mejorará su calidad de vida, controlando la incontinencia y mejorando el placer sexual. La cirugía aprieta todas las estructuras de sostén de la pelvis; algo así como un **"lifting"** pélvico. El tratamiento dependerá del tipo de prolapso y la edad.

■ La mayoría de las reparaciones de prolapsos se realiza a través de la vagina bajo anestesia general. De vez en cuando se realiza la intervención bajo una anestesia epidural, en especial si la mujer es anciana y débil.

■ Probablemente esté hospitalizada entre 5 y 7 días. Como norma, se hace un control seis semanas más tarde y luego, si no hay complicaciones, podrá volver a tener relaciones sexuales.

AUTOAYUDA

■ Si sufre de dolor de espalda, evite estar de pie durante mucho tiempo. Use una faja apretada para contrarrestar cualquier sensación de arrastre en la pelvis.

■ Si tiene problemas durante las relaciones sexuales, usted y su pareja deberán explorar otras opciones que no incluyan penetración para obtener placer sexual.

■ Use protectores si tiene problemas de escape de orina (incontinencia de esfuerzo). Si la situación empeora, vaya al médico.

■ El tratamiento preventivo más importante es ser constante en hacer los ejercicios de fortalecimiento de los músculos del piso pélvico periódicamente durante el embarazo y en especial tras el nacimiento del primer hijo, ya sea que la suturen o no.

Retroversión uterina

Un útero retrovertido móvil es una variación inocua de la normal, en la que el útero se inclina hacia atrás. A menudo se le culpa por la incapacidad de concebir, pero eso nunca se ha constatado.

■ Debería seguir con los ejercicios de fortalecimiento de los músculos del piso pélvico hasta el día de su muerte, haciéndolos cinco o seis veces al día.

■ Si deja de hacerlos durante unas semanas, retómelos.

■ La incontinencia leve se puede controlar sólo con ejercicios de fortalecimiento de los músculos del piso pélvico, haciéndolos cinco veces al día durante un par de semanas.

Vea también:
• **Ejercicios del piso de la pelvis pág. 375**

TRATAMIENTO

Cirugía para el prolapso

Se realiza una intervención quirúrgica bajo anestesia general para corregir el prolapso. Su objetivo es acortar los ligamentos y los músculos que sostine al útero. Normalmente se realiza la intervención a través de la vagina y las pacientes deben permanecer en el hospital entre 5 y 7 días después de la intervención.

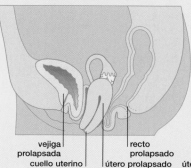

Útero prolapsado

vejiga prolapsada cuello uterino | recto prolapsado útero prolapsado

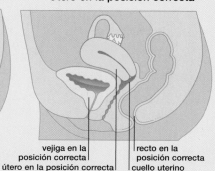

Útero en la posición correcta

vejiga en la posición correcta útero en la posición correcta | recto en la posición correcta cuello uterino

Histerectomía

LA HISTEROCTOMÍA ES LA EXTIRPACIÓN QUIRÚRGICA DEL ÚTERO. EN ESTADOS UNIDOS, UN ALARMANTE 25 POR CIENTO DE TODAS LAS MUJERES SOBRE LOS 50 AÑOS DE EDAD HA SUFRIDO UNA HISTERECTOMÍA. MUCHAS VECES ÉSTA SE REALIZA POR RAZONES INSUFICIENTES, COMO LA EXTIRPACIÓN DE PEQUEÑOS MIOMAS.

En el Reino Unido, los médicos recientemente han sido hasta poco tiempo atrás renuentes a extirpar el útero a menos que los síntomas lo justifiquen. Sin embargo, esta modalidad norteamericana empieza a entrar lentamente en el país. La decisión de hacerse una histerectomía nunca debe tomarse a la ligera y en las mujeres jóvenes, la menopausia instantánea que sigue a una histerectomía en que se extirpan los ovarios debe tratarse con terapia de sustitución hormonal; la concepción ya no es una opción.

¿QUÉ TIPOS HAY?
■ **Histerectomía abdominal parcial,** en que se extirpan el útero y, a veces, los ovarios y las trompas de Falopio, pero se deja intacto el cuello uterino.
■ **Histerectomía abdominal total:** se extirpan el útero, los ovarios, las trompas de Falopio y el cuello uterino.
■ **Histerectomía radical:** se extirpan el útero, el cuello uterino y los ganglios linfáticos mediante una incisión abdominal.
■ **Histerectomía vaginal:** histerectomía a través de la vagina en vez de una incisión abdominal.
  Si se extirpan los ovarios, la mujer ya no producirá hormonas sexuales y debe considerarse, por ende, la terapia de sustitución hormonal.

¿POR QUÉ SE HACE?
La histerectomía se puede hacer por cualquiera de las siguientes razones:
● para eliminar **cáncer** en los órganos pélvicos
● para tratar una **infección pélvica** grave e incontrolable
● para detener una **hemorragia uterina** con riesgo vital
● en determinadas **afecciones** de riesgo vital **que afectan los intestinos y la vejiga,** cuando es imposible tratar el problema primario sin extirpar el útero
● para extirpar múltiples **miomas** que provocan **hemorragias excesivas** y **dolor**
● para tratar un **prolapso**
● para tratar la **endometriosis** grave
● en la reparación del **prolapso uterino** y **vaginal.**
  NOTA: LA HISTERECTOMÍA NUNCA DEBE SER EL TRATAMIENTO PRIMERA ELECCIÓN PARA LOS PERÍODOS MENSTRUALES INTENSOS Y LARGOS.

¿CÓMO SE HACE?
■ Bajo anestesia total, se hace una incisión en la parte inferior del abdomen y se extirpa el útero y, si es necesario, los ovarios y las trompas de Falopio.
■ Después de la intervención quirúrgica se le administrará suero y se le colocará un catéter para la orina. Habrá secreciones vaginales durante un par de días.
■ Si se extirpó los ovarios, la terapia de sustitución hormonal empezará pronto. De lo contrario, pregunte.
■ En forma alternativa, se le podría realizar una histerectomía vaginal en la cual no se abre la cavidad abdominal, sino que se saca el útero por la vagina. La recuperación es más rápida con este método y se minimizan o eliminan completamente las complicaciones. Se trata de la intervención quirúrgica ideal para corregir el prolapso uterino no complicado. La histerectomía vaginal sólo se hará si el útero no es demasiado voluminoso y si las estructuras de sostén no están demasiado apretadas.

¿QUÉ PASA DESPUÉS?
■ Cuando vuelva a casa después de la intervención, mantenga un nivel de actividad moderado, pero descanse tan pronto sienta alguna molestia.
■ Recupere las fuerzas en forma gradual. Puede empezar con actividades suaves en la cuarta semana después de la intervención; puede realizar actividades moderadas, como salir a hacer compras livianas y aseo, alrededor de la quinta semana. Para la sexta semana debería sentirse casi normal, aunque posiblemente todavía algo cansada.
■ En la sexta semana podrá retomar las relaciones sexuales, ya que el extremo superior de la vagina habrá sanado. Si no se le extirpó el cuello uterino, no debería sentir ninguna diferencia.

¿SE PRODUCEN CAMBIOS PSICOLÓGICOS?
■ La mayoría de las mujeres queda contenta con la histerectomía si ellas han sido bien aconsejadas. La vagina será del mismo tamaño que antes, a menos que haya sido una histerectomía radical y, en ese caso, será un poco más corta.
■ La insatisfacción está relacionada con haber realizado la operación sin una buena razón y no haber considerado a fondo, la mujer y su pareja, las opciones disponibles.
■ Se hace difícil para las mujeres que querían tener más hijos y para aquellas a las que se les extirparon los ovarios antes de la menopausia.
■ Las mujeres que sufren de depresión después de una histerectomía casi siempre son las que no estaban convencidas de que era necesaria, en especial si se realizó por una afección sin riesgo vital. Les es más fácil adaptarse se saben que la intervención quirúrgica le salvó la vida.

¿Qué debo hacer si me sugieren una histerectomía?

■ Pregunte al ginecólogo las razones que tiene para esta operación y todos sus detalles hasta que se convenza de que es absolutamente necesaria.
■ No tome la decisión en forma apresurada: las complicaciones posteriores son más comunes en las mujeres que aún no están convencidas sobre esta intervención.
■ Si duda de los consejos recibidos y desea evitar una histerectomía, busque una segunda opinión. Muchas afecciones

responden a tratamientos menos radicales.
■ Verifique si es necesario extirpar tanto los ovarios como el útero, y averigüe sobre las terapias de sustitución hormonal disponibles para una menopausia precoz, la que se producirá si se extraen los ovarios. Ya no es aceptado médicamente que los ovarios deberían extirparse por si acaso se diagnosticara un cáncer, así es que no acepte ese argumento.

CÁNCERES DE LA MUJER

El cáncer de cuello uterino y el de mamas son dos de los más comunes en las mujeres. Afortunadamente, el primero se puede prevenir siempre que las mujeres se sometan a una citología vaginal periódicamente. Autoexaminarse los senos y hacerse chequeos también pueden ayudar a detectar el cáncer de mamas mientras éste todavía se encuentre en una etapa en que se pueda curar. El cáncer de ovario y el uterino son dos formas menos comunes que también afectan a las mujeres.

Precáncer y cáncer de cuello uterino

EL CÁNCER DE CUELLO UTERINO ES EL SEGUNDO CÁNCER QUE MÁS AFECTA A LAS MUJERES (EL CÁNCER DE MAMAS ES EL PRIMERO), PERO SE ESTÁ HACIENDO MÁS COMÚN, ESPECIALMENTE ENTRE LAS JÓVENES. SI NO SE TRATA, POSIBLEMENTE SE DIFUNDA A LA MAYORÍA DE LOS ÓRGANOS DE LA PELVIS.

Las opciones para curar el cáncer de cuello uterino dependen mucho de la etapa en que éste se encuentre cuando es detectado por primera vez.

Este mal tiene una **etapa precancerosa**, denominada muchas veces **neoplasia intraepitelial de cuello uterino**, durante la cual las células anormales crecen, pero no son cancerosas. Puesto que esta fase puede durar varios años, se detectará con antelación en una mujer que se tome citologías vaginales en forma periódica. Así se podrán eliminar completamente las células anormales con sólo extirpar el tejido del cuello uterino, mucho antes de que exista peligro real.

A pesar de que los cambios precancerosos se pueden detectar mediante una citología vaginal.

continúa en pág. 259

TRATAMIENTO

Quimioterapia

La quimioterapia elimina las células cancerosas con sustancias químicas poderosas suministradas en forma de píldoras, inyecciones o infusión intravenosa. Los fármacos que se utilizan en este tratamiento interrumpen el crecimiento de las células, por lo que termina por matar grandes cantidades de éstas, tanto cancerosas como sanas. Muchas células "normales" del organismo (como la médula ósea y el revestimiento del intestino y la boca) se dividen rápidamente y, como consecuencia, son vulnerables a los fármacos anticancerígenos; de este modo se producen muchos de los efectos secundarios de la quimioterapia.

Este tratamiento es generalmente ambulatorio, ya sea mediante una inyección o goteo intravenoso por, aproximadamente, una hora. Rara vez implica pasar la noche en el hospital.

Según el tipo de cáncer que se está tratando, la quimioterapia se aplica normalmente una vez cada tres o cuatro semanas, pero algunos tratamientos se aplican en forma semanal. Tal vez se apliquen 6 u 8 cursos de tratamiento y éste casi siempre dura entre 5 y 6 meses.

Fármacos hormonales

Se usan fármacos hormonales especiales para ciertos tipos de cáncer. Uno de los más conocidos es el tamoxifeno, que se usa para bloquear el efecto del estrógeno involucrado en el crecimiento de ciertos tumores (en especial en el cáncer de mamas). En las mujeres cuyas familias tienen un historial de cáncer de mamas, se puede aplicar tamoxifeno como medida preventiva, pero aún no se han investigado a fondo los riesgos.

En la quimioterapia se eliminan las células cancerosas más rápidamente que las normales hasta que no se detecten más células enfermas.

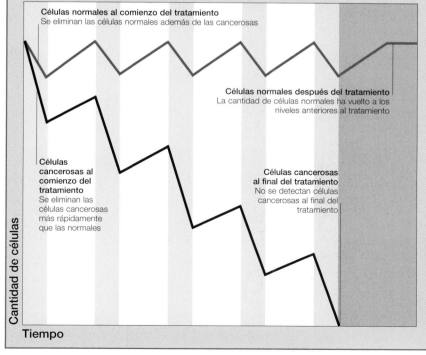

Células normales al comienzo del tratamiento
Se eliminan las células normales además de las cancerosas

Células normales después del tratamiento
La cantidad de células normales ha vuelto a los niveles anteriores al tratamiento

Células cancerosas al comienzo del tratamiento
Se eliminan las células cancerosas más rápidamente que las normales

Células cancerosas al final del tratamiento
No se detectan células cancerosas al final del tratamiento

Cantidad de células

Tiempo

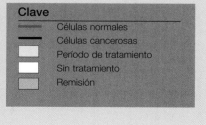

Clave
- Células normales
- Células cancerosas
- Período de tratamiento
- Sin tratamiento
- Remisión

ENFOQUE *en* citología vaginal

Casi todas nosotras sentimos alguna inquietud ante una citología vaginal (Papanicolau). Es natural sentirse vulnerable al exponerse a un desconocido, y existe el temor adicional de que el examen podría arrojar un resultado preocupante. Sin embargo, tenemos la responsabilidad de velar por nuestra salud.

Una citología vaginal realizada periódicamente puede detectar los primeros cambios precancerosos, los que se pueden tratar de inmediato para que la enfermedad no se desarrolle.

Puesto que el cáncer de cuello uterino es uno de los pocos sobre el cual se puede ejercer un control eficaz, sería una locura permitir que unos pocos minutos de incomodidad impidieran los chequeos periódicos. Se trata de un procedimiento muy rápido y ni se dará cuenta cuando ya sea hora de volver a casa.

¿SABÍA USTED?
● El papovavirus (HPV) aumenta el riesgo de cáncer de cuello uterino.

Colposcopia

La colposcopia es un procedimiento sencillo y no invasivo que se usa como una herramienta de tratamiento y diagnóstico después de una citología vaginal anormal. No requiere anestesia y se puede realizar en el despacho del ginecólogo o en forma ambulatoria en una clínica. El colposcopio, un tipo de microscopio, se coloca en la entrada de la vagina. El médico examina el tejido para identificar el lugar preciso en el cual están las células anormales (una citología no lo identifica con precisión). Luego quita lentamente el espéculo para poder inspeccionar las paredes vaginales. Las células anormales dentro del canal del cuello uterino no se pueden detectar con un colposcopio. Si se sospecha de su presencia, se recomendará una biopsia de cono (donde se remueve un cono de tejido).
Las áreas que una biopsia confirma como anormales se tratan mediante electrocauterio o láser (ambos destruyen el tejido con calor), criocirugía (destruye el tejido con frío) o se extirpan mediante una escisión de diatermia. Dicho tratamiento se puede hacer al mismo tiempo que la colposcopia, siempre que el área anormal sea pequeña y bien definida. Si la mujer está embarazada, normalmente se postergará este procedimiento.

● El 95 por ciento de las mujeres con este cáncer son portadoras de HPV.
● El HPV no produce síntomas en muchas mujeres.
● Usted se arriesga al tener muchas parejas sexuales, pues aumenta la probabilidad de estar expuesta al HPV.
● Si usted se hace la citología vaginal periódicamente, el cáncer de cuello uterino no tendrá tiempo para desarrollarse.

La citología vaginal, también llamada Papanicolau cuyo nombre viene del médico que la inventó, se hace durante un examen de la pelvis. Se usa primariamente para detectar células cancerosas y precancerosas en el cuello uterino o cérvix.

Detecta los primeros cambios anormales en las células del cuello uterino, las que se podrán destruir para impedir que se desarrolle un cáncer en esa zona.

Si usted tiene muchas parejas sexuales, las alteraciones cancerosas se desarrollarán más fácilmente. Las relaciones sexuales promiscuas también aumentan el riesgo de ser infectada con HPV, el virus que acrecienta la aparición de este cáncer.

En el 95 por ciento de los casos, el examen detecta los cambios precancerosos (transformaciones anormales en células que podrían volverse cancerosas si no se detectan y tratan).

¿QUÉ ES EL CUELLO UTERINO?
El cuello uterino es una estructura pequeña y cilíndrica, que tiene una longitud de varios centímetros y forma la parte inferior del útero; desciende hasta la vagina. Por su centro pasa un canal a través del cual los espermatozoides se desplazan de la vagina al útero, camino a fecundar un óvulo, y por el cual circula la sangre durante la menstruación.

¿QUIÉN DEBERÍA TOMARSE UNA CITOLOGÍA VAGINAL?
Todas las mujeres deben hacerse la citología vaginal, se hace desde que tienen relaciones sexuales y luego cada tres años hasta los 65. Este examen también es importante para aquellas que han sido infectadas con el papovavirus (HPV). De paso, un citología vaginal podría detectar una enfermedad de transmisión sexual.

¿CUÁNDO Y DÓNDE SE HACE?
Una mujer debería tomarse una citología vaginal dentro de los doce meses posteriores al cumpleaños número 20. Lo puede realizar un médico o se puede efectuar en una clínica de planificación familiar. No debería estar menstruando ni haber tenido relaciones sexuales 24 horas antes del examen, pues la sangre y el semen hacen que el resultado sea poco fiable. Para obtener uno mejor, idealmente debería estar en la mitad del ciclo menstrual.

¿CÓMO SE HACE?
Usted se tiende boca arriba con las rodillas flectadas. Se inserta un espéculo temperado en la vagina para separar las paredes, de modo que el médico pueda ver el cuello uterino.

Se frota el cuello con una espátula para recolectar células y lo obtenido se transfiere a un portaobjeto de vidrio que será enviado a un laboratorio. El procedimiento entero demora menos de un minuto y aunque es incómodo, no es doloroso. Los resultados deberían estar disponibles dentro de seis semanas.

LOS RESULTADOS
Los resultados de la citología vaginal se clasifican en tres categorías:
● **Negativo** no hay problemas.
● **Displasia leve** significa que usted tiene alguna infección y debería hacerse chequeos de detección temprana con mayor frecuencia.
● Una **citología vaginal positiva** no siempre indica que hay cáncer, pero sí que hay un cambio en las células que requiere mayor investigación.

La tabla siguiente le proporciona detalles sobre el tipo de resultados que probablemente obtenga y lo que deberá hacer.

Resultado	Acción
Negativo	No se requiere seguimiento alguno: próxima citología en tres años
Displasia leve	Otra citología dentro de no más de seis meses
Displasia moderada	Colposcopia
Displasia grave	Colposcopia

Ver también:
● **Precáncer y cáncer de cuello uterino pág. 257**

continuación de pág. 257

periódica y que se puede tratar, cada año el 25 por ciento de las mujeres muere víctima de este cáncer, solamente porque no se hicieron una citología vaginal. Puesto que la afección no evidencia síntomas que se puedan advertir tempranamente, sólo se puede detectar mediante chequeos rutinarios, que incluyen una citología vaginal.

ETAPAS DE PRECÁNCER Y CÁNCER DE CUELLO UTERINO

PRECÁNCER
■ La etapa más leve se llama neoplasia intraepitelial de cuello uterino I.
■ Cambios más graves, NO CÁNCER, se llama neoplasia intraepitelial de cuello uterino II.
■ La etapa más grave se llama neoplasia intraepitelial de cuello uterino III.

CÁNCER
■ 1ª etapa: cáncer restringido al cuello uterino.
■ 2ª etapa: el mal se extiende más allá del cuello uterino, afectando el extremo de la vagina y/o el tejido que rodea el cuello uterino.
■ 3ª etapa: cáncer se extiende a la parte inferior de la vagina y/o la pared lateral de la pelvis.

EXAMEN

Exámenes de tejidos

Algunas afecciones cambian la cantidad de los diferentes tipos de células existentes dentro de un órgano o hacen que células individuales se vuelvan anormales. Los exámenes de tejidos muestran estas alteraciones. En un examen de éstos, se toma una muestra pequeña de un tejido en particular y se analiza en un microscopio. Uno de los más comunes es la citología vaginal mediante el cual se toma una muestra de tejido del cuello uterino para buscar cambios precancerosos en las células.

Biopsia

El procedimiento en el cual se extrae una muestra de tejido específicamente para examinarlo se llama una biopsia. Se realiza para confirmar un diagnóstico o para investigar un bulto o tumor anormal. Por ejemplo, si se sospecha de cirrosis, se hará una biopsia del tejido del hígado y en caso de detectar los cambios característicos, se confirmará el diagnóstico. Si no se sabe si un tumor es maligno (canceroso) o benigno (no canceroso), este análisis proporcionará el tejido que se examinará para detectar las alteraciones cancerosas. A veces se necesitarán más exámenes si los de rutina no proporcionan un diagnóstico definitivo.

■ 4ª etapa: esta afección se extiende más allá de la pelvis y/o afecta la vejiga o el recto.

¿CUÁLES SON LOS SÍNTOMAS?
■ No hay síntomas en las dos primeras etapas precancerosas.
■ En la 1ª y 2ª etapa, se produce **sangrado intermenstrual** y **goteo después de las relaciones sexuales**, señales que advierten que se debe investigar.
■ **Secreciones vaginales de mal olor** podrían ser un síntoma de cáncer de cuello uterino y requieren una evaluación médica.

¿CUÁLES SON LAS CAUSAS?
Aunque no se sabe la causa exacta de este cáncer, se han identificado varios factores de riesgo. Éstos incluyen ciertos tipo del papovavirus (HPV), ligado al 95 por ciento de los casos de cáncer de cuello uterino. Otros factores incluyen tener múltiples parejas sexuales, fumar, uso prolongado de la píldora anticonceptiva, embarazo a temprana edad y muchos embarazos. Las mujeres que no se han hecho una citología vaginal recientemente enfrentan un mayor riesgo de este cáncer sólo porque no recibirán el tratamiento de los cambios precancerosos del cuello uterino, si los hubiese. Por lo tanto, el principal factor de riesgo es no hacerse este examen.

¿CUÁL ES EL TRATAMIENTO?
MÉDICO
■ Se deben tratar todas las etapas de neoplasia intraepitelial de cuello uterino, aunque en el caso de la primera etapa precancerosa, algunos médicos adoptan un enfoque de "esperar y observar", repitiendo las citologías vaginales.
■ El tratamiento de la etapa precancerosa implica hacer una **colposcopia**, normalmente en forma ambulatoria, en la cual se examina el cuello uterino a través de un microscopio especial. Se identifican las áreas con células anormales y, si es necesario, se hará una biopsia para examinar el tejido en un laboratorio.
■ Después de la colposcopia, la mujer se sentirá aliviada, se hará otra citología vaginal de seguimiento o requerirá más tratamiento.

QUIRÚRGICO
■ El tratamiento quirúrgico más sencillo de la neoplasia intraepitelial de cuello uterino implica remover el tejido precanceroso, bajo anestesia local, con **láser**, o mediante **congelamiento** o **cortando** el tejido con un espiral eléctrico (se denomina escisión con espiral grande de las zonas de transformación o escisión por diatermia).
■ Una biopsia de cono implica extirpar un trozo grande de tejido y podría requerir una anestesia general. Se puede hacer con bisturí o rayo láser. Se extirpa un cono de tejido del cuello uterino para remover todo el tejido anormal más parte del tejido circundante normal. Después de examinarlo bajo un

Recuerde

Si se hace una citología vaginal en forma periódica, el cáncer se detectará en una etapa en que las posibilidades de una cura son altas. Incluso si se detectan células cancerosas, trate de interesarse en la enfermedad y cooperar con los médicos lo más que pueda. La mejoría depende, en gran medida, de su determinación por derrotar la enfermedad.

microscopio, los médicos decidirán si se necesita más tratamiento.

El tratamiento de un cáncer de cuello uterino depende de la etapa alcanzada por la enfermedad. Éste podría incluir la cirugía o la **radioterapia**, o ambas. En general, la radioterapia se usa más para las mujeres mayores y la cirugía para las más jóvenes y fuertes, independientemente de la etapa del mal.
■ La cirugía implica eliminar todo el tejido y los órganos afectados. Lo más común es hacer una histerectomía radical. Eso conlleva sacar el útero, cuello uterino, parte superior de la vagina y tejidos circundantes, incluyendo algunos ganglios linfáticos.
■ Si el cáncer se ha diseminado a la vejiga o el intestino, será necesario una cirugía mayor, para extirpar la vejiga o el intestino, además de la **histerectomía radical**.

Casi la mitad de los casos de cáncer de cuello uterino se trata con radioterapia. El objetivo es atacar el centro del cáncer con una dosis fatal de radiación. Ésta también mata las partes enfermas que invadían otras áreas. Sin embargo, para las mujeres más jóvenes se prefiere sólo la cirugía, preservando los ovarios, debido al efecto adverso de la radioterapia sobre el funcionamiento intestinal y sexual.

¿CUÁL ES EL PRONÓSTICO?
■ Deberá hacerse chequeos periódicos durante los próximos 5 años para cerciorarse de que se haya detenido la diseminación del cáncer.
■ Es casi seguro que usted no podrá tener más hijos y, si se le extirparon los ovarios, pasará por una **menopausia** precoz. Debe saber esto, porque necesitará terapia de sustitución hormonal desde el primer día de la intervención quirúrgica, así que consúltelo con los cirujanos.

Ver también:
• **Terapia de reemplazo hormonal pág. 502**
• **Histerectomía pág. 256**
• **Citología vaginal pág. 258**

Cáncer de ovario

EL CÁNCER DE OVARIO ES UN TUMOR MALIGNO QUE APARECE EN UNO O AMBOS OVARIOS, NORMALMENTE EN MUJERES DESPUÉS DE LA MENOPAUSIA, PERO, DE VEZ EN CUANDO, TAMBIÉN EN JÓVENES.

Desafortunadamente, el cáncer de ovario no provoca síntoma alguno sino hasta estar muy avanzado, y para entonces podría ser muy difícil tratarlo con eficacia. Este cáncer es, por lo general, agresivo y se disemina en las primeras etapas de la enfermedad.

¿CUÁLES SON LAS CAUSAS?
Existen muchas teorías sobre aquello que provoca el cáncer de ovario. Es más común en mujeres mayores y en quienes nunca han tenido un hijo, y menos ocurrente en aquellas que han tomado la píldora anticonceptiva o que han recibido terapia de sustitución hormonal durante varios años, así como en mujeres que empezaron la menstruación tarde y la menopausia temprano.

Hacer que el ovario "descanse" suprimiendo la ovulación, por ejemplo durante el embarazo o mientras se toma la píldora, podría proteger a la mujer contra este cáncer. Los factores genéticos son importantes en este mal: a veces es común en la familia. Algunas familias propensas al cáncer donde trabaja un gen sufren una tríada de cánceres: de ovario, de mama y de colon.

¿CUÁLES SON LOS SÍNTOMAS?
- Dolor abdominal
- Hinchazón del abdomen
- Distensión abdominal
- Si el tumor es grande, la presión sobre la vejiga hará que orine con frecuencia
- De vez en cuando, falta de aliento, si el tumor presiona hacia arriba contra el diafragma.

¿QUÉ SE PUEDE HACER?
Algunas familias portan un **gen** llamado BRCAI, que aumenta la probabilidad de cáncer, tanto de ovario como de mama. Ahora se encuentran disponibles exámenes genéticos para identificar a las mujeres propensas a estos males.

Si su familia tiene un fuerte historial de cáncer de ovario o mama, será importante decírselo al médico.

El tratamiento del cáncer de ovario implica varias cosas:
- El cirujano tratará de extirpar todo el tumor y la diseminación local. La extensión de la cirugía depende del tipo de tumor.
- La cirugía mínima implica la extirpación de ambos ovarios y de las trompas de Falopio, además del útero.
- Si la enfermedad ya se ha diseminado más allá de los órganos reproductores, se podría necesitar una cirugía mucho más extensa. Podría implicar la extracción de otros órganos, como parte del intestino y la vejiga.
- Comúnmente se recetan fármacos que contienen platino para tratar el cáncer de ovario, pero se ha descubierto que la radioterapia tiene sólo un efecto limitado.
- Se deberá realizar nueva cirugía para extirpar las reapariciones cancerosas.

¿CUÁL ES EL PRONÓSTICO?
El pronóstico a largo plazo depende de la etapa de la enfermedad y del tipo de célula maligna presente en el ovario, pero las cifras no son tranquilizadoras. Si el cáncer se restringe al ovario, entre el 60 y el 70 por ciento de las mujeres tendrá una esperanza de vida de cinco años si se ha diseminado, la tasa de supervivencia por cinco años se reduce a sólo un 10 y 20 por ciento.

Cáncer uterino

EL CÁNCER UTERINO ES UN TUMOR QUE CRECE EN EL REVESTIMIENTO DEL ÚTERO, EL ENDOMETRIO, Y SE CONOCE TAMBIÉN COMO CÁNCER DEL ENDOMETRIO. ES RELATIVAMENTE POCO MALIGNO.

¿CUÁLES SON LAS CAUSAS?
El cáncer uterino es más común en las mujeres obesas y en las que toman tamoxifeno, que se usa para prevenir o tratar el cáncer de mama. La terapia de sustitución hormonal que sólo usa estrógeno también aumenta el riesgo, pero la adición de progesterona durante 14 días al menos cada tres meses lo previene, por su parte, la forma continua "sin hemorragia" de la terapia de sustitución hormonal reduce el riesgo de contraerlo.

Se ha generado bastante controversia últimamente sobre la posible asociación entre la terapia de sustitución hormonal para síntomas menopáusicos y el cáncer uterino. Se induce un período menstrual al menos cada tres meses tomando progesterona durante 14 días, se evitará el crecimiento excesivo del endometrio. Se logra el mismo objetivo al insertar un dispositivo intrauterino de progesterona que se deja durante cinco años.

¿CUÁLES SON LOS SÍNTOMAS?
- Sangrado posmenopáusico o secreción de color café
- Molestias en la parte inferior del abdomen
- Hemorragias después de tener relaciones sexuales
- Períodos menstruales intensos

¿QUÉ HARÁ EL MÉDICO?
Si sufre de sangrado vaginal posmenopáusico o cualquier cambio en el patrón menstrual normal, consulte al médico inmediatamente.
- Si el médico sospecha de un tumor en el útero, la única forma de verificar si es maligno será mediante una investigación. Lo más probable es que pida una ecografía: si ésta mostrara un endometrio más grueso, se hará una biopsia del endometrio a través del cuello uterino, o se examinará la parte interior del útero mediante una histeroscopia y, al mismo tiempo, se hará una biopsia.
- Si el revestimiento uterino contiene células cancerosas, el médico recomendará una histerectomía total, extirpando los ovarios y las trompas de Falopio, así como el cuello uterino. Se recomendará la radioterapia si el tumor se hubiera diseminado a través de la pared del útero.
- Si el tumor está en una etapa avanzada, se realizará una histerectomía radical para extirpar parte de la vagina y los ganglios linfáticos de la pelvis.

¿CUÁL ES EL PRONÓSTICO?
Las noticias son buenas. La tasa general de cura es de un 90 por ciento cuando el cáncer se restringe al revestimiento uterino solamente. Si la diseminación hubiera traspasado este revestimiento y los músculos uterinos, la cifra, después de 5 años, se reduciría al 40 por ciento.

ENFOQUE *en* cáncer de mamas

Ojalá tuviera una varita mágica para hacer que las mujeres sintieran menos miedo frente al cáncer de mamas. Pienso que usted y todas sentirían menos miedo si supieran las buenas noticias y pudieran asimilar los hechos tranquilizadores. El temor puede impedirles que lo hagan.

Quiero tratar de tranquilizar a las mujeres comenzando con esta estadística muy positiva para luego seguir con otras. De cada 15 mujeres derivadas a una clínica especializada de cáncer de mamas, 14 no tienen.

Conocer sobre este mal mejorará enormemente las posibilidades de evitarlo y derrotarlo. Usted puede reducir el riesgo entendiendo cómo prevenirlo. Esto incluye tomar decisiones para toda la vida, como tener el primer hijo antes de cumplir los 30 años. Los cambios de estilo de vida, como mantener un peso bajo y limitar el consumo de alcohol, también ayudan. Además, debería comer al menos cinco frutas y verduras frescas todos los días.

La detección y el diagnóstico precoz juegan un importante papel en el tratamiento exitoso del cáncer de mamas, y en el pronóstico a largo plazo.

Es importante saber, incluso cuando se ha diagnosticado este mal, que hay diferentes tipos. No todos los cánceres invaden de igual forma ni tienen el mismo potencial de diseminación, así que no todos tienen un pronóstico malo.

Una actitud positiva es realmente muy valiosa, quizás tan vital como algunos de los tratamientos médicos.

CAMBIAR EL CARIZ DEL CÁNCER DE MAMAS

● Por cada bulto de mama que resulta ser canceroso, hay otros ocho que son benignos y, por ende, inocuos.
● Si se diagnostica y se trata precozmente el bulto, las posibilidades de un resultado exitoso mejorarán.
● Incluso tratándose de bultos cancerosos, 6 ó 7 de cada 10 se tratarán sin extirpar el seno.
● En el caso de las mujeres posmenopáusicas, las muertes por esta enfermedad no son nada comparadas con aquellas causadas por una insuficiencia cardíaca: cuatro veces menos.
● Las mujeres que padecen de la enfermedad son cinco veces más que aquellas que mueren por su causa. En un año determinado, de cada 100.000 mujeres con cáncer de mamas, 80.000 no mueren.
● Más del 70 por ciento de las mujeres con un cáncer de mamas operable estarán vivas y con buena salud cinco años después del diagnóstico.
● Cuando tenga 50 años, las posibilidades de

morir de cáncer de mamas, comparadas con otras causas de muerte, como insuficiencia cardíaca, habrán disminuido radicalmente de 1 de 12 a 1 de 70, y las cifras mejorarán cada año que siga viva sin contraerlo.
● Cuando tenga 60 años o más, las posibilidades de muerte por cáncer de mamas probablemente sean menos de la mitad de lo que eran a los 50 años.

TERAPIA DE REEMPLAZO HORMONAL (TRH) Y EL CÁNCER DE MAMAS

El riesgo de cáncer de mamas aumentará levemente si se aplica la terapia de reemplazo hormonal (TRH). El aumento será poco y según el tiempo que se aplique la terapia. Las cifras reales se dan a continuación:

Mujeres sobre 50 años (por cada 1.000 mujeres)	Riesgo de cáncer de mamas en próximos 10 años
Sin terapia TRH (riesgo que todas enfrentamos)	45
5 años de TRH	47
10 años de terapia de TRH	51
15 años de terapia de TRH	57

Una mujer que deja la terapia vuelve a la tasa de riesgo normal después de 5 años. Sin embargo, se debería comparar el riesgo de cáncer de mamas con los beneficios de la terapia de reemplazo hormonal.

Cuatro veces más mujeres mueren como consecuencia de la insuficiencia coronaria y los efectos de la osteoporosis, y la terapia de reemplazo hormonal podría ayudar a prevenirlas.

HISTORIAL FAMILIAR

Aproximadamente el 5 por ciento de los cánceres de mamas podrían deberse a genes heredados.

El riesgo para una mujer aumentará si la madre o hermana tuvo cáncer de mamas antes de cumplir 40 años, si dos de ellas lo tuvieron antes de cumplir 60 o si tres parientes tuvieron cáncer de mamas, sin importar la edad.

Una mujer preocupada debería pedirle al médico que la derive a un especialista o clínica especializada.

¿QUÉ ES UN TUMOR?

La palabra tumor simplemente significa bulto. La mayoría de los tumores en los senos no son cancerosos. Normalmente son benignos, es decir, el crecimiento de las células se limita al área donde comienzan. Aquellos cuyas células no se diseminan a otras partes del cuerpo no son fatales.

En contraste, las células que componen un tumor canceroso sí se disminan. Se diseminan más allá de la ubicación original, no solamente al tejido adyacente, sino también a otras partes del cuerpo más distantes y, a medida que invaden, destruyen.

El tumor original se denomina **primario**. Los tumores que surgen de las células cancerosas que se han diseminado a otras zonas del cuerpo se denominan **secundarios** o **metástasis**. Para determinar el grado de agresividad de estas células y la extensión de su diseminación,

continúa en pág. 262

¿Qué pasará con la vida sexual si se pierde un seno?

Es muy natural que la pérdida de un seno cambie radicalmente la imagen de sí misma y su autoestima.

Quizás se sienta poco atractiva o avergonzada y, lo que no sorprende, quizás se inhiba y pierda la libido.

Aproximadamente 1 de cada 5 mujeres pierde interés sexual dentro de unos pocos meses después de una mastectomía y a los dos años la cifra sube a 1 de 3.

El interés por las relaciones sexuales disminuye en más de un cuarto de las

mujeres sexualmente activas, independientemente del tipo de tratamiento quirúrgico.

El impacto psicológico de saber que tiene cáncer y enfrentar el tratamiento podría llenar la mente de pensamientos de supervivencia, de modo que el deseo sexual se convierta en una prioridad mínima.

Sin embargo, algunas parejas descubrirán que el trauma del cáncer de mamas les une más, especialmente si usted involucra a su pareja en cada paso desde el primer día.

si corresponde, se realizan exámenes de clasificación y estadios; éstos también sirven de base para determinar el tratamiento.

DISEMINACIÓN

Los cánceres invasivos tienden a diseminarse primero a las glándulas regionales, en el caso de los senos, a los ganglios linfáticos axilares, donde provocan tumefacción. También se diseminan a los ganglios linfáticos debajo del esternón y arriba de la clavícula.

La diseminación por la sangre, a través de "semillas", es probablemente más importante para determinar el pronóstico a largo plazo. Por eso, el objetivo de los tratamientos modernos, como la terapia hormonal y la quimioterapia, es la erradicación de las células cancerosas de todo el cuerpo y no sólo tratar con el tumor en forma local.

1 DE 11

Quizás haya oído que 1 de cada 11 mujeres desarrolla cáncer de mamas. Aunque es verdad, esa cifra podría ser engañosa, porque no cuenta toda la historia sino sólo la parte alarmante.

Esa proporción representa un riesgo para toda la vida. Significa que 1 de cada 11 mujeres desarrollará cáncer de mamas durante el transcurso de toda su vida: es decir, sobre un período de 70 a 80 años.

No hoy, no esta semana, no este mes. Así como el riesgo aumenta con la edad, éste en un momento determinado es mucho menor que 1 de 11; de hecho, se acerca más a 1 de 1.000.

ESPERANZA FUTURA

● Las mujeres que reciben tratamiento por un cáncer de mamas precoz pueden esperar tener una vida normal.

● En el caso de mujeres que sufren de recurrencias locales, a veces la radioterapia logra la cura sin necesidad de otros tratamientos.
● Aunque este cáncer predomina entre las mujeres mayores, muchas viven y mueren por otras causas.

CIRUGÍA

La mastectomía o extirpación del seno se ha hecho menos común ahora, o debería serlo. La cirugía radical ya no es la norma para tratar el cáncer de mamas y en la actualidad existe una gran cantidad de posibles variaciones de la mastectomía.

Más del 80 por ciento de los cánceres de mamas son localizados y se detectan con suficiente precocidad para una tumorectomía, que consiste en la extirpación solamente del bulto dejando el seno casi intacto.

El tipo de cirugía que se escoge depende tanto del tamaño del tumor como de otros factores.

La mayoría de las mujeres requiere más tratamiento después de la cirugía. Se le llama **terapia coadyuvante.**

QUIMIOTERAPIA

Existen varios fármacos diseñados para atacar rápidamente las células cancerosas que se dividen en cualquier lugar del cuerpo y su uso puede mejorar la tasa de cura en un 10 por ciento.

Los efectos secundarios, como la caída del cabello y las náuseas, son desagradables, pero normalmente sólo temporales.

Otras células no cancerosas que se dividen rápidamente, como las de la médula ósea, son susceptibles a ser dañadas por la quimioterapia.

FÁRMACOS HORMONALES

El tamoxifeno, un fármaco hormonal muy prometedor, bloquea el crecimiento del tumor en muchos pacientes y es muy usado. Incluso se puede recetar como una medida preventiva a las mujeres que enfrentan un alto riesgo de contraer cáncer de mamas. Las últimas cifras del Reino Unido demuestran que ha reducido la tasa de muerte por cáncer de mamas en casi un 40 por ciento.

Puesto que tiene un efecto antiestrogénico, el tamoxifeno provoca efectos secundarios cuando se toma durante mucho tiempo, incluyendo síntomas menopáusicos. Aumenta levemente el riesgo de cáncer uterino.

RADIOTERAPIA

La radiación retarda o destruye el crecimiento de las células cancerosas.

Tumorectomía

La tumorectomía consiste en extirpar un bulto del pecho junto con algo del tejido circundante normal. Si se realiza para extirpar un bulto canceroso, normalmente también se extirpará algunos de los ganglios linfáticos axilares. Este procedimiento se efectúa en un hospital bajo anestesia local o, más comúnmente, bajo anestesia general.

Casi siempre se aplica radioterapia entre 3 y 5 semanas después de una tumorectomía donde se extirpó un bulto canceroso para asegurar que el cáncer se haya erradicado.

Sitios de las incisiones

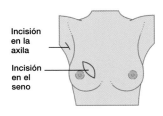

Incisión en la axila

Incisión en el seno

Durante una tumorectomía, normalmente se extirpa el bulto del seno, algún tejido normal circundante y algunos ganglios linfáticos.

Zonas tratadas en una tumorectomía

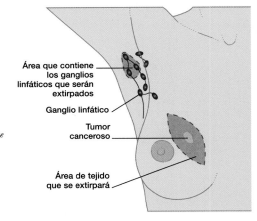

Área que contiene los ganglios linfáticos que serán extirpados

Ganglio linfático

Tumor canceroso

Área de tejido que se extirpará

Normalmente se aplica después de la cirugía para matar las células cancerosas restantes, pero también se puede usar en lugar de la cirugía para reducir el tamaño de los tumores de mama y así aliviar los síntomas.

Un determinado porcentaje de mujeres sentirá molestias y entumecimiento en los hombros y brazos después de la radioterapia, y posiblemente pierda sensación en el seno donde se aplicó el tratamiento; éste también podría sentirse hinchado y diferente. Si los senos eran una fuente importante de estímulo sexual antes de la cirugía, la orientación psicológica podría ayudar a encontrar otros medios para aumentar el placer de hacer el amor.

RECONSTRUCCIÓN DEL SENO

Toda mujer que sufre una mastectomía tiene derecho a un nuevo seno reconstruido. Se puede hacer al mismo tiempo que la operación o en una fecha posterior.

La mayoría de las reconstrucciones de seno implica tomar un trozo de piel, grasa y músculo de la espalda y llevarlo hacia el pecho, moldeándolo para que tome la forma de un seno. También se puede insertar un implante.

Se crean nuevos pezones mediante injertos de tejido y tatuaje. ¡El seno nuevo muchas veces es mejor que el otro!

SENOS FALSOS O PRÓTESIS

Las prótesis de senos están muy avanzadas ahora y se sienten igual que un seno natural. Se inserta en un sostén o traje de baño. También se pueden conseguir sostenes con prótesis de seno incluida. Las prótesis se diseñan para simular el aspecto y la sensación de un seno natural.

¿CUÁL ES EL PRONÓSTICO?

Recuerde que las técnicas modernas permiten que los médicos ajusten el tratamiento a las necesidades particulares de cada mujer, así que se le otorgarán todas las posibilidades de una cura. Se requerirá un seguimiento riguroso para detectar cualquier problema y chequear la recurrencia del cáncer. Después de meses de atención médica intensiva, quizás se sienta sola y temerosa, y, en ese caso, un grupo local de mujeres con cáncer de mamas podría ser de gran ayuda.

Para concluir, recuerde que 1 de cada 3 mujeres que reciben tratamiento por un cáncer de mamas precoz puede esperar vivir una vida normal.

Conocer el aspecto y la textura normales de los senos le permite solicitar atención médica ante cualquier cambio, inmediatamente.

AFECCIONES MASCULINAS

Ahora que algunos hombres famosos han confesado en público que padecen de cáncer testicular y a la próstata, las afecciones masculinas han alcanzado una importancia mayor... y ya era tiempo.

Ellos necesitan mucho ánimo para conversar abiertamente sobre sus problemas de salud, en especial de aquellos íntimos, como el cáncer testicular o de próstata.

Les cuesta hablar sobre ellos mismos. A veces son reacios a consultar a un médico, porque piensan que confesar su preocupación por su salud no es muy masculino.

No sólo es lamentable, sino peligroso, especialmente porque la detección temprana del cáncer testicular transforma este mal en uno de los más curables.

¿Por qué es importante examinar los testículos?

LAS MUJERES ESTÁN TOMANDO EN CONSIDERACIÓN ALGO QUE, DESDE EL PUNTO DE VISTA DE LA SALUD, TIENE MUCHO SENTIDO: REVISAR SUS SENOS PERIÓDICAMENTE. EN CONTRASTE, SÓLO 1 DE CADA 30 HOMBRES SE EXAMINA LOS TESTÍCULOS.

Es una lástima que más hombres no se revisen los testículos, porque la detección temprana del cáncer testicular lo hace **altamente curable.** Es algo muy sencillo; sólo toma unos pocos minutos todos los meses. Lo mejor es hacerlo después de una ducha o un baño de tina, cuando el escroto se encuentra a una temperatura normal y relajado, lo que favorece la detección de alguna anormalidad. Realmente vale la pena autoexaminarse; los tratamientos más recientes indican que 9 de cada 10 hombres se recuperarán por completo.

Deben revisar su cuerpo en busca de cáncer, al igual que las mujeres. A continuación presento un método de autoexaminación para detectar las primeras señales de cáncer testicular:
1. Ubíquese frente al espejo y busque **cualquier hinchazón** en la piel del escroto. Un testículo podría verse más grande o colgar más bajo que el otro, pero eso casi siempre es normal.
2. Tome cada testículo suavemente entre el pulgar y las puntas de los dedos de ambas manos, con lentitud junte el pulgar y las puntas de los dedos de una mano al mismo tiempo que relaja las puntas de los dedos de la otra.

Los hombres más jóvenes corren peligro

■ El cáncer testicular es el más común entre los jóvenes en el Reino Unido, y se produce mayormente en hombres entre 19 y 44 años de edad.
■ Se trata con facilidad y cuando se detecta tempranamente casi siempre es curable.
■ El riesgo de padecerlo ha aumentado en un 70 por ciento en los últimos 20 años.
■ Sólo el 3 por ciento de los hombres jóvenes se revisan los testículos; la mayoría no conoce este sencillo método de detección del cáncer.
■ Más del 50 por ciento de los enfermos consulta al médico después de que el cáncer se ha ramificado. Esto dificulta el éxito de un tratamiento, y los efectos secundarios que éste conlleva son más desagradables.

3. Haga esto en forma alternada varias veces, de modo que el testículo se deslice suavemente entre sus dedos. Eso le permitirá evaluar la forma y la textura.
4. No apriete con fuerza y no tuerza el testículo.
5. Cada testículo debería sentirse suave y liso, como un huevo hervido, sin cáscara.

LO QUE ESTÁ BUSCANDO

Debe buscar cualquier bulto, hinchazón, irregularidad, dureza anormal, área sensible o cambio en el cuerpo mismo del testículo. El cáncer testicular casi siempre se produce sólo en uno de ellos.

LO QUE PODRÍA ENCONTRAR

Hay causas de hinchazones testiculares que no son graves; éstas incluyen **hidrocele, quiste del epidídimo, espermatocele** y **varicocele.**
■ Un **hidrocele** es un quiste blando e indoloro que rodea el testículo. Durante su desarrollo, el revestimiento del abdomen baja, en forma de una bolsa al escroto, a medida que desciende el testículo; posteriormente se cierra y deja un espacio vacío en el escroto.

En la madurez, ese espacio vacío a menudo se llena de líquido y puede alcanzar un gran tamaño. En la mayoría de los casos no hay una causa subyacente, pero ocasionalmente un hidrocele se forma producto de una inflamación, infección, lesión o, rara vez, por un tumor subyacente en el testículo de ese lado.

Un médico examina el hidrocele colocando una luz al lado de la piel del escroto. Si la hinchazón se debe a un hidrocele lleno de líquido, se traslucirá. Usted mismo puede hacer eso. Muchas veces se dejan los hidroceles pequeños y se drena el líquido de los grandes bajo anestesia local. El tratamiento más eficaz es la cirugía, porque éstos podrían reaparecer.
■ Un **quiste del epidídimo** es una hinchazón inofensiva que aparece en ese órgano, el tubo recolector en forma de espiral unido a la parte posterior de los testículos. Los quistes del tamaño de una arveja pequeña son comunes en los hombres

mayores de 40. A menudo son múltiples y podrían afectar ambos lados. Están llenos de un líquido transparente e incoloro, y normalmente no se extirpan.
■ Un **espermatocele** se parece a un quiste del epidídimo, pero en vez de contener un líquido transparente, está lleno de semen y espermatozoides, con un aspecto similar al de la leche. Si se alumbra con una linterna, no se traslucirá como un hidrocele. Sólo se podrá establecer la diferencia si el líquido se drena para analizarlo.

Los espermatoceles normalmente no se extraen a menos que se vuelvan molestos.
■ Un **varicocele** es un grupo de venas varicosas ubicadas alrededor del testículo y constituye una de las causas más comunes para que uno de ellos se hinche.

Al palparlo se siente como un ovillo de gusanos en el escroto y afecta a un 10 o un 15 por ciento de los hombres; normalmente es inocuo, aunque podría provocar cierta molestia y una baja producción de espermatozoides. Se confirma el diagnóstico examinando al paciente de pie, y el dolor puede aliviarse usando calzoncillos ajustados o de soporte (deportivos).

¿CUÁLES SON LAS CAUSAS DEL CÁNCER TESTICULAR?

El cáncer testicular sigue siendo poco común, con algo más de 1.500 casos nuevos al año en el Reino Unido. Sin embargo, es uno de los más curables, pues el 90 por ciento de los afectados se recupera por completo. Aún no se conoce la causa, pero sí se sabe que los hombres que nacen con un testículo que **no ha descendido,** o que **sólo lo ha hecho parcialmente, tienen una probabilidad entre 3 y 14 veces** mayor de padecerlo. Otras investigaciones sugieren que existe un factor **hereditario.** El tratamiento no debería afectar la vida sexual ni la fertilidad a futuro.

Ver también:
• **Cáncer testicular pág. 270**

Ginecomastia

LA GINECOMASTIA ES UN AUMENTO NORMAL DEL TAMAÑO DE UNO O AMBOS PECHOS EN LOS HOMBRES, Y NO REVISTE GRAVEDAD. A MENUDO SE DETECTA MÁS EN LOS BEBES RECIÉN NACIDOS Y EN LOS ANCIANOS.

Todos los hombres producen pequeñas cantidades de estrógeno, una hormona sexual femenina. Si los niveles de esta hormona son mayores que lo normal, se producirá un aumento del tamaño de los pechos, conocido como ginecomastia. Puede aumentar el volumen de uno o ambos. La ginecomastia es común en los recién nacidos, porque el estrógeno de la madre traspasa la placenta. Afecta también a muchos adolescentes, ya que sus niveles de estrógeno todavía no se han equilibrado. En ambos casos, casi siempre es algo temporal. También puede afectar a los hombres mayores cuando dejan de producir la hormona masculina testosterona, y las glándulas suprarrenales y la grasa siguen produciendo estrógeno. Asimismo, puede presentarse como efecto secundario de determinados fármacos, por ejemplo, digoxina.

¿QUÉ SE PUEDE HACER?
En los bebés la hinchazón desaparece después de una semana, aproximadamente; en los adolescentes, cuando las hormonas se equilibran. Estos casos normalmente no requieren tratamiento. En los hombres mayores, el médico les preguntará sobre su forma de vida y les examinará el pecho para excluir la presencia de bultos. Si la causa fuera un fármaco, éste deberá ser cambiado.

Enfermedad de Peyronie

LA ENFERMEDAD DE PEYRONIE ES UNA AFECCIÓN PROVOCA UNA DISTORSIÓN EN LA FORMA DEL PENE, HACIENDO QUE ÉSTE SE DOBLE HACIA UN LADO O HACIA ARRIBA O ABAJO CUANDO ESTÁ ERECTO. ES MUY POCO COMÚN ANTES DE LOS 40 AÑOS Y A VECES ES HEREDITARIO.

Algunos penes **siempre** se doblan cuando están erectos, lo que es una variación normal. Cuando se padece de la enfermedad de Peyronie, el tejido fibroso del pene se engruesa, haciendo que éste se doble cuando está erecto. Puede doblarse tanto, que dificulta tener relaciones sexuales y las hace dolorosas. Este mal afecta a aproximadamente 1 de cada 100 hombres.

Muchas veces no se puede identificar una causa, pero un daño anterior en el pene podría ser un factor de riesgo. También se asocia con la **enfermedad de Dupuytren**, una afección que engruesa y acorta el tejido fibroso de la palma de la mano, y, como consecuencia, los dedos se doblan hacia adentro. Este mal puede repetirse dentro de una familia, lo que implicaría la presencia de un factor genético.

¿CUÁLES SON LOS SÍNTOMAS?
Los síntomas de la enfermedad de Peyronie aparecen en forma gradual e incluyen lo siguiente:
● el pene se dobla hacia un lado cuando está erecto
● dolor en el pene durante una erección
● un área engrosada en el pene que normalmente se asemeja a un nódulo firme al palparlo cuando este órgano se encuentra flácido.

Con el tiempo, la región engrosada podría extenderse y comprometer partes del tejido eréctil. En ese caso, si la enfermedad de Peyronie no se tratara, podría provocar impotencia.

¿CUÁL ES EL TRATAMIENTO?
En algunos casos, la enfermedad de Peyronie se cura sin tratamiento. Algunos cirujanos **extirpan** el tejido fibroso, otros **extraen un trozo** en el lado opuesto para producir una erección normal. Asimismo, podría insertar un parche venoso. Los resultados negativos, por lo general, se deben al avance de la enfermedad o a sus cicatrices. Si hubiera avanzado, la mejor solución podría ser el implante de una **prótesis peneana**.

Cáncer de próstata

LA PRÓSTATA ES UNO DE LOS ÓRGANOS EN LOS CUALES SE PUEDEN DESARROLLAR TUMORES CANCEROSOS, Y EL CÁNCER QUE LA AQUEJA PUEDE AFECTAR A CUALQUIER HOMBRE

¿CÓMO CRECE EL CÁNCER DE PRÓSTATA?
Inicialmente, el tumor permanece dentro de la cápsula exterior de la próstata, pero al aumentar el tamaño, se disemina a través de esta cápsula e ingresa a los tejidos que rodean esta glándula.

Las células cancerosas también se pueden desprender del tumor primario. El ganglio linfático, cercano a la próstata, las atrapa y convierte en tumores secundarios o **metástasis**.

Asimismo, dicho tumor se puede expandir por los vasos sanguíneos, produciendo **metástasis** en los **huesos de la espalda**, la **columna vertebral** y la **pelvis**.

¿CÓMO SE DIAGNOSTICA?
Si al hacer un **examen del recto**, el médico encuentra un bulto duro e irregular en la próstata o si, al palparla, se siente dura y de forma irregular, el médico sospechará que es cáncer. Al igual que el cáncer de mama, los tumores muy pequeños probablemente no se puedan sentir.

¿CUÁN COMÚN ES?
Es mucho más común de lo que se creía. Ahora se sabe que casi **tres cuartos** de los hombres mayores de 80 años lo padecen, pero es inactivo y la mayoría de estos varones morirá de otra cosa.

Es la segunda causa de muerte por cáncer entre los hombres en Inglaterra y Gales, y todos ellos enfrentan un riesgo de un 10 por ciento durante su vida.

Al igual que el cáncer de mama, es importante detectar la enfermedad en forma **temprana**, especialmente en el caso de hombres que integran grupos de alto riesgo. Un **historial familiar** de cáncer de próstata, o incluso de cáncer de mama, pondría a un hombre dentro del grupo de alto riesgo.

Este cáncer se puede prevenir. Un estudio publicado en Finlandia el año pasado sugiere que ingerir **suplementos** de **vitamina E** podría reducir en un tercio el riesgo de padecerlo, y en casi la mitad, el riesgo de morir de esa enfermedad. También existen pruebas de que tanto el **selenio** y como **licopeno** (una sustancia que se encuentra en los **tomates**), una **alta ingesta de soya** y una **dieta con bajo contenido graso** igualmente podrían ayudar.

continúa en pág. 268

ENFOQUE
en problemas de la próstata

A la mayoría de los hombres se le agrandará la próstata dentro de ciertos límites. Esto forma parte del proceso normal de envejecimiento; más común en los hombres occidentales que en los asiáticos. En todo caso ¿qué es la próstata? La mayoría de las personas ha oído de ella, pero no sabe muy bien para qué sirve ni dónde se encuentra.

De hecho, médicos y científicos no entienden completamente sus funciones y todavía queda mucho por aprender sobre esta glándula y las enfermedades que la afectan.

Se encuentra debajo de la vejiga. Su trabajo principal es producir una sustancia acuosa y transparente que nutre los espermatozoides cuando éstos son almacenados en las vesículas seminales a la espera de ser liberados mediante la eyaculación. Necesita hormonas de los testículos (principalmente **testosterona**, pero también **prostaglandina**) para poder funcionar en forma adecuada, y si los niveles están bajos, su tamaño se reducirá.

Existen dos músculos importantes de la vejiga cercanos a ella. Se llaman esfínteres y uno se encuentra debajo de ella y el otro, encima. Controlan el funcionamiento de la vejiga, impidiendo que la orina escape. También ayudan a expeler el semen durante la eyaculación.

¿POR QUÉ LA PRÓSTATA CAUSA PROBLEMAS?

Por lo general, la próstata de un hombre se vuelve más grande después de los 50 años. Este crecimiento no es importante en sí, y, de hecho, los problemas que provoca no se deben a su tamaño.

Sin embargo, rodea a un tubo que viene de la

vejiga llamado **uretra** y, al crecer, la aprieta y hace que la salida de la vejiga sea más pequeña. Esto se denomina **obstrucción** e impide el flujo de orina. El 25 por ciento de los hombres mayores de 50 años experimentará síntomas relacionados con la micción, debido al aumento de tamaño de la próstata.

SÍNTOMAS DE OBSTRUCCIÓN

Una obstrucción se produce en forma gradual y, por ende, muchos hombres no se dan cuenta de que ocurre. Quizás noten que el flujo de orina no tiene tanto alcance como cuando eran jóvenes y que sale con menos fuerza.

Luego, podría producirse un retraso al empezar a orinar y el flujo de orina disminuiría al final, provocando, a veces, un goteo molesto.

Esto podría provocar la sensación de que la vejiga no se ha vaciado completamente.

¿POR QUÉ AUMENTA EL TAMAÑO DE LA PRÓSTATA?

La causa principal es, simplemente, la **edad**. El aumento de tamaño no canceroso y benigno se denomina hiperplasia prostática benigna.

No se conoce con exactitud la razón de este crecimiento, pero sí se sabe que se requiere la presencia de hormonas masculinas, por lo que no se produce en aquellos hombres a los cuales se les ha extirpado sus testículos cuando jóvenes.

La mayoría de los hombres de más de 80 años padece esta afección y aproximadamente la mitad evidenciará algún síntoma.

¿QUÉ LE SUCEDE A LA PRÓSTATA?

La hiperplasia prostática benigna comienza en la parte interior de esta glándula y, al aumentar de tamaño, aplasta al resto de la próstata reduciéndola a una estructura bastante delgada: la cápsula. Independiente de su tamaño, ésta permanece cubierta por la cápsula, pareciendo una castaña con cáscara.

El médico la examina mediante un análisis rectal (se encuentra junto al recto). La superficie de una próstata con hiperplasia prostática benigna es lisa y uniforme; al tacto es más bien blanda.

PROSTATITIS

La inflamación de la próstata (prostatitis) producto de una infección u otras causas no es poco común y se puede producir a casi cualquier edad. Afecta a aproximadamente 1 de cada 10 hombres. A veces provoca síntomas similares a los de la **cistitis**, por ejemplo, un **dolor ardiente al orinar.** En los hombres mayores podría provocar un aumento repentino de los síntomas prostáticos. La próstata se encontrará muy **sensible** cuando el médico realice el examen interno del recto.

¿TENGO LA PRÓSTATA AGRANDADA?

Si ha leído con atención lo anterior y tiene una edad en la que podrían manifestarse problemas a la próstata, probablemente se esté preguntando si necesita realizarse algún examen, así es que hágase las siguientes preguntas:

- ¿tiene dificultades al orinar?
- ¿le toma más tiempo orinar ahora que antes?
- ¿orina en forma intermitente?
- ¿debe orinar 2 o más veces durante la noche?
- ¿no alcanza a llegar al baño?

Si responde afirmativamente a 2 de esas preguntas, vaya al médico.

TRATAMIENTO DE UNA PRÓSTATA AGRANDADA

Si tiene problemas a la próstata, el médico le preguntará sobre los síntomas y luego realizará un examen rectal para evaluar su tamaño. Solicitará análisis para confirmar el diagnóstico y ayudar a planificar el tratamiento.

Se le pedirá una muestra de orina y, por lo general, se le extraerá una muestra de sangre para chequear el funcionamiento de los riñones y medir el nivel de una sustancia denominada **antígeno prostático específico** (ver pág. siguiente).

¿CUÁLES SON LOS TRATAMIENTOS POSIBLES?

Hasta hace muy poco, casi la única forma de tratar una hiperplasia prostática benigna era una intervención quirúrgica. Este tipo de intervención normalmente tendrá un resultado exitoso si los síntomas son graves, pero a veces desilusionarán si éstos son sólo leves.

CIRUGÍA

Transuretral versus cirugía abierta

Las primeras intervenciones quirúrgicas de la próstata se hacían mediante cirugía abierta; se extirpaba la parte agrandada a través de una incisión quirúrgica en el abdomen.

Justo antes de la Segunda Guerra Mundial, los urólogos de Estados Unidos comenzaron a realizar una intervención denominada **resección transuretral.**

Se trataba de uno de los primeros tipos de cirugía **endoscópica.** Hoy casi todas las prostatectomías se realizan usando ese método.

Se inserta un endoscopio en la próstata, a través de la uretra. El urólogo observa la próstata en forma directa y envía una corriente eléctrica localizada a través de una espiral metálica para cortarla y extirparla en pedazos, dejando una cavidad en el medio por la cual la orina fluya con facilidad.

Se podría utilizar anestesia general, pero la intervención demora aproximadamente media hora y a menudo se realiza mientras el paciente está despierto, aunque adormecido de la cintura hacia abajo mediante anestesia epidural aplicada en la espalda con una aguja. Es posible que, si lo desea, el paciente observe la intervención quirúrgica en una pantalla de televisión.

TRATAMIENTO CON FÁRMACOS

Normalmente se usan fármacos para tratar síntomas leves de hiperplasia prostática benigna, siempre y cuando la obstrucción no sea severa. También se podrían utilizar en los casos más graves, si existieran razones médicas para evitar la cirugía, o para un alivio temporal cuando la lista de personas a ser operadas es muy larga.

TRATAMIENTO HORMONAL

● Los fármacos que reducen el tamaño de la próstata interfieren en la acción de la testosterona, que participa del origen de la hiperplasia prostática benigna.

Por el momento sólo se usa uno, **finasteride**, y se receta un comprimido al día. Podrían pasar tres o más meses antes de que se reduzca el tamaño lo suficiente para eliminar los síntomas, así que no deje de tomarlo aunque haya transcurrido una semana y no presente mejoría alguna. La incapacidad de erección u otras disfunciones sexuales se presenta en pocos hombres. Si tener relaciones sexuales es muy importante para usted, quizás piense que este tratamiento no es el más adecuado; sin embargo, el desarrollo de problemas sexuales es más común si debe someterse a una resección transuretral, y en ese caso, no son reversibles.

Tan pronto se deja de ingerir el medicamento, la próstata vuelve a crecer rápidamente; si éste funciona, siga ingiriéndolo.

ALFABLOQUEADORES

Otro tipo de fármaco que se usa para tratar la hiperplasia prostática benigna son los alfabloqueadores. Los alfabloqueadores relajan el músculo, reducen la obstrucción y eliminan los síntomas casi de inmediato, aunque podrían causar efectos secundarios, como mareos, debilidad y cansancio.

OTROS TRATAMIENTOS

● El tratamiento con **láser** se asemeja a una resección transuretral y es otra forma de extirpar la parte abultada de la próstata o simplemente de ensanchar la uretra. Se puede hacer en un día o con un período corto de hospitalización y provoca menos hemorragia.
● La termoterapia o microondas, que consiste en aplicar calor en el tejido de la próstata para destruirlo, podría ayudar a determinados pacientes que presenten síntomas menos graves.

EXAMEN DE ANTÍGENO PROSTÁTICO ESPECÍFICO

A los hombres que presenten una próstata abultada se les aplicará un examen relativamente nuevo que mide el nivel del antígeno prostático específico en la sangre. Este procedimiento ha sido muy publicitado como un método de detección precoz del cáncer de próstata. Si el médico lo pide, no quiere decir que sospeche de cáncer; sólo está haciendo un análisis minucioso.

El antígeno prostático específico "escapa" de la próstata, y lo hace en mayor cantidad en tanto ésta sea más grande. Por consiguiente, al envejecer, el nivel de este antígeno aumentará en forma natural a medida que la próstata crezca. Este tipo de antígeno es propio de la próstata y no del cáncer; por lo tanto, tener altos niveles de antígeno en la sangre no implica necesariamente que usted padezca de cáncer.

Debido a que los hombres mayores tienen próstatas más grandes y debido también a que muchos padecen de enfermedades prostáticas no cancerosas, el nivel de antígeno prostático específico es más alto a los 75 años que a los 55 años.

> Ver también:
> ● Cirugía endoscópica pág. 358

Después de la intervención quirúrgica

● ¿Provocará dolores posteriormente?

El dolor posoperatorio es poco común, pero el **catéter** puede resultar incómodo y provocar la sensación que la vejiga está llena. A veces se producen espasmos dolorosos. Si éstos son fuertes, se le recetará fármacos para controlarlos. Se recomienda beber gran cantidad de agua diariamente para ayudar a limpiar la vejiga.

● Volver a lo normal

Es normal que tenga que orinar con frecuencia durante un par de días y al principio puede ser difícil controlar el flujo de orina. Un fisioterapeuta (o una enfermera) le podrá enseñar algunos ejercicios que le ayuden a controlarlo. En ocasiones se hace difícil empezar a orinar, pero generalmente se logra después de algunas horas. En caso contrario, se volverá a insertar el catéter. No se desespere, por lo general, al retirarlo todo regresará a la normalidad. En el interior, la próstata está dañada y necesita tiempo para recuperarse. Siga bebiendo mucho líquido, pero nada de alcohol. Evite manejar, levantar cosas pesadas y tener relaciones sexuales durante dos ó tres semanas.

A menudo verá algunos trozos pequeños de tejido y sangre en su orina: es algo similar a una costra que se desprende de la piel y, como es natural en estos casos, se produce un poco de hemorragia.

El proceso de orinar regularmente puede tardar más en regresar a la normalidad, y quizás nunca vuelva a producirse. La necesidad de **orinar durante la noche** podría persistir después de la intervención, pero eso corresponde a un síntoma propio de la vejez y no sólo a algún tipo de afección a la próstata.

El goteo al terminar de orinar podría persistir, pero con un poco de cuidado se podría controlar.

● Interferencia en las relaciones sexuales

Al concluir las relaciones sexuales, un hombre podría experimentar un clímax normal, pero sin eyaculación de semen. A este tipo de eyaculación se le denomina **retrógrada** y ocurre porque el semen escapa en forma retrógrada a la vejiga en vez de salir de forma normal. Algunos hombres presentan dificultad para tener una **erección** después de la intervención quirúrgica: por consiguiente antes de someterse a ella consulte la opinión del cirujano tratante.

continúa de pág. 265

¿CUÁN LEJOS PODRÁ HABERSE DISEMINADO?

Los médicos pueden realizar exámenes para determinar cuán avanzado está. Los más importantes son el PSA y los **puntajes de Gleason.**

El PSA mide la cantidad de una proteína denominada antígeno prostático específico (PSA, por sus siglas en inglés) presente en la sangre. Puesto que las células cancerosas de la próstata producen tambien dicha proteína, su nivel podría indicar cuán grave es la enfermedad.

En general, se considera que un **PSA sobre 10** señala que un cáncer avanzado se ha diseminado. Los **puntajes de Gleason,** basados en una biopsia, miden la naturaleza **agresiva** de las células cancerosas y podrían ser aun más útiles para decidir qué tratamiento es el mejor. Una cifra inferior a 7 normalmente indica que se puede optar en forma segura por un tratamiento no tan intensivo. Mientras más alto sea el puntaje, mayor será el riesgo para el paciente.

DETECCIÓN TEMPRANA DEL CÁNCER DE PRÓSTATA

En las mujeres se utiliza la citología vaginal para la detección temprana del cáncer de cuello uterino; uno se podría preguntar, entonces, si el PSA se puede usar para realizar un diagnóstico similiar del cáncer de próstata en los hombres.

Es difícil responder, porque no existe ninguna diferencia clara entre el nivel de PSA en la sangre de los hombres con cáncer y el de aquellos que presentan una simple hiperplasia prostática benigna u otras afecciones semejantes.

No es sencillo, pues las células no cancerosas de la próstata también pueden producir antígeno prostático específico. Por lo tanto, no se alarme demasiado si el nivel de PSA es alto, podría tratarse solamente de un tumor benigno.

¿CUÁLES SON LOS TRATAMIENTOS POSIBLES?

Una vez que un paciente tiene alguna noción del tipo y del estado del cáncer, puede escoger entre varios tratamientos.

CIRUGÍA

Muchos consideran todavía que extirpar la próstata sigue siendo lo principal en el tratamiento de los cánceres que afectan específicamente a esa glándula. Es muy eficaz, pero probablemente no sea suficiente por sí sola si el mal se ha diseminado. Se debe sopesar eso junto con las secuelas que conlleva, que pueden ser graves. Hay opciones de cirugía adicionales, que incluyen la extirpación de uno o ambos testículos para detener la producción de testosterona, hormona que nutre el cáncer.

RADIOTERAPIA

Normalmente se usa para tratar el cáncer de próstata limitándola a esa zona. Los efectos secundarios pueden ser graves e incluyen impotencia, diarrea, vómitos y dolor al orinar.

Una versión reciente de este tratamiento restringe la radiación a la forma exacta del tumor; de esto se espera que pueda reducir los efectos secundarios desagradables.

TERAPIA DE SEMILLAS RADIACTIVAS

Un tratamiento relativamente nuevo incluye la implantación de semillas radiactivas, las que se liberan en forma gradual en áreas específicas de la próstata.

Recién se está haciendo accesible a más y más centros en el Reino Unido. Además, cuenta con aceptación general: hasta el **90 por ciento de los receptores de semillas radiactivas siguen sexualmente activos después del tratamiento.**

Está comprobado que estas semillas podrían ser tan eficaces como la cirugía más radical en cánceres menos agresivos. Sin embargo, este tratamiento no ayudaría a los hombres en los que el mal estuviera más avanzado.

TRATAMIENTO HORMONAL

El cáncer de próstata necesita la testosterona, por lo que se vuelve fundamental el uso de tratamientos hormonales para reducir el nivel de ésta, especialmente en los casos más avanzados. Estos tratamientos a menudo se combinan con otros, tales como radioterapia o cirugía. La función sexual sufre daños considerables durante el proceso, pero es probabale que la impotencia desaparezca una vez que éste finalice. La extirpación de los testículos estaría en esta categoría.

TRATAMIENTOS EN ESTUDIO

Los avances médicos son continuos en el campo particular de este cáncer y, si un hombre así lo desea, podrá inscribirse en los estudios clínicos de tratamientos que aún no se han generalizado.

Éstos incluirían **vacunas** cuyo objetivo sería inducir al sistema inmunológico para que ataque el cáncer y técnicas para empequeñecer los tumores cortando el suministro de sangre.

Si alguien quisiera probar estos tratamientos, debería hablar de ello con su cirujano.

Ver también:
- **Quimioterapia pág. 257**
- **Radioterapia pág. 395**

Balanitis

LA BALANITIS ES UNA INFLAMACIÓN DE LA CABEZA DEL PENE Y PREPUCIO. ES MÁS COMÚN EN LOS NIÑOS Y EL HECHO DE NO ESTAR CIRCUNCIDADO CONSTITUYE UN FACTOR DE RIESGO.

Si se padece de balanitis, la cabeza del pene (el bálano) y el prepucio se inflaman y producen dolor y escozor; podría haber secreción y una erupción. Las causas de esta afección pueden ser una infección bacteriana, una infección micótica (candidiasis) o una reacción alérgica.

¿CUÁLES SON LOS RIESGOS?

■ Los hombres con **diabetes mellitus** son más susceptibles a desarrollar este mal, porque la orina contiene altos niveles de glucosa, la que facilita el crecimiento de los microorganismos. Esto se traduce en una infección e inflamación en la apertura de la uretra.

■ Un exceso de **antibióticos** puede aumentar el riesgo de padecer una infección micótica, pues éstos disminuyen de manera temporal las defensas del cuerpo contra este tipo de infección.

■ Los **niños** son especialmente vulnerables a esta enfermedad.

■ También podría producirse por lo sensible que es el pene al entrar en contacto con determinados productos químicos, como los que se encuentran en los **condones**, las **cremas anticonceptivas**, **detergentes** y **jabones para ropa.**

¿QUÉ SE PUEDE HACER?

Si la cabeza del pene o el prepucio están inflamados, deberá consultar al médico. Éste examinará el área afectada y tomará una muestra para buscar alguna evidencia de infección. También podría analizar la orina para comprobar si ésta contiene glucosa.

¿CUÁL ES EL TRATAMIENTO?

El tratamiento de la balanitis depende de cuál sea su origen.

■ Por ejemplo, si hay una **infección bacteriana**, el médico recetará antibióticos.

■ Si la infección se debe a un **prepucio tirante,** el médico probablemente recomiende la circuncisión para prevenir la reaparición de la balanitis.

■ Si es el resultado de una **enfermedad de transmisión sexual,** su pareja deberá examinarse para ver si hay alguna evidencia de infección y, si fuera necesario, recibir tratamiento para prevenir que reaparezca.

■ Si la causa fuera la **sensibilidad a un producto químico,** deberá identificarse el producto irritante, si es posible, para evitarlo.

El área inflamada debe mantenerse limpia, seca y libre de productos que provoquen irritación. La mayoría de los casos de balanitis desaparece rápidamente una vez que se determina la causa y aplica el tratamiento apropiado.

Circuncisión

La circuncisión es la remoción quirúrgica del prepucio, la piel que cubre la cabeza del pene (bálano). Se realiza esta intervención cuando el prepucio está demasiado adherido como para retraerse sobre el bálano (una afección denominada **fimosis**). También se hace por razones religiosas o, aunque menos común en la actualidad, por higiene. Tanto en niños como en adultos, se realiza este procedimiento bajo anestesia general. Sin embargo, en el caso de los recién nacidos, normalmente se hace bajo anestesia local. En el desarrollo de esta intervención se cortan las capas interior y exterior del prepucio, y se unen los extremos mediante puntos. No se necesita ningún apósito mientras sana la herida.

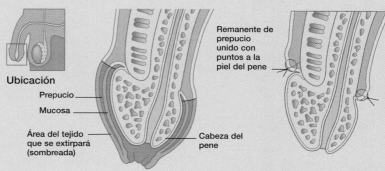

Antes de la intervención

Ubicación
- Prepucio
- Mucosa
- Área del tejido que se extirpará (sombreada)
- Cabeza del pene

El prepucio cubre la cabeza del pene (bálano) y normalmente es retráctil.

Después de la intervención

Remanente de prepucio unido con puntos a la piel del pene

Después de la circuncisión, en la cual se remueve quirúrgicamente el prepucio, la cabeza del pene queda expuesta.

El "tijeretazo" masculino: vasectomía

EN LA ACTUALIDAD, LA ESTERILIZACIÓN ES UN ANTICONCEPTIVO MÁS COMÚN QUE LOS CONDONES: APROXIMADAMENTE UN CUARTO DE LOS HOMBRES Y MUJERES EN GRAN BRETAÑA SE HA SOMETIDO AL "TIJERETAZO".

Una pareja siempre debe decidir cuidadosamente si va a esterilizarse, porque este procedimiento es irreversible. Ningún cirujano garantizará que se pueda revertir.

Las parejas que ya han completado el número de hijos que decidieron tener, podrían escoger este procedimiento para evitar las molestias o efectos secundarios de otros métodos anticonceptivos. La esterilización masculina ofrece un método anticonceptivo seguro y con una eficacia cercana al 100 por ciento; además, el riesgo de complicaciones es menor que en la esterilización femenina.

La esterilización más fácil es la que se realiza en varones. Los tubos (**conductos deferentes**) que conectan los testículos con el pene se amarran o, más comúnmente, se cortan (el "tijeretazo"). Esta intervención quirúrgica se desarrolla bajo anestesia local y tarda unos 20 minutos. No afecta la virilidad ni el rendimiento sexual, ni tampoco aumenta la susceptibilidad a desarrollar algún tipo de enfermedad. Después de la operación, la eyaculación sigue siendo igual durante el orgasmo, pero, como no contiene espermatozoides, no es capaz de fecundar un óvulo.

¿CUÁLES SON LOS RIESGOS?

La esterilización implica pocos riesgos graves o complicaciones, salvo los normales que conlleva cualquier cirugía o uso de anestesia.

¿ES EFICAZ?

■ La tasa de eficacia de la esterilización es mayor que la de cualquier otro método anticonceptivo; además, es permanente.

■ No incidirá en la vida sexual. A menudo, los hombres sienten que una vasectomía ha interferido en su potencia, pero eso sólo es una creencia errónea.

■ En 1 de cada 2.000 hombres, aproximadamente, los espermatozoides vuelven a aparecer y, en ese caso, podrá someterse a otra vasectomía sin ningún problema.

¿ES REVERSIBLE LA ESTERILIZACIÓN?

Alrededor del 50 por ciento de las intervenciones para revertir una vasectomía tienen éxito.

SECUELAS

Después de una vasectomía, el hombre sigue siendo fértil hasta que los espermatozoides presentes en el conducto deferente sean eyaculados o mueran. Un varón sólo es **considerado estéril** si luego de que se **analicen 2 muestras consecutivas de semen,** éstas se encuentren **libres de espermatozoides** (aproximadamente tres meses después de la intervención). Hasta entonces, él o su pareja deberá usar otro método anticonceptivo.

El procedimiento

La vasectomía se realiza bajo anestesia local como un procedimiento ambulatorio. Se hace una incisión pequeña a cada lado de la pelvis, cerca del pene, y normalmente se extirpa un segmento de cada conducto deferente. Los cabos cortados se doblan hacia atrás y se aseguran con ligaduras, lo que impide que se vuelvan a unir. Luego se cierran las incisiones en la piel con puntos. Después de la intervención podrían producirse un poco de dolor y aparecer hematomas leves. Los pacientes deberían descansar durante 24 horas. La mayoría de los hombres retorna al trabajo en pocos días y vuelve a tener relaciones sexuales a los 7 ó 10 días.

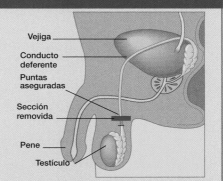

- Vejiga
- Conducto deferente
- Puntas aseguradas
- Sección removida
- Pene
- Testículo

En una vasectomía, los conductos que conectan los testículos con el conducto eyaculatorio del pene se cortan o se amarran, lo que impide la eyaculación de los espermatozoides.

ENFOQUE *en* cáncer testicular

El cáncer testicular es un tumor que aparece al interior del testículo. Los hombres carecen de información sobre los cánceres que los afectan. A pesar de ser el de mayor incidencia en jóvenes, más de dos tercios de los hombres no saben nada o saben muy poco sobre él.

Eso es preocupante, porque cuando se detecta el cáncer testicular en forma precoz, la probabilidad de curarlo es de 90 por ciento. Al igual que las mujeres, quienes deberían examinar sus senos periódicamente, los hombres deberían revisar sus testículos una vez al mes y buscar alguna evidencia de cáncer testicular. Sin embargo, el 50 por ciento nunca examina si sus testículos tienen bultos u otras irregularidades.

Es interesante saber que un tercio de los hombres sabe cómo revisar sus testículos, pero no lo hace; pareciera que son reacios a autoexaminarse.

Para los jóvenes, también es difícil hablar de su salud: la cifra es menos de 1 de cada 10, mientras que 6 de cada 10 mujeres sí lo hacen. Esa renuencia podría deberse a falsas ideas sobre el cáncer testicular, su tratamiento y su pronóstico futuro:

● Muchos hombres piensan que la infertilidad y la impotencia son complicaciones del cáncer testicular, cuando, de hecho, no presentan un alto riesgo de ocurrir.

● La gran mayoría pensaba que el porcentaje de mejoría era mucho menor (el 60 por ciento) de lo que realmente es: 90 por ciento si se detecta tempranamente.

¿CUÁLES SON LOS RIESGOS?

● En Europa, el cáncer testicular es más común en Dinamarca, Irlanda y Noruega y menos frecuente en Finlandia y España. En el ámbito mundial, las tasas en Japón, la India y Sudamérica son bajas. No se sabe la razón de estas diferencias.

● El principal factor de riesgo es que un testículo no haya descendido, y un 10 por ciento de los pacientes tiene un historial de esa afección.

● El cáncer testicular podría tener un poderoso componente hereditario. El riesgo de que aparezca en los parientes de primer grado (hermanos, padres e hijos) de los pacientes que sufren este mal es 10 veces mayor.

¿CUÁLES SON LAS CAUSAS?

● En la década de los años 90, científicos del Instituto de Investigación del Cáncer, de la Campaña de Investigación del Cáncer y del Fondo Imperial para la Investigación del Cáncer, colaboraron para localizar el primer gen canceroso, probablemente uno de muchos, relacionado con el cáncer testicular.

● Los científicos no conocen el porcentaje de casos provocados por una susceptibilidad genética hereditaria, pero algunos calculan que podría alcanzar el 30 por ciento en todos los casos.

● Sabemos muy poco sobre el mecanismo genético involucrado en la aparición de este mal. Se requiere más trabajo de investigación para aislar los genes clave implicados.

¿QUÉ PUEDO HACER?

El cáncer testicular normalmente se manifiesta mediante un bulto en el testículo. En la mayoría de los casos, el examen periódico de los testículos detectará esta enfermedad precozmente; pero si no se efectuasen estos chequeos, el cáncer podría crecer y diseminarse.

PLAN DE ACCIÓN

Ya que el cáncer testicular puede afectar tanto a jóvenes como a adultos mayores, es importante que todos estén conscientes de su existencia y sepan cómo detectarlo.

Debido a que los adolescentes pueden padecerlo, lo que hagan los padres es importante. Las esposas, parejas y novias también pueden ayudar a los hombres a que tengan conciencia de este cáncer.

Éstos deberían autoexaminarse en forma periódica, de la misma manera en que lo hacen las mujeres que tienen conciencia del cáncer de mamas, quienes examinan sus pechos.

El mejor lugar para examinarse es la ducha. El calor relaja el escroto y permite localizar un bulto o alguna anormalidad. Los hombres también pueden pedir ayuda a sus parejas.

Se debe sostener el escroto en la palma de la mano y tomar nota del peso y tamaño de cada testículo. Se debe examinar cada uno de ellos rodándolo entre el pulgar y los otros dedos; presione levemente y palpe buscando bultos, hinchazones o cambios de contextura. No confunda el testículo con el epidídimo, la estructura con forma de salchicha que se encuentra arriba y detrás de cada testículo. Los bultos encontrados probablemente sean quistes y bloqueos, los que aumentan a medida que el hombre envejece.

Aunque casi todos los bultos en los testículos son benignos, cualquier cambio de tamaño, forma y peso podría indicar que algo anda mal, por lo que es importante consultar al médico lo antes posible.

¿QUÉ SE PUEDE HACER?

Las sustancias (marcadores) que se encuentran en la sangre de muchos pacientes con este cáncer ayudan en su diagnóstico y tratamiento. Hay un fármaco nuevo, el carboplatino, que ha tenido mucho éxito en el tratamiento de este mal y es la principal causa del gran porcentaje de casos que se curan en la actualidad.

El tratamiento puede ser muy intensivo, aunque la mayoría de los pacientes que se sanan no padecen de efectos secundarios prolongados. Sólo algunos se volverán infértiles después de la quimioterapia.

Los otros efectos secundarios no son frecuentes, e incluyen daños en las puntas nerviosas y audición, espasmos de los vasos sanguíneos y posiblemente insuficiencia cardíaca. Existiría un pequeño riesgo de contraer otros cánceres, pero todos los riesgos disminuirán si éste se trata precozmente.

Hechos

● El cáncer testicular afecta a los jóvenes, la mayoría entre 19 y 44 años de edad, aunque puede aparecer en niños de hasta 15 años.

● La prevalencia del cáncer testicular ha aumentado un 70 por ciento en los últimos 20 años.

● De cada 500 hombres, se verá afectado por este cáncer entre los 15 y los 50 años.

● Sigue siendo poco común, con sólo unos 1.600 casos anuales en el Reino Unido. Sin embargo, si continuare la tendencia actual, esa cifra aumentaría.

● No se conocen las causas de este aumento, aunque se ha sugerido la exposición a hormonas femeninas en el ambiente, el agua y la leche para lactantes como una de ellas. No se ha producido ningún alza significativa en España o en los países asiáticos. El riesgo es mucho mayor para aquellos hombres con uno o ambos testículos no descendidos.

● Muchos tipos de cáncer testicular puden curarse en más de 90 por ciento de los casos si son detectado precozmente. Incluso cuando el cáncer se disemina, el 80 por ciento de los casos tendrá cura.

● El tipo más común de cáncer testicular se trata extirpando el testículo; después se utilizará radioterapia y, si es necesario, varios tratamientos con fármacos.

El sexo es uno de los mayores placeres para el ser humano, pero también uno de los más problemáticos. Recibo miles de cartas de hombres y mujeres cuyas vidas están severamente perturbadas, de una forma u otra, debido a la falta de satisfacción sexual.

Rara vez hay un equilibrio perfecto en la pareja. Uno invariablemente, desea tener más relaciones sexuales que el otro. Ambos piensan que el otro es anormal o que se está poniendo difícil. Es prácticamente imposible pensar como el otro y lograr acuerdos.

El sexo, más que cualquier otra área de la comunicación humana, requiere de entendimiento, avenencia y compasión.

Si una pareja puede lograr eso, quizás los beneficios de tener relaciones sexuales satisfactorias sean mayores que cualquier otra forma de interacción humana. Por lo tanto, vale la pena trabajar para llegar a un entendimiento mutuo.

Relaciones sexuales dolorosas en las mujeres (dispaurenia)

LAS RELACIONES SEXUALES DOLOROSAS EN LAS MUJERES (DISPAURENIA), PROVOCAN DOLOR EN LA REGIÓN GENITAL O PÉLVICA DURANTE EL ACTO SEXUAL. EN ALGÚN MOMENTO MUCHAS SIENTEN DOLOR AL TENER RELACIONES SEXUALES.

El dolor puede ser **superficial**, focalizado en la vulva o en la vagina, o profundo, localizado en la pelvis. Puede tener un origen **psicológico** o **físico**.

¿CUÁLES SON LAS CAUSAS?

Para muchas mujeres, el dolor superficial que sienten durante las relaciones sexuales puede ser causado por **factores psicológicos**, como los **estados de ansiedad**, la **culpabilidad** o el **miedo a la penetración sexual**. Estos factores también pueden causar **vaginismo** (ver a continuación).

Una causa bastante común es la **sequedad vaginal**, especialmente en mujeres de edad **premenopáusica, menopáusica** o **posmenopáusica**. Este dolor también puede ser causado por **infecciones** del tracto urinario o en los genitales. El que se siente en lo profundo de la pelvis durante las relaciones sexuales puede deberse a una afección de la cavidad pélvica o de los órganos pélvicos; por ejemplo, una **enfermedad inflamatoria pélvica.**

AUTOAYUDA

Si piensa que el dolor que siente se debe a la sequedad vaginal causada por falta de excitación, hable con su pareja respecto a darle más tiempo a la estimulación erótica que antecede el acto sexual. También podría probar una jalea lubricante. En las mujeres menopáusicas las cremas que incluyen estrógeno o pesarios introducidos en la vagina son de mucha ayuda.

¿QUÉ HARÁ EL MÉDICO?

Si consulta al médico, éste tomará un frotis de la vagina y del cuello uterino para examinar si hay alguna infección, y quizá pida una ecografía o tomografía computarizada de la pelvis para buscar anormalidades. Si no hallase alguna, debería considerar que la causa podría ser psicológica.

Ver también:
- **Tomografía computarizada pág. 401**
- **Enfermedad inflamatoria pélvica pág. 251**
- **Ecografía pág. 277**

Vaginismo

EL VAGINISMO ES UN ESPASMO INVOLUNTARIO DE LOS MÚSCULOS QUE RODEAN LA ENTRADA DE LA VAGINA. PUEDE OCURRIR AL INTENTAR TENER RELACIONES SEXUALES, PERO TAMBIÉN CUANDO LA MUJER INTENTA INTRODUCIR UN TAMPÓN EN SU VAGINA O AL HACERSE UN EXAMEN A ESTA ZONA.

Cuando el hombre intenta penetrar a su pareja, la apertura de la vagina se cierra tan herméticamente que las relaciones sexuales son imposibles; incluso un examen vaginal realizado por un ginecólogo quizá tenga que hacerse bajo anestesia general.

¿CUÁLES SON LAS CAUSAS?

La mayoría de las mujeres que padecen vaginismo piensa que es "demasiado estrecha" para ser penetrada, pero eso casi nunca ocurre. La causa básica es el temor: temor al sexo, temor a la penetración, temor al dolor, temor de revivir una experiencia sexual dolorosa, como una violación o abuso sexual.

¿CÓMO AFECTA A LAS MUJERES?

Es una causa común para que los **matrimonios no se consumen**, y a menudo, la pareja tarda varios años en hacer algo al respecto. Las mujeres que sufren de este mal sienten **temor de tener relaciones sexuales**; por lo tanto, cualquier intento de penetración es una experiencia frustrante y dolorosa.

Esta enfermedad podría estar asociada a **desinterés general** por tener relaciones, pero no siempre es así. Muchas de estas mujeres son **sexualmente receptivas** y alcanzan orgasmos al estimular su clítoris. Es probable que también disfruten de la estimulación erótica previa al acto sexual, siempre que no derive en penetración. Para cerciorarse de que sufre de vaginismo, una mujer debería ir al médico para descartar que son condiciones físicas que necesitan tratamiento las que están obstruyendo la vagina.

LOS RESULTADOS DEL VAGINISMO

Puesto que el espasmo involuntario de los músculos de la vagina imposibilita tener relaciones sexuales, esto podría causarle mucha angustia a la pareja. Además de provocarle un dolor intenso, los intentos de tener relaciones también podrían asustar, humillar y frustrar a la mujer.

La frecuente incapacidad de una mujer de tener relaciones sexuales hace que se sienta inepta y podría traducirse en el temor de ser abandonada por su pareja. No es sorprendente, por lo tanto, que estas mujeres traten de evitar el contacto sexual por completo.

El hombre a menudo se frustra al no poder tener relaciones con su pareja, y siente con frecuencia que ella lo está rechazando.

¿QUÉ PUEDO HACER?

La primera etapa para corregir el vaginismo es reducir la ansiedad relacionada con las relaciones sexuales. Para esto se utiliza una **técnica de relajación.**

1. La mujer debe acostarse en la cama, cerrar los ojos, y luego relajar todos los músculos del cuerpo, comenzando por los dedos de los pies y después hacia arriba, hasta que todos los otros músculos también estén relajados.

2. Cuando está completamente relajada, **primero debe imaginarse** en una cama con su pareja y luego, gradualmente, aumentar el nivel de intimidad hasta que pueda imaginarlo penetrándola sin que esto le produzca ansiedad. Una vez realizado esto podrá pasar a la siguiente etapa.

3. Ésta consiste en insertar suavemente uno de **sus dedos** o dejar que su pareja inserte uno de los suyos en la vagina; lo que le produzca menos

ansiedad. El dedo debe permanecer ahí muy quieto hasta que toda sensación de incomodidad haya desaparecido. Luego se debe mover el dedo hacia delante y hacia atrás en la vagina, hasta que pueda tolerarlo sin ninguna molestia.

4. La próxima fase es la inserción de dos dedos, y, siempre que esto tenga éxito, la mujer o su pareja podrá entonces intentar moverlos en forma circular dentro de la vagina. Será de mucha utilidad si se le puede alentar a resolver las sensaciones de incomodidad en vez de evitarlas.

5. Las relaciones sexuales no deben producirse hasta que la mujer pueda tolerar sus dedos o los de su pareja en la vagina sin ningún tipo de molestia. Será útil si ella aprende a tensar y relajar los músculos de la vagina, pues le dará la sensación de tener cierto control sobre su propia vagina. Los ejercicios de fortalecimiento de los músculos del **piso pélvico** le enseñan a la mujer sobre su vagina y permiten que la sienta cuando se contrae y se dilata.

6. También ayudará si ella se **"dilata"** cuando su pareja inserta el pene por primera vez.

7. Es extremadamente importante que el primer intento por mantener relaciones

sexuales sea muy suave y con la ayuda de una jalea lubricante.

8. La mujer debe **guiar el pene del hombre en su vagina** y, una vez dentro, debe mantenerlo y evitar cualquier tipo de movimiento. Luego, cuando ella le indique, él debe comenzar a mover el pene lentamente hacia dentro y hacia afuera, y sacarlo cuando ella quiera.

9. Podría ser necesario **repetir todas estas etapas** varias veces antes de que la mujer tenga la suficiente confianza para tener relaciones sexuales normales.

10. No se debería **intentar llegar al orgasmo** la primera vez y es mucho mejor que la pareja espere a tener más tranquilidad con respecto a las relaciones sexuales antes de alcanzar un orgasmo.

Si la pareja aún tiene problemas, se le recomienda que busque la ayuda de un terapeuta experimentado, luego de conversarlo con el médico tratante.

Ver también:
• **Ejercicios del piso de la pelvis pág. 375**

Impotencia

LA IMPOTENCIA ES LA INCAPACIDAD DE LOGRAR O MANTENER UNA ERECCIÓN. NO SE INQUIETE, ES MUY COMÚN. A PESAR DE QUE 1 DE CADA 10 HOMBRES MAYORES DE 21 AÑOS PADECE DE ELLA, MUY POCOS ENTIENDEN POR QUÉ SE PRODUCE.

La impotencia puede ser un efecto colateral de **accidentes**, **enfermedades** y, más importante aún, de **medicamentos recetados** por el médico. Esto último entraría en la categoría de impotencia inducida médicamente o impotencia **iatrogénica.** Un cuarto de todos los casos de impotencia se produce como efecto secundario de fármacos recetados para tratar otras afecciones. La lista de medicamentos que pueden interferir en la erección (ver pág. siguiente) es bastante extensa. Si usted padece de este mal, el uso de uno de ellos podría ser la causa.

La impotencia puede ser un efecto colateral de muchas afecciones, incluyendo **enfermedades cardíacas** como **presión alta** y **angina**, enfermedades **hepáticas**, de la **tiroides**, **diabetes**, **bronquitis crónica** y **enfisema**.

CÓMO FUNCIONA LA ERECCIÓN

Ningún hombre joven se preocupa de cómo funciona la erección. Lo considera un proceso normal y nunca se imagina que su pene le podría fallar. Sin embargo, es un proceso fisiológico bastante complejo, en el cual podrían haber fallas.

■ La rigidez de una erección depende de que la sangre sea bombeada hacia determinados espacios (el cuerpo cavernoso) del pene, lo cual se asemeja a cuando inflamos un globo.

■ Para mantener dichos espacios llenos de sangre y una erección rígida, existen válvulas que se cierran e impiden que éstos se vacíen.

■ Para ambos casos, hay nervios ubicados a lo largo de los costados del pene, que están conectados directamente con el cerebro. Por lo tanto, un hombre puede ver una imagen con contenido sexual y sentir el comienzo de una erección una fracción de segundo más tarde; esto se debe a la conexión **entre pene y cerebro.**

■ Cualquier interferencia en esa conexión o daño a los nervios del pene podría impedir que llegue suficiente sangre al pene para obtener una erección (o sólo se obtiene una erección incompleta). Asimismo, la sangre necesaria para mantener la erección del pene podría filtrarse a través de válvulas que se encuentran dañadas.

■ También cabe mencionar que si las paredes de las arterias que irrigan el pene se llenan de depósitos grasos, no habrá suficiente sangre para estirar el cuerpo cavernoso y expandirlo, y por lo tanto, la erección será anormal. Esto podría pasarle a cualquier hombre que sufra de endurecimiento de las arterias.

■ Dada la importancia que tiene el cerebro en el complicado circuito de una erección, no es sorprendente que la perturbación emocional o psicológica interfiera en la potencia sexual de

un hombre. Debido a esta interacción del cerebro, los nervios y una irrigación sanguínea saludable, no es difícil entender por qué el complicado mecanismo de la erección podría fallar. Y definitivamente lo hará si cualquier cosa daña la buena salud de los nervios y de las arterias del pene.

¿CUÁLES SON LAS CAUSAS?
ACCIDENTES
Cualquier accidente que **dañe el pene** podría, teóricamente, provocar impotencia, pues afectaría los nervios, las arterias o las venas, o provocaría la formación de cicatrices que distorsionan la anatomía normal de este órgano una vez sanadas las lesiones.

CIRUGÍA
Se estima que aproximadamente la **mitad de los hombres** que se someten a una **intervención quirúrgica a la próstata o cerca de ella** terminará con cierto grado de impotencia. En algunos casos, como consecuencia del daño a los nervios; en otros, por la cicatrización, y en otros, debido a la filtración de sangre hacia venas que se forman como resultado de la cirugía.

Por lo tanto, si considera someterse a una cirugía para resolver problemas prostáticos, pregunte a su cirujano sobre sus posibilidades de padecer impotencia posoperatoria.

Fármacos que podrían provocar impotencia

Pastillas para dormir y tranquilizantes
- Fenotiazinas: sedantes, píldoras contra el mareo
- Benzodiazepinas: tranquilizantes y somníferos
- Litio – fármaco antimaníaco

Antidepresivos
- Antidepresivos tricíclicos, por ejemplo, amitriptilina
- Inhibidores de la mono-aminooxidasa (IMAO)

Casi todos los fármacos antihipertensivos para la presión alta y algunos para el corazón
- Digoxina ■ Diuréticos
- Betabloqueadores ■ Inhibidores ICA

Fármacos endocrinos
- Antiandrógenos ■ Estrógenos

Fármacos para disminuir el colesterol
- Lovastatina ■ Fibratos

Cualquier fármaco utilizado para tratar la inflamación de la próstata

Otras
- Cimetidina – antiácido usado para el tratamiento de úlceras
- Fenitoína – fármaco antiepiléptico
- Carbamazepina – fármaco antitiroideo

Drogas sociales
- Alcohol ■ Nicotina ■ Marihuana
- Anfetaminas ■ Barbitúricos

RADIOTERAPIA
El tratamiento con radioterapia radical para tratar el cáncer de próstata, vejiga o recto puede provocar impotencia; probablemente dañe los nervios del pene.

INFECCIONES
Todo virus puede, potencialmente, dañar los nervios de cualquier parte del cuerpo. Sin embargo, pareciera que el blanco preferido de algunos son los nervios que nutren el pene. Los más comunes son los virus de **paperas** y **mononucleosis infecciosa**. La recuperación tarda entre 1 y 2 años, pero la impotencia que provocan podría ser permanente.

DISFUNCIÓN DE LOS NERVIOS DEL PENE
- La **diabetes** daña los nervios y los del pene no estarían excluidos. La impotencia es común en diabéticos.
- La **esclerosis múltiple** provoca la inflamación irregular de los nervios, a veces en el pene, lo que puede provocar impotencia.
- La enfermedad que afecta a la **motoneurona** de este órgano y un accidente vascular encefálico también pueden dañar los nervios del pene.

ENDURECIMIENTO DE LAS ARTERIAS (ATEROSCLEROSIS)
Cuando usted padece de endurecimiento de las arterias, las que irrigan el pene también se endurecen, y podría sufrir de impotencia. Las señales de advertencia son: angina, presión alta o una enfermedad renal.

ESTILO DE VIDA
Fumar y beber en exceso empeoran la impotencia más leve.

¿CUÁL ES EL TRATAMIENTO?
Los médicos dividen la impotencia en dos categorías principales. La primera considera a aquellos hombres que nunca han tenido una erección satisfactoria; la segunda está conformada por hombres que han tenido una vida sexual activa, pero que posteriormente descubren que ya no tienen una erección adecuada.

Quienes componen la primera categoría deberán buscar ayuda profesional, ya que la impotencia podría ser producto de un problema emocional profundo que probablemente no tenga un tratamiento sencillo. Sin embargo, la mayoría de los hombres que padecen impotencia estará en la segunda categoría, y

probablemente requiera un tratamiento directo. A veces, una pareja sólo tiene que hacer determinados cambios en su estilo de vida para lograr una mejoría sorprendente.

ESTILO DE VIDA
Momentos del día
Elija el momento cuidadosamente. El primer paso importante para enfrentar la impotencia es asegurarse de que el hombre no esté demasiado cansado. El cansancio dificulta sobremanera una erección.

Muchos descubren que pueden tener una erección en la mañana, pero no en la noche. Asimismo, sería bueno recordar que, aun cuando el alcohol podría aumentar el deseo sexual, también reduce la capacidad de lograr una erección.

Reducir la ansiedad
Es extremadamente importante reducir el nivel de ansiedad y, en las primeras etapas, la pareja no debería intentar tener relaciones sexuales; sólo deberían disfrutar nuevamente de sus

cuerpos sin tratar de alcanzar un orgasmo. De esta manera se reforzará la erección.

Temor al fracaso
A menudo, el hombre teme que no tendrá un desempeño sexual adecuado y se preocupa demasiado de lo que su pareja pueda pensar de él. Es de mucha ayuda que se le permita concentrarse en sus propios deseos sexuales en vez de que se preocupe en demasía por lo que siente su pareja. Debería abandonarse a sus propios sentimientos sexuales y, temporalmente, no pensar en nada más.

Un relajante baño de tina
Tomar un baño de tina juntos antes de intentar alguna actividad sexual podría ayudar, así como que él le pida a ella que se ponga su perfume favorito, ya que el olfato es un sentido extremadamente importante en la excitación sexual. Algunos hombres pensarán que ayuda poner música suave; otros preferirán hacer el amor en la oscuridad. Debería adoptar cualquier medida que contribuya al aumento del deseo sexual y eliminar cualquier elemento que lo disminuya.

AUTOAYUDA
Lo que usted puede hacer

Posiciones sexuales
Me gustaría sugerirle que examine otra vez las posiciones en las cuales tiene relaciones sexuales. Tradicionalmente, la posición del misionero ha sido la más utilizada, y se produce cuando el hombre está sobre su pareja soportando el peso con sus brazos. Para un individuo mayor, ésta puede ser muy extenuante y, para la mujer, incómoda si su pareja pesa mucho más que ella. Acostarse de lado con el hombre atrás es quizás una posición más adecuada, ya que es menos agotadora y también hace posible una mayor estimulación manual.

Formas de hacer el amor
Todas las mujeres saben que se puede obtener un maravilloso orgasmo sin penetración. Si un hombre se preocupa de que su pareja goce adecuadamente en vez de pensar en su pene habrá progresado bastante para lograr olvidarse de esta

obsesión masculina que es la erección. Concentrarse en el sexo sin penetración es una de las mejores curas para la impotencia.

¿Qué pasa con los métodos complementarios?
Se afirma que muchos remedios a base de hierbas ayudan a combatir la impotencia. Hago hincapié en la frase "se afirma", porque no se ha comprobado la efectividad de ninguno de ellos; la mayor parte de las pruebas son anecdóticas. Se dice que "fortalecen los tejidos genitales" o que "promueven la sana producción de testosterona" o que "estimulan la circulación de la sangre hacia el pene". Sólo se trata de una pseudociencia diseñada para inducir al hombre a comprar dichos productos. Y no son económicos. La mayoría cuesta 20 libras esterlinas o más. Mi consejo es que ahorre su dinero.

Darles tiempo

No hay dos hombres que reaccionen igual a estas medidas, por lo que cada pareja deberá tener paciencia. Podrían pasar varias semanas antes de que pueda obtener una erección adecuada. Tómese su tiempo.

ARTÍCULOS QUE FACILITAN LA ERECCIÓN

Hay una gran variedad de implantes disponibles, desde soportes rígidos relativamente simples hasta modernas bombas que inflan un tubo al interior del pene para provocar una erección. Estos implantes no aumentan el deseo sexual de un hombre, pero hacen posibles los juegos previos y la penetración. Nuevamente, el médico tratante le puede orientar en este aspecto.

No importa lo atractivos que parezcan los avisos en los periódicos Yo, en su lugar, no les prestaría demasiada atención: prometen de todo, pero entregan muy poco.

FÁRMACOS

En 1982 se descubrió que la inyección de algunos fármacos en el pene provocaba una erección, lo cual revolucionó el diagnóstico y el tratamiento de la impotencia. El medicamento más nuevo, **alprostadil**, relaja los músculos del tejido eréctil del pene, lo que permite un aumento del flujo sanguíneo en ese órgano, la base de una erección normal.

Inyectables

La idea de inyectar alguna sustancia en el pene me inquieta, pero los hombres lo hacen. Está disponible el alprostadil inyectable, el cual viene en una caja que contiene una jeringa con el fármaco en forma de polvo seco y esterilizado. La solución debe prepararse cuidadosamente y se debe inyectar la dosis correcta a un costado del pene usando una aguja muy fina. Es normal sentir cierta molestia, la que, rara vez, conlleva problemas de algún tipo. La sobredosis puede causar una erección prolongada. Si la erección dura más de seis horas, busque ayuda médica.

Pellets

Desarrollado en Estados Unidos, el MUSE (sistema uretral medicinal para una erección, según las siglas en inglés) es un aporte relativamente nuevo al tratamiento de la impotencia. Consiste en una dosis de alprostadil en forma de un pequeño pellet, el cual se inserta directamente en la uretra empujándolo con un émbolo uretral; por lo tanto, no se utiliza ninguna clase de agujas.

Cuando este tipo de tratamiento es efectivo, una erección dura generalmente entre 30 y 60 minutos. No se recomienda más de 2 dosis en 24 horas, y está disponible sólo con receta médica.

Advertencia sobre el Viagra

Se ha exagerado mucho sobre el Viagra, pero la realidad es bastante clara. Para que funcione, el pene debe tener nervios y arterias relativamente sanos. Por lo tanto, aun cuando pueda resultar si tiene diabetes, en las pruebas sólo la mitad de los hombres que padecen esta enfermedad y que participaron en ellas experimentó una mejoría en su erección. Si un accidente o una cirugía han dañado los nervios pélvicos o arterias pélvicas, lo más probable es que el Viagra no tenga resultados tan positivos: su tasa de éxito es solamente de entre un 40 y un 50 por ciento.

Además de los nervios y las arterias normales, se necesita un deseo sexual normal para que funcione. Si usted no desea tener relaciones sexuales, el Viagra no lo ayudará a alcanzar una erección.

Infertilidad

UNA DE CADA SEIS PAREJAS, CONSULTA AL MÉDICO DEBIDO A SU INCAPACIDAD PARA CONCEBIR. LA MAYORÍA DE LOS MÉDICOS PIENSA QUE UNA INVESTIGACIÓN ES NECESARIA SI NO SE PRODUJERA UN EMBARAZO DESPUÉS DE UN AÑO DE RELACIONES SEXUALES REGULARES SIN PROTECCIÓN.

Esta no es, por sí sola, una razón para desalentarse: luego de intentarlo por un año, la mayoría de las parejas infértiles logra concibir un hijo.

Además, la fertilidad no siempre se reduce a ser o no capaz de concebir.

¿CUÁLES SON LAS CAUSAS?

De todos los casos de infertilidad, casi un 40 por ciento se debe al hombre; aproximadamente un 30 por ciento se relaciona con la mujer, y alrededor de un 20 por ciento corresponde al resultado de factores combinados. El 10 por ciento restante nunca se llega a explicar.

Los ginecólogos han estudiado la infertilidad femenina durante años, mientras que el estudio de la fertilidad masculina, llamada andrología, es relativamente nuevo.

Sin embargo, dada la gran disponibilidad de **semen, un análisis** de éste debería ser siempre la **primera investigación** relacionada con la fertilidad. Esto incluye un espermiograma y exámenes para determinar la motilidad y la calidad del semen.

Recuerde que la infertilidad siempre debe **investigarse considerando a la pareja** como una unidad: **la fertilidad de una pareja es la suma de la fertilidad de los dos individuos.**

INFERTILIDAD MASCULINA

■ **Problemas hormonales.** Para que se produzcan espermatozoides, las hormonas sexuales del cerebro (gonadotropinas), la hormona luteinizante (LH) y la hormona folículoestimulante (FSH) deben estar en equilibrio.

■ **Problemas anatómicos** en el pene o en los testículos, o la capacidad del hombre para eyacular, pueden afectar su fertilidad.

■ **Problemas inmunológicos,** si el sistema inmunológico del hombre produce anticuerpos que atacan y destruyen los espermatozoides, reduce su capacidad para fecundar un óvulo.

■ **Cuenta espermática descendiente.** Los estudios sugieren que las cuentas espermáticas disminuyeron en el siglo XX, debido a factores medioambientales, como la presencia de estrógeno en la comida y a productos químicos indestructibles, como los bifenilos policlorados (PCB) utilizados en la industria de los plásticos y que ingresan a la cadena alimentaria. Pero, a pesar de la reducción en la cantidad de espermatozoides, la **fertilidad real no es afectada,** presumiblemente porque se produce una cantidad aún excesiva de espermatozoides. **Fumar, ingerir alcohol** y el **estrés** reducen la cantidad y la calidad de los espermatozoides; en tanto que el café y las drogas sociales podrían producir espermatozoides anormales.

INFERTILIDAD FEMENINA

La infertilidad femenina tiene distintos orígenes, como la **incapacidad de ovular**, la **endometriosis**, la presencia de **trompas de Falopio bloqueadas**, de **quistes ováricos** o un **útero anormal**. Además, la **mucosidad del cuello uterino** de una mujer podría rechazar a los espermatozoides de su pareja.

Cuando la fertilidad de una mujer es marginal, por ejemplo, si la ovulación es irregular, se denomina subfertilidad. Normalmente sólo se convierte en un problema si la fertilidad de la pareja también es marginal, por ejemplo, si un hombre tiene una cuenta espermática baja a media, la fertilidad alta de la pareja puede compensar su subfertilidad.

PROBLEMAS HORMONALES

Aproximadamente, una tercera parte de la infertilidad femenina se debe a la anovulación. La misma liberación de hormonas que regula el ciclo menstrual controla la ovulación. Si se pudiera precisar la causa exacta de la anovulación, se podría tratar con hormonas sintéticas (fármacos diseñados para tratar la infertilidad).

Un desequilibrio hormonal puede provocar dos defectos:

1. El ovario no produce folículos debidamente maduros en los cuales el óvulo se desarrolle completamente.

2. Un desequilibrio levemente distinto podría significar que, aun cuando el óvulo madura, el ovario no se estimula para liberarlo.

El **hipotálamo** se encuentra en el interior del cerebro tanto en hombres como en mujeres y es responsable de enviar las señales a la glándula pituitaria, la cual envía mensajes hormonales a los ovarios y los testículos, para que produzcan óvulos y espermatozoides. Por consiguiente, un **hipotálamo** que no funcione bien podría provocar la infertilidad tanto en hombres como en mujeres.

Una **glándula pituitaria** con un funcionamiento irregular (subactiva o sobreactiva, o dañada de alguna manera), podría no producir la cantidad precisa de hormona folículoestimulante (FSH) y de hormona luteinizante (LH) necesaria tanto para la ovulación como para la producción de espermatozoides normales.

PROBLEMAS DE LOS ÓRGANOS REPRODUCTORES
Ovarios
Además de los problemas hormonales, los ovarios pueden encontrarse dañados debido a **quistes, cirugías, radiación** o **quimioterapias** pasadas, así como por determinados factores de un **estilo de vida**, como fumar (fumadores pasivos también).

Trompas de Falopio
Aproximadamente el 50 por ciento de las mujeres infértiles tienen sus trompas de Falopio bloqueadas. El hecho que estén sanas es esencial para la concepción, porque constituyen la vía que permite que se encuentren y se fusionen el óvulo y los espermatozoides y que luego el óvulo fecundado llegue al útero. Normalmente se bloquean debido a una **inflamación pélvica** provocada por una enfermedad de transmisión sexual, como la **clamidia**. Son estructuras muy delicadas y se hace difícil restaurarlas por completo una vez que se han dañado.

Útero
El 10 por ciento de la infertilidad femenina se produce por problemas uterinos, los que se

Infertilidad secundaria

El término infertilidad secundaria se aplica en el caso de una mujer que ya ha tenido un hijo, pero no puede concebir otro. La causa de este problema podría deberse a una **infección de las trompas de Falopio,** las que son particularmente vulnerables a enfermedades de transmisión sexual como la clamidia, aunque también se podría deber a la anovulación o quizás no se pueda explicar.

Razones de infertilidad femenina

Razón primaria	Frecuencia	Causas	Resultados
ANOVULACIÓN	30 por ciento	● Glándula pituitaria subactiva ● Síndrome de ovario poliquístico	● No hay óvulos ● Óvulos no maduran ● Óvulos maduros no se pueden liberar
PROBLEMAS CON EL TRANSPORTE DE LOS ÓVULOS	50 por ciento	● Anormalidades en las trompas de Falopio, enfermedad pélvica o cirugía ● Endometriosis	● Óvulo fecundado no llega al útero
PROBLEMAS UTERINOS	10 por ciento	● Miomas ● Útero de forma anormal ● Adherencias fibrosas en el útero	● Los óvulos fertilizados no se desarrollan correctamente

pueden provocar por miomas o un útero con una forma anormal. Otros problemas uterinos menos comunes incluyen pólipos y adherencias fibrosas internas que hacen que las paredes de este órgano se peguen. La mayoría de estas anormalidades se trata exitosamente.

Miomas
Los miomas, tumores benignos musculares de la pared uterina, no afectan necesariamente la fertilidad. Una de cada 5 mujeres mayores de 30 años y 1 de cada 3 mujeres mayores de 35 años los tienen, lo que no dificulta que puedan concebir.

Cuello uterino
La mucosidad del cuello uterino que es hostil a los espermatozoides es un factor a considerar en la infertilidad.

INVESTIGACIÓN DEL PROBLEMA
La investigación de la infertilidad puede poner a prueba su paciencia y resolución. Podría incluso hacerla sentir humillada. Sin importar qué miembro de la pareja tenga baja fertilidad, éste se sentirá amenazado y culpable. Esté preparada para ser paciente y muy generosa, y, por favor, vaya a ver a un orientador afiliado a un centro de tratamiento de la infertilidad para que la guíe.

El rastreo de la causa de la infertilidad sigue un curso lógico.

PRIMERA PARTE: EL MÉDICO DE CABECERA
Una pareja de cada seis consulta al médico sobre infertilidad. Éste, primero evalúa la salud de ambos y les hace preguntas sobre su vida sexual.

A la mujer se le consultará sobre las fechas de las últimas seis períodos para establecer que está menstruando regularmente.

Si se requiere más investigación, la pareja será derivada a una clínica especializada en el tratamiento de la infertilidad y se le realizará más exámenes allí.

SEGUNDA PARTE: UNA CLÍNICA ESPECIALIZADA EN EL TRATAMIENTO DE LA INFERTILIDAD
Posiblemente se le pida a la mujer que mantenga un cuadro de su temperatura de ovulación y se le hará un análisis de sangre para ratificar que ésta se haya producido. También se examina al hombre. Puede esperar que se haga lo siguiente:
■ Revisión de la ovulación: Si el médico sospecha que hay un problema con la ovulación, se le examinará el nivel de progesterona en la sangre en el vigésimo primer día de un ciclo de 28, o siete días antes del período menstrual esperado, si los ciclos son menores o mayores que 28 días. Se hace porque los niveles de progesterona suben después de la ovulación, y un nivel alto indicará que está ovulando. Se le podría pedir que mantenga un registro de su temperatura corporal basal cada mañana durante varios ciclos. Los equipos de predicción de ovulación también pueden ser útiles.

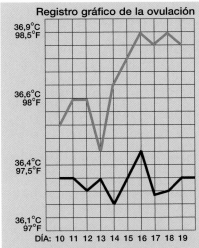

Registro gráfico de la ovulación

DÍA: 10 11 12 13 14 15 16 17 18 19

▬▬ ciclo en el cual se produce la ovulación

━━ ciclo en el cual no se produce ovulación

La temperatura corporal basal disminuye fuertemente antes de la ovulación y aumenta con igual intensidad después de la misma. Mantener un registro gráfico ayuda a rastrear la ovulación.

■ **Al hombre se le solicita una muestra de semen.**

■ **Si los espermatozoides son normales,** a la mujer se le recomendará una **ecografía** y, si está ovulando, posiblemente una **laparoscopia**.

Una vez que se encuentra la causa de la infertilidad, se le sugerirá un tratamiento adecuado.

REVISIÓN DE LA INFERTILIDAD MASCULINA

EVALUACIÓN DE LOS ESPERMATOZOIDES

El médico pedirá un examen preliminar del semen antes de realizar una investigación más detallada de la fertilidad. Un técnico capacitado examina las muestras de semen con un microscopio y un analizador computarizado de la motilidad del semen.

Exámenes de los espermatozoides

Los exámenes de espermatozoides se realizan para evaluar si éstos parecen normales y si son capaces de desplazarse hacia el óvulo y penetrarlo.

■ En los **exámenes de invasión** de **espermatozoides** se analiza en un microscopio la interacción entre los espermatozoides y la mucosa del cuello uterino. Cuando éstos no pueden traspasar la mucosidad o no pueden moverse adecuadamente en la misma, el resultado en sí no indica si el problema reside en ellos o en la mucosa.

■ El examen cruzado de invasión de espermatozoides se realiza para dilucidar esa duda. Utiliza exactamente el mismo procedimiento que el examen de invasión de espermatozoides, pero primero se usan los espermatozoides y la mucosa normal de una donante, y después se combinan los espermatozoides normales de un donante con la mucosa de su pareja.

Éstos podrían revelar el problema, pero si no resultara, sería necesario hacer otros exámenes, como el de penetración del óvulo.

■ Este examen analiza el potencial que tienen los **espermatozoides para fertilizar un óvulo**. Implica introducir los espermatozoides en óvulos de hámster (sí, yo sé que parece raro, pero siga leyendo) y medir su penetración y la fusión con los óvulos.

Se utilizan óvulos de hámster para que su pareja no tenga que pasar por el estresante tratamiento FIV (Fertilización in Vitro), que extrae óvulos para el examen. No hay peligro de que resulte un embrión de la fusión de los espermatozoides del hombre y los óvulos de este roedor.

REVISIÓN DE LA INFERTILIDAD FEMENINA

LAPAROSCOPIA

El laparoscopio es un telescopio delgado equipado con fibra óptica y del grosor de una pluma.

Se inserta a través de una pequeña incisión en el ombligo para visualizar directamente la cavidad abdominal.

Además de ofrecer al cirujano una excelente visión de los órganos, se pueden obtener vídeos de alta calidad a través del laparoscopio, los que servirán como referencia posterior.

La laparoscopia permite la evaluación directa de los órganos reproductores. A menudo se

programa el procedimiento para la segunda mitad del ciclo, con el fin de confirmar que se ha producido la ovulación.

HISTEROSALPINGOGRAFÍA

La histerosalpingografía (HSG) generalmente se reserva para las mujeres que tienen dañadas, según muestra la laparoscopia, las trompas de Falopio, o si los médicos sospechan que hay algo malo con el útero, por ejemplo, un quiste.

La HSG es una imagen de rayos X del útero y de las trompas, y muestra problemas en las cavidades de estos órganos.

El contraste es útil para revisar las trompas de Falopio, ya que éste solamente entrará y viajará a través de trompas abiertas; de ese modo mostrará cualquier daño, distorsión o bloqueo completo. Se monitorea el contraste inyectado en una pantalla de rayos X. El ultrasonido puede resultar más apropiado para realizar un examen similar puesto que no expone los ovarios a los rayos X.

BIOPSIA ENDOMETRIAL

En este procedimiento se remueve una pequeña porción del endometrio (revestimiento del útero) que luego se examina para ver si se ha producido algún cambio.

Se realiza una biopsia endometrial para evaluar si las hormonas de la mujer están provocando las alteraciones normales en el endometrio durante la segunda mitad del ciclo, preparándolo para la concepción.

Cuando las hormonas están correctamente equilibradas, hay un aumento en la producción de progesterona que engruesa el endometrio. Si la producción de esta hormona es baja, el revestimiento uterino no se desarrollará lo suficiente para que se implante un embrión. Cuando hay poca o ninguna alteración, los fármacos para el tratamiento de la infertilidad son una opción.

ECOGRAFÍA

Se utiliza la ecografía para revisar el desarrollo de los folículos ováricos, con el fin de que los médicos puedan rastrear el crecimiento de los folículos y la liberación de uno o más óvulos durante la ovulación.

¿CUÁL ES EL TRATAMIENTO?

Aunque ansíe tener un hijo, si es candidata para cualquier tipo de tratamiento de la infertilidad trate de ser racional y equilibrada. Averigüe la tasa de éxito de cualquier tratamiento que le ofrezca el médico para que sus expectativas sean razonables. Algunos involucran regímenes complejos que pondrán a prueba su resistencia emocional y física. Como pareja, tendrán que ser fuertes; por lo tanto, aprovechen los servicios de orientación disponibles en todos los centros para el tratamiento de la infertilidad.

FÁRMACOS PARA EL TRATAMIENTO DE LA INFERTILIDAD

Primer paso

Casi siempre se pueden estimular los ovarios de una mujer para que produzcan óvulos de buena calidad usando fármacos; así, cuando la razón de la infertilidad femenina es la anovulación, estos fármacos son el tratamiento normal.

■ El medicamento más común para el tratamiento de la infertilidad es el clomifeno, que se ingiere durante los cinco primeros días de cada ciclo menstrual.

■ El clomifeno estimula la liberación por la glándula pituitaria de la hormona folículoestimulante (FSH). Ésta actúa sobre los ovarios, y a menudo inicia la maduración de un folículo y luego la ovulación.

■ Las ventajas del clomifeno son que no tiene mayores efectos secundarios y presenta una baja tasa de embarazo múltiple (sólo entre un 5 y un 10 por ciento) generalmente mellizos y en ocasiones trillizos; los cuatrillizos y quintillizos en la actualidad son muy poco comunes, porque hay mayor certeza sobre cuál es la dosis correcta.

■ Este fármaco es un **antiestrógeno** (se desarrolló inicialmente como un anticonceptivo): por ende, podría impedir la concepción si se recetase incorrectamente.

Segundo paso

Si falla este medicamento, lo normal será probar con inyecciones diarias de gonadotropina menopáusica humana, que es similar en acción y efecto al FHS, seguido por una inyección de **gonadotropina coriónica humana.**

Este complicado tratamiento requiere monitoreo cercano de los ovarios, e incluye exámenes de sangre y ecografías diarias para evitar el riesgo de embarazo múltiple. Algunas mujeres requieren un control médico aún más complejo para conseguir la ovulación.

OTROS MÉTODOS

Inseminación artificial

En este procedimiento, los espermatozoides de la pareja (inseminación artificial por pareja o IAP) o los de un donante (inseminación por donante o ID) se introducen en el cuello uterino con una jeringa. La inseminación se realiza justo antes de la ovulación o durante ella.

Se considera la inseminación por donante cuando un hombre tiene muy pocos espermatozoides, es estéril o es portador de una anormalidad hereditaria (ver Donación de espermatozoides, a continuación).

Las mujeres solteras que desean un hijo también evalúan la posibilidad de someterse a esta inseminación, aun cuando los médicos que tratan la infertilidad en el Reino Unido están obligados por la Ley de Fertilización Humana y Embriología a tomar en cuenta la necesidad del niño de tener un padre.

Donación de espermatozoides

El mejor donante de espermatozoides es su pareja, pero de no ser así, los donantes deberán ser hombres sanos y fértiles que tienen hijos.

Se examinan todos los espermatozoides para confirmar que no existan enfermedades infecciosas como el SIDA, y a todos se les pide antecedentes genéticos de sus familias.

Las clínicas también tratan de igualar las características físicas del donante con las de la pareja, pero ya que, por lo general, en cada intento se usan espermatozoides de diferentes donantes, la igualación más cercana podría no ser la que efectivamente provoque el embarazo.

Donación de óvulos

La donación de óvulos es más complicada que la de espermatozoides. La donante debe usar fármacos para el tratamiento de la infertilidad, con el fin de estimular los ovarios para que produzcan varios óvulos a la vez.

Será necesario asistir a la clínica para el tratamiento y quizá pasar una noche en el hospital cuando se recolecten los óvulos. Por esta razón, muchas donantes de óvulos están en el proceso de la fertilización in vitro (FIV).

Se archivan los datos médicos de cada donante y el niño que sea concebido por FIV tendrá acceso a ellos cuando cumpla los 18 años.

Fertilización in vitro (FIV)

Para la FIV se necesitan dos cosas:

1. Óvulos, si fuese necesario extraídos después de un tratamiento con clomifeno o con gonadotropina menopáusica humana/gonadotropina coriónica humana.

2. Espermatozoides, si fuese necesario separados microscópicamente de una muestra de semen o de los mismos testículos.

Por supuesto, se puede obtener ambos de donantes (ver pág. anterior).

Los niños concebidos por FIV se llamaban "niños de probeta". Los pioneros fueron los médicos británicos Patrick Steptoe y Robert Edwards en 1978, año en que nació el primer bebé por FIV, Louise Brown.

Desde entonces, unos 35.000 niños han nacido por FIV en el Reino Unido. Aun cuando esta cifra parece alta, ésta sólo tiene una tasa de éxito del 20 por ciento por ciclo de tratamiento, aunque puede llegar a un 30 por ciento en las mejores circunstancias. Aquellos que están considerando la fertilización in vitro deben saber que es muy extenuante, física y emocionalmente, y muy estresante. Siempre deberían recibir **orientación** antes de este tratamiento y durante su desarrollo, lo que está disponible en todas las clínicas especializadas.

1. Una vez que se ha probado la viabilidad de los espermatozoides, a la mujer se le suministran fármacos para tratar la infertilidad y así estimular sus ovarios para que produzcan óvulos.

Luego se monitorea cuidadosamente mediante ecografías hasta que los folículos estén maduros, momento en el cual se extraerán los óvulos usando un laparoscopio.

2. Se le insertará una aguja hueca y larga a través de la parte superior de la vagina o de la pared abdominal hasta llegar a los ovarios, todo controlado por ecografía.

Los óvulos son succionados suavemente, transfiriéndolos de los folículos a la sonda; de ahí a un caldo de cultivo en una cápsula de Petri, y luego se almacenan en una incubadora.

3. Una vez que han alcanzado la madurez completa (entre 2 y 24 horas), se introducen los espermatozoides. La fecundación generalmente tarda 18 horas.

Luego se mantienen los óvulos fecundados en la incubadora por otras 48 horas; para entonces, cada uno se habrá dividido en aproximadamente cuatro células. Después se transfiere un máximo de tres embriones al útero de la mujer. Los otros se pueden almacenar.

Implantación intratubárica de gametos y cigotos

La implantación intratubárica de gametos y de cigotos son dos variaciones de la fecundación in vitro. En la primera, el óvulo y los espermatozoides (denominados gametos) se transfieren a una de las trompas de Falopio, donde la concepción se desarrolla naturalmente. En la segunda, el óvulo fecundado (cigoto) se transfiere a una de las trompas antes de convertirse en un embrión. Parece que las probabilidades que un embrión se implante en la pared uterina son levemente mayores cuando viaja a través de la trompa de Falopio en el momento preciso del ciclo, igual como lo habría hecho si la concepción hubiese sido producido en forma natural. Para ambos métodos, una mujer debe tener, al menos, una trompa abierta y no dañada. Se estima que las tasas de embarazo exitoso para éstos son 25 a 30 por ciento por ciclo.

ICSI

La inyección intracitoplásmica de espermatozoides (ICSI) es una técnica nueva, no masificada, y permite que un hombre con baja cantidad de espermatozoides engendre un hijo.

Se extraen los espermatozoides con una jeringa y se inyectan bajo microscopio en un óvulo cosechado para fecundarlo. Después de 48 horas de incubación, el embrión resultante se coloca en el cuerpo de la mujer usando el procedimiento para la FIV.

EXAMEN

Ecografía

La ecografía es la producción de una imagen fotográfica mediante la utilización de ondas sonoras. Los ecos de éstas que rebotan en diferentes partes del cuerpo forman la imagen. Las ondas difieren según la densidad del órgano. Este procedimiento proporciona una imagen muy detallada de los tejidos blandos. Si se realiza durante el embarazo, mostrará los latidos fetales y el movimiento y se puede usar como un medio no invasivo para examinar el feto. Es posible obtener e imprimir una imagen exacta del feto en el útero. Se emplea en muchas áreas de la medicina como una herramienta de diagnóstico, particularmente para detectar los bultos en los senos y la causa de dolores abdominales, como los cálculos biliares o la hernia de hiato. A veces también se puede utilizar para tratar anormalidades. Por ejemplo, mediante altos niveles de ondas de ultrasonido se pueden destruir cálculos en la vejiga. La ecografía también se utiliza con frecuencia en los tratamientos de infertilidad para ver si un embarazo es viable o no.

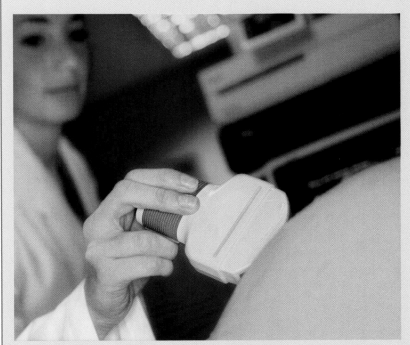

La ecografía usa las ondas sonoras para producir imágenes y a menudo se emplea durante el embarazo para examinar al feto. El procedimiento es rápido e indoloro y no involucra exposición a la radiación.

SALUD SEXUAL

El grupo de enfermedades clasificadas como de transmisión sexual son aquellas que se contagian principalmente por contacto sexual entre las personas. Un gran número de individuos pospone la búsqueda de tratamiento para estas enfermedades porque sienten vergüenza; pero si sospecha que usted o su pareja padecen de una enfermedad de transmisión sexual (ETS), será fundamental buscar la ayuda de su médico o de una clínica especializada o de medicina genitourinaria lo antes posible. Comenzaré con la clamidia, una ETS

que está aumentando y es especialmente peligrosa, porque si no se trata a tiempo, podría provocar infertilidad en una mujer. Luego veré la candidiasis, que afecta a muchas personas y no necesariamente se transmite por contacto sexual. Continuaré con el herpes genital y las verrugas genitales, seguido por vaginosis bacteriana y tricomoniasis. También hablaré de la sífilis y de la gonorrea. Asimismo, analizaré la importancia de tener relaciones sexuales protegidas en la prevención de este tipo de enfermedades.

Clamidia

LA CLAMIDIA ES LA INFECCIÓN BACTERIANA DE TRANSMISIÓN SEXUAL MÁS COMÚN, Y ESTÁ AUMENTANDO. EL NÚMERO DE CASOS EN INGLATERRA AUMENTÓ EN UN 74 POR CIENTO ENTRE 1995 Y 1999.

Las cifras han sido consistentemente mayores en mujeres que en hombres, y en particular entre los 16 y 24 años. Parte de este aumento se debe a los nuevos métodos de diagnóstico y a la publicidad, lo que significa que más personas se están controlando y buscando atención médica. Hasta un 70 por ciento de las mujeres y por lo menos el 25 por ciento de los hombres infectados con clamidia no tienen síntomas, así es que hay un alto porcentaje sin diagnosticar. Los posibles síntomas en las mujeres incluyen secreciones, dolor al orinar, períodos menstruales intensos o sangrado entre ciclos menstruales, dolor en el bajo abdomen o dolor abdominal durante el coito. En el caso de los **hombres**, éstos incluyen secreciones del pene y/o una sensación de ardor al orinar.

Hay nuevos métodos disponibles para los exámenes de clamidia, los que permitirán la detección y el tratamiento de manera más fácil y con mayor alcance. Se trataron más de 56.000 casos de infección por clamidia en las clínicas de ETS o de medicina genitourinaria en Inglaterra y Gales en 1999; eso representa más del triple de los casos de gonorrea reportados.

¿CÓMO SE TRANSMITE LA CLAMIDIA?
Casi siempre se transmite a través de relaciones sexuales vaginales o anales, y muy esporádicamente mediante contacto oral-genital. De vez en cuando, una mujer embarazada puede traspasar la infección al bebé. En ese caso, ésta, por lo general, se ve limitada a los ojos, y en contadas ocasiones puede provocar neumonía.

¿QUÉ DAÑO PROVOCA?
Luego de una infección por clamidia, se podrían destruir los vellos que transportan el óvulo fertilizado por las trompas de Falopio hacia el útero. Eso permite que se den las condiciones para un embarazo ectópico en una de las trompas.

En Gran Bretaña, la **tasa de embarazo ectópico** se ha cuadruplicado desde comienzos de los años 60, paralelamente a la infección por clamidia. El daño también puede provocar

¿Quién debería controlarse por clamidia?

■ Todas las mujeres sexualmente activas menores de 25 años y las mujeres mayores de 25 años que tengan una nueva pareja.
■ Todos los que tienen más de dos parejas sexuales al año.
■ Todos los hombres y mujeres que se atienden en clínicas de ETS: aproximadamente 1 de cada 5 tiene clamidia.
■ Las mujeres que buscan interrumpir un embarazo: aproximadamente 1 de cada 10 tiene clamidia.

la inflamación, la hinchazón y el bloqueo completo de las trompas, aunque no se sabe por qué afecta sólo a algunas mujeres. Los **adolescentes** son más vulnerables al ataque bacteriano, por lo que se ve amenazada la fertilidad de futuras generaciones.

EFECTOS A LARGO PLAZO
La clamidia tiene serias consecuencias en las mujeres. Las infecciones no tratadas pueden persistir por largo tiempo, y hasta en una tercera parte de las mujeres que no se tratan adecuadamente podría aparecer la **enfermedad inflamatoria pélvica.** Casi la **mitad** de quienes padecen esta enfermedad es producto de la clamidia.

Una **quinta parte** de las mujeres con enfermedad inflamatoria pélvica pueden quedar infértiles, y una décima parte tendrá un embarazo ectópico una vez que conciban. Por lo tanto, los costos personales y económicos que acarrea el no tratar esta infección son considerables.

DETECCIÓN PRECOZ
Dada la importancia de la clamidia y los efectos prolongados de la infección, ¿se podría examinar a las mujeres para la detección y el tratamiento precoz de este mal antes de que provoque daños duraderos?

El primer control de detección precoz en mujeres entre los 18 y los 34 años de edad, en Estados Unidos, demostró que la enfermedad inflamatoria pélvica en las mujeres controladas y tratadas era un 56 por ciento menor que en las que no se controlaron. Por lo tanto, se debería controlar a todas las mujeres y hombres que produzcan algún tipo de secreción. Puesto que esta infección a menudo no tiene síntomas, todos los que cambian de pareja con frecuencia también deberían controlarse.

EXÁMENES MÁS RECIENTES DE CLAMIDIA
Hace algún tiempo era muy difícil detectar la clamidia, pero los exámenes se están modernizando cada vez más, con la creciente utilización del examen de **ADN en orina:** se habla incluso de que pronto habría exámenes disponibles para venta directa al público. Cualquier persona puede solicitar un examen en cualquier clínica de ETS o de medicina genitourinaria.

CLAMIDIA, "LA BOMBA DE TIEMPO DE LA INFERTILIDAD"
A menudo descuidada tanto por pacientes como por médicos, la infección por clamidia quizás no ponga en peligro la vida, pero la puede arruinar. Incluso se le ha denominado la "bomba de tiempo de la infertilidad", porque es capaz de existir silenciosamente por años antes de causar un daño irreparable.

PORTADORES DE CLAMIDIA
Puesto que la clamidia virtualmente carece de síntomas en los hombres, éstos pueden ser portadores sin saberlo. Pueden reinfectar a las mujeres y mantener una infección crónica leve aun después de que la mujer ha ingerido antibióticos. Esto significa que si se detecta clamidia en una mujer, su(s) pareja(s) también deberá(n) tratarse.

> **Ver también:**
> • **Enfermedad inflamatoria pélvica pág. 251**

ENFOQUE *en* candidiasis vaginal

La candidiasis vaginal es la inflamación de la vagina provocada por el hongo candida; es un problema muy común y desagradable. Tres cuartas partes de las mujeres sufrirán de candidiasis en algún momento de sus vidas. Aun cuando las más afortunadas les afecta solamente una vez, un gran número sufre este mal varias veces al año.

LO QUE TODA MUJER DEBERÍA SABER

● Aun cuando la candidiasis no pone en riesgo la vida, puede causar muchas molestias; mientras más sepa, menos le preocupará.
● Como mujer, probablemente sufrirá alguna forma de infección genitourinaria en algún momento de su vida. Las infecciones más comunes son la candidiasis, la cistitis y la vaginosis bacteriana.
● Los hombres a menudo reinfectan a sus parejas.

¿CÓMO SÉ SI TENGO CANDIDIASIS?

¿Tiene alguno de los siguientes síntomas?

Mujeres
● Picazón y/o dolor en y alrededor de la entrada a la vagina.
● Una secreción espesa y blanca que no tiene mal olor.
● Hinchazón de los labios de la vulva.
● Escozor al orinar.
● Dolor durante las relaciones sexuales.

Hombres
● Irritación, ardor o picazón debajo del prepucio o en el extremo del pene.
● Manchas rojas debajo del prepucio o en el extremo del pene.
● Una secreción espesa y similar al queso debajo del prepucio.
● Dificultad para retraer el prepucio.
● Leve secreción proveniente del pene.
● Molestias al orinar.
Si tiene cualquiera de estos síntomas, vaya al médico para confirmar si tiene una infección de candidiasis.
Si es mujer, una vez que el médico ha diagnosticado la candidiasis, en el futuro quizás quiera seguir un tratamiento a base de medicamentos de venta directa al público. Algunos, pero no todos los que padecen de esta infección sienten los síntomas ya señalados. También podrían indicar otro tipo de infección, por ejemplo, cistitis, en la cual el dolor al orinar es un síntoma común.

¿CÓMO EVITAR LA CANDIDIASIS

Aunque no hay una solución simple para prevenir la candidiasis, sí existen varias cosas que usted puede hacer para prevenir que reaparezca.

● Evite el uso de medias y calzones que no sean de algodón, polainas, pantalones cortos de lycra, jeans y pantalones apretados.
● Lave y limpie el área genital de adelante hacia atrás. Puede mojar un par de algodones en agua y usarlos una vez para limpiarse y luego desecharlos.
● Si es posible, no se rasque, porque el hongo puede diseminarse mediante su mano. Al rascarse constantemente puede provocar un engrosamiento de la piel y una propensión a la infección.
● Use toallas higiénicas en vez de tampones durante la menstruación.
● Evite los jabones perfumados, atomizadores y desodorantes genitales, y cualquier otro irritante, como los desinfectantes.

● Si el médico le receta un antibiótico, recuérdele que usted tiene tendencia a sufrir de candidiasis.
● A veces se puede contagiar la candidiasis a través de las relaciones sexuales. Aunque usted se haya tratado, podría contagiarse nuevamente si su pareja sexual no se tratara también. Mientras se esté tratando por candidiasis, no es recomendable tener relaciones sexuales, sino hasta que se le dé de alta.
● Puesto que las condiciones cálidas y húmedas son favorables para este hongo, los pliegues alrededor de la ingle podrían ser la razón de infecciones recurrentes. Si está con sobrepeso, bajar algunos de esos kilos de más ayudaría.
● Aun cuando cualquier hombre puede ser portador de candidiasis, aquellos no circuncidados deben limpiarse debajo del prepucio como parte de la rutina diaria.

Ver también:
● **Vaginosis bacteriana pág. 283**
● **Candidiasis pág. 450** ● **Cistitis pág. 378**

Mitos comunes

EL MITO: La candidiasis es una enfermedad de transmisión sexual que afecta a las mujeres que tienen una mala higiene personal o que son promiscuas. Los hechos: La candidiasis vaginal NO es necesariamente una enfermedad de transmisión sexual; resulta de un desequilibrio en la vagina entre las bacterias y las levaduras. Este desequilibrio permite que un tipo de levadura, la *Candida albicans*, se reproduzca más rápidamente que lo normal, lo que puede provocar la candidiasis. Existen muchas cosas que pueden producir este desequilibrio, incluyendo los cambios hormonales durante la menstruación, el embarazo y la menopausia. Otras causas comunes son los **antibióticos** y la **diabetes mal controlada**, los **desinfectantes** en el baño de tina y los **desodorantes vaginales**. Padecer de candidiasis no quiere decir que usted tenga una mala higiene; de hecho, el ser demasiado meticulosa en el lavado vaginal puede estorbar el equilibrio natural en la vagina y provocar un ataque de candidiasis. Los hombres también pueden contraer candidiasis.

EL MITO: La candidiasis tiene que ser tratada por un médico y requiere un examen interno y preguntas sobre su vida sexual. Los hechos: Si éste es el primer ataque de candidiasis, deberá visitar al médico para confirmar que ése sea el problema. Él tomará muestras de la vagina para verificar la infección. Si padeciese de ataques recurrentes de candidiasis, le podría preguntar sobre su vida sexual para averiguar si su pareja la podría estar reinfectando. Si ha tenido candidiasis anteriormente, el médico ya la ha diagnosticado y usted reconoce los síntomas, podría ser más fácil y conveniente usar un tratamiento de venta directa al público.

EL MITO: Todos los tratamientos de candidiasis involucran pesarios o cremas que deben ser introducidos en la vagina. Los hechos: El tratamiento puede ser por inserción de un **pesario** o **crema** en la vagina, pero también hay tratamientos orales disponibles hace más de ocho años, y la mayoría de las mujeres los prefiere. Los remedios caseros como el **yogur casero** aplicado a la vagina NO son curas probadas de la candidiasis. Si un tratamiento causa dolor, deje de usarlo inmediatamente.

Relaciones sexuales protegidas

● Las relaciones sexuales protegidas ayudan a preservarlo de las enfermedades de transmisión sexual y del VIH/SIDA.

● Mantener este tipo de relaciones significa ser responsable con respecto a su sexualidad.

● Siempre tenga relaciones sexuales protegidas; es lo único que vale.

Condones y las ETS

Para que las relaciones sean seguras contra las ETS, siempre debería usar un condón (preservativo) tanto para las relaciones vaginales como anales; para el sexo oral también, si le preocupa el virus de inmunodeficiencia humana (pero es poco probable que alguien se infecte con VIH por medio del sexo oral). Asegúrese de que sabe usar uno debidamente y nunca use preservativos de paquetes con la fecha vencida. Tenga relaciones sexuales protegidas; piense cuidadosamente sobre su comportamiento sexual.

Sus derechos

Usted tiene todo el derecho de exigir relaciones protegidas. Si su pareja disiente en eso, él o ella no está pensando en usted y usted debería cuestionar su relación. Si su pareja no quiere usar un condón, rehúse tener relaciones sexuales y considere terminar la relación. Al actuar en forma irresponsable, él o ella le hace correr peligro.

Prevención del embarazo

Aunque los condones son muy eficaces para tener relaciones sexuales protegidas, no se fíe solamente de ellos para prevenir el embarazo. El semen podría filtrase si no ha usado el preservativo correctamente o si ha usado uno vencido. Lo mejor es que las mujeres también ingieran la píldora o usen un diafragma.

Obtener ayuda…

Con mucho gusto el médico, la clínica de planificación familiar o el centro de orientación le darán información sobre los preservativos. Hay una gran variedad de condones disponibles, ¡y algunos han sido diseñados para hacer de las relaciones sexuales algo más interesante! Están disponibles en las tiendas, los supermercados, las farmacias y hasta en los baños públicos. Usted puede obtener consejos sobre prácticas sexuales seguras de las organizaciones benéficas del SIDA, los hospitales y las líneas de ayuda homosexual (ver Direcciones útiles, pág. 567)

La próxima vez…

No se descuide ni por un segundo; siempre tenga relaciones sexuales protegidas. Querrá relajarse cuando las tiene y no preocuparse por el embarazo y las ETS.

Qué hacer y qué evitar

Lleve un condón (preservativo)

Lleve un preservativo en todo momento, sea hombre o mujer.

Practique primero

Asegúrese que sabe usar un preservativo antes de tener relaciones sexuales.

Siempre con preservativo

Use un preservativo hasta que esté absolutamente seguro que no hay riesgo ni para usted ni para su pareja.

Sea franca/o

Sea franca cuando comienza una relación. Cuéntele a su pareja sobre cualquier infección crónica que tenga, como el herpes.

Sólo una vez

Nunca trate de usar un condón más de una vez.

Nada de relaciones sexuales casuales

Nunca tenga relaciones sexuales en una fiesta o cuando esté de vacaciones con alguien que apenas conoce y que quizás nunca vuelva a ver.

¿Cómo me protejo?

Pruebe diciendo algo como esto:

1. Hablando con una pareja:
"Mi ex me ha enviado una tarjeta ...no, no para mi cumpleaños. Dice que tiene algo malo y que quizás yo lo haya contraído. Así es que eso te podría incluir a ti también. Mejor vamos a controlarnos en una clínica de ETS."

Pero quizás su pareja no sepa que tiene una ETS, así es que…

2. Ir a control médico:
"Ya solucionamos el asunto de los anticonceptivos, pero, ¿por qué no nos hacemos los dos un chequeo médico?" "Ok. Buena idea. Llamemos a la clínica de ETS."

3. Usar un condón como protección:
Si él dice: "No estarás pensando que voy a usar uno de ésos...", dígale:
"Obviamente no has visto algunos recientemente."

Un preservativo la protegerá contra la infección y la píldora la protegerá contra el embarazo.

Herpes genital

HERPES SIMPLEX ES EL NOMBRE DEL VIRUS QUE CAUSA ÚLCERAS BUCALES O ÚLCERAS GENITALES, SEGÚN SEA LA PARTE INFECTADA.

A veces aparece en la boca, pero el herpes se puede contraer en los genitales o en cualquier parte del cuerpo. Los herpes bucales muchas veces se deben a que una madre traspasa el virus a sus hijos al besarlos. En el caso de los herpes genitales, el virus se transmite cuando la mucosa infectada entra en contacto con la mucosa de otra persona: por ejemplo, durante las relaciones sexuales o de boca a genitales durante el sexo oral. Es más común en las mujeres, porque las áreas genitales son más cálidas y más húmedas que las de los hombres.

¿CUÁLES SON LAS CAUSAS?

■ Originalmente se pensaba que sólo el virus herpes simplex tipo 2 provocaba el herpes genital, mientras que el herpes simplex tipo 1 probablemente era la causa de los herpes bucales. Sin embargo, con el aumento del sexo oral, esta distinción ya no es tan clara.
■ En Europa, la infección de herpes genital es la causa más común de la ulceración genital y está aumentando entre las mujeres.

¿CUÁN COMÚN ES EL HERPES GENITAL?

Los análisis de sangre muestran que la mayoría de nosotros hemos estado expuestos al virus herpes simplex antes de llegar a la edad madura. Millones de personas están infectadas con el virus, pero es probable que sólo un cuarto de los infectados tenga algún tipo de síntoma. Muchos de ellos padecen lo que se llama un cuadro subclínico, esto es, sin ninguna señal visible de la infección y sin efectos dañinos. No saben que están infectados.

¿QUÉ PASA CON EL VIRUS?

Una vez en el cuerpo, el virus se desplaza hacia las células nerviosas cercanas a la base de la columna vertebral. Si se reactiva, retornará al lugar por donde ingresó y la enfermedad reaparecerá. No todas las personas sufren de recaídas; algunas padecen ocasionalmente y para otras, el problema reaparece cada cierto tiempo. Normalmente el ataque inicial es el más severo.

ADVERTENCIA:

El virus herpes PODRÍA ser relevante en la aparición del cáncer de cuello uterino, por lo tanto, las mujeres que han sufrido de herpes genital deberían hacerse una citología vaginal, preferiblemente todos los años, aunque las pautas del Servicio Nacional de Salud del Reino Unido estipulan que sea cada tres.

¿CUÁN INFECCIOSO ES?

Como es de esperar, el herpes genital es altamente contagioso. Las nuevas investigaciones indican que las personas sin síntomas también pueden transmitir el virus. Los síntomas aparecen entre tres y siete días después del contacto sexual con una pareja infectada.

¿CUÁLES SON LOS SÍNTOMAS?

■ Piel de la zona genital sensible al tacto.
■ Picazón e irritación alrededor de los genitales.
■ Malestar.
■ Dolor de cabeza.
■ Dolores musculares y en las articulaciones.
■ Dolor abdominal.
■ Dolor punzante en las extremidades inferiores.
■ Glándulas inflamadas y sensibles en la ingle.
■ Dolor al orinar.
■ Aparecen ampollas en cuestión de horas, crecen, se revientan y se convierten en úlceras dolorosas en dos ó tres días.
■ Estas úlceras forman costras y tardan entre 14 y 21 días antes de sanar completamente.

¿QUÉ CAUSA EL HERPES GENITAL?

El hecho de que reaparezca no depende de tener relaciones sexuales con una pareja infectada. Los ataques se producen por:
● estrés mental y físico
● frío o calor excesivo, incluyendo fiebre
● irritación de tejidos genitales delicados
● trauma genital local (por ejemplo, relaciones sexuales bruscas, arrancar o depilar el vello pubiano)
● mala salud en general y otras infecciones tales como un resfrío, que provoca fiebre.

¿CUÁL ES EL TRATAMIENTO?

■ El herpes genital siempre debería ser revisado por un médico y no tratado por usted misma(o) en casa.
■ Vaya al médico inmediatamente si siente que el área genital está adormecida o sensible, o si ha tenido relaciones sexuales con una persona infectada.
■ No hay ninguna cura para el herpes genital, pero las probabilidades de prevenir o aminorar un ataque aumentan con un tratamiento precoz. Los fármacos antivirales como el **aciclovir**, ingeridos en forma de comprimidos, hacen que las úlceras sean menos dolorosas y, si se consumen precozmente, ayudarán a que sanen.
■ Otros remedios incluyen bañar el área con una solución salina (una cucharada pequeña de sal en medio litro de agua).
■ No se debería usar la crema de aciclovir, vendida sin receta médica, para tratar el herpes genital, aunque funcione mejor en los herpes faciales.

¡NUNCA!

Una vez que se contrae el herpes, es de por vida, así es que a continuación detallo algunas cosas que nunca deberá hacer:
NUNCA tenga relaciones sexuales si presenta los síntomas, excepto con la persona que se lo contagió (o a quien usted contagió). Cuando ambos tienen el mismo virus, no se reinfectan.
NUNCA tenga relaciones sexuales sin protección con una persona relativamente desconocida.
NUNCA tenga sexo oral si tiene un herpes bucal.
NUNCA sea deshonesto con respecto al herpes. Es mejor ser franca y decírselo a su pareja. Y debe evitar el contacto de piel a piel cuando el virus está activo. Podría ser más fácil explicar que en ocasiones le sale herpes en los genitales.
NUNCA se avergüence de contarle al médico sobre posibles contactos.

Herpes genital y el embarazo

Si usted o su pareja ha tenido un ataque de herpes genital, debería estar registrado en su ficha médica, pero aun así debería decirle al médico si ha tenido o tiene herpes. Los frotis durante las últimas etapas del embarazo ya no se consideran necesarios, por la demora en obtener los resultados. Rara vez se realiza una cesárea, excepto cuando la madre está experimentando una infección primaria. Los anticuerpos de la madre protegen al niño de la infección durante el parto.

AUTOAYUDA

■ Siempre use un condón para protegerse contra el herpes genital.
■ Se pueden aliviar las ampollas dolorosas remojándose en un baño tibio y añadiendo sal y compresas frías (no hielo) aplicadas al área afectada.
■ Para prevenir la reaparición del herpes descanse bastante y consuma alimentos nutritivos: frutas y verduras frescas, alimentos integrales y mucho líquido.
■ Maneje el estrés aprendiendo ejercicios de relajación o yoga.
■ Use ropa interior suelta para que el aire pueda circular y refrescar los genitales. Deje las úlceras expuestas al aire lo más que pueda.
■ Mantenga un registro de cuando le vuelvan los ataques para tratar de encontrar un patrón. Si, por ejemplo, las reapariciones tienen que ver con relaciones sexuales bruscas, pruebe con el uso de un lubricante.
■ Podría probar con la ingesta diaria de 200 unidades internacionales de vitamina E, pues podría mejorar la respuesta inmunológica del cuerpo.

Ver también:
• **Herpes simplex pág. 336**

Verrugas genitales

LAS VERRUGAS GENITALES, AL IGUAL QUE LAS VERRUGAS EN LAS MANOS O LOS PIES,
SON CAUSADAS POR UN VIRUS, EN ESTE CASO, EL PAPOVAVIRUS (HPV).

Las verrugas genitales crecen en y alrededor de la entrada a la vagina, el ano y el pene. Se pueden transmitir por contacto sexual o pueden simplemente crecer en el área genital de la misma forma que crecen en otras partes del cuerpo. Estas verrugas pueden ser tan pequeñas como la cabeza de un alfiler o tomar la apariencia de una coliflor.

Un hombre podría no saber que tiene una verruga, ya que ésta podría estar escondida dentro de la apertura de la uretra, y una mujer podría tener una muy dentro de la vagina y no saberlo. Podría transcurrir un intervalo de hasta 18 meses entre la infección y la aparición de las verrugas. No debería presumir automáticamente que se ha contagiado por un contacto sexual reciente.

Se diseminan mediante el contacto de piel. Si ha tenido relaciones sexuales o un contacto genital con alguien que tiene estas verrugas usted también las podría desarrollar; aun cuando no aparecerán en todos los que entran en contacto con el virus. Al igual que en todas las infecciones, el sistema inmunológico es fundamental, por esta razón si éste se suprimiese de alguna forma (por ejemplo durante el embarazo, debido al VIH o a un decaimiento general), las verrugas podrían ser difíciles de tratar.

¿CUÁLES SON LOS SÍNTOMAS?
■ Las verrugas genitales pueden aparecer individualmente o en grupos; una persona puede tener decenas de verrugas o solamente una o dos.
■ Podrían producir picazón, pero, por lo general, son indoloras.
■ A menudo no hay síntomas y pueden ser difíciles de ver.
■ En las mujeres, las verrugas pueden aparecer dentro de la vagina y en el cuello uterino; aquellas ubicadas en el cuello uterino podrían provocar una hemorragia leve o, muy rara vez, una secreción vaginal de un color poco común.

Consejos generales

La infección con el papovavirus es muy común. Los condones ofrecen cierta protección, pero es mejor buscar la orientación de una clínica especializada.
Puesto que las verrugas son de transmisión sexual, siempre vale la pena:
● Tener relaciones sexuales protegidas.
● Hacerse un examen para excluir otras infecciones de transmisión sexual.
● Asegurarse que su pareja sepa que usted tiene el papopavirus y sepa a qué estar atento en el caso de que aparezcan verrugas genitales.
● Todas las mujeres deben tomarse una citología vaginal regularmente (cada tres años)

■ En los hombres, las verrugas en el escroto o en el pene, por lo general, se parecen a aquellas que aparecen en las manos.
■ Debajo del prepucio y cerca del área anal, normalmente son brillantes y de un color blanco rosáceo.
■ A menudo, un médico o una enfermera detecta las verrugas genitales sólo mirándolas. Si se sospecha de verrugas, pero no son obvias, el médico aplicará una solución diluida parecida al vinagre en el exterior del área genital. Las verrugas se pondrán blancas.

VERRUGAS GENITALES Y CÁNCER DE CUELLO UTERINO
En las mujeres se ha establecido una asociación entre el papovavirus (HPV) y la aparición de cáncer de cuello uterino. Este cáncer es más común en aquellas que padecen del papovavirus que en el resto de la población. Es extremadamente importante que una mujer que ha tenido verrugas genitales o relaciones sexuales sin protección con un hombre con verrugas genitales se realice exámenes periódicos.

LA SEGURIDAD PRIMERO
■ Vaya al médico o a la clínica de ETS o de medicina genitourinaria para un diagnóstico y tratamiento.
■ Evite las relaciones sexuales o use preservativos por 12 semanas después de que se hayan desaparecido las verrugas.
■ Los preservativos sólo lo protegerán contra el virus de las verrugas si cubren todas las áreas afectadas.
■ Al igual que el herpes, si las áreas exteriores a los genitales estuvieran afectadas, las verrugas genitales se transmitirían mediante un contacto sexual sin penetración.

¿CUÁL ES EL TRATAMIENTO?
Nunca debería intentar tratar las verrugas genitales usted misma. Existen varios tratamientos diferentes y la elección depende de muchos factores, incluyendo el aspecto y la ubicación de las verrugas. No todos los tratamientos funcionan siempre y quizás el médico deba elegir un tratamiento alternativo después del primer intento. Muchos de éstos eliminan las células infectadas con el virus, dejando pequeñas úlceras que luego sanan.

SOLUCIÓN DE PODOFILOTOXINA Y CREMA DE PODOFILOTOXINA
Este producto se aplica en la clínica o en casa. Un tratamiento habitual dura hasta cuatro semanas.

SOLUCIÓN DE PODOFILINA
El personal de la clínica debe aplicar este tratamiento. La persona debe quitarla lavándose luego de cuatro horas, pues es tóxica y podría irritar la piel adyacente si se dejase en contacto por demasiado tiempo.

ÁCIDO TRICLOROACÉTICO
Se trata de una sustancia química cáustica que el personal de la clínica aplica directamente en las verrugas.

INMUNOMODULADORES (IMIQUIMOD)
Éstos aumentan la capacidad del sistema inmunológico para atacar el virus responsable de las verrugas genitales.

CRIOTERAPIA
Esto implica congelar las verrugas con nitrógeno líquido, el cual es aplicado por el personal de la clínica. Elimina las células de las verrugas y algo de la piel circundante.

CAUTERIZACIÓN
El personal de la clínica quema las verrugas con una sonda calentada eléctricamente, luego de adormecer el área afectada con una anestesia local.

TRATAMIENTO CON LÁSER
Se puede hacer bajo anestesia general o local en la clínica; es útil para el tratamiento de grandes áreas de verrugas. El calor del láser elimina las células.

CIRUGÍA
La extirpación quirúrgica se realiza bajo anestesia general en un hospital.

¿DÓNDE SE PUEDE TRATAR LAS VERRUGAS GENITALES?
■ El tratamiento está disponible en clínicas locales de ETS y de medicina genitourinaria. Estas clínicas no requieren una derivación del médico tratante y ofrecen tratamiento gratis y completamente confidencial. Los números de teléfono están disponibles en las páginas amarillas, los hospitales locales y los consultorios.
■ Algunos médicos ofrecen los medios para el diagnóstico y tratamiento de las verrugas genitales visibles.
■ Las clínicas de planificación familiar también ofrecen orientación y le podrán indicar dónde queda la clínica de ETS y medicina genitourinaria más cercana.

UNA PALABRA DE ADVERTENCIA
■ No intente tratar las verrugas del área genital con alguna de las lociones para verrugas que se pueden comprar en la farmacia. Ésas son sólo para usar en las manos.
■ Las verrugas pueden desaparecer por sí solas. Sin embargo, el problema no necesariamente habrá desaparecido. Puesto que el virus permanece en la piel, las verrugas podrían reaparecer.

Vaginosis bacteriana

LA VAGINOSIS BACTERIANA ES UNA INFECCIÓN BACTERIANA DE LA VAGINA QUE A VECES PROVOCA UNA SECRECIÓN ANORMAL. TENER RELACIONES SEXUALES SIN PROTECCIÓN Y CON PAREJAS MÚLTIPLES ES UN FACTOR DE RIESGO.

La vaginosis bacteriana aparece como consecuencia de un crecimiento excesivo de algunas bacterias que residen en la vagina, particularmente la *Gardnerella vaginalis y la Mycoplasma hominis*. Como resultado, se altera el equilibrio natural de los organismos en su interior. No se conoce la razón de este crecimiento, pero la afección es más común en las mujeres sexualmente activas y a menudo, pero no siempre, aparece asociado a las enfermedades de transmisión sexual. Un crecimiento excesivo del hongo *candida* y del protozoario *Trichomonas vaginalis* también puede provocar infecciones vaginales.

Por lo general, no tiene síntomas. Sin embargo, algunas mujeres podrían tener una secreción vaginal blanca grisácea con un olor semejante al del pescado o moho y picazón vaginal o de la vulva. Rara vez provoca la enfermedad inflamatoria pélvica, en la cual se inflaman algunos órganos reproductores.

¿QUÉ SE PUEDE HACER?

■ El médico quizás diagnostique la vaginosis bacteriana a partir de los síntomas.
■ Se podrían tomar muestras de cualquier secreción y examinarlas para confirmar el diagnóstico.

■ La vaginosis es generalmente tratada con antibióticos, ya sea por vía oral o como pesarios.
■ También se debería examinar y, si fuese necesario, tratar a las parejas sexuales.
■ Por lo general se sana completamente dentro de dos días después de comenzado el tratamiento, pero la afección tiende a reaparecer.

> **Vea también:**
> • **Enfermedad inflamatoria pélvica pág. 251**

Tricomoniasis

LA TRICOMONIASIS ES UNA INFECCIÓN DEL TRACTO GENITAL QUE A MENUDO NO TIENE SÍNTOMAS, PERO PUEDE PROVOCAR SECRECIONES. POR LO GENERAL AFECTA A LAS PERSONAS SEXUALMENTE ACTIVAS DE CUALQUIER EDAD. TENER RELACIONES SEXUALES SIN PROTECCIÓN ES UN FACTOR DE RIESGO.

La tricomoniasis es una infección provocada por el organismo *Trichomonas vaginalis*. En algunas mujeres, la infección provoca inflamación en y alrededor de la vagina, lo que puede traducirse en cistitis. En los hombres, dicha infección a veces produce una leve inflamación en la uretra con secreción de pus o sin ella. En la mayoría de los casos se transmite a través de las relaciones sexuales.

¿CUÁLES SON LOS SÍNTOMAS?

Algunas mujeres no tienen síntomas y la infección a menudo se detecta solamente al realizar una citología vaginal rutinaria. Si se produjeran síntomas, éstos podrían incluir:
● secreción amarilla profusa y espumosa de la vagina con un fuerte olor
● inflamación dolorosa de la vagina
● picazón y sensibilidad de la vulva (la piel alrededor de la entrada de la vagina)
● sensación de ardor al orinar
● molestias durante las relaciones sexuales
Los hombres también podrían no presentar síntomas, pero si estuvieran presentes, éstos podrían incluir:
● molestias al orinar
● secreción del pene.
Si usted o su pareja evidencian cualquiera de estos síntomas, consulte al médico o vaya a una clínica que se especialice en las ETS.

¿QUÉ SE PUEDE HACER?

Se tomarán muestras de las áreas infectadas y se examinarán para verificar la presencia del organismo. Probablemente se le examine al mismo tiempo para detectar la presencia de otras ETS.

Si padece de tricomoniasis, el médico le recetará antibióticos. También debería examinarse y, si fuese necesario, examinar a su pareja sexual aunque no tenga síntomas.

¿SE PUEDE PREVENIR?

Puede reducir el riesgo de contraer la tricomoniasis teniendo relaciones sexuales seguras. Si usted o su pareja se infectasen, debería evitar la propagación posterior absteniéndose de todo contacto sexual hasta que ambos hayan terminado el tratamiento con fármacos y el médico confirme que la infección ha sanado completamente.

> **Ver también:**
> • **Enfermedad inflamatoria pélvica pág. 251**
> • **Relaciones sexuales seguras pág. 280**

Sífilis

La sífilis es una infección bacteriana que inicialmente afecta los genitales. Sin embargo, si no se trata, dañará otras partes del cuerpo años después, incluyendo la columna vertebral y el cerebro. Una vez diagnosticada se puede tratar de manera exitosa con antibióticos por un especialista en infecciones genitourinarias en una clínica de ETS o de medicina genitourinaria.

Gonorrea

La gonorrea es una infección bacteriana que provoca inflamación y secreción genital. Una vez diagnosticada, normalmente se erradica mediante el uso de antibióticos, pero a medida que las cepas se ponen más resistentes a la terapia convencional, es importante buscar la ayuda de un especialista en una clínica de ETS o de medicina genitourinaria.

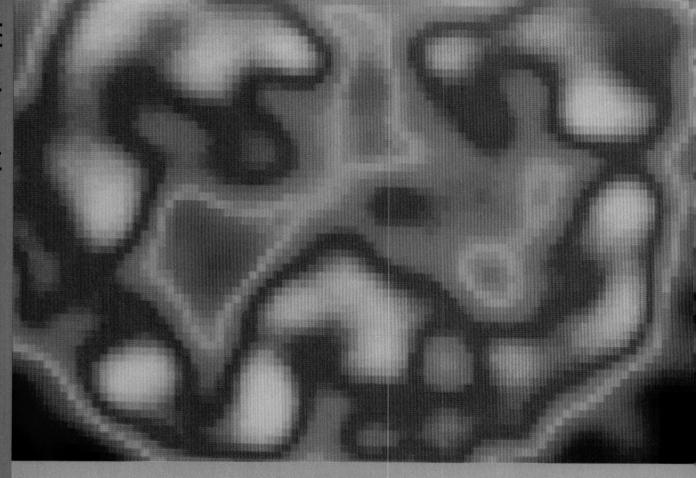

Amenazas al bienestar mental

La imagen muestra una tomografía del cerebro durante una alucinación

El resumen de Miriam

Pocas personas dudan buscar tratamiento para una enfermedad física, pero muchas difícilmente aceptan que tienen un problema de salud mental. Es una gran pena, porque la depresión, la ansiedad y los temores irracionales son comunes, bien entendidos y a menudo tratables.

Nadie debería sentirse avergonzado por padecer una enfermedad mental o pensar que debe afrontarla solo. Los trastornos por ansiedad, incluyendo los ataques de pánico, están entre los problemas de salud mental más comunes en el Reino Unido. Sentirse preocupado es una reacción natural a los problemas y el estrés. Pero la ansiedad persistente, en ocasiones sin una causa obvia, necesita tratamiento para impedir que se convierta en un problema prolongado.

Las personalidades ansiosas pueden ser víctimas de trastornos obsesivo-compulsivos y fobias, temores irracionales de cualquier cosa, desde las arañas hasta los espacios cerrados, los que pueden llegar a dominar la vida de una persona. Otras enfermedades relacionadas con la ansiedad incluyen el trastorno por estrés postraumático, una prolongada reacción a eventos como accidentes graves y desastres naturales.

La depresión afecta a 1 de cada 3 personas en algún

"tome el estrés *en sus manos* y *contrólelo"*

momento de sus vidas, pero es bastante difícil de comprender. No obstante, se requiere tratamiento oportuno para aliviar los síntomas y prevenir sentimientos prolongados de desesperación, los que, posiblemente, culminen en el suicidio.

Los dos trastornos alimentarios, la anorexia nerviosa y la bulimia, son más comunes en las adolescentes, pero también se están diagnosticando a una edad más temprana y también en los niños. Se los ha atribuido erróneamente al deseo de ser delgada, pero eso es no entender lo que está pasando. La anorexia es la expresión de una profunda perturbación psicológica y el deseo de ejercer algún tipo de control sobre su vida con la única herramienta disponible para una persona anoréxica: rechazar la comida. Bajar de peso es una consecuencia, no una causa.

Un nuevo síndrome en los hombres se relaciona con la anorexia e implica una obsesión similar por la forma del cuerpo y su peso, pero tiene que ver más con el desarrollo muscular que con la delgadez. Pasan horas en el gimnasio "purgándose" con ejercicios en vez de laxantes.

El estrés está siempre presente y es virtualmente inevitable en la vida moderna, pero esto no quiere decir que se debe sucumbir a él. Una mejor estrategia, si se puede, es tomarlo en sus manos, controlarlo y manejarlo para que éste lo impulse a una mayor y no una menor productividad. Aprenda a lograrlo y podrá distender las situaciones estresantes: quizás hasta descubra que le va mejor con un poco de estrés de vez en cuando.

Un fenómeno del nuevo milenio pareciera ser una preocupación por la apariencia, al punto que el sentirse feo se vuelve obsesivo. Este trastorno en el modo de considerar nuestros cuerpos se llama dismorfofobia, pero va más allá de la creencia común de que nuestras piernas podrían estar un poco gordas o que nuestras caras podrían ser asimétricas.

TERAPIAS PSICOLÓGICAS

Orientación

Antiguamente, al enfrentar una crisis emocional quizás hubiésemos ido a ver a un sacerdote, al médico de cabecera o la "anciana sabia" del pueblo. Hoy un orientador tiene ese papel. Entrenado para escuchar mientras usted habla de sus problemas personales, él puede apoyarlo en un mal momento y ayudarlo a entender el escenario general. Los amigos son maravillosos, pero no pueden brindar el mismo tiempo concentrado ni la objetividad necesaria.

La orientación es apacible y enriquecedora, basada en la confianza. El objetivo es ayudarlo a desarrollar sus propias percepciones sobre lo que anda mal para que usted pueda abordar el problema de una manera nueva. Eso debería significar que usted se sienta menos víctima de las circunstancias y tenga mayor control sobre su vida. En el transcurso de la orientación, podrá reevaluar su capacidad para enfrentar situaciones (cómo aborda las dificultades, los desafíos, las relaciones, el trabajo) y aprender nuevas maneras que sean más efectivas. También le puede ayudar a comunicarse con otros de una forma más clara y directa: decir y pedir lo que quiere, ser firme y enérgico sin ser agresivo.

La orientación a corto plazo, para una dificultad específica, puede tomar pocas sesiones semanales; mientras que los problemas más complejos y profundos necesitarán más tiempo, quizá una hora semanal durante varios meses.

Algunos consultorios tienen orientadores como miembros de su equipo de atención primaria. Los servicios de orientación comunitaria existen en muchas áreas y casi siempre hay un profesional independiente cerca de su hogar. Muchos tratan de ofrecer precios adecuados según su capacidad de pago.

Los grupos de autoayuda tienen sedes en la mayor parte del país y debería encontrar la dirección que necesita en la guía telefónica local. A veces podría haber una larga lista de espera, pero si piensa que necesita atención urgente, hable con la secretaria encargada de las citas y la mayoría de los grupos tratará de ayudar. En ocasiones se obtendrá una cita rápidamente si se asiste a una sesión diurna.

Si tiene entre 16 y 25 años de edad, podría preferir un orientador que se especialice en ayudar a gente joven. Busque en la guía telefónica para ver si hay un centro de orientación y asesoría juvenil en el área o vea el apartado Direcciones útiles (pág. 567) para más información.

La orientación se basa en la confianza, así que es importante que se sienta cómodo con el orientador. Mientras más franco sea, más se beneficiará de la experiencia. La Asociación Británica de Orientación recomienda que compare hablando con dos o tres profesionales antes de decidir cuál es el mejor para usted.

Terapia cognitiva

La terapia cognitiva se basa en la idea de que algunos problemas psicológicos surgen de modos de pensar inapropiados. Ayuda a las personas a reconocer y entender sus actuales patrones de pensamiento y les muestra las maneras en que pueden cambiar conscientemente su forma de pensar. Ésta no examina los eventos pasados, y a menudo se usa en conjunto con la terapia de conducta.

Psicoanálisis

El psicoanálisis, en su forma más pura, es inevitablemente largo y, por lo tanto, caro. No es de extrañar que una terapia requiera la asistencia diaria a la consulta del analista durante varios años. Incluso el mínimo aceptable podría involucrar dos o tres visitas semanales durante más de un año.

Una de las razones de por qué el psicoanálisis es tan prolongado es que el analista y el paciente se unen en un contrato para explorar cada aspecto de los sentimientos de este último en una manera cercana e íntima, con el objetivo de entender todas las facetas de la vida del paciente desde el primer momento del cual éste tenga recuerdo. Durante la terapia, el analista intentará interpretar la personalidad, las motivaciones, las insuficiencias y los síntomas del paciente y asociarlos con las relaciones familiares, personales, sociales y profesionales. Esta compleja exploración es necesariamente larga.

El objetivo del psicoanálisis, y de todas las otras formas de tratamiento psicológico, es ayudar a las personas a percibirse a sí mismas. Al hacerlo, intenta explicar las razones subyacentes de la perturbación y los síntomas psicológicos. Una vez explicadas, la técnica construye un método positivo de apoyo mientras los pacientes se enfrentan a sus dificultades y las manejan.

Psicoterapia a corto plazo

La psicoterapia es un método de tratamiento importante porque no requiere hospitalización y se puede incluir en la vida diaria. Por consiguiente, una madre puede quedarse en casa y una mujer que trabaja no necesita alejarse de su ambiente laboral.

Al igual que la mayoría de los otros métodos de tratamiento psicológico, la psicoterapia debe cubrir todos los aspectos de la vida del paciente. Será inútil embarcarse en una psicoterapia si no está preparado para, francamente, explorar sus sentimientos y aceptar la participación del psicoterapeuta en los detalles íntimos de sus problemas y en la formulación de un plan de tratamiento.

En el más amplio sentido, la psicoterapia es útil para manejar cualquier enfermedad que tenga un componente psicológico; la más común es la incapacidad de manejar el estrés. Puesto que el solo hecho de vivir en el siglo XXI es estresante, la mayoría de nosotros probablemente nos beneficiaríamos de una psicoterapia.

Terapia de grupo

Hay muchas formas de terapia de grupo, pero todas se basan en una premisa básica: procuran ayudar a las personas a tomar pasos bien definidos hacia un manejo personal de sus problemas. Por lo general hay cuatro pasos:

1. descubrir cuáles son los problemas reales
2. racionalizarlos
3. adaptarse a ellos
4. manejarlos.

Cualquiera que sea la forma de terapia de grupo, la presencia de otros facilita este avance paso a paso. Posiblemente se identifique con otro miembro del grupo y comparta experiencias. Quizás evalúe el comportamiento de otros como irracional aunque difícilmente reconozca y admita lo mismo en usted cuando esté solo.

En este tipo de terapia, los miembros usan el grupo como una muleta, una catarsis y un instrumento para resolver sus propias dificultades. Sin embargo, cuando la terapia es exitosa, el paciente deja de depender del grupo y desarrolla la confianza necesaria para enfrentar la vida solo.

Ansiedad

LOS SENTIMIENTOS TEMPORALES DE NERVIOSISMO O PREOCUPACIÓN EN LAS SITUACIONES ESTRESANTES SON NATURALES Y APROPIADOS. SIN EMBARGO, CUANDO LA ANSIEDAD SE CONVIERTE EN UNA REACCIÓN GENERAL A MUCHAS SITUACIONES COMUNES Y DIFICULTA EL MANEJO DE LA VIDA DIARIA, SE LA CONSIDERA ANORMAL.

Los trastornos por ansiedad toman diferentes formas; la más común es una ansiedad generalizada persistente que es difícil de controlar.

Cualquier tipo de ansiedad puede desembocar en el pánico, en el cual se producen recurrentes ataques de ansiedad intensa y síntomas físicos alarmantes (ver recuadro). Estos ataques son impredecibles y casi nunca tienen una causa obvia.

En otro tipo de trastorno, conocido como fobia, una ansiedad severa resulta del temor irracional frente a una situación, criatura u objeto, por ejemplo, el temor a los espacios cerrados (claustrofobia) y el temor a las arañas (aracnofobia).

El trastorno por ansiedad generalizado afecta a aproximadamente 1 de cada 25 personas. Comúnmente comienza en la edad madura y afecta más a las mujeres que a los hombres. A menudo se relaciona con la menopausia y la falta de estrógeno. Este tipo de ansiedad responde bien al estrógeno en la forma de una terapia de sustitución hormonal, puesto que es uno de los tranquilizantes más potentes que se conocen.

¿CUÁLES SON LAS CAUSAS?

Un aumento de susceptibilidad a los trastornos por ansiedad podría ser hereditario o deberse a las experiencias de la niñez. Por ejemplo, se ha demostrado que un mal vínculo afectivo entre un hijo y su padre o madre, o la abrupta separación de un hijo de su padre o madre son importantes en algunos trastornos de este tipo. Una ansiedad generalizada podría aparecer después de un evento estresante, como la muerte de un pariente cercano. Sin embargo, la ansiedad raramente tiene una causa en particular. Algo similar ocurre con los ataques de pánico, pues a menudo aparecen sin una razón obvia.

¿CUÁLES SON LOS SÍNTOMAS?

Las personas con trastorno por ansiedad generalizado y ataques de pánico tienen síntomas tanto psicológicos como físicos. No obstante, en alguien con este tipo de afección, los síntomas psicológicos tienden a persistir, mientras que los físicos son intermitentes. En los ataques de pánico, tanto los síntomas psicológicos como los físicos aparecen juntos, y de una forma impredecible y repentina. Los síntomas psicológicos de la ansiedad incluyen:

● una aprensión indescriptible que no tiene razón ni causa obvia
● nervios e incapacidad de relajarse
● concentración disminuida
● pensamientos preocupantes repetitivos
● sueño alterado y ocasionalmente pesadillas.

Además, podría presentar síntomas de depresión, como despertar temprano o un sentimiento de desesperanza. Los **síntomas físicos**, que se producen en forma intermitente, incluyen:

● dolores de cabeza
● retortijones abdominales, a veces diarrea y vómito
● orinar con frecuencia
● sudor, rubor y temblores
● sensación de algo atascado en la garganta.

Los síntomas psicológicos y físicos de los ataques de pánico incluyen lo siguiente:

● falta de aliento
● sudor, temblores y las náuseas
● palpitaciones (conciencia de un ritmo cardíaco anormalmente rápido)

continúa en pág. 292

Ataques de pánico

Un ataque de pánico es un arranque corto de ansiedad abrumadora. Ocurre sin advertencia y en forma muy impredecible, y tiende a sobrevenir en lugares públicos, como un supermercado o un ascensor lleno. Los síntomas comienzan repentinamente con una sensación de no poder respirar, dolores de pecho, palpitaciones, mareos, sudor, temblores, sensación de desmayo, respiración rápida y superficial y hormigueo. Aunque son muy desagradables y aterradores, los ataques de pánico generalmente duran unos pocos minutos, no causan daño físico y rara vez se asocian con una enfermedad física grave.

Cómo ayudarse:

● El **ejercicio** puede ser muy útil, distrayendo la mente y aliviando el estrés mental. También aumenta el flujo de sangre al cerebro. Los estudios han demostrado que trotar durante 30 minutos tres veces a la semana, es tan eficaz como la psicoterapia en el tratamiento de la depresión, y funcionará igual de bien para usted. Por lo tanto, si puede, establezca una rutina de ejercicio regular: caminar, nadar o lo que le plazca. Comience gradualmente, aumentando el ritmo a medida que progresa.
● **Evite la comida chatarra y el azúcar** y aumente la ingesta de cereales integrales,

verduras, frutas, carnes sin grasa, productos lácteos de bajo contenido graso y pescado. Se ha descubierto que el aminoácido triptófano alivia la ansiedad, y sus fuentes naturales son el pavo, el pollo, el pescado, las arvejas, las nueces y la mantequilla de maní; si puede, cómalos con carbohidratos como las patatas, las pastas o el arroz, que facilitan la absorción del triptófano en el cerebro.
● También podría encontrar que el uso de **esencia de salvia silvestre** (disponible en tiendas de alimentos naturales y farmacias) le es útil. Se trata de un poderoso relajante y mentalmente eleva el ánimo. Alivia la fatiga mental y la depresión y le ayuda a dormir bien. Ponga dos o tres gotas en un bol con agua hirviendo e inhálelo, o añada un poco al agua del baño. También podría poner de cuatro a seis gotas en un pañuelo cuando va a salir e inhalarlo cuando se sienta particularmente tenso.
● La **pasionaria** y la **raíz de valeriana** tomadas como infusión tienen un efecto tranquilizador. Algunas personas también han encontrado que el **jengibre, la cayena, la raíz de diente de león y el ginseng siberiano** tienen propiedades útiles y calmantes.
● **Ayuda instantánea durante un ataque de pánico:** también necesita una manera de relajarse **instantáneamente** cuando está en público y siente que le viene un ataque de pánico, y lo logrará una

vez que se acostumbre a practicar las técnicas de relajación en los momentos que usted elija en su hogar. Pruebe el siguiente ejercicio cuando esté fuera de la casa (yo opino que es particularmente bueno cuando se está esperando en una fila).
1. Párese lo más cómodo y relajado que pueda.
2. Respire profundo contando hasta cinco y luego exhale lentamente.
3. Mentalmente diga a todos los músculos que se relajen.
4. Repita esto dos o tres veces hasta que se sienta relajada.
5. Imagínese en una situación placentera, como estar caminando por una playa o sentada en un hermoso jardín.

Si se encuentra hiperventilando (respirando rápida y superficialmente), cubra la boca y nariz con una **pequeña bolsa de papel** y respire dentro de ella por unos minutos. Pronto se sentirá mucho más tranquilo. Durante un ataque, **concéntrese lo más que pueda** en algo que puede ver, como un dibujo en la alfombra o un cuadro en la pared. Esté tranquilo. Trate de continuar con lo que estaba haciendo, pero hágalo con calma.
● **Ayuda adicional:** Los ataques de pánico pueden ser un síntoma de un problema más profundo que puede requerir **orientación** (ver Terapias psicológicas). Podría ser una manera de redescubrir recursos internos que quizás haya olvidado que posee debido a su ansiedad actual.

ENFOQUE *en* el estrés

Muchas personas necesitan algo de estrés para optimizar su desempeño, ya que, en cierta medida, nos puede ayudar a esforzarnos al máximo. Sin embargo, demasiado estrés, especialmente si es continuo, puede causar graves problemas de salud.

Aunque muchas personas todavía piensan en el estrés como algo totalmente negativo, éste puede ser positivo o negativo. Es energía generada por el cambio, y puede variar entre algo tan insignificante como levantarse en la mañana y un acontecimiento principal de la vida, como dar a luz o la pérdida de un ser querido.

¿QUÉ NOS PROVOCA ESTRÉS?
La respuesta corta es, potencialmente, cualquier cosa. En general, mientras más eventos nos suceden en un período determinado, digamos un año, y mientras mayor sea el puntaje combinado según la clasificación (ver tabla a continuación), más probable será que reaccionemos con estrés físico o emocional.

Por supuesto, una enfermedad relacionada con el estrés, como la dispepsia, la acidez o el colon irritable, también aumentará a la presión.

EFECTOS FÍSICOS DEL ESTRÉS
La reacción de estrés es una respuesta natural al miedo. Prepara el cuerpo para **pelear** o **huir**.

Por consiguiente, si estamos en un constante estado de temor, estaremos en un constante estado de estrés. Eso nos puede enfermar y se denomina una enfermedad relacionada con el estrés.

Cuando nos enfrentamos a una situación estresante, el cerebro y luego el cuerpo responden aumentando la producción de ciertas hormonas, como el cortisol y la adrenalina. Éstas provocan cambios en el ritmo cardíaco, la presión, la actividad metabólica y física, los que están diseñados para mejorar el desempeño general.

Todos reconocemos los efectos físicos de la adrenalina:
● El corazón comienza a latir con rapidez para bombear el máximo de sangre al cuerpo y alistarlo para la acción.

● La velocidad de la respiración aumenta para que la sangre lleve el máximo de oxígeno a los músculos y así trabajen eficientemente.
● La presión sube para que los órganos principales tengan un buen suministro de sangre.
● Los vasos sanguíneos en la piel y los órganos internos se estrechan, desviando la sangre a los músculos, preparándonos para correr.
● Las pupilas se agrandan para que podamos ver tanto lo que nos asusta como un camino despejado para escapar.
● El azúcar en la sangre aumenta significativamente, proporcionando la gran cantidad de energía que necesitaremos si tenemos que pelear con un adversario o huir de él.

Una cierta cantidad de estrés no es mala, ya que nos ayuda a enfrentar los desafíos y mantenernos motivados. Pero cuando los niveles aumentan bruscamente, nuestra capacidad de enfrentar la situación se interrumpe. Menos de un 20 por ciento de las personas reaccionan en forma adecuada al enfrentar una crisis como un incendio o una inundación.

¿POR QUÉ EL ESTRÉS NOS ENFERMA?
Vivir en el siglo XXI implica que sintamos más estrés del que jamás ha sentido ningún miembro de la raza humana. Pertenecemos a una sociedad orientada al éxito, en la cual es imposible escapar de la competencia y del deseo de triunfar.

Sufrimos de estrés porque hemos evolucionado mucho desde los tiempos cuando se podían resolver las situaciones estresantes peleando o huyendo. No obstante, la adrenalina se bombea por nuestros cuerpos y nos alista para hacer ambas cosas. Los cuerpos están alertas, pero los instintos de correr o confrontar al enemigo están reprimidos.

La tensión y frustración resultante producen más estrés y se inicia un círculo vicioso que puede provocar una enfermedad física y mental.

ENFERMEDADES RELACIONADAS CON EL ESTRÉS
La exposición continua al estrés (temor) a menudo provoca enfermedades relacionadas, como la depresión, los dolores de cabeza, la dispepsia, las palpitaciones y los dolores musculares.

El estrechamiento de los vasos sanguíneos como consecuencia del estrés prolongado también puede provocar una **presión alta**. Si la presión permanece elevada por un tiempo, dañará las arterias y posiblemente provoque un infarto.

También se podrían producir **migrañas, afecciones de la piel como el eccema**

Sucesos que provocan más estrés

EVENTO	CLASIFICACIÓN DE ESTRÉS	EVENTO	CLASIFICACIÓN DE ESTRÉS
Muerte del cónyuge	100	Crédito hipotecario grande	31
Divorcio	73	Nuevas responsabilidades	
Separación matrimonial	65	en el trabajo	29
Prisión	63	Hijos que se van de la casa	29
Muerte de un familiar	63	Problemas con los suegros	29
Lesión o enfermedad personal	63	Logros personales sobresalientes	28
Matrimonio	50	El cónyuge empieza o deja	
Pérdida del trabajo	47	de trabajar	26
Reconciliación matrimonial	45	Comienza o termina el colegio o	
Jubilación	45	la universidad	26
Enfermedad de un miembro		Cambian las condiciones de vida	25
de la familia	44	Cambian los hábitos personales	24
Embarazo	40	Problemas con el jefe	23
Problemas sexuales	39	Cambio en las condiciones laborales	20
Nuevo bebé	39	Cambio de residencia	20
Cambios dentro del trabajo	39	Cambio de colegio o universidad	20
Cambio en las circunstancias		Cambio en las actividades sociales	18
financieras	38	Cambio en los hábitos de dormir	16
Muerte de un amigo cercano	37	Cambio en los hábitos alimentarios	15
Cambio de trabajo	36	Vacaciones	13
Aumento de discusiones		Navidad	12
matrimoniales	35	Leve violación de la ley	11

(dermatitis) y **picazón** (prurito), y problemas digestivos como el **colon irritable**, la dispepsia y la **úlcera péptica.**

Hay otras enfermedades graves que pueden empeorar por el estrés, como la **artritis**, el asma y la **diabetes.** La investigación demuestra que cuando estamos bajo estrés somos más susceptibles a las infecciones, especialmente de los **virus.**

Ciertos problemas relacionados con el estrés, específicos de las mujeres, incluyen los **trastornos menstruales**, el **dolor pélvico**, las **dificultades sexuales**, la **tensión premenstrual**, **crecimiento de vellos no deseados y perturbación de la función ovárica**, lo que provoca la anovulación.

El estrés de la vida moderna no va a desaparecer, así es que nuestra única esperanza es cambiar nuestra actitud.

En otras palabras, debemos manejar el estrés o, mejor aún, aprovecharlo y usar su energía.

Para poder vivir con estrés debemos saber qué lo causa, y si nuestras reacciones son sensibles. Si no lo son, impedirán que lo manejemos y controlemos.

Algunas personas son más susceptibles que otras al estrés, pero con entrenamiento y práctica, la mayoría de nosotros puede aprender a manejarlo.

ESTILO DE VIDA Y ESTRÉS

Para ayudar a precisar la fuente del estrés, comience preguntándose si hay factores físicos o emocionales que lo afecten:
- ¿Está fumando mucho como una reacción al estrés?
- El estrés, ¿le está haciendo beber en exceso?
- ¿Hace ejercicio o es sedentario?
- ¿Podría estar enfermo?
- ¿Hay algún nuevo elemento desafiante en su vida?
- ¿Ha habido algún cambio en sus circunstancias generales?
- ¿Han empeorado los problemas de larga data?
- ¿Hay alguien cercano que afronta dificultades que le afecten?

SOBREPONERSE AL ESTRÉS

A menudo, lo más difícil del estrés es reconocerlo.

Si se siente estresado, tendrá muchas buenas razones para sentirse optimista de que podrá sobreponerse al estrés. Hay varias cosas sencillas y efectivas que puede intentar para reducirlo y sobreponerse.

Da mucha satisfacción controlar el estrés con confianza, y una vez que lo haya hecho, se sentirá más fuerte y con más confianza de poder hacerlo la próxima vez.

¿DEMASIADAS COSAS?

No tiene por qué ser así. Aprenda a asignar prioridades y hacer listas.
- ¿Qué **tengo** que hacer?
- ¿Qué **debo** hacer?
- ¿Qué **puede** "esperar"?
- ¿Qué no **necesito** hacer?

Sólo aborde los primeros dos y deje que los otros esperen.

CONTROLE EL ESTILO DE VIDA MANEJANDO EL ESTRÉS

- Haga un cronograma diario o semanal de las cosas que le encanta hacer e incluya una de ellas todos los días.
- Planee el futuro y no siga pensando en los errores o en las desilusiones del pasado.
- Premie sus logros y desafíe a sus críticos; no crea en la crítica tan ingenuamente.

- Encuentre tiempo todos los días para descansar y relajarse, aunque sólo sea para darse un baño corto en la bañera o pasar 10 minutos con los pies levantados reposando en un sillón cómodo y leyendo una revista.
- Involucre a la familia, especialmente a los niños, y a los amigos para que le ayuden a cambiar su estilo de vida. Sus hijos lo obligarán a relajarse y descansar con los pies en alto.

DIETA

Comer bien nos ayuda a manejar el estrés adecuadamente.

Las personas que comen una dieta alta en pan y cereales integrales, frutas y verduras, y baja en carbohidratos refinados, azúcar, cafeína y grasa demuestran más capacidad para manejar el estrés.

LA DIETA ANTIESTRÉS

Cada día coma:
- **Una naranja**, verduras frescas y hojas de color verde oscuro para la vitamina C, el ácido fólico, el selenio y los antioxidantes.
- **Pescado**, por ejemplo, atún, arenque, salmón, y aceite en las ensaladas para las vitaminas A, D y E, los ácidos grasos esenciales para el cerebro, cinc y manganeso para el sistema inmunológico.
- **Un cuarto de litro de leche descremada** o dos yogures con bajo contenido graso para el calcio.
- **Carbohidratos no refinados,** como el pan integral, el arroz integral, la avena, coma tres porciones, para mantener altos los niveles de serotonina en el cerebro y proveer las vitaminas B que regulan los estados de ánimo y le hacen sentirse optimista y positivo.
- Las **cebollas**, el **brócoli**, los **tomates** y té (para los flavonoides), que son potentes antioxidantes que ayudan a prevenir la muerte de células (envejecimiento) y el cáncer.

Además:
- **No coma la comida principal** después de las 8 de la noche: podría interferir en el sueño reparador.
- **Beba algo caliente y dulce** (como una taza de chocolate dietético) en la cama y duérmase escuchando música o leyendo un libro.
- **Si puede, abrace y mime a alguien;** es el mejor antídoto para el estrés y la ansiedad.

PÉRDIDA DE APETITO

El estrés, a menudo, provoca falta de apetito. Por lo tanto:
- Ingiera porciones pequeñas de alguna comida que le guste en particular.
- Temporalmente evite las situaciones que le presionen para terminar de comer.
- Beba mucho líquido, en especial agua, jugos de fruta y leche descremada.

Bajar de peso puede ser un indicador importante del grado de estrés; por lo tanto, si sigue bajando de peso busque la ayuda del médico.

PÉRDIDA DE LA LIBIDO

El decreciente interés sexual es una característica frecuente del estrés y causa mucha angustia y, por consiguiente, más estrés.

No durará para siempre, por lo tanto mantenga la calma y, mientras tanto, trate de disfrutar de las partes de su relación sexual que aún le dan placer. Mimarse, tocarse y besarse siempre son un placer.

DISTENDER EL ESTRÉS

Según este libro, cualquier cosa que le ayude a distender el estrés es buena. A continuación doy algunas sugerencias.

EJERCICIO

El ejercicio es lo que el cuerpo instintivamente quiere hacer bajo estrés, pelear o huir, y es muy beneficioso para relajar la mente y el cuerpo.

Correr, caminar, andar en bicicleta, nadar o cualquier otro ejercicio aeróbico, regular e idealmente realizado durante por lo menos 20 minutos tres veces por semana, puede hacer una gran diferencia.

Incluso dar una vuelta a pie alrededor de la manzana ayuda a relajarse y aliviar el estrés. Elija un ejercicio que le agrade.
- Haga un precalentamiento de dos o tres minutos estirándose antes de comenzar un ejercicio vigoroso.
- Tómelo con calma y no se exija en demasía. Siempre haga ejercicios dentro de los límites de la comodidad, permitiendo que la respiración sea su guía. Si duele, deténgase.
- Si se siente cansado, deténgase y descanse.
- Cuando deje de hacer ejercicio, enfríese gradual y lentamente para evitar el entumecimiento.
- Hacer ejercicio a un ritmo que le mantiene "resoplando" levemente, pero no jadeando, es lo mejor para estimular tanto los músculos como la circulación y para quemar calorías.
- Vigile el ritmo cardíaco; si es una persona con un buen estado físico en términos médicos (verifíquelo con su médico), el ritmo cardíaco no excederá los 110 latidos por minuto durante el precalentamiento, y durante el ejercicio

La aromaterapia para ayudar con el estrés

- Mantenga esencia de lavanda cerca de usted: los estudios han demostrado que reduce el estrés.
- Coloque cinco o seis gotas en el agua cuando tome un baño de tina o en un pañuelo. Si tiene la piel sensible, se recomienda probar con un poco de esencia diluida en un área pequeña.
- Evite que entre en contacto con los ojos y ciérrelos siempre al inhalar. El núcleo interior del cerebro, el área que tiene que ver con las emociones, interpreta los olores. Por lo tanto, los aromas tienden a afectar poderosamente el ánimo y la salud.
- Las esencias concentradas que usan los aromaterapeutas son una mezcla compleja de sustancias químicas. Las diferentes esencias tienen propiedades específicas.

Esencia	Efecto
Bergamota	Antidepresivo
Manzanilla	Tranquilizante
Salvia silvestre	Estimulante
Cardenal	Antidepresivo
Jazmín	Antidepresivo
Lavanda	Tranquilizante
Mejorana	Sedante
Neroli	Sedante
Rosa	Sedante

Advertencia: Las esencias de la aromaterapia nunca deben usarse internamente. Excepto por la bergamota, la rosa y el neroli, se debe evitar las esencias de la tabla durante el embarazo, aunque sólo hay que evitar la lavanda y la manzanilla durante los primeros tres meses.

SEA POSITIVO

● Haga una lista de sus tres mejores atributos. ¿Cómo lo describe la gente? ¿Generoso, cariñoso y fiable? Mantenga la lista con usted y léala cada vez que se encuentre pensando en cosas desagradables.

● Mantenga un diario de todos los eventos pequeños y desagradables que suceden y hable de ellos a diario con su pareja o un amigo. Escriba lo que hizo para disfrutar y entretenerse. Revise los días pasados en el diario todas las semanas para constatar el avance y planear lo que pretende lograr la semana entrante.

● Recuerde los momentos agradables del pasado y planifique momentos similares en el futuro.

● Evite hablar de sentimientos desagradables.

● Mantenga la mente ocupada planificando y haciendo tareas constructivas; evite estar sentado o acostado soñando o no haciendo nada.

● Mantenga una lista de afirmaciones que pueda decirse a sí mismo cuando esté estresado. Es asombroso: frases sencillas como "yo realmente puedo manejar esto" elude la reacción de estrés.

FORMAS DE MANEJAR EL ESTRÉS

● Sea razonable consigo mismo.
● Evite el perfeccionismo.
● Decida lo que realmente importa en la vida.
● Piense en el futuro y trate de anticipar la resolución de los problemas.
● Comparta sus preocupaciones con la familia o los amigos.
● Haga ejercicio regularmente.
● Regálese gustos y recompensas por acciones, actitudes y pensamientos positivos.
● Relájese todos los días.
● Haga cambios pequeños y periódicos en su estilo de vida.
● Aprenda a delegar.
● Tome descansos cortos durante el día.
● Tome descansos apropiados para comer.
● Tómese tiempo para usted mismo todos los días y todas las semanas.
● Conozca sus límites y trate de trabajar dentro de ellos.

CONSEJO DE PRIMERA

El secreto de controlar el estrés se parece a manejar a un niño que tiene un berrinche. Tome el control y use tácticas de distracción. Entonces el estrés será lo que debería de ser: una breve reacción repentina a una situación amenazante y no un estado prolongado.

---

vigoroso, no debería exceder los 130 latidos.

● Si está dispuesta a hacer ejercicio durante 30 minutos, sus propias endorfinas comenzarán a trabajar maravillosamente. Suprimen el apetito, curan los dolores de cabeza y le hacen dormir bien.

RELAJACIÓN

Respiración yoga:

Arrodíllese en el suelo, coloque una mano en el estómago y la otra en el pecho. Inhale por aproximadamente dos segundos, permitiendo que el estómago se infle, luego, en forma lenta, exhale por aproximadamente cuatro a ocho segundos, sintiendo como el estómago se desinfla. Después coloque la mano en el pecho y repita el procedimiento permitiendo que el pecho se infle y se desinfle. Repita ese patrón durante varios minutos.

Asistir a una clase y practicar la meditación yoga en su casa desviará su mente del estrés, relajará la tensión muscular estirando los músculos y le enseñará a respirar mejor. Si no desea hacer yoga, la siguiente rutina de relajación podría ayudarle.

1. Acuéstese en una superficie firme, cierre los ojos y fíjese en cómo siente su cuerpo.

2. Imagine una escena tranquila. El azul es un color relajante, así que pruebe con un cielo azul y un mar tranquilo.

3. Enfoque la atención en cada parte del cuerpo, comenzando con las puntas de los dedos de los pies y terminando con la cara y los ojos.

4. Conscientemente intente relajar cada parte del cuerpo por turno.

5. El procedimiento completo debería tomar por lo menos 10 minutos, y debería hacerlo al menos una vez al día para que sea beneficioso. Si prefiere, compre una grabación de relajación o pida una prestado en la biblioteca.

LA IMPORTANCIA DEL TACTO

Tocar es una parte esencial de la salud. Las personas se deprimirán y se volverán irritables si no se les toca lo suficiente.

Además, tocar baja la presión. El masaje no solamente relaja y calma, también estimula los sistemas de circulación y linfático; ambos son importantes para impedir que se hinchen la cara, las manos y los pies.

Si es necesario, tóquese, acaríciese y hágase masajes; sentirá cómo se desvanece el estrés. Las personas con mascotas viven más que las personas sin ellas, y se cree que eso se debe al efecto tranquilizador de las caricias.

continuación de pág. 287

- mareos y desmayos
- temor a atragantarse o de muerte inminente.
- una sensación de irrealidad y temor de perder la cordura.

Muchos de estos síntomas se pueden malinterpretar como señales de una enfermedad física grave y eso podría aumentar el nivel de ansiedad. Con el tiempo, el temor de sufrir un ataque de pánico en público podría llevarle a evitar situaciones como comer en restaurantes o estar entre multitudes.

¿QUÉ SE PUEDE HACER?

■ Quizás usted pueda encontrar sus propias maneras de reducir los niveles de ansiedad, incluyendo los **ejercicios de relajación** (ver recuadro). Si no pudiera manejar la ansiedad o identificar una causa específica de la misma, debería consultar al médico.

■ Es importante ir al médico lo antes posible después de un ataque de pánico.

■ Si enfrentase un período especialmente estresante de su vida o un evento difícil, el médico podría recetarle una **benzodiazepina**, pero estos fármacos normalmente se recetan por un corto tiempo, por ejemplo, de 3 a 4 semanas, debido al peligro de la dependencia.

■ Posiblemente le recete **betabloqueadores** para tratar los síntomas de ansiedad; los actores los encuentran útiles para vencer el miedo a salir a escena.

■ Si tuviese síntomas de depresión, le podría recetar fármacos **antidepresivos**, algunos de los cuales también son útiles en el tratamiento de los ataques de pánico, particularmente los más recientes ISRS (inhibidores selectivos de la recaptación de serotonina).

■ En la mayoría de los casos, mientras más precozmente se trate la ansiedad, más rápido se controlarán los efectos. Sin tratamiento, un trastorno por ansiedad puede convertirse en una condición para toda la vida.

AUTOAYUDA

Hay varias medidas que usted puede probar para ayudarse a controlar un ataque de pánico, como simplemente **respirar en una bolsa**. Para cualquier trastorno por ansiedad, el médico podría recomendar **orientación** para ayudarle a manejar el estrés. Asimismo, le podrían ofrecer **terapia cognitiva o conductual** para ayudarle a controlar la ansiedad. Un grupo de autoayuda también podría serle útil.

Ver también:
- **Fobias pág. 293**
- **Terapias psicológicas pág. 286**

Relajación

Practique los siguientes ejercicios de relajación durante 20 minutos, por lo menos, cada día en una habitación temperada, cómoda y privada. No se sorprenda si le toma varias semanas notar una diferencia, pero una vez que haya dominado estas técnicas descubrirá que es capaz de afrontar las situaciones estresantes con menos ansiedad.

Cabeza Siéntese en una silla donde pueda apoyar las manos, los hombros y la cabeza. Empuñe las manos, mantenga la tensión y suelte. Repita hasta que las manos se sientan relajadas. Con la boca abierta respire profundamente, mantenga la respiración por cinco segundos y exhale. Repita 6

veces. Se sentirá más tranquilo y relajado.
Piernas Estire ambas piernas, manteniéndolas en el aire. Estire los dedos de los pies en dirección opuesta al cuerpo y mantenga la tensión muscular. Relájese, dejando que las piernas caigan al suelo. Repita hasta que las piernas se sientan sueltas y relajadas.
Estómago Contraiga los músculos del estómago, respire profundo y mantenga la tensión. Relájese exhalando. Repita 5 veces.
Brazos Empuñe las manos, mantenga la tensión y relájese. Estire los brazos (como para tocar el cielo) y tense los músculos, alcanzando lo más alto en el aire posible. Relájese dejando que los brazos

caigan al lado. Repita hasta que éstos se sientan sueltos y relajados.
Hombros Encójase de hombros hasta que toquen las orejas. Luego déjelos caer y relájelos. Repita 5 veces. Empuje los hombros hacia delante y hacia adentro como para que se junten, haciendo una "joroba" en su espalda (empujando los brazos hacia delante). Empuje los hombros hacia atrás y hacia adentro, arqueando la espalda. Mantenga la tensión y luego relájese, dejándose caer hacia atrás en la silla. Repita 5 veces.
Cuello Mueva la cabeza hacia la izquierda, mantenga la tensión. Mueva la cabeza hacia la derecha y mantenga la tensión. Empuje la cabeza hacia delante con el mentón en el pecho y tense la parte de atrás del cuello. Relájese, permitiendo que la cabeza nuevamente descanse en la silla. Repita 5 veces.
Cabeza y cara Suba las cejas, tense, y luego frunza el ceño y tense. Repita hasta que el cuero cabelludo y la frente estén relajados. Cierre bien los ojos apretadamente y mantenga la tensión. Relájese, dejando que los párpados caigan y cierren los ojos. Apriete los dientes, sienta la tensión y luego relájese, permitiendo que la mandíbula caiga levemente. Frunza la boca en la forma de un silbido u "O", luego tense los labios como para hacer el sonido de la "I". Relaje la boca.
Concéntrese en respirar profunda y regularmente, exhalando al inhalar. Escoja su escena de relajación **favorita** y llene su mente con ella (visualización). **Húndase, relajado, en la silla.** Permanezca así por aproximadamente 10 minutos, y permítase disfrutarlo.

Respiración
La correcta respiración profunda es la clave de todas las rutinas de relajación. La mayoría de nosotros respiramos incorrectamente, usando sólo una tercera parte de nuestra capacidad pulmonar. Puede verificar esto por sí mismo parándose desnudo frente a un espejo. El abdomen debería moverse cuando inhala, pero la mayoría de nosotros sólo usamos la parte superior del pecho. Trate de reemplazar la respiración superficial por una profunda y lenta. Además de mejorar el desempeño de los pulmones y los músculos del abdomen, le relajará el cuerpo entero.

Trastorno obsesivo-compulsivo

UNA PERSONA CON TRASTORNO OBSESIVO-COMPULSIVO ES COMPLETAMENTE NORMAL, EXCEPTO PORQUE LOS PENSAMIENTOS NO DESEADOS QUE ENTRAN REPETIDAMENTE A SU MENTE LA DOMINAN.

Estos pensamientos persistentes (llamados obsesiones) hacen que la persona afectada realice acciones repetitivas y sin sentido (llamadas compulsiones). En el trastorno obsesivo-compulsivo, los pensamientos a menudo son acompañados por una forma de **ritual** compulsivo, pero sin sentido, en el cual un comportamiento o acción, como revisar que las llaves aún estén en el bolsillo, se repite una y otra vez. La persona afectada no desea realizar esas acciones, pero se siente obligada a hacerlas. Los pensamientos pueden ser preocupaciones relacionadas con la higiene, la seguridad personal o las posesiones. Alternativamente, puede haber pensamientos violentos y obscenos que están completamente fuera de lugar.

Algunos ejemplos de compulsiones comunes incluyen **lavarse las manos, revisar que las ventanas y puertas estén cerradas con llave** y **ordenar los objetos en el escritorio en configuraciones precisas.** Llevar a cabo el ritual refuerza un sentimiento de control y trae un alivio de corta duración, pero, en casos graves, el ritual se realiza cientos de veces al día e interfiere en el trabajo y la vida social.

Si es de algún consuelo, **3 de cada 100** personas experimentan un trastorno obsesivo-compulsivo en algún momento de sus vidas. A veces es hereditario y ciertos eventos estresantes pueden provocarlo.

Muchas personas famosas han sufrido de trastornos obsesivo-compulsivos. Por ejemplo, está bien documentado que el magnate norteamericano Howard Hughes estaba obsesionado con la higiene. Hay rumores que el cantante Michael Jackson también tiene esta obsesión. En parte la afección es hereditaria, pero los factores ambientales son importantes. Se dice que los rasgos de personalidad de orden y limpieza están relacionados.

Es importante que su familia y amigos entiendan que, aun cuando usted estima que estos pensamientos y compulsiones no tienen sentido, no es capaz de hacer caso omiso de ellos o resistirlos. La razón es que una vez que el trastorno se ha desarrollado, se produce un desequilibrio químico en el cerebro que se ha identificado como un cambio en los niveles de **serotonina**, y por esa razón se recetan los inhibidores selectivos de la recaptación de serotonina (ISRS).

¿CUÁLES SON LOS SÍNTOMAS?

■ Imágenes mentales intrusivas e irracionales.
■ Intentos repetidos de resistir los pensamientos.
■ Comportamiento repetitivo.

La persona puede estar consciente que el comportamiento es irracional y le puede angustiar, pero no puede controlar las compulsiones.

OBTENER AYUDA

Los trastornos obsesivo-compulsivos graves y profundamente arraigados necesitan ayuda profesional.

La **psicoterapia y la orientación** son "tratamientos de conversación", donde se le da la oportunidad de hablar sobre las dificultades con alguien que escuchará y aceptará lo que usted dice sin ridiculizarlo, y que le ofrecerá apoyo en su intento de sobreponerse a la compulsión. Los tratamientos de conversación aumentan su autoestima y confianza, porque la expresión de los sentimientos y sentirse comprendido es terapéutico.

La **terapia cognitiva** es una terapia de conducta que nos ayuda a transformar el ánimo cambiando la forma de pensar. En otras palabras, nos enseña a desafiar las creencias contraproducentes y a desarrollar creencias positivas.

La terapia de conducta es un tratamiento que se ha utilizado exitosamente durante muchos años en el tratamiento de las fobias y los trastornos obsesivo-compulsivos. Se enfoca en las formas prácticas del tratamiento, diseñadas para modificar la conducta y sobreponerse a los temores. La herramienta principal es el tratamiento de exposición, que significa confrontar lo que sea que le asusta hasta que se acostumbre a ello.

Los **fármacos** para el trastorno obsesivo-compulsivo han probado ser útiles. Hay varios tipos disponibles, todos dentro de la categoría de antidepresivos, aunque los más recientes, como los ISRS, actúan de muchas otras maneras. Los fármacos para el trastorno obsesivo-compulsivo tienen una acción específica antifóbica en el cerebro y algunos de los más exitosos son los ISRS, que incluyen Prozac y Seroxat. Trabajan aumentando los niveles de serotonina en el cerebro.

> **Ver también:**
> • **Terapias psicológicas pág. 286**

Fobias

MUCHAS PERSONAS TIENEN UN TEMOR EN PARTICULAR, COMO EL TEMOR A LOS PERROS O A LAS ALTURAS, QUE DE REPENTE PERTURBA. SIN EMBARGO, UNA FOBIA ES MUCHO MÁS QUE ESO: ES UN TEMOR O ANSIEDAD PERSISTENTE QUE INTERFIERE EN LA VIDA NORMAL.

Una fobia es un temor o una ansiedad que ha sido llevada al extremo: nosotros y la persona que la tiene reconocemos que es irracional. Una persona con una fobia tiene un deseo tan apremiante de evitar contacto con el objeto o la situación temida, que eso interfiere en su vida normal. Aproximadamente 1 de cada 20 personas tiene una. La raíz de la mayoría se encuentra en la niñez y el problema normalmente aparece al final de esta etapa, en la adolescencia o al entrar a la vida adulta.

Ser expuesto al objeto de la fobia provoca una **reacción de pánico** con **ansiedad incapacitante, sudor y ritmo cardíaco rápido.** Aunque sabe que ese temor intenso es irracional, una persona con una fobia igual siente una ansiedad que solamente se puede aliviar evitando el objeto o la situación temida. La necesidad de hacer eso interfiere en las rutinas y limita su capacidad de participar en las actividades cotidianas.

¿CUÁLES SON LOS TIPOS?

Las fobias toman muchas formas diferentes, pero se pueden dividir básicamente en dos tipos: fobias simples y fobias complejas.

FOBIAS SIMPLES

Las fobias específicas a un objeto, situación o actividad, como el temor a las arañas, a las alturas o a volar se llaman fobias simples. Por ejemplo, la **claustrofobia**, el temor a los espacios cerrados, es una fobia simple. Otro ejemplo es el temor a la sangre, que es una fobia simple común que afecta a más hombres que mujeres.

FOBIAS COMPLEJAS

Estas fobias son más complicadas y las componen varios temores. La agorafobia es un ejemplo de una fobia compleja que involucra múltiples ansiedades. Estos temores pueden incluir estar solo en un espacio abierto o estar atrapado en un lugar público sin una salida a un lugar seguro. El tipo de situación que provoca la **agorafobia** incluye el uso de transporte público, ascensores y estar en tiendas llenas de gente. Las tácticas para evitar estas situaciones a menudo interfieren en el trabajo y la vida social, y una persona con agorafobia grave podría eventualmente recluirse en casa. De vez en cuando, la agorafobia aparece en la edad madura y es más común en las mujeres.

Las **fobias sociales**, como la timidez excesiva, también se clasifican como fobias complejas.

Las personas con fobias sociales tienen un temor abrumador de pasar vergüenza o de ser humilladas frente a otros, en situaciones sociales como comer o hablar en público.

¿CUÁLES SON LAS CAUSAS?

A menudo no se logra encontrar una explicación para una fobia. Sin embargo, a veces se puede rastrear una fobia en una experiencia anterior en la vida. Por ejemplo, quedar temporalmente atrapado en un lugar encerrado durante la niñez podría traducirse en la claustrofobia más adelante. Las fobias simples parecen ser comunes a la familia, pero se piensa que eso se debe a que los niños a menudo aprenden sus temores de un miembro de la familia con una fobia similar.

Las fobias complejas, como la agorafobia, a veces aparecen después de un ataque de pánico no explicado. Algunas personas recuerdan que una situación estresante provocó los síntomas y luego quedan condicionadas a sentirse ansiosas frente a esa situación. La mayoría de las fobias sociales también comienza con un episodio repentino de ansiedad en una situación social, que luego se transforma en el enfoque principal de la fobia. Una persona sin autoestima estará más propensa a tener agorafobia o una fobia social.

¿CUÁLES SON LOS SÍNTOMAS?

La exposición al objeto, criatura o situación que genera la fobia o, simplemente, pensar en ello provoca una ansiedad intensa acompañada por:

- mareos y sensación de desmayo
- palpitaciones (conciencia de latidos del corazón anormalmente rápidos)
- sudor, temblores y las náuseas
- falta de aliento

Un factor común de todas las fobias es la **evasión**. El temor a encontrarse inesperadamente con el objeto de la fobia limita las actividades y la persona que la sufre se queda en casa y se deprime. A veces, una persona con una fobia trata de aliviar el temor bebiendo demasiado o abusando de las drogas.

¿QUÉ SE PUEDE HACER?

Si usted tiene una fobia que interfiere en su vida, deberá buscar tratamiento. Muchas fobias simples se tratan eficazmente usando una forma de terapia de conducta, como la insensibilización. Durante el tratamiento, un terapeuta brinda apoyo mientras se le expone segura y lentamente a la situación o al objeto que teme. Inevitablemente sentirá cierta ansiedad, pero la exposición siempre se mantiene dentro de límites soportables.

La familia podría recibir consejos sobre cómo ayudarlo a manejar el comportamiento fóbico. Si tuviera síntomas de depresión, el médico podría recetarle antidepresivos.

AUTOAYUDA

Ciertas investigaciones han demostrado que las personas que sufren de fobias tienen síntomas similares a los de aquellas que tienen un bajo **nivel de azúcar en la sangre**. Asegurarse que los niveles de azúcar en la sangre permanezcan estables podría ayudar a prevenir los ataques.

■ Coma varias veces al día, en porciones pequeñas.

■ Coma carbohidratos complejos (patatas, pan y cereales integrales, arroz y pasta); evite los carbohidratos simples (azúcar, dulces, pasteles y galletas).

■ Siempre mantenga un regrigerio a mano; lo mejor son las nueces, las frutas frescas y las deshidratadas.

¿CUÁL ES EL PRONÓSTICO?

Una fobia simple a menudo se resuelve sola con el pasar de los años. Sin embargo, las fobias complejas, como las sociales y la agorafobia, tienden a persistir a menos que se traten. Más de 9 de cada 10 personas con agorafobia se tratan exitosamente con la terapia de **insensibilización**.

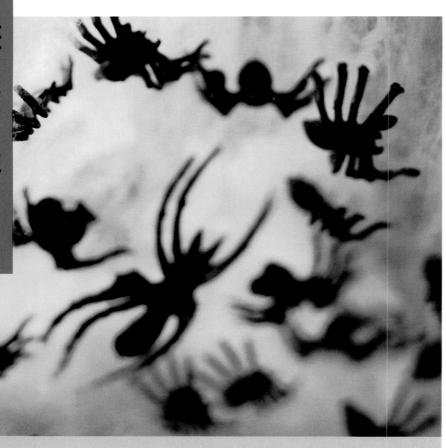

Tipos de fobias

Acrofobia – temor a las alturas

Aerofobia – temor a volar

Agorafobia – temor a los espacios abiertos

Ailrofobia – temor a los gatos

Antropofobia – temor a la gente

Aracnofobia – temor a las arañas

Brontofobia – temor a los truenos

Cinofobia – temor a los perros

Claustrofobia – temor al encierro

Equinofobia – temor a los caballos

Hidrofobia – temor al agua

Microfobia – temor a los gérmenes

Misofobia – temor a la suciedad

Mussrofobia – temor a los ratones

Ofidiofobia – temor a las víboras

Pirofobia – temor al fuego

Tanatofobia – temor a la muerte

Triskaidekafobia – temor al número 13

Xenofobia – temor a los extraños

Zoofobia – temor a los animales

Timidez y fobia social

No importa cuán confiados parezcamos, la mayoría de nosotros sabe lo que es ser tímido. Para algunos, sólo se trata de un sentimiento temporal, mientras que para otros es una condición permanente e incapacitante que implica que se sientan incómodos en determinadas situaciones. La causa básica es siempre la misma: la falta de confianza. Los síntomas pueden variar desde una fuerte reacción física, como palpitaciones, diarrea, las náuseas, ataques de pánico, mareos y palmas sudorosas, hasta estar tenso, ruborizarse y tener la lengua trabada. Se trata de un área donde el pensamiento positivo simplemente no funcionará. Decirse a uno mismo que debe estar confiado cuando no lo está, no detendrá los sentimientos incómodos y podría hacerlo sentir incluso peor la próxima vez. La solución es decidir cómo se quiere sentir y cuándo quiere sentirse así, y luego resolverlo. Primero, piense en las situaciones que más teme. ¿Qué tienen en común?, ¿se siente incómodo frente a cierto tipo de personas? Luego decida cómo le gustaría comportarse cuando se encuentre en ese tipo de situación con esas personas. Ahora decida lo que hace bien. Sea honesto. Visualice lo que ven las otras personas: la imagen que usted proyecta, ¿es realmente usted? Es muy difícil proyectar algo que no es. Las personas se darán cuenta con el tiempo, si es que no lo hacen inmediatamente. Sea genuino y esa honestidad atraerá a las personas. Una vez que sienta que a ellos les gusta lo que ven, se podrá relajar y ya no será tímido. El primer paso es centrarse en las cosas externas.

Cómo centrarse en las cosas externas

■ Hay ciertas maneras probadas y comprobadas de cambiar el énfasis, desde lo que uno está sintiendo hacia lo que está sucediendo a su alrededor. El primer truco, y el más importante, es aprender a escuchar a otros. Muy pronto se encontrará tan interesado en lo que la gente está diciendo que se olvidará de cómo se siente. Si usted se vuelve realmente receptivo, lo que significa concentrarse en lo que se le está diciendo, en vez de analizarse a sí mismo buscando una excusa para irse a casa, las personas responderán favorablemente.

■ Aprenda a sonreír automáticamente, lo relaja a usted y a los otros.

■ Aprenda una técnica de relajación y úsela antes de afrontar las situaciones difíciles. Una de las mejores es tensar y luego relajar cada parte del cuerpo por turno, avanzando desde los dedos de los pies hasta la cabeza. Otra es inhalar y exhalar profunda y lentamente.

■ Aprenda cómo empezar una conversación. Hablar del tiempo está bien. Si está viendo un partido de fútbol o un programa de televisión, úselo como un punto de partida. Pregúntele la opinión a la otra persona. Haga preguntas que requieran una respuesta completa. Si usted dice "¿no hace calor?", la respuesta corta será sí o no. Idealmente las preguntas deberían buscar la opinión de la otra persona; por ejemplo, si usted dice: "¿qué piensa de Mel Gibson?" o "¿qué opina usted?" o "¿qué opina del divorcio?" o "¿cómo pasa los fines de semana?", las respuestas serán positivas y podrá mantener una conversación.

■ Prosiga con los intereses y pasatiempos: puede que tengan algo en común. Manténgalo animado y no se queje ni sea deprimente. A las personas no les gusta que las involucren en los problemas de otros, al menos no en el primer encuentro. Si se le pregunta algo que le causa dolor, trate de ser honesto. No se avergüence y no sienta la necesidad de hablar más si se produce un silencio en la conversación. Algunos silencios serán bastante cómodos si usted está relajado.

■ Recuerde que ser tímido no tiene nada de malo. Es normal. Si usted está en una fiesta sin nadie con quien hablar, no habrá ningún problema con decir, por ejemplo: "Temo que me pongo un poco nervioso en este tipo de situaciones. ¿Y usted?" La otra persona entonces tiene que decir "no", y en ese caso hablará para probarlo, o "sí", y en ese caso estará contenta de tener alguien con quien conversar. Si está solo en la puerta del colegio de una nueva ciudad, confíeselo. Elija una cara amistosa y diga: "Soy nuevo aquí. ¿Habrá un buen jardín infantil / club de fútbol o un grupo de padres al cual afiliarse?" Recuerde que la mayoría de las personas quiere ser aceptada y formar parte de un grupo, y comprenderá esa necesidad en otros.

■ Finalmente, una gran manera de manejar situaciones para las cuales la preparación es imposible, es pensar en lo peor que pudiera pasar. Si está dando una charla y pierde el hilo de lo que está diciendo, si conoce a la Reina y se le traba la lengua cuando ella le pregunta algo, no se va a morir, ¿verdad? Lo cierto es que, nadie ha muerto de vergüenza. No se tome tan en serio. Muchas fallas humanas son bastante divertidas cuando se analizan. Sería mucho mejor reírse de la situación después, en vez de darle vueltas y vueltas en la cabeza hasta perder aún más la confianza.

Fobia social

Existe un tipo de timidez que es tan severa que es incapacitante y casi impide vivir una vida normal: se llama fobia social. Se ha demostrado que Seroxat, que pertenece a la última generación de antidepresivos (ISCS), ayuda enormemente a las personas que sufren de este trastorno. El médico lo podrá recetar, pero al igual que todos los antidepresivos, es un fármaco poderoso que se debe reservar para las personas gravemente afligidas por este trastorno.

Terror a volar

Si le tiene terror a volar está en buena compañía. Muchas personalidades famosas del mundo del espectáculo y del deporte, incluyendo a David Bowie, Whitney Houston, Dina Carroll, la actriz de "Birds of a Feather", Lesley Joseph, el jugador de fútbol Dennis Bergkamp y el boxeador Nigel Benn preferirían correr un kilómetro en vez de subirse a un avión. Miles y miles de personas sufren de aerofobia, el temor a volar. Se estima que un 20 por ciento de la población tiene tanto temor a volar, que no se sube a un avión. Puede afectar a cualquiera, desde los niños pequeños hasta los jubilados, en cualquier momento. La ansiedad más grande de la mayoría de las personas es perder el control y correr por el pasillo del avión gritando. Otras preocupaciones principales son la turbulencia y que el avión se estrelle. No es ningún chiste sufrir la incomodidad y la vergüenza de las palpitaciones, los problemas gástricos, los temblores incontrolables y el sudor profuso.

Autoayuda

A continuación le doy unos consejos prácticos y útiles para aliviar los temores.

■ No dude de informar a la tripulación de que no le gusta volar. Ellos probablemente hagan un esfuerzo adicional para que se sienta cómodo, y lo cuiden en todo sentido.

■ Concéntrese en sobrevivir los próximos 10 minutos en vez de preocuparse por todo el vuelo.

■ Use ropa suelta en capas para que se pueda adaptar fácilmente a los cambios de temperatura.

■ Respire en forma lenta y regular.

■ No beba alcohol, porque empeora la ansiedad.

■ Por último, pero no por eso menos importante, siga pensando que todo es normal y que no está haciendo algo raro.

También hay cursos de un día disponibles para afrontar el temor a volar. Un piloto experimentado explica las mecánicas de vuelo, abordando los procedimientos de seguridad, el chequeo que se hace antes del vuelo y lo que significan los diferentes movimientos y ruidos. Después de toda la teoría se lleva en un vuelo de 45 minutos o una hora y el piloto explica todo lo que está sucediendo. Hay un psicólogo disponible para ayudarle a manejar cualquier ansiedad o temor restante. Una organización que presenta estos cursos afirma que el porcentaje de éxito es del 95 por ciento.

Trastorno por estrés postraumático

EL TRASTORNO POR ESTRÉS POSTRAUMÁTICO ES UNA AFECCIÓN CARACTERIZADA POR LA PERSISTENCIA DE EMOCIONES INTENSAS BASTANTE TIEMPO DESPUÉS DE PRODUCIRSE POR UN EVENTO TRAUMÁTICO. AFECTA A 1 DE CADA 10 PERSONAS APROXIMADAMENTE, EN ALGÚN MOMENTO DE LA VIDA

La experiencia personal de un evento estresante que amenaza la vida y la seguridad personal, o, en algunos casos, simplemente ser testigo de un evento de esa naturaleza, puede originar el trastorno por estrés postraumático en algunas personas. El tipo de evento que resulta en un trastorno de este tipo incluye los desastres naturales, los accidentes, asaltos y las experiencias de guerra.

Los niños y las personas mayores son más susceptibles a estos trastornos, así como las personas que no tienen apoyo familiar o que tienen una historia de trastornos por ansiedad. No se sabe la causa de ellos, pero los factores psicológicos, genéticos, físicos y sociales contribuyen. Los estudios sobre los veteranos de la Guerra de Vietnam revelaron que era menos probable que los que tenían un fuerte apoyo familiar sufrieran trastornos por estrés postraumático.

¿CUÁLES SON LOS SÍNTOMAS?

Los síntomas del trastorno por estrés postraumático se producen poco después del evento o en las semanas siguientes, meses y rara vez años después. Incluyen:
● pensamientos involuntarios sobre la experiencia

● escenas retrospectivas diurnas del evento; sensación de estar reviviendo el evento
● ataques de pánico con síntomas como falta de aliento y mareos
● evitar todo lo que hace recordar el evento y rehusarse a hablar sobre ello
● trastornos del sueño y pesadillas
● falta de concentración
● irritabilidad.

Una persona con un trastorno por estrés postraumático se siente emocionalmente afectada, distanciada de los eventos y enajenada de la familia y los amigos. Él o ella puede también perder el interés en las actividades cotidianas. Otros trastornos psicológicos, como la depresión o la ansiedad, pueden coexistir con el trastorno por estrés postraumático. A veces lleva a la persona a abusar del alcohol y las drogas.

¿QUÉ SE PUEDE HACER?

El objetivo del tratamiento es alentar a los que sufren el trastorno a expresar su dolor y completar el proceso de duelo. Los grupos de apoyo son buenos, porque proveen un escenario donde las personas que han tenido experiencias similares pueden compartir sus sentimientos y llorar abiertamente.

■ La **orientación** puede alentar a la persona a hablar de sus experiencias y el apoyo para ellos y los miembros de la familia a menudo forma una parte importante del tratamiento.
■ La **terapia de conducta** se usa para ayudar a la persona a "volver a entrar" en el mundo real y dejar atrás los recuerdos angustiosos. Las técnicas de la terapia de conducta incluyen la exposición escalonada y la inundación (exposición frecuente a un objeto que provoca los síntomas).
■ Los fármacos, como los **antidepresivos**, se usan en conjunto con la orientación, y este enfoque a menudo produce una mejoría dentro de ocho semanas. Los últimos antidepresivos, como Prozac, Paxil y Loloft, realmente levantan el ánimo y ayudan a los que sufren el trastorno a enfrentar el futuro con tranquilidad. Podría ser necesario ingerir los fármacos durante al menos un año. El trastorno por estrés postraumático a menudo desaparece después de unos meses de tratamiento, pero algunos de los síntomas pueden persistir. En algunos casos, pueden durar años. En las personas susceptibles, pueden reaparecer después de otros eventos traumáticos.

Ver también:
● Terapias psicológicas pág. 286

Insomnio

EL INSOMNIO ES UN PROBLEMA MUY COMÚN. AFECTA A 1 DE CADA 3 ADULTOS EN ALGÚN MOMENTO DE SUS VIDAS. QUIENES LO PADECEN PUEDEN TENER DIFICULTADES PARA DORMIR O FALTA DE SUEÑO Y DESPIERTAN A CADA RATO.

Los enemigos del sueño

ESTRÉS: Cuando estamos estresados, la producción de adrenalina aumenta y eso hace que la persona esté más despierta y alerta, lo que dificulta aún más el sueño.

DEPRESIÓN: Sentirse deprimido afecta los niveles hormonales y los ciclos de sueño de movimiento lento de ojos (NREM) y movimiento rápido de ojos (REM) a menudo se desequilibran.

RESENTIMIENTO: Guardar rencor o planificar una venganza puede impedir completamente el sueño. Deje la formulación de una respuesta inteligente al jefe criticón para las horas del día.

CAFEÍNA: El café tiene un efecto acumulativo en el sistema y la cafeína se encuentra escondida en productos como bebidas gaseosas y chocolates.

MALOS HÁBITOS: Fumar y beber mucho alcohol provocan insomnio y merman la calidad del sueño. Se ha demostrado que los fumadores duermen

menos profundamente que los no fumadores. Los cigarros aceleran el ritmo cardíaco, suben la presión y los niveles de adrenalina, impidiendo el sueño. El alcohol causa estragos en las hormonas que regulan el sueño.

AFECCIONES MÉDICAS: Como consecuencia de la apnea del sueño, los músculos en la parte posterior de la garganta se aflojan y eso se traduce en ronquidos y en el bloqueo de las vías respiratorias al inhalar. Las personas con esta afección parecen ahogarse, y, aunque quizás no se despierten completamente, se interrumpe el patrón del sueño.

Una **glándula tiroides** sobreactiva produce demasiada hormona (tiroxina), cuyos síntomas incluyen el insomnio. Los alimentos que ayudan a regular la actividad de la tiroides incluyen las coles de bruselas, la coliflor, el brócoli y la col rizada.

Los estudios en los laboratorios de investigación del sueño han echado por tierra el mito que todos necesitan dormir ocho horas por la noche. De hecho, la cantidad de sueño que necesita cada persona varía enormemente. Mientras más viejos nos ponemos, menos sueño necesitamos. Se dice que Margaret Thatcher no necesitaba más de cuatro o cinco horas, y ha habido otros famosos que dormían poco, incluyendo a Winston Churchill y Napoleón.

Los estudios han demostrado que muchas personas con insomnio duermen mucho más de lo que piensan. Sin embargo, también despiertan con más frecuencia que los que duermen de manera normal. El problema del insomnio a menudo es la calidad y no la cantidad de sueño.

Los especialistas creen que la parte importante del sueño consiste en el **sueño de ondas lentas.** Ésa es la única oportunidad en que el cerebro descansa completamente y sucede principalmente durante la primera etapa del sueño. Aunque eso es motivante, no ayuda a sobreponerse al hecho de que no hay nada tan desalentador como estar tendido en cama sin poder dormir.

Promover el sueño

■ Observe su dormitorio. Debería ser un santuario pacífico para el sueño. Si tiene un televisor, muévalo a otro lugar. El desorden puede tener un efecto inquietante, así es que preste especial atención a mantener el dormitorio ordenado y no atestado de cosas. Invierta en unas cortinas gruesas que no dejan entrar la luz. Además, no debe faltar aire. La cama debe ser firme y, si está estropeada, coloque una plancha de terciado debajo del colchón.

■ Coma bien durante el día. Los carbohidratos como el pan integral, los cereales integrales y la pasta son importantes para dormir bien. Hay un vínculo establecido entre los alimentos con alto contenido de carbohidratos y la capacidad del cuerpo para dormir. Los carbohidratos ayudan a producir serotonina, una hormona tranquilizante que regula la sangre en el cuerpo. Un nivel bajo de azúcar en la sangre puede provocar un mal dormir.

■ Asegúrese que la última comida del día le satisfaga. La lechuga, los plátanos y los aguacates son buenas meriendas para la tarde o la noche, porque contienen triptófano, que es una sustancia química natural que induce el sueño.

■ Haga algún tipo de ejercicio durante el día, incluso si sólo se trata de salir a caminar. La inactividad es una de las causas principales del insomnio, porque la energía no utilizada impide el sueño. También significa que las toxinas que se liberan al moverse se acumulan en el cuerpo y hacen que las personas se sientan mal e incómodas.

■ Lea o vea algo que lo relaje durante la última hora antes de acostarse. Dese un baño con esencia de lavanda. Cuando esté en la bañera, beba un vaso de leche tibia con un poco de miel. La leche también contiene triptófano y la miel es un remedio antiguo para el insomnio. Si la leche no le gusta, pruebe con una infusión de hierbas, como manzanilla o valeriana.

■ Prepare el dormitorio bajando las luces y poniendo unas pocas gotas de una esencia tranquilizante, como el jazmín, en un quemador de incienso.

■ Vuelva el despertador hacia la pared para evitar preocuparse de no estar dormido. Esto

Mantener el dormitorio despejado y ordenado contribuye a crear una atmósfera tranquila, que ayuda a relajarse y conciliar el sueño.

en sí es una causa de insomnio.

■ Muchas veces, la hora de acostarse es el único momento que las parejas tienen para estar solas, pero no trate de conversar sobre temas difíciles, porque se liberará la adrenalina, garantizando un mal sueño.

■ El sueño llegará más fácilmente si su pulso está lento y su presión, baja. Puede facilitarlo acostándose tranquilamente, controlando los movimientos, respirando profunda y lentamente y concentrándose en el proceso de respirar; mientras más cerca esté del sueño, más lento será el pulso. Concentrarse en la relajación de varias partes del cuerpo le ayudará a hacerlo.

Comience con la frente y si tiene el ceño fruncido, relájelo. Luego relaje los músculos de la mandíbula, el mentón y el cuello. Relaje los músculos de los brazos. Esté consciente de la presión de su cuerpo acostado en la cama y gradualmente relaje los músculos de las piernas hasta que estén completamente relajados, incluyendo los dedos de los pies. Para muchas personas, este proceso es tan soporífico que se quedan dormidas antes de llegar a los pies.

■ Otro truco es vaciar la mente y pensar en su cosa favorita. La mía es el terciopelo negro. Cada vez que entra otro pensamiento a la mente, déjelo y concéntrese nuevamente en ella.

¿CUÁLES SON LAS CAUSAS?
La causa más común del insomnio es estar preocupado por algún problema, pero otras causas incluyen los **trastornos físicos**, como **apnea del sueño**, **síndrome de piernas inquietas** y los factores ambientales como el ruido y la luz. El insomnio también puede ser síntoma de una enfermedad psicológica. Por ejemplo, las personas con ansiedad o depresión podrían tener dificultades en conciliar el sueño. Sin embargo, ciertos expertos creen que la ira y el resentimiento son las causas más comunes del insomnio.

¿CUÁL ES EL TRATAMIENTO?
Se tratará una causa física o psicológica.
■ En el caso de insomnio prolongado sin causa aparente, un **electroencefalograma** (registro de los patrones de las ondas cerebrales, también llamado EEG) y una **evaluación** de la **respiración**, la **actividad** muscular y otras funciones corporales durante el sueño pueden ser útiles para averiguar la extensión y el patrón del problema.
■ Mantener un **registro** de los patrones de sueño también puede ser útil. No hay muchas

clínicas especializadas para los insomnes, pero podría pedirle al médico que haga las averiguaciones correspondientes.
■ Los **somníferos** o **tranquilizantes** se recetan como una medida a corto plazo, pero sólo para casos severos y normalmente como un último recurso.

Ver también:
• **Síndrome de las piernas inquietas pág. 437**
• **Ronquidos pág. 480**

Depresión

LA DEPRESIÓN ES LA MÁS COMÚN DE LAS ENFERMEDADES PSIQUIÁTRICAS GRAVES, Y SE VUELVE MÁS FRECUENTE A MEDIDA QUE SE ENVEJECE. LAS MUJERES SON PARTICULARMENTE VULNERABLES DEBIDO A SUS HORMONAS.

Una reducción repentina de los niveles de hormonas puede provocar la depresión, como cuando termina la menstruación y se inicia la menopausia, después de dar a luz y después de un aborto espontáneo o de poner término a un embarazo. Aproximadamente 1 de cada 6 mujeres busca ayuda para la depresión en algún momento de sus vidas, mientras que solamente 1 de cada 9 hombres lo hace. La mayoría de las personas deprimidas encuentra que se siente levemente mejor a medida que el día avanza.

FACTORES DE RIESGO
■ Depresión en el pasado o un historial de depresión en la familia.
■ Mala salud (por ejemplo, un accidente vascular encefálico o un infarto).
■ Viudez
■ Pérdida de una pareja
■ Trastornos de la personalidad
■ Aislamiento
■ Falta de confianza
■ En el caso de las personas mayores, las alteraciones de la salud y las circunstancias: por ejemplo, dejar el hogar familiar.

¿CUÁLES SON LAS CAUSAS?
La causa de la depresión es compleja, pero probablemente esté relacionada con una reducción del nivel de determinadas sustancias químicas en el cerebro que se llaman **neurotransmisores** y que nos mantienen de buen ánimo estimulando las células cerebrales. La más conocida de estas sustancias es la serotonina.

¿CUÁLES SON LOS SÍNTOMAS?
■ Cansancio.
■ Trastornos del sueño.
■ Preocupación.
■ Llanto.
■ Tristeza, desesperación, melancolía y oscuridad.
■ Pérdida de afecto hacia sí mismo y hacia otros.
■ Un sentimiento de fracaso, de no valer la pena, de autodesprecio.
■ Pérdida de interés en la vida.
■ Pérdida de la libido.
■ Pérdida de autoestima y confianza.
■ Apetito alterado (generalmente pérdida del apetito).
■ Letargo, pereza y apatía.
■ Insomnio o dormir durante largos períodos como una forma de escape.
■ Despertar de noche: típicamente entre las 2 y las 4 de la madrugada.
■ Una convicción de que el mundo está en su contra, paranoia, pensamientos recurrentes de muerte, hasta de suicidio.

¿CUÁL ES EL TRATAMIENTO?
Trate de ir al médico inmediatamente si se siente deprimida. No espere pensando que su estado de ánimo pasará. En caso de llanto después del nacimiento de un hijo, vaya al médico si aún está deprimida después de dos semanas. Mientras más tiempo esté sin tratamiento la depresión posparto, más difícil será curarla.
■ La **psicoterapia**, ya sea en forma individual o grupal, es más útil para las personas cuya personalidad y experiencias de vida son las causas principales de la enfermedad. El objetivo de uno de los tratamientos más exitosos, la **terapia cognitiva**, es cambiar la manera de pensar sobre los problemas y así ser capaz de manejarlos.
■ El **tratamiento con fármacos** se usa para las personas cuyos síntomas son predominantemente **físicos**. Hay dos grupos principales de antidepresivos: los **tricíclicos**, introducidos en los años 50 y que tienen efectos secundarios muy conocidos, y los **inhibidores selectivos de la recaptación de serotonina** (ISRS), que aparecieron principalmente en la década de los años 90. Los antidepresivos más nuevos, como los ISRS, son caros, pero tienen menos efectos secundarios que los fármacos más antiguos y parecen gustarles a los pacientes. Sin embargo, estudios a gran escala demuestran que, si usted puede tolerarlos, los tricíclicos funcionarán igual de bien para curar la depresión. Los antidepresivos son eficaces en más de dos tercios de los pacientes, siempre que la dosis sea suficiente y se ingiera durante un período suficientemente largo. Los efectos beneficiosos tardan entre dos y tres semanas. El cumplimiento del paciente es alto, y eso es importante, porque dejar de consumir el medicamento con demasiada antelación es un factor grande en la recurrencia de la depresión.
■ **Combinación de antidepresivos y psicoterapia.** Los pacientes que dejen de ingerir los medicamentos antes de seis meses sufrirán una recaída. Pero la terapia de mantenimiento mediante fármacos o psicoterapia reduce la tasa de recaídas a la mitad. Es más, la **terapia cognitiva** continúa funcionando después de descontinuarla y es igual de eficaz que la terapia de mantenimiento con fármacos algo que deberá tomar en cuenta si no le gusta ingerir medicamentos por largo tiempo.

OBTENER AYUDA
No intente sobrellevarlo solo. Apóyese en la gente. Únase a un grupo de autoayuda y reciba consejo para lidiar con los problemas cotidianos. Evite estar solo y propóngase estar con las personas que le gustan. No tema ponerse en contacto con organizaciones como los Samaritanos.

AUTOAYUDA

Para la depresión leve

TRABAJO: Si el trabajo le distrae, aumente la carga de trabajo.
MANTENERSE ACTIVO: Cualquier tipo de actividad ayuda a disminuir la tristeza y a sentir el placer del éxito. Completar una tarea hará que se sienta digno y eso, en sí, es un buen antídoto contra la depresión.
RELACIONES SEXUALES: Relaciones sexuales buenas y sanas hacen que todos los aspectos de la vida parezcan más alegres, así es que si su libido no está deprimida, manténgase sexualmente activo.
DIETA: Evite la comida chatarra y el azúcar, y aumente el consumo de cereales integrales, verduras, frutas, carnes con poca grasa, productos lácteos de bajo contenido graso y pescado.
  Se ha descubierto que el aminoácido triptófano alivia la depresión, y entre sus fuentes naturales se encuentran el pavo, el pollo, el pescado, las arvejas, las nueces y la mantequilla de maní. Cuando pueda, cómalos con los carbohidratos como las patatas, las pastas y el arroz, que facilitan la absorción de triptófano por el cerebro. Deje de ingerir o baje el consumo de cafeína y alcohol.
EJERCICIO: El ejercicio alivia todo tipo de estrés mental. También aumenta el flujo de sangre al cerebro. Trotar por 30 minutos 3 veces a la semana puede ser tan eficaz como la psicoterapia en el tratamiento de la depresión. Por lo tanto una rutina regular de ejercicio, caminar, nadar o lo que le plazca, es buena para el ánimo.
AROMATERAPIA: La esencia de salvia silvestre relaja poderosamente y además levanta el ánimo. Alivia la fatiga mental y promueve un buen dormir. Coloque dos ó tres gotas en un bol de agua hirviendo e inhale, o hágalo con cuatro a seis gotas en un pañuelo.
RELAJACIÓN: Las técnicas de relajación para reducir el estrés, como los masajes, yoga, aromaterapia y meditación, son útiles para aliviar la ansiedad que aparece comúnmente con la depresión.

Ver también:
• **Terapias psicológicas pág. 286**

Depresión en niños y adolescentes

LOS BUENOS PADRES ALIENTAN A LOS NIÑOS A HABLAR DE SUS PREOCUPACIONES DESDE MUY PEQUEÑOS; SIEMPRE ESCUCHE Y OFREZCA AYUDA. LOS NIÑOS SE SENTIRÁN AISLADOS, INCOMPRENDIDOS E IGNORADOS MUY RÁPIDAMENTE SI LOS PADRES ESTÁN PREOCUPADOS POR SUS PROPIOS PROBLEMAS.

Es difícil determinar con precisión la razón por la cual los niños se deprimen y a menudo es una combinación de factores. Sin embargo, hay algunas situaciones clásicas que afectan gravemente a los niños y precipitan la depresión, por ejemplo:
- una muerte en la familia
- la intimidación
- ansiedad provocada por exámenes
- sentirse fea
- padres poco comprensivos
- los niños/niñas no me quieren
- enfermedad de los padres
- discordia entre los padres.

SEÑALES PARA LOS PADRES
Los padres a menudo se preguntan qué le pasa al niño que está de mal humor gran parte del tiempo. A continuación les ofrezco una guía de las cosas a las cuales debe estar atento.

BEBÉS Y NIÑOS PEQUEÑOS
Ellos no nos pueden decir si están tristes, así es que se expresan a través del comportamiento y:
- se vuelven poco receptivos
- se "pegan" a los padres, pero no aceptan consuelo
- rehúsan comer
- no se tranquilizan para quedarse dormidos.

LOS PREESCOLARES PODRÍAN:
- siempre estar llorosos
- dejar de comer
- despertarse durante la noche
- tener pesadillas frecuentes y terrores nocturnos
- volverse muy exigentes y desobedientes
- bravuconear, pegarles y morder a otros niños
- comenzar a mentir
- comportarse en forma destructiva.

Unos pocos niños son capaces de expresar los sentimientos de tristeza: bien recuerdo cuando uno de mis hijos, normalmente extravertido y feliz, me dijo: "El mundo no se siente bien, mamá". Los niños rápidamente se culpan a sí mismos cuando las cosas no salen bien y piensan que ellos no son dignos. Entonces pareciera que desean ser castigados por su conducta: mienten, roban y faltan a la escuela. Recuerde: un niño travieso y deprimido no es un niño inherentemente malo.

ESCOLARES
Al estar deprimidos:
- les podría costar concentrarse y así perder el interés en los estudios y los juegos
- podrían convertirse en niños solitarios
- podrían rehusar ir al colegio
- podrían quejarse de estar siempre aburridos
- podrían decir que se sienten solos
- podrían perder la confianza
- podrían volverse difíciles de controlar
- podrían volverse desaseados.

ADOLESCENTES
Casi sin excepción los adolescentes atraviesan períodos de malhumor y estados antisociales y puede ser difícil diferenciar entre lo que es normal y lo que es depresión. Esté atento a las siguientes señales de depresión: 1 ó 2 señales podrían ser una fase pasajera, pero si hubiera 3, 4 o más, debería consultar al médico:
- están mucho más malhumorados e irritables que lo normal
- se vuelven retraídos, dejando de lado a los amigos y los pasatiempos
- pierden interés en el colegio o les empieza a ir mal
- no se interesan en su pelo, su ropa o la música
- no comen lo suficiente, hasta la anorexia, o comen demasiado, hasta la bulimia
- tienen una baja autoestima
- no son capaces de levantarse antes del mediodía
- adquieren malos hábitos y se rodean de mala compañía
- consumen drogas
- se emborrachan
- quedan ensimismados con pensamientos sobre la muerte
- se hacen daño cortándose.

¿CUÁL ES EL TRATAMIENTO?
Obtener ayuda profesional inmediata de parte del médico para cualquier niño cuya infelicidad es más que una fase pasajera, a menudo previene una depresión prolongada. La manera principal de tratar la depresión en la niñez es lo que se llama la terapia de conversación, sesiones con un psicoterapeuta, psicólogo clínico o terapeuta familiar, donde el niño puede expresar su ira, frustración, temor y desesperanza. La atención tierna y cariñosa es una medicina muy poderosa para todos los niños deprimidos.

¿CÓMO PUEDEN AYUDAR LOS ADULTOS?
Por sí solos, los niños simplemente no pueden entender la depresión; se sienten indefensos. Los niños con depresión necesitan a un adulto que se interese amorosamente en ellos y los comprenda. Luego, con el tiempo, los podrán ayudar a enfrentar sus sentimientos.

ENFOQUE
en trastornos alimentarios

La anorexia y la bulimia son formas anormales de controlar el peso, pero ninguna de ellas es lo que se llama popularmente "el síndrome de la dieta". Ambas son expresiones de una profunda agitación interna, de problemas psicológicos que son demasiado difíciles para que la persona los supere de alguna forma.

Es fácil seguir bien una dieta: sólo hay que privarse de la comida. Pero es posible que una ANORÉXICA piense que es la única cosa que hace bien, de modo que la delgadez se convierte en una obsesión. Las anoréxicas se juzgan solamente en términos de cuánto han comido: según su modo de pensar, mientras menos comen, más exitosas son. Toda su autoestima está envuelta en no comer y eso hace que sea muy difícil dejar de privarse de la comida.

Odian la comida y ansían el amor. Se acuerdan de cuando se sentían seguras de ser queridas y no tenían que asumir las responsabilidades de un adulto, así es que, inconscientemente quizás, traten de seguir siendo niñas. Cuando eran niñas no se les exigía y no tenían que sobresalir. Al privarse de la comida pelean contra su cuerpo, que se está desarrollando: pierden o no desarrollan los senos y no menstrúan.

Las BULÍMICAS pasan varios días con muy poca comida y luego enloquecen con un deseo incontrolable de comer, y comen casi todo lo que esté a la mano y que sea comestible. Esto significa que comen mezclas extraordinarias de comidas crudas y cocidas, lo dulce con lo salado, y todo mezclado en enormes cantidades. Algunas mujeres han muerto después de comer así, porque sus estómagos no resistieron. Otras, comen normalmente pero luego vomitan a la fuerza o consumen grandes cantidades de laxantes para evacuar. Se hace muy difícil romper ese patrón de privación de comida, comer en exceso, vómito y purga. También es mucho más común de lo que piensa la gente, pero los tratamientos pueden ayudar.

¿CUÁLES SON LAS CAUSAS?

Deseo de control: Hacer dieta puede ser muy satisfactorio, especialmente para las adolescentes que piensan que el peso es la única parte de su vida sobre la cual tienen control. No comer se convierte en un objetivo en sí.

Presión social: En las sociedades que no valoran la delgadez, los trastornos alimentarios son muy poco comunes. En los entornos como las academias de ballet, donde se valora mucho la delgadez, son muy comunes.

Presión cultural: En general, en la cultura occidental "ser delgada es ser bella". La televisión, los diarios y las revistas están llenas de fotos de jóvenes delgadas y atractivas, y la presión por ser como ellas es grande.

Familia: Algunos niños y adolescentes encuentran que decir no a la comida es la única manera de dar a conocer sus sentimientos y ejercer influencia en la familia. La comida se convierte en una importante herramienta social, que usan para presionar a los padres.

No crecer: Una joven con anorexia puede perder o no desarrollar algunas de las características físicas de una mujer adulta, como el vello púbico, los pechos y los períodos menstruales. Por consiguiente, se puede ver muy joven para su edad. Por lo tanto, no comer se puede considerar una forma de evadir las exigencias del crecimiento, especialmente las sexuales.

Depresión: Muchas bulímicas están deprimidas y comer en exceso puede comenzar como una forma de enfrentar la infelicidad. Una tercera parte de las personas con trastornos alimentarios están deprimidas y la nueva generación de antidepresivos las puede ayudar.

Contratiempos: Para ciertas personas parece que la anorexia y la bulimia son provocadas por un evento perturbador, como la ruptura de una relación. A veces no es necesariamente un evento malo, sólo uno importante, como el matrimonio o dejar la casa paterna.

CONSECUENCIAS DE LA ANOREXIA Y LA BULIMIA

La **inanición** se traduce en sueño interrumpido, estreñimiento, dificultad en concentrarse o pensar bien, depresión, frío, huesos débiles que se fracturan fácilmente (osteoporosis), músculos debilitados, cuesta mucho hacer algo, la menstruación no llega o se interrumpe, incapacidad de tener un hijo, muerte.

El ácido estomacal del **vómito** disuelve el esmalte de los dientes e hincha la cara (debido a las glándulas salivales), latidos de corazón irregulares, debilidad muscular, finalmente daño renal e inclusive ataques epilépticos.

El uso de **laxantes** provoca dolores de estómago persistentes, dedos hinchados y daño a los músculos del intestino, lo que puede provocar un estreñimiento prolongado.

Los **problemas de vejiga** se hacen comunes. Nuevos estudios demuestran que las mujeres anoréxicas tienen muchas más probabilidades de sufrir problemas de vejiga que las otras. Casi dos tercios de las mujeres anoréxicas, al menos tres veces más que las mujeres no anoréxicas, tenían síntomas de una vejiga inestable, con un deseo improvisto e irresistible de ir al baño ocho veces o más en un período de 24 horas, y, a veces, llegan a la incontinencia. Esos síntomas normalmente empiezan alrededor de un año después de comenzar la anorexia.

Síntomas de anorexia y bulimia

Síntomas de anorexia:
- Gran pérdida de peso
- Ideas distorsionadas sobre el tamaño y el peso corporal
- Ejercicio excesivo
- Vómitos o purgas
- Aislamiento social
- Comportamiento emocional irritable
- Dificultad para dormirse
- Falta de períodos menstruales
- Perfeccionismo
- Frío, mala circulación
- Crecimiento de vellos finos en el cuerpo

Síntomas de bulimia:
- Peso normal
- Ingerir grandes cantidades de comida
- Vomitar y purgarse después de comer
- Encerrarse en el baño después de las comidas
- Comportamiento secreto y ritual
- Sentirse indefensa y sola
- Períodos menstruales erráticos
- Dolor de garganta y caries provocados por el vómito
- Deshidratación y mala condición de la piel
- Aislamiento social
- Glándulas salivales hinchadas

OBTENCIÓN DE AYUDA

Así como ocurre con la dependencia del alcohol y de las drogas, mientras más pronto admita que padece un desorden alimentario y acepte ser ayudado, más posibilidades tendrá de curarse. Si no es tratada, la anorexia presenta una de las tasas de mortalidad más altas de todas las enfermedades psiquiátricas, aunque es posible prevenir la muerte mediante un tratamiento adecuado.

Ningún tratamiento es totalmente efectivo, pues lo que es beneficioso para una persona puede no serlo para usted. Por otra parte, a pesar de ser tratados de la mejor forma posible, algunos pacientes sólo se recuperan de manera parcial. Afortunadamente, hay muchos caminos que explorar.

SU MÉDICO GENERAL

Para ayudarse, debe ser franca con su médico. No se avergüence si padece de bulimia o anorexia, ni se rehúse a admitir que tiene un problema. Tampoco sienta temor de las consecuencias de reconocer su desorden alimentario. Tiene derecho a una total confidencialidad, lo cual significa que no es necesario que sus padres y tutores se enteren de su problema.

Asimismo, tiene derecho a ser derivada a un especialista capacitado para que la evalúe, al cual debería visitar a la mayor brevedad para evitar retrasos y listas de espera. Si demora en hacerlo, su condición puede empeorar al punto de necesitar que la internen para recibir tratamiento.

AUTOAYUDA

Los grupos de autoayuda pueden ser un complemento útil para un tratamiento, pero no son una alternativa. Ellos ayudan a lograr que las pacientes y sus familias comprendan que no están solas.

TRATAMIENTO GENERAL

Cualquier tratamiento para estas afecciones debe abordar tanto los aspectos psicológicos de la anorexia y la bulimia nerviosa, como la alimentación anormal. Todos estos tratamientos dan resultado, así es que no tema someterse a alguno.
● Orientación
● Psicoterapia
● Terapia cognitiva
● Terapia de grupo
● Terapia familiar
● Tratamiento ambulatorio
● Hospitalización
● Asesoría dietética
● Los medicamentos pueden ser efectivos a corto plazo, en especial cuando se trata de una bulimia acompañada de depresión.
● La realimentación es el último recurso, pero puede ser necesaria para salvar la vida. Aislada, sólo es útil para restaurar el peso a corto plazo, pero, generalmente, no es efectiva a futuro.

ORIENTACIÓN

En el tratamiento de la anorexia, la asesoría es más efectiva durante las etapas iniciales (cuando la pérdida de peso corporal no supera el 25 por ciento). Las investigaciones demuestran que la terapia de comportamiento cognitivo es especialmente beneficiosa para personas que padecen de bulimia.

TRATAMIENTO CON UN ESPECIALISTA

Usted debe involucrarse lo más posible en su programa de tratamiento y plan de salud, de modo que pueda ver las observaciones particulares de su caso y participar en la fijación de objetivos de peso. La terapia no debiera estar condicionada por la recuperación de peso, pero sí debe poner a su disposición menús vegetarianos y alimentos apropiados para determinados grupos.

TRATAMIENTO HOSPITALARIO

Algunas personas anoréxicas cuyo peso es extremadamente bajo pueden recibir un tratamiento eficaz como pacientes **ambulatorias**. Si necesita hospitalización, tiene derecho a:
● estar en un ambiente tranquilo y seguro
● recibir cuidados continuos de parte de personal especializado en desórdenes alimentarios
● recibir apoyo durante y después de sus comidas
● recibir comida adecuada
● asesoría o psicoterapia progresivas
● seguimiento y apoyo después de ser dado de alta.

ADMISIÓN OBLIGATORIA

De las personas que han sido hospitalizadas o detenidas en contra de su voluntad, el 50 por ciento señaló que en su opinión, había sido "algo bueno" al mirarlo en retrospectiva.

De este modo, en circunstancias extremas y cuando todas las otras alternativas han fallado, la Ley de Salud Mental otorga el derecho a detener a una persona con el fin de salvarle la vida o reducir el riesgo.

TRABAJO EN EQUIPO

Un buen tratamiento requiere del trabajo en equipo abnegado y conjunto de familiares, cuidadores y amigos. El impacto que una persona con desórdenes alimentarios puede causar en las familias es tremendo, por lo que éstas también necesitan apoyo y asesoría sobre lo que deben y no deben hacer para favorecer la recuperación de la paciente.

LAS MUJERES Y LA SALUD MENTAL

En esta sección se presenta un conjunto de temas que tienen un efecto directo en la salud mental de muchas mujeres, así como un efecto indirecto, pero, por lo general, considerable en sus compañeros, familiares, amigos y colegas. Todas las mujeres sufren de efectos provocados por las variaciones de sus hormonas, que les afectan durante sus vidas, al menos una vez al mes en el transcurso del ciclo menstrual.

El **síndrome premenstrual** (SPM) puede ser un problema durante los años fértiles de una mujer. Después de dar a luz, los cambios en los niveles de las hormonas femeninas pueden causar una condición seria conocida como **depresión posnatal** (DPN). Posteriormente, las mujeres pueden experimentar depresión y otros problemas emocionales debido a los ajustes hormonales ocurridos en la **menopausia**. También nos referiremos a los efectos sobre el bienestar físico y mental que se pueden producir después de una **agresión sexual**.

Síndrome premenstrual

ES UNA SERIE DE SÍNTOMAS INCÓMODOS, DOLOROSOS Y MOLESTOS QUE AFECTAN A ALGUNAS MUJERES ANTES DEL PERÍODO MENSTRUAL. CERCA DEL 50 POR CIENTO DE LAS MUJERES LO PADECE.

La mitad de ellas presenta molestias intensas, algunas tan serias que deben ausentarse de la escuela o el trabajo. Pero, ¿qué es exactamente el síndrome premenstrual?

¿CUÁLES SON LOS SÍNTOMAS?
Los síntomas asociados con este síndrome son variados e incluyen **tensión, irritabilidad, depresión, dolores de cabeza** e **incapacidad para concentrarse.**

También hay **dolor de senos, tumefacción en los tobillos, palpitaciones, alteraciones del deseo sexual, debilidad, desvanecimientos, cambio en los hábitos alimentarios, dificultad para dormir por la noche, dispepsia** e incluso **diarrea** o **estreñimiento.**

Además:
■ Todas las enfermedades relacionadas con el estrés, como **migraña, asma** y **eccema,** pueden empeorar antes del período menstrual.

■ Los efectos producidos por el alcohol son peores justo antes del período, de modo que la mujer puede caer en un círculo vicioso: bebe para aliviar sus síntomas, pero los efectos de la bebida son peores de lo normal.

■ La gravedad de los síntomas puede variar cada mes. Además de los ya mencionados, algunas mujeres se quejan de **distensión abdominal, alza de peso, problemas a la piel, cambios de ánimo, depresión, agresividad, fatiga, tristeza, irracionalidad, dificultad para tomar decisiones** y **sensación de incomprensión.**

■ Ninguna mujer sufre de todos estos síntomas, y lo más importante es cuándo aparecen. Éstos se presentan en algún momento de la segunda mitad del ciclo. Luego desaparecen o mejoran significativamente, ya sea el primer día del período o el día después

Simples medidas de autoayuda, como un baño caliente y tiempo para relajarse, pueden aliviar los síntomas premenstruales.

que el flujo es mayor. Deberían desaparecer con posterioridad.

NOTA: Si presenta síntomas después de estos días, es poco probable que sufra de SPM. Debe visitar a su médico para hallar la causa y recibir tratamiento adecuado.

Antes de culpar al SPM por sus síntomas, es importante confirmar que exista una relación entre ellos y el ciclo menstrual. El modo de hacerlo es llevar un **registro**. Comience a completar un cuadro diario que muestre con exactitud cuándo comienzan los síntomas, cuándo empeoran y cuándo desaparecen. Si no desaparecen o se alivian después de finalizado un período, es poco probable que se relacionen con el SPM.

¿CUÁLES SON LAS CAUSAS DEL SPM?
El síndrome premenstrual ha sido ampliamente aceptado como una verdadera condición médica que afecta a las mujeres en sus años fértiles.

■ Se relaciona con las hormonas menstruales y puede presentar síntomas **físicos** y **psicológicos**. Hay más de 150 síntomas asociados con el SPM, y la cantidad y el tipo varían según la persona.

■ Generalmente, el SPM se agrava cuando hay **alteraciones en los niveles hormonales**, los que podrían manifestarse después del **embarazo**, de un **aborto** espontáneo o provocado; al comenzar o **dejar de ingerir la píldora**

anticonceptiva o, a veces, incluso **después de una histerectomía**.

■ Si ha padecido de depresión posnatal, aumentan las probabilidades de que sufra de síndrome premenstrual.

■ Antes se pensaba que éste era causado por la falta de progesterona en la semana anterior a la menstruación. Pero, de hecho, los niveles de esta hormona son bastante altos hasta justo antes de comenzar el período. Sin embargo, la otra hormona sexual femenina, el estrógeno, presenta un nivel bajo siete días antes de la menstruación, por lo que los expertos concuerdan en que una **escasez de estrógenos** es la causa de los síntomas del SPM.

■ Este síndrome puede empeorar con los años y después de cada alumbramiento. Cuando tenía alrededor de 40 años, las molestias parecían una minimenopausia todos los meses y me aterraba tener que participar en un programa de televisión esa semana.

■ A veces, el síndrome premenstrual parece hereditario, pero no se ha establecido ningún vínculo genético. Si se siente capaz de hablar de este tema con otros miembros de su familia, puede descubrir que también lo han sufrido y que han encontrado algún tratamiento que podría servirle.

El síndrome premenstrual puede causar estragos en las familias cuando una madre y esposa, normalmente cariñosa, se enfada con facilidad. Sólo tiene que advertirles a sus seres queridos sobre el síndrome y pedir que la comprendan. Hable con sus hijos lo antes posible.

¿QUÉ PUEDO HACER?

■ Hay muchas teorías acerca del mejor tratamiento del síndrome premenstrual, pero aquí tiene varios consejos:

■ El aceite de hierba del asno puede dar alivio.

■ Si retiene líquido y se hincha antes del período (el líquido se acumula en los senos; a veces en la cintura o en los tobillos, manos, dedos y rostro), intente restringir el consumo de sal por una semana o diez días antes de su período.

■ Si sus senos se hinchan y duelen, pruébese diferentes sostenes hasta encontrar el más cómodo; también puede serle útil usar uno al dormir y es posible que necesite uno con una copa más grande para su semana premenstrual.

■ Cocine con poca sal (use aliños como pimienta y ajo) y restrinja la ingesta de los alimentos ricos en sal, como queso, comidas preparadas, tocino y pescado ahumado maní salado, patatas fritas, etc. Lea las etiquetas para saber qué otros alimentos contienen sal. El límite recomendado para la mujer son 5 g de sal diarios.

■ También trate de consumir menos cafeína (es decir, café, té y bebidas cola). Se piensa que hay una relación entre la cafeína y los dolores menstruales, de senos y otros síntomas. Si descubre que esto ayuda, hágalo siempre, no sólo antes del período.

■ Mantenga sus niveles de azúcar en la sangre ingiriendo comidas regulares pequeñas en lugar de irregulares abundantes. Algunos expertos consideran que los bajos niveles de azúcar en la sangre pueden empeorar la irritabilidad y la agresividad.

■ Si sufre de estreñimiento, siga una dieta rica en fibras comiendo más verduras, frutas frescas y pan integral, o puede consumir una cucharada pequeña de cáscara de zaragatona (puede comprarla en una tienda de comida natural).

■ Entre los remedios que se venden sin receta para el síndrome premenstrual, la aspirina y el paracetamol siguen siendo el mejor alivio para los dolores.

■ Muchas mujeres consideran que el ejercicio es bueno, aunque sólo sea salir a pasear al perro. Si va al gimnasio regularmente, no falte la semana del síndrome. Ejercicios como nadar, caminar, respirar profundo y usar técnicas de relajación pueden ser útiles para aliviar la tensión y el insomnio.

■ Complemente sus cuidados con una dieta (ver el cuadro a la derecha).

■ Hierbas como el cohosh negro pueden ayudar.

¿CUÁL ES EL TRATAMIENTO?
DIETA
No todas las mujeres necesitan ayuda médica para enfrentar el síndrome y, a menudo, pueden controlar sus síntomas si cambian su dieta y estilo de vida.

Hay muchas pruebas de que una dieta saludable, baja en grasas y rica en frutas, verduras y cereales puede ser muy eficaz para aliviar el SPM.

Lo que realmente ayuda es comer alimentos con almidón cada dos a tres horas para mantener altos sus niveles de azúcar. Puede lograrlo con tres comidas al día y tres refrigerios más pequeños cada día. Comer de esta manera es importante sobre todo en la segunda mitad de su ciclo, cuando es probable que se presente el síndrome. A simple vista, parece mucha comida, pero trate de consumir cantidades pequeñas.

LO QUE PODRÍA RECETAR SU MÉDICO
Progestágeno
Sin importar lo que lea, no hay pruebas de que ingerir progestágeno en forma alguna (ni siquiera progesterona en crema) ayude a aliviar los síntomas del síndrome premenstrual; además, puede presentar molestos efectos colaterales, como dolor de senos, retención de líquido y pérdida del deseo sexual.

Estrógeno
■ El estrógeno es conocido por ejercer un profundo efecto tanto mental como en los estados de ánimo. Niveles de estrógeno que disminuyen rápidamente se presentan en conjunto con el síndrome premenstrual, la depresión posnatal y la posmenopausia.

■ Los médicos del Chelsea and Westminster Hospital, de Londres, crearon un tratamiento para el síndrome premenstrual basado en administrar estrógeno natural mediante la colocación de parches en la piel. Esto causó la supresión de la ovulación y la eliminación de la fluctuación del ciclo menstrual. Los parches son similares a una película que se adhiere a la piel y permiten nadar, bañarse o ducharse con normalidad. Se ha comprobado científicamente que estos parches son uno de los pocos tratamientos altamente efectivos para el síndrome premenstrual.

Alivie el síndrome premenstrual con dieta

Consuma MENOS:	Consuma MÁS:
■ Grasas saturadas	■ Alimentos con almidón
■ Azúcar	■ Fibras
■ Sal	■ Verduras
■ Cafeína	■ Frutas
■ Alcohol	■ Nueces y semillas

Ideas para meriendas
■ Porción de cereales sin endulzar (con leche baja en grasas).

■ Sándwich con un relleno bajo en grasas.

■ Frutas, yogur bajo en grasas o arroz con leche.

■ Un galletón simple.

■ Pan integral, galletas, torta de avena, pan, pan de malta o bollos con una delgada capa de algo para untar.

Antidepresivos
Hasta hace poco, estaba en contra del uso de tranquilizantes y antidepresivos para tratar el síndrome premenstrual, pero se ha creado una nueva generación de antidepresivos llamados **inhibidores selectivos de recaptación de serotonina** (ISRS), que alivian a quienes sufren este síndrome. Merece ser analizado con su médico.

Por fortuna, los nuevos antidepresivos, que incluyen fluoxetina y paroxetina, no son adictivos. Aumentan los niveles de serotonina en el cerebro y restauran el equilibrio emocional. Estudios han demostrado que los ISRS funcionan más rápido frente al síndrome premenstrual que frente a la depresión (tres semanas).

TÉCNICAS DE RESPIRACIÓN
La forma de respirar se relaciona estrechamente con el estado de ánimo. Si se enoja o se molesta, respire en forma rápida, superficial e irregular. Cuando esté tranquila y relajada, respire profunda y lentamente. Puede afectar conscientemente lo que siente al alterar su respiración. Aquí encontrará dos maneras de calmarse:

■ **Concentrarse en la respiración**: cierre los ojos y concéntrese en su respiración. No debe cambiarla, sólo sentir cómo fluye hacia adentro y hacia afuera.

■ **Alternar las fosas nasales al respirar**: a través de una fosa nasal fluye una cantidad de aire mucho mayor que por la otra. Puede activar una respuesta de relajación al bloquear la fosa derecha o al acostarse sobre su costado derecho. Esto permite que el lado derecho del cerebro, que se asocia con la respuesta de relajación, se vuelva dominante.

Depresión posnatal

LOS CAMBIOS EN LOS NIVELES HORMONALES DESPUÉS DEL PARTO PUEDEN AFECTAR DE MANERA PROFUNDA LAS EMOCIONES. EN LA MAYORÍA DE LAS MUJERES, ESTOS CAMBIOS EMOCIONALES DURAN SÓLO UNOS DÍAS "BABY BLUES"; PERO EN OTRAS, CONDUCEN A UNA CONDICIÓN MÁS SERIA Y PROLONGADA, LLAMADA DEPRESIÓN POSNATAL.

Es verdad que nada puede prepararla para cuidar a un bebé. El trastorno físico y emocional tiene un efecto. Con mucha frecuencia, cuando las madres creen que serán las más felices, se sienten muy melancólicas (el "baby blues"). En la mayoría de los casos, sólo dura unos días; pero, en otros, los sentimientos pueden continuar durante meses debido a una condición conocida como depresión posnatal o postparto. Es importante que el padre esté al tanto de los síntomas y reconozca la diferencia entre la melancolía normal y la depresión real para que sepa cómo ayudar y cuándo buscar asistencia médica.

"BABY BLUES"

El "baby blues" corresponde a cambios de ánimo causados por alteraciones hormonales. Con toda seguridad, este período de sentirse desanimada un minuto y eufórica al siguiente no durará más de una semana, pero aun así necesitará mucho apoyo para superarlo. Quizás el "baby blues" sea un signo natural para quienes la rodean de que usted necesita tiempo y espacio para acostumbrarse a ser madre. Así es como deberían entenderlo su compañero, parientes o amigos que se preocupan, que es debido a sus alteraciones emocionales que también sienta deseos de llorar cuando alguien es amable con usted.

¿CUÁL ES LA CAUSA DEL "BABY BLUES"?

Sus hormonas, la progesterona y el estrógeno, han estado en un nivel alto durante el embarazo. Después de haber tenido a su bebé, estos niveles disminuyen abruptamente y para su cuerpo es difícil equilibrarse, lo cual puede afectar significativamente sus emociones.

Con esto, y porque quizás se halle exhausta después del nacimiento y le falten horas de sueño, no es de sorprender que no se sienta en las mejores condiciones.

¿CÓMO PUEDE ALIVIARSE?

■ Tómese su tiempo, acepte que se sentirá así pocos días y que lo que le sucede es muy común.
■ Acepte ofrecimientos de ayuda y no trate de hacerlo todo sola.
■ Intente hablar de lo que siente y llore, si eso la alivia.
■ Dígale a su compañero que necesita mucho amor y cariño, pero recuerde que para él también son momentos de cambios y trastornos.

¿EL PADRE TAMBIÉN SE ENTRISTECE?

La mayoría de los padres sienten un anticlímax después del nacimiento. Hay más responsabilidades y cambios repentinos en el estilo de vida. Si su compañero se siente desanimado, usted deberá mantenerse fuerte, lo que puede provocarle una gran tensión. Intente pensar en los primeros meses como un período de rápidos cambios que constituyen una prueba para ambos. Cuando la superen, estarán más cerca que antes el uno del otro. Si se sienten realmente tristes, conversen del tema con su médico o con un amigo cercano.

DEPRESIÓN POSNATAL (DPN)

Si los síntomas que empezaron como un "baby blues" común no se atenúan y, de hecho, comienzan a empeorar, podría tratarse de una "depresión posnatal". Se trata de una condición temporal y curable que varía de mujer a mujer. Puede desarrollarse lentamente, sin notarse, hasta varias semanas después del nacimiento; pero si se diagnostica y trata a tiempo, es muy posible que se alivie rápidamente.

El personal de salud está capacitado para reconocer los síntomas, y los tratamientos pueden ir desde algo tan simple como conversar con un amigo, personal de salud o médico acerca de lo que siente hasta ingerir medicamentos como antidepresivos, en los casos más graves.

¿CUÁLES SON LAS CAUSAS DE LA DEPRESIÓN POSNATAL?

Hay muchas razones para sufrir de depresión posnatal. Depende de usted, de sus circunstancias y de cómo se comporte su bebé. Las investigaciones demuestran que los siguientes factores de riesgo pueden hacerla más susceptible a sufrir esta depresión.
■ Si gozaba de un puesto alto en el trabajo o una carrera exitosa antes del nacimiento, puede resultar difícil adecuarse al cambio de estatus.

AUTOAYUDA

Superar la depresión posnatal

Si se siente desanimada, hay varias cosas que puede intentar para aliviarse.
Crea en la recuperación: convénzase de que **se recuperará**, no importa cuánto demore.
Corrija la falta de potasio: el agotamiento grave, otro problema que puede presentarse después del nacimiento, puede empeorar por la falta de potasio en el cuerpo. Los **bajos** niveles de **potasio** se corrigen fácilmente al ingerir alimentos ricos en este mineral como plátanos y tomates.
Descanse lo más posible: el cansancio definitivamente empeora la depresión y hace más difícil sobrellevarla. Duerma siestas en el día y, si es posible, pida a alguien que la ayude con las comidas nocturnas del bebé.
Lleve una dieta adecuada: coma muchas frutas y verduras crudas; no coma pasteles ni chocolates, dulces ni galletas. Coma poco y con frecuencia. No se someta a una dieta estricta.

Ejercítese levemente: descanse de estar en casa o del cuidado del bebé. Una caminata vigorosa al aire libre puede levantarle el ánimo.
Evite los grandes cambios: no comience un nuevo trabajo, ni se cambie de casa ni redecore.
Intente no preocuparse demasiado: los dolores y molestias son comunes después de tener un bebé, sobre todo si está deprimida. Intente vencerlos, con seguridad desaparecerán en cuanto logre relajarse.
Trátese bien: no se obligue a hacer cosas que no desea o que podrían molestarla. No se preocupe por dejar que sus quehaceres esperen o de mantener la casa reluciente. Ocúpese en tareas pequeñas y prémiese al terminarlas.
Hable de lo que siente: no oculte sus preocupaciones, porque puede empeorar las cosas. Hable con los demás, en especial con su compañero.

- Si ya tiene dificultades en su relación de pareja, el bebé las puede empeorar, lo que en sí puede generar desilusión y disminución de la autoestima.
- Si su experiencia al dar a luz fue inesperadamente difícil, podría sentirse desmoralizada y pensar que, en cierto modo, ha fallado.
- Si ha sufrido de depresión en el pasado, puede estar más susceptible a sufrirla ahora.
- Un bebé exigente y que duerme poco puede causarle depresión debido al cansancio que implica el atenderlo continuamente.
- Si sus condiciones de vida son particularmente difíciles, la depresión posnatal puede ser más profunda.
- Si ha ocultado sus emociones y no ha buscado ayuda, se puede desarrollar depresión.

EN BUSCA DE AYUDA
A muchas mujeres les avergüenza admitir lo que sienten, pues temen que esto parezca que han fallado de alguna manera. Hablar de lo que siente es lo más importante que puede hacer. Cuando acepte que no está "loca" y que hay cosas que puede realizar para aliviarse, habrá dado un paso hacia la recuperación. Cuando busque ayuda aprenderá a:
- comprender lo que siente y aprender a expresarlo
- aprender a establecer prioridades y a dejarse llevar
- dedicar más tiempo para usted y relajarse
- acudir regularmente al centro de salud
- ingerir medicamentos si la depresión es muy profunda.

¿QUÉ PUEDEN HACER LOS PADRES?
Como padre, puede sentirse desamparado, pues no entiende la DPN. Recuerde, es temporal y curable, sea paciente. Puede ser de gran ayuda si hace un esfuerzo por comprender y hace lo siguiente:
- Escuche y converse con su pareja. Nunca le diga que intente sentirse mejor, no puede. No dé por hecho que ella va a salir sola de esto, no lo hará.
- Recomiéndele descansar, comer y beber adecuadamente.
- Anímela a estar con el bebé tanto como ella quiera, de modo que pueda tomarse las cosas con calma y acostumbrarse gradualmente a los cambios que trae el bebé.
- Asegúrese que no pase mucho tiempo sola.
- Primero pídale ayuda a un médico; su compañera puede negar que está enferma. Él puede hacerle una visita informal.

Depresión por menopausia

SENTIR TENSIÓN, ANSIEDAD, DEPRESIÓN, DESGANO, IRRITABILIDAD, DESCONSUELO Y CAMBIOS DE ÁNIMO SUCEDE A CUALQUIER EDAD, PERO CASI NUNCA TAN A MENUDO COMO DURANTE LA MENOPAUSIA.

Si experimenta varios sentimientos negativos a la vez, puede serle útil saber que la causa es la menopausia.

Para muchas mujeres, los cambios de ánimo en esta etapa se asemejan a un paseo en montaña rusa.

Las mujeres describen sensaciones leves como temblor, confusión, inquietud y desánimo. A la menor provocación, pueden sufrir sensaciones más fuertes de ansiedad o pánico. Tareas que solían manejar pueden causarles gran confusión. Son comunes los cambios de ánimo de la alegría al abatimiento; su paciencia se agota con facilidad. El futuro parece desalentador, la pérdida de autoestima es precipitada y pueden sentirse realmente deprimida.

¿CUÁLES SON LAS CAUSAS?
- Los centros del cerebro que controlan el sentido de bienestar, un estado mental positivo y una sensación de control y tranquilidad parecen afectados por la carencia de estrógeno. Consumir suplementos de estrógeno, como la terapia de reemplazo hormonal (TRH), puede provocar un abrupto regreso a la normalidad.
- Para algunas mujeres, los problemas que experimentan durante la menopausia se deben a que su sueño se ve interrumpido por sudoración nocturna. Las personas cansadas tienden a estar irritables y ansiosas. Si sufre estos problemas, siga los consejos de autoayuda para favorecer el sueño enunciados en pág. 297.
- Puede presentarse una depresión mayor (aunque no es frecuente) durante los años de la menopausia, lo que es distinto a otros síntomas emocionales, como el desconsuelo y la ansiedad. Los síntomas que indican una posible depresión durante la menopausia son:

- sucesos de tensión pasados o recientes, como un divorcio o aflicción
- menopausia inducida por cirugía
- tener expectativas negativas de la menopausia
- bochornos severos o sudoración nocturna
- antecedentes familiares de depresión
- síndrome del "nido vacío".

La depresión puede ser una enfermedad debilitante y durar semanas, meses e incluso años si no recibe tratamiento. Afecta su cuerpo, ánimo, pensamientos e interfiere gravemente con su vida normal. Como mujer, tiene más posibilidades de sufrir de depresión que un hombre.
- consulte a su médico si ha padecido cuatro de estos síntomas por al menos dos semanas:
- patrones alimentarios extremos, tal como comer en exceso o pérdida del apetito.
- patrones de sueño inusuales, como dormir demasiado o insomnio.
- sentirse extremadamente somnolienta o inquieta.
- incapacidad de disfrutar actividades que antes eran placenteras, incluida la pérdida del deseo sexual.
- fatiga debilitadora o pérdida de energía.
- Sentimientos de inutilidad o autorreproche.
- dificultad para concentrarse, recordar y tomar decisiones.
- pensamientos sobre la muerte o el suicidio, intentos de suicidio (busque ayuda de inmediato).

TERAPIAS COMPLEMENTARIAS
Las hierbas que pueden tener un efecto calmante son la **pasionaria** y **raíz de valeriana**, que puede consumirse como té o infusión medicinal. La pasionaria alivia el insomnio y eleva los niveles de serotonina en la sangre, lo

AUTOAYUDA

Controle la depresión

- Los severos cambios de ánimo y la irritabilidad pueden distanciarla de su compañero y, a veces, comprometer su relación. Sin embargo, si comparte con él sus sentimientos, puede encontrar una gran ayuda. Numerosos estudios demuestran que ellos suelen comprender los síntomas de la menopausia y prefieren conocer los posibles problemas antes que comiencen.
- Quienes asisten a grupos de autoayuda tienen más posibilidades de enfrentar en buena forma la depresión. Considere unirse a uno de estos grupos o comenzar uno usted.
- De 20 a 30 minutos de arduo ejercicio liberan endorfinas, que son opioides cerebrales, como la morfina, que pueden subir el ánimo y producir un estado de "estimulación" que dura hasta ocho horas. Además, reduce los bochornos y las sudoraciones nocturnas, lo cual es útil si éstas son las causas de su depresión.
- El yoga, las técnicas de relajación y la meditación favorecen la tranquilidad y combaten la ansiedad y la tensión.

que crea un sentimiento de bienestar.
Un baño de hierbas también puede tener un efecto terapéutico.

Algunas mujeres afirman que la depresión y el estrés de la menopausia se pueden aliviar con **jengibre**, **cayena**, **raíz de diente de león** y **ginseng siberiano**, ya que contienen nutrientes esenciales, como:
● la raíz de diente de león contiene magnesio, potasio y vitamina E
● la cayena contiene un alto nivel de magnesio y bioflavonoides

● el ginseng contiene compuestos estrogénicos, y se dice que el ginseng siberiano y la raíz de orozuz, que han sido importantes medicinas de oriente por miles de años, combaten la fatiga y la depresión.

TRATAMIENTO MÉDICO

El principal apoyo para el tratamiento de los síntomas emocionales es la terapia de reemplazo hormonal (TRH). Estudios en todo el mundo demuestran que después de un período breve (entre dos semanas a dos meses),

la TRH puede disminuir considerablemente la ansiedad y la depresión. El estrógeno incluso levanta el ánimo de las mujeres jóvenes y saludables que no presentan este estado. Actúa a través de varios mecanismos de acción antidepresivos conocidos del cerebro, al igual que otras drogas antidepresivas. Su efecto tranquilizante es igual, o mayor, que el de medicamentos como el diazepam y el clorodiazepóxido y es mucho más saludable.

Agresión sexual

LOS EFECTOS FÍSICOS Y PSICOLÓGICOS PRODUCIDOS POR UNA AGRESIÓN SEXUAL PUEDEN SER DEVASTADORES. AQUÍ ENCONTRARÁ CONSEJOS PARA REDUCIR EL RIESGO DE SUFRIR UNA VIOLACIÓN Y SOBRE QUÉ DEBE HACER DURANTE Y DESPUÉS DE UN ATAQUE.

La violación de mujeres y niños (de ambos sexos) está en aumento y, aunque no prevalece tanto en Inglaterra como en Norteamérica, está creciendo a un ritmo alarmante. A pesar de ser un hecho que rara vez se reconoce, los varones adultos también pueden ser las víctimas. La mayoría de las veces, el agresor conoce a la víctima, lo que hace difícil que esta última pruebe que sucedió.

Más aun, con frecuencia ocurre en circunstancias en que es poco probable que la víctima pueda contarlo o en que no tiene posibilidad de que le crean, pues no hubo testigos.

Esta última situación, que se relaciona con el doble estándar predominante en la sociedad, provoca secuelas en las víctimas. Si bien ya la penosa experiencia de la violación es amarga, acudir a la policía y a la juzgado puede ser peor. La mayoría de las víctimas encuentra poca comprensión o incluso impedimentos y desconfianza en todos los niveles del proceso legal, desde el interrogatorio de la policía al examen ginecológico y al interrogatorio del fiscal y del abogado.

Una mujer que mantiene los cargos de violación hasta el final es valiente. La mayoría no desea que todos los detalles de su vida diaria se expongan en un juicio ni tener que enfrentar insinuaciones o implicaciones de su conducta sexual. Las actuales leyes sobre violación están diseñadas para proteger a los hombres de las mujeres y conductas bastante inocentes de las mujeres se pueden malinterpretar de manera muy siniestra en contra de ellos.

EL VIOLADOR POTENCIAL

Aunque es imposible generalizar sobre la clase de hombre que viola a una mujer, hay ciertas características que se repiten demasiado para ser coincidencias. Con frecuencia, a los violadores les desagradan las mujeres y les es difícil controlar su deseo de intimidarlas y humillarlas. A menudo se los describe como inmaduros y se

sabe que son violentos. Por lo general, piensan que la única manera en que pueden lograr la satisfacción sexual es mediante la violencia y muchos presentan problemas sexuales, como impotencia o incapacidad para tener orgasmos. Muchos han sido humillados en algún momento de sus vidas y sienten que deben librarse de su resentimiento atacando a otros.

También el alcohol se relaciona con la violación. Un estudio en Estados Unidos reveló que el 50 por ciento de los violadores había consumido alcohol antes del ataque y el 35 por ciento correspondía a alcohólicos.

CÓMO EVITAR LA VIOLACIÓN

Hay ciertas cosas que puede hacer para reducir el riesgo de sufrir una violación.

EN LA CALLE

■ No se aventure sola en áreas en que sabe que ha habido problemas y donde haya pandillas.
■ Si sospecha que alguien la sigue, camine por el medio de la calle donde haya autos y corra.
■ Si presiente que está a punto de ser atacada, corra hasta el medio de la calle y grite. Es probable (aunque no seguro) que si un posible atacante se enfrenta a una multitud, desista.

JUNTO A SU AUTOMÓVIL

■ Jamás deje su automóvil estacionado sin seguro.
■ En la noche, estacione junto a un farol, si es posible.
■ Antes de entrar a su automóvil, mire el asiento trasero.

EN CASA

■ Tenga seguros resistentes en las puertas y ventanas.
Instale y utilice un ojo mágico en la puerta. Jamás abra la puerta a un hombre que haya ido

a hacer un trabajo en su casa sin solicitar su identificación.

EN CASO DE ATAQUE

■ Si sufre una agresión sexual, grite tan fuerte como pueda y luche con todas sus fuerzas. Intente enterrar su dedo en el ojo del atacante o darle un golpe en la ingle con la rodilla.
■ Por el contrario, si el atacante está armado, puede ser necesario no oponer resistencia para salvar su vida.

DURANTE LA VIOLACIÓN

Si determina que resistirse es inútil o que sólo produce que el atacante se vuelva más violento, haga lo siguiente:
■ Mantenga la calma. Hable cuidadosa y calmadamente con el atacante para recordarle que usted es un ser humano.
■ No lo provoque más al responderle preguntas insinuantes sobre cómo se siente usted durante la violación, responda con una afirmación calmada y objetiva sobre otra cosa, como: "Me está lastimando la espalda".
■ Concéntrese en sus rasgos y vestimenta y en algún acento regional o patrones de vocabulario, o en cualquier otro factor que ayude a identificarlo.
■ Piense en algo concreto y rutinario, como qué va a hacer para denunciarlo a las autoridades cuando se libere.
■ Intente no demostrar angustia ni debilidad, ya que sólo aumentará su violencia.

CUANDO INFORME A LAS AUTORIDADES

Informar el caso a la policía de seguro será un trámite vergonzoso. Solicite que la entrevista se realice en una sala privada y que la atienda una oficial, si hay alguna en la estación de policía. Si en algún momento siente que el investigador la ofende, no tema decirlo. Siempre tenga a alguien a su lado mientras le toman su declaración.

Si su caso desemboca en un juicio, sentirá que es vergonzoso y, tal vez, psicológicamente traumático. Sin embargo, todas las preguntas que puedan hacerle, sea para el informe policial o en el juzgado, deben, por ley, limitarse al incidente de la violación. No está permitido hacer preguntas sobre su vida sexual privada.

Muchos grupos de mujeres cuentan con voluntarias que pueden acompañar a la víctima a el juzgado. Si no puede conseguir esta compañía, lleve a una amiga.

La definición legal de violación es el contacto entre el pene y la vagina en contra de la voluntad de la víctima. Una de las cosas más difíciles de probar es que hubo fuerza, sobre todo si no hay lesiones corporales. Es por ello que debe comunicarse con su médico tan pronto como pueda después del ataque, de modo que le realice un examen médico cuidadoso que puede actuar a su favor en el juicio.

También, por definición legal, tener una lesión corporal se considera violencia, e igualmente deberá probarlo en el juzgado. En otras palabras, debe probar que no se involucró en la relación sexual por su voluntad.

Qué hacer después de una violación

1. Si no hay nadie en su casa, llame por teléfono a una amiga o pariente que pueda llegar rápidamente a darle apoyo. Trate de que estén con usted en todo momento.
2. Haga la denuncia a la policía. Si no se siente capaz, dígaselo de inmediato a su mejor amiga para que la anime a hacerlo.
3. Comuníquese con su médico y pida una cita lo antes posible o vaya a un hospital si su médico no está disponible de inmediato.
4. No se bañe. Quítese la ropa que estaba usando y no la lave ni la cambie, pues el médico y la policía quizás quieran examinarla.

5. Intente recordar la mayor cantidad de detalles de su atacante. Tenga una libreta junto a usted y anote todo lo que pueda recordar: no sólo características físicas, sino también, quizás, un acento o palabras peculiares.
6. Después de haber informado a la policía, no vaya sola a casa ni se quede sola en ella. Intente que una amiga la acompañe siempre y si no es posible, vaya a quedarse con amigos o parientes.
7. Existen centros de crisis por violación en muchas áreas o grupos de mujeres locales que le brindarán asesoría. Comuníquese con uno de ellos a la brevedad.

EL EXAMEN MÉDICO
La presencia de esperma o semen en la vagina es una evidencia poderosa de que hubo violación. Sin embargo, es posible que el violador no haya eyaculado (1 de cada 3 no lo hace) y el examen médico sea crucial para constatar evidencias de lesiones. Es muy importante que informe al médico y a la policía si cree que el atacante no eyaculó.
■ Primero se le realiza un examen general de todo su cuerpo, para que el médico pueda describir contusiones, irritación, cortes o dolor.
■ Luego se le realiza un examen pélvico interno para buscar evidencia de lesiones y tomar una muestra de secreciones vaginales, las que se examinan para determinar la presencia de esperma. También sirve para identificar un producto químico llamado **"fosfatasa ácida"**, que se encuentra en el fluido seminal y que estará en su vagina si el violador eyaculó, pero no hubo esperma.
■ Es posible que examinen su boca y su ano para verificar si el atacante le hizo daño en esas áreas.
■ Se le tomarán muestras de sangre para verificar infección por VIH y sífilis. Si existe el riesgo de desarrollar VIH, se le pueden recetar drogas antivirales para reducirlo.
■ Seguramente, el médico le recetará antibióticos para prevenir ETS, como sífilis y gonorrea. Se le ofrecerán anticonceptivos de emergencia si hay riesgo de embarazo. Los médicos conocen el uso de la pastilla del día después. Puede analizar esta posibilidad y si nota que su período se retrasa, estudie con los médicos la posibilidad de una regulación menstrual.
■ No permita que un médico la disuada diciendo que las posibilidades de haber contraído una ETS o de estar embarazada son

muy pocas. Impóngase y haga valer sus derechos.
■ Jamás se retire de la consulta sin obtener un nombre, dirección y número telefónico, de modo que pueda comunicarse con el profesional en caso de que surja algún problema, y diga que lo hará.
■ Puede ser necesario realizar visitas posteriores después de seis semanas para hacerse exámenes de sífilis y gonorrea y después de tres y seis meses para repetir los exámenes de VIH y hepatitis B y C.

Su estado mental después de una violación le dificulta bastante pensar con calma y frialdad en todo lo que estará haciendo y preguntando. De hecho, puede estar tan alterada, que no pueda pensar con claridad ni hablar. Por eso es muy importante contar con una amiga que pueda actuar como su apoyo para asegurarse de que no olvide nada y que haga todo.

CÓMO SALIR ADELANTE DESPUÉS DE UNA VIOLACIÓN
Los efectos posteriores de una violación son físicos y psicológicos. Puede encontrar una descarga vaginal o ardor en el perineo, lo cual podría ser a causa de una infección de candidiasis o tricomoniasis.

A menudo, las lesiones, la hinchazón y el dolor aparecen después de varias horas de ocurrida la agresión. Si sucede, vuelva donde el médico que la examinó para que las revise. Es posible que aparezcan leves desgarros en el interior del recto si el atacante involucró esta área. A veces, puede haber sangre en las deposiciones. Asegúrese de informar también esto al médico, aunque haya pasado algún tiempo.

Toda mujer violada sufre algún efecto psicológico posterior, aunque difieran enormemente. Algunas se sienten aturdidas y otras, bastante tranquilas. Sin embargo, es normal sufrir de ansiedad, la que puede llegar hasta un comportamiento histérico. También está dentro de lo normal el temor a estar sola, no poder dormir y desear correr y esconderse. Con la ayuda de la familia y los amigos, superará estos estados más rápidamente que si está sola.

Al escoger a una amiga para que la acompañe, piense en alguien que se preocupe por usted y no por el hecho de que la violaron. Muchas personas tienen ideas conflictivas acerca de la violación, y pueden concentrarse más en el incidente que en sus necesidades particulares.

Una de las mejores maneras de ayudarse es mediante grupos de mujeres y centros de crisis de violación, ya que tienen experiencia con las diversas reacciones de una víctima. Allí la aconsejarán y confortarán. Buscarán asesoría legal a su favor y la ayudarán a enfrentar sus trastornos psicológicos. Una de las cosas más importantes es obtener la ayuda de amigos y grupos simpatizantes lo antes posible. De este modo, tiene más oportunidades de salir adelante sin traumas psicológicos a futuro.

Las mujeres de los centros de crisis de violación señalan que una de las emociones que es más útil expresar en este caso es la rabia, así es que enójese si lo siente. También señalan que la menos útil es la culpa. Los grupos de apoyo y los amigos comprensivos, así como los consejeros calificados de los centros de crisis por violación pueden ayudarla a enfrentar estas emociones.

Trastorno dismórfico del cuerpo

LAS PERSONAS QUE SUFREN DE TRASTORNO DISMÓRFICO DEL CUERPO (TDC) TIENEN UNA PERCEPCIÓN DISTORSIONADA DEL PROPIO, PREOCUPÁNDOSE POR UN DEFECTO IMAGINARIO O DEMOSTRANDO UNA PREOCUPACIÓN EXCESIVA SOBRE ALGUNA ANOMALÍA MENOR.

alguien los mira en la calle, los están condenando por vivir. Como dijo un hombre con TDC: "El único lugar donde te encuentras cómodo es en una librería, viendo fotografías de personas con deformaciones horribles".

La aversión contra uno mismo puede ser tan profunda que un adolescente se mutila continuamente. La vida se convierte en un rito complejo. Revisan sus rostros en el espejo cientos de veces al día y pueden tardar cinco horas en arreglarse para salir.

Nadie sabe por qué una persona desarrolla este trastorno, pero se especula que la causa se encuentra en sucesos ocurridos en la niñez. Los investigadores del hospital Great Ormond Street demostraron que el flujo sanguíneo hacia la parte del cerebro que controla la visión de quien sufre de anorexia es menor, lo cual podría relacionarse con la distorsión de la imagen de su cuerpo.

Escáneres del cerebro han revelado que varias áreas del cerebro funcionan mal en casos de trastorno obsesivo-compulsivo. ¿Sucede algo similar con el TDC? Nadie lo sabe.

Sin embargo, aproximadamente el 60 por ciento de los afectados se recupera gracias a una terapia.

Lo fascinante del TDC es que, aunque supone un nivel de obsesión y aislamiento que nosotros apenas podemos imaginar, todos podemos empatizar con él. Pensamos que nuestra nariz podría ser más pequeña o que podríamos ser más altos o más bajos, más delgados o más robustos, desearíamos tener una piel perfecta, piernas más largas o más o menos cabello.

En nuestra cultura de cuerpos hermosos y obsesionada por las celebridades, quien sufre de TDC es como el resto de nosotros, sólo que en mayor medida.

¿CUÁL ES EL TRATAMIENTO?

El tratamiento recomendado para el TDC es la terapia cognitiva, en la que se expone al paciente a situaciones más y más desafiantes hasta que comienza a funcionar nuevamente como un ser social.

También pueden ayudar los fármacos inhibidores selectivos de recaptación de serotonina (ISRS). Además, los grupos de autoayuda brindan apoyo y asesoría.

Quienes sufren de trastorno dismórfico del cuerpo (TDC) generalmente intentan ocultar su "aflicción". Hemos sabido que las anoréxicas tienen una percepción distorsionada de su cuerpo: sin importar cuán delgadas estén, aún se ven a sí mismas como el hombre de Michelin. Y esto no sólo se aplica a las mujeres, cada vez hay más hombres que se consideran demasiado delgados y se obsesionan con el entrenamiento y con desarrollar el cuerpo, al punto de consumir esteroides anabólicos. En los casos más graves, las personas llegan muy lejos para librarse de su fea característica, incluso llegando a amputarse un miembro no deseado.

¿CUÁLES SON LAS CAUSAS?

El trastorno dismórfico del cuerpo comparte características con otras condiciones psiquiátricas, incluida la anorexia y el trastorno obsesivo-compulsivo. Al igual que las

anoréxicas, quienes sufren de TDC ven su cuerpo de manera alterada, pero mientras las primeras se jactan de su delgadez y están orgullosas de ella, los segundos consideran su aflicción como un secreto terrible.

Al parecer, la preocupación por un defecto imaginario es la base de la aflicción. Si se presenta una leve anomalía física, la persona se preocupa en exceso.

El TDC generalmente comienza en la adolescencia, en que priman la inseguridad y la timidez. Sería común pensar en que todo está mal, el tamaño de la cabeza, las manos, la altura, la delgadez, la gordura, los lunares. Los adolescentes pueden recurrir a toda clase de métodos: Charles Atlas para desarrollarse; crema para la caída del cabello; intensos tratamientos para la piel porque piensan que se parece a la superficie lunar.

Se trata de ansiedades normales de la edad, exageradas al punto de llegar a pensar que si

Ver también:
• **Terapias psicológicas pág. 286**

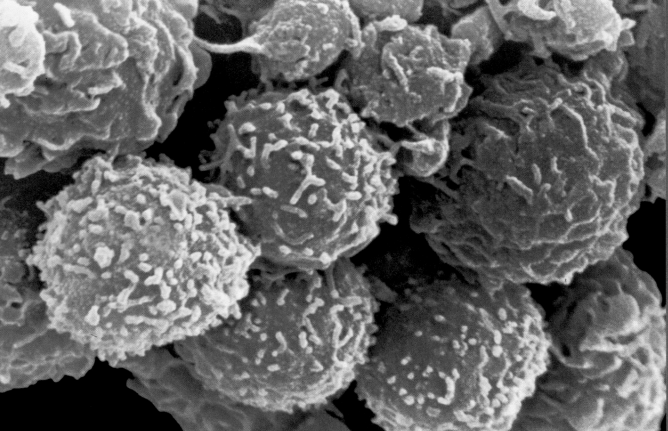

Alergias y Sistema Inmunológico

La imagen coloreada muestra glóbulos blancos y plaquetas observados a través de un microscopio electrónico de barrido

El resumen de Miriam

El sistema inmunológico nos protege, nos vuelve inmunes ante las infecciones, las proteínas exógenas y el cáncer. Está constituido por un conjunto de genes, células, enzimas y elementos químicos que interactúan, y es tan complejo que, en gran medida, aún es un misterio.

Hemos logrado comprender una pequeña parte, pero aún no podemos entenderlo completamente.

Admito que todo lo que puedo decir es sólo parte de un gran tema. Mi objetivo es describir algunas condiciones comunes relacionadas con el sistema inmunológico para que entienda mejor qué sucede y cómo manejarlo.

"Refuerza tu sistema inmunológico" es una frase utilizada por los fabricantes para que el público compre sus productos. Me gustaría entender qué significa; de este modo, quizás también desearía comprar el producto. Pero no es el caso.

No sé de nada que refuerce el sistema inmunológico, no por medio de un complemento vitamínico o mineral. Este sistema inmunológico no funciona así. La única forma que conozco es aplicar una dosis de alguna infección, lo que provoca que todo el sistema entre en acción: las células T se activan y se generan anticuerpos.

Esta es la razón por la cual la inmunización da buenos resultados y la vacunación infantil es tan importante, pues "entrena" a nuestro sistema inmunológico. La vacunación es tan efectiva que nos puede proteger durante toda la vida.

Una alergia indica que el sistema inmunológico se ha vuelto muy sensible, por lo cual intenta cuidarnos contra elementos que la mayoría de estos sistemas no toman en cuenta, como el polen, el polvo y otros.

Hoy es posible mantenerlo equilibrado mediante inyecciones desensibilizantes, pero por lo general los médicos lo controlan con antialérgicos, como en la mayoría de los casos de asma.

A veces el sistema puede comenzar a proteger al cuerpo de sí mismo. Este caso se denomina trastorno autoinmune. Un ejemplo es la artritis reumatoidea, en la cual el cuerpo inflama sus propias articulaciones.

"es posible *equilibrar el sistema inmunológico* mediante inyecciones desensibilizantes"

Si el sistema inmunológico deja de protegernos, podemos tener graves problemas. El SIDA es un ejemplo, en el cual el virus (VIH) desmantela los elementos fundamentales del sistema inmunológico, haciéndonos víctimas de infecciones oportunistas y cáncer, a menudo con resultados fatales (ver pág. 338).

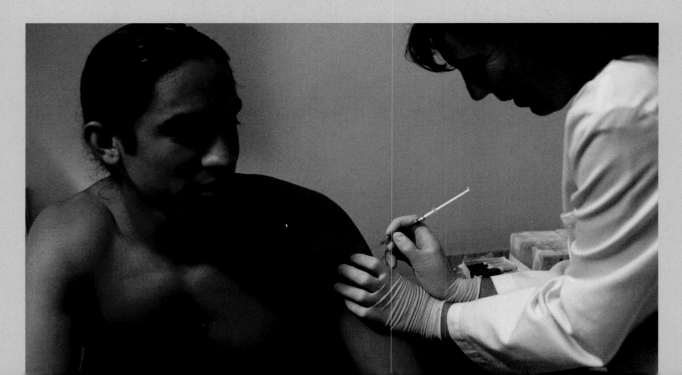

AL INTERIOR
del sistema inmunológico

El cuerpo tiene muchas barreras contra las infecciones y diversos tipos de **respuestas inmunes** para invadir los organismos y las células cancerosas. Por ejemplo, el **sebo** y el **sudor**, liberados por la piel, son antisépticos de nivel medio. Las **lágrimas** contienen un antiséptico más poderoso. El **mucus** secretado por el recubrimiento del tracto respiratorio y el estómago, protege, pues atrapa a los organismos dañinos. En la **respuesta inmune de anticuerpos**, los glóbulos blancos conocidos como **linfocitos B** o **células B** atacan y destruyen a las bacterias. En la **respuesta inmune celular**, los glóbulos blancos, denominados **linfocitos T** o células T, atacan y destruyen a los virus, parásitos y células cancerosas.

En una **reacción alérgica**, el sistema inmunológico se vuelve sensible a una sustancia que por lo general es inofensiva, como el polen. La exposición a dicha sustancia produce que los mastocitos, que se encuentran en la piel, el recubrimiento nasal y otros tejidos se destruyan, lo que libera **histamina**. Ésta provoca una **inflamación** y presenta los síntomas de la alergia.

las defensas del cuerpo

Las áreas del cuerpo expuestas a una infección están protegidas por varias barreras y existen muchas respuestas inmunes para combatir a los organismos invasores.

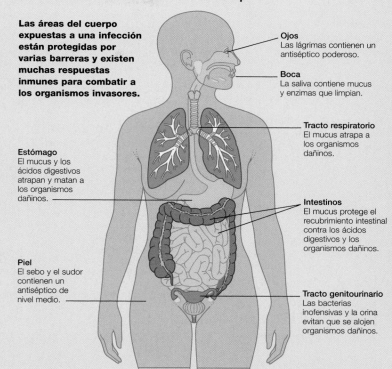

Ojos
Las lágrimas contienen un antiséptico poderoso.

Boca
La saliva contiene mucus y enzimas que limpian.

Tracto respiratorio
El mucus atrapa a los organismos dañinos.

Estómago
El mucus y los ácidos digestivos atrapan y matan a los organismos dañinos.

Intestinos
El mucus protege el recubrimiento intestinal contra los ácidos digestivos y los organismos dañinos.

Piel
El sebo y el sudor contienen un antiséptico de nivel medio.

Tracto genitourinario
Las bacterias inofensivas y la orina evitan que se alojen organismos dañinos.

LA FAMILIA DE CONDICIONES ATÓPICAS

Les quiero contar sobre una alergia especial y común. ¿Qué es atopia? La palabra "atópico" significa que una persona nació con una sensibilidad mayor a ciertos elementos del ambiente, a menudo proteínas invisibles denominadas alérgenos. Los más comunes para estas personas son los ácaros del polvo de las casas (específicamente sus excrementos), el césped, el polen de árboles y malezas, las proteínas del pelaje de gatos y perros, las plumas y, a veces, alimentos como el huevo, la leche o las nueces.

Las personas "atópicas" tienen un sistema inmunológico hipersensible y producen demasiado anticuerpo IgE contra las alergias. No presentan más trastornos en sus sistemas inmunes, pero esta sensibilidad conduce a la ATOPIA. Esta condición se debe a un gen que se transmite de una generación a otra. Los miembros de la familia presentan este gen atópico de diversas maneras. Si pertenece a una familia con antecedentes atópicos, podrá descubrir que el gen se presenta en cualesquiera de las siguientes condiciones:

- eccema infantil
- dermatitis en adultos
- asma infantil
- fiebre del heno
- alergias
- migraña (se describe junto a otros dolores de cabeza, ver pág. 407).

A simple vista, estas condiciones no están estrechamente relacionadas, pero todas son manifestaciones del gen atópico, por lo cual las describo como una familia de condiciones.

Eccema

EL ECCEMA ES UNA ERUPCIÓN DE LA PIEL QUE PRESENTA INFLAMACIÓN Y PICAZÓN. EL TÉRMINO ECCEMA PROVIENE DE LA PALABRA GRIEGA QUE SIGNIFICA "ERUPCIÓN" Y SE USA COMO SINÓNIMO DE DERMATITIS. EXISTEN DISTINTOS TIPOS, ENTRE ELLOS EL ATÓPICO O ALÉRGICO.

El tipo de eccema más común es el atópico, a veces denominado "eccema alérgico". Una persona atópica tiene un gen que produce una reacción de la piel ante el estrés (una infección virulenta, un producto irritante en contacto con la piel, trastornos psicológicos) en la forma de eccema. Una vez que éstos aparezcan, tendrá **siempre** la tendencia a desarrollarlos, por tanto pueden manifestarse más adelante.

Estas personas o sus parientes también pueden desarrollar asma o fiebre del heno. El gen atópico tiende a transmitirse en las familias, pero se puede presentar de distintas formas. Por ejemplo, uno puede sufrir de migraña, otras alergias o asma, etc. Todas estas condiciones se relacionan con el eccema (dermatitis) y pertenecen a la familia atópica.

Aunque la tendencia a desarrollar eccema es genética, algunos alimentos (como productos lácteos, huevos y trigo) e irritantes de la piel (pelaje de animales, lana o jabones en polvo) pueden causar reacciones, en especial en los niños.

¿CUÁLES SON LOS SÍNTOMAS?

■ Erupción seca, roja y escamosa con una gran picazón que aparece en el rostro, cuello, manos y pliegues de las extremidades.
■ La erupción suele comenzar como pequeñas ampollas debajo de la superficie de la piel.
■ Si es grave, la erupción puede rezumar.
■ Si la picazón es muy fuerte, puede causar problemas para dormir.

FACTORES AGRAVANTES

Los síntomas pueden ser leves o graves y empeoran con:

● los cambios de clima, especialmente la exposición a viento frío o calor excesivo
● el agua, particularmente el agua dura
● jabones, detergentes, limpiadores, baños de espuma, cosméticos, perfume
● polen, pelaje de animales, caspa animal, polvo
● estrés y ansiedad
● fibras sintéticas o lana
● ciertos productos químicos: ácidos, álcalis, agentes oxidantes o reductores, aceites, solventes
● resfríos, gripe, infecciones de todo tipo.

ESTILO DE VIDA

■ Las personas con eccema deben evitar el contacto con el jabón, el detergente y otros irritantes. Esto implica usar guantes para las tareas de la casa.
■ También deben evitar trabajos en que la piel esté expuesta a productos irritantes, como peluquería, mecánica, incluso enfermería, en especial si el eccema afecta las manos.
■ Se debe reducir la población de ácaros en el hogar al limpiar y aspirar regularmente las alfombras. Las cubiertas para cama antiácaros han resultado beneficiosas para algunos pacientes. Asimismo, la ventilación frecuente y el cambio de la ropa de cama disminuyen la población de ácaros en este lugar.
■ La ropa de cama se debe lavar a 50 ˚C (122 ˚F) o más para eliminar los ácaros.
■ Los colchones viejos suelen tener mayores poblaciones de ácaros. Otra fuente de exposición son los juguetes de felpa.
■ Una forma útil de eliminarlos es sacudir los juguetes con fuerza o ponerlos en una bolsa plástica en el congelador por algunas horas.
■ Algunas personas atópicas son sensibles al pelaje de gatos y perros. Es lógico no tener estas mascotas si alguien en la familia padece de eccema atópico.
■ El uso de maquillaje también puede ser perjudicial para ellas, por ende, se debe utilizar con moderación.
■ Se recomienda mantener la calefacción central en el nivel más bajo posible, puesto que tiende a secar la piel.
■ La ropa de algodón es menos irritante que la de poliéster o lana.
■ Al bañarse o ducharse es recomendable usar un sustituto del jabón, como una crema líquida, o usar un aceite de baño.
■ Se deben evitar los baños de espuma, dado que contienen detergente. El humectante se debe aplicar una vez que la piel esté seca.
■ Las vacaciones en un lugar cálido son recomendables, ya que la piel se humecta y las personas se relajan.
■ Aunque la luz solar casi siempre es beneficiosa, el eccema atópico puede producir una mayor sensibilidad al sol. Se aconseja usar ropa de algodón y bloqueador solar cuando el clima es muy caluroso, para evitar quemaduras.
■ Las personas con eccema pueden **nadar**. Aplicar un ungüento emoliente o una crema bloqueadora antes y después de esta actividad reduce la irritación.

¿ES IMPORTANTE LA DIETA?

■ En los niños muy pequeños, el eccema atópico puede agravarse con la **leche de vaca**, por lo tanto se prefiere la leche de soya o hipoalergénica. Este problema casi siempre se presenta durante el segundo año de vida. A los pequeños de esta edad se les puede incorporar gradualmente mayor cantidad de esta leche en su dieta para que comiencen a tolerarla.

■ Es posible que el consumo de **huevos** también empeore el eccema, pero se puede tolerar en formas procesadas, como en pasteles.

■ Algunas familias pueden considerar que otros alimentos también son importantes. Si muchos de ellos parecen ser perjudiciales o ha decidido que su hijo seguirá una dieta estricta, es aconsejable que pida consejo a un nutricionista para asegurarse que el niño consuma suficientes proteínas, calcio y calorías.

■ Afortunadamente, la mayoría de las presuntas alergias alimentarias se superan durante la infancia.

■ Algo que sigue causando problemas en algunos individuos atópicos es el **maní**.

■ La **salsa de tomate** y las **frutas cítricas** parecen empeorar el eccema facial debido a que irritan la piel y pueden producir irritaciones alrededor de la boca.

TRATAMIENTOS CHINOS A BASE DE HIERBAS

Investigaciones recientes han demostrado que los medicamentos a base de hierbas utilizados en la antigua China pueden ser muy útiles. Hay tabletas, infusiones y cremas. Muchos dermatólogos reconocen su eficacia.

¿QUÉ PUEDE HACER EL MÉDICO?

■ El médico también le preguntará sus antecedentes familiares, especialmente si alguien ha sufrido de eccema u otra condición similar, como asma o fiebre del heno.

■ También preguntará si ha cambiado su dieta, usa otro jabón, tiene una nueva mascota y usa ropa fabricada con fibras sintéticas y que estén en contacto con su piel.

■ Si su bebé tiene eccema y recién ha dejado de amamantarlo o de alimentarlo por biberón, el médico podría recomendarle que evite los productos lácteos y que continúe amamantándolo o que use leche en polvo. Si no desea hacerlo, le aconsejará que lo alimente con leche de soya.

■ Es posible que el médico prescriba una crema antiinflamatoria para disminuir el enrojecimiento, la escamación y la picazón. En casos graves, puede prescribir cremas esteroides suaves. Éstas deben usarse con moderación, en especial en los niños.

■ Si la picazón no le permite dormir, es posible que el médico le prescriba un antihistamínico.

■ Si la piel se ha infectado al rascarse, quizás el médico le prescriba una crema antiséptica o antibióticos.

■ El médico le aconsejará que use aceites de baño y que deje el jabón. Éste puede irritar la piel sensible; el aceite ayudará a mantenerla flexible y menos reseca.

¿CUÁL ES EL PRONÓSTICO?

Muchos niños superan el eccema (y el asma) alrededor de los siete años. Sin embargo, durante toda su vida tenderán a desarrollar eccema transitorio en momentos de estrés y esta tendencia se puede transmitir a sus hijos.

En la edad adulta, la dermatitis se presenta de una forma distinta. El eccema se ve distinto, se localiza en otros lugares y puede ser transitorio. Es posible que tome la forma de dermatitis seborreica, de contacto o fotodermatitis (causada por la luz).

Eccema en bebés y niños

El eccema en bebés, denominado eccema infantil, es común y suele desarrollarse cerca de los 2 a 3 meses o a los 4 ó 5 meses, cuando comienzan su alimentación sólida. Casi siempre lo superan a los tres o siete años.

Algunos puntos importantes

■ El eccema es más común en los **bebés** que se alimentan por biberón que en aquellos que están en la etapa de lactancia materna.

■ Su desarrollo en **bebés** no se debe a una alergia, por lo cual, las pruebas de alergia no sirven.

■ Los **niños** con eccema no requieren una dieta especial.

¿Qué debo hacer primero?

■ Si su bebé se rasca, observe su cuello, cuero cabelludo, rostro, manos y pliegues de los codos, rodillas e ingle, pues éstos son los sitios habituales en los cuales se desarrolla la dermatitis infantil.

■ Mantenga sus uñas cortas para no herir su piel. El uso de mitones protege la piel de infecciones e irritaciones.

■ Si lo está iniciando en la alimentación sólida, vuelva a amamantarlo hasta que consulte a un médico. Si lo ha estado alimentando con leche en polvo, vuelva a hacerlo.

■ Aplique sólo loción oleosa de calamina para reducir la irritación y suavizar la piel.

■ Evite el jabón, ya que elimina la grasa de la piel y la seca, escama e irrita.

■ No use lana, sino algodón o hilo.

¿Qué más puedo hacer?

■ Utilice una crema emoliente cada vez que el niño se bañe. Esto permite mantener la piel suave, evita la sequedad y reduce la picazón.

■ Mantenga la calma frente al niño. Su ansiedad puede empeorar la condición.

■ Mantenga cortas las uñas del niño, de modo que al rascarse no provoque una infección.

■ Asegúrese que toda la ropa y cualquier prenda que esté en contacto con la piel del niño haya sido enjuagada adecuadamente.

■ Si el eccema empeora debido al pelaje de las mascotas, considere deshacerse de ellas.

■ Use una crema líquida como sustituto del jabón.

■ Use un emoliente para el baño (disponible en farmacias) disuelto en agua para crear una capa protectora sobre la piel de su hijo.

■ Considere la idea de instalar un suavizante de agua doméstico.

■ Vista a su hijo con prendas de algodón.

■ No elimine ningún alimento de la dieta de su hijo sin la supervisión del médico.

■ Retire todos los irritantes posibles del ambiente. Uno de ellos pueden ser las almohadas de plumas.

Vacunas

Por lo general es seguro vacunar a los niños que padecen de eccema de la manera habitual. Sin embargo, si un menor tiene una alergia comprobada a los huevos, la vacuna trisvírica (sarampión, paperas y rubéola) debe ser aplicada en un recinto hospitalario en caso de que surja algún problema, aunque suele tratarse de casos aislados.

Dermatitis de contacto

EL TÉRMINO DERMATITIS DE CONTACTO SE USA PARA DESCRIBIR UNA ERUPCIÓN CON INFLAMACIÓN Y PICAZÓN QUE SE DESARROLLA CUANDO UN AGENTE EXTERNO ENTRA EN CONTACTO CON LA PIEL. UN TIPO DE ELLA ES LA DERMATITIS OCUPACIONAL.

La dermatitis de contacto se desarrolla cuando se toca directamente una sustancia dañina o a veces cuando existen partículas de dicha sustancia en el aire. Al evitarse todo contacto con ésta, la dermatitis debería mejorar.

Existen dos tipos principales de dermatitis de contacto: **irritante** y **alérgica.**

La **dermatitis de contacto irritante** es un problema a la piel bastante común que afecta a muchas personas en alguna etapa de su vida. Es causada por el contacto con sustancias que dañan las capas externas de la piel y afecta generalmente las manos. Una de las causas más comunes es el contacto repetido con sustancias medianamente irritantes, como el agua y los detergentes (jabones, etc.). Otros irritantes son los solventes, como el petróleo, los limpiadores químicos, aceites y líquidos utilizados en la industria. El problema suele manifestarse en la piel cuando ésta se encuentra agrietada, inflamada y enrojecida. Si no se trata, se produce una dermatitis prolongada. Una vez dañada, la piel deja de ser una barrera y se irrita fácilmente. Esto crea un círculo vicioso difícil de romper.

La **dermatitis de contacto alérgica** es menos común que la anterior y una persona puede nacer con la tendencia a desarrollarla. Esto se debe a que el sistema inmunológico reacciona frente a sustancias específicas o "alérgenos" y la piel se vuelve hipersensible. La tendencia a una respuesta alérgica, o atopia, es genética y es posible que usted y sus familiares desarrollen otras condiciones atópicas como el eccema, asma, fiebre del heno y migraña. No se nace con este tipo de alergia, sino que se desarrolla más tarde, por lo general en la edad adulta.

Este tipo de dermatitis afecta sólo a un pequeño porcentaje de la gente que entra en contacto con el alérgeno. Se desconoce la causa de que una alergia aparezca en cierto momento o por qué afecta a algunas personas y a otras no. **La causa más común de dermatitis**

de contacto alérgica en las mujeres es el níquel, presente en los joyeria metálicos. Cerca de 1 en 10 mujeres tiene este tipo de alergia, que suele manifestarse como enrojecimiento, inflamación y picazón en los lóbulos de las orejas después de usar aros de materiales baratos. Otros elementos que provocan este tipo de dermatitis son el perfume, caucho, aditivos, aditivos del cuero y los preservantes de las cremas y cosméticos. También se puede producir por cremas y ungüentos prescritos y por bronceadores.

Una persona puede sufrir varios tipos de dermatitis. Por ejemplo, un peluquero con eccema atópico (eccema constitucional) puede desarrollar una irritación en la piel debido al contacto con el champú (dermatitis de contacto irritante).

DERMATITIS OCUPACIONAL

En algunos casos, la dermatitis es provocada por sustancias a las que la persona se expone en el trabajo. Éstas pueden ser irritantes o alérgenos. Se deben realizar pruebas de alergia si el trabajo implica el contacto con sustancias que pueden provocarla.

PREVENCIÓN DE LA DERMATITIS
■ Minimizar el contacto con las sustancias irritantes en el hogar y en el trabajo.
■ Evitar el contacto con las sustancias que le provocan alergia.
■ Tomar medidas de cuidado de la piel para mantenerla fuerte y sana.

TRATAMIENTO ACTIVO
Tratar la dermatitis aplicando frecuentemente humectantes y usando cremas o ungüentos esteroides una o dos veces al día. Si la dermatitis se ha infectado, será necesario, además, usar una crema antibiótica.

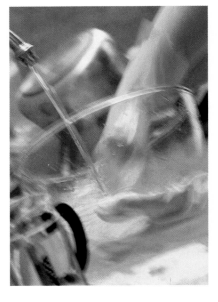

CUIDADO GENERAL DE LAS MANOS
La dermatitis afecta con mayor frecuencia a las manos. Dado que son tan importantes para realizar las tareas cotidianas, los problemas a la piel en esta zona pueden ser especialmente molestos. Las medidas generales del cuidado de ellas son útiles y constituyen una parte importante del tratamiento de la dermatitis en las manos.

■ Evite el contacto frecuente con el agua y use guantes cuando sea posible.
■ Use guantes y cremas bloqueadoras si le son proporcionados en su trabajo.
■ Evite el contacto con otras sustancias, como jugo de frutas y verduras, detergentes y agentes de limpieza.
■ Use un limpiador suave para la piel en lugar de jabón; lávese con agua tibia y séquese bien las manos para evitar el agrietamiento.
■ Use bastante humectante y aplíquelo con frecuencia (por ejemplo, durante los descansos, al ver televisión y antes de acostarse).

La piel puede tardar varios meses en recuperarse de la dermatitis y, aunque tenga una apariencia normal, todavía está vulnerable. Tómese su tiempo para cuidar su piel y trátela con respeto, ¡le debe durar el resto de su vida!

Causas comunes de la dermatitis de contacto alérgica

Sustancia	Dónde suele encontrarse
Níquel	Joyeria barata, remaches de los jeans, objetos metálicos, monedas
Fragancia	Perfumes, artículos de tocador, cosméticos
Cromatos	Artículos de cuero, cemento fresco
Preservantes	Cosméticos, especialmente cremas (limpiadoras, humectantes, etc.)
Aditivos de caucho	Guantes de caucho, zapatos

Ver también:
● **La familia de condiciones atópicas pág. 311**

Dermatitis seborreica

EL TÉRMINO DERMATITIS SEBORREICA DESCRIBE MANCHAS ROJIZAS, ESCAMOSAS Y CON PICAZÓN QUE APARECEN PRINCIPALMENTE EN PARTES GRASAS DE LA PIEL, COMO LOS COSTADOS DE LA NARIZ, CUERO CABELLUDO, ROSTRO Y PECHO. SE PRODUCE A MENUDO POR EL ESTRÉS.

Algunas personas nacen con la tendencia a desarrollar dermatitis seborreica y pueden padecerla varias veces durante su vida. Se trata de una erupción común en niños y adultos. En los niños puede afectar el cuero cabelludo (costra láctea) o el área del pañal (dermatitis del pañal). En los adultos, ésta suele aparecer en el centro de la cara, las cejas y el cuero cabelludo, donde puede llevar a la escamación de la piel. A veces se presenta en las axilas, la ingle y la parte central del pecho y la espalda. En los hombres, también aparece en el área de la barba.

¿CUÁL ES EL TRATAMIENTO?
■ Evitar el agua y el jabón.
■ Usar cremas emolientes humectantes.
■ Usar una preparación esteroide suave, como crema a base de hidrocortisona al 1 por ciento, con moderación y bajo supervisión médica.
■ Evitar el estrés.

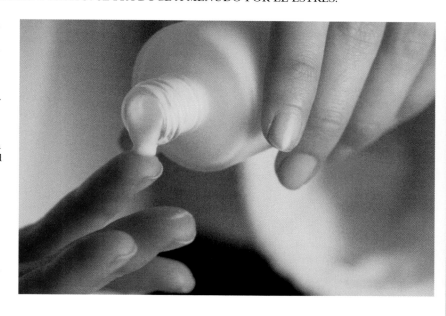

ALERGIAS

Algunas personas se enferman al entrar en contacto con una sustancia que es inofensiva para otras. Su malestar se debe a una alergia, una respuesta anormal del sistema inmunológico frente a un elemento exógeno. Cuando este sistema reacciona de esta manera, se dice que la persona tiene una "alergia" a la sustancia y que sufre de una reacción alérgica.

Una reacción alérgica puede manifestarse de diversas maneras, como estornudos, picazón en la nariz, romadizo, problemas al respirar, hinchazón del rostro (angioedema) y anafilaxia, la forma más grave.

La sustancia que causa dicha reacción se conoce como alérgeno. Algunos ejemplos comunes que afectan los pulmones son el polen de césped y árboles, los ácaros del polvo y el pelaje de animales.

Entre un cuarto y un tercio de la población es más propenso a tener alergias de cualquier tipo. Esta tendencia se transmite en la familia y se denomina atopia. Sin embargo, no todos los que la presenten tendrán problemas de alergia.

CÓMO RESPONDE EL CUERPO A LOS ALÉRGENOS
El cuerpo considera a los alérgenos (generalmente proteínas), como extraños y la respuesta natural es repelerlos.

Nuestro organismo crea anticuerpos para neutralizar y repeler el alérgeno. Si crea el tipo de anticuerpos contra alergias (IgE), cuando los alérgenos y los anticuerpos se encuentran se produce una reacción en la que se liberan muchas sustancias químicas que pueden irritar los tejidos y causar malestar. Un ejemplo es la histamina, que estrecha los bronquios y provoca sibilancias como en el asma.

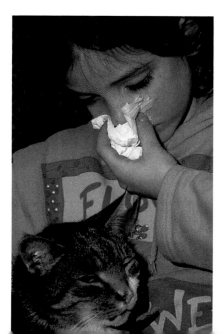

Los síntomas de una enfermedad alérgica dependen de dónde se produzca esta reacción. Si es en la piel, tendrá una erupción; si es en la nariz, picazón y estornudos; si es en los pulmones, sibilancias.

Con poca frecuencia y por razones que se desconocen, el cuerpo ve parte de sí mismo como el alérgeno y ataca la tiroides, las articulaciones o el páncreas, produciendo enfermedades tiroideas, artritis y diabetes, respectivamente. Éstas se denominan "enfermedades autoinmunes".

LAS ALERGIAS MÁS COMUNES
1. Algunas alergias pueden causar problemas durante todo el año, otras afectan sólo en ciertas épocas (estacionales). La causa más común de alergia anual son los **ácaros del polvo**. Estos diminutos ácaros están en todos los hogares y se alimentan de las escamas de la piel humana,

continúa en pág. 318

ENFOQUE
en asma infantil

Cada vez se informan más casos de asma. ¿Significa eso que somos más alérgicos que antes? ¿Se debe a que, al menos en las ciudades, hay más contaminación? ¿O es porque no entendemos qué debemos hacer para prevenirla? La evidencia indica que esta última es la respuesta.

Estudios realizados en Europa demuestran que los niños criados en granjas y que tienen contacto con el ganado presentan dos tercios menos de probabilidades de desarrollar asma. Lo mismo se descubrió en soldados italianos.

Se sugiere que el contacto con bacterias comunes o de jardín a edad temprana otorga protección.

Una teoría para el aumento de asma es que los niños de hoy están tan protegidos contra el polvo y las infecciones cotidianas que su sistema inmunológico no se desarrolla normalmente y tiende a ser hipersensible y, por ende, desarrollar alergias.

¿QUÉ ES EL ASMA?
En los niños, el asma es principalmente una enfermedad alérgica que afecta las vías respiratorias (bronquios), que son muy sensibles a factores desencadenantes.

Cuando se produce la reacción alérgica, los bronquios se contraen y se obstruyen con mucosidades, por lo cual resulta difícil respirar.

El músculo que rodea las paredes de las vías respiratorias se contrae y el aire inhalado sale con dificultad. Los niños se asustan mucho con las crisis asmáticas, ya que la sensación de asfixia puede causar pánico y dificultar aún más la respiración. La causa inicial de la reacción alérgica, el **alérgeno**, suele transmitirse por el aire, como el polen o el polvo. Una vez que el asma se ha establecido, el estrés emocional o una infección de mediana gravedad puede provocar otro ataque.

Por lo general, el asma no comienza a desarrollarse sino hasta los 2 años. La condición suele transmitirse en la familia y puede estar acompañada de otras enfermedades alérgicas como el eccema, la fiebre del heno y la sensibilidad a la penicilina.

Sin embargo, la mayoría de los niños se sana con el tiempo.

SIBILANCIAS EN LOS BEBÉS
Muchos niños menores de un año sibilan cuando sufren de bronquiolitis y sus vías respiratorias se inflaman. Estos bebés no necesariamente sufren de asma. Cuando crecen, sus vías respiratorias se ensanchan y las sibilancias cesan. La causa de esta sibilancias suele ser una infección y no una reacción alérgica.

¿ES GRAVE?
Las crisis de asma pueden producir temor, pero el niño no debería sufrir complicaciones graves con la medicación y las recomendaciones del médico.

POSIBLES SÍNTOMAS

- Respiración forzosa: respirar se hace difícil y el abdomen puede irse hacia adentro con el esfuerzo de inspirar.
- Sensación de sofoco.
- Sibilancias.
- Tos persistente, especialmente por la noche.
- Pérdida de aliento: el niño ya no corre tanto como antes.
- Tono azulado alrededor de los labios (cianosis) por la falta de oxígeno.

¿QUÉ DEBO HACER PRIMERO?
1. Consulte inmediatamente al médico si su hijo tiene dificultades para respirar.
2. Si se produce el ataque cuando el niño está acostado, siéntelo apoyado en cojines o en una silla con los brazos en la espalda, para aliviar el peso de su pecho. Esto permite que los músculos del pecho puedan sacar el aire con mayor eficiencia.
3. Mantenga la calma. Si el niño nota su ansiedad, se asustará más.
4. Mientras espera al médico, trate de distraer al niño. Por ejemplo, cántele para que olvide su dificultad respiratoria.
5. Instale un humidificador en la habitación para calmar sus vías respiratorias sensibles.
6. Abrácelo muchas veces para darle confianza.

CONSULTA AL MÉDICO
Los elementos principales del tratamiento son los medicamentos **paliativos** (para aliviar un ataque) y **preventivos** (para evitar que sucedan). El niño puede ingerir medicamentos preventivos todo el tiempo para no sufrir los síntomas del asma.

- Su médico tratará la crisis con medicamentos paliativos, como un broncodilatador, que abre los bronquios al relajar los músculos que recubren las vías respiratorias. Este medicamento se inhala directo a los bronquios, el lugar de la obstrucción. Una crisis grave requerirá

atención hospitalaria, donde se administrarán mayores dosis de broncodilatador por inhalación o vía intravenosa.

● Si existe una infección en el pecho, el médico le prescribirá antibióticos.

● El médico querrá prevenir nuevas crisis. Por ejemplo, intentará identificar el alérgeno para que el niño pueda evitarlo. Para ello realizará pruebas para identificar a los alérgenos más probables, como el polen y el polvo.

● Le entregará un broncodilatador, generalmente un inhalador fácil de usar por los niños, para que lo aplique en cuanto comience una crisis.

● Le solicitará que le indique si el niño ha tenido una crisis grave y si no hay mejoría después de dos dosis del broncodilatador.

● Es posible que le prescriba un medicamento de esteroides si las demás medidas no detienen las crisis. No se asuste, los esteroides para el asma suelen inhalarse hasta las partes más profundas de los pulmones y son bastante seguros. Una pequeña dosis de esteroides se inhalará tres o cuatro veces al día.

¿CÓMO PUEDO AYUDAR?

● Si el médico no ha detectado el alérgeno, intente descubrirlo usted. Fíjese cuándo ocurren las crisis, en qué hora del día o época del año. Evite los alérgenos típicos, como los cojines de plumas, y retire el polvo de su hogar utilizando una aspiradora en lugar de una escoba.

● Muchos asmáticos tienen alergia a los animales, a su pelaje, piel y saliva. Si tiene una mascota, pídale a algún amigo que la cuide por dos semanas y fíjese si las crisis son menos frecuentes.

● Asegúrese que su hijo tenga los medicamentos prescritos siempre a mano.

● Informe a la escuela que el niño puede sufrir crisis.

● Es fundamental que el niño siga tomando sus medicamentos preventivos aunque se sienta bien. Nunca suspenda estos medicamentos sin consultar al médico.

● Solicite que deriven al niño a un fisioterapeuta para que aprenda ejercicios de respiración que lo ayuden a relajarse durante las crisis.

● Pida al niño que se ponga de pie y se siente derecho, para que sus pulmones tengan más espacio. Controle el sobrepeso, ya que éste implica una carga mayor para los pulmones.

● El ejercicio moderado puede ser beneficioso para su respiración, pero en exceso puede provocar una crisis de asma. Sin embargo, nadar es especialmente favorable.

continuación de pág. 315

que todos liberamos en forma natural. Generalmente se encuentran en la ropa de cama, como almohadas o colchones.

2. Otra causa común de alergia durante todo el año es la **piel y el pelaje de gatos y perros**, caballos y otros animales.

3. Algunas personas sufren de alergia a sustancias de su **lugar de trabajo**, como ciertos tipos de polvo.

4. Los alérgenos que atacan en ciertas épocas del año incluyen el **polen** de árboles (primavera), del césped (verano) o de las malezas (final del verano). Algunos hongos producen esporas que pueden causar alergia al final del verano y en otoño.

ALGUNAS ENFERMEDADES ALÉRGICAS

■ La enfermedad alérgica más común en el Reino Unido durante el verano es la **fiebre del heno**, producida por el polen del césped. Usualmente provoca picazón, estornudos y romadizo. También puede producir irritación en los ojos, picazón en el paladar y problemas al respirar.

■ La alergia suele producir **asma**, una enfermedad de los pulmones que dificulta la respiración y provoca una sensación de estrechez en el pecho. Aparece en cualquier etapa de la vida, aunque se da más en la juventud y mediana edad. Puede producirse por alérgenos durante todo el año, como los ácaros, o por épocas, como el polen.

■ Algunas **condiciones de la piel** producen alergia, como la dermatitis de contacto y las erupciones por medicamentos.

■ El grupo **autoinmune** de enfermedades alérgicas es muy extenso y afecta cualquier órgano del cuerpo.

¿CÓMO SÉ SI TENGO ALERGIA?

Nunca **suponga** que tiene alergia y tome medidas por su cuenta, como comenzar una dieta que excluya determinados alimentos, sea para usted o para su hijo. Esto puede ser peligroso.

Su médico general le dirá inmediatamente si tiene alergia, aunque algunas de ellas se diagnostican con mayor facilidad que otras. Por ejemplo, si tiene fiebre del heno o asma, la cual empeora en verano, es probable que sea alérgico al polen del césped.

En el caso de otras alergias, como aquellas producidas por ácaros y pelaje de animales, debe someterse a pruebas especiales para determinar el problema. Si el médico piensa que puede tener una alergia pulmonar, lo derivará a un especialista.

¿PUEDO TOMAR MEDIDAS PARA PREVENIRLA?

■ Es difícil evitar el **polen**, la causa más común de alergias. Usar lentes y mantener las ventanas cerradas puede ser útil, en especial si se encuentra

Prueba de parche

Los dermatólogos realizan la prueba de parches para descubrir qué sustancias provocan una reacción en personas que pueden tener alergia. Se diluyen posibles alérgenos (sustancias que pueden causar una reacción alérgica) y se colocan en tiras o discos pequeños. Las tiras se adhieren a la piel con cinta inerte (no alergénica). Después de 48 horas, se retiran los parches y se examina la piel. Un área enrojecida e inflamada indica una reacción positiva al alérgeno. Se realiza otra revisión dos días después en caso de reacciones tardías.

Se colocan diminutas cantidades de las sustancias diluidas en tiras pequeñas. Éstas se adhieren con cinta inerte a un área discreta, generalmente la espalda. Después de 48 horas, se quitan las tiras y se examina la piel. Un área enrojecida indica una reacción alérgica a la sustancia.

en un automóvil o en edificios de altura. Evite los lugares abiertos con césped, particularmente por la tarde y por la noche, cuando hay más polen a nivel del suelo. Un viaje a la costa o al exterior sería adecuado en esta época.

■ Si los **gatos o perros** son causa de alergias, se aconseja no tener estas mascotas. La mayoría de la gente no desearía deshacerse de ellos, pero llegado el momento, esto se debe considerar cuidadosamente.

En el intertanto, mantenga al animal fuera de casa el mayor tiempo posible y límpiela minuciosamente. **Bañe a su perro o gato una vez por semana** para reducir el nivel de alérgenos en la casa, ¡aunque a su mascota no le guste!

Puede disminuir los problemas provocados por ácaros si usa cubiertas especiales para colchones, almohadas y edredones. Limpie la casa con frecuencia lo mejor que pueda y ventílela bien. Esto reducirá la humedad que necesitan los ácaros. Una buena aspiradora con un filtro pequeño sería de gran utilidad.

PRUEBAS PARA LA ALERGIA

Las **únicas pruebas reales** para detectar alergia son el test de escarificación y el de parches. Si no se los ha hecho, nunca estará seguro. Ambos procedimientos son simples y no provocan dolor.

1. En un **test de escarificación** se crean soluciones diluidas de extractos de alérgenos, como polen, polvo, caspa o alimentos que suelen causar alergia. Se coloca una gota de cada solución en la piel y luego se pincha con una aguja. Se observa la reacción, la que aparece generalmente dentro de 30 minutos. No se debe ingerir antihistamínicos el día de la prueba, ya que pueden evitar las reacciones.

Nota: No se debe comenzar una dieta en que excluya alimentos determinados sin antes hacerse un test de escarificación en un centro especializado.

2. El **test de parches** (ver el cuadro) se aplica a personas que padecen dermatitis de contacto. Un dermatólogo realiza esta prueba para descubrir qué sustancias provocan una reacción alérgica en la piel. Se diluyen posibles alérgenos (sustancias que pueden causar una reacción alérgica) y se colocan en tiras o discos pequeños. Los parches se adhieren a la piel con cinta inerte (no alergénica). Después de 48 horas, se quitan los parches y se examina la piel. Un área enrojecida e inflamada indica una reacción positiva al alérgeno. Se realiza otra revisión dos días después en caso de reacciones tardías.

¿CUÁL ES EL TRATAMIENTO?

■ Se puede realizar un test de escarificación o de parches para identificar el alérgeno. En algunos casos, éste no se puede detectar.

■ Los atomizadores nasales descongestionantes alivian los síntomas, pero no se deben usar todo el tiempo.

■ A menudo se combinan antihistamínicos con descongestionantes para aliviar la inflamación y la picazón.

■ Las gotas para los ojos pueden aliviar los síntomas oculares.

■ Si los síntomas son graves, su médico puede prescribir un corticosteroide oral.

■ El tratamiento más específico es la inmunoterapia, en la cual se le inyectan gradualmente dosis crecientes de alérgenos para desensibilizar el sistema inmunológico. Este procedimiento puede demorar hasta cuatro años y no siempre tiene éxito.

Ver también:
• **La familia de condiciones atópicas pág. 311**
• **Trastornos autoinmunes pág. 323**
• **Dermatitis de contacto pág. 314**
• **Alergia a medicamentos pág. 322**

Fiebre del heno

LA FIEBRE DEL HENO, TAMBIÉN LLAMADA RINITIS ALÉRGICA, SE DEBE A UNA INFLAMACIÓN DE LA MEMBRANA QUE RECUBRE LA NARIZ, LA GARGANTA Y LOS OJOS. ESTA INFLAMACIÓN SE PRODUCE POR UNA REACCIÓN ALÉRGICA A SUSTANCIAS ESPECÍFICAS TRANSMITIDAS POR EL AIRE, LOS ALÉRGENOS.

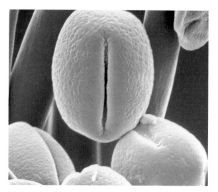

Granos de polen amplificados de una acacia (Robinia pseudoacacia).

Si la rinitis alérgica se produce sólo durante la primavera y el verano, se conoce como **rinitis alérgica estacional** o fiebre del heno y se debe a la **inhalación de polen**. Si aparece durante todo el año, se denomina **rinitis perenne** y por lo general corresponde a una alergia al **polvo del hogar**. La rinitis alérgica es más común en personas que tienen otros trastornos de este tipo, como asma, eccema o migraña, es decir, que presentan atopia.

¿CUÁLES SON LAS CAUSAS?

La rinitis alérgica estacional suele deberse al polen de césped, árboles, flores o malezas y se manifiesta generalmente en primavera y verano, cuando hay más polen. Los alérgenos más comunes que provocan rinitis alérgica perenne son el polvo del hogar, los ácaros del polvo, el pelaje y la caspa animal, las plumas y las esporas de moho.

¿CUÁLES SON LOS SÍNTOMAS?

Los síntomas de ambas formas de rinitis alérgica aparecen poco después del contacto con el alérgeno, pero tienden a ser más graves en la fiebre del heno. Algunos son:

- sensación de picazón nasal
- estornudos frecuentes
- romadizo
- picazón, enrojecimiento y ojos llorosos.

Algunas personas pueden presentar dolores de cabeza. Si el recubrimiento de la nariz se inflama mucho, puede haber sangrado nasal.

¿QUÉ SE PUEDE HACER?

- El médico puede reconocer la rinitis alérgica al identificar sus síntomas, en especial si identifica la sustancia que provoca la reacción.
- Se puede realizar un test de escarificación

para identificar el alérgeno. En algunos casos no se puede detectar.

- Si es posible evitar los alérgenos que lo afectan, los síntomas disminuirán.
- A menudo se combinan antihistamínicos con descongestionantes para aliviar la inflamación y la picazón.
- Muchos medicamentos antialérgicos están disponibles con prescripción médica o sin ella. Por ejemplo, las alergias se pueden aliviar mediante atomizadores nasales que contienen cromolin sódico.
- Los corticosteroides nasales en atomizadores también son efectivos contra la fiebre del heno, pero tardan unos días en producir algún efecto.
- Los atomizadores nasales contienen descongestionantes que alivian los síntomas, pero no se deben usar todo el tiempo.
- Las gotas para los ojos pueden aliviar los síntomas oculares.
- Si los síntomas son graves, el médico puede prescribir un corticosteroide oral.

El tratamiento más específico para la rinitis alérgica es la **inmunoterapia**, en la cual se inyectan gradualmente dosis crecientes del alérgeno para **desensibilizar** el sistema inmunológico. Este tratamiento suele durar entre 3 y 4 años y no siempre tiene éxito.

Calendario de la fiebre del heno

Si sufre de rinitis alérgica estacional, esta lista lo ayudará a identificar la causa.

Enero–Abril	Aliso
Febrero–Marzo	Avellano
Febrero–Abril	Olmo
Febrero–Abril	Sauce
Abril–Mayo	Abedul
Mayo–Agosto	Césped
Mayo	Castaño de Indias
Junio–Julio	Limero
Junio–Agosto	Artemisa
Julio–Septiembre	Ortiga
Julio–Octubre	Acedera

Ver también:
- **Alergias pág. 315**
- **La familia de condiciones atópicas pág. 311**

AUTOAYUDA

Para superar la fiebre del heno (rinitis alérgica)

Rinitis alérgica perenne

Las siguientes medidas indican cómo mantener un ambiente sin alérgenos en su hogar para evitar la rinitis alérgica perenne.
- Evite tener mascotas si éstas le causan alergia.
Reemplace las almohadas y cobertores que contienen materiales animales, como plumas, por otros con relleno sintético.
Cubra los colchones con plástico.
Retire, si es posible, los elementos que acumulan polvo, como muebles tapizados y cortinas.

Fiebre del heno

Las siguientes medidas sirven para prevenir los síntomas de la fiebre del heno.
- Evite las áreas con demasiado césped o donde lo estén cortando.
- En verano, mantenga las puertas y ventanas cerradas y pase todo el tiempo que pueda en edificios con aire acondicionado.
- Evite salir al terminar la mañana y empezar

la tarde, ya que en estos momentos del día hay más polen en el ambiente.
- Mantenga las ventanas del automóvil cerradas mientras conduce.
- Asegúrese de que su automóvil cuente con un filtro efectivo contra el polen.
- En el exterior, use lentes para el sol para prevenir la irritación ocular. Éstos evitan que ingrese polen a los ojos.
- Báñese y cámbiese de ropa al llegar a casa.
- Consuma alimentos que fortalezcan el organismo, como frutas y verduras.

No se ha comprobado la efectividad de los **medicamentos alternativos**, pero hay quienes consideran útiles las tabletas de hierbas. Las **preparaciones homeopáticas** se consideran preventivas. Los **pañuelos desechables aromáticos** impregnados ayudan a secar las mucosidades. Existen **lentes** que filtran el aire alrededor de los ojos. Para la fiebre del heno se toman **complementos**, como el cinc que, aparentemente, refuerzan el sistema inmunológico.

Alergia alimentaria

MUCHA GENTE CONFUNDE LA ALERGIA CON LA INTOLERANCIA ALIMENTARIA. LA ALERGIA ALIMENTARIA ES UNA REACCIÓN ANORMAL DEL SISTEMA INMUNOLÓGICO Y PUEDE SER MUY GRAVE. LA INTOLERANCIA ALIMENTARIA NO INVOLUCRA A ESTE SISTEMA.

Aclaremos un malentendido habitual.
■ La INTOLERANCIA alimentaria es común.
■ La ALERGIA alimentaria es poco común. No se deben confundir.
■ Una forma fácil de distinguirlas es que la intolerancia le produce incomodidad: un alimento "no le cae bien", pero puede consumirlo. NO es alérgico a él.
■ Si es alérgico a un alimento, no puede consumirlo. Una cantidad mínima de él puede provocar síntomas graves, como el angioedema.
■ La alergia alimentaria provoca enfermedades graves, la intolerancia NUNCA lo hace.

La alergia alimentaria es una condición poco común en la cual el sistema inmunológico reacciona en forma inadecuada o exagerada a un alimento, lo que produce varios síntomas, como una erupción con picazón. La intolerancia alimentaria, por su parte, a menudo provoca malestar estomacal y dispepsia, y no involucra al sistema inmunológico.

¿CUÁLES SON LAS CAUSAS?
■ La alergia alimentaria es más común en personas "atópicas" con otras condiciones alérgicas, como el asma, el eccema o la fiebre del heno. El riesgo de desarrollar esta alergia es alto si un familiar cercano es alérgico a algún alimento.
■ Aunque cualquier alimento puede producir una reacción alérgica, probablemente el caso más común es el de los frutos secos, en especial el maní.
■ Otras causas relativamente comunes de alergia alimentaria son los mariscos, las fresas y los huevos.
■ A pesar de la creencia de los medios de comunicación y de algunos padres, los colorantes y preservantes de los alimentos en **escasas ocasiones** provocan reacciones alérgicas, pero la **intolerancia** al aditivo glutamato monosódico sí es común.
■ La alergia al trigo (gluten) puede provocar una condición denominada **enfermedad celíaca**.
■ En bebés y niños pequeños es común que se produzca una reacción alérgica a la proteína de la leche de vaca.
■ A diferencia de la sensibilidad inmediata a los frutos secos u otros alimentos, ambas condiciones son crónicas.

¿CUÁLES SON LOS SÍNTOMAS?
Los síntomas pueden aparecer casi de inmediato después de consumir el alimento o desarrollarse en unas cuantas horas. Éstos pueden incluir:
● una erupción con enrojecimiento y picazón en cualquier parte del cuerpo (urticaria)
● náuseas, vómitos y diarrea
● dificultad al tragar (urgencia médica)
● picazón e inflamación en el rostro, labios, boca y garganta (angioedema)
● falta de aliento o sibilancias, **anafilaxia**, una

respuesta alérgica **que pone en peligro la vida** y causa una repentina dificultad para respirar y colapso. Si desarrolla los síntomas de una reacción grave, llame inmediatamente a una ambulancia.

¿QUÉ SE PUEDE HACER?
1. Puede autodiagnosticarse una alergia alimentaria si los síntomas aparecen poco tiempo después de consumir un alimento en particular. Sin embargo, debe consultar a su médico. Si él no está seguro de la causa de la reacción, puede tomarle un **test de escarificación**.
2. El médico puede recomendar también una **dieta en que se excluyan determinados alimentos** (no la comience usted). Al consumir una dieta restringida por una o dos semanas, puede evitar los alimentos que causan los síntomas. Si los síntomas mejoran notablemente durante ella, es posible que tenga una o más alergias de este tipo. Puede agregar gradualmente otros alimentos, pero si los síntomas vuelven al consumir un alimento en particular, debe evitarlo en el futuro. NUNCA debe comenzar una dieta en que se excluyan ciertos alimentos sin consultar al médico, ni seguir una dieta con restricciones nutricionales por más de dos semanas. A menudo es difícil interpretar los resultados de una dieta de este tipo.

AUTOAYUDA
■ Mantenga un diario de lo que consume y anote si aparecen síntomas. Muéstreselo al médico.

Mantener un diario de lo que consume puede ayudarle a identificar los alimentos que le producen alergia.

■ El único tratamiento efectivo es evitar el alimento que produce trastornos.
■ Cuando coma afuera, siempre infórmese de los ingredientes y revise los envoltorios de los alimentos envasados.
■ Consulte a un nutricionista o dietista si necesita excluir un alimento que forma parte importante de su dieta normal, como el trigo.
■ Si requiere un cambio de dieta sustancial y permanente, asegúrese de seguir una que sea equilibrada.

¿CUÁLES SON LAS PERSPECTIVAS?
Muchas alergias alimentarias, en especial las producidas por frutos secos, son permanentes y la gente debe evitar ciertos alimentos durante toda su vida. Algunas alergias pueden desaparecer. Los niños menores de 4 años que evitan durante dos años ingerir alimentos que les provocan problemas, como el trigo, tienen muchas probabilidades de superar esta alergia.

Ver también:
● **Anafilaxia pág. 321** ● **Angioedema pág. 321** ● **Malabsorción pág. 365**
● **La familia de condiciones atópicas pág. 311** ● **Urticaria pág. 322**

Angioedema

EL ANGIOEDEMA ES UNA CONDICIÓN ALÉRGICA QUE PROVOCA UNA INFLAMACIÓN REPENTINA Y A VECES GRAVE EN LOS LABIOS, LA BOCA, LA GARGANTA, LAS VÍAS RESPIRATORIAS Y LOS OJOS. DEBE TRATARSE COMO UNA EMERGENCIA, YA QUE LA INFLAMACIÓN PUEDE INTERFERIR CON LA RESPIRACIÓN.

En el angioedema, las membranas mucosas y tejidos que están bajo la piel se inflaman repentinamente, debido a una reacción alérgica. En algunos casos, la inflamación de la boca, la garganta y las vías aéreas es tan grave que no permite tragar ni respirar. Por esto, tal condición requiere un tratamiento de urgencia.

ADVERTENCIA:

■ Cualquier alergia se puede convertir en un ataque de angioedema. La inflamación puede afectar la laringe (caja sonora) y poner en peligro la vida si bloquea las vías respiratorias. El angioedema puede ocurrir simultáneamente con la ANAFILAXIA, una reacción alérgica potencialmente fatal que requiere atención médica de urgencia.

■ Si presenta los síntomas de angioedema o tiene dificultad para respirar, llame a una ambulancia inmediatamente.

¿CUÁLES SON LAS CAUSAS?

■ La causa más común de angioedema es una reacción alérgica a un determinado tipo de **alimento**, como los mariscos, los frutos secos o las fresas.

■ Aunque con menos frecuencia, puede ser una reacción alérgica a **medicamentos**, como ciertos **antibióticos**.

■ El angioedema también puede presentarse como consecuencia de una **picadura de insecto**.

■ En casos aislados, una persona puede heredar la tendencia a desarrollar un angioedema que no se relaciona con una alergia.

En estos casos, los episodios de angioedema pueden comenzar durante la infancia y como consecuencia de **eventos estresantes**, como una lesión o una extracción dental.

■ Es común que las personas tengan sólo un episodio de angioedema, cuya causa no se pueda determinar.

¿CUÁLES SON LOS SÍNTOMAS?

La inflamación se presenta en pocos minutos y a menudo de manera asimétrica; por ejemplo, puede afectar sólo un lado de los labios. Los síntomas principales son:
• inflamación en cualquier parte del cuerpo, especialmente en el rostro, labios, lengua y genitales

• dificultad repentina para respirar, hablar o tragar debido a la inflamación de la lengua, boca o vías respiratorias

• en casi la mitad de los casos, aparece una erupción con picazón (urticaria) en las áreas que no están inflamadas.

¿QUÉ SE PUEDE HACER?

¡EMERGENCIA!

■ En caso de angioedema grave se le aplica al paciente, en forma urgente, una inyección de **adrenalina** y se lo mantiene en observación en el hospital. En los casos de mediana gravedad, se prescribe un **corticosteroide** o **antihistamínico** para disminuir la inflamación. Puede tardar horas o días en desaparecer.

■ El médico puede realizarle pruebas para determinar la causa. Si se sospecha que es alergia a un alimento, se puede identificar la sustancia a través de un **test de escarificación**. Si sufre de angioedema grave, su médico puede enseñarle a inyectarse adrenalina usted mismo.

Ver también:
• **Alergia a medicamentos pág. 322**
• **Alergia alimentaria pág. 320**
• **Urticaria pág. 322**

Anafilaxia

TAMBIÉN LLAMADA SHOCK ANAFILÁCTICO, LA ANAFILAXIA ES UNA CONDICIÓN POCO COMÚN, PERO PUEDE SER FATAL. ES UNA REACCIÓN ALÉRGICA GRAVE QUE SE EXTIENDE A TRAVÉS DEL CUERPO Y CAUSA UN SHOCK, CON UNA CAÍDA REPENTINA DE LA PRESIÓN ARTERIAL Y EL ESTRECHAMIENTO DE LAS VÍAS RESPIRATORIAS.

La anafilaxia se presenta en personas que desarrollan una sensibilidad extrema a una determinada sustancia (alérgeno). La reacción alérgica es tan grave que puede ser fatal, a menos que se trate de inmediato.

¿CUÁLES SON LAS CAUSAS?

La anafilaxia se debe, por lo general, a **picaduras de insectos** o a ciertos **medicamentos**, como la **penicilina**. Ciertos alimentos como los **frutos secos** o las **fresas** también pueden causar esta forma grave de reacción alérgica.

¿CUÁLES SON LOS SÍNTOMAS?

Si se presenta una sensibilidad extrema a una sustancia, puede experimentar uno o todos los siguientes síntomas en cuanto se exponga a ella:
• sensación repentina de gran ansiedad
• inflamación del rostro, labios y lengua
• sibilancias y dificultad respiratoria
• en algunos casos, una erupción con picazón (urticaria) y enrojecimiento de la piel

• mareo o, a veces, pérdida del conocimiento

Si usted o alguien a su lado presenta estos síntomas, llame inmediatamente a una ambulancia.

¿CUÁL ES EL TRATAMIENTO?

¡EMERGENCIA!

■ El tratamiento de urgencia para la anafilaxia es una inyección inmediata de adrenalina. También se administran inyecciones de **antihistamínicos** o **corticosteroides**, junto con **líquidos intravenosos**.

■ Debe evitar cualquier sustancia a la que sea sensible, especialmente si ha tenido una reacción anafiláctica anterior. Se le puede entregar **adrenalina para que se inyecte usted mismo** (un Epi-Pen).

■ También le recomendarán que lleve una **tarjeta de emergencia** o **brazalete** para que los demás se enteren de su alergia.

Ver también:
• **Alergia a medicamentos pág. 322**
• **Alergia alimentaria pág. 320**
• **Urticaria pág. 322**

Ayuda de urgencia para anafilaxia

Si ha experimentado anafilaxia o angioedema grave anteriormente, el médico le entregará jeringas y adrenalina inyectable, a menudo denominada Epi-Pen (mantenga una en casa, otra en el trabajo y lleve siempre una consigo). En caso de un episodio de anafilaxia, inyéctese adrenalina inmediatamente y luego llame a una ambulancia.

Alergia a medicamentos

EL TRATAMIENTO CON VARIOS MEDICAMENTOS PUEDE PROVOCAR DIFERENTES EFECTOS SECUNDARIOS. LA REACCIÓN SE PRODUCE POR UNA RESPUESTA ALÉRGICA AL MEDICAMENTO O A SUSTANCIAS QUE SE FORMAN CUANDO ÉSTE SE DESCOMPONE EN EL CUERPO.

Las erupciones son un efecto secundario, común del tratamiento con medicamentos. Por ejemplo, los antibióticos y la aspirina suelen provocar urticaria (también denominada ronchas, ver a continuación). Puede haber otros efectos, más graves, como náuseas, diarrea, sibilancias, inflamación del rostro y lengua (**angioedema**) y colapso. Las personas que presentan reacciones graves necesitan tratamiento hospitalario. La exposición repetida a un medicamento que produce una erupción o angioedema puede provocar anafilaxia.

Los antibióticos, como la penicilina, suelen producir erupciones, pero prácticamente todos los tratamientos con medicamentos pueden causar una reacción alérgica si una persona se vuelve sensible a ellos. Una erupción de ese tipo por lo general se manifiesta los primeros días del tratamiento, pero también puede aparecer al final.

La sensibilidad sólo se desarrolla después de una exposición previa al fármaco. Es común que al ingerir un medicamento por primera vez no se experimente una reacción alérgica y que la erupción aparezca en un tratamiento posterior.

¿QUÉ SE PUEDE HACER?

■ Si aparece una erupción mientras está tomando un medicamento, debe consultar al médico antes de la siguiente dosis.
■ La mayoría de las erupciones producidas por medicamentos desaparecen al dejar de ingerirlos.

■ Si la picazón provoca problemas, el médico le puede prescribir un corticosteriode tópico o un antihistamínico oral, pero algo simple como la loción de calamina puede aliviarla.
■ Una vez que sepa que es alérgico a un medicamento, debe hacérselo saber a cualquier médico que lo trate en el futuro.
■ Si ha tenido una reacción grave a un medicamento, debe considerar llevar una etiqueta o brazalete de advertencia médica.

> **Ver también:**
> • **Anafilaxia pág. 321**
> • **Angioedema pág. 321**

Urticaria

LA URTICARIA, TAMBIÉN CONOCIDA COMO RONCHAS, ES UNA ERUPCIÓN CON UNA GRAN PICAZÓN QUE PUEDE AFECTAR EL CUERPO COMPLETO O SÓLO UNA PARTE DE LA PIEL. ES UNA REACCIÓN ALÉRGICA A VARIAS SUSTANCIAS, ENTRE ELLAS ALIMENTOS, MEDICAMENTOS Y PICADURAS.

La erupción consiste en áreas levantadas y enrojecidas y, a veces, blancas. Las áreas inflamadas generalmente son de distinto tamaño y pueden fusionarse y abarcar grandes áreas de la piel. La urticaria aparece y desaparece. Usualmente dura unos minutos u horas y puede haber uno o dos ataques. Pero a veces se mantiene por varios meses (urticaria crónica). En otras ocasiones, aparece al mismo tiempo que otra condición más grave que afecta el rostro, el **angioedema**. En algunos casos, la urticaria es un primer síntoma de la **anafilaxia**, una reacción alérgica que puede ser fatal.

¿CUÁLES SON LAS CAUSAS?

■ La tendencia a desarrollar urticaria puede transmitirse por generaciones en las familias atópicas.
■ Puede ser el resultado de una reacción alérgica a un alimento, como mariscos, frutas y frutos secos, entre los que destaca el maní.
■ También puede producirse por una **alergia a medicamentos** (ver más arriba).
■ Se puede deber a una alergia a las plantas.
■ Se puede desarrollar tras la picadura de un insecto.
■ Cuando la urticaria aparece por primera vez en un adulto, a menudo es difícil determinar la causa.

¿QUÉ SE PUEDE HACER?

Un ataque único de urticaria generalmente desaparece con el tratamiento después de unas cuantas horas.

La forma crónica de la condición puede tardar varias semanas o meses en desaparecer. Productos de venta libre, como la loción de calamina y los antihistamínicos, pueden ayudar a aliviar la picazón. Si sus síntomas se mantienen o se repiten y la causa del problema no es evidente, debe consultar a su médico. Un test de escarificación identificará la sustancia que provoca la alergia (alérgeno). Una vez que se ha identificado, debe tomar las medidas necesarias para no tener contacto con ella y evitar una nueva aparición.

Nunca vuelva a consumir un alimento que le provoque alergia. Evite los platos y el servicio que hayan tenido contacto con él.

> **Ver también:**
> • **Anafilaxia pág. 321** • **Angioedema pág. 321**
> • **Alergia alimentaria pág. 320** • **La familia de condiciones atópicas pág. 311**

TRASTORNOS AUTOINMUNES

Si alguien tiene un trastorno autoinmune, su sistema inmunológico interpreta incorrectamente que sus propios tejidos son extraños, por ende, se crean anticuerpos que los atacan e intentan destruirlos.

En términos generales, una enfermedad autoinmune se manifiesta en los tejidos atacados por un anticuerpo determinado, por ejemplo, la glomerulonefritis en los riñones y la artritis reumatoide en las articulaciones.

¿QUÉ TIPOS EXISTEN?
1. En algunos trastornos autoinmunes los tejidos de un **órgano único** resultan dañados, lo que evita su funcionamiento normal. Algunos ejemplos de órganos que se pueden ver afectados son:
● la **glándula tiroides,** en la enfermedad de Hashimoto
● el **páncreas,** en la diabetes mellitus
● las **glándulas suprarrenales,** en la enfermedad de Addison.
2. Otro grupo de trastornos autoinmunes afecta el **tejido conectivo**, el "pegamento" que une las estructuras del cuerpo, como la **escleroderma** y el **lupus**. En estos trastornos, el sistema inmunológico reacciona contra los tejidos conectivos de **cualquier parte** del cuerpo, lo que provoca diversos síntomas.

¿QUÉ SE PUEDE HACER?
Si el médico sospecha que existe un trastorno autoinmune, le pedirá análisis de sangre para evaluar el funcionamiento de su sistema inmunológico y buscar evidencia de inflamación de los tejidos.

El tratamiento de estos trastornos depende del órgano afectado. En la tiroiditis de Hashimoto o la enfermedad de Addison, el daño a los órganos provoca una deficiencia en las hormonas que éstos producen normalmente. Sin embargo, la salud se restablece al reemplazar estas hormonas. En otros casos, el tratamiento pretende bloquear la producción de anticuerpos con medicamentos como **inmunosupresores** y **corticosteroides** o limitar los efectos de tales anticuerpos. El dolor y la rigidez se pueden tratar con **medicamentos antiinflamatorios no esteroideos**.

¿CUÁLES SON LAS PERSPECTIVAS?
Las perspectivas para las personas con trastornos autoinmunes dependen del daño que sufren sus tejidos y órganos. Estos trastornos suelen ser crónicos, pero los síntomas se pueden controlar con medicamentos. En algunos casos puede haber complicaciones graves, como una falla renal. No obstante, generalmente la enfermedad se "consume" en la mediana edad y los síntomas desaparecen.

Inmunodeficiencia adquirida

LA INMUNODEFICIENCIA ES LA FALLA COMPLETA O PARCIAL DEL SISTEMA INMUNOLÓGICO, EL SISTEMA DE DEFENSA NATURAL DEL CUERPO CONTRA LAS ENFERMEDADES. SI ÉSTE FALLA EN ALGÚN MOMENTO DE LA VIDA, SE CONOCE COMO INMUNODEFICIENCIA "ADQUIRIDA".

¿CUÁLES SON LAS CAUSAS?
■ En la forma más dañina de esta condición, el síndrome de inmunodeficiencia adquirida (SIDA), el **virus de inmunodeficiencia humana** (VIH) destruye un tipo específico de glóbulos blancos, las células T, lo que causa un debilitamiento y vulnerabilidad progresivos del sistema inmunológico.
■ Las infecciones como el **sarampión** o la **gripe** reducen la capacidad que tiene el cuerpo para combatir la infección pues disminuyen el número de glóbulos blancos involucrados. A menudo, este tipo de inmunodeficiencia es moderado y el sistema inmunológico vuelve a la normalidad cuando la infección ha sido superada.
■ Se puede desarrollar una forma moderada de inmunodeficiencia en algunos trastornos crónicos, como la **diabetes mellitus** y la **artritis reumatoidea**. Esto ocurre, en parte, porque estas enfermedades mantienen el sistema inmunológico bajo estrés, lo cual reduce su capacidad de combatir otras afecciones.

■ Ciertos tipos de **cáncer**, especialmente los tumores en el sistema linfático (linfomas) pueden causar una forma más grave de inmunodeficiencia, que daña las células del sistema inmunológico y disminuye la producción normal de glóbulos blancos.
■ El uso prolongado de **corticosteroides** suprime el sistema inmunológico y tiene el efecto inevitable de causar susceptibilidad a las infecciones.
■ Los **medicamentos inmunosupresores**, que se pueden prescribir para prevenir el rechazo de un órgano trasplantado, también producen y afectan la capacidad de combatir las infecciones.
■ La **quimioterapia** puede dañar la médula ósea, donde se forma la mayoría de los glóbulos blancos, y también provocar el desarrollo de inmunodeficiencia adquirida.
■ Asimismo, se puede desarrollar inmunodeficiencia **después de la extirpación del bazo**, un órgano en el cual se producen algunos glóbulos blancos.

¿QUÉ SE PUEDE HACER?
El médico puede sugerir dosis bajas y continuas de **antibióticos**, **medicamentos antivirales** y/o **antimicóticos** y varias **inmunizaciones**, como la vacuna antineumocócica, para protegerse contra la neumonía neumocócica.

Los efectos de la inmunodeficiencia se pueden controlar con un tratamiento, aunque la causada por una infección de VIH tiende a empeorar con el tiempo.

Ver también:
• **Quimioterapia pág. 257**
• **Diabetes mellitus pág. 504**
• **Infección de VIH y SIDA pág. 338**
• **Gripe pág. 334**
• **Linfoma pág. 328**
• **Sarampión (tabla) pág. 544**
• **Artritis reumatoidea pág. 429**

ENFOQUE *en* lupus

El lupus (a veces conocido como lupus eritematoso sistémico) es una enfermedad autoinmune que puede atacar distintas partes del cuerpo y produce una gran variedad de síntomas, lo que dificulta su diagnóstico.

Aunque el lupus no es muy conocido, es más común que la leucemia, la distrofia muscular y la esclerosis múltiple, enfermedades que, después de ser muy difundidas, han sido asimiladas por el público en general.

El lupus por lo general ataca a mujeres en sus años fértiles, pero a veces afecta a hombres e incluso a niños. Se estima que 1 de cada 750 mujeres sufre de lupus en el Reino Unido y, por razones que desconocemos, es más común en algunas razas. Por ejemplo, la frecuencia en mujeres blancas es de 1 en 1.000 y en las mujeres negras, de 1 en 250.

¿CUÁLES SON LOS SÍNTOMAS?

Dado que el lupus es capaz de atacar distintas partes del cuerpo, puede manifestarse en una gran variedad de formas, hasta el extremo de imitar otras enfermedades, como la artritis reumatoidea, la esclerosis múltiple o el síndrome de fatiga crónica. Por esta razón, su diagnóstico es difícil y es posible que pase desapercibido por años.

El lupus es una enfermedad que puede presentar varias facetas. Es poco común que dos personas tengan los mismos síntomas, que pueden ser uno o muchos:

- dolor en las articulaciones y músculos
- erupción permanente en la nariz y las mejillas, que puede estar inflamado y ser escamoso
- fatiga y debilidad extremas
- erupciones a causa de la luz solar
- síntomas recurrentes similares al resfrío y/o sudor nocturno

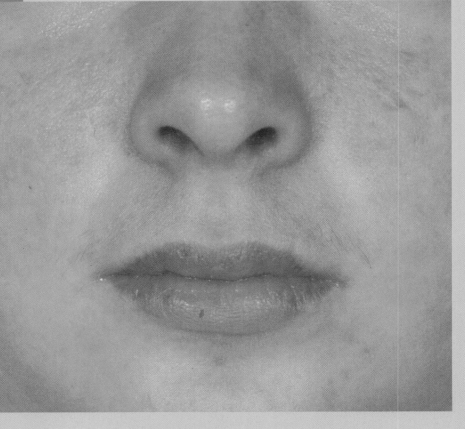

La erupción típica del lupus tiene forma de mariposa y se extiende por la nariz y las mejillas.

- mala circulación sanguínea, que provoca que las puntas de los dedos de manos y pies se vuelvan blancos y luego azules si se exponen al frío (fenómeno de Raynaud)
- anemia
- dolores de cabeza, migraña
- mayor riesgo de aborto espontáneo
- problemas renales
- úlceras bucales
- caída del cabello
- depresión.

Algunos medicamentos pueden provocar los mismos síntomas, como ciertos antihipertensivos.

EL TRATAMIENTO DEL LUPUS

En la actualidad no existe cura para el lupus, pero se controla con un tratamiento especial, de manera que la mayoría de los pacientes puede vivir normalmente por extensos períodos. Gran parte de quienes lo padecen deben recibir una atención constante del especialista.

Si tiene una condición parecida al lupus provocada por un medicamento, su médico debería prescribirle uno alternativo. Los síntomas desaparecerán gradualmente en semanas o meses.

¿QUÉ PUEDO ESPERAR DE LA CLÍNICA DE TRATAMIENTO DEL LUPUS?

- Se le realizará un análisis de orina para identificar la presencia de proteínas, sangre y glucosa, verificar el funcionamiento de sus riñones y detectar diabetes.
- Se registrará su peso en cada visita, ya que algunos tratamientos, como los esteroides, pueden provocar retención hídrica.

- Se realizará un análisis de sangre para detectar si hay anemia.
- Es posible que le hagan pruebas de resonancia magnética, rayos X y de conducción nerviosa.
- Antes de comenzar algunos tratamientos se realizará una revisión ocular.
- Cuando reciba un nuevo medicamento, se le entregará un folleto para que lo conozca.
- Necesitará mucho apoyo y comprensión para enfrentar el lupus. Pueden pasar años sin que se le diagnostique y quizás se sienta frustrado de que nadie entienda su situación. Si existe una enfermera que brinde asesoría en la clínica, acuda a ella.

¿QUÉ TIPO DE TRATAMIENTO RECIBIRÉ?

El tratamiento del lupus incluye principalmente cuatro grupos de medicamentos, según la gravedad de la enfermedad.

Aspirina y no esteroideos: los antiinflamatorios no esteroideos se prescriben a pacientes que padecen de dolor en articulaciones y músculos. En el caso de personas de sangre viscosa, se emplea aspirina en una dosis baja, 75 a 150 mg diarios.

Antipalúdicos: estos medicamentos se utilizan en pacientes con enfermedades a la piel y articulaciones. Pueden bastar para quienes padecen de lupus moderadamente activo y así evitar el uso de esteroides. Los más prescritos son hidroxicloroquina y mepacrina.

Esteroides: los medicamentos como la prednisona han sido fundamentales para mejorar el lupus y a algunos pacientes pueden salvarles la vida. Tienen un efecto profundo en la inflamación y pueden suprimir la enfermedad. Una vez que el lupus se encuentra bajo control, puede dejar de ingerirlos gradualmente con la supervisión del médico.

Inmunosupresores: se suministran en casos más graves. Los más comunes son azatioprina, metotrexato y ciclofosfamida. Se le realizarán análisis periódicos de sangre para verificar el funcionamiento de la médula ósea y el hígado.

También puede recibir fisioterapia para mejorar la movilidad en las articulaciones afectadas. Es importante mantenerse activo físicamente, siempre que la enfermedad lo permita. Haga ejercicio moderado en forma regular.

Con tratamiento, la mayoría de las personas con lupus pueden llevar una vida normal y activa.

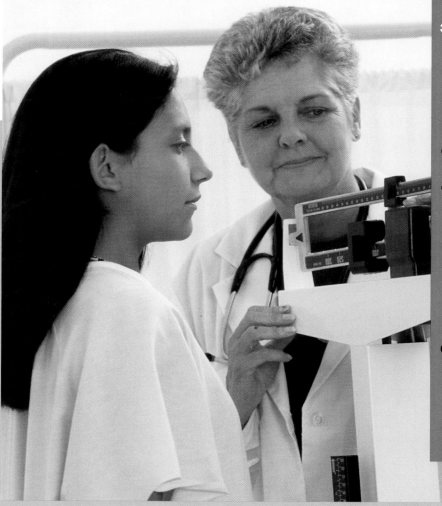

Autoayuda

- Infórmese bien sobre el lupus.
- Intente prepararse para los altibajos de la enfermedad. Planifique alternativas. Descanse cuando la enfermedad esté activa, pero manténgase en forma.
- Disminuya la fatiga estableciendo prioridades y aprendiendo a planificar su tiempo. Defina y programe las grandes metas a largo plazo en pasos pequeños y controlables que pueda realizar fácilmente.
- Hable sinceramente con su familia y amigos acerca del patrón impredecible del lupus y la forma en que le afecta.
- Ponga atención a sus dolores para que pueda controlarlos.
- Intente aceptar lo que no puede cambiar, en vez de sentir constantemente frustración y enojo por situaciones que escapan de sus manos.
- Recuerde que el estrés, la depresión y el dolor están muy relacionados y uno afecta el otro. Disminuyendo uno, disminuyen los demás.
- Cerca de un tercio de los pacientes con lupus son sensibles a la luz, por lo que debe evitar la exposición directa y prolongada al sol y a la luz ultravioleta de fuentes artificiales (como tubos fluorescentes). Cuando salga, use bloqueador solar, sombreros de ala ancha y cubra otras partes del cuerpo que estén expuestas.
- Pida ayuda. Algunas fuentes de apoyo son la familia, los amigos y los profesionales de la salud, al igual que Lupus UK (ver Direcciones útiles, pág. 567).

Polimiositis y dermatomiositis

POLIMIOSITIS SIGNIFICA INFLAMACIÓN DE MUCHOS MÚSCULOS. LA ENFERMEDAD PUEDE AFECTAR LOS MÚSCULOS ESQUELÉTICOS O LOS DE CUALQUIER PARTE DEL CUERPO, COMO LA GARGANTA O EL CORAZÓN. EN LA DERMATOMIOSITIS, LOS SÍNTOMAS DE POLIMIOSITIS INCLUYEN ERUPCIÓN.

¿CUÁLES SON LOS SÍNTOMAS?

La polimiositis provoca los siguientes síntomas:
● debilidad de los músculos afectados, que provoca dificultad para levantar los brazos o para levantarse cuando se encuentra sentado o agachado
● dolor e inflamación de las articulaciones
● fatiga

● dificultad al tragar si afecta los músculos de la garganta
● falta de aliento si afecta los músculos del corazón o del pecho.
    En los casos de dermatomiositis, pueden agregarse a los síntomas anteriores:
● una erupción con enrojecimiento, a menudo en el rostro, pecho o dorso de las manos, sobre los nudillos

● párpados inflamados y de color rojo o púrpura.

¿CUÁL ES EL TRATAMIENTO?

Esta condición requiere siempre la revisión de un especialista. Por lo general se administran dosis altas de esteroides junto con analgésicos para aliviar los síntomas.

Escleroderma

LA ESCLERODERMA ES UN ENGROSAMIENTO Y ENDURECIMIENTO DE LOS TEJIDOS CONECTIVOS DE LA PIEL, ARTICULACIONES, ARTERIAS Y ÓRGANOS INTERNOS. ES UNA CONDICIÓN AUTOINMUNE POCO COMÚN, DOS VECES MÁS FRECUENTE EN MUJERES QUE EN HOMBRES Y POR LO GENERAL SE DESARROLLA ENTRE LOS 40 Y 60 AÑOS.

¿CUÁLES SON LOS SÍNTOMAS?

Los síntomas incluyen:
● dedos sensibles al frío, los que duelen y se tornan blancos (fenómeno de Raynaud)
● áreas pequeñas endurecidas que aparecen en los dedos y que se pueden ulcerar
● inflamación de dedos o manos
● dolor en las articulaciones, especialmente las de las manos

● engrosamiento y estiramiento de la piel, más grave en las extremidades, pero que puede afectar el tronco y el rostro
● debilidad muscular
● dificultad al tragar debido a la rigidez de los tejidos del esófago (el tubo que va de la boca al estómago).
    Si afecta los pulmones, puede faltar el aliento. A veces causa un alza de presión y, en casos aislados, una falla renal.

¿CUÁL ES EL TRATAMIENTO?

■ Se pueden prescribir medicamentos inmunosupresores o que interfieren en la producción de colágeno.
■ El apoyo y la educación son importantes.

Ver también:
● **Presión alta pág. 226** ● **Insuficiencia renal aguda, crónica y en etapa terminal pág. 380**
● **Fenómeno de Raynaud pág. 232**

SISTEMA LINFÁTICO

El sistema linfático es difícil de imaginar, ya que está distribuido en todo el cuerpo y no tiene una forma determinada. Sin embargo, tiene características especiales. Primero, los canales linfáticos son espacios vagos y sin forma entre los músculos, bajo la piel y alrededor de las articulaciones, a través de los cuales fluye la linfa, siempre en dirección al corazón. En ciertos puntos, los canales se unen en un grupo de glándulas, en la ingle, cuello y axilas. Desde allí van por un gran tubo linfático que se une a la vena principal del corazón. Pero el sistema linfático se extiende más allá de eso. Su célula principal se denomina linfocito y se forma en el hígado y en la médula ósea, por lo tanto es lógico pensar que éstos se relacionan con el sistema linfático. Luego está el bazo, situado bajo la parte izquierda de la caja torácica, que se encarga de descomponer los glóbulos rojos antiguos. Así, el bazo se incorpora a la familia del sistema linfático. La linfa, el líquido incoloro que fluye lentamente por este sistema, se escurre de las células, de los vasos sanguíneos y de las venas, luego circula de vuelta al corazón. De este modo, hay una verdadera "circulación" linfática, similar a la de la sangre.

Ganglios inflamados

LOS GANGLIOS INFLAMADOS (GANGLIOS LINFÁTICOS AUMENTADOS DE TAMAÑO) SON UN SÍNTOMA COMÚN DE MUCHAS CONDICIONES, LA MAYORÍA DE LAS CUALES NO SON PREOCUPANTES. SIN EMBARGO, TAMBIÉN PUEDEN INDICAR LA DISEMINACIÓN DE CÁNCER, POR EJEMPLO DESDE LAS MAMAS HASTA LOS GANGLIOS DE LA AXILA.

Los ganglios inflamados, conocidos en el área médica como linfoadenopatía, en realidad son ganglios linfáticos aumentados de tamaño. Generalmente es una respuesta a una **infección bacteriana o viral** y se nota más en el cuello, la ingle o las axilas, dado que en estos lugares los ganglios están más cerca de la piel. Cualquier infección puede llegar a ellos. Por ejemplo, una infección que se disemine desde una uña encarnada del pie puede inflamar los ganglios de la ingle.

Los ganglios linfáticos inflamados en el cuello suelen deberse a una **infección de la garganta** y pueden causar dolor. Aquellos ubicados en la **parte posterior del cuello** suelen indicar la presencia de rubéola (sarampión alemán). Si los ganglios inflamados se deben a esta condición, la inflamación cede al acabarse la infección.

NOTA ESPECIAL SOBRE LA DISEMINACIÓN DEL CÁNCER DE MAMAS

Los ganglios de las axilas se inflaman y se pueden sentir cuando el cáncer de mamas se disemina.

El tratamiento para este cáncer incluye cirugía como primer paso y luego radioterapia, hormonas o quimioterapia para contener el tumor y atrapar las células cancerosas que se están diseminando.

Para que los médicos puedan decidir el mejor régimen para cada mujer, deben saber cuánto se ha extendido el cáncer.

La manera más simple es **sacar una muestra o extirpar** los ganglios de la axila. El cirujano esperará poder lograr muestras cada vez más profundas hasta llegar a un ganglio que no esté afectado. Así tendrá una idea más clara de cuánto se ha diseminado el tumor y de cómo preparar un plan de radioterapia, hormonas o quimioterapia específico para ofrecer las mayores probabilidades de recuperación.

Existen varias operaciones quirúrgicas para extraer

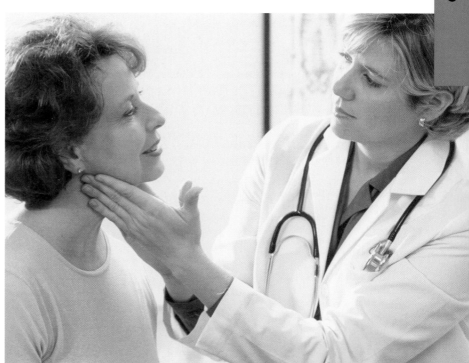

un tumor de las mamas, como la tumorectomía (sólo el tumor) y la mastectomía parcial o completa, pero en cualquiera de ellas, el cirujano intentará extraer la menor parte posible de la mama para deshacerse del cáncer. Al mismo tiempo, los ganglios de la axila se analizarán y podrán ser extirpados para disminuir el riesgo de una diseminación del cáncer a otras partes del cuerpo.

Ver también:
- **Cáncer de mamas pág. 261**
- **Quimioterapia pág. 257**
- **Rubéola (tabla) pág. 544**
- **Tumorectomía pág. 262**

Linfoedema

EL LINFOEDEMA ES UNA ACUMULACIÓN DE LÍQUIDO LOCALIZADO EN LOS VASOS LINFÁTICOS, QUE CAUSA INFLAMACIÓN, SIN DOLOR, EN UNA EXTREMIDAD. SE PRODUCE POR LA INTERRUPCIÓN DEL DRENAJE NORMAL DE LINFA POR UN BLOQUEO, DAÑO O REMOCIÓN DE LOS VASOS LINFÁTICOS.

Comúnmente el linfoedema se produce por el daño de los vasos linfáticos provocado por una **cirugía** o **radioterapia**, por ejemplo, en el **brazo,** si es en el tratamiento del **cáncer de mamas,** y en la **pierna,** después del tratamiento de **cáncer de ovario.**

La piel que cubre la extremidad afectada a menudo se endurece y engruesa. Debe comunicarse con el médico inmediatamente si se lesiona una extremidad que sufre de linfoedema, aun cuando parezca algo trivial, ya que puede provocar linfangitis (ver recuadro). Sin embargo, a menudo no se conoce la causa de esta condición y, por razones que no entendemos, afecta el doble a mujeres que a hombres.

Ver también:
• **Cáncer de mamas pág. 261**
• **Cáncer de ovario pág. 260**
• **Tumorectomía pág. 262**
• **Radioterapia pág. 395**

¿CUÁL ES EL TRATAMIENTO?
■ En la mayoría de los casos, el linfoedema es un trastorno de por vida, y el tratamiento se orienta a aliviar los síntomas. Puede disminuir o evitar la inflamación al mantener elevada la extremidad afectada o usando medias o vendas elásticas.
■ No existe una cura y el tratamiento consiste en medicamentos diuréticos, masajes, usar una venda elástica y realizar ejercicios manteniendo elevada la extremidad afectada. En los casos más graves se puede hacer una cirugía, que implica extraer los tejidos inflamados y parte de la piel que los cubre.
■ El **drenaje linfático** puede ser de alivio en algunos casos, aunque no es una cura y sólo será temporal. Se realiza a través de masajes, los que estimulan los tejidos, desechan el exceso de líquido hacia los vasos sanguíneos y luego fuera del cuerpo. Profesionales calificados pueden darle este tipo de masajes. Asimismo, la mayoría de las personas que realizan aromaterapia están entrenadas para llevar a cabo el drenaje linfático.

Linfangitis

La linfangitis se desarrolla cuando llegan bacterias a los vasos linfáticos cercanos al lugar infectado, posiblemente debido a una lesión. Esta condición suele afectar los vasos linfáticos de un brazo o una pierna. Los vasos infectados se inflaman y duelen, y aparecen franjas calientes y enrojecidas en la piel que los cubre. A veces se inflaman los ganglios linfáticos cercanos al área afectada. Si presenta estos síntomas después de una lesión, debe consultar a su médico de inmediato. Necesitará un tratamiento con antibióticos para evitar que se disemine.

Linfoma

LA PALABRA LINFOMA LE PRODUCE TEMOR A MUCHAS PERSONAS DEBIDO A QUE SE MALINTERPRETA. EL LINFOMA ES CÁNCER EN LOS GANGLIOS LINFÁTICOS QUE AFECTA A ADULTOS Y NIÑOS, PERO LAS PERSPECTIVAS PARA ESTE TIPO DE CÁNCER SON MEJORES QUE PARA OTROS.

El cáncer consiste simplemente en células que han crecido demasiado e invaden los órganos sanos con distintos grados de agresividad según qué tan malignas sean.

Existen dos tipos de linfoma: la enfermedad de Hodgkin y el linfoma no Hodgkin, que tienen distinto comportamiento y tratamiento.

El primer síntoma puede ser un tumor que no produce dolor en el cuello, las axilas o la ingle. Otros síntomas pueden ser cansancio, pérdida de peso, fiebre, sudor nocturno y picazón.

¿CÓMO SE DIAGNOSTICA EL LINFOMA?
El médico le hará varias preguntas y lo examinará para ver si se han agrandado los ganglios del cuello, axilas y abdomen.

A través de una pequeña operación (biopsia) se extraerá uno de los ganglios y se analizará bajo microscopio.

Esto permite diagnosticar en forma precisa y, por medio de otras pruebas (rayos X, análisis de sangre, escáneres), se decidirá el tratamiento más apropiado.

¿CUÁL ES EL TRATAMIENTO?
Algunos linfomas de grado bajo (no agresivos) no requieren tratamiento, pero la mayoría se somete a radioterapia, quimioterapia o una combinación de ambas.

La radioterapia utiliza rayos X de gran poder que eliminan las células cancerosas. La quimioterapia usa elementos químicos fuertes en forma de pastillas, inyecciones o por administración intravenosa.

QUIMIOTERAPIA
Los linfomas son uno de los tipos de cánceres más sensibles a la quimioterapia. El objetivo de ésta es administrar medicamentos que tienen el máximo efecto anticanceroso, pero con el menor daño posible a las células normales.

Los medicamentos utilizados interrumpen el crecimiento de las células, de manera que eliminan una gran cantidad de ellas.

Sin embargo, muchas células "normales" (como la médula ósea y el recubrimiento de los intestinos y la boca) se dividen rápidamente y son vulnerables a los medicamentos anticancerígenos, lo que provoca la mayoría de los efectos secundarios de la quimioterapia.

¿QUÉ QUIMIOTERAPIA RECIBIR?
El tipo de quimioterapia que reciba depende del tipo de linfoma que presente y cuánto se haya diseminado.

Aunque algunos medicamentos de quimioterapia se toman en tabletas, la mayoría de las personas con linfoma reciben quimioterapia intravenosa.

Varios medicamentos se administran combinados para que las células cancerosas no se vuelvan resistentes a uno de ellos.

Existen diversas combinaciones de uso común y siempre se están probando otras nuevas. Si se le solicita participar en un ensayo clínico, no sienta temor, pues estos ensayos generalmente comparan el tratamiento estándar con otro que puede ser mejor.

CÓMO SE ADMINISTRA
Método
La quimioterapia se suele administrar como tratamiento extrahospitalario, ya sea una breve inyección a la vena o en forma intravenosa lenta, que tarda aproximadamente una hora. En casos aislados requiere hospitalización.

Tiempo
■ La quimioterapia se aplica una vez cada 3 ó 4 semanas.
■ Recibirá el tratamiento entre 6 y 8 veces.
■ Usualmente se extiende por 5 ó 6 meses.
■ Algunos tratamientos pueden ser semanales.

Preguntas que pueden surgir

Acerca del diagnóstico
- ¿Qué tipo de linfoma tengo?
- ¿Qué es la diseminación del linfoma?
- Si se trata de linfoma no Hodgkin, ¿es de grado alto o bajo? ¿Cuál es la diferencia?
- ¿Dónde se localiza? ¿Existe alguna duda?
- ¿Qué indican las pruebas que me han realizado? ¿Para qué sirven?

En el hospital
- ¿Tiene el hospital equipos modernos de radioterapia, especialistas en radioterapia y quimioterapia, terapia hormonal y cirugía?
- ¿Entrega cuidado de apoyo y asistencia psicológica?

Acerca del tratamiento
- ¿Qué tipo de tratamiento me darán? ¿radioterapia, quimioterapia o ninguno?
- ¿Se orienta a curar la enfermedad o a aliviar los síntomas?
- ¿Hay otras opciones?
- ¿Cómo se me administrarán los medicamentos?
- ¿Hay instrucciones especiales para tomar las tabletas en casa?
- ¿Qué producen estas tabletas?
- ¿Cuándo comenzará el tratamiento y con qué frecuencia se me administrará?
- ¿Hay algo que deba o no deba hacer durante el tratamiento?

- ¿Cuáles son los efectos secundarios?
- ¿Afectará este tratamiento la posibilidad de tener hijos?
- Si no me siento bien en casa, ¿debo comunicarme con el hospital o con mi médico general?
- ¿Puedo conducir durante y después del tratamiento?
- ¿Puedo beber alcohol e ingerir medicamentos para otras enfermedades?
- ¿Hay alimentos que debo o no debo consumir durante el tratamiento?
- ¿Cuándo sabré si el tratamiento dio resultado?

Para enfrentar la quimioterapia

EFECTOS SECUNDARIOS
Puede presentar pocos o ningún efecto secundario. Sin embargo, es recomendable saber algo sobre las posibles consecuencias para que pueda comunicárselo al equipo médico.

Náuseas y vómitos
Los medicamentos de quimioterapia pueden provocar náuseas y vómitos. No obstante, se pueden controlar con medicamentos antieméticos, ya sea en inyecciones o tabletas. Es posible que se los den antes de la quimioterapia para evitar estos síntomas.

Cansancio
El cansancio es uno de los efectos secundarios más comunes de la quimioterapia, aunque no se conoce su causa. Si ésta es anemia, una simple transfusión de sangre lo solucionará.

Caída del cabello (alopecia)
La caída del cabello es un efecto de la quimioterapia que se debe a la división rápida de las células de los folículos pilosos, aunque muchos pacientes no lo presentan. Si ocurre, sólo será

temporal y su cabello crecerá de nuevo una vez que termine la quimioterapia.

Muchas personas usan una peluca y vale la pena conseguir una pronto, para que coincida con su cabello. Mediante el enfriamiento del cráneo, la sangre fluye con menor rapidez y puede evitar que la quimioterapia llegue a los folículos pilosos. Consúltelo con su equipo médico.

EFECTOS SECUNDARIOS DE LARGO PLAZO
Esterilidad
Los agentes de la quimioterapia pueden afectar la fertilidad, aunque generalmente esto es temporal. Es posible que en las mujeres se interrumpa el período menstrual. En casos aislados ha provocado esterilidad permanente.

Conteo bajo de glóbulos blancos
Si su conteo de glóbulos blancos disminuye (neutropenia, un efecto secundario bastante común de la quimioterapia) tendrá un riesgo mayor de infección. Observe si hay señales de infección e indíquele a su médico si

presenta alguno de los siguientes síntomas:
- Fiebre, con temperatura sobre los 38 °C (100 °F).
- Escalofríos y sudor.
- Heridas en la boca y úlceras.
- Tos y dolor de garganta.
- Enrojecimiento o inflamación alrededor de las heridas en la piel.
- Deposiciones frecuentes o diarrea.
- Cistitis o ardor al orinar.
- Secreción o picazón vaginal inusual.

Preguntas
- ¿Cuáles son los efectos secundarios posibles?
- ¿Afectará el tratamiento mi capacidad de tener hijos?
- ¿Debo comunicarme con el hospital o con mi médico general si me siento mal?
- ¿Podré conducir durante y después del tratamiento?
- ¿Puedo beber alcohol e ingerir medicamentos para otras enfermedades durante el tratamiento?
- ¿Hay alimentos que debo o no debo consumir durante el tratamiento?
- ¿Cuándo sabré si el tratamiento dio resultado?

Infecciones

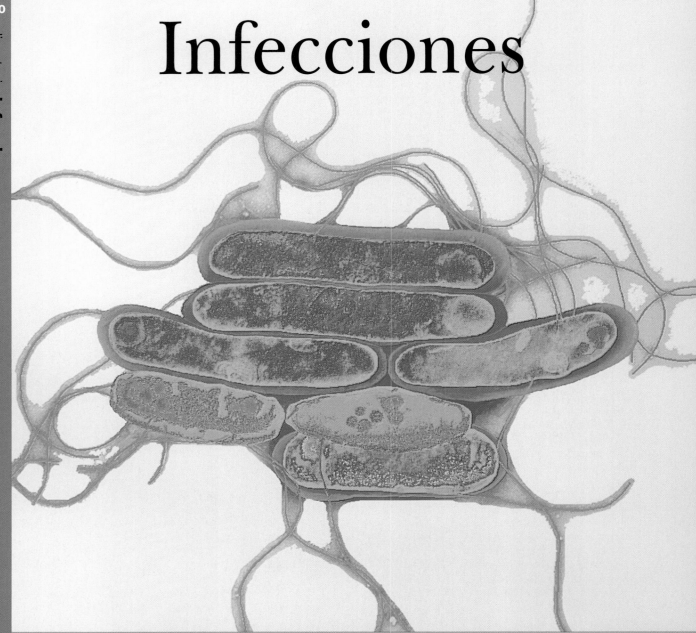

La imagen muestra una micrografía coloreada de la bacteria Legionella pneumophilia.

El resumen de Miriam

En esta obra distingo entre infecciones y "enfermedades infecciosas", que históricamente se limitan a la niñez y, por lo general, a los escolares y menores de cinco años.

Por ello, enfermedades como el sarampión y la tos convulsiva aparecerán en el capítulo dedicado a los niños.

Tampoco encontrará aquí enfermedades de transmisión sexual. La gonorrea, candidiasis oral adulta y otras similares son tratadas junto a las ETS en el capítulo sobre sexualidad, aunque la infección por VIH y el SIDA se encuentran en este capítulo.

En general, pocas infecciones son graves y sólo algunas son mortales. Sobre esta base, la mayoría no debe causar preocupación y no es necesario acudir al médico. Sólo necesita aliviar los síntomas con medicamentos que se venden sin receta en la farmacia.

Por la misma razón, rara vez son necesarios los antibióticos, ya que muchas infecciones se autolimitan, es decir, un cuerpo saludable las combate, limita su efecto y las cura sin ayuda externa.

Como extensión de este principio, usted verá que sólo estoy a favor del uso absolutamente racional de los antibióticos. Al decir esto, me refiero a cuando sea estrictamente necesario, excepto en casos de emergencia, cuando se sabe qué bacteria tratar. Las razones para esta precaución son poderosas, y la más importante es la creciente cantidad de bacterias resistentes a causa del abuso de los antibióticos en el pasado. Esto se tradujo en un uso excesivo e

innecesario, que en realidad favorece a las bacterias para que creen formas que puedan sobrevivir a la presencia de antibióticos en lugar de sucumbir ante ellos.

En consecuencia, nos enfrentamos ahora a formas monstruosas de bacterias y no existen antibióticos que puedan controlar su

> ## *"rara vez es necesario el uso de antibióticos,* ya que la mayoría de las infecciones son *autolimitantes"*

crecimiento. El mejor ejemplo es la *Staphylococcus aureus* resistente a la meticilina (MRSA), que se contagia siempre en los hospitales, donde el uso de los antibióticos generalmente ha sido concentrado. Una vez que este microorganismo ataca, no hay mucho que los médicos puedan hacer.

continúa en pág. 332

El resumen de Miriam *continúa de pág. 331*

Debido a que libera un potente veneno (una toxina), la bacteria puede propagarse rápidamente a través del cuerpo, destruyendo el tejido a su paso, en ocasiones con un desenlace rápido y fatal. Las últimas cifras en el Reino Unido indican que 5.000 personas mueren anualmente en el hospital a causa de infecciones oportunistas.

"nos infectan *muy pocos* organismos"

Los investigadores buscan constantemente un nuevo superantibiótico para enfrentar a esta nueva clase de superbacterias, pero la rapidez con que ellas mutan es tal, que nuestros mejores esfuerzos podrían ser sobrepasados por el ingenio de la naturaleza.

Aparte de las bacterias, virus, hongos y parásitos, existe también un nuevo y potente agente infeccioso, el PRIÓN, una pequeña partícula subviral que ingresa a las células y destruye el ADN, que es el código reproductivo de ellas. Estos priones causan el síndrome de las vacas locas en el ganado, *scrapie* en las ovejas y una nueva variante de la Enfermedad de Creutzfeldt-Jacob en los seres humanos.

Al principio se pensaba que los priones eran propios de ciertas especies; es decir, que no podían transmitirse de una especie (ganado, por ejemplo) a otra (seres humanos). Pero, debido a la nueva variante de la Enfermedad de Creutzfeldt-Jacob descubierta recientemente, al parecer estábamos equivocados.

La verdad es que nos infectan muy pocos organismos, sean éstos bacterias, virus, hongos o parásitos, a pesar de haber millones de potenciales invasores en el exterior.

Al intentar decidir qué podría abarcar en este capítulo, me guié por lo que es más común, por las infecciones que son más posibles de encontrar y por las que son suficientemente graves como para enfermarnos o causarnos la muerte. Por ello, por ejemplo, considero muy importante señalar cómo detectar los primeros signos de una meningitis, enfermedad grave y cada vez más común, de modo que pueda tomar medidas rápidamente para cuidar el bienestar de su familia.

AL INTERIOR
de infecciones e infestaciones

Existen varios organismos y microorganismos que causan infecciones e infestaciones, incluidos los piojos, ácaros, gusanos, hongos, protozoos, bacterias y virus. Los **piojos** y la **sarna** se transmiten fácilmente y son infestaciones comunes en los niños. Los **parásitos** pueden ser microscópicos o medir varios pies de largo. Dos tipos, los **oxiuros** y los **ascárides**, pueden infestar al ser humano. Los **hongos**, divididos en filamentosos, que se enroscan al crecer, y en levaduras unicelulares, son responsables de muchas infecciones en los seres humanos, como la candidiasis. Los organismos unicelulares, conocidos como **protozoos**, provocan enfermedades como la malaria y la toxoplasmosis. Las **bacterias** forman un gran grupo de organismos unicelulares, de las cuales relativamente pocas son patógenas. Los **virus** son los agentes infecciosos más pequeños, mucho más que una célula humana. Un virus sólo se puede reproducir al invadir una célula huésped y copiar su propio material genético usando sustancias de esta célula, a la cual generalmente destruye.

cómo las infecciones invaden el cuerpo

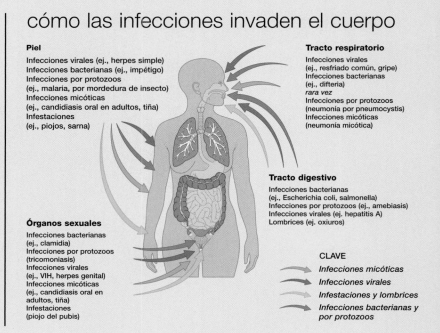

Piel
Infecciones virales (ej., herpes simple)
Infecciones bacterianas (ej., impétigo)
Infecciones por protozoos
(ej., malaria, por mordedura de insecto)
Infecciones micóticas
(ej., candidiasis oral en adultos, tiña)
Infestaciones
(ej., piojos, sarna)

Tracto respiratorio
Infecciones virales
(ej., resfriado común, gripe)
Infecciones bacterianas
(ej., difteria)
rara vez
Infecciones por protozoos
(neumonía por pneumocystis)
Infecciones micóticas
(neumonía micótica)

Tracto digestivo
Infecciones bacterianas
(ej., Escherichia coli, salmonella)
Infecciones por protozoos (ej., amebiasis)
Infecciones virales (ej. hepatitis A)
Lombrices (ej. oxiuros)

Órganos sexuales
Infecciones bacterianas
(ej., clamidia)
Infecciones por protozoos
(tricomoniasis)
Infecciones virales
(ej., VIH, herpes genital)
Infecciones micóticas
(ej., candidiasis oral en adultos, tiña)
Infestaciones
(piojo del pubis)

CLAVE
→ *Infecciones micóticas*
→ *Infecciones virales*
→ *Infestaciones y lombrices*
→ *Infecciones bacterianas y por protozoos*

Resfriado común

EL RESFRIADO COMÚN ES UNA INFECCIÓN DE LA NARIZ Y LA GARGANTA, CAUSADA POR MÚLTIPLES VIRUS DE UN DETERMINADO GRUPO. EXISTEN AL MENOS 200 VIRUS ALTAMENTE CONTAGIOSOS QUE PUEDEN CAUSARLO.

Los virus que causan los resfriados se transmiten fácilmente por el aire en diminutas partículas, por la tos o estornudos de personas infectadas. Sin embargo, la ruta de contagio más común es mediante el contacto mano a mano con una persona infectada o mediante objetos infectados, como tazas o toallas. Por naturaleza, el resfriado común no es grave, pero puede predisponer a una infección de pecho en una persona vulnerable que padezca, por ejemplo, una enfermedad pulmonar obstructiva crónica o en un bebé.

Los resfriados pueden presentarse en cualquier época del año, aunque las infecciones son más frecuentes en el otoño y el invierno. Alrededor de la mitad de la población de Europa y Estados Unidos desarrolla al menos un resfriado al año. Los niños son más susceptibles que los adultos, porque no han desarrollado la inmunidad a los virus más comunes, y también porque los virus se propagan muy rápido en lugares como guarderías infantiles y escuelas.

¿CUÁLES SON LOS SÍNTOMAS?
Los primeros síntomas se desarrollan entre 12 horas y 3 días después de la infección y, por lo general, se intensifican entre 24 y 48 horas, al contrario de los síntomas de la influenza, que empeoran rápidamente en unas pocas horas.

Estos síntomas incluyen:
- estornudos frecuentes
- romadizo con una descarga clara y acuosa que más tarde se vuelve espesa y de color verdoso
- fiebre leve y dolor de cabeza
- dolor de garganta y, a veces, tos
- dolor muscular
- irritabilidad
- catarro

En algunas personas, el resfriado común puede complicarse con una infección bacteriana del pecho (bronquitis), o de los senos paranasales (sinusitis).

Las infecciones bacterianas de los oídos, que pueden causar dolor de oídos, son complicaciones comunes de los resfriados.

¿QUÉ SE PUEDE HACER?
Algunas personas reconocen que sus síntomas son de resfriado común y no buscan ayuda médica.

A pesar de que se han realizado investigaciones científicas, no existe una cura para esta enfermedad, pero los medicamentos que se venden en la farmacia pueden ayudar a aliviar los síntomas. Entre éstos se encuentran:
- Los **analgésicos,** que alivian los dolores de cabeza y reducen la fiebre.

- Los **descongestionantes,** que despejan la congestión nasal.
- Los **medicamentos para la tos**, que suavizan las molestias de la garganta.
- Es importante beber gran cantidad de líquidos fríos, en especial si tiene fiebre.

Muchas personas consumen erradamente grandes cantidades de vitamina C para prevenir infecciones y tratar el resfriado común, pero investigaciones recientes han demostrado que esto es, de hecho, peligroso, porque una gran dosis de esta vitamina favorece los ataques al corazón.

Si sus síntomas no se alivian en una semana o si su hijo no mejora en dos días, debe consultar a un médico.

Si sufre de una infección bacteriana, su médico puede prescribir **antibióticos, aunque no son efectivos contra virus del resfriado**.

El resfriado común, generalmente, desaparece sin tratamiento en un plazo de dos semanas, pero la tos puede durar más tiempo.

> **Ver también:**
> - **Bronquitis pág. 390**
> - **La fiebre en los niños pág. 540**
> - **Sinusitis pág. 481**

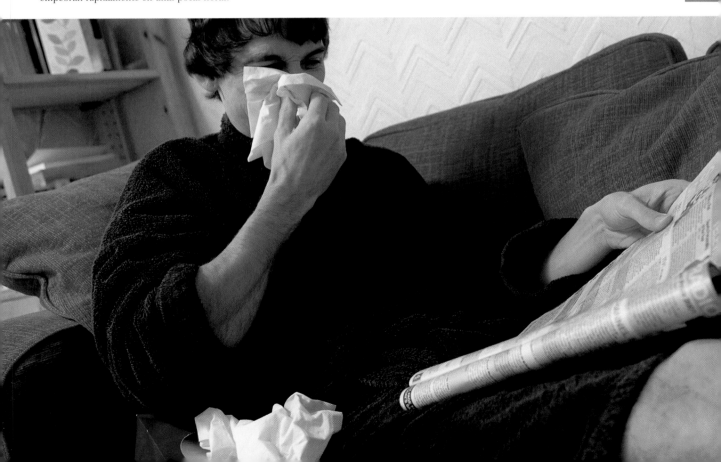

Influenza

LA INFLUENZA ES UNA INFECCIÓN VIRAL DEL TRACTO RESPIRATORIO SUPERIOR
(VÍAS AÉREAS), COMÚNMENTE CONOCIDA COMO GRIPE. ES MUY CONTAGIOSA Y TIENDE A
APARECER COMO EPIDEMIA DURANTE EL INVIERNO.

La influenza afecta las vías respiratorias superiores y se transmite fácilmente por el aire en partículas, por la tos o estornudos de personas infectadas. Sin embargo, el virus que la produce se transmite generalmente por contacto directo.

Muchas infecciones virales pueden causar síntomas similares a una gripe (o gripa) leve, pero la verdadera influenza la causan dos tipos principales de virus, A y B. El **virus tipo A**, en particular, cambia su estructura con frecuencia (muta) y produce nuevas especies a las cuales pocas personas son inmunes.

La cantidad de casos de influenza varía de un año a otro, pero las especies particularmente virulentas se han propagado por el mundo causando millones de muertes. Estos enormes brotes, conocidos como pandemias, ocurrieron en 1918 en España, en 1957 en Asia, en 1968 en Hong Kong y en 1977 en Rusia.

¿CUÁLES SON LOS SÍNTOMAS?

Los síntomas de la influenza se presentan entre 24 y 48 horas después de la infección. Muchas personas creen padecerla, cuando sólo se trata de un resfriado común, pero sus síntomas son mucho más severos que los del resfriado y se desarrollan con mayor rapidez. El primero puede ser **escalofríos leves**. Otros síntomas posteriores, que empeoran en sólo algunas horas pueden ser:

- fiebre alta, sudor y escalofríos
- dolor muscular, especialmente en la espalda
- cansancio severo
- estornudos frecuentes, congestión nasal o romadizo, dolor de garganta y tos.

Después, por lo general se siente **fatiga** y **depresión**, cuando los otros síntomas han desaparecido.

Las complicaciones más comunes son infecciones bacterianas de las **vías aéreas** (bronquitis) y de los pulmones (neumonía). Éstas pueden ser mortales en el caso de bebés y ancianos; en quienes sufren de enfermedades **cardíacas y pulmonares crónicas,** y en personas menos inmunes, como enfermos de SIDA o de **diabetes mellitus**.

¿QUÉ PUEDO HACER?

■ Para la mayoría de la gente normal y sana, la mejor forma de aliviar los síntomas de la influenza es el reposo en cama, beber abundante líquido frío y seguir los consejos para disminuir la fiebre.

■ Los analgésicos, como el **paracetamol** y otros medicamentos de venta libre, pueden aliviar el dolor muscular y otros síntomas.

■ Si las medidas de autoayuda no dan resultado, pueden recetarle **medicamentos antivirales,** como

amantadina o **rimantadina**, que son eficaces contra los virus de la influenza siempre que se administren dentro de las primeras 24 horas de la aparición de los síntomas.

■ Debe consultar a un médico de inmediato si tiene dificultades para respirar o si la fiebre dura más de dos días. Es posible que necesite realizarse exámenes de rayos X al tórax para descartar una infección como la neumonía.

■ Si se descubre una infección bacteriana, el médico le recetará antibióticos. **Sin embargo, estos medicamentos no tienen efecto sobre el virus de la influenza.**

■ Los pacientes vulnerables, como bebés, niños pequeños y ancianos, y quienes sufren de enfermedades cardíacas y pulmonares crónicas, así como quienes son menos inmunes, presentan un mayor riesgo de tener complicaciones serias. Se debe consultar a un médico de inmediato si la influenza afecta a una de estas personas.

¿CUÁL ES EL PRONÓSTICO?

■ Si no hay complicaciones, la mayoría de los síntomas desaparece generalmente después de seis o siete días, aunque la tos puede persistir por más de dos semanas.

■ La fatiga y la depresión pueden durar todavía más.

■ Sin embargo, para cualquiera que presente un riesgo alto, las complicaciones de la influenza pueden ser mortales y en las epidemias, las muertes asociadas a la neumonía son muy comunes.

■ La **inmunización** es una protección eficaz. Se recomienda especialmente a personas con un riesgo alto (excepto a bebés) y a quienes, en particular, pueden tener una mayor exposición al virus, como el personal del área de salud o los ancianos.

La **inmunización** previene las infecciones en alrededor de dos tercios de quienes se vacunan cada año. Sin embargo, la vacuna nunca puede ser completamente eficaz, porque los virus mutan con frecuencia y cada año diferentes especies son las responsables de los brotes. La Organización Mundial de la Salud recomienda los tipos de vacuna que deben suministrarse cada otoño, según el tipo que se espera que prevalezca en una región determinada. Sin embargo, si la mutación de un virus es sustancial, la protección de la vacuna será mínima y puede producirse una epidemia.

Ver también:
- **Diabetes mellitus pág. 504**
- **La fiebre en los niños pág. 540**
- **Infección por VIH y SIDA pág. 338**
- **Neumonía pág. 392**

Varicela

LA VARICELA ES UNA INFECCIÓN QUE CAUSA FIEBRE Y PROPAGACIÓN DE AMPOLLAS. ES OCASIONADA POR EL VIRUS VARICELLA ZOSTER, QUE TAMBIÉN CAUSA HERPES (HERPES ZOSTER).

El virus de la varicela se transmite por el aire en partículas, por la tos o estornudos de personas infectadas o mediante el contacto directo con las ampollas.

Por lo general, esta enfermedad tiene efectos leves en los niños, pero los síntomas son más severos en los bebés, adolescentes mayores y adultos. La varicela puede ser más seria en personas menos inmunes, como las que padecen de SIDA.

¿CUÁLES SON LOS SÍNTOMAS?

Los síntomas de la varicela aparecen entre 1 y 3 semanas después de la infección. En los niños, la enfermedad suele comenzar con una fiebre leve y dolor de cabeza; en los adultos puede haber síntomas similares a los de la gripe, pero más pronunciados. A medida que la infección avanza, por lo general, aparecen los siguientes síntomas.

■ Erupción de pequeñas manchas rojas que se transforman rápidamente en ampollas que causan picazón y están llenas de líquido. En un plazo de 24 horas, las ampollas, se secan formando costras, ciclo que se repite durante unos 6 días. La erupción se puede propagar o estar formada por sólo unas pocas manchas y puede aparecer en cualquier parte de la cabeza o del cuerpo.

■ En ocasiones, las manchas en los labios se convierten en úlcera causando incomodidad al comer.

Una persona puede contagiar a otra desde dos días antes de la primera aparición de la erupción hasta que ésta se seca por completo en aproximadamente 10 a 14 días.

La complicación más común de la varicela es una infección bacteriana de las ampollas producto de rascaduras. Otras incluyen **neumonía**, que es más común en adultos y, en raras ocasiones, inflamación del cerebro (encefalitis). Los recién nacidos y las personas menos inmunes están más expuestas. Muy rara vez, si una mujer contrae la varicela durante los primeros meses de embarazo, la infección puede causar anormalidades en el feto.

¿QUÉ SE PUEDE HACER?

La varicela se puede diagnosticar a partir de la aparición de la erupción. Los niños con infecciones leves no necesitan consultar al médico, todo lo que requieren para una recuperación completa es descanso y medidas simples para disminuir la fiebre.

La loción de calamina puede ayudar a aliviar la picazón. Para evitar infecciones a la piel, mantenga las uñas cortas y evite rascarse.

Quienes presentan un riesgo de ataques severos, como los bebés, adolescentes mayores, adultos y personas menos inmunes, deben consultar al médico de inmediato. Se pueden administrar medicamentos antivirales para limitar los efectos de la infección, pero se deben ingerir en las primeras etapas de la enfermedad para que produzcan algún efecto.

Los niños saludables, por lo general, se recuperan en un plazo de 10 a 14 días a partir de la primera aparición de la erupción, pero pueden quedar con cicatrices permanentes en las zonas donde las ampollas se infectaron con bacterias. Los adolescentes, adultos y personas menos inmunes tardan más en recuperarse.

¿SE PUEDE PREVENIR?

Un ataque de varicela otorga **inmunidad de por vida** a la enfermedad. Sin embargo, el virus de la varicela zoster permanece inactivo dentro de las células nerviosas y se puede reactivar años después, causando herpes (ver a continuación).

> **Ver también:**
> • La fiebre en los niños pág. 540
> • Influenza pág. 334
> • Neumonía pág. 392

Herpes

EL HERPES ES UNA INFECCIÓN QUE CAUSA UNA DOLOROSA ERUPCIÓN DE AMPOLLAS QUE SIGUEN EL CAMINO DE UN NERVIO, A VECES EN EL ROSTRO Y, EN OCASIONES, AFECTAN LOS OJOS. EL TRATAMIENTO DEBE SER PROGRESIVO PARA EVITAR LA INFECCIÓN.

El herpes es más común entre los 50 y 70 años de edad. Las personas que tienen menor inmunidad, como las que sufren de SIDA o están sometidas a quimioterapia, son particularmente propensas a presentar brotes severos de esta enfermedad.

La erupción de herpes, por lo general, aparece sólo en una sola parte del cuerpo y afecta la piel del tórax, el abdomen o el rostro. En las personas mayores, las molestias pueden continuar durante meses después que la erupción ha desaparecido. Este dolor prolongado se conoce como **neuralgia postherpética**.

El herpes es causado por el mismo virus que provoca la varicela, que permanece inactivo en las células nerviosas. Cuando se reactiva con posterioridad, produce herpes. Se desconoce la razón de esta reactivación, pero a menudo el herpes se presenta en épocas de estrés o mala salud.

El virus se propaga fácilmente mediante el contacto directo con una ampolla y causará varicela en alguien que no la ha sufrido antes.

¿CUÁLES SON LOS SÍNTOMAS?

Inicialmente, puede sentir picazón y un dolor agudo en una zona determinada de la piel. Después de algunos días, pueden aparecer los siguientes síntomas:

● erupción dolorosa o ampollas llenas de líquido
● fiebre
● dolor de cabeza y fatiga.

En 3 a 4 días, las ampollas forman costras, que sanan en 10 días, pero pueden dejar cicatrices. Si las ampollas afectan un nervio del ojo, pueden causar una inflamación en la córnea. En raras ocasiones, la infección de un nervio facial causa la parálisis de un lado del rostro.

¿QUÉ SE PUEDE HACER?

■ Es difícil diagnosticar el herpes cuando no ha aparecido la erupción y el dolor intenso que sigue la línea de las costillas (donde los nervios pasan por el cuerpo) puede confundirse con el dolor al pecho que causa la angina.

■ El médico puede prescribir medicamentos antivirales para disminuir la intensidad de los síntomas y el riesgo de sufrir una neuralgia postherpética.

■ El tratamiento inmediato con medicamentos antivirales es importante si sus ojos resultan afectados o si tiene menos inmunidad.

■ Los analgésicos pueden aliviar las molestias y la **carbamazepina** puede aliviar el dolor prolongado de la neuralgia postherpética.

■ La mayoría de las personas que desarrollan herpes se recuperan en un plazo de 2 a 6 semanas, pero hasta la mitad de los mayores de 50 años sufren de neuralgia postherpética.

> **Ver también:**
> • Neuralgia postherpética pág. 408
> • Parálisis facial pág. 417

ENFOQUE *en* herpes simple

Herpes simple es el nombre dado a un virus que puede causar herpes labial (generalmente, herpes simple tipo 1) o herpes genital (generalmente, herpes simple tipo 2). Las llagas aparecen en cualquier parte de la piel que esté infectada.

En todos los casos de herpes, el virus se transmite principalmente por el contacto de la piel infectada con la de otra persona. Por ejemplo, mediante besos, durante el sexo o desde la boca a los genitales, si hay sexo oral. Sin embargo, la enfermedad también se puede propagar por el contacto con otras partes del cuerpo, en especial los dedos, cuando éstos han tocado una llaga y así puede afectar también a los ojos. Un herpes que se desarrolla cerca del ojo es potencialmente peligroso y debe ser examinado por un médico tan pronto aparezcan síntomas como picazón o prurito.

Al principio se pensaba que el herpes labial era causado sólo por el herpes simple tipo 1 (HSV1) y, el genital, por el herpes simple tipo 2 (HSV2). Sin embargo, esta distinción se ha vuelto confusa debido a la creciente práctica del sexo oral. En Europa, el herpes genital es la causa más común de las úlceras genitales y está aumentando entre las mujeres. La infección por herpes genital es más común en las mujeres que en los hombres porque su área genital es más cálida y húmeda que la de los hombres.

¿QUÉ TAN COMÚN ES EL HERPES?

Las análisis de sangre demuestran que la mayoría de la gente ha estado expuesta al herpes simple tipo 1 al llegar a la edad madura, lo cual significa que millones de personas están infectadas con el virus, pero posiblemente sólo un cuarto de ellas presenta algún tipo de síntomas.

Muchos sufren lo que se denomina un ataque **subclínico**, sin señales visibles de infección ni efectos de enfermedad. Son inmunes por naturaleza a una infección mayor, aunque no saben que están infectadas.

¿QUÉ SUCEDE CON EL VIRUS?

Una vez en el cuerpo, el virus puede refugiarse en las células nerviosas del rostro en el caso del HSV1 o cerca de la base de la columna en el caso del HSV2. Si el virus se reactiva, puede volver al lugar por donde ingresó al cuerpo y reaparecer. Para algunas personas esto es recurrente y para otras no. Por lo general, el ataque inicial es el más severo. Las recurrencias no dependen necesariamente del contacto con una persona infectada; se sabe que la irritación de la piel afectada por otras causas las origina. Si tiene herpes genital, no debe tener relaciones sexuales cuando el virus está activo; es decir, si presenta ampollas, picazón o prurito. Además, siempre debe evitar el sexo oral si padece de herpes labial.

Como se podría suponer, el herpes es muy contagioso. Existe un 90 por ciento de probabilidades de contagiarse si la pareja tiene una ampolla activa, aunque nuevas investigaciones confirman que **el virus también puede ser transmitido por quienes no presentan síntomas**. Éstos aparecen entre tres y 20 días después del contacto con una persona infectada.

¿CUÁLES SON LOS SÍNTOMAS DEL HERPES?

- **Piel** hipersensible al tacto.
- Picazón e irritación alrededor de la zona afectada.
- **Aumento de tamaño** y dolor de las glándulas linfáticas del cuello o la ingle.
- Malestar general.
- Dolor de cabeza.
- Dolor en los músculos y en las articulaciones.
- Ampollas que aparecen a pocas horas del inicio de la picazón y el dolor, se agrandan, se revientan y se convierten en úlceras dolorosas después de dos a tres días.
- Úlceras que forman costras y tardan entre 14 y 21 días en sanar completamente.
- En el herpes genital, dolor punzante en las extremidades inferiores.
- En el herpes genital, dolor al orinar.

¿CUÁLES SON LAS CAUSAS DEL HERPES?

- Estrés físico y mental.
- Frío o calor excesivos, incluida la fiebre.
- En el caso de infecciones de herpes en el rostro, exposición a la luz solar fuerte.
- Trauma local de la piel (por ejemplo, en el herpes genital, relaciones sexuales violentas, depilar o afeitar el vello púbico).
- Mala salud en general y otras infecciones, como el resfriado.

¿CUÁL ES EL TRATAMIENTO?

El herpes labial es causado por el HSV1 y puede tratarse en casa con **aciclovir en crema**, disponible sin receta en las farmacias. El herpes genital siempre debe ser tratado por un médico y no en casa. Consúltele de inmediato si siente adormecimiento o sensibilidad en el área genital o si ha tenido relaciones sexuales con alguien que tenga el virus del herpes.

No hay cura para el herpes genital, pero

Familia de infecciones por herpes

Tipo de virus	Condición que causa	Descripción
Herpes simple tipo 1 (HSV1)	Herpes labial	Infecciones de los **labios, boca** y **rostro**
Herpes simple tipo 2 (HSV2)	Herpes genital	Infecciones de los **genitales**
Herpes zoster	Varicela Herpes	Infección causada por **ampollas.** Infección causada por **ampollas** a lo largo del camino de un nervio. Sólo le ocurre a quienes han tenido antes varicela

mientras más pronto se lo trate, más posibilidades tiene de ser prevenido o atenuar la gravedad de un ataque.

Los medicamentos antivirales, como el **aciclovir** en tabletas, reducen el dolor provocado por las úlceras y favorecen la sanación. Si se trata de herpes genital, no debe utilizar el aciclovir en crema que se vende sin receta.

Otros medicamentos para el herpes genital son las duchas diarias con una solución de **povidona yodada** o enjuagar el área con una solución salina (una cuchara de té colmada de sal por medio litro de agua).

AUTOAYUDA

● Utilice toallas distintas para cada integrante de la familia. De esta manera, ayuda a prevenir el contagio entre ellos.
● Para prevenir el herpes recurrente descanse bastante y adopte una dieta equilibrada que contenga alimentos nutritivos, como fruta fresca y verduras, **alimentos integrales** y abundante líquido.

● Controle el estrés aprendiendo ejercicios de relajación o con clases de yoga.
● Para el herpes labial, utilice crema protectora solar con un factor alto en los labios y cualquier otra parte afectada del rostro cuando se exponga al sol.
● Mantenga un registro de la aparición de los ataques para descubrir un patrón. Si, por ejemplo, las apariciones de herpes genital se relacionan con sexo violento, pruebe utilizar lubricantes.
● Pruebe una crema que contenga bálsamo de limón, diariamente o al comenzar los síntomas.
● Utilice siempre condones para protegerse del herpes genital.
● Para el herpes genital, use ropa interior suelta para dejar circular el aire y mantener fríos los genitales. Exponga las lesiones al aire lo más posible.
● Las ampollas dolorosas en el área genital se pueden aliviar con baños de agua tibia y aplicaciones de compresas frías (no hielo) sobre dicha zona.

ADVERTENCIA:

El virus del herpes puede relacionarse con el desarrollo de cáncer cervical y las mujeres que lo han padecido deberían hacerse una citología vaginal regularmente, de preferencia una vez al año.

Ver también:
● **Varicela pág. 335** ● **Herpes labial pág. 338**
● **Herpes genital pág. 281** ● **Herpes pág. 335**

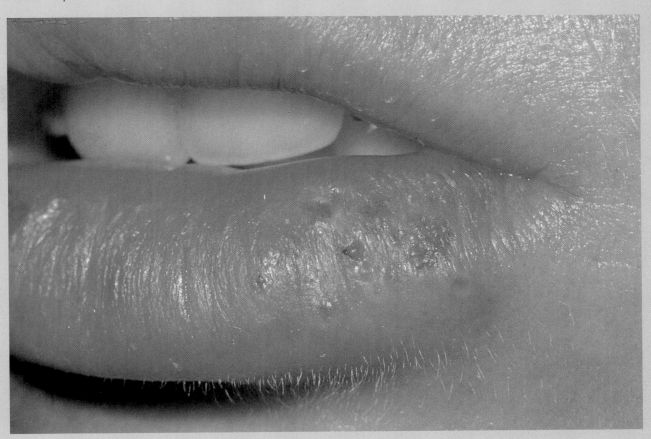

Herpes labial

EL HERPES LABIAL SE MANIFIESTA EN PEQUEÑAS AMPOLLAS QUE SE FORMAN PRINCIPALMENTE ALREDEDOR DE LOS LABIOS Y LAS FOSAS NASALES, AUNQUE A VECES TAMBIÉN EN OTRAS ÁREAS DEL ROSTRO. ESTAS AMPOLLAS PUEDEN ABRIRSE Y REZUMAR ANTES DE SECARSE Y DESAPARECER.

El herpes labial es causado por el virus del herpes simple, del cual existen dos tipos: el tipo 1, que causa la mayor parte de los herpes del rostro, y el tipo 2, que provoca alrededor del 70 a 80 por ciento de los casos de herpes genital. Un aumento en la temperatura de la piel, quizás originado por un resfriado o por tomar sol, activa el virus. El primer ataque puede manifestarse con dolorosas úlceras en la boca. Los ataques posteriores tienen forma de ampollas en la piel. La mayoría de los herpes duran entre 10 y 14 días.

Esta enfermedad no es grave, a menos que aparezca cerca de un ojo, donde a veces puede causar la formación de una úlcera en el globo ocular.

¿CUÁLES SON LOS SÍNTOMAS?
■ Un área en relieve enrojecida, normalmente alrededor de los labios y las fosas nasales y picazón. Más tarde, se forman pequeñas ampollas sobre esta área.
■ Ampollas que rezuman y luego forman costras.

¿QUÉ DEBO HACER PRIMERO?
■ Una vez formadas las ampollas, no las toque.
■ Aplicar alcohol quirúrgico en el herpes lo secará (hágalo con cuidado, puede arder). Es más recomendable utilizar una crema calmante, como la vaselina, para mantener la humedad mientras el virus sigue su curso.

¿DEBO CONSULTAR A UN MÉDICO?
Consulte a su médico lo antes posible si el herpes se vuelve más rojo y contiene pus, ya que puede estar infectado con bacterias. Tampoco demore en consultar si el herpes está cerca de los ojos o si sufre de herpes con frecuencia.

¿QUÉ PUEDE HACER EL MÉDICO?
■ Si el herpes está infectado, el médico puede prescribir un ungüento antibiótico que lubrique el área y trate la infección.
■ También puede prescribir una crema antiviral que pueda esparcir regularmente en el área afectada para contener el ataque. Además, puede darle tabletas antivirales si los ataques son frecuentes.

¿CÓMO PUEDO AYUDAR?
■ Asegúrese de tener una toalla personal.
■ No bese a nadie, porque puede transmitirle el virus.
■ Si tiende a desarrollar herpes labial después de exponerse al sol, utilice bloqueador solar en los labios y la nariz cuando se exponga a él.

Infección por VIH y SIDA

EL VIH ES UNA INFECCIÓN VIRAL CRÓNICA QUE, SIN TRATAMIENTO, REDUCE EL NIVEL DE INMUNIDAD ANTE OTRAS INFECCIONES Y CÁNCERES (EN ESPECIAL, EL SARCOMA DE KAPOSI) QUE PUEDEN OCASIONAR LA MUERTE.

El **virus de la inmunodeficiencia humana** (VIH), que en muchos casos conduce al síndrome de inmunodeficiencia adquirida (SIDA), ha sido la infección más documentada, investigada y temida de las últimas dos décadas. A pesar de la existencia de medicamentos muy eficaces para limitar la enfermedad, aún no se cuenta con una vacuna contra el virus y la cantidad de infectados por VIH continúa aumentando, en especial en los países en desarrollo.

Se piensa que el VIH se originó en África, donde algunas especies de primates son portadoras de un virus similar. Asímismo, se cree que el virus fue transmitido de los monos a los humanos a través de la saliva presente en mordeduras y más tarde, al resto del mundo, de persona a persona a través de los fluidos corporales. Los primeros casos reconocidos de SIDA en Estados Unidos ocurrieron en 1981, cuando hubo un brote inusual de neumonía y cáncer a la piel entre jóvenes homosexuales de Los Angeles. Dos años más tarde, el virus fue aislado e identificado como VIH.

El VIH infecta y destruye gradualmente las

células del sistema inmunológico, debilitando la respuesta del cuerpo ante infecciones y cánceres. Las personas infectadas pueden no presentar síntomas por años o experimentar infecciones leves frecuentes y prolongadas, pero **todas** desarrollan **anticuerpos** contra el virus que es posible detectar en un **análisis de sangre;** a éstas se les llama **VIH positivos.** Cuando el sistema inmunológico se debilita gravemente, se dice que la persona infectada ha contraído SIDA. Ésta desarrolla infecciones graves causadas por organismos que suelen ser inofensivos para individuos saludables y también son susceptibles a algunos tipos de cáncer.

¿A QUIÉNES AFECTA?

Hacia fines de 1998, alrededor de 22.000 personas en el Reino Unido estaban infectadas con VIH, más 2.000 nuevos casos cada año. Se calcula que en el mundo hay más de 33 millones de infectados, de éstos, 9 de 10 desconocen su condición y la cantidad está aumentando. Como resultado de los nuevos tratamientos con drogas, las muertes por esta enfermedad han disminuido considerablemente en el mundo desarrollado desde 1995. El problema del SIDA es mucho más grave en los países en desarrollo, donde vive la mayor parte de los infectados con VIH y donde los medicamentos no están disponibles o son demasiado costosos.

¿CÓMO SE TRANSMITE EL VIH?

El virus del VIH no es como el resfriado común; no es contagioso. El VIH está presente en los fluidos corporales, como la sangre, el semen, las secreciones vaginales, la saliva y la leche materna, aunque no en el mismo grado. Por ello, no todos estos fluidos tienen el mismo potencial infeccioso. La saliva de una persona infectada contiene el virus, pero en una cantidad tan pequeña que sería extremadamente difícil infectarse por esta vía. El VIH suele transmitirse por contacto sexual, mediante el sexo vaginal, anal y en menor grado, oral. **Una persona está más propensa a esta infección y es más probable que se contagie si ha tenido otra enfermedad de transmisión sexual.**

También hay peligro de contraer el virus si utiliza **drogas intravenosas y comparte o reutiliza agujas** contaminadas. El personal de salud también corre riesgo de entrar en contacto con agujas contaminadas o con fluidos corporales infectados, pero este riesgo es muy bajo.

Una mujer embarazada puede transmitir el VIH al feto o al bebé al momento de nacer o mediante la leche materna. El virus también se puede transmitir a través del transplante de órganos o transfusiones de sangre. Sin embargo, en los países desarrollados los análisis de sangre, órganos y tejidos para detectar el virus son un procedimiento de rutina, por lo que el riesgo de una infección es extremadamente bajo.

Esta infección no se transmite por el contacto humano cotidiano, como estrecharse las manos o por tos o estornudos. Trabajar o vivir con una persona infectada tampoco representa un riesgo para la salud.

¿CUÁL ES SU CAUSA?

El VIH ingresa al flujo sanguíneo e infecta células que tienen una estructura especial, conocidas como **receptores CD4,** en sus superficies. Las células infectadas incluyen un tipo de **glóbulos blancos de la sangre,** llamado **linfocito CD4,** que es el responsable de combatir la infección. El virus se reproduce rápidamente dentro de las células y las destruye en el proceso.

Al comienzo, el sistema inmunológico es capaz de funcionar normalmente, aun cuando la infección esté presente, y los síntomas pueden tardar años en aparecer. Sin embargo, en especial si la infección no se trata, la cantidad de linfocitos CD4 finalmente comienza a decaer causando una gran susceptibilidad a otras infecciones y a algunos tipos de cáncer.

¿CUÁLES SON LOS SÍNTOMAS?

Los primeros síntomas de la infección por VIH suelen aparecer en un plazo de 6 semanas de la infección. Algunas personas sufren ciertas enfermedades, como la gripe, que pueden incluir algunos o todos los síntomas siguientes:

- inflamación de las glándulas linfáticas
- fiebre
- fatiga
- erupciones
- dolor muscular
- dolor de garganta.

Estos síntomas suelen aliviarse después de unas semanas y muchos infectados se sienten completamente saludables. Sin embargo, en algunas personas se puede desarrollar cualquiera de los siguientes trastornos menores:

- inflamación persistente de las glándulas linfáticas
- infecciones bucales, como la candidiasis oral adulta
- enfermedad de las encías
- infecciones de herpes simple severas y persistentes, como el herpes labial
- verrugas genitales
- comezón y piel escamosa (dermatitis seborreica)
- pérdida de peso
- síntomas neurológicos similares a la demencia.

¿EXISTEN COMPLICACIONES?

La única complicación más importante de esta infección es el SIDA. Se dice que una persona infectada ha contraído SIDA si el conteo de linfocitos CD4 cae bajo cierto nivel o si desarrolla una enfermedad determinante en particular. Éstas incluyen infecciones oportunistas (que ocurren sólo en personas cuyo sistema inmunológico está debilitado), ciertos tipos de cáncer y problemas del sistema nervioso que pueden ocasionar **demencia,** confusión, cambios en el comportamiento y pérdida de la memoria.

INFECCIONES OPORTUNISTAS

Estas infecciones pueden ser causadas por protozoos, hongos, virus o bacterias y suelen ser mortales.

■ Una de las enfermedades más comunes de las personas con SIDA es una infección grave de los pulmones (neumonía) causada por el parásito *Pneumocystis carinii*. Otras afecciones comunes son protozoicas, como la **toxoplasmosis,** que puede afectar el cerebro.

■ El *Candida albicans* es un hongo que causa infecciones superficiales leves en las personas saludables y puede producir otras mucho más graves en un enfermo de SIDA.

■ El hongo criptococo puede causar fiebre, dolores de cabeza e infecciones pulmonares.

■ Las personas con SIDA sufren de infecciones bacterianas y virales graves. Algunas infecciones bacterianas son **tuberculosis** y **listeriosis,** que pueden provocar **envenenamiento de la sangre** (septicemia). Las infecciones virales incluyen aquellas causadas por los **virus del herpes.** Las infecciones por herpes simple pueden afectar el cerebro y causar meningitis y encefalitis viral.

■ La infección por **cytomegalovirus** puede causar ciertas condiciones graves, como

El período entre la infección y el comienzo del SIDA varía según la persona, pero puede ser de 1 a 14 años. Suelen pasar años sin saber que están infectadas hasta que desarrollan una o más infecciones graves o cáncer, las que se conocen como "**enfermedades determinantes del SIDA**".

Diagnóstico del VIH y el SIDA

Si sospecha que se ha expuesto a la infección por VIH, debe realizarse un análisis de sangre para verificar si hay anticuerpos contra el virus. Éste también se puede realizar si tiene síntomas que sugieren que ha contraído la infección. Siempre se solicita consentimiento antes del análisis y puede recibir asesoría antes y después para estudiar las implicancias de un resultado positivo.

Si su examen de VIH es negativo, es aconsejable realizarse otro en un plazo de tres meses, ya que los anticuerpos

pueden demorar en desarrollarse. La infección por VIH puede ser difícil de diagnosticar en el bebé de una madre afectada, porque los anticuerpos de ella pueden permanecer en la sangre del bebé hasta por un año y medio.

Se diagnostica SIDA cuando se desarrolla una enfermedad determinante, como una infección por pneumocystis o sarcoma de Kaposi o cuando los análisis de sangre revelan un conteo de linfocitos CD4 inferior a un nivel determinado.

Mitos acerca de la infección por VIH

Debido a que el VIH y el SIDA son muy temidos, se han originado muchos mitos y creencias sobre la transmisión de esta enfermedad. Es necesario recalcar que el VIH es bastante difícil de adquirir. Existen grandes cantidades del virus en la sangre y el semen de una persona infectada, y menores en la saliva y en los fluidos vaginales.

Saber la verdad sobre el VIH ayuda a actuar de manera responsable.

El VIH no se contagia por:
- nadar en la misma piscina con alguien que sea VIH positivo
- besar en los labios a una persona infectada, aunque existe un leve riesgo si sus encías sangran o están inflamadas
- beber del vaso o comer del plato que ha utilizado un VIH positivo
- ir a la escuela o universidad con un VIH positivo
- visitar a alguien con VIH en su casa o en el hospital
- utilizar el mismo baño que una persona infectada
- encontrarse cerca de una persona infectada cuando estornuda, pues el virus no se transporta por el aire
- la mordedura de un insecto
- donar sangre a un banco de sangre.

neumonía, encefalitis viral y un tipo de inflamación ocular que puede provocar ceguera.
■ Sin embargo, los enfermos de SIDA no son más susceptibles a infecciones comunes, como los resfriados.

CÁNCERES
El cáncer más común que afecta a los enfermos de SIDA es el **sarcoma de Kaposi**, un tipo de cáncer a la piel que también puede afectar el interior de la boca y órganos internos. Otros tipos de cáncer que comúnmente desarrollan incluyen **linfomas**, como el linfoma no Hodgkin. El **cáncer cervical** es una enfermedad determinante en las mujeres infectadas por VIH.

¿CUÁL ES EL TRATAMIENTO?
Si su análisis de VIH resulta positivo, probablemente será derivado a un centro especial donde recibirá supervisión, tratamiento y asesoría de un equipo especializado.

Puede comenzar un **tratamiento con medicamentos** cuando se le diagnostique la infección o cuando su nivel de linfocitos CD4 comience a decaer. Los avances en el uso de combinaciones de drogas antivirales específicas, llamadas drogas antirretrovirales, que evitan que el VIH se replique, han hecho posible evitar el avance de la infección hasta convertirse en SIDA y suprimir la infección viral a niveles indetectables en algunas personas.

Existen dos grupos principales de drogas antirretrovirales que se utilizan en el tratamiento de la infección por VIH y el SIDA: inhibidores de transcriptasa inversa e inhibidores de proteasa. Estas drogas bloquean los procesos necesarios para la replicación de los virus sin causar un daño importante en las células corporales invadidas. Los inhibidores de transcriptasa inversa, como zidovudina (AZT), alteran el material genético de la célula infectada (que el virus necesita para replicarse) o el material genético del virus mismo. Los inhibidores de proteasa, como el ritonavir, evitan la producción de las proteínas virales necesarias para la replicación.

Una vez que el SIDA se desarrolla, las infecciones oportunistas se tratan a medida que aparecen, por lo general mediante terapia con antibióticos y, en algunos casos, puede también haber tratamientos preventivos a largo plazo en contra de las infecciones más comunes.

Se puede obtener apoyo emocional y asesoría práctica en muchos grupos y organizaciones de caridad que ayudan a los infectados con VIH y a quienes sufren de SIDA.

¿CUÁL ES EL PRONÓSTICO?
No existe cura para la infección por VIH, pero existen medicamentos en el mundo desarrollado que permiten que la condición se convierta en una enfermedad crónica en lugar de tener un rápido desenlace fatal. En los dos años siguientes a la introducción de las terapias de combinación de drogas antivirales en 1995, las muertes a causa de SIDA en los países desarrollados disminuyeron considerablemente. Sin embargo, para la mayoría de los infectados por VIH que viven en los países en desarrollo, el pronóstico es sombrío. Pocos tienen acceso a un tratamiento actualizado y, sin él, la mitad de los infectados desarrolla el SIDA en un plazo de 10 años y muere.

¿SE PUEDE PREVENIR?
La infección por VIH se puede prevenir al enseñar a todos, desde temprana edad, los riesgos que representa esta enfermedad.
■ Las dos precauciones principales que se deben tomar para evitar el contagio por contacto sexual es **usar condón durante el coito** y **evitar la promiscuidad**. No importa cuánto alguien le atraiga, jamás acceda a tener relaciones sexuales con una persona a quien apenas conoce. Converse con ella antes de hacer algo que pueda lamentar. Hable acerca del riesgo y si se enoja o muestra resentimiento, debería preguntarse si vale la pena conocer a alguien así. Los hombres se preocupan del SIDA al igual que las mujeres, por lo que suelen agradecer que una mujer hable del tema, siempre que lo haga de manera cuidadosa.
■ En una nueva relación, la pareja debería considerar realizarse un **análisis de VIH** antes de tener relaciones sexuales sin protección.
■ Ciertos grupos también necesitan tener mayor cuidado. Por ejemplo, deben utilizar una aguja limpia cada vez que se inyecten medicamento por vía intravenosa.
■ Las personas VIH positivo deben tomar precauciones especiales para evitar que otros puedan entrar en contacto con su sangre o fluidos corporales y siempre deben informar su condición al personal médico y dental.
■ Si usted es VIH positivo y está embarazada, le pueden recetar drogas antivirales para reducir el riesgo de transmisión al feto. También es posible que se le aconseje dar a luz por cesárea.
■ Evite la lactancia si es VIH positivo para disminuir el riesgo de transmitir el virus al bebé.
■ Los profesionales médicos toman muchas medidas para prevenir la transmisión del VIH, incluido el análisis de todos los productos sanguíneos y tejidos para transplantes y el uso de equipos desechables o cuidadosamente esterilizados.
■ Se están realizando extensas investigaciones para desarrollar una **vacuna** contra el VIH o para prevenir el desarrollo del SIDA. Sin embargo, aunque los investigadores son optimistas acerca de su éxito, inevitablemente habrá millones de muertes más en el mundo antes que se descubra una cura económica y que ésta se ponga a disposición de todas las personas.

Hepatitis

LA HEPATITIS SUELE SER UNA INFLAMACIÓN REPENTINA Y EN CORTO TIEMPO DEL HÍGADO DEBIDO A VARIAS CAUSAS, ENTRE LAS CUALES LA MÁS COMÚN SON LOS VIRUS DE LA HEPATITIS A, B Y C, SIENDO ESTE ÚLTIMO EL MÁS GRAVE.

Aproximadamente 1 de cada 1.000 personas en el Reino Unido son portadoras del virus de la hepatitis en algún momento de sus vidas, aunque no todas necesariamente desarrollan la enfermedad. La afección tiene varias causas y una aparición repentina. La mayoría de quienes padecen de hepatitis aguda se recupera en un plazo de uno o dos meses. Sin embargo, algunas veces la inflamación del hígado persiste por varios meses o incluso durante años (**hepatitis crónica**) y puede convertirse en insuficiencia hepática.

¿CUÁLES SON LAS CAUSAS?

En todo el mundo, la causa más común de hepatitis aguda es la infección con alguno de los varios tipos de **virus de la hepatitis**. Hasta finales de los años 80, sólo se conocían dos tipos: **hepatitis A y B**. Ahora se han identificado otros virus, incluidos los de **hepatitis C, D y E**. Es casi seguro que otros están a punto de ser descubiertos. Todos los virus conocidos pueden causar hepatitis aguda y tienen varias características en común, aunque se diferencian en el modo de transmisión y en sus efectos a largo plazo.

Las infecciones con algunos tipos de bacterias, otras con virus que no son de hepatitis y algunos parásitos también pueden ocasionar hepatitis aguda. Además, la condición puede ser provocada por agentes no infecciosos, como algunos **fármacos** y **toxinas**, incluido el **alcohol**.

OTRAS CAUSAS INFECCIOSAS

La hepatitis aguda también puede ser causada por otras infecciones virales, como el cytomegalovirus y el virus de Epstein-Barr (causante de la fiebre glandular). Algunas infecciones bacterianas, como la enfermedad del legionario, pueden causar hepatitis. Entre las infecciones por parásitos que también pueden causar hepatitis aguda están la infección con plasmodium, que provoca la malaria.

CAUSAS NO INFECCIOSAS

En los países desarrollados, el **consumo excesivo de alcohol** es una de las causas más comunes de hepatitis aguda. Esta condición también la pueden originar otras toxinas, como las que se encuentran en los hongos venenosos. Ciertas fármacos, como algunos **anticonvulsivos**, el **gas halotano analgésico** y una sobredosis de paracetamol, también causan hepatitis aguda.

¿CUÁLES SON LOS SÍNTOMAS?

Algunas personas infectadas con un virus de hepatitis no presentan síntomas o éstos son tan leves que no los notan. En otros casos, el trastorno puede resultar mortal. Si la hepatitis se debe a una infección viral, el período entre la infección y la aparición de los síntomas puede variar de seis semanas en la hepatitis A a seis meses en la hepatitis B. Algunas personas que no presentan síntomas pueden convertirse

en portadores del virus. Si hay síntomas, al principio pueden incluir:

● fatiga y sensación de malestar
● falta de apetito
● náuseas y vómitos
● molestias en el costado superior derecho del abdomen.

Varios días después de la aparición de los primeros síntomas, la parte blanca de los ojos y la piel pueden tornarse amarillentas (**ictericia**). A menudo, los síntomas iniciales aumentan cuando aparece la ictericia. En esta etapa, las deposiciones pueden ser más pálidas que lo normal y aparecer **prurito**. La hepatitis aguda causada por el virus de la hepatitis B puede provocar además **dolor en las articulaciones**.

La hepatitis aguda grave puede causar insuficiencia hepática, provocando confusión mental, convulsiones y, a veces, coma. La insuficiencia hepática es relativamente común después de una sobredosis de **paracetamol**, pero es menos común con algunos tipos de hepatitis, como aquellos provocados por el virus de la hepatitis A.

¿CÓMO SE DIAGNOSTICA?

Si su médico sospecha que usted tiene hepatitis, puede pedir que le hagan análisis de sangre para evaluar la función hepática y buscar posibles causas de la hepatitis. Es probable que éstos se repitan para supervisar su recuperación. Si el diagnóstico no está claro, también se **puede realizar un escáner de ultrasonido** y, en algunos casos, una biopsia del hígado, en la que se extrae una pequeña porción del hígado para examinarla bajo un microscopio.

¿CUÁL ES SU TRATAMIENTO?

No existe ningún tratamiento específico para la mayoría de los casos de hepatitis aguda y, por lo general, se aconseja descansar.

■ **Consulte a su médico antes de ingerir cualquier medicamento**, como analgésicos, porque existe el riesgo de efectos secundarios.
■ Si tiene hepatitis viral, deberá tomar precauciones para evitar el contagio de la enfermedad, incluida la **práctica de relaciones sexuales seguras**.
■ Debe **evitar beber alcohol** durante la enfermedad y durante, al menos, tres meses después de recuperarse. Sin embargo, si la causa se relacionó con el alcohol, se le aconsejará que lo deje.

¿CUÁL ES SU PRONÓSTICO?

■ La mayoría de las personas con hepatitis aguda se siente bien después de 4 a 6 semanas y se recupera después de tres meses.
■ Sin embargo, para algunas personas con

Los virus de la hepatitis

Virus de la hepatitis A

El virus de la hepatitis A es la causa más común de hepatitis viral en occidente. A menudo, el virus no produce síntomas o éstos son tan leves que la infección pasa inadvertida. Este virus se puede detectar en la orina y en las deposiciones de los infectados y se puede transmitir mediante **alimentos o agua contaminados**.

Virus de la hepatitis B

Se estima que cada año, alrededor de un millón de personas en Europa se infecta con este virus, el cual se transmite por el contacto con los fluidos corporales de una persona infectada. Por ejemplo, el virus se puede transmitir por **relaciones sexuales** o por compartir agujas contaminadas usadas con drogas intravenosas. En los países en desarrollo, la infección suele transmitirse de la madre al bebé al nacer. Antes de que los bancos de sangre realizaran pruebas de rutina para detectar el virus, las transfusiones solían ser una fuente de infección de hepatitis B y muchas personas con hemofilia la contraían. Hoy, toda la sangre que se usa en

las transfusiones es sometida a análisis para detectar el virus de la hepatitis B.

Virus de la hepatitis C

Alrededor del 3 por ciento de la población mundial se infecta con este virus cada año. Éste suele transmitirse por la sangre, a menudo por compartir agujas contaminadas usadas con drogas intravenosas. Actualmente, toda la sangre que se usa en las transfusiones en el Reino Unido es sometida a análisis para detectar el virus de la hepatitis C. También se transmite a través de las **relaciones sexuales**.

Virus de la hepatitis D y E

La infección con hepatitis D ocurre sólo a las personas que ya han tenido hepatitis B. Se transmite por contacto con fluidos corporales contaminados. El virus de la hepatitis E es una causa poco frecuente de hepatitis en los países desarrollados. Éste es excretado en las deposiciones de personas infectadas y se transmite de la misma manera que el virus de la hepatitis A.

hepatitis C, la recuperación es seguida por una **serie de recaídas** durante varios meses.

■ Aproximadamente 3 de cada 4 personas con hepatitis C y 1 de cada 20 con hepatitis B y D **desarrollan hepatitis crónica**.

■ Las personas con hepatitis aguda causada por otra infección que no sea por virus de hepatitis suelen recuperarse completamente cuando la infección desaparece.

■ La recuperación de la hepatitis aguda a causa del consumo excesivo de alcohol, drogas u otras toxinas depende del daño en el hígado. Las sustancias causantes de la hepatitis aguda deberán evitarse en el futuro.

■ En los pocos casos en que la hepatitis se convierte en insuficiencia hepática, puede ser necesario un transplante de hígado.

¿SE PUEDE PREVENIR?

■ La infección con hepatitis A y E se puede prevenir con una buena higiene personal.

■ El riesgo de hepatitis B, C y D se puede disminuir teniendo relaciones sexuales seguras y evitando compartir agujas u otros objetos que puedan estar contaminados con fluidos corporales infectados.

■ Las inmunizaciones para proteger contra la hepatitis A se administran a personas que viajan a ciertos países y a otras en riesgo de contraer la infección.

■ La vacuna contra la hepatitis B se recomienda a los grupos de alto riesgo, como el personal de salud.

■ Para evitar la transmisión de la hepatitis a través de las transfusiones sanguíneas, los bancos de sangre analizan toda la sangre para detectar los virus de la hepatitis B y C.

> **Ver también:**
> • **Enfermedades hepáticas relacionadas con el alcohol pág. 356**
> • **Ictericia pág. 355**
> • **Malaria pág. 343**
> • **Relaciones sexuales protegidas pág. 280**

Fiebre glandular

LA FIEBRE GLANDULAR, TAMBIÉN CONOCIDA COMO MONONUCLEOSIS INFECCIOSA, ES UNA INFECCIÓN VIRAL COMÚN EN ADOLESCENTES Y ADULTOS JÓVENES, QUE CAUSA INFLAMACIÓN DE LOS NÓDULOS LINFÁTICOS Y DOLOR DE GARGANTA.

La fiebre glandular se conoce como la "enfermedad del beso" en los adolescentes y adultos jóvenes, porque se transmite principalmente por la **saliva**. Su nombre proviene de los síntomas que incluyen inflamación de las glándulas linfáticas y temperatura alta. En un principio, esta enfermedad se **confundía con la amigdalitis**, pero es más intensa y duradera.

¿CUÁL ES LA CAUSA?

La mononucleosis infecciosa es causada por el virus de Epstein-Barr (VEB), que ataca los linfocitos, los glóbulos blancos de la sangre responsables de combatir la infección. Esta enfermedad es muy común y alrededor de 9 de cada 10 personas la han contraído al bordear los 50 años. Más de la mitad de ellas no presenta síntomas y, en consecuencia, no saben que están infectadas.

¿CUÁLES SON LOS SÍNTOMAS?

Si se desarrollan los síntomas, generalmente aparecen entre 4 y 6 semanas después de la infección y permanecen por varios días. Éstos pueden incluir:

● fiebre alta y sudoración
● dolor de garganta agudo que causa dificultad para tragar
● inflamación de las amígdalas, a menudo cubiertas por una capa gruesa y blanca grisácea
● aumento de tamaño y dolor de las glándulas linfáticas del cuello, axilas e ingle
● sensibilidad en el abdomen a causa del aumento de tamaño del bazo
● erupciones.

Estos síntomas distintivos normalmente vienen acompañados de falta de apetito, pérdida de peso, dolor de cabeza y fatiga. En algunas personas, el dolor de garganta y la fiebre desaparecen pronto y el resto de los síntomas duran menos de un mes. Otras pueden permanecer enfermas por más tiempo y sentir letargo y depresión durante meses después de la infección. La fiebre glandular fue una de las primeras infecciones virales que se reconoció que dejaban un síndrome de fatiga posviral.

¿QUÉ SE PUEDE HACER?

Su médico probablemente diagnosticará la infección debido a la inflamación de sus nódulos linfáticos, dolor de garganta y fiebre. Se puede realizar un análisis de sangre para detectar anticuerpos contra el VEB y confirmar el diagnóstico. También se puede tomar un frotis de la garganta para descartar infecciones bacterianas que necesitarían tratamiento con antibióticos.

No existe un tratamiento específico para la mononucleosis, pero sí medidas simples para aliviarla.

Beber líquidos fríos en abundancia y analgésicos de venta libre, como el paracetamol, pueden controlar la fiebre alta y el dolor. Deben evitarse los deportes de contacto mientras el bazo se encuentra aumentado de tamaño por el riesgo de rompimiento que causa una hemorragia interna severa que puede ser fatal.

¿CUÁL ES SU PRONÓSTICO?

Casi todas las personas que sufren de mononucleosis infecciosa terminan por recuperarse totalmente. Sin embargo, algunas pueden tardar más y la depresión y la fatiga pueden durar semanas o incluso meses después de la primera aparición de los síntomas. Un ataque de esta enfermedad, con o sin síntomas, brinda inmunidad para toda la vida.

Fiebre tifoidea y paratifoidea

LAS FIEBRES TIFOIDEA Y PARATIFOIDEA SON CAUSADAS POR LA BACTERIA SALMONELLA Y PROVOCAN FIEBRE ALTA Y ERUPCIONES.

Visitar o vivir en áreas donde se presenta la enfermedad es un factor de riesgo. La fiebre tifoidea y paratifoidea son casi idénticas y las causan las bacterias *Salmonella typhi* y *Salmonella paratyphi*, respectivamente. Las bacterias se multiplican en los intestinos y se diseminan por la sangre hacia otros órganos como el bazo, la vesícula biliar y el hígado. Se transmiten por deposiciones infectadas y ocurren principalmente en áreas donde la higiene y las medidas sanitarias son deficientes. A menudo, la infección es causada por alimentos o agua contaminada, por no lavarse las manos.

¿CUÁLES SON LOS SÍNTOMAS?

Los síntomas de ambas enfermedades aparecen entre 7 y 14 días después de la infección y pueden incluir:

- dolor de cabeza y fiebre alta
- tos seca
- dolor abdominal y estreñimiento, por lo general seguido de diarrea
- erupción de manchas rosadas en el pecho, abdomen y espalda.

Si no se tratan, ambas infecciones pueden conducir a complicaciones graves como hemorragia intestinal y, en raras ocasiones, perforación de los intestinos.

¿QUÉ SE PUEDE HACER?

Las fiebres tifoidea y paratifoidea se pueden diagnosticar con análisis de sangre o muestras de deposiciones para identificar las bacterias y normalmente reciben tratamiento con antibióticos en el hospital. Los síntomas suelen persistir de 2 a 3 días después de comenzado el tratamiento y la mayoría de las personas se recupera totalmente en un mes.

Incluso con tratamiento, la bacteria es excretada durante unos tres meses después de que los síntomas han desaparecido. Algunas personas que no reciben tratamiento pueden convertirse en **portadores** de por vida de la bacteria y transmitir la enfermedad a otras, aunque parezcan estar sanas.

La buena higiene es la mejor protección contra esta infección. Hay muchas vacunas disponibles y si planea viajar a un país en desarrollo, es aconsejable inmunizarse. Consulte a su médico antes de viajar, ya que las recomendaciones cambian.

Malaria

MÁS DE 1 DE CADA 3 PERSONAS EN EL MUNDO SON AFECTADAS POR LA MALARIA, UNA INFECCIÓN QUE DESTRUYE LOS GLÓBULOS ROJOS DE LA SANGRE. ÉSTA ES TRANSMITIDA POR MOSQUITOS INFECTADOS QUE TRANSMITEN LOS PARÁSITOS MEDIANTE SUS MORDEDURAS.

En los países tropicales, alrededor de 10 millones de casos nuevos de malaria y 2 millones de muertes ocurren cada año. La mayoría de las víctimas fatales son niños.

¿CUÁLES SON SUS SÍNTOMAS?

Los síntomas de la malaria normalmente comienzan entre 10 días y 6 semanas después de haber sido mordido por un mosquito infectado. Sin embargo, en algunos casos, los síntomas pueden no aparecer hasta meses o años después, en especial si al momento de la infección se ingirieron medicamentos preventivos.

Si no recibe tratamiento, la malaria causada por los parásitos **plasmodium** (*P. vivax, P. ovale* y *P. malariae*) causa ataques de síntomas recurrentes cada vez que los parásitos se multiplican dentro de los glóbulos rojos de la sangre y los destruyen. Cada uno de ellos suele durar entre 4 y 8 horas y puede ocurrir a intervalos de 2 a 3 días según la especie de parásito. Los síntomas del ataque pueden incluir:

- fiebre alta
- escalofríos y temblores
- sudoración profusa
- confusión
- fatiga, dolor de cabeza y dolor muscular
- orina de color marrón oscuro.

Entre cada ataque puede haber gran fatiga debido a la anemia como único síntoma.

La malaria **falciparum** (causada por el *Plasmodium falciparum*) provoca fiebre continua y se puede confundir con la influenza. Es más grave que otros tipos de malaria y los ataques pueden causar pérdida de la conciencia,

---

AUTOAYUDA

Prevención de la malaria

Si planea visitar un área donde hay malaria, su médico puede darle orientación actualizada sobre **medicamentos antimaláricos** para dicha área. Quizás necesite comenzar a ingerir medicamentos varios días antes de partir y continuar consumiéndolos durante y después del viaje. Para protegerse de las mordeduras de mosquitos, debe:

■ Mantener su cuerpo bien cubierto.
■ Dormir bajo una red para mosquitos impregnada con repelente contra insectos.
■ Utilizar repelentes contra insectos en la ropa y en la piel expuesta.
■ Estas medidas contra las mordeduras de los mosquitos son especialmente importantes entre el anochecer y la madrugada, que es cuando los mosquitos muerden.

---

malaria cerebral y problemas a los riñones; puede ser fatal a las 48 horas de la aparición de los síntomas si no recibe tratamiento.

¿QUÉ SE PUEDE HACER?

Su médico puede sospechar de malaria si usted presenta fiebre sin causa explicable después de un año de haber viajado a una región donde exista la infección. El diagnóstico se confirma al identificar el parásito de la malaria en una muestra de sangre bajo el microscopio.

Si se le diagnostica malaria, pueden administrarle **medicamentos antimaláricos** lo antes posible para evitar complicaciones. El tratamiento depende del tipo de malaria, la resistencia del parásito a los medicamentos y de la gravedad de los síntomas. Si tiene malaria falciparum, puede recibir tratamiento hospitalario con **medicamentos antimaláricos orales o intravenosos**. El tratamiento también puede incluir una **transfusión de sangre** para reponer los glóbulos rojos destruidos o una **diálisis renal** si las funciones renales están deterioradas. Otros tipos de malaria suelen tratarse sin hospitalización con medicamentos antimaláricos.

Si recibe tratamiento oportuno, el pronóstico suele ser bueno y la mayoría de los afectados se recupera por completo. La malaria causada por *P. vivax,* y *P. Ovale* puede volver después del tratamiento.

Nota: Siempre se deben tomar medidas de prevención, incluyendo medicamentos antimaláricos, al visitar un lugar donde se sabe que existe la infección.

Toxoplasmosis

LA TOXOPLASMOSIS ES UNA INFECCIÓN PROTOZOICA QUE CAUSA SERIAS ENFERMEDADES EN EL FETO Y EN LAS PERSONAS MENOS INMUNES, COMO LOS ENFERMOS DE SIDA, QUIENES PUEDEN SUFRIR ENCEFALITIS PROVOCADA POR ESTA INFECCIÓN.

Quistes del parásito son excretados en las deposiciones de los gatos y pueden traspasarse a las personas mediante el **contacto directo con estos felinos** o al **manipular el lugar donde éstos duermen**. Otra fuente de infección es la **carne cruda o semicruda** de animales que hayan comido quistes de las deposiciones de gatos infectados.

En la mayoría de las personas, la infección es asintomática porque los quistes del protozoo están dormidos. **Si una mujer embarazada desarrolla toxoplasmosis, los parásitos pueden infectar al feto y causarle ceguera**.

¿QUÉ SE PUEDE HACER?

Por lo general, no se necesita tratamiento, aunque a las mujeres embarazadas y a las personas menos inmunes se les puede prescribir **pirimetamina** y antibióticos. Estas últimas deben continuar ingiriendo medicamentos toda la vida para evitar la reactivación de los quistes.

La infección se puede prevenir evitando el contacto con los gatos, utilizando guantes para manipular los sitios donde éstos duermen, para los trabajos de jardinería y evitando comer carne cruda o semicruda.

Enfermedad de Lyme

LA ENFERMEDAD DE LYME ES UNA INFECCIÓN TRANSMITIDA POR LAS GARRAPATAS. CAUSA ERUPCIÓN Y SÍNTOMAS SIMILARES A LA GRIPE. NOMBRADA EN HONOR A OLD LYME, EL PUEBLO DE CONNECTICUT, ESTADOS UNIDOS, DONDE SE DESCUBRIÓ. ESTA ENFERMEDAD ES CAUSADA POR LA BACTERIA *BORRELIA BURGDORFERI*.

Si una garrapata infectada muerde a una persona y permanece incrustada en la piel, la bacteria puede entrar al torrente sanguíneo y difundirse a través del cuerpo.

La mayoría de los casos informados ha sido documentada en los estados costeros del nordeste de Estados Unidos, en Europa y en Asia Central. Las personas que acampan o pasean en áreas boscosas durante el verano corren más riesgo de ser mordidas por una garrapata portadora de la bacteria de la enfermedad de Lyme.

¿CUÁLES SON LOS SÍNTOMAS?

La mordedura de una garrapata infectada suele producir una protuberancia roja con una costra en la piel, aunque algunas personas no notan este signo inicial. Entre dos días y cuatro semanas después de la mordedura pueden aparecer los siguientes síntomas:
- erupción circular en el área mordida, posiblemente con un área clara al centro
- fatiga
- fiebre y escalofríos como en la gripe
- dolor de cabeza y dolores articulares.

Si la infección no recibe tratamiento, estos síntomas pueden persistir varias semanas. En algunas personas, esta enfermedad puede desarrollar peligrosas complicaciones hasta dos años después de ser detectada que pueden afectar el corazón, el sistema nervioso y las articulaciones.

¿QUÉ SE PUEDE HACER?

■ Su médico puede sospechar que usted sufre de la enfermedad de Lyme y tomarle una muestra de sangre para confirmar el diagnóstico.
■ Se le dará tratamiento inmediato con **antibióticos**, la mayoría de las personas se recupera totalmente.

■ Los **medicamentos antiinflamatorios no esteroideos (AINES)** pueden aliviar los dolores articulares.
■ Actualmente existen **vacunas** disponibles que ofrecen un 70 por ciento de protección contra la enfermedad. Para tener una protección continuada, es necesario repetir las vacunas cada dos años.

■ En las regiones en que se sabe que hay garrapatas infectadas, debe cubrirse los brazos y las piernas para reducir el riesgo de mordeduras y quitarse de inmediato las garrapatas que se encuentre en la piel. Los casos de complicaciones son extremadamente escasos.

Envenenamiento de la sangre (septicemia)

EL ENVENENAMIENTO DE LA SANGRE O SEPTICEMIA ES UNA RARA INFECCIÓN EN QUE LAS BACTERIAS SE MULTIPLICAN EN EL TORRENTE SANGUÍNEO. ES COMÚN QUE TENGAMOS BACTERIAS EN LA SANGRE (BACTEREMIA), PERO NO QUE SE MULTIPLIQUEN.

Casi siempre la septicemia ocurre cuando una bacteria se escapa de una infección localizada, como peritonitis, meningitis o un absceso, y es más probable que le suceda a una persona cuyo sistema inmunológico está comprometido. Es una complicación de la meningitis bacteriana.

¿CUÁLES SON LOS SÍNTOMAS?

Los síntomas de la septicemia se desarrollan repentinamente e incluyen:
- fiebre alta
- escalofríos y temblores violentos.

Si no recibe tratamiento, la bacteria puede producir toxinas que dañan los vasos sanguíneos, causando una caída en la presión de la sangre y daño a los tejidos. Esta peligrosa

condición, llamada **shock séptico**, es potencialmente mortal y sus síntomas son:
- desvanecimiento
- manos y pies fríos y pálidos
- inquietud e irritabilidad
- respiración agitada y corta
- erupciones
- ictericia
- en muchos casos, delirio y posible pérdida de la conciencia.

En algunas personas, la bacteria se puede alojar en las **válvulas del corazón**, en especial si ya han sido dañadas por otras enfermedades. Esta grave condición se denomina **endocarditis infecciosa.** En raras ocasiones, la septicemia puede ocasionar una insuficiencia de las células de la sangre relacionadas con la coagulación

(trombocitopenia), que aumenta el riesgo de hemorragia y produce una característica erupción púrpura que no palidece cuando es presionada con un vidrio sobre la piel.

¿QUÉ SE PUEDE HACER?

Si su médico sospecha que usted tiene septicemia, se le internará en el hospital para recibir tratamiento inmediato. Se le administrarán **antibióticos intravenosos** y se le realizarán análisis de sangre para identificar la bacteria que causa la infección. Una vez hecho esto, se le administrarán antibióticos específicos. Si reciben un tratamiento adecuado antes de sufrir un shock séptico, la mayoría de las personas logra recuperarse completamente.

Síndrome de shock tóxico

EL SÍNDROME DE SHOCK TÓXICO ES UNA FORMA SÉPTICA DE SHOCK BACTERIANO QUE NO SE PRODUCE POR LA MULTIPLICACIÓN DE LAS BACTERIAS EN LA SANGRE, SINO POR UNA TOXINA QUE PRODUCE LA BACTERIA COMÚN *STAPHYLOCOCCUS AUREUS* Y CIERTA BACTERIA ESTREPTOCÓCICA.

Cuando las bacterias se multiplican, grandes cantidades de toxinas ingresan a la sangre y provocan los síntomas del shock.

Descrito por primera vez en la década de 1980, 7 de cada 10 casos correspondían a mujeres que usaban tampones de alta absorción (ahora retirados del mercado), pero

el síndrome de shock tóxico (SST) también puede surgir de heridas en la piel o infecciones causadas por *S. aureus* en cualquier parte del cuerpo.

Además de los síntomas de la septicemia, ocurre un característico enrojecimiento de las palmas y las plantas de los pies, con

descamación dos semanas después.

El tratamiento consiste en antibióticos, en ocasiones por vía intravenosa.

Parece existir una **tendencia individual** al SST y puede reaparecer en mujeres que ya lo tuvieron. Por esta razón, ellas deben evitar el uso de tampones, diafragmas, etc.

Tétanos

EL TÉTANOS ES LA INFECCIÓN DE UNA HERIDA QUE CAUSA UNA POTENTE TOXINA PRODUCIDA POR LA BACTERIA *CLOSTRIDIUM TETANI*. ESTA TOXINA PROVOCA SEVEROS ESPASMOS MUSCULARES.

Las bacterias del tétanos habitan en la tierra y en los intestinos de seres humanos y otros animales. Si ingresan a una herida, se multiplican y liberan su toxina, que afecta a los nervios que controlan las contracciones musculares. Esta condición, conocida también como trismos, es rara en los países desarrollados ya que la mayoría de las personas han sido inmunizadas.

Los síntomas del tétanos aparecen generalmente entre 5 y 10 días después de la infección. Fiebre, dolor de cabeza y rigidez muscular en la mandíbula, brazos, cuello y espalda son típicos. A medida que la condición se agrava, puede haber dolorosos espasmos musculares. En algunas personas, parecen afectados los músculos de la garganta y de la pared torácica, lo que causa dificultad respiratoria y posible sofocación.

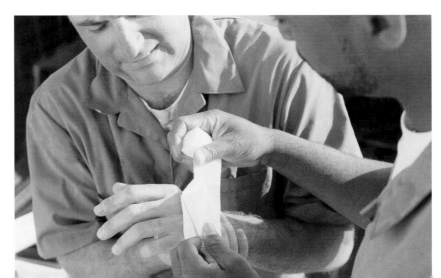

¿QUÉ SE PUEDE HACER?

Esta enfermedad requiere tratamiento inmediato en el hospital con inyecciones **antitoxinas**, **antibióticos** y **sedantes** para aliviar los espasmos musculares.

Puede ser necesario usar **ventilación mecánica** para ayudar a respirar. Si se brinda un tratamiento oportuno, la mayoría de las personas se recupera completamente. Si el tratamiento tarda, el tétanos suele ser fatal.

¿SE PUEDE PREVENIR?

Entre las precauciones esenciales contra el tétanos se incluyen:

■ Vacuna antitetánica. Generalmente se administra como parte de la inmunización en la niñez y es muy efectiva.

■ Vacuna de refuerzo cada 10 años.

■ Limpieza profunda de las heridas, en especial las contaminadas con tierra, y tratamiento con antisépticos. Los cortes profundos, especialmente propensos a las

infecciones, deben ser atendidos por un médico, quien puede recetar antibióticos para prevenir la infección.

■ Una vacuna de refuerzo después de cualquier herida profunda si sus vacunas de refuerzo no están al día.

> **Ver también:**
> • **Programa de inmunización pág. 519**

Listeriosis

LA LISTERIOSIS ES UNA RARA INFECCIÓN TRANSMITIDA MEDIANTE ALIMENTOS CONTAMINADOS. AFECTA PRINCIPALMENTE A PERSONAS VULNERABLES, COMO NIÑOS, ANCIANOS, EMBARAZADAS (PUDIENDO CAUSAR ABORTO) Y PERSONAS CON COMPROMISO DEL SISTEMA INMUNOLÓGICO.

La bacteria que causa la listeriosis, *Listeria monocytogenes*, se encuentra esparcida en la tierra y está presente en la mayoría de las especies animales. **Puede transmitirse a los humanos a través de alimentos, en especial los quesos blandos, leche, pastas de carne y ensaladas envasadas.** Guardar los alimentos de manera incorrecta aumenta el riesgo. Las bacterias se multiplican en los intestinos y puede diseminarse en la sangre y afectar a otros órganos.

Los síntomas de la listeriosis varían de una persona a otra. Con frecuencia, la infección

pasa inadvertida en los adultos saludables, aunque algunos presentan síntomas similares a los de la gripe, como fiebre, dolor de garganta, de cabeza y muscular.

¿QUIÉN ESTÁ EN RIESGO?

En los ancianos y personas menos inmunes, como aquellos que sufren de VIH o quienes ingieren drogas inmunosupresoras, la listeriosis puede causar meningitis, una inflamación potencialmente fatal de las membranas que cubren el cerebro. En las mujeres embarazadas,

esta infección se puede traspasar al feto, causando un aborto o el nacimiento de un feto muerto.

¿QUÉ SE PUEDE HACER?

La listeriosis se diagnostica mediante una prueba de sangre. En las personas saludables, la listeriosis leve puede desaparecer en unos pocos días. Aquellos que padecen de infecciones graves, en especial durante el embarazo, necesitan tratamiento hospitalario urgente y **antibióticos intravenosos**.

La higiene al manipular y almacenar los alimentos reduce el riesgo de listeriosis.

Rabia

LA RABIA ES UNA INFECCIÓN ESCASA PERO GRAVE DEL SISTEMA NERVIOSO QUE SE TRANSMITE GENERALMENTE A TRAVÉS DE LA SALIVA DE UN ANIMAL INFECTADO Y RABIOSO, CASI SIEMPRE UN PERRO.

La rabia se puede prevenir mediante una vacuna, que se recomienda a las personas que trabajan con animales en áreas de alto riesgo. Quienes viajen a estas áreas deben evitar el contacto con los animales abandonados.

¿CUÁLES SON LOS SÍNTOMAS?

Una persona infectada puede desarrollar síntomas después de 10 días a 2 meses una vez producida la mordedura, aunque en algunas ocasiones el virus puede permanecer inactivo por varios años. La rabia suele comenzar con síntomas similares a los de la influenza que duran entre 2 y 7 días, seguidos por:

● parálisis de los músculos del rostro y la garganta
● sed extrema
● espasmos dolorosos en la garganta que provocan incapacidad para beber y temor al agua
● desorientación y agitación
● pérdida de la conciencia
● parálisis de las extremidades.

Una vez que los síntomas se han desarrollado, esta afección suele tener un resultado fatal.

¿QUÉ SE PUEDE HACER?

Una vez que los síntomas se desarrollan, no existe cura. Los diagnósticos pueden no ser obvios a partir de los síntomas y, por lo general, se realizan análisis de sangre y saliva para confirmar la presencia del virus.

Digestión

La imagen muestra una micrografía por escáner de electrón coloreada de una sección a través del duodeno, con microvellosidades

El resumen de Miriam

Puede ser útil pensar en el sistema digestivo como en un tubo que recorre el cuerpo con una abertura en cada extremo, la boca en el extremo superior y el ano en el inferior.

El tubo no tiene una forma ordenada y constante a través de su curso. Se hincha para formar un órgano muscular de almacenamiento en el estómago, donde el alimento que ingiere se mezcla completamente con las enzimas digestivas que comienzan a disgregarlo en una forma que el cuerpo pueda utilizar.

A la salida del estómago se agregan jugos gástricos esenciales provenientes de la vesícula biliar y el páncreas. Las partículas de alimento se hacen cada vez más pequeñas hasta que, en el muy adaptado intestino delgado (pequeño de diámetro, pero no en longitud), los más minúsculos fragmentos de nutrientes pueden pasar fácilmente a través de la pared intestinal al torrente sanguíneo.

Escuchamos bastante acerca del intestino grueso (de gran diámetro) o colon, pues parece ser el centro de muchas quejas comunes. Su función en el organismo es de verdad simple: está para asegurar que ni el agua ni ciertos preciados nutrientes se pierdan. Su principal trabajo es absorber agua de los fluidos. Cuando el torrente de alimento digerido deja el intestino delgado se encuentra en una fase líquida, muy fluida. Al evacuarla del vientre está en un estado sólido; es su paso por el intestino grueso lo que realiza dicho cambio, simplemente mediante la absorción de agua.

El recto también puede absorber agua de las deposiciones, de hecho, las disecará si permanecen allí por demasiado tiempo. Por lo tanto, si se ignora el "llamado de evacuación", cualquiera sea el tiempo, las deposiciones pueden volverse muy duras y evacuarlas será difícil y hasta doloroso. Muchas veces se piensa que esta forma de constipación es una falla intestinal o de la dieta, pero no lo es. Simplemente se debe a que no se vacía el recto oportunamente. Así pues, se puede curar atendiendo al deseo de defecar tan pronto lo sienta.

No se necesitan laxantes para curar este tipo de constipación, sólo debe entrenarse nuevamente para atender lo que su intestino le está pidiendo hacer. En caso contrario, éste dejará de enviarle la señal y su "constipación" será peor.

Si intentara rescatar los titulares de lo que hemos descubierto en la última década, dos temas se me vendrían inmediatamente a la mente, ambos cáncer, de esófago e intestinal.

El primero se relaciona con la acidez. Por décadas se ha considerado solamente como una leve irritación, una fastidiosa forma de dispepsia. Sin embargo, en los últimos cinco años aproximadamente, hemos notado que la acidez recurrente, en especial cuando no se le trata, puede resultar en un cambio maligno del extremo inferior del esófago, donde se conecta con el estómago.

Esto lo causa una irritación crónica que produce el contenido de ácidos gástricos que se regurgitan a la parte inferior del esófago. En esa zona, el recubrimiento no cuenta con protección contra el efecto abrasador del ácido estomacal. Por el contrario, el revestimiento del estómago está cubierto por una gruesa capa protectora de mucus, de manera que el ácido jamás llegue a tocar las delicadas paredes del revestimiento estomacal.

Un riguroso tratamiento de la acidez puede evitar una transformación cancerosa, por lo que debe buscar el consejo de su médico en caso de tener un problema que haya durado mucho tiempo.

> "*podemos ayudar* a la próxima generación *asegurándonos que* nuestros hijos coman el número mágico de *cinco frutas al día*"

Sabemos cada vez más acerca del cáncer intestinal. En el Reino Unido mueren aproximadamente 18.000 personas cada año y es casi un hecho que fallecen debido a que nuestra dieta occidental contiene muy poca fibra (principalmente frutas y verduras). Podemos ayudar a la próxima generación asegurándonos que nuestros hijos coman el número mágico de cinco frutas al día.

Existen dos señales básicas del cáncer intestinal. La primera es ver sangre al evacuar, si bien ésa es una señal bastante tardía. Antes de eso, probablemente habrá notado un cambio en sus hábitos intestinales, evacuando más a menudo o con menos regularidad que lo habitual o por una leve constipación o diarrea cuando antes eso no le sucedía; quizás un repentino cambio en la forma de sus deposiciones, por ejemplo, son más delgadas cuando antes eran más redondas. Este cambio en el hábito intestinal, a una edad mediana o mayor, es una señal a la que debe prestar atención y analizar con su médico.

Actualmente, la úlcera péptica tiene una nueva causa. Antes pensábamos que se debía al exceso de ácido estomacal. Ahora sabemos que se debe a una infección, producida por la *Helicobacter pylori*. El tratamiento se ha visto revolucionado en los últimos 10 años. Los nuevos antibióticos son el eje y, puesto que la bacteria es difícil de erradicar, el tratamiento debe durar al menos dos semanas, junto con otras medicinas para aumentar la efectividad del antibiótico. ¡Un tratamiento y prácticamente todo el mundo se cura!

Eso es lo que se llama avance respecto de los viejos tiempos.

AL INTERIOR
del sistema digestivo

Se puede pensar en el tracto digestivo como en un único y largo tubo irregular. Éste consta de la **boca** y **garganta** (faringe), **esófago**, **estómago**, **intestinos delgado** y **grueso** y el **ano**. Otros órganos que no forman parte del tracto digestivo, pero que tienen relevancia en la digestión, son las **glándulas salivales**, el **hígado**, el **páncreas** y la **vesícula biliar**.

El alimento entra al tracto digestivo por la boca, donde se muele con los **dientes** y se mezcla con la **saliva**. Baja, a través del esófago, al estómago, donde se mezcla con las **enzimas digestivas** y se descompone en una mixtura semilíquida. Esta mezcla pasa al intestino delgado, lugar en el que se descompone nuevamente en moléculas que son absorbidas por el torrente sanguíneo mediante la acción del hígado. El material no digerible pasa entonces al intestino grueso, que reabsorbe algo de agua antes de excretar dicho material en forma de deposiciones. El hígado produce el jugo digestivo conocido como **bilis**, el que se almacena en la vesícula biliar hasta que se descarga en el intestino delgado.

El páncreas también secreta un jugo digestivo y produce la hormona llamada **insulina**.

el sistema digestivo

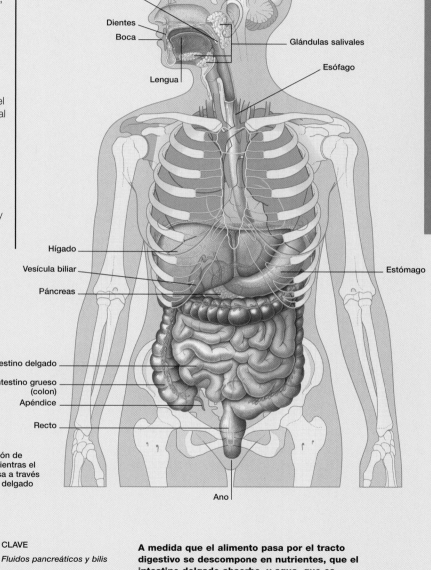

Faringe (garganta)
Dientes
Boca
Lengua
Glándulas salivales
Esófago
Hígado
Vesícula biliar
Páncreas
Estómago
Intestino delgado
Intestino grueso (colon)
Apéndice
Recto
Ano

el proceso digestivo

Boca
Vesícula biliar
Hígado
Glándulas salivales
Esófago
Alimento ingerido
Páncreas
Estómago
Duodeno
Desintegración de nutrientes mientras el alimento pasa a través del intestino delgado
Yeyuno
Ilion (íleon)
Recto
Ano
Intestino grueso (colon)

CLAVE

Fluidos pancreáticos y bilis
Alimento
Transferencia de nutrientes al hígado

A medida que el alimento pasa por el tracto digestivo se descompone en nutrientes, que el intestino delgado absorbe, y agua, que es absorbida por el intestino grueso. Estos nutrientes pasan al hígado por el torrente sanguíneo. Las deposiciones se forman en el intestino grueso y se acopian en el recto antes de ser excretadas.

TRASTORNOS DE LA BOCA, LENGUA Y ESÓFAGO

Es difícil saber por dónde comenzar a analizar el tracto digestivo, que va de la boca al ano. ¿Debieran revisarse las patologías más comunes primero, en cuyo caso la flatulencia, dispepsia, constipación y síndrome del colon irritable (SCI) encabezarían la lista? ¿Quizás simplemente debamos comenzar desde arriba hacia abajo? Eso es lo que he optado por hacer. Sin embargo, la inclusión de los temas dice

relación con su importancia, que se basa principalmente en qué tan comunes sean.

La digestión comienza en la boca, donde se muele el alimento con los dientes y lengua y se mezcla con saliva que secretan las glándulas salivales. La acción de deglutir lleva el alimento al esófago y luego al estómago, mediante ondas de contracciones musculares.

Causas de las úlceras bucales

■ Se desconoce la causa de estas úlceras, pero tienden a ocurrir en personas que están muy cansadas o enfermas.
■ Aparecen antes de la menstruación en las mujeres.
■ En muchas ocasiones, las úlceras bucales se relacionan con la tensión.
■ Las heridas en la pared interior de la cavidad bucal causadas por dentaduras postizas que no encajan bien, un diente áspero o por un cepillado descuidado de dientes, pueden provocar úlceras bucales.
■ Raras veces las úlceras bucales suceden por anemia, una deficiencia de vitamina B12 o ácido fólico, un trastorno intestinal como la Enfermedad de Crohn o celíaca o Síndrome de Behcet, un extraño trastorno autoinmune.
■ Las úlceras pueden también ocurrir debido a infecciones específicas, como el herpes simple. Muy rara vez, una úlcera que crece lentamente y no se cura, puede ser cáncer bucal.

Úlceras bucales

LAS LLAGAS DOLOROSAS EN EL REVESTIMIENTO DE LA BOCA, CONOCIDAS COMO ÚLCERAS BUCALES O ÚLCERAS AFTOSAS, PUEDEN SER EXTREMADAMENTE AFLICTIVAS.

Las úlceras bucales son extremadamente comunes, especialmente entre la gente joven y durante épocas de tensión o enfermedad. Son levemente más comunes en niñas y mujeres y, en ocasiones, son hereditarias, lo que sugiere que podría haber un factor genético involucrado.

Las úlceras bucales aparecen como pequeñas hendiduras de poca profundidad, grisáceas o blanquecinas, con un borde rojizo y pueden darse de manera única o en racimos en cualquier parte de la boca. Pueden causar dolor, muchas veces extremado durante los primeros días y particularmente al masticar alimentos muy condimentados, calientes o ácidos.

En caso de ser muy dolorosas, las úlceras bucales impiden comer y masticar, lo que en un niño puede parecer pérdida del apetito. Pueden suceder varias veces en un año, pero por lo general desaparecen con o sin tratamiento en un plazo de dos semanas.

¿CUÁL ES EL TRATAMIENTO?

Las úlceras bucales por lo general se curan sin tratamiento. Las preparaciones de venta libre y que contienen corticosteroides para reducir la inflamación combinados con un anestésico local, se encuentran disponibles en forma de pastillas o tabletas, gel y pasta, que se adhiere a la mayoría de las superficies.

NOTA: Si tiene una úlcera que no se cura dentro de un período de tres semanas, consulte a un médico.

Ver también:
• **Anemia pág. 236**
• **Enfermedad de Crohn pág. 366**
• **Infecciones por herpes pág. 336**
• **Malabsorción pág. 365**

Reflujo gastroesofágico, hernia del hiato, acidez

EN EL REFLUJO GASTROESOFÁGICO, LOS JUGOS GÁSTRICOS SE REGURGITAN AL ESÓFAGO DESDE EL ESTÓMAGO. ESTA REGURGITACIÓN CAUSA DOLOR O MOLESTIA EN LA PARTE SUPERIOR DEL ABDOMEN Y EN EL PECHO, LO QUE SE CONOCE COMO ACIDEZ. UNA CAUSA ES LA HERNIA DEL HIATO.

El reflujo gastroesofágico (RGE), comúnmente denominado acidez o reflujo ácido, quizás sea la causa más común de la **dispepsia**. La molestia se debe a los ácidos gástricos del estómago, que fluyen de vuelta al esófago (el tubo que va desde la garganta hasta el estómago). El revestimiento de éste no cuenta con una defensa adecuada contra los efectos dañinos del ácido estomacal, el que causa inflamación; en ocasiones, incluso, ulceraciones y un dolor que arde, conocido como acidez.

La obesidad, una dieta alta en grasas, beber demasiado café o alcohol y el tabaquismo son factores de riesgo.

¿CUÁLES SON LAS CAUSAS?

Los contenidos del estómago no logran entrar al esófago debido a un mecanismo de válvula de doble acción: el extremo inferior del esófago posee un anillo muscular, denominado **esfínter esofágico inferior**, el que forma una parte del mecanismo de válvula; en tanto que

la otra parte está conformada por el **hiato**, una estrecha abertura en el músculo del diafragma. La combinación de estas dos puertas de entrada musculares proporciona una eficaz válvula de paso de una sola dirección.

El RGE puede desarrollarse como resultado de varios factores que actúan en conjunto para que la válvula comience a filtrar. Estos factores incluyen:
● un aumento de la presión sobre el abdomen debido a embarazo u obesidad.
● una debilidad en el hiato que permite que

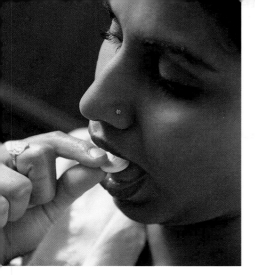

La peligrosa acidez

Si la acidez (reflujo gastroesofágico) se convierte en un episodio diario, puede convertirse en algo bastante más serio. El ácido irritante provoca cambios en las células que recubren el extremo inferior del esófago, lo que puede conllevar una seria forma de cáncer.

La probabilidad de desarrollar cáncer de esófago es ocho veces mayor en las personas con acidez crónica y aumenta más rápido que cualquier otra forma de cáncer. De manera que tome seriamente su acidez crónica y hable con su médico acerca de la misma. El solo hecho de tomar antiácidos no reduce el peligro.

Reflujo gastroesofágico

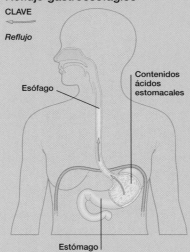

CLAVE

Reflujo

Esófago

Contenidos ácidos estomacales

Estómago

En el reflujo gastroesofágico (RGE), los contenidos ácidos del estómago se regurgitan al esófago, el que carece del revestimiento estomacal de mucosa y se irrita.

El esófago no se encuentra recubierto en la misma forma que el estómago, de manera que el ácido estomacal irrita el extremo inferior del esófago y, con el tiempo, estimula cambios precancerosos que pueden convertirse en cáncer.

¿Cuál es la conexión entre acidez y cáncer?

Investigadores informaron recientemente que sufrir de una acidez frecuente y tratada de forma inadecuada había aumentado el riesgo de cáncer de esófago en aproximadamente 8 veces. Entre aquellos que formaron parte del estudio que sufrían de una acidez particularmente severa de larga data, el riesgo de cáncer aumentó más de 40 veces. La relación era tan fuerte, que los investigadores concluyeron que es posible que la acidez crónica sea la causa de este cáncer.

Los cambios precancerosos en el esófago siguen su curso en el caso de entre un 10 y un 15 por ciento de los pacientes con acidez crónica, y éstos enfrentan un riesgo entre 30 y 40 veces mayor que la población en general.

Obviamente, la acidez es una enfermedad que exige más respeto del que tiene. Se estima que al menos la mitad de las personas que sufren de acidez crónica no están obteniendo el tipo de cuidado médico que los puede proteger de las serias consecuencias descubiertas en el estudio. El riesgo total de desarrollar cáncer esofágico es muy bajo, sin embargo, sólo entre 5 y 10 pacientes de cada 100 sobrevive más de 5 años tras desarrollar la enfermedad.

---

parte del estómago se deslice hacia el interior del pecho (una **hernia del hiato**).

Muchas personas desarrollan ataques leves de RGE tras comer rápidamente o ingerir ciertos alimentos, en especial pickles, comidas fritas o grasosas o bebidas, particularmente si son carbonatadas, alcohol o café. Asimismo, el tabaquismo empeora los síntomas.

¿CUÁLES SON LOS SÍNTOMAS?

Los principales síntomas del RGE son, por lo general, más notorios tras ingerir una comida abundante o al inclinarse. Entre ellos se incluyen:
- un dolor quemante o una molestia en el centro del pecho, detrás del esternón, conocido como acidez o cardialgia.
- un gusto ácido en la boca debido a la regurgitación del fluido ácido hacia la garganta o la boca
- erosión de la dentadura debido al ácido
- una tos persistente y, en ocasiones, episodios de asma nocturna, además de una irritación de la garganta
- voz ronca
- flatulencia
- rastros de sangre en el vómito o las deposiciones.

Un RGE que persiste durante años puede causar cicatrices en el esófago, las que eventualmente pueden volverse tan severas como para causar que éste se torne más estrecho. Una estrechez puede dificultar la acción de tragar, lo que provoca una pérdida de peso. Un RGE crónico puede llevar a que el revestimiento esofágico reemplace al recubrimiento del estómago, con lo que aumenta el riesgo de desarrollar cáncer de esófago.

¿CUÁL ES EL TRATAMIENTO?

La buena noticia es que actualmente se encuentran disponibles muchos productos y tratamientos para aliviar la acidez crónica y evitar que el ácido estomacal dañe las células del esófago, las que no cuentan con protección contra el baño frecuente de ácido.
- El reflujo ácido también se puede agravar por medicamentos que esté ingiriendo debido a otros problemas, de modo que consulte a su médico sobre los efectos de medicamentos que

se venden con y sin receta médica y pregúntele si existen sustitutos útiles.
- Los casos más severos, que no responden a un cambio de dieta o en el estilo de vida por sí solos, requieren de medicamentos, comenzando por los antiácidos que se expenden sin receta médica. Los bloqueadores de histamina, como Tagamet (cimetidina) y Zantac (ranitidina) ayudan, pero pueden no ser lo bastante fuertes para controlar totalmente el reflujo ácido. De no ser así, su médico puede recetarle supresores de ácido más potentes, conocidos como inhibidores por bombeo de protones, como Losec. Otros medicamentos potencialmente útiles protegen el revestimiento del esófago y aceleran el vaciamiento estomacal.
- En caso de que el reflujo ácido no se pueda controlar mediante la dieta, los hábitos y los medicamentos, puede que se requiera una cirugía.

- Uno de los más recientes procedimientos, realizados mediante laparoscopia, incluye envolver un esfínter esofágico defectuoso de manera de fortalecerlo contra el reflujo.
- Los expertos concuerdan en que no basta con calmar los síntomas de la acidez. En su lugar, se debe evitar el reflujo ácido y curar cualquier daño celular que haya ocurrido.
- Tratar esporádicamente la acidez crónica no es suficiente si se detiene el tratamiento cada vez que aminoran los síntomas. Debe ser de largo plazo. Para proteger adecuadamente el esófago, el tratamiento debe ser agresivo, continuo e indefinido, por lo que implica realizar importantes cambios en su vida.

Si sufre de acidez 2 o más veces en una semana, visite a su médico y, quizás, consulte con un gastroenterólogo.

Si el problema ha persistido, un examen y biopsia del esófago mediante una endoscopia es la única forma correcta de evaluar el daño, en caso de haberlo. De existir cambios celulares anormales, debe someterse a un examen endoscópico cada 1 ó 2 años, de manera de detectar una posible progresión en el desarrollo de un cáncer.

En caso de haberse desarrollado una condición precancerosa, se puede retirar el esófago y reemplazarlo por un trozo de intestino o estómago. También existen tratamientos experimentales que utilizan láser u otras formas de calor para obliterar las células anormales y permitir que aquéllas en buenas condiciones las reemplacen.

Ver también:
• **Endoscopia pág. 353**
• **Dispepsia pág. 353**

Aminorar la acidez crónica

Si padece acidez crónica:

■ Mastique los alimentos y trague lentamente.
■ Ponga atención a lo que ingiere. Manténgase alejado o limite su ingesta de comidas condimentadas o grasosas, como también de chocolate, jugos cítricos, café, té y alcohol.
■ Ingiera 5 ó 6 comidas ligeras en vez de 2 grandes comidas diarias.
■ Inmediatamente tras una comida, evite ejercitarse, inclinarse o recostarse.
■ Baje de peso en caso de ser necesario.
■ Se sentirá mejor si hay algo de alimento en su estómago, de modo que coma ligera y regularmente.

■ Eleve la cabecera de su cama aproximadamente de 4 pulgadas (10,16 cm) o duerma con al menos 4 almohadas.
■ Las tabletas antiácidas le ayudarán a neutralizar los ácidos y proteger el esófago.
■ Deje de fumar.
■ Consulte con su médico si el problema ocurre dos o más veces por semana.

Si recientemente ha desarrollado un dolor en el centro de su pecho que no parece tener relación con las comidas, debe buscar ayuda médica de inmediato, porque la condición médica conocida como angina en ocasiones se confunde con una acidez severa.

EL ESTÓMAGO Y EL DUODENO

Si lo piensa, el estómago y el duodeno (el corto primer tramo del intestino delgado) se ven expuestos a unas cuantas sustancias potencialmente irritantes, incluyendo el ácido producido por el estómago para ayudar a digerir el alimento, el alcohol y las comidas picantes, como en el caso de las especias. El estómago y duodeno cuentan con un mecanismo natural de defensa que los protege, pero, en ocasiones, este mecanismo falla, lo que facilita el desarrollo de la enfermedad.

Las dos condiciones más comunes que afectan al estómago y al duodeno son la **dispepsia** y la **úlcera péptica**. Ahora sabemos que las úlceras pépticas (úlceras del duodeno y el estómago) son causadas por

una **bacteria** y que los síntomas empeoran si hay un exceso de ácido estomacal. La importancia de la bacteria *Helicobacter pylori* sólo fue reconocida a comienzos de la década de los años 80 y hoy se estima que alrededor de la mitad de la población mundial se encuentra infectada con *H. Pylori*. En la mayoría de las personas no se presentan síntomas, pero otras pueden desarrollar **gastritis**, que es la inflamación del revestimiento del estómago, una **úlcera péptica** o **cáncer de estómago**, un cáncer que presenta un panorama bastante desolador. La infección por *H. Pylori* por lo general puede ser tratada mediante medicamentos con éxito.

Indigestión (dispepsia)

EL DOLOR O MOLESTIA EN LA PARTE SUPERIOR DEL ABDOMEN COMO RESULTADO DE INGERIR ALIMENTOS ES COMÚNMENTE CONOCIDO COMO INDIGESTIÓN. EL NOMBRE MÉDICO ES DISPEPSIA. EXISTEN DIVERSAS CAUSAS Y LA TENSIÓN, EL SOBREPESO, EL TABAQUISMO Y CIERTOS HÁBITOS EN SU DIETA SON FACTORES DE RIESGO.

¿CUÁLES SON LOS SÍNTOMAS?
La palabra dispepsia abarca muchos síntomas de la parte abdominal superior relacionados con la ingesta de alimentos, incluyendo la acidez, saciedad, incomodidad, dolor, náuseas, flatulencia y la acción de eructar.

Para la mayoría de las personas se trata de una sensación de incomodidad inducida por comer demasiado, muy rápido o por ingerir alimentos muy ricos, condimentados o grasosos.

Una dispepsia "nerviosa" puede ser una reacción a la tensión y puede ser un síntoma de úlcera péptica, cálculos biliares o acidez.

¿CUÁL ES EL TRATAMIENTO?
■ Haga comidas ligeras varias veces o al menos regularmente tres veces por día.
■ Evite los alimentos y situaciones que le produzcan dispepsia.
■ Ingiera un antiácido cuando los síntomas comiencen.
■ Consulte con su médico si requiere tomar

antiácidos regularmente o si su dolor dura más de un par de horas.
■ Una dispepsia que comienza inesperadamente en la edad madura siempre debe ser investigada para descartar un cáncer de estómago.

Ver también:
• **Cálculos biliares pág. 357**
• **RGE, hernia del hiato, acidez pág. 360**
• **Úlcera péptica pág. 353**

Evitar la dispepsia

Se pueden tomar ciertas medidas para evitar o reducir la frecuencia de los episodios de dispepsia. Es posible que los siguientes consejos le sean útiles.
■ Ingiera pequeñas porciones de alimento a intervalos regulares sin acelerar el ritmo ni sobrecargar su estómago.
■ Evite comer en las 3 horas previas a acostarse, de manera de entregar a su organismo el tiempo suficiente para digerir los alimentos.
■ Reduzca o elimine su ingesta de alcohol, café y té.
■ Evite las comidas ricas en grasas, como la mantequilla y las frituras.
■ Mantenga un registro de su alimentación, de manera de identificar aquellos alimentos que le causan dispepsia.

■ Aprenda a sobreponerse a la tensión, la que en muchas ocasiones puede gatillar episodios de dispepsia (ver **Relajación**, pág. 292)
■ Intente perder el exceso de peso y evite una vestimenta demasiado ajustada.
■ En lo posible, evite los medicamentos que irritan el tracto digestivo, como la aspirina y los antiinflamatorios no esteroideos (AINES)

Úlcera péptica

UNA ÚLCERA PÉPTICA OCURRE CUANDO EL REVESTIMIENTO DE TEJIDOS DEL ESTÓMAGO O DEL DUODENO SE EROSIONA DEBIDO A LOS JUGOS DIGESTIVOS ÁCIDOS. LAS ÚLCERAS PÉPTICAS SON TAMBIÉN LLAMADAS ÚLCERAS ESTOMACALES (O GÁSTRICAS) O DUODENALES, DEPENDIENDO DE SU UBICACIÓN.

El recubrimiento del estómago y el duodeno (la primera parte del intestino delgado) se encuentra por lo general protegido de los efectos de los jugos digestivos ácidos por una barrera de mucosa. Al dañarse esta barrera, el ácido causa la inflamación y erosión del recubrimiento. Las áreas erosionadas resultantes se conocen como úlceras pépticas y existen dos tipos: úlceras en el duodeno y úlceras estomacales (o gástricas).

Las úlceras **estomacales** son más comunes después de los 50 años de edad, pero las úlceras **en el duodeno** son más frecuentes en varones entre los 20 y los 45 años de edad. En ocasiones, las úlceras en el duodeno son hereditarias, en tanto la tensión, el exceso de alcohol y el tabaquismo son factores de riesgo. Aproximadamente 1 de cada 10 personas en el Reino Unido desarrolla una úlcera en algún momento de su vida.

¿CUÁLES SON SUS CAUSAS?
■ Las úlceras pépticas se asocian más comúnmente con la infección de *Helicobacter pylori*. Esta bacteria emite productos químicos que aumentan la secreción de ácido gástrico. Por esto es más probable que los jugos digestivos ácidos erosionen el recubrimiento del estómago o duodeno, lo que permite que se desarrollen las úlceras pépticas.
■ En ocasiones, las úlceras pépticas pueden ser el resultado de un uso de largo plazo de aspirina o de antiinflamatorios no esteroideos (AINES), como el **ibuprofeno**, las que dañan el recubrimiento estomacal.
■ Otros factores que pueden resultar en úlceras pépticas incluyen fumar y beber alcohol.
■ En algunas personas existe un fuerte historial familiar de úlceras pépticas, lo que sugiere una relación con un gen.

Nota Actualmente se piensa que la tensión psicológica probablemente no es una de las principales causas de las úlceras pépticas; sin embargo, puede empeorar una úlcera ya existente.

¿CUÁLES SON LOS SÍNTOMAS?
Muchas personas con úlcera péptica no experimentan síntomas o descartan la incomodidad que les produce pensando que se trata de dispepsia o acidez. Aquellos que sufren de síntomas persistentes pueden notar:
● un dolor o molestia que se siente en el centro de la parte superior del abdomen, muchas veces justo bajo la punta del esternón
● un dolor que llega hasta la espalda
● pérdida del apetito y de peso

● una sensación de saciedad en el estómago
● náuseas y, en ocasiones, vómito.
El dolor se presenta en ataques y muchas veces permanece por varias semanas para luego desaparecer por meses o incluso años. El dolor que produce una úlcera en el duodeno puede empeorar **antes** de las comidas, cuando el estómago está vacío, por lo que puede ser rápidamente aliviado mediante la ingesta de alimentos, pero, por lo general, vuelve unas horas después. Por el contrario, el dolor

Contraste de rayos X

En un examen de contraste con rayos X, se introduce en el organismo una sustancia conocida como medio de contraste para ayudar a que un órgano se vea mejor en una película de rayos X. Los medios de contraste, como el bario, son inocuos y el cuerpo los expele o absorbe luego de que se han tomado las radiografías. Casi siempre se proporcionan en forma de bebida, pero, en ocasiones, también como inyección. Algunas personas pueden experimentar una sensación de incremento rápido de la temperatura corporal cuando se les inyecta el medio de contraste.

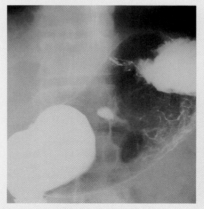
Masa de bario en el tracto digestivo

Solución de bario recubriendo el revestimiento intestinal

causado por una úlcera gástrica a menudo empeora **después** de las comidas.

¿EXISTEN COMPLICACIONES?

■ La complicación más común de una úlcera péptica es el **sangrado** a medida que la úlcera se vuelve más profunda y erosiona los vasos sanguíneos en las cercanías.

■ Un sangrado menor desde el tracto digestivo puede no causar síntoma alguno, excepto aquellos típicos de la **anemia**, como palidez, fatiga y desmayos.

■ Un sangrado del tracto digestivo puede provocar que se vomite **sangre**.

■ También puede ser que la sangre pase a través del tracto digestivo, lo que produce **deposiciones negras o alquitranadas**.

■ En algunos casos, una úlcera perfora todas las capas del estómago o duodeno, lo que permite que los jugos gástricos entren al abdomen causando un severo dolor y peritonitis. El sangrado del tracto digestivo y la perforación del estómago o del duodeno pueden amenazar la vida de una persona, por lo que requieren una inmediata atención médica.

■ En algunas ocasiones, las úlceras estomacales pueden hacer que el estómago se vuelva más estrecho en su paso hacia el duodeno, lo que obstaculiza el total vaciamiento del estómago. Entonces, los síntomas pueden incluir hinchazón después de las comidas, vómito de alimentos no digeridos a pesar de haber transcurrido unas cuantas horas después de haberlas ingerido, y una pérdida de peso.

¿QUÉ PUEDO HACER?

Si su médico sospecha que usted sufre de una úlcera péptica, se programará una **endoscopia** para analizar directamente el estómago y el duodeno. Durante la endoscopia, se tomará una muestra del recubrimiento del estómago para buscar evidencias de una infección por *H. Pylori* y descartar un cáncer de estómago que puede tener síntomas similares. En ciertos casos, en vez de ello se pueden tomar rayos X con bario. Es posible que su médico también le solicite análisis de sangre, a fin de detectar anticuerpos contra la bacteria *H. pylori* y para averiguar si existen evidencias de anemia.

¿CUÁL ES EL TRATAMIENTO?

El tratamiento de una úlcera péptica está diseñado para curar la úlcera y evitar que reaparezca. Se le aconsejará hacer ciertos cambios en su estilo de vida, como dejar de fumar, y beber menos alcohol.

■ La *H. pylori* se trata con una combinación de antibióticos para eliminar la bacteria y medicamentos para sanar la úlcera que corten la producción de ácido y promuevan la cura. Debido a que es posible que tres medicamentos se vean involucrados, esta combinación es muchas veces llamada terapia "triple". La terapia triple debe ser seguida rigurosamente durante 1 ó 2 semanas, lo que, por lo general, erradica la *H. pylori*, y entonces la condición no reaparece. Sin embargo, ocasionalmente puede ser necesario tomar otra dosis. Los medicamentos para curar la úlcera, por lo

general, se recetan para maximizar la posibilidad de cura incluso cuando los exámenes de búsqueda de *H. pylori* hayan tenido un resultado negativo.

■ Si la causa es un tratamiento prolongado con aspirina o antiinflamatorios no esteroideos, es posible que su médico le recete un medicamento alternativo o uno adicional, como **misoprostol**, a fin de proteger el recubrimiento del estómago y el duodeno.

■ Una úlcera sangrante o perforada es una emergencia que necesita hospitalización urgente. Si la pérdida de sangre es severa, una transfusión sanguínea puede ser necesaria. Se puede realizar una endoscopia para revisar el recubrimiento del estómago; durante el proceso se pueden tratar los vasos sanguíneos sangrantes con diatermia, una técnica que utiliza calor para sellarlos. En forma alternativa, se pueden inyectar medicamentos para detener el sangrado. Si éste es intenso o la úlcera ha sido perforada, por lo general se requiere de cirugía.

Con tratamiento, aproximadamente de 19 de cada 20 úlceras pépticas desaparecen por completo dentro de un par de meses. Sin embargo, la úlcera puede reaparecer si no se realizan cambios en el estilo de vida o si vuelve a haber una infección de *H. Pylori*.

Ver también:
- **Anemias pág. 236**
- **RGE, hernia del hiato, acidez pág. 350**
- **Dispepsia pág. 352**

Cáncer de estómago

EL CÁNCER DE ESTÓMAGO ES UN TUMOR CANCEROSO QUE, POR LO GENERAL, SE DESARROLLA EN EL RECUBRIMIENTO DE LA PARED ESTOMACAL Y QUE PUEDE DESPLEGARSE POR EL ORGANISMO CON RAPIDEZ. CIERTOS ALIMENTOS, EL TABAQUISMO Y UNA ALTA INGESTA DE ALCOHOL SON FACTORES DE RIESGO.

El cáncer de estómago es más común pasados los 50 años de edad y el doble más común en los varones. Por extraño que parezca, se presenta en forma más frecuente en las personas del grupo sanguíneo A y, en ocasiones, es hereditario.

En el mundo, el cáncer de estómago es el **segundo cáncer más común** después del pulmonar.

Es un problema específico en Japón y China, posiblemente debido a factores en su dieta. Sin embargo, en la mayoría de los países restantes, la enfermedad es ahora menos común, un cambio que se piensa puede deberse a menos alimentos ahumados y salados en la dieta. Existen aproximadamente 10.000 nuevos casos de cáncer estomacal al año en el Reino Unido.

En la mayoría de los casos, el cáncer de estómago se desarrolla en el recubrimiento estomacal. Puede desplegarse a otras partes del cuerpo con rapidez. Un diagnóstico precoz es raro, porque los síntomas por lo general son suaves y, por tanto, pasados por alto y para cuando las personas buscan ayuda médica, muchas veces el cáncer ya se ha expandido.

¿CUÁLES SON LAS CAUSAS?

Las causas del cáncer de estómago no han sido completamente comprendidas, pero existe una variedad de factores que se conjugan.

■ Una gastritis crónica producto de una infección por bacteria *H. pylori* puede aumentar el riesgo de cáncer de estómago.

■ Ciertas dietas pueden aumentar el riesgo, como una dieta alta en sal, alimentos en escabeche o ahumados y una baja ingesta de fruta fresca y verduras.

■ El tabaquismo y una alta ingesta de alcohol también son factores de riesgo.

¿CUÁLES SON LOS SÍNTOMAS?

Los primeros síntomas del cáncer de estómago son leves y vagos y muchas personas los ignoran. Cualquier síntoma estomacal, como una **sorpresiva dispepsia en la edad madura**, debe investigarse. Los síntomas incluyen:

- molestia en la parte superior del abdomen, dispepsia, acidez
- dolor estomacal después comer, que no se alivia con antiácidos y que perdura más que unas cuantas semanas
- pérdida del apetito y de peso
- náuseas y vómitos
- deposiciones negras.

En muchas personas se desarrolla anemia debido a un sangrado menor crónico del recubrimiento estomacal. Más tarde se sentirá una distensión en la parte superior del abdomen.

¿CUÁL ES EL TRATAMIENTO?

■ El único tratamiento eficaz para el cáncer de estómago es una cirugía temprana para extirpar el tumor. Sin embargo, esta opción sólo es adecuada en aproximadamente de 1 de cada 5 casos, porque en los demás, el cáncer ya se ha extendido demasiado como para ser operable.

La operación involucra la resección parcial o total del estómago. Los nódulos linfáticos circundantes también se retiran, puesto que son sitios posibles de expansión cancerosa.

En los casos en que el cáncer se ha extendido a otras partes del organismo, la cirugía puede ayudar a mejorar las expectativas de vida, si bien en algunos casos la operación puede realizarse para aliviar los síntomas más que para intentar curarlos.

La radioterapia y quimioterapia hacen más lento el avance de la enfermedad y alivian el dolor.

Los calmantes fuertes pueden ayudar a aliviar una molestia severa.

¿CUÁL ES EL PRONÓSTICO?

En caso de que se detecte y trate tempranamente, el cáncer de estómago presenta un buen porcentaje de mejoría. Ciertos países en los que el cáncer de estómago es común, como lo es Japón, cuentan con eficaces programas para la detección temprana de esta enfermedad. En estos países, 4 de cada 5 personas tratadas con cirugía, aproximadamente, están vivas cinco años después del diagnóstico. Sin embargo, las perspectivas mundiales son, en general bajas, con aproximadamente de 1 de cada 5 personas afectadas que sobreviven cinco años tras el diagnóstico.

> **Ver también:**
> • Anemias pág. 236 • Rayos X de contraste pág. 353 • Úlcera péptica pág. 353
> • TC pág. 401

Diagnosticar el cáncer de estómago

■ Su médico puede programar una endoscopia, en la que se utiliza un delgado tubo flexible para observar y examinar el recubrimiento de su estómago. Durante el procedimiento se toman muestras del tejido en las áreas anormales del recubrimiento estomacal y se les somete a análisis en busca de la presencia de células cancerosas.
■ También se puede utilizar una prueba con bario, en la que una mezcla líquida de esta sustancia se traga para mostrar claramente el estómago mediante rayos X.
■ El médico puede solicitar análisis de sangre para buscar señales de anemia, que puede indicar que ha habido sangrado en el recubrimiento estomacal.
■ Si se confirma un diagnóstico de cáncer estomacal, es posible que se realicen más investigaciones, como una tomografía computarizada y análisis de sangre, de manera de averiguar si el cáncer se ha extendido a otros órganos.

EL HÍGADO, LA VESÍCULA BILIAR Y EL PÁNCREAS

Una de las principales funciones del hígado y el páncreas es fabricar las enzimas que digieren los alimentos. El hígado fabrica un fluido digestivo denominado **bilis**, que se almacena en la **vesícula biliar**. El páncreas fabrica las enzimas digestivas que separan el alimento en partículas que se pueden absorber a través de la pared intestinal y ser utilizadas por el resto del organismo. El páncreas, además, produce una hormona que controla el nivel de glucosa en la sangre: la **insulina**.

La coloración amarilla de la piel y ojos conocida como **ictericia** es muchas veces una señal de una enfermedad del hígado, por lo que parece apropiado cubrirla aquí. En los países occidentales, la principal causa de enfermedad hepática es el **consumo excesivo de alcohol**, en tanto la hepatitis producto de una infección viral prevalece en el resto del mundo. El "cáncer hepático" por lo general se debe a una ramificación del cáncer desde otros órganos hacia el hígado (llamada metástasis del hígado). El cáncer hepático primario es poco común en occidente.

Los **cálculos biliares** casi nunca causan síntomas y no requieren tratamiento, pero pueden provocar una inflamación de la vesícula biliar, llamada **colecistitis**, la que puede ser muy dolorosa y que, ciertamente, requiere de tratamiento. La inflamación del páncreas, una glándula enzimática asentada en la curva del duodeno, justo bajo el estómago, se está volviendo cada vez más común, debido a que quizás sea causada por una infección viral. Ésta, conocida como **pancreatitis**, puede ser muy dolorosa y debilitante, por lo que la he incluido en esta sección. En último término, existe el **cáncer de páncreas**, el que se está volviendo más común en los países occidentales, paralelamente al aumento de la pancreatitis.

Ictericia

ICTERICIA ES EL NOMBRE QUE RECIBE LA COLORACIÓN AMARILLENTA DE LA PIEL Y DE LOS OJOS. ES UN SÍNTOMA DE MUCHOS TRASTORNOS DEL HÍGADO, LA VESÍCULA BILIAR Y EL PÁNCREAS Y TAMBIÉN PUEDE SER CAUSADA POR CIERTOS TRASTORNOS SANGUÍNEOS.

La ictericia es provocada por los altos niveles del pigmento **bilirrubina** en la sangre, producto de la destrucción de los glóbulos rojos. El hígado procesa la bilirrubina y luego la excreta como componente de la bilis. En las enfermedades hepáticas, el hígado no logra procesar la bilirrubina, por lo que los niveles de ésta aumentan lentamente en la sangre, lo que produce ictericia. Si, por alguna razón, muchos millones de glóbulos rojos están siendo destruidos, los niveles de bilirrubina aumentan, pues, en ocasiones, incluso los hígados sanos se ven sobrecargados. Unos días después de nacer, muchos bebés desarrollan una forma de ictericia que, por lo general, es inocua y que desaparece rápidamente. Esta condición siempre requiere ser investigada, porque el trastorno subyacente puede ser serio.

¿CUÁLES SON LAS CAUSAS?

Los niveles de bilirrubina en la sangre pueden aumentar si la cantidad de bilirrubina producida es demasiada para que el hígado la procese. Unas células hepáticas dañadas o una obstrucción de los conductos biliares, que transportan la bilis desde el hígado a la vesícula biliar y luego al intestino delgado, también pueden presentar altos niveles de bilirrubina en la sangre. Las siguientes son posibles causas de lo anterior.

Destrucción excesiva de glóbulos rojos. En una persona saludable, los glóbulos rojos cuentan con un ciclo de vida de aproximadamente 120 días, tras lo cual son eliminados de la sangre y destruidos por el bazo para producir bilirrubina. Entonces, la bilirrubina pasa al hígado. Si el número de glóbulos rojos procesados está por sobre lo normal (hemólisis), el hígado no logra procesar las grandes cantidades de bilirrubina producida. Esto es lo que se conoce como **ictericia hemolítica**.

■ **Daño de células hepáticas**. Si el hígado se daña, su capacidad de procesar bilirrubina se ve reducida.

El daño a las células hepáticas puede ocurrir por una diversidad de razones, incluyendo una infección viral, abuso de alcohol o una reacción adversa a ciertas drogas. La ictericia producida por el daño de células hepáticas es en ocasiones acompañada de náuseas, vómito, dolor y distensión abdominal.

■ **Obstrucción del conducto biliar**. Una obstrucción de los conductos de bilis, los canales a través de los cuales la bilis sale del hígado, pueden desembocar en ictericia. La obstrucción se puede deber a trastornos como cáncer de páncreas o cálculos biliares. Si los conductos de bilis se obstruyen, la bilis se acumula en el hígado y la bilirrubina es forzada a volver a la sangre. Este tipo de ictericia puede estar acompañada de una picazón de la piel, orina de color oscuro y deposiciones más pálidas de lo normal.

¿QUÉ SE PUEDE HACER?

■ Su médico puede solicitarle análisis de sangre para evaluar el funcionamiento del hígado y para buscar evidencia de un exceso de destrucción de glóbulos rojos de la sangre, hepatitis viral u otros trastornos que estén afectando el hígado.

Para detectar señales de inflamación u obstrucción, es posible que su médico utilice técnicas de imágenes, como un escáner de tomografía computarizada (TC), formación de imágenes por resonancia magnética (IRM), endoscopia de páncreas (ERCP) o un escáner de ultrasonido en el cual se utiliza un endoscopio.

Es posible que se tome una muestra de tejido hepático, una biopsia de hígado, para ser examinada bajo el microscopio en busca de alguna enfermedad hepática subyacente.

¿CUÁL ES EL PRONÓSTICO?

■ Si la causa subyacente de la ictericia puede ser tratada, ésta desaparecerá; si no tiene cura, como es el caso del cáncer de páncreas, es posible administrar un tratamiento para aliviar los síntomas asociados a la ictericia, como la picazón.

Ver también:
- **Escáner de TC pág. 401**
- **ERCP pág. 360**
- **Cálculos biliares pág. 357**
- **IRM pág. 409**
- **Cáncer de páncreas pág. 360**
- **Escáner de ultrasonido pág. 277**

Enfermedades del hígado relacionadas con el alcohol

UN CONSUMO EXCESIVO DE ALCOHOL PUEDE CAUSAR DAÑO HEPÁTICO, TANTO A CORTO COMO A LARGO PLAZO. EL ALCOHOL ES UN VENENO Y SI, SE BEBE EN EXCESO, CON EL TIEMPO PUEDE CAUSAR TRES TIPOS DE ENFERMEDADES HEPÁTICAS: HÍGADO GRASO, HEPATITIS ALCOHÓLICA Y CIRROSIS.

Un alto consumo social de alcohol puede contribuir en el largo plazo al desarrollo de una enfermedad hepática relacionada con el alcohol.

Típicamente, una enfermedad hepática alcohólica avanza de la siguiente forma: con los años, los grandes bebedores desarrollan un **hígado graso**, en el que glóbulos de grasa se desarrollan al interior de las células hepáticas. Si el consumo de alcohol continúa, se desarrolla una **hepatitis** o inflamación del hígado. Si se continúa bebiendo, se desarrolla una **cirrosis** o cicatrización del hígado. En esta condición, las células hepáticas que se encuentran dañadas por el alcohol son reemplazadas por un tejido fibroso. Si se ha desarrollado una cirrosis, el daño hepático es **irreversible**.

¿CUÁLES SON LOS SÍNTOMAS?

En muchos casos, el **hígado graso** no causa síntomas y, por tanto, en muchas ocasiones permanece sin diagnóstico. Sin embargo, en aproximadamente de 1 de cada 3 personas afectadas, el hígado **crece**, lo que puede provocar molestias en la zona derecha superior del abdomen.

La **hepatitis** alcohólica también puede no presentar síntomas, pero tras aproximadamente 10 años de una fuerte ingesta de alcohol en los varones, y antes en el caso de las mujeres, se desarrollan usualmente los primeros síntomas. Éstos pueden incluir:
- náuseas y vómitos ocasionales
- incomodidad en el costado superior derecho del abdomen
- pérdida de peso
- fiebre
- coloración amarillenta de la piel y la parte blanca del ojo (ictericia)
- distensión abdominal.

La **cirrosis** puede muchas veces no causar síntomas durante unos años o sólo causar síntomas leves, que incluyen:
- falta de apetito y pérdida de peso
- náuseas
- desgaste muscular.

En ciertos casos, una cirrosis severa puede llevar a una serie de condiciones en las cuales existe sangrado en el tubo digestivo de venas varicosas que se desarrollan en las paredes del esófago. Una hepatitis alcohólica y una cirrosis severas pueden desencadenar una **insuficiencia hepática,** lo que puede provocar **coma** y **muerte**.

¿CUÁL ES EL TRATAMIENTO?

Las personas que desarrollan enfermedades hepáticas relacionadas con el alcohol deben dejar de beber. Muchos requieren de asistencia profesional para lograrlo. Si continúan bebiendo, es probable que la enfermedad progrese y pueda llegar a ser fatal. Si detienen la ingesta de alcohol, las expectativas serán mejores, excepto cuando la cirrosis se halla bien establecida.

¿CUÁL ES EL PRONÓSTICO?

■ El hígado graso muchas veces desaparece después de 3 ó 6 meses de abstinencia de alcohol. Algunas personas con hepatitis alcohólica que dejan de beber se recuperan completamente. No obstante, en la mayoría de los casos el **daño al hígado es irreversible**, y la condición avanza hacia la cirrosis. Una cirrosis alcohólica severa puede causar una serie de complicaciones graves, las que, en algunos casos, pueden ser fatales.

■ Cerca de **la mitad de las personas** que padecen de cirrosis **mueren de insuficiencia hepática** dentro de los próximos 5 años.

■ Más de una persona en cada 10 con cirrosis desarrolla además cáncer hepático.

■ Las personas que padecen de una enfermedad hepática relacionada con el alcohol que no sufren otros trastornos serios de salud y han dejado de beber pueden ser candidatas a un trasplante de hígado

■ Muchos de los síntomas y ciertas complicaciones de las enfermedades hepáticas relacionadas con el alcohol pueden ser tratados con cierto éxito. Por ejemplo, la distensión del abdomen, producto de la acumulación de fluidos en la cavidad abdominal, se puede aminorar mediante diuréticos y una dieta baja en sal. Las náuseas pueden ser frecuentemente aliviadas por medicamentos antieméticos.

Ver también:
- **Cirrosis pág. 357**
- **Cáncer hepático pág. 359**
- **Ictericia pág. 355**

Cirrosis

LA CIRROSIS ES UNA CICATRIZACIÓN IRREVERSIBLE DEL HÍGADO QUE OCURRE EN LAS ETAPAS FINALES DE DIVERSOS TRASTORNOS HEPÁTICOS. EN ESTA ENFERMEDAD, EL TEJIDO NORMAL DEL HÍGADO SE DESTRUYE Y ES REEMPLAZADO POR TEJIDO FIBROSO. EL CONSUMO PROLONGADO Y EXCESIVO DE ALCOHOL ES UN FACTOR DE RIESGO.

Las causas de la cirrosis pueden ser diversos trastornos, como **infecciones virales** y el **consumo excesivo de alcohol**. El daño hepático es irreversible e impide que el hígado funcione adecuadamente. Algunas personas pasan años sin tener molestias, a pesar del grave daño sufrido. Sin embargo, con el tiempo pueden presentar complicaciones, como una insuficiencia hepática o cáncer hepático.

En los países desarrollados, la cirrosis es la **tercera causa más común de muerte** en personas entre 45 y 65 años, después de la **enfermedad de las arterias coronarias** y el **cáncer**. En el Reino Unido se producen 2.500 muertes al año debido a hepatopatía crónica y cirrosis. Esta última es más común en hombres que en mujeres.

¿CUÁLES SON LAS CAUSAS?

La cirrosis tiene varias causas:
■ En todo el mundo, la causa más común es la infección con un **virus de hepatitis**, especialmente de hepatitis B y C.
■ Sin embargo, en los países desarrollados las cirrosis se debe principalmente al **consumo excesivo de alcohol**.
■ Otra causa puede ser la **colangitis esclerosante**, una condición en la que los conductos biliares al interior del hígado se inflaman. Se desconoce la causa, aunque se puede asociar con algunas enfermedades inflamatorias del intestino, como la **colitis ulcerativa** y la **enfermedad de Crohn**.

■ La cirrosis se puede desarrollar por un bloqueo de los conductos biliares debido a **cálculos**.
■ La cirrosis se puede producir después de una **cirugía de los conductos biliares**.

¿CUÁLES SON LOS SÍNTOMAS?

A menudo la cirrosis no presenta síntomas y se detecta en una revisión de rutina por otra condición. Si hay síntomas, pueden ser:
● falta de apetito y pérdida de peso
● náuseas
● piel y blanco del ojo de color amarillo (ictericia).

¿CUÁL ES EL PRONÓSTICO?

En el largo plazo pueden surgir complicaciones que ponen la vida en peligro.
■ La cirrosis puede llevar a un alza de presión en las venas del esófago, lo que las hace frágiles y propensas al sangramiento.
■ También puede llevar a la desnutrición, debido a la incapacidad de absorber grasas y ciertas vitaminas.
■ Con el tiempo, la cirrosis puede provocar cáncer hepático o una insuficiencia hepática. Los síntomas de la insuficiencia hepática incluyen un abdomen inflamado y lleno de líquido y venas en forma de araña visibles en la piel, conocidas como angiomas de araña.
■ Una insuficiencia hepática también puede producir sangrado anormal y la fácil formación

de hematomas. Esto ocurre debido a la disminución de la producción de los factores de coagulación sanguínea en el hígado.

¿QUÉ SE PUEDE HACER?

■ Si por sus síntomas el médico sospecha que tiene cirrosis, le realizarán análisis de sangre para evaluar el funcionamiento del hígado y buscar si hay virus de hepatitis.
■ También puede realizar un escáner ultrasonido, una tomografía computarizada (TC) o una imagen de resonancia magnética (IRM) para revisar el hígado.
■ Para confirmar el diagnóstico, es posible que realice una biopsia del hígado, en la cual se extrae una pequeña muestra de tejido para observarla bajo el microscopio.

El daño hepático provocado por la cirrosis siempre es irreversible. Sin embargo, se puede prevenir un mayor deterioro si se trata la condición que la ha provocado.

Ver también:
● **Enfermedad de Crohn pág. 366**
● **Ictericia pág. 355**
● **Cáncer hepático pág. 359**
● **IRM pág. 409**
● **Escáner ultrasonido pág. 277**

Cálculos biliares

LOS CÁLCULOS BILIARES SON CÁLCULOS DE DISTINTO TAMAÑO Y COMPOSICIÓN QUE SUELEN APARECER EN LA VESÍCULA BILIAR.

Los cálculos biliares se forman de la bilis, un líquido digestivo producido por el hígado y almacenado en la vesícula. La mayoría de estos cálculos no producen síntomas. Se presentan en 1 de cada 10 personas sobre los 40 años y afecta el doble de mujeres que hombres. El paciente típico se describe como "mujer, blanca, con sobrepeso y de 40 años". Los cálculos pueden transmitirse en las familias y, por razones desconocidas, son más comunes en indígenas estadounidenses y latinos.

La bilis, el líquido que forma los cálculos, contiene principalmente colesterol, pigmentos y varias sales. Un cambio en la composición de la bilis puede provocar la formación de cálculos. La mayoría son una mezcla de colesterol y pigmentos. En aproximadamente 1 y 5 casos, sólo están compuestos por colesterol y en aproximadamente 1 y 20 casos, sólo de

pigmento. A menudo se forman varios cálculos y algunos pueden llegar a ser del tamaño de una pelota de golf.

¿CUÁLES SON LAS CAUSAS?

A menudo los cálculos biliares no tienen una causa evidente. Sin embargo, los cálculos de colesterol son más frecuentes en personas con sobrepeso o que consumen una dieta alta en grasas.

Los cálculos de pigmento se forman si hay una destrucción excesiva de glóbulos rojos, como puede ocurrir en la anemia hemolítica y en la anemia drepanocítica. Un vaciamiento deficiente de la vesícula biliar debido a conductos biliares estrechos también puede aumentar el riesgo de cálculos biliares.

¿CUÁLES SON LOS SÍNTOMAS?

Los cálculos biliares a menudo no manifiestan síntomas. No obstante, pueden aparecer síntomas si uno o más cálculos bloquean el **conducto cístico** (el tubo de salida de la vesícula biliar) o el **conducto biliar común** (el conducto biliar principal que va del hígado al duodeno). Un cálculo que bloquea parcial o completamente el flujo de bilis provocará ataques, conocidos como cólico biliar, cuyos síntomas incluyen:
● fuerte dolor en la parte superior del estómago
● náuseas y vómitos.

Los episodios, por lo general, son breves y suelen ocurrir después de una comida con mucha grasa, lo que provoca que la vesícula biliar se contraiga.

¿HAY COMPLICACIONES?

Los cálculos que se alojan en los conductos biliares bloquean la liberación de la bilis, lo cual produce una inflamación o infección grave de la vesícula o de los conductos biliares. Los conductos biliares bloqueados pueden causar ictericia, en que la piel y el blanco del ojo se vuelven amarillos. Además de la ictericia, el bloqueo del conducto biliar común puede causar la inflamación del páncreas (pancreatitis).

¿CÓMO SE DIAGNOSTICA?

Muchas personas descubren que tienen cálculos biliares al investigar otras condiciones.

■ Si su médico sospecha que tiene cálculos biliares, puede pedirle análisis de sangre para verificar su conteo de glóbulos rojos y los niveles de colesterol.

■ También puede ser necesario realizar pruebas de imagenología, como el ultrasonido.

■ Si se descubre que un conducto biliar está bloqueado, la posición exacta de los cálculos se detecta a través de un proceso de imagenología

especializado denominado ERCP, en el que se usa un endoscopio para inyectar un medio de contraste en los conductos biliares antes de tomar los rayos X.

¿CUÁL ES EL TRATAMIENTO?

■ Los cálculos biliares que no producen síntomas no necesitan tratamiento.

■ Si tiene síntomas de mediana gravedad o poco frecuentes, puede prevenir problemas al consumir una dieta baja en grasas.

■ Si los síntomas son persistentes o empeoran, podrían extraer su vesícula biliar en una operación convencional (abierta) o endoscópica (de "ojo de cerradura") (ver recuadro, izquierda). La extracción de la vesícula biliar, por lo general, soluciona la situación. Su ausencia no suele causar otros problemas y la bilis se drena en forma continua a través de un conducto que va directamente a los intestinos.

■ En casos aislados, vuelven a formarse cálculos en el **conducto biliar** y se deben extraer por cirugía abierta o endoscópica.

■ Existen medicamentos que disuelven los cálculos formados sólo por colesterol, pero esto puede tardar meses o años.

■ En otro caso, pueden recibir un tratamiento con ondas ultrasónicas de choque (litotripsia), que rompen los cálculos en trozos pequeños para que pasen sin causar dolor al intestino delgado y se eliminen en las deposiciones.

El uso de medicamentos o de ondas ultrasónicas de choque evita la cirugía. Sin embargo, puesto que no se extrae la vesícula biliar, hay un riesgo continuo de que se formen más cálculos.

TRATAMIENTO

Cirugía endoscópica

La cirugía endoscópica es una técnica que permite realizar varios procedimientos quirúrgicos sin grandes incisiones en la piel. Un endoscopio es un instrumento de visualización similar a un tubo y que posee una luz. Algunos endoscopios tienen incorporada una cámara en miniatura que envía imágenes a un monitor. Los endoscopios se insertan por una abertura natural del cuerpo, como el ano, o a través de una incisión pequeña, según el lugar al que se requiera acceder. Gran parte de las cirugías endoscópicas a través de incisiones se realiza con anestesia general, mientras que la cirugía endoscópica por aberturas naturales sólo necesitará anestesia local.

Cómo se realiza

La cirugía endoscópica a través de incisiones en la piel se denomina cirugía de invasión mínima o "de ojo de cerradura". Instrumentos diminutos, como fórceps, se introducen por estas incisiones

o por canales laterales del endoscopio para llegar al lugar de operación. El médico emplea estos instrumentos guiándose por la visualización a través del endoscopio o en un monitor.

Dado que la cirugía endoscópica no requiere incisiones o sólo algunas pequeñas, la estadía en el hospital y el tiempo de recuperación son menores que para una cirugía abierta. Sin embargo, el riesgo de daño a un órgano o vaso sanguíneo puede aumentar ligeramente con la cirugía endoscópica, ya que el cirujano debe operar en un área más pequeña. Como toda intervención, existe el riesgo de reacciones adversas a la anestesia general, lo que depende de la salud del paciente antes de operarse, la anestesia utilizada y el tipo de operación. Durante ésta, el cirujano puede necesitar acceder a un área más amplia y realizar cirugía abierta. Antes de una cirugía endoscópica se le pedirá su autorización para una cirugía abierta.

Ver también:
• **Pancreatitis aguda pág. 359**
• **Anemias pág. 236**
• **ERCP pág. 360**
• **Ictericia pág. 355**

Colecistitis

EL NOMBRE COLECISTITIS SE REFIERE A LA INFLAMACIÓN DE LA PARED DE LA VESÍCULA BILIAR, ASOCIADO CON FRECUENCIA A CÁLCULOS QUE BLOQUEAN EL FLUJO DE BILIS, UN LÍQUIDO DIGESTIVO PRODUCIDO POR EL HÍGADO. ES MÁS COMÚN EN MUJERES BLANCAS, CON SOBREPESO Y DE 40 AÑOS.

La colecistitis ocurre cuando cálculos biliares bloquean la salida de la vesícula biliar. La bilis queda atrapada en la vesícula biliar y provoca la inflamación de sus paredes. Posteriormente, puede desarrollarse una infección bacteriana en la bilis estancada. En casos aislados, la colecistitis se manifiesta sin la presencia de cálculos.

Todo aquel que tenga cálculos biliares está propenso a desarrollar colecistitis. Los factores de riesgo asociados a los cálculos son la **obesidad**, **una dieta alta en grasas** y algunos

trastornos de la sangre, como la anemia drepanocítica.

¿CUÁLES SON LOS SÍNTOMAS?

Los síntomas de la colecistitis pueden tener distintos grados de gravedad. Generalmente se desarrollan en un período de horas e incluyen:
● dolor fuerte y constante en el costado derecho del abdomen, bajo la caja torácica
● dolor en hombro derecho
● náuseas y vómitos
● fiebre y escalofríos.

A veces se puede desarrollar ictericia, que

provoca que la piel y el blanco del ojo se vuelvan amarillos. Los síntomas suelen mejorar después de unos días y desaparecen en una semana. Sin embargo, en algunos casos empeoran y requieren atención de urgencia.

En casos aislados, la infección bacteriana provoca una perforación de la vesícula biliar y la bilis irritante se filtra al abdomen, causando peritonitis, una condición grave en que se inflama la membrana que recubre la pared abdominal. La colecistitis también puede estar acompañada de pancreatitis aguda, una inflamación repentina y dolorosa del páncreas.

¿QUÉ SE PUEDE HACER?

El médico puede detectar la colecistitis a partir de sus síntomas y después de examinarle.

Si es así, se debe realizar un escáner ultrasonido o ERCP para confirmar el diagnóstico y determinar la posición de los cálculos biliares.

¿CUÁL ES EL TRATAMIENTO?

■ Si los síntomas son moderados, puede recibir tratamiento en casa con **antibióticos** y **analgésicos**.

Si los síntomas son graves, requerirá tratamiento hospitalario con líquido intravenoso, analgésicos y antibióticos.

Pueden insertarle un tubo hacia su estómago para eliminar el contenido a través de succión. Este procedimiento impide que los jugos gástricos ingresen al duodeno, lo que provocaría la contracción de la vesícula biliar.

Aunque la colecistitis a menudo cede después del tratamiento con antibióticos, por lo general se recomienda extraer la vesícula a través de cirugía para evitar que vuelva a suceder. Si surgen complicaciones como la perforación de la vesícula, se necesitará cirugía.

¿CUÁL ES SU PRONÓSTICO?

Extraer la vesícula biliar después de un ataque de colecistitis evita que éste se repita. La ausencia de la vesícula no tiene efectos negativos a largo plazo en el sistema digestivo.

> **Ver también:**
> • Anemias pág. 236
> • ERCP pág. 360
> • Cálculos biliares pág. 357
> • Escáner ultrasonido pág. 277

Cáncer hepático

EL CÁNCER HEPÁTICO PUEDE SER PRIMARIO, SI SURGE EN LAS CÉLULAS DEL HÍGADO, O SECUNDARIO, SI SURGE EN OTRA PARTE Y SE DISEMINA AL HÍGADO. EL CÁNCER HEPÁTICO PRIMARIO NO ES COMÚN EN OCCIDENTE, PERO SÍ EL CÁNCER SECUNDARIO.

La forma más común de cáncer hepático es el cáncer secundario (metástasis) desde cualquier parte del cuerpo, por lo general cáncer de pulmones, mamas, colon, páncreas o estómago. Otros tipos de cáncer, como la **leucemia** y el **linfoma**, también se pueden diseminar al hígado. Las metástasis hepáticas se forman cuando células cancerosas se separan del cáncer original, circulan en la sangre y se alojan en el hígado, donde se multiplican y aumentan de tamaño.

¿CUÁLES SON LOS SÍNTOMAS?

Los pacientes pueden presentar los síntomas por el cáncer original, pero a veces este tipo de cáncer no es evidente. Los síntomas de la metástasis de cáncer hepático sólo advertirán una enfermedad.

Éstos son:
● pérdida de peso
● disminución del apetito
● fiebre
● dolor en la parte superior derecha del abdomen
● piel y blanco del ojo de color amarillo (ictericia).

A medida que la enfermedad avanza, es posible que el abdomen se distienda debido al aumento de tamaño del hígado o la acumulación de líquido.

¿QUÉ SE PUEDE HACER?

A una persona que tenga cáncer se le realizarán pruebas, como escáner ultrasonido, tomografía computarizada e imagen de resonancia magnética, para observar si éste ha afectado el hígado. Para confirmar el diagnóstico, una parte del tejido hepático (biopsia) se extrae y se examina bajo un microscopio. El tratamiento se orienta a mantener el funcionamiento del hígado y aliviar los síntomas. Le pueden ofrecer analgésicos para el dolor y quimioterapia o radioterapia para reducir el volumen de la metástasis. Si existe una metástasis única, se puede considerar la cirugía.

¿CUÁL ES EL PRONÓSTICO?

El cáncer hepático primario es poco común en occidente, donde la mayor parte de los casos se produce como consecuencia de una cirrosis prolongada debido al **abuso prolongado del alcohol**. Otra causa de cáncer hepático es la contaminación de los alimentos con carcinógenos (agentes que producen cáncer) como la aflatoxina, toxina producida por un hongo que crece en los granos y maní almacenados. En los países en desarrollo, el cáncer hepático se relaciona estrechamente con la hepatitis viral, en especial la hepatitis B y C, que representan cerca de 7 de cada 10 casos.

La cirugía es la única oportunidad de curación. Se puede considerar un trasplante de hígado, pero no se realiza con frecuencia, puesto que en muchos casos el cáncer suele reaparecer. Por lo general, se intenta lograr que el proceso de la enfermedad sea más lento con tratamientos como la **quimioterapia** y bloquear el suministro de sangre al tumor, lo que provoca que disminuya de tamaño.

Los pronósticos para las personas con cáncer hepático no son favorables. Muchos no responden al tratamiento y viven menos de un año después del diagnóstico.

> **Ver también:**
> • Quimioterapia pág. 257
> • TC pág. 401
> • Hepatitis pág. 341
> • Ictericia pág. 355 • IRM pág. 409
> • Radioterapia pág. 395
> • Pruebas de tejidos pág. 259

Pancreatitis aguda

EN LA PANCREATITIS AGUDA, EL PÁNCREAS SE INFLAMA REPENTINAMENTE DEBIDO AL DAÑO CAUSADO POR SUS PROPIAS ENZIMAS, LO QUE CAUSA DOLOR INTENSO EN LA PARTE SUPERIOR DEL ABDOMEN Y OTROS SÍNTOMAS.

La condición es grave y puede presentar riesgo vital si no se trata. La pancreatitis aguda afecta casi exclusivamente a los adultos y un factor de riesgo es el consumo excesivo de alcohol.

¿CUÁLES SON LAS CAUSAS?

Las causas de la pancreatitis aguda pueden ser:
● cálculos biliares
● virus (paperas, hepatitis)
● trauma

● cirugía de la vesícula biliar
● ciertos medicamentos (diuréticos, sulfonamidas)
● abuso prolongado del alcohol
● hiperlipidemia.

¿CUÁLES SON LOS SÍNTOMAS?

La pancreatitis aguda provoca una serie de síntomas que aparecen repentinamente y pueden ser graves, entre ellos:

● dolor repentino y muy fuerte en la parte superior del abdomen, que a menudo se extiende a la espalda, empeora con el movimiento y se alivia al sentarse
● náuseas y vómitos
● apariencia de hematomas en la piel que rodea al abdomen
● fiebre.

En los casos graves, la inflamación afecta el abdomen completo, volviéndolo rígido y aumentando el dolor. La pancreatitis aguda también puede producir un shock, una condición que puede ser fatal y en la que la presión sanguínea baja peligrosamente.

Para confirmar un diagnóstico de pancreatitis aguda, se pueden realizar análisis de sangre, una tomografía computarizada (TC) o una endoscopia del páncreas (ERCP; ver recuadro, derecha).

¿CUÁL ES EL TRATAMIENTO?
■ Deberá mantener el estómago vacío para evitar que el páncreas produzca más enzimas. Se insertará un tubo a través de su nariz hasta su estómago para desechar el contenido por succión.
■ Se le administrarán líquidos intravenosos. Si las pruebas detectan cálculos biliares, la ERCP los ubicará con mayor precisión y los eliminará.
■ En casos aislados, el tejido pancreático dañado se infecta y esto requiere drenaje quirúrgico.

■ Si la causa de la pancreatitis son cálculos, se recomienda que le extirpen la vesícula biliar una vez que se haya recuperado.

¿CUÁL ES EL PRONÓSTICO?
Aproximadamente 9 de cada 10 personas sobreviven a un ataque de pancreatitis aguda, pero la glándula se puede dañar de tal manera que no sea capaz de producir la cantidad adecuada de enzimas y usted desarrolle el síndrome de malabsorción. Quizás necesite consumir complementos de enzimas por el resto de su vida.

Ver también:
• **TC pág. 401**
• **Cálculos biliares pág. 357**
• **Hiperlipidemia hereditaria pág. 223**
• **Shock pág. 560**

EXAMEN

ERCP

La colangiopancreatografía endoscópica retrógrada (ERCP, por sus siglas en inglés) se usa para detectar problemas en los conductos biliares y el conducto pancreático. Un tinte de contraste se inyecta en los conductos por medio de un endoscopio que pasa a través de la boca. Luego el recorrido del tinte se sigue con imágenes de rayos X. Los médicos también pueden observar directo por el endoscopio. El procedimiento se realiza en el hospital con anestesia general y dura cerca de una hora.

Cáncer pancreático

EL CÁNCER PANCREÁTICO ES UN TUMOR MALIGNO EN EL TEJIDO PRINCIPAL DEL PÁNCREAS. LOS FACTORES DE RIESGO SON EL TABAQUISMO, UNA DIETA ALTA EN GRASAS Y EL ABUSO DEL ALCOHOL.

El cáncer pancreático es más común después de los 50 años y se manifiesta casi el doble más en hombres. El cáncer del páncreas es relativamente poco común y en el Reino Unido se diagnostican cerca de 7.000 casos nuevos cada año. Es posible que el tumor no presente síntomas en las primeras etapas.

¿CUÁLES SON LOS SÍNTOMAS?
A menudo los síntomas se desarrollan gradualmente en unos cuantos meses y pueden incluir:
• dolor en la parte superior del abdomen que se extiende a la espalda
• pérdida de peso
• falta de apetito.

Muchos tumores pancreáticos provocan una obstrucción de los conductos biliares a través de los cuales la bilis, el líquido digestivo, abandona el hígado. Este bloqueo produce ictericia y la piel y el blanco del ojo se vuelven

de color amarillo. La ictericia puede acompañarse de picazón, orina oscura y deposiciones más blandas que lo normal.

¿CUÁL ES EL TRATAMIENTO?
La única oportunidad es una cirugía para extirpar el páncreas o parte de él. Sin embargo, al momento de diagnosticarse el cáncer suele haberse diseminado. En esos casos, se puede realizar una cirugía para aliviar los síntomas. Por ejemplo, si un tumor obstruye el conducto biliar, se puede insertar un tubo rígido denominado *stent* para mantener el conducto abierto. Este procedimiento suele realizarse durante el examen endoscópico de páncreas (ERCP; ver recuadro, arriba) y ayuda a reducir la ictericia. Se puede aplicar un tratamiento de quimioterapia o radioterapia para disminuir el avance de la enfermedad.

Se suelen utilizar analgésicos para el dolor. El dolor intenso se puede tratar bloqueando

nervios, procedimiento en el cual se utiliza una inyección de un producto químico para desactivar los nervios que afectan al páncreas.

¿CUÁL ES EL PRONÓSTICO?
En muchos casos, no se diagnostica cáncer pancreático sino hasta que está bastante avanzado y las perspectivas no son alentadoras. Menos de 1 de cada 50 pacientes sobreviven más de 5 años. Incluso con cirugía, sólo 1 de cada 10 personas sobrevive más de 5 años. La mayoría sobrevive menos de 1 año.

Ver también:
• **Quimioterapia pág. 257**
• **Ictericia pág. 355**
• **Radioterapia pág. 395**

TRASTORNOS DE LOS INTESTINOS, EL RECTO Y EL ANO

El **síndrome del colon irritable** es probablemente la condición más común en occidente relacionada con el intestino, junto con sus síntomas de **flatulencia** y **distensión**. El **estreñimiento** y la **diarrea** son casi tan comunes y luego está la **diverticulosis** y la **diverticulitis**, que surgen con el envejecimiento. La malabsorción, como es el caso de la **intolerancia a la** **lactosa** y la **enfermedad celíaca**, puede quitarle nutrientes importantes al cuerpo. Si el intestino se inflama, puede producirse la **enfermedad de Crohn** y **colitis ulcerativa**. Finalmente, describiré el **cáncer colorrectal**, una causa común de muerte en occidente, y los trastornos del recto y el ano, como las **hemorroides** y la **fisura anal**.

Flatulencia y distensión

LA MAYORÍA DE NOSOTROS EXPERIMENTA OCASIONALMENTE LA VERGÜENZA DE ELIMINAR UN GAS (FLATULENCIA), PERO PARA ALGUNOS PUEDE SER UN PROBLEMA RECURRENTE Y DESAGRADABLE. LA INFLAMACIÓN DEL ABDOMEN DEBIDO A LA FORMACIÓN DE GASES (DISTENSIÓN) PUEDE OCURRIR DURANTE LA MENOPAUSIA.

FLATULENCIA

Ésta es una característica de muchas condiciones gastrointestinales, especialmente la **dispepsia** y el **síndrome del colon irritable**, que afecta al menos a un quinto de la población. Sin embargo, este síndrome presenta otros síntomas, entre ellos dolor, estreñimiento o diarrea o una mezcla de ambos. Éstos también pueden aparecer en condiciones más graves relacionadas con el intestino. Es importante que un médico los revise; el autodiagnóstico no es una buena opción. La flatulencia también puede ser una característica de la **diverticulosis** y **diverticulitis** y puede provocar problemas durante el embarazo. Las mujeres menopáusicas también tienden a presentar flatulencia debido a la falta de estrógeno.

¿QUÉ SE PUEDE HACER PARA ALIVIARLO?

Afortunadamente, hay muchas cosas que podemos hacer. La causa más común de los gases es lo que comemos, por eso debe fijarse bien en su dieta. Consuma la menor cantidad de frituras posible, ya que no sólo son dañinas, sino que son la causa más común de los gases. Es sabido que los fréjoles y los guisantes producen gases, pero hay otros alimentos que se deben consumir con moderación.

■ Coma más pescado y carne blanca sin piel en lugar de carne roja.

■ Tómese el tiempo de sentarse a comer en lugar de comer un refrigerio rápido, ya que engullir los alimentos y las bebidas suele provocar muchos gases.

■ Para quienes sufren de intolerancia a la lactosa, la leche puede provocar gases excesivos. Puede ayudar el reemplazo de la leche de vaca por bebidas de soya con calcio.

■ Con los años, pequeños bolsillos de tejido pueden formarse las paredes intestino, lo que produce diverticulosis y diverticulitis. Dentro de ellos se pueden acumular bacterias, fermentar carbohidratos y producir muchos gases.

■ Trate de consumir sólo en la mañana los alimentos que influyen en la fermentación, como los que contienen levadura y azúcar. Una alternativa sin levadura para el pan normal son las galletas de agua, de arroz o de soda.

■ Las pastillas de carbón, disponibles en farmacias, pueden proporcionar ayuda inmediata, puesto que absorben los gases.

■ Las hierbas naturales y las especias contienen sustancias que calman los intestinos y evitan la formación de gases. Entre ellas están el anís, la camomila, el toronjil, el hinojo, el eneldo, el clavo de olor, la pimienta negra, el orégano, el perejil, la menta, el romero y la menta verde. Úselas como aderezo en las comidas o como infusiones.

■ Tragar aire puede provocar o agravar los gases. Si suele hacerlo, trate de evitarlo y observará que la flatulencia será menos frecuente. La goma de mascar, por ejemplo, nos hace tragar aire.

■ El estrés es otro factor importante en la flatulencia. Si se siente estresado, debe identificar la causa para encontrar formas efectivas de reducir la ansiedad. Sin embargo, estudios de soluciones a corto plazo indican que el aceite de lavanda puede reducir el estrés. Use 5 a 6 gotas en el baño o en un pañuelo.

■ El ejercicio puede ayudar a reducir los gases puesto que tonifica los músculos del estómago y evita que el intestino sea capaz de inflamarse tanto que aloje grandes bolsas de aire. También es muy bueno para disminuir el estrés e incluso una caminata corta es beneficiosa, aunque no se recomienda hacer ejercicio sino hasta 2 horas después de comer.

Para algunos, el problema es un trastorno de las bacterias del intestino. Disminuir el azúcar y la levadura, por ejemplo el pan, vino y cerveza puede ayudar, junto con proporcionar bacterias lactobacilos beneficiosas al consumir un yogur hecho en casa, a diario.

DISTENSIÓN

La distensión con inflamación abdominal puede ser un problema durante la menopausia. Esto se debe a la presencia de **gas** en el intestino grueso, producido por la fermentación en el intestino. Con los años, pequeños bolsillos de tejido pueden aparecer desde el intestino, lo que produce **diverticulosis**. Dentro de ellos se pueden acumular bacterias, fermentar carbohidratos y producir muchos gases. El intestino puede terminar recubierto de restos de comida que forman pequeños centros de fermentación.

Es bastante común despertarse en la mañana con un abdomen plano y que se hinche durante el día, de manera que al volver a acostarse parezca un embarazo de 6 meses. Durante la noche, la falta de comida y azúcar en el intestino permite disminuir la fermentación. Después de un desayuno que contiene azúcar y levadura, la fermentación ataca de nuevo.

¿QUÉ PUEDO HACER PARA MEJORAR EL PROBLEMA?

■ Intente consumir alimentos con levadura y azúcar sólo en la mañana para ver si eso ayuda.

■ Una dieta alta en fibras, bastante líquido y ejercicio frecuente mantendrán los intestinos en un nivel normal.

■ Intente consumir un yogur hecho en casa cada día.

Ver también:
• Diverticulosis y diverticulitis pág. 364
• Dispepsia pág. 352
• Síndrome del colon irritable pág. 362
• La menopausia pág. 497

ENFOQUE

en síndrome del colon irritable

El síndrome del colon irritable es el trastorno más común del intestino. Afecta a un cuarto de la población del Reino Unido y constituye la causa de la mitad de las consultas a gastroenterólogos. Este síndrome es el doble más común en mujeres que en hombres y suele comenzar a principios o mediados de la edad adulta.

Aunque algunos síntomas disminuyen e incluso desaparecen por un tiempo, la condición se mantiene durante **toda** la vida. Pero en el lado positivo, no es fatal y no suele llevar a complicaciones demasiado desagradables.

¿QUÉ CAUSA ESTE SÍNDROME?

● No comprendemos bien la causa, pero se considera que existe una anormalidad básica en la forma en que se contraen los músculos en el intestino grueso. Por alguna razón, el intestino se vuelve sensible. Esto implica que el intestino, incluido el recto, se contrae fácilmente debido a la comida, ansiedad,

enfermedad o cualquier estrés. La actividad intestinal puede volverse excesiva y el intestino puede tener espasmos, que provocan cólicos.
● Además, la sensibilidad de los intestinos a menudo le indican al cerebro que algo está mal. Así, la mente percibe los síntomas desagradables como el dolor, la distensión, la necesidad de eliminar los gases o de evacuar con más frecuencia que antes. Es fácil enfocarse mucho en un dolor agudo y convertirlo en una dolencia.
● Los síntomas pueden ser preocupantes, hasta el punto que muchas personas que consultan a su médico acerca de este síndrome sienten

temor de que se trate de algo grave. Imaginan que tienen cáncer, colitis ulcerativa, incluso SIDA. Pero no deben preocuparse, estos síntomas tienen muchas características que apuntan a problemas en el funcionamiento en lugar de una enfermedad grave.
● Para algunas personas, las principales causales son el estrés emocional y la ansiedad. El síndrome puede relacionarse con la incapacidad de expresar las emociones negativas, como la rabia.
● Los gases excesivos son un problema común para los afectados por este síndrome y se piensa que la dieta tiene una gran influencia. Sin embargo, una condición mucho más importante es la diverticulosis, que es tan común que se puede considerar una parte del envejecimiento normal. En la diverticulosis, pequeños bolsillos pueden aparecer desde las paredes del intestino y dentro de ellos se pueden acumular bacterias, fermentar carbohidratos y producir muchos gases. El intestino puede terminar conteniendo muchos

Cómo vivir con el síndrome del colon irritable

Algunas personas aprenden a controlar los síntomas del síndrome del colon irritable a través de cambios en la dieta y en el estilo de vida. Los síntomas pueden mejorar si sigue una dieta alta en fibras y baja en grasas. Quizás necesite probar varios enfoques antes de encontrar el que le ayude. Intente lo siguiente:
● Mantenga un diario de lo que consume, trate de eliminar los alimentos y las bebidas que parecen provocar un ataque del colon irritable.
● Evite las comidas abundantes, los alimentos muy sazonados, fritos o grasos y los productos lácteos.
● Si tiene problemas de estreñimiento, intente aumentar su consumo de fibra gradualmente. Si sufre de distensión o diarrea, reduzca su consumo de fibra.
● Elimine o reduzca su consumo de té, café, leche, bebidas gaseosas y cerveza.
● Coma a las horas que corresponda.
● Deje de fumar.
● Pruebe ejercicios de relajación para

aliviar el estrés, que suele contribuir a los síntomas.
● A menudo sirve consumir alimentos más ricos en fibras, como la fruta fresca, las verduras, ciruelas, higos y cereales integrales, a menos que causen distensión.
● Algunas personas necesitan cambiar su dieta. Si ciertos alimentos provocan ataques o empeoran los síntomas, deben evitarse o limitarse hasta que termine el ataque.
● El **ejercicio** ayuda a reducir los gases ya que tonifica los músculos del estómago y evita que el intestino sea capaz de inflamarse tanto que aloje grandes bolsillos de aire. Todo tipo de actividad física es tranquilizante, incorporar alguna forma de ejercicio a su rutina también le ayudará a aliviar la tensión y la ansiedad.
● **Reduzca el azúcar**, los productos lácteos y el **alcohol**, especialmente el vino. También se deben evitar las uvas. Si debe consumir alimentos que produzcan

fermentación, como los que contienen levadura y azúcar, hágalo sólo por la mañana.
● Una mejor alternativa para el pan son las galletas de agua o arroz.
● Coma más pescado y carne blanca sin piel en lugar de carne roja.
● Algunas personas deben dejar el café, ya que estimula el sistema nervioso, inclusive la zona que controla el movimiento de los intestinos.
● Si el estrés emocional y la ansiedad son factores importantes para usted, trate de evitarlos tanto como sea posible. Una rutina diaria de **ejercicios de relajación mentales y físicos** puede ayudarle a reducir notablemente los efectos del estrés y la ansiedad en el intestino y en otros órganos, como el corazón.
● Las investigaciones han demostrado que 5 ó 6 gotas de **aceite esencial de lavanda** en su baño o en un pañuelo pueden aliviar el estrés, como también dormir sobre una almohada de lavanda.

Estreñimiento

SI SUS DEPOSICIONES SON PEQUEÑAS Y DURAS O SI DEBE HACER UN GRAN
ESFUERZO PARA ELIMINARLAS, PROBABLEMENTE SUFRA DE ESTREÑIMIENTO.

bolsillos pequeños de fermentación. Si éstos se inflaman, la condición se denomina **diverticulitis**.

¿CUÁLES SON LOS SÍNTOMAS?

Los síntomas son:
● dolor abdominal
● flatulencia excesiva
● distensión
● dolor con los movimientos intestinales
● sensación de evacuación incompleta de los intestinos
● estreñimiento
● diarrea
● por lo general, una mezcla de estreñimiento y diarrea.

¿CÓMO SE DIAGNOSTICA?

El médico debería llegar a un diagnóstico después de conversar con usted y examinarle. Por rutina, los médicos también examinan las deposiciones, realizan una prueba de rayos X con bario y posiblemente una **sigmoidoscopia** (examen del colon mediante un instrumento de visualización que se introduce a través del ano) simplemente para descartar algo grave, no porque sospechen que se trate de cáncer.

¿CUÁL ES EL TRATAMIENTO?

● Una dieta alta en fibras o agentes que den volumen, como **cáscara de psilio**, **salvado** o **isfágula**, la **esterculia** y **metilcelulosa** sirven de ayuda.
● La menta también puede ayudar.
● Períodos cortos de tratamiento con **antidiarreicos** (como la **loperamida**) se pueden prescribir para la diarrea persistente.
● Medicamentos antiespasmódicos como la **meberina** se pueden prescribir para aliviar los espasmos musculares y el dolor abdominal.
● Para algunas personas resulta útil la hipnosis, psicoterapia y la asistencia psicológica. Sin embargo, la mayoría de los pacientes considera que el tratamiento alivia los síntomas, pero no cura el síndrome.

La mayoría de las personas suele tener una rutina diaria y los intestinos suelen funcionar mejor si se les permite seguir un patrón constante. El estreñimiento se define como la eliminación difícil y poco frecuente de deposiciones pequeñas y duras. La **frecuencia con que evacue no es tan importante**, ya que la gente sana tiene movimientos intestinales en intervalos muy distintos. Por lo general, estos intervalos fluctúan entre **3 veces al día** y **3 veces a la semana**. Algunos ataques de estreñimiento son comunes, pero a veces existe un trastorno subyacente que se debe investigar. Debe consultar a su médico si **recientemente** ha sufrido de estreñimiento grave o que dura más de 2 semanas, especialmente si ocurre después de los **50 años**. El estreñimiento persistente puede llevar a la impactación fecal, donde las deposiciones duras se quedan en el recto. Deposiciones líquidas pueden filtrarse alrededor de la obstrucción parcial y provocar diarrea. Por esa razón si alterna entre estreñimiento y diarrea, consulte a su médico.

¿CUÁLES SON LAS CAUSAS?

■ Una dieta baja en fibras y líquidos es la causa más común de estreñimiento.
■ La segunda causa más común es ignorar los deseos de evacuar, lo que provoca que las deposiciones se sequen en el recto, donde es posible que se impacten y sea difícil eliminarlas.
■ Beber demasiadas bebidas alcohólicas o bebidas que contengan cafeína puede llevar a una deshidratación de mediana gravedad, lo que también puede provocar que se endurezcan las deposiciones y sea difícil eliminarlas.
■ Otros factores que disminuyen la frecuencia de los movimientos intestinales es la falta de ejercicio y los largos períodos de inmovilidad.
■ El hipotiroidismo y la depresión pueden producir estreñimiento.

■ La diverticulosis se asocia al estreñimiento.
■ Para las personas que se recuperan de una cirugía abdominal y aquellos con trastornos anales, como las hemorroides, puede ser difícil defecar y posiblemente desarrollen estreñimiento.
■ Algunos medicamentos, como ciertos antidepresivos y antiácidos que contienen aluminio y carbonato de calcio, pueden causar estreñimiento.
■ En los ancianos, la inmovilidad creciente conlleva a que esta condición sea más común entre ellos.

¿QUÉ SE PUEDE HACER?

■ Ninguna deposición puede resistirse a 5 frutas frescas cada mañana o 6 ciruelas e higos cada tarde. Dudo que alguien que siga estas instrucciones no tenga movimientos intestinales regulares.

El consumo adecuado de líquidos, como jugo de frutas, y de fibra puede ayudar a evitar el estreñimiento.

AUTOAYUDA

Cómo prevenir el estreñimiento

Existen pasos simples que puede seguir para evitar o reducir la gravedad del estreñimiento.
■ Aumente su consumo de fibra diario. Algunos alimentos ricos en fibras son el salvado, el pan integral, los cereales, la fruta, las verduras con hojas, la piel de patatas, los fréjoles y los guisantes secos.
■ Reduzca su consumo de alimentos muy refinados y procesados, como el queso y el pan blanco.
■ Aumente su consumo de líquidos, al menos, a 6 a 8 vasos al día, pero evite o

limite las bebidas que contengan cafeína o alcohol.
■ No utilice laxantes con mucha frecuencia, puesto que el intestino dejará de funcionar sin ellos.
■ No ignore los deseos de evacuar. Mientras más tiempo permanezcan las deposiciones en el cuerpo, más secas y duras se vuelven.
■ Intente tener una rutina regular en la que vaya al baño a la misma hora cada día.
■ Incorpore un ejercicio diario y regular a su rutina.

■ Si el estreñimiento se asocia a su estilo de vida, existen medidas simples que puede tomar para aliviarlo y evitar que ocurra.

Si el estreñimiento se mantiene a pesar de las medidas de la autoayuda, consulte a su médico, quien realizará pruebas para encontrar la causa subyacente. Revisará su recto insertando un dedo enguantado.

Le puede pedir una muestra de deposiciones, la cual se examinará para ver si hay sangre. Si se necesitan más pruebas, pueden realizarle un enema de bario para descartar anormalidades.

¿CUÁL ES EL TRATAMIENTO?

■ Puede realizarse un enema, en el cual se pasa un líquido a través de un tubo en el recto para estimular los movimientos intestinales.

■ Después de este tratamiento se debe seguir una dieta con más fibra y líquido.

■ El estreñimiento relacionado con un trastorno anal doloroso se puede aliviar con un ungüento analgésico o supositorios.

■ Si la causa es un medicamento, su médico le puede dar una alternativa.

Ver también:
- **Fisura anal pág. 370**
- **Diverticulosis y diverticulitis pág. 364**
- **Hemorroides pág. 370**
- **Cómo prevenir el estreñimiento pág. 363**

Diarrea

LA DIARREA ES LA PRODUCCIÓN DE DEPOSICIONES MÁS LÍQUIDAS, MÁS FRECUENTES O EN MAYOR VOLUMEN DE LO NORMAL PARA EL PACIENTE. AUNQUE NO ES UNA ENFERMEDAD, LA DIARREA PUEDE SER SÍNTOMA DE UN TRASTORNO SUBYACENTE.

En algunos casos, la diarrea va acompañada de dolor abdominal, distensión, pérdida del apetito y vómitos. La diarrea grave puede llevar a la deshidratación y poner en peligro la vida, especialmente en bebés y ancianos.

Episodios cortos de diarrea, en especial con vómitos, suelen deberse a **gastroenteritis** o **intoxicación alimentaria**. Si la diarrea dura más de 3 ó 4 semanas, por lo general indica que hay un trastorno intestinal que requiere atención médica.

¿CUÁLES SON LAS CAUSAS?

■ Si la diarrea comienza en forma abrupta en una persona sana, a menudo se debe a un cambio en la dieta o alimentos o agua contaminada. Puede durar algunas horas o 10 días. Este tipo de diarrea suele ocurrir en los viajes a países extranjeros.

■ La causa de la diarrea también puede ser una infección viral que se trasmite por contacto personal cercano. Esta gastroenteritis infecciosa es la causa más común de diarrea en bebés y niños pequeños.

■ Las personas que toman medicamentos, como los **antibióticos**, pueden presentar diarrea en forma súbita si estos medicamentos alteran el equilibrio normal de bacterias en el colon.

■ La diarrea persistente puede deberse a una inflamación crónica del intestino por trastornos como la **enfermedad de Crohn** o la **colitis ulcerativa**.

■ La diarrea es síntoma de algunas condiciones, como la **enfermedad celíaca**, en la que el intestino delgado no puede absorber los nutrientes.

■ La **intolerancia a la lactosa**, un trastorno en el que no es posible descomponer y absorber la lactosa (un azúcar natural presente en la leche), también puede causar diarrea.

■ La infección con **parásitos**, como la **giardiasis** y la **amebiasis**, puede provocar diarrea crónica.

■ El **síndrome del colon irritable** puede producir contracciones anormales en el intestino, con episodios alternados de diarrea y estreñimiento.

¿QUÉ SE PUEDE HACER?

■ En la mayoría de los casos, la diarrea se acaba en 1 ó 2 días.

■ Otros síntomas que pueden aparecer con la diarrea, como el dolor de cabeza, la debilidad y el letargo, se deben por lo general a la deshidratación. Los síntomas de la deshidratación desaparecen en cuanto se reemplazan el líquido y las sales que faltaban.

■ Si la diarrea dura más de 3 ó 4 semanas, debe consultar a su médico, quien podría solicitar una muestra de deposiciones para verificar que no haya una infección o nutrientes no absorbidos.

■ Si la diarrea dura más de 3 ó 4 semanas o si hay sangre en las deposiciones, probablemente su médico prepare ciertos procedimientos de investigación, como rayos X con contraste de los intestinos o una sigmoidoscopia o colonoscopia (endoscopia del recto o del colon).

■ Los tratamientos específicos para la diarrea dependen de la causa.

■ Si necesita cortar la diarrea rápidamente, el médico puede prescribir un antidiarreico, como la **loperamida**. Sin embargo, estos medicamentos se deben evitar si la diarrea se debe a una infección, ya que pueden prolongarla.

■ Los antibióticos sólo se usan para tratar diarrea persistente con una causa bacteriana conocida.

Ver también:
- **Enfermedad de Crohn pág. 366**
- **Síndrome del colon irritable pág. 362**
- **Intolerancia a la lactosa pág. 366**
- **Malabsorción pág. 365**
- **Colitis ulcerativa pág. 367**

Diverticulosis y diverticulitis

LA PRESENCIA DE PEQUEÑOS BOLSILLOS, CONOCIDOS COMO DIVERTÍCULOS, EN LA PARED DEL COLON SE DENOMINA DIVERTICULOSIS. LA INFLAMACIÓN DE ÉSTOS SE LLAMA DIVERTICULITIS. UNA DIETA BAJA EN FIBRAS Y EL USO CRÓNICO DE LAXANTES SON FACTORES DE RIESGO.

En la diverticulosis, bolsillos del tamaño de un guisante o una uva sobresalen de la pared del intestino grueso, por lo general desde la parte del colon más cercana al recto. Se forman cuando partes de la pared del intestino sobresalen hacia afuera a través de áreas debilitadas, a menudo cerca de una arteria. En muchos casos, los ubicados en la pared intestinal se asocian a **estreñimiento crónico** y ocurren cuando la presión dentro del intestino aumenta a medida que la persona se esfuerza por defecar. A veces, uno o más bolsillos se inflaman, condición conocida como **diverticulitis**. La diverticulosis no suele darse antes de los 50 años, pero cerca de 1 de cada 3 personas entre los 50 y 60 años tiene diverticulosis, la cual se vuelve más común después de los 60 años. Sin embargo, la mayoría no presenta síntomas.

La diverticulitis se asocia estrechamente a la dieta baja en fibras de occidente, que puede causar estreñimiento.

¿CUÁLES SON LOS SÍNTOMAS?

Más de tres cuartos de las personas con diverticulosis no saben que la padecen, debido a que no presentan síntomas. Éstos pueden ser los siguientes:

■ Episodios de dolor abdominal, especialmente en la parte baja e izquierda del abdomen, que se alivian con el movimiento intestinal o la liberación de gas intestinal.
■ Episodios intermitentes de estreñimiento y diarrea.
■ Sangrado rojo brillante ocasional por el recto, que puede no ser doloroso.

En algunos casos, la diverticulosis es difícil de distinguir del **síndrome del colon irritable**, puesto que tienen síntomas similares. Si se desarrolla diverticulitis, los síntomas pueden empeorar:

● dolor intenso y sensibilidad en la parte baja del abdomen
● fiebre
● náuseas y vómitos.

Si nota algún cambio en sus hábitos intestinales o presenta sangrado rectal, debe consultar a su médico de inmediato, ya que estos síntomas pueden indicar una enfermedad más seria, como el **cáncer colorrectal**.

¿HAY COMPLICACIONES?

Si un divertículo inflamado se rompe, las deposiciones y las bacterias pueden diseminarse a la cavidad abdominal. Se puede formar un **absceso** cerca del colon o producirse **peritonitis**, una inflamación de la membrana que cubre la cavidad abdominal. Afortunadamente, ambos casos son poco frecuentes.

¿CÓMO SE DIAGNOSTICA?

■ Si el médico sospecha que tiene diverticulosis, se realizará un enema de bario para destacar la forma de los intestinos.
■ Si presenta sangrado rectal, se debe llevar a cabo una colonoscopia para examinar el colon y descartar el cáncer colorrectal.

¿CUÁL ES EL TRATAMIENTO?

■ A menudo, una dieta alta en fibras con mucho líquido es el único tratamiento para la diverticulosis.
■ Quizá también le prescriban **antiespasmódicos** para relajar el intestino y aliviar el dolor abdominal.
■ Si desarrolla diverticulitis severa, le darán antibióticos para tratar la infección bacteriana.

> **Ver también:**
> ● **Cáncer colorrectal pág. 368**
> ● **Síndrome del colon irritable pág. 362**

Malabsorción

LA ABSORCIÓN DEFICIENTE DE NUTRIENTES EN EL INTESTINO DELGADO
SE DENOMINA MALABSORCIÓN. OCURRE CUANDO EL INTESTINO DELGADO
NO PUEDE ABSORBER LOS NUTRIENTES DE LOS ALIMENTOS INGERIDOS.

Los síntomas comunes son deposiciones abundantes, decoloradas, de mal olor y que flotan y también pérdida de peso. La malabsorción a veces se transmite en la familia. Si no se trata, es posible que se desarrollen algunas deficiencias nutricionales que conlleven a otros problemas, como la **anemia** o **daño a los nervios**.

¿CUÁLES SON LAS CAUSAS?

La malabsorción se debe a:
● la descomposición inadecuada de los alimentos durante la digestión por la carencia de las enzimas fundamentales
● daño al recubrimiento del intestino delgado, de manera que no se pueden absorber los nutrientes.

Varias condiciones médicas pueden producir estos factores.

■ En algunos casos, el intestino delgado no puede descomponer los alimentos porque las enzimas o jugos digestivos son escasos o no existen. Por ejemplo, los trastornos del páncreas como la **pancreatitis crónica** y la **fibrosis quística** pueden provocar una digestión deficiente de los alimentos grasos y las proteínas y el cuerpo no puede utilizarlos. A veces, hay problemas para descomponer un nutriente específico. Por ejemplo, los que sufren de **intolerancia a la lactosa** carecen de la enzima del intestino que permite descomponer el azúcar, lactosa, en la leche.
■ Daño en el recubrimiento intestinal debido a la inflamación en la **enfermedad celíaca**. La **enfermedad de Crohn** e infecciones como la **giardiasis** evitan que los nutrientes atraviesen el recubrimiento intestinal e ingresen al torrente sanguíneo.

■ En el **trastorno inmune** de la **escleroderma**, los cambios en las estructuras de las paredes intestinales provocan la malabsorción de los nutrientes.
■ La **diabetes mellitus** puede causar malabsorción al dañar los nervios de las paredes intestinales.

¿CUÁLES SON LOS SÍNTOMAS?

Los síntomas más comunes de la malabsorción son:
● deposiciones abundantes, decoloradas, de mal olor y que flotan
● flatulencia y distensión abdominal
● pérdida de peso
● dolor abdominal y calambres
● fatiga y debilidad.

Si no se trata, la malabsorción puede provocar **deficiencias de vitamina B_{12} y hierro** y anemia, cuyos síntomas incluyen una piel pálida y cansancio. Una deficiencia de la **vitamina B_{12}** también puede afectar a la médula espinal y los nervios periféricos, lo que provoca **entumecimiento** y **hormigueo** en las manos y los pies.

¿CÓMO SE DIAGNOSTICA?

■ El médico puede prescribir una variedad de pruebas de sangre para detectar anemia, deficiencias vitamínicas y otras señales de malabsorción.
■ Si el médico sospecha daño en el páncreas, prescribirá pruebas de la función pancreática.
■ También se puede realizar una prueba para confirmar la deficiencia de enzimas que produce la intolerancia a la lactosa.
■ Podrían realizarle un análisis de sangre para observar los anticuerpos específicos que están presentes en la enfermedad celíaca.

■ Se puede realizar la prueba de rayos X de contraste, en la cual se usa bario para destacar el interior del intestino delgado, a fin de observar si hay daño en el tracto digestivo producido por la enfermedad de Crohn.
■ Quizás necesite también una **endoscopia** para obtener una muestra del tejido intestinal y analizarla bajo un microscopio.

¿CUÁL ES EL TRATAMIENTO?

■ Se debe tratar cualquiera de las causas subyacentes, si es posible.
■ La enfermedad celíaca por lo general se trata con una dieta especial que excluye el **gluten**.
■ La enfermedad de Crohn por lo general responde a **corticosteroides**, **sulfasalacina** u otro tratamiento.
■ Si la causa de la malabsorción es la giardiasis, se prescribirán medicamentos antiprotozoos.
■ Las deficiencias nutricionales específicas se pueden tratar con complementos vitamínicos y minerales.

La malabsorción puede ser tratada y la mayoría de las personas se recupera y lleva una vida normal.

> **Ver también:**
> ● **Pancreatitis aguda pág. 359**
> ● **Anemias pág. 236**
> ● **Rayos X de contraste pág. 353**
> ● **Enfermedad de Crohn pág. 366**
> ● **Fibrosis quística pág. 521**
> ● **Diabetes mellitus pág. 504**

Intolerancia a la lactosa

LAS PERSONAS CON INTOLERANCIA A LA LACTOSA SON INCAPACES DE DIGERIR ESTE ELEMENTO, UN AZÚCAR NATURAL QUE SE ENCUENTRA EN LA LECHE Y EN LOS PRODUCTOS LÁCTEOS. PEQUEÑAS CANTIDADES DE LACTOSA PUEDEN CAUSAR DOLOR ABDOMINAL Y DIARREA. SE DEBE A UNA DEFICIENCIA DE ENZIMAS.

La intolerancia a la lactosa suele desarrollarse a partir de la adolescencia. La forma permanente rara vez afecta a bebés. La incapacidad de digerir la lactosa en la dieta es especialmente común entre afrocaribeños, asiáticos y judíos.

¿CUÁLES SON LAS CAUSAS?
Por lo general, la enzima lactasa descompone la lactosa en los intestinos para formar los azúcares **glucosa** y **galactosa**, que son absorbidas con facilidad a través de la pared intestinal. Si falta esta enzima, la lactosa no absorbida fermenta en el intestino grueso y produce síntomas dolorosos. Aunque al nacer hay altos niveles de lactasa presentes, en muchos grupos raciales los niveles disminuyen con la edad y son muy bajos durante la adolescencia, de modo que la leche no puede ser digerida.

En los niños y los bebés, la intolerancia a la lactosa a veces ocurre en forma temporal después de un ataque de **gastroenteritis** que provoca un daño de largo plazo en el recubrimiento del intestino.

¿CUÁLES SON LOS SÍNTOMAS?
Los síntomas de la intolerancia a la lactosa suelen desarrollarse unas horas después de comer o beber productos que contengan leche. Pueden incluir:
- distensión abdominal y calambres
- diarrea
- vómitos.

La gravedad de los síntomas depende del grado de deficiencia de lactasa. Una persona puede presentar síntomas sólo después de beber varios vasos de leche, pero otros pueden sentirse mal después de consumir una pequeña cantidad de un producto lácteo. Al principio, los síntomas suelen ser moderados, pero pueden empeorar en cada episodio.

¿QUÉ SE PUEDE HACER?
- Su médico podrá diagnosticarle intolerancia a la lactosa a partir de su historial médico y de sus síntomas.
- Le solicitará que lleve un diario de todos los alimentos que consume y los síntomas que observa.
- Luego pueden realizarle una prueba especializada para confirmar la intolerancia a la lactosa.
- En otro caso, el médico puede pedirle que elimine todos los productos lácteos de su dieta por algunos días. Si los síntomas mejoran, pero vuelven al consumir leche, se confirma el diagnóstico de intolerancia a la lactosa.
NOTA: NO EXCLUYA LOS PRODUCTOS LÁCTEOS DE SU DIETA SIN CONSULTAR AL MÉDICO.

¿CUÁL ES EL PRONÓSTICO?
La intolerancia a la lactosa, por lo general, es permanente en los adultos. Sin embargo, los síntomas se pueden aliviar por completo al eliminar la lactosa de la dieta. El queso, la mantequilla y el yogur hecho en casa contienen niveles muy bajos de lactosa y la mayoría de las personas lo tolera. Productos lácteos que han sido especialmente tratados para descomponer la lactosa se encuentran disponibles sin receta. Además, el médico puede sugerir complementos de lactasa en líquido o cápsulas.

En los **bebés**, la causa de la intolerancia a la lactosa es la gastroenteritis. La leche se incluirá gradualmente en la dieta después de algunas semanas, cuando el intestino se recupere.

Ver también:
- **Diarrea pág. 364**

Enfermedad de Crohn

LA ENFERMEDAD DE CROHN ES UNA ENFERMEDAD INFLAMATORIA DE LARGO PLAZO POCO COMÚN, QUE PUEDE AFECTAR CUALQUIER PARTE DEL TRACTO DIGESTIVO, ESPECIALMENTE EL ÍLEON (PARTE DEL INTESTINO DELGADO). LOS SÍNTOMAS MÁS COMUNES SON DIARREA, DOLOR, FIEBRE Y PÉRDIDA DE PESO.

La aparición de la enfermedad de Crohn es más común entre los 15 y los 30 años y a veces se transmite en las familias, lo que sugiere que puede haber un componente genético. El tabaquismo es un factor de riesgo.

¿CUÁLES SON LOS SÍNTOMAS?
Los síntomas de la enfermedad de Crohn varían entre los individuos. El trastorno suele aparecer a intervalos durante la vida y por lo general aumenta y disminuye. Los episodios pueden ser graves, durar semanas o varios meses, antes de llegar a períodos en los cuales los síntomas son leves o nulos. Éstos incluyen:
- diarrea
- dolor abdominal
- fiebre
- pérdida de peso
- una sensación general de malestar.
Si afecta el colon, también puede aparecer:
- diarrea, a menudo con sangre
- sangrado a través del ano.

Cerca de 1 de cada 10 personas también desarrolla otros trastornos asociados con la enfermedad de Crohn; entre ellos, una forma de artritis conocida como **espondilitis anquilosante**, **cálculos renales**, **cálculos biliares** y una **erupción** clásica denominada **eritema nodoso**.

Complicaciones

A veces, la enfermedad de Crohn presenta complicaciones.
- Puede incluir un **absceso anal** y producir una **fístula anal** hacia la piel.
- La **obstrucción intestinal** causada por el engrosamiento de las paredes intestinales es una complicación bastante común en la enfermedad de Crohn.
- El daño al intestino delgado puede evitar la absorción de nutrientes y llevar a la **malabsorción** con anemia y deficiencias vitamínicas.
- La inflamación del colon durante un período prolongado también se asocia a un mayor riesgo de desarrollar **cáncer colorrectal**.

¿CUÁL ES EL TRATAMIENTO?

■ Los ataques leves de la enfermedad de Crohn pueden tratarse con medicamentos antidiarreicos y analgésicos.

■ En caso de un episodio agudo, el médico puede recetar corticosteroides. Tan pronto como los síntomas cesen, se deberá reducir la dosis para evitar el riesgo de efectos secundarios.

■ Si los síntomas son muy severos, puede necesitar hospitalización y corticosteroides intravenosos. Para evitar el riesgo de efectos secundarios, se reducirá la dosis tan pronto cesen los síntomas.

■ En todos los casos, una vez reducida la dosis,

el médico puede recomendar **sulfasalazina** oral o **mesalamina** para evitar ataques recurrentes.

■ Otra opción es una droga inmunosupresora, como la **azatioprina**.

■ Puede necesitar **suplementos dietéticos,** como vitaminas, para contrarrestar la malabsorción.

■ Durante ataques severos, puede necesitar administración intravenosa de nutrientes.

¿CUÁL ES EL PRONÓSTICO?

La enfermedad de Crohn es un trastorno recurrente. La mayoría de los afectados aprende a vivir de manera normal, pero 7 de cada 10 personas finalmente necesitan cirugía.

Las complicaciones y las cirugías reiteradas pueden causar una disminución de la expectativa de vida. La enfermedad de Crohn puede aumentar levemente el riesgo de cáncer colorrectal y el médico le puede aconsejar realizar chequeos regulares que incluyen colonoscopia.

Ver también:
- **Anemia pág. 236**
- **Espondilitis anquilosante pág. 430**
- **Cáncer colorrectal pág. 368**
- **Cálculos biliares pág. 357**
- **Cálculos renales pág. 377**

Colitis ulcerativa

LA COLITIS ULCERATIVA SE CARACTERIZA POR INFLAMACIÓN Y ULCERACIÓN INTERMITENTES CRÓNICAS DEL RECTO Y EL COLON.

Esta condición afecta a 1 de cada 1.000 personas, a veces se hereda y es más común en no fumadores y ex fumadores. La primera aparición de esta enfermedad ocurre entre los 15 y 35 años.

¿CUÁLES SON LAS CAUSAS?

Se desconoce la causa exacta de la colitis ulcerativa. Sin embargo, existe cierta evidencia de la participación de factores genéticos, ya que 1 de cada 10 personas que la sufre tiene un pariente cercano con la misma enfermedad.

¿CUÁLES SON LOS SÍNTOMAS?

Los síntomas suelen ser episódicos, con meses o años durante los que hay pocos o ningún síntoma. En un episodio leve, se desarrollan gradualmente, por lo general en unos pocos días, e incluyen los siguientes:

● diarrea, a veces con sangre y mucosidad en las deposiciones

● dolor abdominal

● fatiga

● falta del apetito.

En un ataque severo, los síntomas pueden comenzar repentinamente y desarrollarse en sólo unas pocas horas. Éstos incluyen:

● ataques severos de diarrea, al menos 6 veces al día

● pasajes de sangre o mucosidad con o sin deposiciones

● dolor e hinchazón abdominal

● fiebre

● pérdida de peso.

Quienes padecen colitis ulcerativa suelen tener otros trastornos que incluyen **artritis**, que causan **dolor en las articulaciones**, y **espondilitis anquilosante**, que causa **dolor espinal**, **inflamación en el ojo** (uveitis), y la condición de la piel, **erythema nodosum**.

¿CUÁL ES EL TRATAMIENTO?

La colitis ulcerativa suele tratarse con medicamentos, pero puede ser necesaria una cirugía si los ataques son severos y frecuentes o si se desarrollan complicaciones.

MEDICAMENTOS

■ El médico puede prescribir el medicamento antiinflamatorio **sulfasalazina** para prevenir

ataques de colitis ulcerativa o para tratar los episodios leves.

■ De modo alternativo, puede administrarle **mesalamina**, que tiene pocos efectos secundarios.

■ Si la inflamación se limita al recto o a la parte inferior del colon, el médico puede prescribir medicamentos aminosalicilatos para que el mismo paciente se los administre en forma de **enema** o **supositorios**.

TRATAMIENTO

Colostomía e ileostomía

Una colostomía se realiza después de una colectomía (resección de parte del colon, llamado también intestino grueso). En una colostomía, parte del colon se abre en la piel de la pared abdominal para formar una abertura artificial llamada estoma. Las deposiciones se expelen a través de la estoma a una bolsa desechable. Se puede realizar una colostomía temporal si se ha extirpado parte del colon, lo que permite que los extremos reunidos sanen sin que las deposiciones pasen por el lugar. Se necesita una colostomía permanente cuando se han extirpado el recto y el ano con parte del colon. En una ileostomía, se extirpa todo el colon y el recto y se crea una estoma para permitir que el intestino delgado expela las deposiciones.

En una colostomía, se evita pasar por el recto y el ano al llevar parte del colon (intestino grueso) al atravesar la pared abdominal, creando una abertura artificial (estoma) en la superficie de la piel. Una ileostomía se crea de modo similar utilizando el intestino delgado.

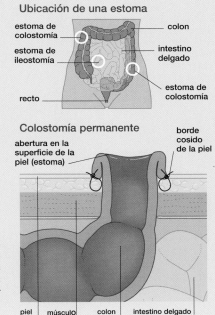

Ubicación de una estoma

estoma de colostomía
estoma de ileostomía
recto
colon
intestino delgado
estoma de colostomía

Colostomía permanente

abertura en la superficie de la piel (estoma)
borde cosido de la piel

piel   músculo   colon   intestino delgado

■ Si la colitis ulcerativa se ha expandido más arriba del colon, se le darán medicamentos orales.

■ Si sufre ataques repentinos y severos del trastorno, probablemente le prescriban corticosteroides orales o con enema. El uso prolongado de corticosteroides puede causar efectos secundarios como aumento de peso y rostro con forma de luna. Por ello, el médico reducirá la dosis cuando los síntomas comiencen a cesar y detendrá el tratamiento lo antes posible.

CIRUGÍA

■ El tratamiento con cirugía suele ser necesario para quienes presentan síntomas persistentes a pesar del tratamiento con medicamentos.

■ La cirugía es recomendable para quienes sufren ataques repentinos y severos que no responden al tratamiento médico.

■ También puede ser aconsejable para personas con un mayor riesgo de sufrir cáncer colorrectal. La cirugía, por lo general, incluye la resección del colon y recto enfermos y la creación de una estoma, que es una abertura artificial en la pared abdominal a través de la cual el intestino delgado puede expeler las deposiciones. Este procedimiento se conoce como ileostomía.

■ Existe un procedimiento más nuevo, adecuado para algunas personas. En él, parte del intestino delgado se utiliza para crear un saco que conecta el intestino delgado con el ano. Este procedimiento evita la necesidad de una estoma, pero la bolsa puede inflamarse y la frecuencia de la deposición intestinal suele aumentar.

¿CUÁL ES EL PRONÓSTICO?

Algunas personas sufren sólo un ataque de colitis ulcerativa, pero la mayoría presenta

episodios recurrentes. Aproximadamente de 1 de cada 5 personas necesita cirugía. El cáncer colorrectal (ver más adelante) es el de mayor riesgo a largo plazo y se desarrolla en cerca de 1 de cada 6 personas cuyo recto y colon completo han estado afectados por 25 años o más. Si usted sufre de colitis ulcerativa duradera y extensiva pero no le han practicado cirugía, deberá realizarse una colonoscopia anual para detectar posibles signos precoces de cáncer colorrectal.

Ver también:
- **Espondilitis anquilosante pág. 430**
- **Artritis pág. 427**
- **Colostomía e ileostomía pág. 367**

Cáncer colorrectal

CÁNCER COLORRECTAL, A VECES LLAMADO CÁNCER INTESTINAL, ES EL TÉRMINO GENERAL PARA TUMORES CANCEROSOS DEL REVESTIMIENTO DEL COLON Y EL RECTO.

El cáncer del colon (intestinos) es más común en las mujeres, y el cáncer del recto, en los hombres. Esta enfermedad se produce a partir de la edad adulta. Una dieta rica en grasas y baja en fibras, alto consumo de alcohol y obesidad son factores de riesgo. Hacer ejercicios de manera regular contribuye a prevenir este cáncer.

El cáncer colorrectal es **la segunda causa más común de muerte por cáncer** en occidente. Es, además, uno de los pocos tipos de cáncer que se puede detectar en una etapa temprana al realizar exámenes a quienes corren riesgo de padecerlo. Cuando se detecta a tiempo, la enfermedad puede tratarse exitosamente con cirugía.

Este tipo de cáncer rara vez se produce antes de los 40 años y casi siempre aparece después de los 60. Puede ocurrir en cualquier parte del colon o el recto, pero aproximadamente 3 de cada 5 tumores se desarrollan en la parte del colon **más próxima al recto**.

¿CUÁLES SON LAS CAUSAS?

En los países menos ricos, donde la gente tradicionalmente vive de una dieta alta en fibras

---

ADVERTENCIA:

■ Las personas con antecedentes familiares de cáncer colorrectal deben examinarse a partir de los 40 años.

■ Se recomienda un análisis anual de sangre fecal oculta para las personas mayores de 50 años que tengan antecedentes familiares de la enfermedad, además de una sigmoidoscopia (un tipo de colonoscopia) cada 3 a 5 años.

---

que consiste principalmente de cereales, frutas y verduras, el cáncer colorrectal es escaso. Sin embargo, una dieta occidental típica, que tiende a ser rica en carnes y grasas animales y baja en fibras, parece aumentar el riesgo de desarrollar cáncer colorrectal. Se desconoce la manera en que la fibra en la dieta reduce el riesgo de padecer este trastorno. Una posible explicación es que la fibra acorta el tiempo que el material de desecho demora en pasar por los intestinos. Como resultado, las sustancias que potencialmente causan el cáncer (conocidas como carcinógenos) en los alimentos son eliminadas del cuerpo con mayor rapidez. Otros factores del estilo de vida, como el **consumo excesivo de alcohol**, **obesidad** y **falta de ejercicio**, pueden contribuir al desarrollo de este cáncer. Los trastornos inflamatorios que afectan al intestino grueso, como la **colitis ulcerativa**, pueden aumentar este riesgo si son prolongados.

FACTORES GENÉTICOS

Aproximadamente 1 de cada 8 casos de cáncer colorrectal es hereditario. La mayoría es causada por la herencia de un gen anormal. Aquellos que lo poseen tienen más posibilidad de desarrollar un cáncer llamado **cáncer colorrectal no asociado a poliposis hereditario** (CCNPH). Rara vez, el cáncer colorrectal puede ser causado por el trastorno hereditario **poliposis familiar adenomatosa** (PFA), en el que se forman pólipos al interior del intestino grueso, existiendo una posibilidad de 9 en 10 de que uno de los pólipos se vuelva canceroso con el tiempo. Otro gen puede causar una **tríada de cánceres**: de **seno**, **ovarios** y **colon** cuando se traspasa en una familia.

Todos los miembros de dicha familia deben realizarse pruebas regulares para detectar estos tres tipos de cáncer.

¿CUÁLES SON LOS SÍNTOMAS?

Los síntomas pueden variar según la ubicación del tumor e incluyen los siguientes:

● cambios en la frecuencia de las evacuaciones intestinales o en la consistencia general de las deposiciones; **cualquier cambio ocurrido al bordear los 50 años debe ser informado al médico**.

● dolor abdominal.

● sangre en las deposiciones (siempre informe esto a su médico)

● molestia en el recto o una sensación de evacuación incompleta del mismo.

● pérdida del apetito.

Los síntomas del cáncer colorrectal pueden confundirse con los de un trastorno menos serio, como las hemorroides. Si hay una pérdida significativa de sangre del recto, puede ocasionar anemia por insuficiencia de hierro. A medida que el tumor crece, puede terminar causando obstrucción intestinal.

No debe demorar en consultar a su médico si nota un cambio evidente en sus hábitos de evacuación o si hay sangre en sus deposiciones. Si no recibe tratamiento, el cáncer puede expandirse a través del flujo sanguíneo hacia los nódulos linfáticos y a otros órganos.

¿CÓMO SE DIAGNOSTICA?

■ El cáncer colorrectal suele diagnosticarse durante un examen antes de desarrollarse los síntomas.

■ Si tiene síntomas, su médico puede palparle el abdomen para detectar alguna inflamación.

■ También se puede realizar un examen en el cual se inserta un dedo enguantado en el recto, para ver si se detecta un tumor.

Puede tomarse una prueba de sangre para detectar anemia.

Análisis fecales

Se pueden examinar las deposiciones para verificar si hay pequeñas cantidades de sangre que no se ven a simple vista. Esta sangre, conocida como sangre oculta porque no es visible de inmediato, puede indicar un trastorno que causa sangrado del tracto digestivo, como una úlcera péptica, pólipos en el colon o cáncer intestinal. La prueba suele repetirse varias veces durante varios días ya que es posible que la sangre no aparezca en todas las muestras. Si se encuentra sangre en las deposiciones, se pueden realizar otras pruebas para buscar la causa, incluida la endoscopia del tracto digestivo y rayos X de contraste para buscar úlceras o tumores.

El recto se puede examinar visualmente con un instrumento que se inserta por el ano.

El médico puede además ordenar una colonoscopia en la que se usa un instrumento flexible de visualización para examinar el colon completo.

Se puede tomar una biopsia (en la que se toma una pequeña muestra de tejido para examinarlo bajo microscopio) durante el procedimiento.

También puede tomarse rayos X de contraste, en que se utiliza un enema de bario.

para detectar anormalidades del recto o el colon.

Si se detecta un tumor canceroso, es probable que deba realizarse un escáner de tomografía computarizada para saber si el cáncer se ha propagado a los nódulos linfáticos del abdomen o al hígado.

EXPLORACIÓN

El propósito de toda exploración es detectar la enfermedad antes de la aparición de los síntomas, de modo que es un sistema de advertencia oportuno.

Existen varios tipos de exploración para detectar un cáncer intestinal que se están investigando.

Los científicos del Imperial Cancer Research Fund están probando una técnica para detectar pequeños tumores que se pueden eliminar antes de que desarrollen el cáncer.

¿CUÁL ES EL TRATAMIENTO?

El tratamiento del cáncer colorrectal puede incluir cirugía y/o quimioterapia.

CIRUGÍA

La cirugía es el tratamiento principal. Si el cáncer no se ha propagado más allá de las paredes intestinales, no se necesita terapia adicional y por lo general hay una recuperación completa.

Desafortunadamente, es difícil controlar el cáncer una vez que se expande. Existe una búsqueda continua de maneras más eficaces de tratar la enfermedad avanzada y sobre todo, para prevenir que el cáncer se propague.

QUIMIOTERAPIA

Una nueva técnica que consiste en administrar la droga anticáncer **5-fluoracilo** (5-FU) directamente al hígado después de la cirugía puede aumentar la supervivencia frente al cáncer intestinal que se ha propagado y pronto se darán a conocer los resultados de un estudio realizado en toda la nación.

Otra droga, el **irinotecan**, se descubrió para controlar la propagación de este cáncer en aproximadamente el 50 por ciento de los pacientes que no habían respondido al tratamiento convencional con 5-FU o habían recaído después de él.

Pruebas realizadas en Estados Unidos han demostrado que la droga **oxaliplatino** se puede usar como tratamiento principal en casos de cáncer colorrectal avanzado.

Otros resultados sugieren que los pacientes pueden responder mejor al tratamiento tradicional con 5-FU si se administra con oxaliplatino. Puede ser que la combinación de estas drogas sea más eficaz que su uso aislado.

Se están realizando estudios para identificar la mejor dosis y la frecuencia más efectiva para administrar la combinación.

Ver también:
- **Candidiasis pág. 450**
- **Eccema pág. 312**
- **Hemorroides pág. 370**
- **Psoriasis pág. 448**

Prurito anal (puritus ani)

EL PRURITO ANAL, CONOCIDO MÉDICAMENTE COMO PRURITUS ANI, ES UNA CONDICIÓN BASTANTE COMÚN QUE PUEDE OCURRIR, YA SEA DENTRO O, MÁS COMÚNMENTE, ALREDEDOR DEL ANO.

Rara vez se trata de una condición seria, aunque puede ser vergonzosa y difícil de tratar. Puede localizarse alrededor del ano o ser parte de un prurito generalizado. En las mujeres posmenopáusicas, el prurito anal suele estar asociado con prurito alrededor de la vagina (pruritus vulvae). Esta condición puede empeorar en las personas mayores porque la piel está más seca, menos elástica y más propensa a irritarse.

¿CUÁLES SON LAS CAUSAS?

La causa más común de prurito anal es la **candida** (moniliasis) con enrojecimiento y descamación de la piel adyacente. El prurito localizado también puede deberse a una higiene personal deficiente, **hemorroides** o **infestación por oxiuros**.

El prurito generalizado alrededor del área anal puede ser un síntoma de una enfermedad

de la piel como **soriasis** o **eccema** o puede deberse a una **reacción alérgica** a una sustancia determinada, como detergente o jabón. Una vez que la piel se ha engrosado a causa de alergia crónica (neurodermatitis) es muy difícil romper el ciclo prurito-rascarse-prurito.

AUTOAYUDA

Existen varias medidas que puede tomar para aliviar el prurito anal.
- Es importante mantener el área anal limpia lavándola y secándola cuidadosamente (pero no en exceso) después de una evacuación intestinal.
- Evite usar **jabones** que irriten la piel y trate de no **rascarse**, porque empeorará el prurito.
- Un baño o ducha caliente antes de acostarse puede aliviar el prurito nocturno.
- La **ropa interior suelta**, hecha de **fibras naturales,** puede causar menos irritación.

- Una crema de venta sin receta que contenga un **corticosteroide tópico** suave puede brindar alivio.
- Si el prurito persiste por más de 3 días, debe ser evaluado por un médico.
- Su médico puede examinarle el ano y pedirle exámenes para buscar causas que necesiten tratamiento. Por ejemplo, puede ser necesario remover hemorroides severas.

Ver también:
- **Candidiasis p. 450** • **Eccema p. 312**
- **Hemorroides p. 370** • **Psoriasis p. 448**
- **Worms p. 458**

Hemorroides

LAS VENAS DILATADAS AL INTERIOR DEL RECTO O ALREDEDOR DEL ANO SE CONOCEN COMO HEMORROIDES O ALMORRANAS, Y SON MÁS COMUNES DURANTE EL EMBARAZO Y DESPUÉS DE DAR A LUZ. EL SOBREPESO Y UNA DIETA POBRE EN FIBRAS SON FACTORES DE RIESGO.

Las hemorroides son un problema común que afecta a la mitad de las personas alguna vez en sus vidas. En este trastorno, las venas de los tejidos suaves alrededor del ano y dentro de la parte inferior del recto se inflaman. Las inflamaciones alrededor del ano se llaman **hemorroides externas** y las del interior del recto se llaman **hemorroides internas**. Las hemorroides internas que sobresalen del ano se conocen como **hemorroides con prolapso** y pueden ser especialmente dolorosas.
Las hemorroides suelen causar sangrado, prurito y molestia. Estos síntomas por lo general son intermitentes y la condición en sí no es seria. Sin embargo, una sola hemorroides llamada "centinela" puede ser señal de cáncer colorrectal.

¿CUÁLES SON LAS CAUSAS?

■ Las hemorroides suelen ser resultado de **estreñimiento** cuando la persona se esfuerza por evacuar las deposiciones. Este esfuerzo aumenta la presión dentro del abdomen, lo que provoca que los vasos sanguíneos que rodean el recto se dilaten.
■ El sobrepeso también **ejerce presión en los vasos sanguíneos** y aumenta el riesgo de hemorroides.
■ Durante el embarazo, el feto que está creciendo causa el mismo efecto, a menudo provocando hemorroides.

¿CUÁLES SON LOS SÍNTOMAS?

Los síntomas de las hemorroides suelen desarrollarse a continuación del estreñimiento e incluyen:
● sangre fresca en el papel higiénico o en el inodoro después de defecar
● molestias en aumento al defecar
● descarga de mucosidad por el ano, a veces provocando prurito
● protuberancias visibles alrededor del ano
● sensación de defecación incompleta.

Una hemorroide con prolapso puede sobresalir del ano después de defecar y luego puede retraerse o se puede empujar hacia dentro con un dedo. En algunos casos, se puede formar un coágulo de sangre (trombo) dentro de una hemorroide con prolapso, lo que causa fuerte dolor y una protuberancia visible, dolorosa y azul, del tamaño de una uva. Si sufre de sangrado del ano, consulte al médico sin demora, en especial si tiene más de 40 años, pues puede ser signo de un trastorno más serio, como **cáncer colorrectal**.

¿QUÉ SE PUEDE HACER?

■ Su médico probablemente le examine el ano insertándole un dedo enguantado.
■ Si ha habido sangrado que sugiera una enfermedad subyacente seria, el médico puede ordenar una colonoscopia.
■ Las hemorroides pequeñas, por lo general, no necesitan tratamiento.
■ Las hemorroides causadas por el embarazo suelen desaparecer después del nacimiento.
■ Una dieta rica en fibras ayuda a evitar el estreñimiento y los laxantes pueden facilitar la defecación.

■ Corticosteroides tópicos y en supositorio de venta libre pueden reducir la hinchazón y el prurito y los atomizadores anestésicos pueden aliviar el dolor. Si estas medidas no son eficaces en algunos días, debe consultar al médico, quien puede considerar una cirugía.
■ Las hemorroides internas pequeñas pueden ser tratadas con **escleroterapia**, en la que se inyecta una solución en el área afectada que hace que las venas se contraigan.
■ Alternativamente, el médico puede colocar una banda alrededor de la base de una hemorroide interna, lo que causa su contracción y caída.
■ Las hemorroides persistentes, dolorosas y sangrantes se pueden eliminar con tratamiento eléctrico, láser o de calor infrarrojo. También se pueden quitar con cirugía.
■ Las hemorroides pueden volver a aparecer, aunque el tratamiento suele ser exitoso.

> **Ver también:**
> ● **Cáncer colorrectal pág. 368**
> ● **Estreñimiento pág. 363**

Fisura anal

UNA FISURA ANAL ES UN PEQUEÑO DESGARRO EN EL ANO QUE NO SANA PORQUE EL ESFÍNTER (ANILLO MUSCULAR ANAL) SE CONTRAE Y LO MANTIENE ABIERTO. EL PROBLEMA SUELE ORIGINARSE AL DEFECAR DEPOSICIONES SECAS Y DE GRAN TAMAÑO.

Incluyo esta condición porque causa un dolor desproporcionado de acuerdo a su importancia. Las fisuras anales pueden ser tan dolorosas, que quienes las sufren sospechan lo peor y temen padecer de cáncer colorrectal. Una visita al médico puede ser totalmente tranquilizadora, así es que busque ayuda y relájese.

AUTOAYUDA

■ Use agentes que den volumen para suavizar las deposiciones.
■ Mantenga una dieta rica en fibras para superar el estreñimiento.
■ Use una crema anestésica local para aliviar el dolor y contribuir a la curación.

Hernias

UNA HERNIA SUELE SER UNA PROTRUSIÓN DE UNA PARTE DEL INTESTINO A TRAVÉS DE UN MÚSCULO DEBILITADO. LA OBESIDAD Y EL LEVANTAMIENTO DE OBJETOS PESADOS SON FACTORES DE RIESGO. LAS HERNIAS RECIBEN DISTINTOS NOMBRES SEGÚN SU UBICACIÓN.

Las hernias ocurren con más frecuencia en partes del abdomen donde hay debilitamiento de los músculos. Si se aumenta la presión en el abdomen por causas como levantamiento de cargas pesadas, tos persistente o esfuerzo al defecar, los músculos abdominales se estiran en su punto débil. Se puede desarrollar una protuberancia visible, que puede contener tejido adiposo o parte del intestino. Los hombres que realizan trabajos manuales pesados suelen sufrir de hernias.

¿QUÉ TIPOS EXISTEN?

Las hernias se clasifican según el lugar en que se localizan. Algunas son más frecuentes en los hombres y otras en las mujeres.

HERNIA INGUINAL

Este tipo de hernia ocurre cuando una parte del intestino ingresa al canal **inguinal**, que es un punto débil de la pared muscular abdominal. La hernia causa una protuberancia visible en la **ingle** o en el **escroto**. Esta hernia suele afectar a los hombres, aunque a veces afecta a las mujeres.

HERNIA FEMORAL

Este tipo de hernia ocurre en la parte de la ingle donde la vena y la arteria femoral pasan desde el abdomen inferior hacia el muslo. Las mujeres con sobrepeso o que han tenido varios embarazos presentan un mayor riesgo de sufrir estas hernias a raíz de la debilidad de sus músculos abdominales.

HERNIA UMBILICAL

Los bebés pueden nacer con hernia umbilical, la cual se desarrolla detrás del ombligo a causa de una debilidad de la pared abdominal. Las hernias que se desarrollan cerca del ombligo se denominan hernias paraumbilicales y son más comunes en las mujeres con sobrepeso o que han tenido varios embarazos.

OTROS TIPOS DE HERNIA

La hernia **epigástrica** se desarrolla en la línea media entre el ombligo y el esternón y es tres veces más común en los hombres.

La hernia **incisional** se puede desarrollar después de una cirugía **abdominal** si el área alrededor de la cicatriz está debilitada. Los factores de riesgo incluyen sobrepeso y haberse realizado varias operaciones a través de la misma incisión.

¿QUÉ SE PUEDE HACER?

Su médico puede notar una hernia al examinar su abdomen o su ingle. Aun las hernias pequeñas deben ser corregidas, porque si no reciben tratamiento, pueden estrangularse. El tipo de operación depende principalmente del tamaño de la hernia y de su edad y estado de salud general. Algunos procedimientos se hacen con anestesia local y son ambulatorios. Por lo general, las hernias umbilicales de los bebés pueden dejarse sin tratamiento ya que tienden a desaparecer de manera natural al bordear los 5 años.

La cirugía suele ser eficaz. Sin embargo, una hernia puede reaparecer en el mismo lugar o en otro. Después de la cirugía, se le puede aconsejar evitar las actividades extenuantes por algunas semanas. Puede prevenir la reaparición si pierde el exceso de peso, realiza ejercicios suaves y evita el estreñimiento.

Tipos de hernia

HERNIA INGUINAL

HERNIA FEMORAL

HERNIA UMBILICAL

Ver también:
- **Estreñimiento pág. 363**

Riñones y Vejiga

La imagen muestra un urograma por rayos X en color de la orina de una vejiga humana sana

El resumen de Miriam

Uno de los panoramas más notables de la medicina moderna relaciona a los riñones con la insuficiencia renal, la diálisis y el transplante de órganos. Los pacientes que antes no tenían posibilidades de vivir ahora pueden ser salvados.

Es cierto, es un logro de la medicina moderna, pero en una escala mucho más amplia, enfermedades menores conllevan una incomodidad y una vergüenza social no declaradas. Me refiero a la cistitis y a la incontinencia urinaria.

Más de tres millones de mujeres en el Reino Unido sufren de incontinencia, especialmente como resultado de los partos y entre ellas incluso hay mujeres jóvenes, de 30 años.

He recibido cientos de cartas de jóvenes avergonzadas por la incontinencia y angustiadas por la idea de soportar 40 años más esta enfermedad. Pocas mujeres saben que simples ejercicios del piso de la pelvis pueden solucionar la incontinencia, especialmente si se realizan con frecuencia todos los días. Y esto es para mujeres de todas las edades. Las investigaciones muestran que estos ejercicios pélvicos pueden marcar una gran diferencia incluso en mujeres de 80 años.

Pocas mujeres saben que la vejiga necesita estrógeno para mantenerse sana, por ello los síntomas de problemas que aparecen en la menopausia se deben, en gran medida, a la falta

"los ejercicios del piso de la pelvis pueden marcar la *gran diferencia,* incluso en mujeres de *80 años"*

de estrógeno. Pero también reaccionan al estrógeno que se utiliza en forma local (cremas y supositorios colocados dentro de la vagina). Una mujer no tiene que tomar terapias de reemplazo hormonal si no lo desea, sólo para eliminar los síntomas.

AL INTERIOR
de los riñones y la vejiga

Los riñones y la vejiga son los componentes principales del **sistema urinario**, que actúa como **filtro** para la sangre al eliminar y excretar los desechos y el exceso de agua. Además, el sistema urinario regula los niveles de agua del cuerpo y **mantiene los fluidos corporales** en equilibrio. Los riñones también producen hormonas, entre ellas la renina, que es importante en el control de la presión sanguínea. Los riñones reciben sangre de la **aorta**, la arteria principal conectada directamente al corazón. La sangre pasa por unidades de filtración que hay en cada riñón conocidas como **nefronas**, en donde se eliminan los desechos tóxicos y se regula la cantidad de agua que permanece en el cuerpo. La sangre filtrada por los riñones vuelve al corazón mediante la mayor vena del cuerpo, la **vena cava inferior**. La orina, que contiene agua y desechos, viaja a través de unos conductos llamados **uréteres** hacia la **vejiga**, donde se almacena temporalmente hasta que se libera a través de la uretra durante la micción.

el riñón

Corteza

Nefrona

Arteria renal

Vena renal

Uréter

Cálices mayores

Cáliz menor

Cápsula renal

Cada riñón tiene cerca de 1 millón de minúsculas unidades de filtración (nefronas) que eliminan los desechos de la sangre.

el tracto urinario

Los desechos y el exceso de agua pasan por los uréteres desde los riñones a la vejiga, donde se almacenan como orina antes de ser excretados por la uretra.

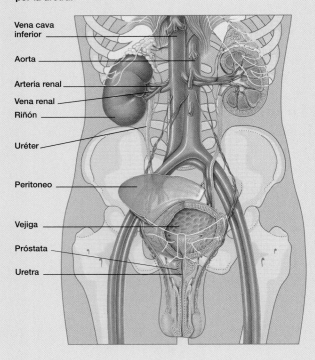

Vena cava inferior

Aorta

Arteria renal

Vena renal

Riñón

Uréter

Peritoneo

Vejiga

Próstata

Uretra

diferencias sexuales

La uretra masculina atraviesa la próstata y mide alrededor de 20 cm (8 pulgadas) de largo. La uretra femenina sólo mide 4 cm (1½ pulgada).

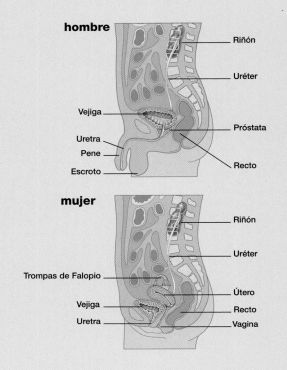

hombre

Riñón

Uréter

Vejiga

Próstata

Uretra

Pene

Recto

Escroto

mujer

Riñón

Uréter

Trompas de Falopio

Útero

Vejiga

Recto

Uretra

Vagina

Incontinencia urinaria, incluida la incontinencia de esfuerzo y la vejiga irritable

AUNQUE ES UNA ENFERMEDAD QUE PADECEN 6 MILLONES DE PERSONAS EN EL REINO UNIDO, EN SU MAYORÍA MUJERES, LA INCONTINENCIA ES UN TEMA PROHIBIDO; NADIE HABLA ACERCA DE ELLA, PERO ES IMPORTANTE ESTAR BIEN INFORMADO PORQUE PUEDE AFECTAR A CUALQUIERA.

Existen diferentes tipos de incontinencia, pero todos corresponden a formas de pérdida involuntaria de orina. Aunque esta enfermedad la sufren en su mayoría mujeres de más edad, la incontinencia puede iniciarse en una etapa temprana; muchas mujeres presentan episodios a partir de los 25 años, especialmente si han tenido hijos.

¿CUÁLES SON LAS CAUSAS?
Existen cuatro causas importantes.
■ Después del embarazo, los tejidos de la pelvis pueden distenderse tanto que se produce un leve prolapso de la pared vaginal. Si incluso una pequeña parte de la uretra o la vejiga es atrapada en el prolapso, lo más probable es que se produzcan los síntomas de la enfermedad, como urgencia, frecuencia y dolor.
■ Después de la menopausia, la ausencia de estrógeno debilita la válvula de salida de la vejiga, que puede comenzar a dejar salir orina.
■ La orina también puede salir cuando la presión dentro del abdomen aumenta al estornudar, toser, hacer fuerza en el momento de la evacuación o al levantar mucho peso. Este tipo se denomina **incontinencia de esfuerzo**.
■ En la menopausia los músculos de la vejiga se vuelven hipersensibles ante **cualquier** presencia de orina en la vejiga, por lo que se contraen en forma espontánea para vaciar la vejiga aunque sólo haya una pequeña cantidad de orina. A esto se le llama **vejiga irritable**.

¿CUÁLES SON LOS SÍNTOMAS?
■ Incapacidad para evitar que la vejiga deje salir orina.
■ La necesidad de orinar constantemente (frecuencia) aunque la vejiga no esté llena.
■ La urgencia (incapacidad de aguantar), aunque la vejiga no esté llena.

¿DEBERÍA VER A UN MÉDICO?
Debe buscar ayuda tan pronto como aparezcan los síntomas. Mientras más pronto se trate la incontinencia, existen menos probabilidades de que sea crónica. Tanto la incontinencia de esfuerzo como la vejiga irritable se pueden tratar con éxito.

¿QUÉ HARÁ EL MÉDICO?
■ El médico deseará tomar una muestra de orina de segundo chorro para comprobar si hay infección, así es que prepárese cuando lo visite. Además, es probable que le solicite un examen de rayos X especial de su vejiga (cistograma).
■ El médico le aconsejará fortalecer los músculos del piso de la pelvis mediante ejercicios especiales (ver el recuadro).
■ Debido a que la obesidad debilita el piso de la pelvis, es posible que se le aconseje bajar de peso.
■ La terapia de reemplazo hormonal tiene un efecto rejuvenecedor casi instantáneo en la vejiga y la uretra. No es necesario tomar píldoras; puede ser suficiente con introducir crema con estrógenos en la vagina cada noche.
■ El prolapso se puede evitar usando un anillo especial de refuerzo durante el día; pregunte si es lo apropiado para usted.
■ Si sufre de prolapso, es probable que el médico le aconseje someterse a una operación para fortalecer los músculos del piso de la pelvis (una especie de **estiramiento pélvico**) denominada colporrafia.
■ Si padece vejiga irritable, el médico puede sugerir un medicamento del tipo relajante muscular para aflojar los músculos de su vejiga.

■ Si esto no funciona, es probable que le aconseje someterse a una cirugía para "insensibilizar" la vejiga al dilatar la uretra.

¿QUÉ PUEDO HACER?
■ Los ejercicios del piso de la pelvis son lo más importante. Todas las mujeres, ya sea que tengan o no los síntomas, deberían realizar dichos ejercicios cada vez que orinan.
■ Un estudio ha demostrado que incluso las mujeres de hasta 80 años pueden beneficiarse con estos ejercicios al practicarlos constantemente. Pasados tres meses ya pueden controlar la vejiga nuevamente y disminuir en forma considerable la orina involuntaria.
■ Ya que son los músculos del piso de la pelvis los que se contraen en el orgasmo, tonificarlos puede aumentar drásticamente las sensaciones vaginales de una mujer durante la relación sexual, lo que transforma el sexo en una experiencia más placentera para ella y su pareja.
■ Trate de no fumar ni consumir café o alcohol.

Ejercicios del piso de la pelvis

■ El primer paso es encontrar el grupo de músculos que forman un 8 alrededor de la vagina, la uretra y el ano. Para hacerlo detenga el chorro varias veces mientras esté orinando.
■ Contraiga los músculos durante 5 segundos, reléjelos por 5 segundos y vuelva a contraerlos. Asegúrese de no estar apretando sólo sus glúteos e intente no contraer los músculos del vientre al mismo tiempo. Tal vez al principio no pueda mantener la tensión durante los 5 segundos, pero puede desarrollar esta capacidad a medida que sus músculos pélvicos se fortalecen.
■ La etapa siguiente es contraer y relajar los músculos 10 veces, lo más rápido posible para que parezca que "palpitan". Seguramente deberá practicar un tiempo para controlar los músculos de esa manera.
■ Luego contraiga los músculos por más tiempo y en forma constante como si tratara de introducir un objeto en su vagina. Mantenga la tensión por 5 segundos.
■ El paso final es empujar, como si estuviera defecando, pero empuje más por la vagina que por el ano. Mantenga la tensión durante 5 segundos.

Gradualmente llegue hasta las 10 contracciones, 20 veces al día o más, en intervalos de varias horas y revise su avance 1 ó 2 veces a la semana mediante la detención del chorro durante la micción. Al cabo de 6 semanas con estos ejercicios detener el chorro de orina debería ser mucho más fácil que al principio.

La característica de los ejercicios del piso de la pelvis es que, una vez dominada la técnica, puede hacerlos en cualquier parte y momento: recostada, parada, viendo televisión ¡e incluso mientras lava o limpia!

Infección renal (pielonefritis)

UNA DE LAS AFECCIONES MÁS COMUNES DE LOS RIÑONES, QUE AFECTA ESPECIALMENTE A LOS ADULTOS JÓVENES Y DE MEDIANA EDAD, ES LA PIELONEFRITIS, LA INFLAMACIÓN DE UNO O AMBOS RIÑONES, POR LO GENERAL PRODUCIDA POR UNA INFECCIÓN BACTERIANA.

La pielonefritis es mucho más común en las mujeres y puede estar relacionada con la actividad sexual. En los adultos, la enfermedad causa un dolor intenso en la espalda, en la zona de los riñones. Por esta razón es posible diagnosticarla y tratarla tempranamente y rara vez conduce a un daño crónico en el riñón. Sin embargo, en los niños los síntomas de la pielonefritis pueden no ser tan claros. Experimentan síntomas vagos, como dolor de cabeza y sentirse enfermo, por lo que la enfermedad puede pasar inadvertida y causar graves afecciones renales, lo que puede provocar una insuficiencia renal en el futuro.

¿CUÁLES SON LAS CAUSAS?

Puede existir una **anormalidad anatómica** menor que predisponga a la infección y que siempre se debería descartar mediante exámenes radiológicos especiales a los riñones. La pielonefritis puede ser causada por bacterias que ingresan al tracto urinario por la uretra (el conducto que existe desde la vejiga hasta el exterior). Por lo general las bacterias se desplazan a partir de una infección en la vejiga. Las infecciones urinarias y por ende la pielonefritis, son mucho más comunes en las mujeres ya que la uretra femenina es más corta

que la masculina y su abertura está más cerca del ano, por lo que existe poca distancia para que las bacterias se desplacen hasta los riñones. Las bacterias de la zona del ano pueden ingresar a la uretra durante la relación sexual o si la zona se limpia desde atrás hacia delante después de la defecación. Las personas con **diabetes mellitus** son más propensas a contraer infecciones urinarias, en parte debido a que la glucosa de la orina puede estimular el crecimiento bacteriano.

En ambos sexos es más probable que se desencadene una pielonefritis si existe una **obstrucción física** en algún lugar del tracto urinario que impida el paso normal de la orina. Las bacterias que ya han contaminado la orina no son expulsadas como sucedería por lo general y se multiplican en la orina estancada. Una obstrucción puede ser el resultado de la presión en tramos del tracto urinario, como la **expansión del útero en las mujeres embarazadas** o un **crecimiento de la próstata** en los hombres. El flujo normal de orina también puede ser obstruido por **tumores en la vejiga** o **cálculos renales**. Los cálculos renales sirven como refugio para las bacterias y por ende producen las condiciones para una infección en el tracto urinario. Todas estas afecciones pueden traducirse en episodios recurrentes de pielonefritis.

Las bacterias también pueden ingresar a la vejiga mediante un **catéter vesical**, un procedimiento en el que se pasa una sonda por la uretra hasta llegar a la vejiga para drenar la orina que la vejiga no puede eliminar. Algunas bacterias son transportadas a los riñones por la corriente sanguínea desde infecciones en otra parte del cuerpo.

¿CUÁLES SON LOS SÍNTOMAS?

Los síntomas de la pielonefritis pueden aparecer en forma repentina, por lo general, en un lapso de pocas horas:
- dolor intenso que comienza en la espalda, un poco más arriba de la cintura y que se traslada al costado y a la ingle
- fiebre superior a los 38 ˚C (100,4 ˚F) con escalofríos y dolor de cabeza
- micción frecuente y dolorosa
- orina turbia y sanguinolenta
- orina pestilente
- náuseas y vómitos.

Si presenta alguno de estos síntomas, consulte a su médico de inmediato.

¿CÓMO SE DIAGNOSTICA?

■ Si su médico cree que es pielonefritis, seguramente examinará una muestra de su

orina (ver recuadro, izquierda) para averiguar si contiene bacterias. Si hubiera pruebas de infección, la muestra de orina se somete a un análisis en un laboratorio para determinar qué bacteria es la responsable.
■ Mayores investigaciones pueden incluir un examen de sangre para evaluar el funcionamiento de los riñones. También se pueden efectuar exámenes por imágenes, como un **ultrasonido**, **escáner CT** o un examen radiológico de contraste conocido como **urografía intravenosa** para descubrir una obstrucción y señales de insuficiencia renal o cálculos renales.

¿CUÁL ES EL TRATAMIENTO?

■ Generalmente la pielonefritis se trata con **antibióticos orales** y los síntomas disminuyen en 2 días de tratamiento, pero se DEBE tomar el tratamiento completo para evitar una resistencia bacteriana.
■ Al finalizar el tratamiento antibiótico, se pueden efectuar más análisis de orina para confirmar que la infección haya desaparecido por completo. Sin embargo, si aún tiene vómitos o dolor o se encuentra gravemente enfermo, puede ser hospitalizado y se le tratará con **líquidos intravenosos** y **antibióticos**.
■ Si experimenta constantes cuadros de pielonefritis es aconsejable que tome antibióticos de bajas dosis durante un período de 6 meses a 2 años para disminuir la frecuencia de los ataques. Si presenta una enfermedad solapada, como los cálculos renales, también puede necesitar tratamiento.

¿CUÁL ES EL PRONÓSTICO?

En la mayoría de los casos, el tratamiento precoz de la pielonefritis es eficaz y la enfermedad no causa daños permanentes en los riñones. Sin embargo, en casos excepcionales, los cuadros frecuentes de pielonefritis pueden dejar cicatrices en los riñones y producir un daño irreparable.

EXAMEN

Examen de orina

Las sustancias que por lo general se examinan en un análisis de orina son la glucosa, las proteínas, el calcio, la creatinina y ciertas hormonas. Además, una muestra de orina puede revelar la presencia de células de la sangre, bacterias u otras sustancias que señalan problemas ocultos.

Ver también:
- **Tumores de la vejiga pág. 380**
- **TC pág. 401**
- **Diabetes mellitus pág. 504**
- **Cálculos renales pág. 377**
- **Problemas de la próstata pág. 266**
- **Escáner por ultrasonido pág. 277**

Glomerulonefritis

EL RIÑÓN TIENE MUCHAS UNIDADES PEQUEÑAS DE FILTRACIÓN, LOS GLOMÉRULOS, QUE CASI NUNCA SE INFLAMAN; LA ENFERMEDAD PRODUCTO DE DICHA INFLAMACIÓN ES LA GLOMERULONEFRITIS Y PUEDE APARECER EN FORMA REPENTINA (AGUDA) O DESARROLLARSE PROGRESIVAMENTE EN EL TIEMPO (CRÓNICA).

Un cuadro agudo de glomerulonefritis por lo general es seguido por una completa recuperación. Sin embargo, en los casos graves el daño causado a los glomérulos puede ser permanente. La glomerulonefritis es una enfermedad grave y se debe tratar en un hospital bajo la supervisión de un especialista (nefrólogo).

¿CUÁLES SON LAS CAUSAS?
La glomerulonefritis aguda puede deberse a una complicación de ciertas enfermedades infecciosas. Los anticuerpos producidos por el sistema inmunológico, para combatir las infecciones, pueden atacar los glomérulos de los riñones, ocasionando una inflamación y daños. La causa más común, especialmente en los niños, es una infección a la garganta producida por la bacteria estreptococo. La glomerulonefritis crónica puede manifestarse como parte de una **enfermedad autoinmune** como el lupus.

¿CUÁLES SON LOS SÍNTOMAS?
■ Dolor de garganta.
■ Fiebre y fatiga.
■ Dolor de espalda y de cabeza.
■ Poca orina o nada.
■ Orina espumosa y turbia.
■ Sangre en la orina.
■ Cara hinchada y bolsas en los ojos por la mañana.
■ Pies y piernas hinchados por la tarde.
■ Falta de apetito.
■ Náuseas y vómitos.

¿CUÁL ES EL TRATAMIENTO?
■ Si se trata de una infección bacteriana, se prescriben antibióticos y, algunas veces, corticosteroides.
■ Si la glomerulonefritis se debe a una enfermedad autoinmune, por lo general, se trata con inmunosupresores y corticosteroides.
■ Si la presión sanguínea aumenta, se trata al mismo tiempo con fármacos antihipertensores. En el caso de glomerulonefritis crónica se recomienda una dieta baja en sal con ingesta reducida de líquidos para evitar la retención de agua en los tejidos.

¿CUÁL ES EL PRONÓSTICO?
En la mayoría de los casos, los síntomas de la glomerulonefritis aguda desaparecen después de 6 a 8 semanas. En algunas personas las funciones del riñón se ven afectadas, pero no siguen deteriorándose. Sin embargo, otras personas pueden desarrollar una insuficiencia renal crónica con la pérdida irreparable de las funciones renales que puede ser fatal si no se trata a tiempo.

Cálculos renales

GENERALMENTE, LOS DESECHOS PROVENIENTES DE LOS PROCESOS QUÍMICOS DEL CUERPO SALEN DE LOS RIÑONES A TRAVÉS DE LA ORINA. SIN EMBARGO, A VECES LA ORINA SE SATURA CON LOS DESECHOS.

Los desechos pueden cristalizarse hasta formar verdaderas piedras de diversos tamaños dentro de los riñones: son los cálculos renales. La escasez de las sustancias químicas que evitan la formación de cristales puede traducirse en cálculos renales que, por lo general, comienzan como una fina arenilla y pasan años antes de que tengan un tamaño que cause problemas.

¿CUÁLES SON LAS CAUSAS?
■ La causa más común es la **ingesta de líquidos inadecuada** y prolongada. Las personas que viven en climas cálidos son susceptibles de formar cálculos si no beben lo suficiente para reemplazar el líquido perdido por la sudoración.
■ Existen diferentes tipos de cálculos, según la clase de desechos que se cristalizan; la mayoría están formados de **sales de calcio**.
■ Los cálculos renales también pueden producirse por una **infección del tracto urinario de larga duración**. En estos casos, los cálculos pueden crecer hasta tener forma de **cornamenta**, ocupando la cavidad central del riñón.
■ **Enfermedades metabólicas** poco comunes pueden complicarse por los cálculos renales.

¿CUÁLES SON LOS SÍNTOMAS?
Los cálculos muy pequeños no se detectan en la orina. Los cálculos más grandes o fragmentos pequeños de éstos que pasan por los **uréteres** (conductos que van desde el riñón

a la vejiga) pueden ocasionar espasmos muy dolorosos en las paredes de los uréteres denominados **cólicos renales**. Los síntomas aparecen repentinamente y son los siguientes:
● dolores insoportables que comienzan en la espalda y se extienden al abdomen y la ingle, e incluso pueden afectar los genitales
● micción frecuente y dolorosa
● náuseas y vómitos
● sangre en la orina.
Si se elimina un cálculo por la orina el dolor disminuye con rapidez.

¿CUÁL ES EL TRATAMIENTO?
■ Si los cálculos son pequeños y permanecen en el riñón, es aconsejable que descanse, consuma analgésicos para evitar las molestias y beba mucho líquido para poder expulsar los cálculos a través de la orina.
■ En algunos casos, los cálculos que se alojan en la parte inferior del uréter pueden eliminarse por la vejiga. En este procedimiento se introduce un tubo en la vejiga y el uréter. Posteriormente se introducen los instrumentos por el tubo para triturar o extraer el cálculo.
■ El tratamiento que se realiza con más frecuencia es la **litotricia**, en el cual se utilizan ondas de choque para pulverizar los cálculos y se puedan eliminar en la orina.
■ Se debe tratar la causa subyacente para evitar la reaparición de los cálculos.

AUTOAYUDA

Prevenir los cálculos renales

Si tiene cálculos renales, las siguientes precauciones en la dieta pueden evitar su reaparición:
● beba al menos 3 litros (6 pintas) de líquido diariamente para evitar la deshidratación
● beba líquidos antes de dormir para asegurarse de que la producción de orina continúe durante la noche
● beba más líquido cuando haga calor, después de ejercicios agotadores o si tiene fiebre
● para evitar los cálculos de calcio, consuma menos productos lácteos y evite los antiácidos basados en calcio. Si vive en una zona de agua dura, use un suavizante de agua en el agua potable
● para evitar los cálculos de oxalato (formados por oxalato de calcio) no consuma ruibarbo, espinacas ni espárragos, que contienen ácido oxálico.

Ver también:
● Cistoscopia pág. 380

ENFOQUE *en* cistitis

La cistitis es una enfermedad muy común, molesta e incómoda y produce una micción constante y dolorosa como resultado de la inflamación de la vejiga. Es poco frecuente en los hombres y en las mujeres se debe, por lo general, a una infección o herida producida por una relación sexual enérgica o prolongada.

La mayoría de las mujeres ha experimentado un cuadro de cistitis en algún momento de sus vidas, pero por lo general no compromete la salud.

¿CUÁLES SON LAS CAUSAS?

● La bacteria que más causa la cistitis es la *E. coli*, que habita inocuamente en el intestino y en la piel alrededor del ano. Sólo produce infecciones cuando se extiende por la uretra a la vejiga. Las mujeres son más propensas a la cistitis que los hombres debido a que la uretra femenina es más corta que la masculina, por lo que las bacterias recorren una distancia menor desde la piel.

● Otros organismos que producen **enfermedades de transmisión sexual**, como el **herpes** o las **tricomonas**, también pueden ocasionar cistitis.

● La cistitis conocida como **cistitis de luna de miel** no es exclusiva de parejas en dicha etapa. Es ocasionada por relaciones sexuales enérgicas y de frecuencia inusual, lo que puede provocar heridas en la uretra, especialmente si el hombre está encima de la mujer.

● Algunas veces, la cistitis se puede producir por el uso de **antisépticos** en el agua para bañarse o por el uso desmedido de **desodorantes** o **duchas vaginales,** ya que afectan la flora bacteriana protectora que se encuentra dentro o alrededor de la vagina.

● En la mujer, con la edad y la llegada de la menopausia la escasez de estrógeno provoca un adelgazamiento de todos los órganos genitales, incluidas la vejiga y la uretra, lo que puede producir una **cistitis menopáusica**.

● Algunas veces la cistitis puede ser un efecto secundario de un tratamiento contra el cáncer. La radioterapia, en especial si se trata de cáncer del cuello uterino o de la próstata, puede producir cistitis y la quimioterapia tiene el mismo efecto debido a que las fuertes drogas son expulsadas por la orina.

● Los diabéticos por lo general sufren de cistitis debido a que la alta concentración de azúcar en la orina favorece la multiplicación de bacterias. Las personas con una capacidad inmune reducida, como personas con enfermedades **autoinmunes** o infección por VIH, también tienen un riesgo mayor de presentar la enfermedad.

¿CUÁLES SON LOS SÍNTOMAS?

● La necesidad frecuente y urgente de orinar, aunque sólo sean cantidades pequeñas cada vez.

● Una sensación de ardor o picazón al orinar.

● Dolores intensos y punzantes al término de la micción.

● La aparición de sangre en la orina, que puede ser de color rosado, rojo o con matices.

Elementos desencadenantes de la cistitis

● En una mujer propensa, no beber bastante agua puede ser suficiente para causar cistitis.

● Las relaciones sexuales en cualquier momento (no cada vez) y por la misma razón, es decir, trauma mecánico, cabalgar o andar en bicicleta durante mucho tiempo puede provocar un caso de cistitis.

● Los jabones perfumados, las espumas o aceites de baño, el talco y los desodorantes vaginales pueden irritar la delicada piel alrededor de la vagina y la uretra y actuar como un detonante.

● Determinados alimentos y bebidas como el té cargado, el café, el alcohol, jugos de fruta o comidas muy condimentadas pueden ocasionar cuadros de cistitis o empeorarlos.

● Retener la orina mucho tiempo, o usar pantalones, medias o ropa interior muy ajustados y de fibras sintéticas, lo que produce un ambiente cálido y húmedo ideal para los gérmenes, también son elementos que pueden originar este mal.

● Dolores intensos e invalidantes, por lo general en el abdomen, pero también se desplaza hacia los costados y la espalda o incluso por los muslos.

● Dolores y la necesidad de levantarse varias veces en la noche para orinar, aunque no haya mucho líquido en su vejiga.

● Fiebre y escalofríos.

¿QUÉ PUEDO HACER?

Si la lista de medidas de autoayuda que se muestran no le alivian, consulte a su médico con prontitud:

● Beba grandes cantidades de líquido apenas se produzca la primera señal. Es importante mantener un flujo rápido de orina para vaciar la vejiga, por lo que trate de beber al menos un vaso de agua cada **media hora**.

● Beba jugo de arándano porque es un antiséptico urinario.

● Alcalinice su orina, tome leche y agregue bicarbonato de soda en sus bebidas, ya que esto disminuye considerablemente los dolores de la vejiga.

● Beba tanto líquido como pueda, sin mucho sabor ni ácidos (agua, leche o té no muy cargado). Trate de beber unos 3 litros al día durante 48 horas.

● Evite el alcohol, el café, el té cargado o los jugos de fruta, ya que pueden empeorar su situación.

● Orine cada vez que tenga la necesidad. De este modo producirá un efecto de eliminación constante que ayuda a sus defensas naturales.

● Para aliviar el dolor tome tabletas de paracetamol cada 4 horas. No tome nada que tenga aspirina ya que acidifica la orina.

● Mantenga una temperatura cálida. Un calentador de cama o una bolsa de agua caliente en el abdomen puede ser muy reconfortante.

● Evite los jabones perfumados, desodorantes y baños de burbujas ya que pueden producir más irritación.

¿QUÉ HARÁ EL MÉDICO?

● Su médico le tomará una muestra de orina para confirmar la infección.

● Después de tomar la muestra, el médico le recetará un tratamiento con antibióticos, por lo general derivados de la penicilina. Es fundamental que complete el tratamiento, aunque los síntomas desaparezcan en 24 horas o, de otro modo, los organismos pueden volverse resistentes a los antibióticos y la cistitis puede transformarse en crónica.

● Si la cistitis no responde al tratamiento, su médico puede recomendarle un análisis completo en un hospital para determinar si

existe alguna causa interna que predisponga a la enfermedad.

● Si los exámenes no muestran rastros de bacterias ni de otra causa, es posible que padezca de "vejiga irritable", en la cual influyen factores emocionales.

CISTITIS Y EMBARAZO

● La cistitis es bastante común durante el embarazo, especialmente en los primeros meses, cuando la uretra se relaja debido a la influencia de la progesterona, y las infecciones se pueden propagar con mayor facilidad.

● Más adelante, la presión que ejerce la expansión del útero puede provocar la permanencia de una pequeña cantidad de orina en la vejiga, lo que estimula la multiplicación de las bacterias, produciendo una cistitis.

Beber mucho líquido, ingerir tabletas con paracetamol y aplicar calor en el abdomen puede ayudar a aliviar los síntomas de la cistitis.

Cómo mantenerse saludable

● Beba siempre mucha agua.

● Tenga jugo de arándano en el refrigerador en todo momento y bébalo al primer signo de cistitis.

● Cuando aparezca el primer síntoma, aumente la ingesta de agua y alcalinice su orina agregando un poco de bicarbonato de soda a sus bebidas (no haga esto por mucho tiempo; podría tener efectos secundarios desagradables, como los gases).

● **Nunca** permita que su cuerpo se deshidrate; siempre tenga agua a su alcance.

● Si tiene relaciones sexuales con frecuencia, beba mucho líquido para mantener un flujo de orina. Antes de un encuentro sexual orine y beba jugo de arándano antes y después.

● Si cree que el uso del diafragma es una causa de la enfermedad, solicite a su médico otra forma de anticoncepción.

● Use tampones en vez de toallas higiénicas, ya que es menos probable que permitan el desarrollo de bacterias. Sin embargo, algunas mujeres sienten que los tampones irritan más la vejiga.

● Recuerde limpiarse de adelante hacia atrás después de defecar para evitar que las bacterias lleguen a la uretra.

● **No** se obsesione con la higiene genital. No obstante, usar un bidé después de defecar es una buena idea para evitar la contaminación de la vagina y la uretra con los desechos del recto.

● **No** utilice antisépticos en el agua para bañarse y tampoco recurra a duchas ni desodorantes vaginales.

● Use ropa interior de algodón o ropa de cama de la misma fibra.

● Evite la ropa ajustada, en especial si está hecha de materiales sintéticos. Las medias y ropa interior de algodón son mejores que las sintéticas.

● Lleve un registro para que anote cualquier causa posible, como el alcohol o la comida condimentada, y evítelos cuando pueda.

Si es una persona propensa a la cistitis, ésta formará parte de su vida y por ello debe aprender a controlarla.

Tumores vesicales

LOS TUMORES QUE EXISTAN EN LA VEJIGA PUEDEN SER NO CANCEROSOS (BENIGNOS) O CANCEROSOS (MALIGNOS), PERO AMBAS CLASES OCASIONAN LA PRESENCIA DE SANGRE EN LA ORINA, HECHO QUE SIEMPRE DEBE INFORMAR A SU MÉDICO.

Para su médico es imposible determinar sólo a partir de la presencia de sangre en la orina si la causa es algo sin mucha importancia o más grave. Un tumor es una posibilidad que él deseará descartar. Para ello se ordenan exámenes, incluidos el ultrasonido y la urografía intravenosa (UIV) y el especialista podrá realizar una **cistoscopia** (ver recuadro, abajo) para mirar directamente en el interior de su vejiga.

El tratamiento para tumores menores, por lo general, se puede realizar durante la cistoscopia, aunque también se puede recurrir a la cirugía, quimioterapia y radioterapia para los casos más graves. Los tumores cancerosos leves que se diagnostican con prontitud tienen un gran porcentaje de cura.

EXAMEN

Cistoscopia

Durante este examen se inserta un tubo iluminado y delgado, conocido como cistoscopio, en la uretra y luego llega a la vejiga con el fin de buscar tumores y otras anormalidades. El cistoscopio puede ser rígido o flexible y es posible introducir ciertos instrumentos para tomar muestras de tejido y destruir o retirar tumores y cálculos. La cistoscopia se puede efectuar con anestesia local o general.

> **Ver también:**
> • **Quimioterapia pág. 257**
> • **Radioterapia pág. 395**
> • **Escáner por ultrasonido pág. 277**

Insuficiencia renal aguda, crónica y terminal

ENFERMEDAD EN QUE AMBOS RIÑONES DEJAN DE FUNCIONAR. POR LO GENERAL, SE CONOCE COMO INSUFICIENCIA RENAL. PUEDE SER REPENTINA (AGUDA) O GRADUAL Y PROGRESIVA (CRÓNICA).

La insuficiencia renal crónica puede generar la pérdida irreparable de las funciones renales (insuficiencia renal terminal), lo que pone en riesgo la vida si no se trata.

INSUFICIENCIA RENAL AGUDA
■ Los riñones dejarán de funcionar correctamente si la irrigación sanguínea disminuye mucho y en forma repentina. Esto puede suceder en un shock quirúrgico, como una infección grave, un ataque cardíaco o después de una hemorragia grave, cuando existe una caída brusca de la presión sanguínea.

La insuficiencia renal puede producirse por el daño causado por una glomerulonefritis, pielonefritis, sustancias tóxicas o drogas.

¿CUÁLES SON LOS SÍNTOMAS?
Los síntomas de una insuficiencia renal aguda pueden aparecer rápidamente, a veces en unas horas y puede incluir lo siguiente:

TRATAMIENTO

Cirugía de transplante

En la actualidad se pueden transplantar muchos órganos y tejidos. Los transplantes de riñón ya son comunes y los de hígado, corazón, pulmones, córneas y médula se realizan constantemente. Los transplantes de intestinos y páncreas se efectúan con menos frecuencia. Se puede transplantar más de un órgano a la vez, como en el caso de los transplantes de corazón y pulmones.

Los transplantes se realizan sólo cuando los tipos de tejido y los grupos sanguíneos del donante y el receptor son similares. Esto es necesario porque el sistema inmunológico del receptor atacará cualquier órgano que considere "extraño", proceso llamado rechazo. La mayoría de los órganos proviene de donantes que han sido declarados muertos recientemente y que no tienen relación con el receptor. Sin embargo, la médula y los riñones se pueden extraer de donantes vivos sin afectar su salud. La médula siempre se obtiene de un donante vivo. Cuando la médula o un riñón son donados por un pariente cercano, por lo general un hermano, es muy improbable que el cuerpo receptor rechace el transplante, ya que los tipos de tejido pueden coincidir con mayor exactitud.

La mayoría de las cirugías de transplante requiere anestesia general. En un transplante, el órgano que se utilizará se retira del donante y se congela en una solución salina hasta que se transporta al quirófano. Esta medida prolonga el tiempo en que el órgano puede dejar de recibir sangre, sin afectarlo, a unas horas. En la mayoría de los casos, el órgano enfermo se reemplaza por el órgano del donante. No obstante, en los transplantes de riñón el órgano defectuoso se puede dejar en su lugar y el nuevo riñón se coloca en la pelvis, donde se conecta con los vasos sanguíneos correspondientes.

Después de un transplante, puede pasar varios días en una unidad de cuidados intensivos. En todos los transplantes, excepto los de córnea, necesitará inmunosupresores por un tiempo para evitar que su sistema inmunológico rechace el nuevo órgano o tejido. Si el transplante ha sido un éxito, debería poder dejar el hospital después de algunas semanas. El tiempo de recuperación de un injerto de córnea es menor y, por lo general, puede regresar a su casa después de algunos días.

- disminución considerable del volumen de orina
- náuseas y vómitos
- somnolencia y dolor de cabeza
- dolor de espalda.

Si presenta estos síntomas, debería llamar a su médico de inmediato. Sin tratamiento, la insuficiencia renal aguda puede ser fatal en pocos días.

¿CUÁL ES EL TRATAMIENTO?
Si tiene una insuficiencia renal aguda, deberá hospitalizarse de inmediato. Seguramente deberá permanecer en una unidad de cuidados intensivos.

■ Es probable que deba someterse a **diálisis** por un tiempo para que el exceso de líquido y desechos pueda ser eliminado del torrente sanguíneo y los médicos investiguen la causa de la insuficiencia.

■ Si ha perdido una gran cantidad de sangre, necesitará una **transfusión de sangre** para recuperar su volumen sanguíneo normal.

■ Se tratará cualquier causa menos evidente.

■ Finalmente, si existe una obstrucción en alguna sección del tracto urinario, es posible que necesite cirugía para eliminar dicha obstrucción.

¿CUÁL ES EL PRONÓSTICO?
Si sus riñones no han sufrido un daño irreparable, existen grandes posibilidades de que se recupere por completo, lo que puede demorar hasta 6 semanas. Sin embargo, en algunos casos el daño producido por la insuficiencia renal aguda no es reparable y puede desarrollarse una **insuficiencia renal crónica**.

INSUFICIENCIA RENAL CRÓNICA
Esta enfermedad es una pérdida gradual y progresiva de la función de ambos riñones que finalmente se traducirá en la imposibilidad de eliminar el exceso de agua y los desechos de la sangre por la excreción y la micción. Debido a esto, las sustancias de desecho se empiezan a acumular en el cuerpo y ocasionan problemas. En muchos casos la función de los riñones disminuye en más del 60 por ciento antes de que comience la acumulación. A estas alturas, por lo general después de meses o incluso años, los riñones pueden estar dañados en forma irreversible y la diálisis o un transplante se transforman en necesidad.

¿CUÁLES SON LOS SÍNTOMAS?
Los síntomas iniciales de la insuficiencia renal crónica aparecen en forma gradual durante varias semanas o meses y no son claros (debilidad y pérdida del apetito). Los primeros síntomas evidentes de la enfermedad son los siguientes:
- micción frecuente, en especial durante la noche
- piel pálida, que se lastima con facilidad y comezón
- fatiga
- hipo persistente

TRATAMIENTO

Diálisis

La diálisis se utiliza para tratar las insuficiencias renales mediante la sustitución de las funciones de los riñones de expulsión de desechos y exceso de agua de la sangre. Puede ser temporal, como en la insuficiencia renal aguda, o crónica, como en la insuficiencia renal terminal. Existen 2 formas de diálisis: la **diálisis peritoneal**, donde se utiliza como filtro la membrana peritoneal, y la **hemodiálisis**, en la cual una máquina filtra la sangre.

Diálisis peritoneal
Este tipo de diálisis utiliza el peritoneo, la membrana que envuelve los órganos de la cavidad abdominal en reemplazo de los riñones para filtrar la sangre. Se realiza un procedimiento llamado **intercambio** 4 veces al día, en el hogar. Durante un intercambio, el líquido de diálisis que se introdujo en el abdomen 4 a 6 horas antes se drena del peritoneo mediante un catéter a través de la pared abdominal. El líquido se reemplaza con una solución nueva, se desconecta el equipo y usted puede realizar sus actividades normalmente.

Hemodiálisis
En la hemodiálisis, la sangre es bombeada al exterior del cuerpo por una máquina mediante un filtro colocado en el costado de ésta. Dentro del filtro, la sangre circula por un lado de la membrana y el líquido dializado por el otro. Los desechos y el agua salen de la sangre por la membrana y llegan al líquido; finalmente, la sangre filtrada vuelve al cuerpo.

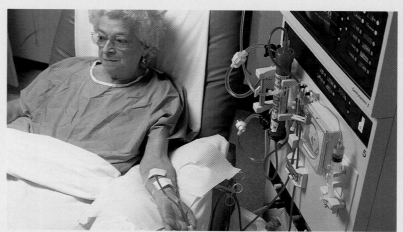

En la hemodiálisis, una máquina filtra la sangre en vez del riñón. El proceso demora de 3 a 4 horas y se debe repetir aproximadamente 3 veces por semana.

- náuseas y vómitos
- temblores musculares
- punzadas
- calambres en las piernas.

La insuficiencia renal crónica puede acarrear una serie de complicaciones, como la **presión alta** (que también puede ser una causa de la enfermedad), **adelgazamiento y fragilidad de los huesos** (osteoporosis) y **anemia**, que es la menor capacidad de la sangre para transportar oxígeno.

Si esta enfermedad progresa hasta llegar a una **insuficiencia renal terminal**, con la permanente y casi total pérdida de las funciones renales, necesitará un tratamiento de **diálisis crónica** (ver recuadro, arriba) o un **transplante de riñón** (ver recuadro, página anterior).

INSUFICIENCIA RENAL TERMINAL
Esta enfermedad es la pérdida irreparable de la función de ambos riñones que, por lo general, pone en riesgo la vida.

¿CUÁLES SON LOS SÍNTOMAS?
Los síntomas principales de la enfermedad, por lo general, son:
- volumen de orina muy reducido
- hinchazón en la cara, extremidades y abdomen
- letargo serio
- pérdida de peso
- dolor de cabeza y vómitos
- lengua traposa
- mucha picazón en la piel.

Muchas personas que presentan insuficiencia renal terminal también tienen aliento con olor a amoníaco.

¿CUÁL ES EL TRATAMIENTO?
Es necesaria una diálisis renal crónica o un transplante de riñón.

> **Ver también:**
> - **Glomerulonefritis pág. 377**
> - **Infección renal pág. 376**

Tórax y Vías Respiratorias

La imagen muestra una angiografía en color de un pulmón humano normal

El resumen de Miriam

El desarrollo más significativo en esta área es el aumento del asma, que algunas personas más alarmistas comparan con una epidemia. Personalmente, no creo que la situación sea tan sombría, pero lo cierto es que cada vez hay más personas de todas las edades que desarrollan asma.

Cada caso se produce por distintas razones. En los niños, el asma es cada vez más común debido a que somos demasiado limpios. Sí, nuestra moderna obsesión con todos los productos antibacterianos es la principal causa del aumento del asma en los niños. Contamos con muchas investigaciones que apoyan esta conclusión. Sabemos, por ejemplo, que es muy difícil que los niños que viven en las granjas y están expuestos a millones de gérmenes todos los días sufran de asma. Mientras, aquellos que son criados en hogares en que todo se limpia con productos que contienen productos químicos antibacterianos son propensos al asma.

> "si no hay exposición a un conjunto de ***gérmenes domésticos,*** el sistema inmunológico se vuelve ***débil e ineficaz***"

La razón es que el sistema inmunológico en desarrollo de los niños necesita entrar en contacto con las bacterias para volverse fuerte y capaz. Si no hay exposición a un conjunto de gérmenes domésticos, el sistema inmunológico se vuelve débil e ineficaz y sucumbe ante el asma.

Recientemente, también hemos descubierto que el asma no es provocada por la contaminación del aire. La contaminación no constituye la raíz de la enfermedad, pero hace que ésta empeore. De hecho, el asma está aumentando con mayor rapidez en las áreas menos contaminadas.

En el caso de los adultos, el asma es consecuencia del tabaquismo. La mayor parte de las personas que han fumado toda una vida sufren de daños pulmonares. Fumar durante años produce una bronquitis crónica que puede terminar como una enfermedad pulmonar obstructiva crónica (EPOC), uno de cuyos componentes es el asma.

El tratamiento del asma se ha visto revolucionado con los conceptos de medicamentos "de control" y "de alivio". Los dos tipos de medicamentos para el asma se utilizan en formas diferentes. Los medicamentos "de control" se toman todos los días, incluso con un excelente estado de salud, para prevenir los ataques de asma y, por lo general, permiten que el niño lleve una vida normal, haga deportes y practique natación.

Los medicamentos "de alivio" siempre están a mano, normalmente en forma de inhalador que debe utilizarse en caso de una crisis. Con ambos tipos de medicamentos, la mayoría de los niños pierde el miedo a esta enfermedad y se la toma con calma, lo que resulta esencial para el control exitoso de ella.

Dada la importancia del asma, en este capítulo encontrará un artículo sobre esta enfermedad, así como también un "Enfoque" sobre el asma en el capítulo sobre las alergias y el sistema inmunológico.

AL INTERIOR
del tórax y las vías respiratorias

La función de los pulmones es suministrar oxígeno a la sangre y eliminar el dióxido de carbono residual de éste. Este intercambio vital de oxígeno y dióxido de carbono entre el aire y la sangre se conoce como **respiración**. El aire ingresa al cuerpo y es guiado a través del sistema respiratorio, que está compuesto por la **boca**, la **nariz**, la **garganta** (faringe), la **caja de voz** (laringe), la **tráquea**, los **bronquios** y los **pulmones** mismos. El sistema circulatorio, que está formado por el corazón y los vasos sanguíneos, es el encargado de transportar la sangre oxigenada a los tejidos del cuerpo y llevar la sangre sin oxígeno de vuelta a los pulmones.

La nariz entibia y humecta el aire inhalado antes de pasar a los pulmones, donde el oxígeno del aire pasa a la sangre a través de los vasos sanguíneos. En este punto, el oxígeno se une a la hemoglobina en los glóbulos rojos y viaja en la sangre de vuelta al corazón, el cual bombea la sangre oxigenada alrededor del cuerpo. Al mismo tiempo, los pulmones eliminan el dióxido de carbono de la parte líquida de la sangre, conocida como plasma, y la exhalan.

el sistema respiratorio

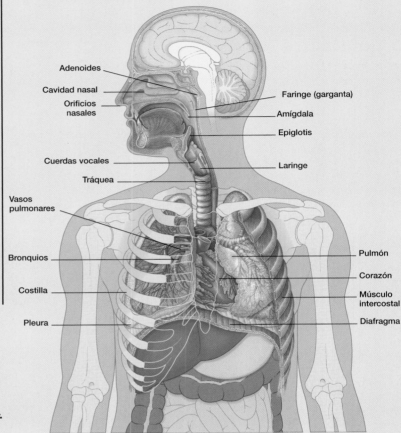

- Adenoides
- Cavidad nasal
- Orificios nasales
- Faringe (garganta)
- Amígdala
- Epiglotis
- Cuerdas vocales
- Laringe
- Tráquea
- Vasos pulmonares
- Bronquios
- Pulmón
- Corazón
- Costilla
- Músculo intercostal
- Pleura
- Diafragma

cómo funciona la respiración

La presión del aire que disminuye en los pulmones durante la inhalación hace que el aire ingrese a éstos. La presión del aire que aumenta en los pulmones durante la exhalación obliga al aire a salir.

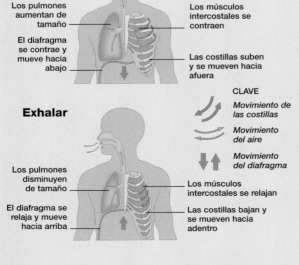

Inhalar

- Los pulmones aumentan de tamaño
- El diafragma se contrae y mueve hacia abajo
- Los músculos intercostales se contraen
- Las costillas suben y se mueven hacia afuera

Exhalar

- Los pulmones disminuyen de tamaño
- El diafragma se relaja y mueve hacia arriba
- Los músculos intercostales se relajan
- Las costillas bajan y se mueven hacia adentro

CLAVE
- Movimiento de las costillas
- Movimiento del aire
- Movimiento del diafragma

Los pulmones reciben la sangre sin oxígeno proveniente del cuerpo a través del corazón. La sangre es oxigenada mediante la respiración antes de que ésta vuelva al corazón para ser bombeada a todo el cuerpo.

Corte transversal de un alvéolo

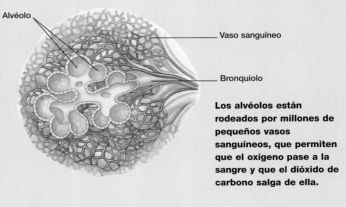

- Alvéolo
- Vaso sanguíneo
- Bronquiolo

Los alvéolos están rodeados por millones de pequeños vasos sanguíneos, que permiten que el oxígeno pase a la sangre y que el dióxido de carbono salga de ella.

Asma

PARA ENTENDER EL ASMA Y LOS PROBLEMAS QUE, DE HECHO, SE RELACIONAN CON EL TÓRAX
Y LAS VÍAS RESPIRATORIAS, ES NECESARIO SABER QUÉ HACEN LOS PULMONES.

Cuando inhalamos, los pulmones extraen el oxígeno del aire y lo traspasan a la sangre. La sangre luego circula por todo el cuerpo y entrega el oxígeno a los tejidos. Al mismo tiempo, ésta reúne el dióxido de carbono residual y lo lleva de vuelta a los pulmones. Éstos se deshacen del dióxido de carbono mezclándolo con el aire que exhalamos. El aire entra y sale de los pulmones a través de una serie de tubos ramificados que comúnmente se conocen como "bronquios", los que se hacen cada vez más pequeños a medida que ingresan más en los pulmones.

¿QUÉ ES EL ASMA?

El asma es una condición que afecta a los bronquios (vías respiratorias grandes) y bronquiolos (vías respiratorias pequeñas) que llevan el aire dentro y fuera de los pulmones. Las personas con asma tienen vías respiratorias especialmente sensibles.

Dichas vías se pueden contraer cuando usted tiene un resfrío o alguna otra infección viral o cuando está en contacto con un activador del asma, haciendo que cueste mucho más respirar.

El asma es una condición común que afecta a casi 1 de cada 7 niños y a 1 de cada 20 adultos. Muchas personas consideran que el asma comienza durante la niñez, pero puede producirse por primera vez a cualquier edad. El asma puede mejorar o desaparecer completamente durante la adolescencia, pero casi la mitad de los niños que tienen la enfermedad tendrán algunos problemas cuando sean adultos. Existe una tendencia al asma hereditaria, pero muchas personas que la sufren no tienen parientes con asma. Esta enfermedad aún no tiene curación, pero se puede mantener bajo control, de modo de prevenir los ataques de asma. Al tomar el tratamiento adecuado en forma regular, la mayoría de las personas con asma puede llevar una vida totalmente normal, sin tener que faltar a la escuela o al trabajo, y participar plenamente en la práctica de deportes y otras actividades de recreación.

¿CUÁLES SON LOS SÍNTOMAS?

Dado que es más difícil que el aire entre y salga de unas vías respiratorias muy angostas, las personas con asma presentan los siguientes síntomas:

- tos
- sibilancias
- falta de aire
- sensación de presión en el tórax
- expulsión de flema.

No todos desarrollan estos síntomas. Algunas personas los experimentan de vez en cuando, tal vez si se resfrían o tienen contacto con uno de sus activadores del asma. Otras personas experimentan los peores síntomas durante la noche, a primera hora por la mañana o después

de hacer ejercicios. Pocas personas experimentan todos los síntomas todo el tiempo.

¿CÓMO EVITO LOS ACTIVADORES?
RESFRÍOS

Los resfríos son activadores muy comunes de los ataques de asma. ¡También son casi imposibles de evitar!

■ El uso regular de un inhalador de control reduce el riesgo de ataques de asma provocados por los resfríos y las infecciones.

■ Se recomienda que las personas con asma grave se vacunen contra la gripe cada otoño.

■ Una dieta saludable con muchas frutas y verduras que contengan vitamina C también puede ayudar a combatir a los virus.

MASCOTAS

Las mascotas pueden ser una gran fuente de diversión y una maravillosa compañía. Lamentablemente, los animales peludos también suelen ser un activador alérgico de los síntomas del asma. Los alérgenos se encuentran en el pelo, la saliva, la caspa (diminutas escamas de piel muerta) y en la orina.

■ Si alguien de su familia tiene asma o si hay un historial de esta enfermedad en su familia, no compre mascotas peludas o con plumas.

■ Hasta un 50 por ciento de los niños con asma tienen como activador de sus síntomas una alergia a los perros y/o gatos.

■ La orina de los cuyes, conejos y jerbos también pueden provocar problemas.

■ Es muy raro que los peces causen problemas. Algunas personas tienen una reacción a los huevos de hormiga que se encuentran en el alimento de los peces tropicales.

■ Bañar a gatos y perros una vez a la semana puede ser de ayuda. Consulte a su veterinario sobre cómo hacerlo en forma adecuada.

■ Mantenga siempre a las mascotas alejadas de áreas como la sala de estar y los dormitorios.

POLEN

Existen muchos tipos de granos de polen (de césped, árboles y plantas) que pueden activar los síntomas del asma en ciertas personas.

■ Evite pasar mucho tiempo al aire libre durante los días calurosos y secos.

■ Evite el césped largo.

■ Mantenga cerradas las ventanas del automóvil.

TABAQUISMO

■ ¡Deje de fumar! En sólo unas semanas comenzará a observar los enormes beneficios para su salud: debe sentirse en mejor forma y su riesgo de enfermedades inducidas por el cigarrillo disminuirá rápidamente. Sus vías respiratorias comenzarán a recuperarse en un plazo de 3 a 6 meses.

■ Si está planeando tener un bebé, es muy importante que ninguno de los padres fume. Estudios han demostrado que los hijos de madres que fuman tienen mayores probabilidades de desarrollar asma.

■ Inhalar el humo del cigarrillo de otra persona es un peligro para las personas que tienen asma. Una encuesta realizada por National Asthma Campaign demostró que el humo del cigarrillo provocaba un aumento en los síntomas del asma en el 80 por ciento de los encuestados.

■ Evite los lugares en que se fuma. Si va a estar en una habitación donde se fuma (por ejemplo, una fiesta o un pub), recuerde llevar consigo su inhalador. Si comienza a sentir un silbido al respirar, salga a tomar aire fresco.

■ No sienta temor de decir a los demás cómo

El efecto del asma en las vías respiratorias

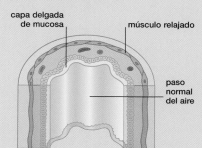

En una vía respiratoria normal, el músculo está relajado y sólo hay una delgada capa de mucosa, lo que permite que el aire fluya libremente hacia los pulmones.

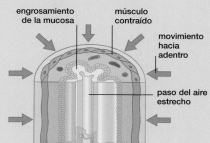

Durante un ataque de asma, el músculo de la vía respiratoria se contrae y se produce un engrosamiento de la mucosa, lo que restringe el flujo de aire hacia los pulmones..

se siente. Pídales que dejen de fumar si comienza a sentir un silbido al respirar.
■ Si le preocupa el humo del cigarrillo en su lugar de trabajo, converse con su representante de salud y seguridad o con su gerente.

ÁCAROS DEL POLVO DOMÉSTICO
Es necesario tomar medidas de muy bajo o cero costo.
■ Lave con agua caliente (a 60 ˚C o 140 ˚F) las sábanas, fundas de edredón y de almohadas al menos una vez a la semana.
■ Los niños con asma que duermen en literas deben dormir en la litera de arriba.
■ Coloque los peluches en el congelador durante 24 horas cada dos semanas para eliminar los ácaros. Luego, lávelos a 60 ˚C (140 ˚F) para eliminar los ácaros muertos y sus excrementos.
■ Pase la aspiradora con frecuencia, utilice una aspiradora de alto rendimiento.

■ Humedezca todas las superficies con polvo o utilice un accesorio de la aspiradora.
■ Utilice frazadas de algodón o sintéticas en lugar de frazadas de lana.
■ No existen pruebas concluyentes de que las almohadas de plumas sean mejores que las sintéticas (de hecho, puede que sea lo contrario). Cualquiera sea la almohada que elija, utilice una cubierta de barrera y pase un paño húmedo sobre la ropa una vez a la semana.

Si estos pasos parecen ayudar, también podría considerar tomar las siguientes medidas:
■ Prefiera las alfombras sintéticas de pelo corto. Pueden ser mejores que aquéllas de lana pura, aunque no existen pruebas concluyentes al respecto.
■ Cambie las alfombras por piso de madera, losa o linóleo.
■ Los armazones de cama de madera lisa son mejores que las camas tapizadas o con cabecera, pues éstas tienden a acumular polvo.

■ Lave las cortinas cada 2 ó 3 meses. Una mejor opción son las persianas verticales.
A los ácaros del polvo doméstico les gustan los ambientes cálidos y húmedos. A continuación encontrará consejos para disminuir los niveles de humedad en su casa:
■ Mantenga las habitaciones bien ventiladas.
■ Abra las ventanas durante y después de cocinar, cuando lave o utilice el baño.
■ Mantenga cerradas las puertas de la cocina y del baño para evitar que la humedad se propague al resto de la casa.
■ Elimine la humedad y los mohos de la casa rápidamente y evite las condensaciones.
■ No cuelgue ropa húmeda dentro de la casa.
■ Es mejor utilizar una secadora que se ventile fuera de la casa.
■ Un deshumidificador que reduzca los niveles de humedad del interior de la casa puede ser útil, pero no hay pruebas concluyentes al respecto y pueden ser costosos.
■ Considere el uso de cubiertas de barrera en el colchón, edredones y almohadas. Asegúrese de que todas las camas de la habitación tengan cubiertas. Aquellas que abarcan todo el colchón son mejores que las que cubren sólo la parte de arriba. Las cubiertas de barrera no necesitan ser costosas, busque algunas que se adapten a su presupuesto.

CLIMA
Cambios bruscos de temperatura, aire frío, días ventosos y una mala calidad de aire en días secos, incluso, puede afectar su asma. Las tormentas eléctricas también pueden activar alérgenos: las emergencias por asma rompieron la calma durante las tormentas eléctricas de 1994, las que provocaron una liberación masiva de polen en el aire.
■ Aplíquese una pulverización del inhalador de alivio antes de salir de casa.
■ Utilice una bufanda sobre el rostro si está frío y hay viento. Ésta ayudará a entibiar el aire antes de respirarlo.
■ Trate de evitar salir de día durante días calurosos y con contaminación.

EMOCIÓN
Aun cuando no es verdad que el asma "esté en la mente", sabemos que factores sicológicos, como la excitación, el estrés o incluso un largo ataque de risa pueden activar los síntomas del asma. El control regular de su condición y tomar sus medicamentos habitualmente debe ayudar a minimizar estos problemas.

ALIMENTO
La mayoría de las personas que tiene asma no necesita seguir una dieta especial. Sin embargo, en ciertos casos, algunos alimentos pueden empeorar los síntomas. Los productos lácteos, los huevos, los mariscos, los pescados, los productos con levadura y los frutos secos son algunos de los activadores. Algunas personas pueden tener una reacción alérgica grave (o anafiláctica) a estos alimentos. Para obtener más información, ver Direcciones útiles (pág. 567).
■ Si cree que tiene alergia a un alimento, consulte a su médico.
■ Él puede pedirle que lleve un diario de su dieta y sus síntomas para ver si existe una relación consistente entre ambos. También puede derivarlo a un especialista para realizarle pruebas adicionales.

AUTOAYUDA

Conozca sus activadores

Un activador es cualquier cosa que irrite las vías respiratorias y provoque los síntomas del asma. Existen muchos activadores del asma y varían entre una persona y otra. Éstos son los activadores más comunes:

Resfriado, gripe u otras infecciones virales:
Una encuesta reciente colocó las infecciones virales del tórax en el primer lugar de los activadores de los síntomas del asma tanto en niños como en adultos.

Ácaros del polvo doméstico:
Muchas personas con asma son alérgicas a los excrementos de los ácaros microscópicos del polvo doméstico que se encuentran en nuestras camas y otros muebles blandos.

Fumar cigarrillos (en forma activa y pasiva):
Esto aumenta considerablemente la falta de aire y la tos en las personas con asma.

Animales peludos o con plumas:
El pelo, las plumas y la caspa (pequeñas escamas de piel muerta) son activadores alérgicos comunes de los síntomas del asma.

Ejercicio:
El ejercicio puede hacer que el asma de una persona empeore, en especial si se practica al aire libre en días fríos, secos o después de un cambio climático.

Polen:
El polen puede activar ataques de asma en algunas personas.

Contaminantes del aire:
Éstos pueden incluir humo de cigarrillo, gases de automóvil, gases de pinturas, perfumes y ciertos productos químicos.

Clima:
Un cambio brusco de temperatura, el aire frío, días con viento, mala calidad del aire (por lo general en días húmedos y cálidos), clima tormentoso.

Moho:
Las esporas de moho en climas húmedos, viviendas húmedas o pilas de hojas en otoño.

Emoción:
Alteración emocional, estrés, excitación o incluso un largo ataque de risa.

Fármacos:
Ciertos fármacos, incluida la aspirina, tabletas antiinflamatorias sin esteroides (por ejemplo, ibuprofeno) y betabloqueadores (tabletas y gotas) utilizadas para las enfermedades cardíacas y el glaucoma pueden provocar ataques de asma en un pequeño número de personas. Indíquele siempre a su farmacéutico que tiene asma.

Hormonas:
El asma en algunas mujeres varía antes del período, durante el embarazo o durante la menopausia.

Alimentos:
Aunque no es frecuente, algunas personas tienen alergia a alimentos específicos (por ejemplo, productos lácteos, pescado, frutos secos o levadura) que pueden provocar un ataque de asma.

Trabajo:
El asma ocupacional se produce principalmente en personas que desarrollan sensibilidad a un producto químico presente en su lugar de trabajo.

RECUERDE: es poco probable que controle su asma si sólo evita sus activadores. Usted también debe tomar sus medicamentos en forma regular.

TRATAMIENTO

Inhaladores de alivio y de control

Inhaladores de alivio

■ Son broncodilatadores: trabajan relajando los músculos ubicados en las paredes de las vías respiratorias, lo que permite que éstas se abran.

■ Por lo general, son de color azul.

■ Son medicamentos que se pueden tomar de inmediato cuando aparecen los síntomas del asma. Relajan rápidamente los músculos que rodean las vías respiratorias estrechas, permitiendo que éstas se abran más y facilitando la respiración. Sin embargo, no reducen la hinchazón de las vías respiratorias.

■ Son esenciales en el tratamiento de los ataques de asma.

■ Si se toman antes de hacer ejercicios, reducen sus opciones de desarrollar los síntomas de asma.

■ Dos ejemplos son el salbutamol y la terbutalina. Éstos funcionan casi de inmediato para aliviar los síntomas del asma. Es por esta razón que a veces se les llama inhaladores de rescate.

■ El bromuro de ipratropio es otro tipo de inhalador de alivio que se utiliza con más frecuencia en los niños menores de 2 años o en adultos mayores. Este fármaco demora unos 45 minutos en funcionar. Suele utilizarse para el tratamiento de la enfermedad pulmonar obstructiva crónica.

Inhaladores de control

■ La mayoría de éstos son corticosteroides, reducen la inflamación en las vías respiratorias y calman su irritabilidad.

■ Cromoglicato de sodio y nedocromil sódico son inhaladores de control sin esteroides y se deben consumir en forma regular, por lo general 3 ó 4 veces al día. No suelen ser tan efectivos como los corticosteroides y actualmente casi no se usan.

■ Por lo general, son de colores café, blanco, rojo y anaranjado.

■ Protegen las paredes de las vías respiratorias, calman la inflamación de éstas y hacen que dejen de estar tan sensibles. Esto significa que las vías respiratorias tienen menos probabilidad de reaccionar mal cuando éstas se encuentran con un activador del asma.

■ Reducen el riesgo de ataques graves.

■ Su efecto protector se acumula con el paso del tiempo, de modo que deben consumirse todos los días, casi siempre por la mañana y por la noche, incluso si se siente bien.

■ Cuando comienza a utilizarlos, puede tomarlos hasta por 14 días antes de notar una mejoría en sus síntomas.

■ Existen varios tipos de corticosteroides para inhalar, pero todos funcionan de la misma manera. En ocasiones se utilizan un esteroide y un broncodilatador combinados en la misma dosis.

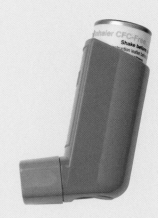

Los inhaladores de alivio se utilizan para controlar un ataque de asma, mientras que aquellos de control se deben utilizar regularmente para disminuir el riesgo de desarrollar un ataque de asma.

FÁRMACOS

En algunas personas, ciertos medicamentos pueden provocar ataques de asma. Esto suele producirse con aquellos medicamentos que contienen aspirina, tabletas antiinflamatorias sin esteroides (por ejemplo, ibuprofeno) y betabloqueadores utilizados para las enfermedades cardíacas (en forma de tabletas) y glaucoma (como gotas para los ojos). Infórmele siempre a su médico o farmacéutico que usted tiene asma.

¿CÓMO CONTROLO MI ASMA?

La mejor forma de controlar su asma es seguir estas reglas de oro:

● consiga el mejor tratamiento que pueda y tómelo en forma regular

● trate de evitar las cosas que activan su asma.

Pídale a su médico que le dé un plan de autocontrol que le indique cómo emplear su propio medicamento para sentirse bien.

¿CUÁLES SON LOS TRATAMIENTOS?

■ Medicamentos de alivio que disminuyen la dificultad para respirar cuando ésta se produce.

■ Medicamentos de control que ayudan a proteger las vías respiratorias y reducen la probabilidad de desarrollar los síntomas del asma.

Ambos se pueden inhalar, de modo que el medicamento alcance las vías respiratorias inflamadas en forma instantánea.

¿QUÉ ES UN ESPACIADOR?

Un espaciador es un recipiente grande de plástico, por lo general, son 2 mitades que se unen. En un extremo hay una boquilla y en el otro, un agujero para colocar el inhalador.

Existen varias marcas de espaciador que se adaptan a los distintos inhaladores y están disponibles con receta. Los espaciadores son muy importantes.

■ Hacen que los inhaladores sean más fáciles de usar y más efectivos.

■ Ingresa más medicamento a los pulmones que si utilizara el inhalador solo.

■ El medicamento queda atrapado dentro del espaciador, de manera que no tiene que preocuparse de presionar el inhalador y respirar al mismo tiempo; esto los hace especialmente útiles para niños que tienen dificultad para coordinar estas acciones. En el caso de los bebés y los niños más pequeños, se les coloca una máscara de modo que inhalan el medicamento mientras respiran en forma normal.

■ Son una alternativa conveniente y compacta al nebulizador. Los espaciadores funcionan igual que los nebulizadores en crisis agudas de asma.

■ Ayudan a reducir la posibilidad de efectos secundarios que producen las dosis mayores de los esteroides inhalados reduciendo la concentración del medicamento que se traga y absorbe en el cuerpo.

■ Los espaciadores se deben utilizar y limpiar en forma correcta y regular. Pida a su médico o farmacéutico que le aconseje cómo hacerlo.

¿CÓMO SÉ SI MI ASMA ESTÁ EMPEORANDO?

El medidor de flujo espiratorio máximo es un instrumento simple que determina la capacidad máxima a la cual usted puede soplar. Si usted toma las mediciones del flujo máximo

Dudas acerca de los esteroides

Muchas personas se preocupan por los efectos secundarios de los esteroides utilizados en el tratamiento de control. Éstos son algunos puntos que conviene recordar:

■ Los esteroides que se utilizan para tratar el asma se llaman corticosteroides y son totalmente diferentes a los esteroides anabólicos que utilizan los físico culturistas y los atletas.

■ Los corticosteroides son una copia de los productos químicos producidos en forma natural por nuestro cuerpo.

■ La mayoría de las personas utiliza esteroides para inhalar, los que van directamente a las vías respiratorias, por lo que el cuerpo absorbe muy poco de éstos.

■ Su médico le recetará la menor dosis posible para controlar el asma.

■ Existe un poco de riesgo de infección en la boca llamada aftas y de ronquera. Puede evitarlas usando el inhalador antes de lavarse los dientes y enjuagándose la boca más tarde. El uso de un espaciador también reduce la posibilidad de aftas.

Nadar es un ejercicio ideal para las personas con asma.

AUTOAYUDA

Autocontrol del asma

Un plan de autocontrol del asma le permite ajustar sus medicamentos de acuerdo con pautas desarrolladas y acordadas con su médico en forma anticipada.

El autocontrol considera tomar una lectura de flujo máximo 2 veces al día y mantener un registro de los resultados en una gráfica. También utiliza otros indicadores, como si el asma le ha dado molestias al dormir, para determinar cuán bien controlada está el asma cada día. Luego usted puede ajustar sus medicamentos de acuerdo a esto, utilizando las pautas establecidas en su plan.

todos los días para monitorear su asma, obtendrá una señal de advertencia anticipada (una lectura menor) en caso de que su condición esté empeorando.

Si nota cualquiera de las siguientes situaciones, entonces debe ver a su médico, quien puede ayudarle a volver a controlar su asma.
■ Despertar de noche con tos, silbido al respirar, falta de aire o presión en el pecho.
■ Mayor falta de aire cuando despierta por la mañana.
■ Necesita cada vez más tratamiento de alivio o el inhalador de alivio ya no parece funcionar tan bien como antes.
■ No puede mantener su nivel habitual de actividad o de ejercicios.

ASMA Y EJERCICIOS

El ejercicio es la mejor forma para mantener el cuerpo en la mejor condición. Es entretenido y le hace sentir bien. Sin embargo, el ejercicio también es un activador común del asma, pero esto no quiere decir que deba dejar de hacerlo. El ejercicio es bueno para todos, incluso para las personas con asma.
● Tome un par de pulverizaciones del inhalador de alivio (por lo general el azul) unos 15 minutos antes de comenzar y manténgalo a mano en todo momento.
● Haga un precalentamiento de unos 5 a 10 minutos con carreras cortas de 30 segundos.
● Si aún así tiene silbidos al respirar, eso es señal de que su asma puede no estar bien controlada. Consulte a su médico, quien podrá ajustar su tratamiento para ayudarle a estar en plena forma otra vez.

Si el asma está bajo control, usted podría estar en condiciones de realizar cualquier deporte o ejercicio que le guste. Sin embargo, es probable que desee probar los siguientes:
■ La natación es un excelente ejercicio para las personas con asma. Esto se debe a que el aire en la piscina es templado y húmedo, una combinación que no parece irritar demasiado las vías respiratorias sensibles.
■ El yoga puede ser muy bueno para algunas personas con asma. Ayuda a relajar el cuerpo y puede mejorar la respiración.
■ Los juegos de equipo también son una buena idea. Usted siempre puede jugar en una posición que no requiera correr demasiado por todas partes.
■ Es más probable que períodos largos de ejercicios y no esfuerzos cortos provoquen los síntomas del asma. De modo que una carrera de larga distancia probablemente provoque más problemas que una clase de acondicionamiento físico que involucre, por ejemplo, cortos períodos de ejercicio aeróbico.

Hay algunos deportes y actividades con las que se debe ser cuidadoso. Entre éstos se incluyen el submarinismo y los deportes que se realizan a gran altura como el andinismo, el excursionismo y el esquí. Consulte a su médico si tiene la intención de realizar algunas de estas actividades.

¿PUEDE AYUDAR LA MEDICINA COMPLEMENTARIA?

A pesar de que algunas personas consideran que las terapias complementarias, especialmente el yoga, la acupuntura y la homeopatía, parecen mejorar los síntomas del asma, es peligroso que una persona con asma piense que puede depender de esta clase de medicina. No existe evidencia científica de que los tratamientos complementarios utilizados por sí solos sean eficaces. Por eso que es mejor considerarlos "complementarios" y no "alternativos". Si quiere intentar alguno de los variados tratamientos complementarios disponibles, consúltelo con su médico y no deje de tomar sus medicamentos normales para el asma.

Qué hacer en caso de un ataque

Algunas veces puede sufrir un ataque de asma, sin importar lo cuidadoso que sea para tomar sus medicamentos y para evitar los activadores. Casi siempre un par de pulverizaciones del medicamento de alivio es lo único que se necesita para volver a tener el asma bajo control. En otros momentos, los síntomas son más graves y se requiere de una acción más urgente. No tema provocar un alboroto, ni siquiera por la noche.

1. Tome de inmediato 2 pulverizaciones del inhalador de alivio, de preferencia con un espaciador.
2. Mantenga la calma y trate de relajarse en la medida que la respiración se lo permita. Siéntese, no se recueste. Apoye las manos sobre las rodillas para sostenerse mejor. Trate de respirar lentamente, porque esto evitará que se canse demasiado.
3. Espere entre 5 y 10 minutos.
4. Si los síntomas desaparecen, debe poder volver a lo que estaba haciendo.
5. Si el medicamento de alivio no surte efecto, llame al médico o a una ambulancia.
6. Siga tomando el inhalador de alivio; úselo, espere unos minutos y vuelva a aplicarlo hasta que llegue la ambulancia.
7. Tome sus tabletas de esteroides si el médico lo ha escrito en su plan de autocontrol.

¿Qué pasa si mi hijo tiene asma?

¿Es fácil estar seguro?

En niños muy pequeños puede resultar difícil diagnosticar el asma.

■ Si su hijo tiene menos de 2 años, es mucho más difícil decir si tiene asma. Existe una serie de diversas enfermedades que producen silbidos al respirar, entre las que se incluyen la bronquiolitis aguda y la bronquitis sibilante, así como el asma, que pueden hacer que el bebé produzca silbidos al respirar.

■ Por lo menos 1 de cada 7 niños tendrá silbidos al respirar en algún momento de sus primeros 5 años. Muchos de estos niños no desarrollarán asma en su infancia, de modo que es posible que el médico prefiera no utilizar el término "asma" en esta etapa.

■ No es fácil evaluar cómo están funcionando los pulmones de un niño pequeño. En los niños mayores se utiliza un medidor de flujo espiratorio máximo, pero no es adecuado para los niños menores de 6 años. El patrón de síntomas que se desarrolla **con el tiempo** muestra si un niño tiene asma o no. El médico puede pedirle que mantenga un registro de los síntomas de su hijo y en qué momento se presentan. Esto ayudará al médico a llegar al fondo de los problemas respiratorios de su hijo.

Los síntomas típicos del asma en los niños pequeños son:

● Tos, especialmente por la noche y después de realizar ejercicios.

● Sibilancias.

● Falta de aliento. Tal vez ya no corre como lo hacía antes o debe llevarlo en brazos mucho tiempo.

¿Se puede prevenir?

Si usted o su pareja tiene asma, puede tomar algunas medidas que podrían ayudar a disminuir la posibilidad de que su hijo desarrolle esta enfermedad.

■ Amamántelo por lo menos 4 meses.

■ No tenga mascotas peludas o con plumas. Evite los alérgenos como los ácaros del polvo doméstico y el polen durante el embarazo y mantenga a su hijo lejos de ellos en los primeros meses de vida.

■ Ni usted ni su pareja debe fumar. Se sabe que esto aumenta la posibilidad de que un niño desarrolle asma. No se ha comprobado que la contaminación del aire externo cause el asma, aunque puede hacer que los síntomas empeoren.

¿Cómo se las arreglará mi hijo en la escuela?

Todos los inhaladores que su hijo debe tomar durante la jornada escolar deben estar marcados con su nombre. Es muy importante que pueda llegar al inhalador de alivio en cuanto lo necesite. Lo ideal sería que los niños lleven consigo su propio inhalador de alivio todo el tiempo. Para los más pequeños, el inhalador de alivio se debe dejar en un lugar central y de fácil acceso durante toda la jornada escolar. Asegúrese de que en la escuela sepan que su hijo tiene asma.

¿Qué pasa con los deportes?

El ejercicio es bueno para todos, incluso para los niños con asma. Casi todos ellos producen silbidos al respirar cuando realizan ejercicios. Sin embargo, si el niño toma unas simples precauciones tendría que estar en condiciones de participar activamente en los deportes escolares.

■ Inhalar un par de veces del inhalador de alivio 15 minutos antes de hacer ejercicio por lo general ayuda a prevenir los síntomas.

■ Una carrera corta de unos 5 a 10 minutos antes de comenzar juegos más enérgicos puede proteger los pulmones por una hora o más.

■ Si el niño toma su inhalador de alivio, pero aun así tiene sibilancias al respirar después del ejercicio, es señal de que el asma puede no estar controlada en la forma adecuada. Consulte al médico o a la enfermera. Ellos podrán ajustar el tratamiento para ayudarle a estar en forma y saludable otra vez.

■ Recuerde que su hijo siempre debe tener a mano el inhalador de alivio durante sus ejercicios.

¿Cómo puedo ayudar?

■ Asegúrese de informar en la escuela que su hijo tiene asma.

■ Informe sobre los medicamentos que su hijo necesita. Comuníquese con National Asthma Campaign. Ahí le pueden proporcionar una tarjeta escolar para el asma en forma gratuita para ayudarle a hacerlo.

■ Informe a la escuela sobre cualquier cambio en los medicamentos de su hijo.

■ Analice con el maestro o maestra todas las preocupaciones que puede tener sobre el asma de su hijo.

■ Asegúrese de marcar el medicamento de alivio y/o el espaciador de su hijo con su nombre. Asegúrese de que en la escuela haya un inhalador de repuesto que también esté marcado.

■ Asegúrese de que el medicamento que utiliza y el medicamento de repuesto para su hijo no hayan pasado la fecha de vencimiento.

■ Deje a su hijo en casa si no se siente bien para ir a la escuela.

■ Visite regularmente al médico o a la enfermera para asegurarse de que el asma de su hijo esté bien controlada.

¿Qué debe hacer la escuela?

■ Mantener un registro de los niños con asma y de los medicamentos que toman.

■ Permitir a los niños el acceso inmediato a su inhalador de alivio durante toda la jornada escolar. Eso incluye durante la clase de educación física, recreos y viajes escolares.

■ Asegurarse de que el entorno escolar sea adecuado para niños con asma. Por ejemplo, que no haya mascotas peludas o con plumas y que se adopte una política de no fumar en las instalaciones de la escuela.

■ Asegurarse de que los alumnos participen activamente en la vida escolar, incluso en la clase de educación física.

■ Mantenerse en contacto con los padres, la enfermera de la escuela y el coordinador de necesidades educacionales especiales o con el Departamento de necesidades educacionales especiales y de apoyo en el aprendizaje en Escocia, si un niño está quedando rezagado con su trabajo escolar debido al asma.

■ Animar a otros niños para que entiendan el asma. Las escuelas se pueden asociar al club de asma infantil de National Asthma Campaign. Comunicarse con el equipo juvenil de la National Asthma Campaign para obtener más información (ver Direcciones útiles, pág. 567).

Bronquitis

CUANDO LAS VÍAS RESPIRATORIAS GRANDES (BRONQUIOS) SE INFLAMAN, FRECUENTEMENTE DEBIDO A UNA INFECCIÓN VIRAL, LA RESPUESTA DEL CUERPO ES UNA TOS PRODUCTIVA, A MENUDO CON FLEMA DE COLOR AMARILLO O VERDOSO. ÉSTOS SON LOS SÍNTOMAS TÍPICOS DE LA BRONQUITIS.

Hay dos formas de bronquitis: **aguda**, que comienza repentinamente y desaparece rápido y **crónica**, que es a largo plazo y vuelve cada año con tos invernal y flema por varios meses. La bronquitis crónica forma parte de la enfermedad pulmonar obstructiva crónica, con silbidos al respirar, falta de aliento o cansancio y, eventualmente, insuficiencia grave de la función pulmonar debido al enfisema. Sin duda, el hábito de fumar es el factor causante en la enfermedad pulmonar obstructiva crónica.

BRONQUITIS AGUDA

Este tipo de bronquitis por lo general es una complicación de una infección viral, como el resfrío o la gripe cuando se le superpone una infección secundaria causada por una bacteria. Por lo general, los ataques se presentan en invierno y afectan a las personas vulnerables como los fumadores, los bebés, los ancianos y las personas que ya tienen una enfermedad pulmonar.

¿CUÁLES SON LOS SÍNTOMAS?

La inflamación de las paredes de los bronquios provoca inflamación y congestión que llevan a una sensación de falta de aliento o cansancio con o sin silbido al respirar, tos y flema de color amarillo verdoso. Puede haber fiebre y una sensación de dolor detrás del esternón.

¿CUÁL ES EL TRATAMIENTO?

■ Crear humedad en la habitación o sentarse en el baño mientras deja correr el agua caliente en la tina.
■ Inhalaciones de vapor.
■ Calmantes para bajar la fiebre.
■ Antibióticos si hay una infección bacteriana, pero no sirven de nada si la infección es viral.

Sin embargo, se pueden prescribir antibióticos para proteger a las personas vulnerables de una infección bacteriana secundaria.

¿HAY COMPLICACIONES?

En contadas ocasiones, la bronquitis aguda puede evolucionar en alguna de las siguientes enfermedades:
● neumonía: cuando el tejido de los pulmones se inflama o infecta
● pleuresía: cuando las membranas que cubren los pulmones se inflaman, por lo general sobre una mancha de neumonía.
Debe llamar al médico si:
● la falta de aliento o cansancio es grave
● no mejora en tres días
● la fiebre es mayor a 38,3 °C (101 °F)
● hay alguna enfermedad pulmonar preexistente o si pertenece a un grupo vulnerable.

¿CUÁL ES SU PRONÓSTICO?

Si continúa fumando o si hay una enfermedad pulmonar preexistente, siempre existe la posibilidad de que se desarrolle la enfermedad pulmonar obstructiva crónica.

Una vez que tiene una producción continua de flema por tres meses durante dos años consecutivos, usted ya tiene dicha enfermedad.

Las personas vulnerables deben vacunarse contra la gripe cada otoño.

> Ver también:
> ● Pleuresía pág. 393
> ● Neumonía pág. 392

Enfermedad pulmonar obstructiva crónica

ACTUALMENTE, EL DAÑO PROGRESIVO A LOS PULMONES (ENFERMEDAD PULMONAR OBSTRUCTIVA CRÓNICA) CASI SIEMPRE SE DEBE AL HÁBITO DE FUMAR. LAS VÍAS RESPIRATORIAS Y LOS TEJIDOS DE LOS PULMONES SE DAÑAN, E INCLUSO SE DESTRUYEN, LO QUE CAUSA SILBIDO AL RESPIRAR Y UNA MAYOR FALTA DE ALIENTO O CANSANCIO.

Algunas personas con esta enfermedad con el tiempo sufren tanta falta de aliento o cansancio que se encuentran gravemente discapacitados y no pueden realizar, incluso, actividades simples de la vida cotidiana. Dicha enfermedad es poco frecuente antes de los 40 años y es el doble más común entre los hombres; sin embargo, como más mujeres fuman, su aparición en ellas está aumentando.

Con frecuencia, las personas con enfermedad pulmonar obstructiva crónica tienen diferentes condiciones pulmonares, **bronquitis crónica, estrechez de las vías respiratorias y enfisema** y cualquiera de estas condiciones puede ser predominante.
■ En la bronquitis crónica, las vías respiratorias (bronquios) se inflaman, se congestionan, se hacen más estrechas y es común la tos con flema; en la estrechez de las vías respiratorias, el flujo de aire se obstruye.
■ En el enfisema, los sacos de aire dentro de los pulmones (alvéolos) se agrandan y se dañan, lo que hace que sean menos eficientes en la transferencia de oxígeno desde los pulmones hacia el flujo sanguíneo. El daño pulmonar causado por la bronquitis crónica o por el enfisema suele ser irreversible. La enfermedad pulmonar obstructiva crónica es sumamente común; afecta a 1 de cada 6 personas en el Reino Unido y es una de las principales causas de muerte.

¿CUÁLES SON LAS CAUSAS?

La principal causa de la bronquitis crónica y del enfisema y, por lo tanto, de la enfermedad pulmonar obstructiva crónica, es el tabaquismo. La exposición laboral al polvo, gases nocivos y otros irritantes de los pulmones pueden empeorar esta enfermedad si ya existe. Si trabaja en un ambiente con mucho polvo, debe usar vestimenta de protección y solicitar a su empleador que instale sistemas de purificación de aire si corresponde.

En la bronquitis crónica, las paredes de las vías respiratorias de los pulmones responden a la irritación causada por el humo haciéndose más gruesas y de esa forma estrechan los pasadizos que transportan el aire hacia adentro y hacia afuera de los pulmones. Las glándulas mucosas ubicadas en las paredes de los bronquios se multiplican, de manera que se produce una gran cantidad de mucosidad y el mecanismo normal para limpiar las vías respiratorias y para esputar el exceso de mucosidad en forma de flema se hace deficiente. A medida que la enfermedad avanza, la mucosidad retenida en las vías respiratorias se infecta fácilmente, lo que puede producir otros daños y episodios de **neumonía** y **pleuresía.** Las infecciones repetidas pueden hacer, eventualmente, que las paredes de las vías respiratorias se ensanchen en forma permanente y con cicatrices, con lo que se destruye aún más la anatomía normal de los pulmones.

En el enfisema, los sacos de aire pierden finalmente su elasticidad y los pulmones se distienden y no se pueden vaciar apropiadamente al exhalar. Con el tiempo, los sacos de aire se rompen y luego se fusionan, con lo que se reduce su área superficial total y el aire queda atrapado en los sacos dilatados. En consecuencia, la cantidad de oxígeno que ingresa a la sangre con cada respiración se reduce gravemente.

Las personas con enfermedad pulmonar obstructiva crónica tienen una función pulmonar restringida, lo que es evidente en las pruebas de función pulmonar (ver recuadro, página opuesta).

¿CUÁLES SON LOS SÍNTOMAS?

Los síntomas de la enfermedad pulmonar obstructiva crónica pueden tardar varios años en desarrollarse. Cuando aparecen, suelen ser los siguientes:

● falta de aliento o cansancio con esfuerzos leves que empeora progresivamente hasta que se produce esta condición, incluso cuando se está en reposo
● tos con flema por la mañana
● tos durante todo el día
● aumento en la producción de flema
● infecciones torácicas frecuentes, especialmente en invierno, con producción de flema de color amarillo o verde
● sibilancia, especialmente después de toser.

¿HAY COMPLICACIONES?

El clima frío e infecciones como la gripe, hacen que los síntomas empeoren.

■ Algunas personas con enfisema desarrollan un tórax con forma de tonel y los pulmones se distienden.

■ Se puede desarrollar una insuficiencia respiratoria en la cual la falta de oxígeno hace que los labios, la lengua y los dedos de las manos y de los pies se pongan de color azul.

■ Además, se puede producir la hinchazón de los tobillos debido a una insuficiencia cardíaca crónica.

■ Algunas personas con enfermedad pulmonar obstructiva crónica compensan inconscientemente sus problemas pulmonares respirando rápido para llevar más oxígeno a la sangre y como resultado tienen un **rubor sonrosado** en la piel, se les llama "sopladores rosados".

■ Otras personas no pueden compensar de esta forma y en lugar de eso tienden a tener una **tez azul**, lo que es causado por la falta de oxígeno. Éstas con frecuencia tienen hinchados los pies y las piernas, lo que se debe a la insuficiencia cardíaca; a ellos se les llama "pacientes congestivos azulados". Ellos pueden experimentar somnolencia y dolores de cabeza.

Si usted fuma y observa síntomas que indican que puede tener enfermedad pulmonar obstructiva crónica, consulte a su médico tan pronto como pueda y piense en dejar de fumar de inmediato.

¿QUÉ SE PUEDE HACER?

Si desarrolla enfermedad pulmonar obstructiva crónica y fuma, la única medida que puede tomar para hacer más lenta la evolución de esta enfermedad es dejar de fumar. El disminuir la cantidad de cigarrillos que fuma tendrá poco o ningún efecto sobre el avance de este deterioro.

¿CÓMO PODRÍA TRATAR ESTA ENFERMEDAD EL MÉDICO?

El daño causado por la enfermedad pulmonar obstructiva crónica es considerablemente irreversible, pero hay tratamientos que pueden aliviar los síntomas.

■ El médico puede recetar un **inhalador** que contenga un medicamento broncodilatador.

■ La falta de aliento o cansancio también se puede aliviar con una **terapia de oxígeno en el hogar**, la cual reduce también la presión sobre el corazón. Esta terapia concentra el oxígeno disponible en el aire de la habitación y se utiliza unas 15 horas al día por lo menos. Reduce la falta de aire, la presión sobre el corazón, el riesgo de insuficiencia cardíaca y aumenta las expectativas de vida.

EXAMEN

Función pulmonar

Se utilizan dos pruebas para detectar problemas en el flujo de aire en los pulmones: la **espirometría**, que mide la rapidez con que se llenan y se vacían los pulmones, y la **prueba de volumen pulmonar**, que puede indicar cuánto aire pueden mantener los pulmones. Entre otras pruebas que no están incluidas aquí se encuentran las **pruebas de transferencia de gases**, en las cuales se utiliza una pequeña cantidad de monóxido de carbono inhalado para determinar la rapidez con que la sangre absorbe un gas desde los pulmones. Las pruebas para medir los gases sanguíneos indican el nivel de oxígeno y de otros gases en la sangre.

Espirometría

Se utiliza un espirómetro para medir el volumen de aire (en litros) que usted puede inhalar y exhalar en un determinado tiempo. Los resultados muestran si las vías respiratorias están estrechas como resultado de trastornos pulmonares como el asma. La espirometría también se puede utilizar para controlar la eficacia de ciertos tratamientos para trastornos pulmonares como los medicamentos broncodilatadores, los que ayudan a ampliar las vías respiratorias.

Uso del espirómetro

Se le pedirá que inhale y exhale todo el aire varias veces a través de una boquilla. El volumen de aire inhalado y exhalado aparece en la pantalla.

Prueba de volumen pulmonar

Esta prueba mide el volumen de aire (en litros) que se puede tomar con una inspiración completa y el volumen de aire que queda en los pulmones después de exhalar completamente. La prueba de volumen pulmonar se utiliza para ayudar a diagnosticar trastornos como la enfermedad pulmonar obstructiva crónica que afecta el volumen de aire que retienen los pulmones después de exhalar.

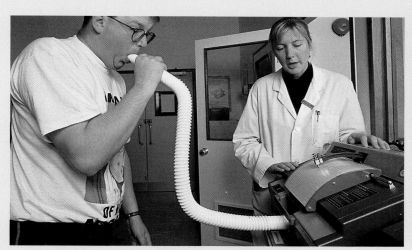

Se utiliza un espirómetro para medir el volumen de aire que se inhala y se exhala.

■ Si se le hinchan los tobillos el médico puede recetar **diuréticos** para reducir la acumulación de líquido.

● Se pueden recetar **antibióticos** en caso de que se desarrolle una infección torácica.

● Se debe **vacunar contra la gripe** cada otoño y también se le puede administrar una vacuna adicional para protegerlo contra las infecciones causadas por la bacteria *Streptococcus pneumoniae*.

● Si los pulmones están muy distendidos, se puede sacar parte del tejido pulmonar mediante una **cirugía de reducción del volumen pulmonar**. Esto permite que los pulmones se inflen y desinflen más fácilmente, con lo que aumenta la cantidad de oxígeno en la sangre.

Muchos hospitales realizan programas de rehabilitación pulmonar. Éstos duran entre 4 y 6 semanas y en ellos se enseña a los pacientes a respirar en una forma más eficaz y a realizar ejercicios de acuerdo a sus propios límites.

¿CUÁL ES EL PRONÓSTICO?

Si la enfermedad pulmonar obstructiva crónica es leve y se ha diagnosticado en una etapa precoz, usted puede estar en condiciones de evitar un daño grave y progresivo a sus pulmones si deja de fumar de una vez. Sin embargo, muchas personas que presentan esta enfermedad crónica no se dan cuenta de que la tienen hasta que está muy avanzada. El pronóstico para ellos es malo. Con frecuencia deben retirarse del trabajo antes y se pueden volver inactivos y quedar recluidos en casa debido a la falta de aliento o cansancio. A pesar de que 3 de cada 4 personas con esta enfermedad sobreviven durante 1 año después del diagnóstico, menos de 1 de cada 20 sobrevive más de 10 años.

Ver también:
● **Insuficiencia cardíaca crónica pág. 233**
● **Pleuresía pág. 393** ● **Neumonía pág. 392**

Neumonía

EN LA NEUMONÍA, ALGUNOS DE LOS PEQUEÑOS SACOS DE AIRE (ALVÉOLOS) DE LOS PULMONES SE INFLAMAN Y SE LLENAN DE PUS (GLÓBULOS BLANCOS) Y FLUIDOS.

Cuando se tiene neumonía, el oxígeno pasa con dificultad por las paredes de los alvéolos al torrente sanguíneo. Por lo general, compromete sólo parte de un pulmón, pero en algunos casos graves, la neumonía afecta ambos pulmones (neumonía "doble") y puede requerir tratamiento de por vida. Este mal se debe a una infección, pero puede suceder más que un bloqueo a causa de una enfermedad pulmonar obstructiva crónica o cáncer pulmonar y por complicación de infecciones de la infancia, como la tos ferina y el sarampión.

¿QUIÉNES CORREN RIESGO?

■ Los niños, ancianos y personas con enfermedades graves o crónicas, como la diabetes mellitus o afecciones cardíacas, tienen el mayor riesgo de contraer neumonía.
■ Otras personas con probabilidad de contraer neumonía son aquellos con defensas bajas debido a una enfermedad grave como el SIDA. Los problemas inmunológicos también pueden ocurrir durante el tratamiento con drogas inmunosupresoras o quimioterapia.
■ Las personas que fuman, beben alcohol en exceso o con desnutrición tienen mayor probabilidad de contraer neumonía.

¿CUÁLES SON LAS CAUSAS?

■ La mayoría de los casos de neumonía en adultos se debe a la infección de una **bacteria**, más comúnmente el *Streptococcus pneumoniae*. Este tipo de neumonía se puede contraer por complicación de una enfermedad viral en el tracto respiratorio superior, como un resfrío. Otras causas de neumonía bacteriana en adultos sanos son las infecciones con las bacterias *Haemophilus influenzae* y *Micoplasma pneumoniae*. La neumonía viral puede deberse al organismo responsable de la **influenza** y la **varicela**.
■ La neumonía por la bacteria *Staphylococcus aureus* afecta por lo general a pacientes de un hospital con otras enfermedades, en especial niños pequeños y ancianos.
■ La bacteria *Legionella pneumophila* ocasiona una forma de neumonía llamada **mal del legionario**, la que se puede diseminar por los sistemas de aire acondicionado.
■ Un extraño tipo de neumonía, conocida como **neumonía por aspiración**, se puede originar por la inhalación accidental de vómito o partículas de comida al atragantarse.

¿CUÁLES SON LOS SÍNTOMAS?

Por lo general, la neumonía bacteriana tiene una aparición rápida y los síntomas graves se desarrollan, casi siempre, en pocas horas. Éstos pueden ser los siguientes:
● tos con flemas oscuras o sanguinolentas
● dolor de pecho que empeora al inhalar
● respiración más corta en reposo
● fiebre alta, delirio o confusión.
    En los niños pequeños y los ancianos los síntomas de cualquier tipo de neumonía, a menudo, son menos evidentes. Es posible que los niños al principio vomiten y tengan fiebre alta, lo que puede ocasionarles una convulsión. Los ancianos pueden no tener síntomas respiratorios, pero por lo general sufren una confusión progresiva.

¿EXISTEN COMPLICACIONES?

■ La inflamación se puede extender de los alvéolos pulmonares a la **pleura** (la membrana que separa los pulmones de la pared del tórax), provocando **pleuresía**. Se puede acumular fluido entre las 2 capas de la pleura, lo que ocasiona una efusión pleural, comprime al pulmón subyacente y dificulta la respiración.

EXAMEN

Radiografía de tórax

A menudo, una radiografía de tórax es una de las primeras pruebas que se usa para investigar las afecciones pulmonares y cardíacas, porque es indolora, rápida y segura. Para crear la imagen, los rayos X pasan a través del tórax a una placa fotográfica. Los tejidos densos, como los huesos, absorben los rayos X y aparecen en blanco; los tejidos blandos aparecen en gris y el aire en negro. El tejido pulmonar dañado o anormal o el exceso de fluido aparece como un área blanca, pues no contiene suficiente aire. Las radiografías de tórax se toman, por lo general desde atrás, pero en algunos casos se requieren también vistas laterales.

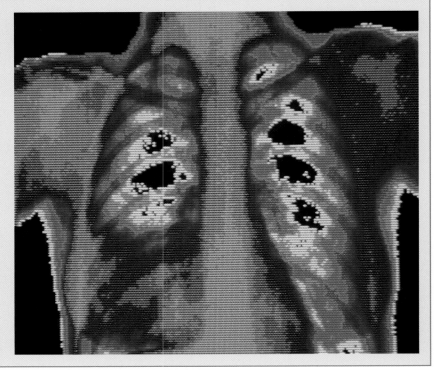

Toma de una radiografía de tórax
Le pedirán que levante los brazos para alejar los omóplatos de los pulmones y que respire profundo. Mientras se toma la radiografía, debe contener la respiración para que la imagen no salga borrosa.

Las sombras en la radiografía de los pulmones muestran áreas infecciosas por la neumonía.

Si el pus se acumula entre las capas de la pleura, se conoce como **empiema**. Esta es una complicación seria de la neumonía.

En casos graves de neumonía, el microorganismo que inicia la infección puede ingresar al torrente sanguíneo y derivar en un **envenenamiento de la sangre** (septicemia).

En personas vulnerables, como los niños pequeños y los ancianos, o aquéllas con su sistema inmunológico debilitado, la inflamación se puede extender y provocar una **insuficiencia respiratoria**, una condición de riesgo vital. Incluso puede requerir ventilación mecánica.

¿QUÉ SE PUEDE HACER?

■ Su médico puede diagnosticarle neumonía al examinar su pecho y escuchar con el estetoscopio.

■ Se puede confirmar el diagnóstico con una radiografía de tórax (ver el recuadro en la página anterior), la que mostrará el grado de infección pulmonar.

¿CUÁL ES EL TRATAMIENTO?

Si usted es una persona sana y tiene una neumonía leve, puede recibir tratamiento en su hogar.

■ Los analgésicos pueden ayudar a disminuir la fiebre y el dolor de pecho.

■ Si la neumonía se debe a una infección bacteriana, el médico le recetará antibióticos.

■ Puede ser necesaria la hospitalización en casos graves de neumonía bacteriana y con niños, ancianos y personas con el sistema inmunológico debilitado. Es fundamental el tratamiento con drogas, al igual que con los pacientes tratados en casa.

■ Si sus niveles de oxígeno en la sangre son bajos, lo recibirá a través de una máscara. Aunque es menos común, puede requerir ventilación mecánica en una unidad de cuidados intensivos.

¿CUÁL ES EL PRONÓSTICO?

Las personas jóvenes y sanas, por lo general, se recuperan de la neumonía en 2 a 3 semanas y el tejido pulmonar no sufre daños permanentes. La recuperación de una neumonía bacteriana comienza, por lo general, a las pocas horas de iniciar el tratamiento con antibióticos. Sin embargo, ciertos tipos de neumonía grave, como el mal del legionario, pueden ser fatales, especialmente en personas con el sistema inmunológico débil.

Ver también:
- **Envenenamiento de la sangre (septicemia) pág. 345**
- **Enfermedad pulmonar obstructiva crónica pág. 390**
- **Cáncer pulmonar pág. 394**
- **Pleuresía pág. 393**

Pleuresía

ES LA INFLAMACIÓN DE LA MEMBRANA DE DOS CAPAS (PLEURA) QUE SEPARA LOS PULMONES DE LA PARED DEL PECHO A MENUDO ES UNA COMPLICACIÓN PRODUCTO DE LA NEUMONÍA.

Por lo general, cuando las personas respiran, las dos capas de la pleura se deslizan una sobre otra, lo que permite que los pulmones se inflen y desinflen suavemente. En la pleuresía, la inflamación de la pleura impide que las capas se muevan con facilidad; se frotan entre sí, lo que provoca un dolor punzante e intenso al inhalar.

¿CUÁLES SON LAS CAUSAS?

Es posible que la causa de la pleuresía sea un virus, como la gripe, que afecta a la pleura misma. Sin embargo, a menudo es una reacción al daño pulmonar, inmediatamente bajo la pleura. Este daño puede deberse a una **neumonía** o una **embolia pulmonar**, en la que el suministro de sangre a los pulmones está bloqueado por un coágulo. La pleura también puede ser afectada por un **cáncer pulmonar** primario o secundario.

En ocasiones, un trastorno inmunológico como la **artritis reumatoide** o el **lupus**, en el que el sistema inmunológico ataca los tejidos sanos, afecta la pleura y provoca pleuresía.

¿CUÁLES SON LOS SÍNTOMAS?

Si la causa de la inflamación es una infección o una embolia pulmonar, por lo general, los síntomas evolucionan con rapidez en 24 horas. En otros casos, éstos de desarrollan gradualmente e incluyen:
- dolor de pecho agudo que obliga a contener la respiración
- dificultad para respirar.

A menudo, el dolor se restringe al costado del pecho afectado por la pleura subyacente inflamada. En algunos casos, se acumulan fluidos entre las capas de la pleura (efusión pleural). Esta condición puede, en realidad, disminuir el dolor, pues facilita los movimientos de estas capas.

¿QUÉ SE PUEDE HACER?

Si siente dolor de pecho al respirar, consulte a su médico de inmediato. Él podrá escuchar con un estetoscopio en su pecho, cuando las capas de la pleura se frotan entre sí. Puede requerir una radiografía de tórax para descartar un problema en el pulmón subyacente o una efusión pleural.

¿CUÁL ES EL TRATAMIENTO?

■ Los antiinflamatorios no esteroideos (AINES) alivian el dolor y la inflamación.

El sujetar la parte afectada cuando se tose puede ayudar a reducir la incomodidad.

Si la causa es una infección pulmonar, le recetarán antibióticos. Si tiene una embolia pulmonar, probablemente recibirá anticoagulantes.

En la mayoría de las personas, la afección mejora a los 7 ó 10 días de iniciado el tratamiento.

Ver también:
- **Cáncer pulmonar pág. 394**
- **Lupus pág. 324**
- **Neumonía pág. 392**
- **Embolia pulmonar pág. 395**
- **Artritis reumatoide pág. 429**

Bronquiectasia

DILATACIÓN ANORMAL DE LAS GRANDES VÍAS AÉREAS (BRONQUIOS) PULMONARES, QUE PROVOCA UNA TOS PERSISTENTE CON EXCESO DE FLEMA.

Antes de la inmunización masiva contra las enfermedades infecciosas infantiles, como la tos ferina y el sarampión, la bronquiectasia solía ser una enfermedad común. Hoy aún puede ser una complicación de una neumonía o parte de una fibrosis quística. Aunque la bronquiectasia a menudo empieza en la niñez, los síntomas pueden no ser evidentes hasta los 40 años.

¿CUÁLES SON LAS CAUSAS?

■ Infecciones infantiles, como la tos ferina y el sarampión.

■ Infecciones pulmonares reiteradas, en personas con fibrosis quística hereditaria, en la cual el moco que produce la cubierta de las vías aéreas es más denso que lo normal, lo que bloquea los tubos bronquiales y se acumula en los pulmones.

¿CUÁLES SON LOS SÍNTOMAS?

Los síntomas de la bronquiectasia empeoran gradualmente en un período de varios meses o años e incluyen:
- tos persistente que produce gran cantidad de flema amarilla o verde oscura y empeora al recostarse.
- tos con sangramiento

- mal aliento
- sibilancias y acortamiento de la respiración
- yemas de los dedos alargadas con uñas anormales, en forma de palos de golf.

Por último, aparecerán efectos de una infección de largo plazo, como la **pérdida de peso** y la **anemia**.

La bronquiectasia puede dañar grandes áreas de tejido pulmonar y derivar, finalmente, en una **insuficiencia respiratoria**.

¿QUÉ SE PUEDE HACER?

■ No fume y evite el humo y el polvo.
■ Se le puede enseñar a un miembro de la familia o a un amigo para que le dé kinesiterapia respiratoria, la que se debe realizar, idealmente, todos los días.
■ Le pueden recetar broncodilatadores de inhalación.
■ Cualquier infección se tratará con antibióticos.

■ La cirugía para eliminar un área afectada del pulmón puede curar la condición, pero en raras ocasiones es lo adecuado.
■ Un pequeño porcentaje de pacientes puede considerar el transplante de pulmón.

> **Ver también:**
> - **Fibrosis quística pág. 521**
> - **Sarampión (recuadro) pág. 544**
> - **Tos ferina (recuadro) pág. 544**

Cáncer de pulmón

EL CÁNCER PULMONAR PRIMARIO ES ACTUALMENTE EL TIPO DE CÁNCER MÁS COMÚN
DESPUÉS DEL CÁNCER A LA PIEL. ES LA PRINCIPAL CAUSA DE MUERTE POR CÁNCER TANTO
EN HOMBRES COMO EN MUJERES. MUY POCAS PERSONAS CON ESTE CÁNCER VIVEN MÁS DE 5 AÑOS.

El cáncer de pulmón es un tumor que crece en el tejido pulmonar. Es más común en hombres entre 50 y 70 años, pero aumenta rápidamente en el grupo de las mujeres jóvenes debido al tabaquismo.

El cigarro es la principal causa de cáncer pulmonar.

Mientras más fume, más pronto desarrollará cáncer. Por ejemplo, si fuma 20 cigarros al día, puede tener cáncer en 20 años; si fuma 40 al día, tendrá cáncer en sólo 10 años.

¿CUÁLES SON LOS TIPOS?

La mayoría de estos casos empieza en las células que cubren las principales vías aéreas (bronquios) que llegan a los pulmones. Es importante tener una idea de los tipos de cáncer más comunes, pues se comportan de manera diferente y tienen distintas probabilidades:

- los tipos más comunes son el carcinoma de célula escamosa y el de célula pequeña
- el resto lo componen el adenocarcinoma y el carcinoma de célula grande.

Cada tipo de cáncer tiene un patrón de crecimiento y respuesta al tratamiento distinto. El **carcinoma de célula pequeña** es el más maligno. Este tipo de cáncer crece y se extiende por todo el cuerpo con gran rapidez. Por otro lado, el **carcinoma de célula escamosa** crece más lentamente que los otros tipos de cáncer pulmonar, pero también se extiende a otras partes del cuerpo. El adenocarcinoma y el carcinoma de célula grande se desarrollan a una velocidad entre los carcinomas de célula pequeña y escamosa.

¿CUÁLES SON LAS CAUSAS?

Aproximadamente 1 de cada 7 fumadores tiende a desarrollar la enfermedad al bordear los 70 años. El riesgo es mayor para quienes han fumado más de 20 cigarrillos diarios desde comienzos de la edad adulta. Aquellos que nunca han fumado tienen poco riesgo de contraer cáncer, pero éste aumenta levemente en personas que han estado expuestas regularmente al **humo de cigarrillos ajenos**.

¿CUÁLES SON LOS SÍNTOMAS?

Los síntomas del cáncer pulmonar dependen del avance del tumor, pero los primeros incluyen:

- una nueva tos persistente o cambio en una tos duradera, a veces con sangre en las flemas
- dolor en el pecho, moderado o agudo, que empeora al inhalar y por lo general, un síntoma de pleuresía que puede esconder el tumor
- dificultad respiratoria
- sibilancia, si el tumor está bloqueando una vía aérea
- curvatura anormal de las uñas de las manos, llamada dedos hipocráticos
- a veces, ronquera en la voz puede ser señal de cáncer.

Algunos tipos de cáncer pulmonar no producen síntomas hasta que están avanzados, cuando pueden causar dificultad respiratoria.

¿QUÉ SE PUEDE HACER?

■ Se puede tomar una radiografía torácica.
■ Se pueden tomar muestras de flema para buscar células cancerosas.
■ Se puede realizar una broncoscopia para examinar sus vías aéreas (ver recuadro, derecha). Si se descubre un tumor, se extraerá una muestra y se examinará bajo el microscopio.
■ Se pueden tomar pruebas de sangre, tomografías computarizadas, IRM del cerebro, tórax, abdomen y huesos para saber si el cáncer se ha propagado.

¿CUÁL ES EL TRATAMIENTO?

El tratamiento del cáncer pulmonar depende del tipo de cáncer y su propagación a otras partes del cuerpo. La opción de remover un tumor en el pulmón mediante **cirugía** sólo sirve si el cáncer no se ha diseminado. La cirugía suele consistir en la extirpación del pulmón completo o de gran parte de él. Sin embargo, en 4 de cada 5 casos, el cáncer se ha propagado a otros órganos y la cirugía no es útil. El carcinoma pulmonar suele tratarse con **quimioterapia**, mientras que la **radioterapia** se usa para tratar el cáncer que no se puede eliminar con cirugía o para reducir los síntomas del cáncer que se ha ramificado de

los pulmones. La radioterapia no destruye todas las células cancerosas, pero retarda el crecimiento del tumor.

¿CUÁL ES EL PRONÓSTICO?

Aproximadamente de 3 de cada 4 personas sometidas a cirugía para extirpar un tumor sobreviven por 2 años.

Quienes sufren de carcinoma pulmonar suelen **sobrevivir sólo entre 2 y 10 meses**

EXAMEN

Broncoscopia

La broncoscopia es un tipo de endoscopia utilizada para diagnosticar o tratar diversos trastornos pulmonares, como cáncer y tuberculosis. Un instrumento rígido o flexible llamado broncoscopio se usa para ver los bronquios (vías aéreas) directamente y tomar una muestra del tumor para analizarla, una biopsia. Dicho instrumento, si es rígido, pasa a través de la boca hasta los pulmones con anestesia general; si es flexible, pasa desde la nariz o la boca hasta los pulmones con anestesia local. Se pueden utilizar instrumentos especiales para tomar muestras de tejido y si es necesario, realizar cirugía láser.

Antes del procedimiento, se le pedirá ayunar por al menos 6 horas. Pueden darle un sedante y adormecer su nariz y garganta con un atomizador de anestesia local. La duración del procedimiento depende de lo que su médico necesite ver y de si se ha hecho una biopsia o no.

Después de una broncoscopia, puede sentir dolor de garganta y voz ronca por las próximas 48 horas. Las tabletas para la garganta que se venden sin receta pueden aliviar las molestias.

después del diagnóstico. Aunque la cirugía, quimioterapia y radioterapia no siempre pueden prolongar la vida, pueden aliviar los síntomas y mejorar la calidad de vida.

¿EXISTEN COMPLICACIONES?

■ En algunos casos, se puede desarrollar **neumonía** en un área del pulmón si hay un tumor bloqueando una vía aérea.
■ Un tumor puede causar también **derrame pleural** y **pleuresía**.
■ A medida que avanza la enfermedad, puede haber pérdida de apetito seguida por **pérdida de peso** y debilidad.
■ También puede haber síntomas de tumores que se han ramificado desde los pulmones a otras partes del cuerpo. Por ejemplo, si el cáncer se ha ramificado al **cerebro**, puede sufrir **dolores de cabeza**.

CÁNCER PULMONAR SECUNDARIO (METÁSTASIS PULMONAR)

Cuando los tumores cancerosos de los pulmones provienen de otra parte del cuerpo, se habla de cáncer pulmonar secundario o metástasis pulmonar. Estos tumores son más comunes en personas entre 50 y 70 años y en mujeres más que en hombres, porque el cáncer de mama se puede ramificar hacia los pulmones.

TRATAMIENTO

Radioterapia

La radioterapia (exposición del tejido a la radiación) destruye o retarda el desarrollo de células cancerosas. Generalmente se administra después de una cirugía para eliminar cualquier célula cancerosa restante, pero se puede utilizar en lugar de la cirugía para destruir o reducir el tamaño de ciertos tumores. La radioterapia puede ser externa o interna (cuando se colocan materiales radiactivos en el cuerpo)

En la radioterapia externa se utilizan rayos X, gama o de electrones dirigidos a los tumores cancerosos. Se suele delinear con tinta el área que se va a tratar.

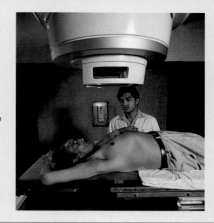

La metástasis se ramifica a los pulmones desde otras partes del cuerpo mediante "semillas" en el flujo sanguíneo. Los tipos principales de cáncer que se ramifican con más frecuencia a los pulmones incluyen cáncer de **mama**, **colon** y **próstata**. Cuando se detecta la metástasis pulmonar, suele haber ya varios tumores y el tratamiento del cáncer primario y secundario puede ser difícil. El alivio de los síntomas es, por lo general, el mejor resultado que se puede lograr.

> **Ver también:**
> • **TC pág. 401**
> • **IRM pág. 409**
> • **Pleuresía pág. 393**
> • **Neumonía pág. 392**

Neumotórax

EL NEUMOTÓRAX, LA PRESENCIA DE AIRE ENTRE LAS PLEURAS (LA MEMBRANA DOBLE QUE SEPARA LOS PULMONES DE LA PARED TORÁCICA), PUEDE PRODUCIRSE ESPONTÁNEAMENTE EN PERSONAS JÓVENES Y SALUDABLES.

Se cree que el neumotórax se debe a la ruptura de una bula congénita en la parte superior de los pulmones y suele no resultar grave si se trata a tiempo. También puede ocasionarse por una herida en el pecho, una costilla fracturada o una biopsia pulmonar, o puede ser una complicación de una enfermedad pulmonar obstructiva crónica, asma o intervención en el pecho.

¿CUÁLES SON LOS SÍNTOMAS?

■ Dolor en el pecho, que puede ser repentino y agudo o causar sólo una leve molestia.
■ Dificultad respiratoria.
■ Ardor en el pecho.
■ Si padece una enfermedad pulmonar subyacente, se puede crear presión y comprimir el corazón, necesitando alivio de emergencia.

■ La tráquea se aleja del área afectada, lo que se puede sentir en el cuello.

¿QUÉ SE PUEDE HACER?

■ Los rayos X muestran claramente el aire en la cavidad pleural.
■ Éste se puede quitar de la cavidad pleural aspirándolo con una aguja o insertando un tubo.
■ Puede necesitar cirugía para sellar la fuga.

Embolia pulmonar

EN LA EMBOLIA PULMONAR, UN TROZO DE SANGRE COAGULADA (ÉMBOLO) SE ALOJA EN UNA ARTERIA Y BLOQUEA PARCIAL O TOTALMENTE EL FLUJO DE SANGRE HACIA EL ÁREA AFECTADA.

Por lo general, el coágulo se ha desprendido de un coágulo mayor (trombo) en las venas de las piernas o de la región pélvica (**trombosis venosa profunda**) y ha llegado a los pulmones por el flujo sanguíneo. En raras ocasiones, el bloqueo de una arteria principal puede causar síntomas severos repentinos y puede resultar fatal. La embolia pulmonar es más común en mujeres mayores de 35 años con sobrepeso, que fuman y usan anticonceptivos orales. Estar inmovilizado por un largo período es un factor de riesgo, ya que la sangre tiende a disminuir la velocidad, en especial durante el **embarazo** y después de una cirugía, cuando la sangre tiende a espesarse para evitar las hemorragias.

La embolia pulmonar es más común en personas que han desarrollado trombosis venosa profunda a causa de un período de inmovilidad, como el que sigue al nacimiento de un bebé o a una cirugía (en especial, cirugía pélvica o para reparar fracturas) o, rara vez, durante un viaje largo.

Fumar y tomar anticonceptivos orales desarrolla coágulos de sangre, lo que aumenta el riesgo de trombosis venosa profunda.

¿CUÁLES SON LOS SÍNTOMAS?

Un émbolo de gran tamaño que bloquee la arteria pulmonar principal puede ser fatal. Los coágulos pequeños pueden causar los siguientes síntomas:
- dificultad respiratoria

- pulso acelerado
- baja presión sanguínea y mareo
- dolor agudo de pecho
- tos con sangramiento.

¿CUÁL ES EL TRATAMIENTO?

■ Anticoagulantes para aclarar la sangre y evitar la formación futura de coágulos.
■ Medicamentos trombolíticos para disolver el coágulo.

■ Posible dosis pequeña de aspirina diaria para prevenir la formación de coágulos en personas vulnerables.
■ Cirugía de emergencia para quitar un coágulo grande.

Ver también:
- **Trombosis venosa profunda pág. 235**

Hipo

EL INCONFUNDIBLE SONIDO QUE PRODUCE EL HIPO SE DEBE A LA CONTRACCIÓN ESPONTÁNEA DEL DIAFRAGMA SEGUIDA POR UN CIERRE INVOLUNTARIO DE LA GARGANTA.

El hipo ocurre incluso antes de nacer: los bebés tienen hipo dentro del útero, posiblemente como preparación para respirar. La mayoría de los casos cesa en unos minutos.

AUTOAYUDA

Existe una amplia gama de populares remedios caseros para el hipo, como contener la respiración o beber un vaso de agua rápidamente. Si el hipo es persistente y agotador, su médico puede prescribir un medicamento, como **clorpromazina**, que relaja el diafragma. En muy pocos casos, puede ser necesario paralizar el diafragma inyectando una droga alrededor de los nervios que lo sustentan o cortándolos.

Infecciones por Pneumocistis

AUNQUE ES POCO FRECUENTE EN PERSONAS SALUDABLES, LA INFECCIÓN POR PNEUMOCISTIS ES UNA CAUSA COMÚN DE NEUMONÍA PARA PERSONAS CON INMUNIDAD REDUCIDA, COMO QUIENES SUFREN DE SIDA. ESTA CONDICIÓN ES CAUSADA POR INHALAR EL PARÁSITO *PNEUMOCISTIS CARINII*.

Los síntomas, que son iguales a los de otros tipos de neumonía, suelen ser más severos a causa de la incapacidad del sistema inmunológico para combatirlos. En pacientes gravemente debilitados, la neumonía por pneumocistis puede ser fatal.

Ver también:
- **Infección por VIH y SIDA pág. 338**

Cerebro y Sistema Nervioso

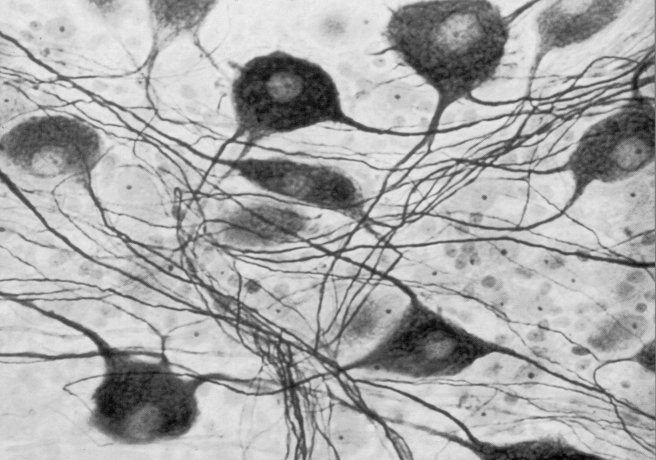

La imagen muestra una micrografía de las neuronas en el cerebro humano

El resumen de Miriam

Sin duda, las condiciones que afectan con mayor frecuencia al cerebro se deben no a una enfermedad de éste, sino de las arterias que lo alimentan. Con la edad, las arterias se estrechan cada vez más no sólo en el cerebro, sino también cerca del corazón, lo que produce una apoplejía, por una parte, y un infarto, por otra.

Las miniapoplejías o ataques isquémicos transitorios (AIT) comparten la misma causa.

Recuerdo que hace 10 años existían varias teorías, incluida la exposición al aluminio, para explicar la enfermedad de Alzheimer. La gente reemplazó sus ollas de aluminio por unas de acero inoxidable, lo que resultó ser bastante innecesario.

Hoy sabemos que el Alzheimer tiene un trasfondo genético, donde está involucrado al menos un gen y las pruebas de sensibilidad han evolucionado hasta permitir un diagnóstico prematuro. Quizás la mejor noticia de todas sea que el Alzheimer no sólo se puede detener al tomar TRH, sino que se puede prevenir.

"el *ejercicio* cerebral es *simplemente* pensar, concentrarse y *sentir*"

Una de las investigaciones alentadoras más recientes muestra que, contrario al pensamiento tradicional, las neuronas mantienen su capacidad para regenerarse. Siempre se creyó que las neuronas dañadas no podían recuperarse ni volver a crecer. Hoy se sabe que no es así. Mantenemos esta capacidad regenerativa incluso en edad avanzada. Este hecho tiene consecuencias importantes en la rehabilitación de pacientes con apoplejía y en aquellos que han sido tratados por condiciones como tumores cerebrales.

Piense en el cerebro como un músculo que responde y crece, debido al ejercicio. El ejercicio cerebral es simplemente pensar, concentrarse, sentir y podemos estimular la regeneración celular al ejercitar el cerebro cuando pensamos, nos concentramos y sentimos.

"sabemos que las *neuronas* se pueden *regenerar*"

Ha habido algunos tratamientos para la esclerosis múltiple (EM) que aún se considera que sirven, pero uno que parece ayudar a muchos pacientes, y al cual se llegó por accidente, es el cannabis. El profundo alivio de los síntomas que brinda el cannabis constituye un argumento de peso a favor de su uso medicinal.

Los detractores de esta posición, incluido el Gobierno, prefieren que el cannabinoide, la sustancia activa, se recete en tabletas. Pero muchos usuarios con EM declararán que no es tan simple. El cannabis tiene miles de microsustancias activas, todas las cuales parecen ayudar. Lo que los pacientes necesitan es la hierba, no tabletas.

AL INTERIOR
del cerebro y del sistema nervioso

Juntos, el **cerebro** y la **médula espinal** forman el **sistema nervioso central**. Los nervios que se ramifican desde el sistema nervioso central hacia el resto del cuerpo componen el **sistema nervioso periférico**. El cerebro y la médula espinal procesan y coordinan las señales nerviosas que recolecta y transmite este sistema.

El cerebro y la médula espinal constan de dos tipos de tejido: la **materia gris**, que crea y procesa los impulsos nerviosos, y la **materia blanca**, que transmite los impulsos nerviosos. El cerebro en sí contiene estructuras que se vinculan con cada parte del cuerpo; el cerebelo, relacionado con el equilibrio y el movimiento; el **bulbo raquídeo**, que transmite los impulsos nerviosos entre el cerebro y la médula espinal y controla la frecuencia cardíaca y la respiración; y una región que contiene el **hipotálamo**, que controla el sistema hormonal. La médula espinal es, realmente, una extensión del bulbo raquídeo y se desplaza hacia abajo desde el cráneo.

los nervios del sistema nervioso

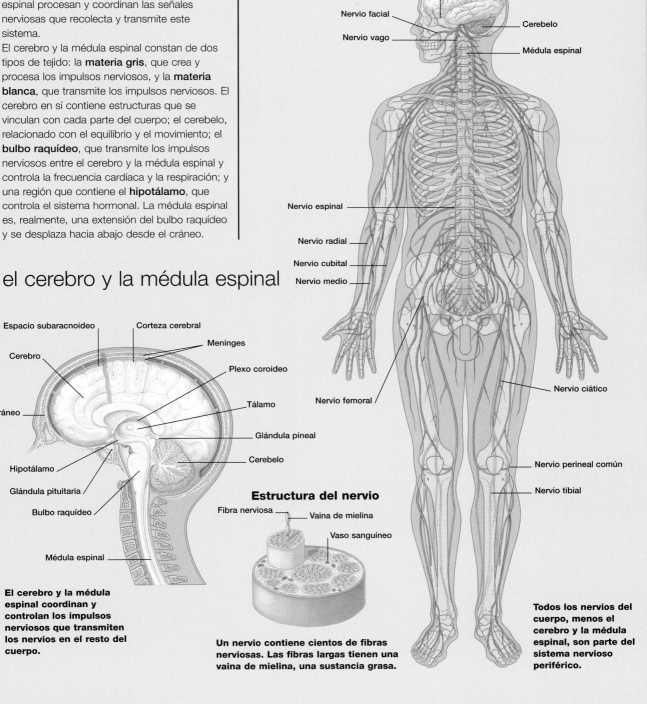

- Nervio óptico
- Cerebro
- Nervio facial
- Cerebelo
- Nervio vago
- Médula espinal
- Nervio espinal
- Nervio radial
- Nervio cubital
- Nervio medio
- Nervio femoral
- Nervio ciático
- Nervio perineal común
- Nervio tibial

el cerebro y la médula espinal

- Espacio subaracnoideo
- Corteza cerebral
- Meninges
- Cerebro
- Plexo coroideo
- Cráneo
- Tálamo
- Glándula pineal
- Cerebelo
- Hipotálamo
- Glándula pituitaria
- Bulbo raquídeo
- Médula espinal

El cerebro y la médula espinal coordinan y controlan los impulsos nerviosos que transmiten los nervios en el resto del cuerpo.

Estructura del nervio

- Fibra nerviosa
- Vaina de mielina
- Vaso sanguíneo

Un nervio contiene cientos de fibras nerviosas. Las fibras largas tienen una vaina de mielina, una sustancia grasa.

Todos los nervios del cuerpo, menos el cerebro y la médula espinal, son parte del sistema nervioso periférico.

LAS ENFERMEDADES VASCULARES Y EL CEREBRO

Para la mayoría de las personas, la formación de algún grado de placa en las arterias es inevitable, sobre todo cuando avanza la edad. El ateroma, tal como se denomina a esta formación, puede afectar todas nuestras arterias, pero los síntomas son más intensos si se ven afectadas aquellas que irrigan el corazón (ver Angina, pág. 224) y el cerebro (ver Ataques isquémicos transitorios, pág. 402, y Apoplejía, abajo), y pueden causar el endurecimiento y estrechamiento de éstas.

El endurecimiento de las arterias del cerebro es igual al que afecta las arterias del corazón, y rara vez ocurren por separado. En cualquier arteria, el ateroma interfiere en la circulación de la sangre y predispone a la formación de coágulos. Cuando afecta las arterias que irrigan el cerebro, el resultado puede ser un ataque isquémico transitorio o una apoplejía. Para un médico, observar el fondo de ojo de un paciente es como mirar por una ventana al centro de su cuerpo, porque le es posible ver directamente las arterias que se encuentran detrás del ojo y ver si se están ocluyendo. Por eso, cuando su oftalmólogo o médico examina el fondo de sus ojos no sólo quiere ver si éstos se encuentran sanos, sino que también busca ver si sus arterias están saludables. Él tendrá entonces una idea general de la condición de todas sus arterias, incluyendo las que irrigan el cerebro y el corazón.

Debido a esto, un simple examen ocular puede alertar a su médico sobre si usted puede ser candidato a un ataque cardíaco o a una apoplejía en el futuro, generando la posibilidad de que le aconseje debidamente.

Apoplejía

LA APOPLEJÍA, A MENUDO LLAMADA ACCIDENTE VASCULAR ENCEFÁLICO (AVE), ES RESULTADO DEL DAÑO QUE AFECTA UNA PARTE DEL CEREBRO DEBIDO A LA INTERRUPCIÓN DEL SUMINISTRO DE SANGRE.

La irrigación de sangre al cerebro puede verse obstaculizada por un bloqueo (trombosis o embolia) o por el derrame (hemorragia) de una de las arterias en el cerebro. El AVE es más común entre las personas que padecen una alta presión sanguínea, diabetes y altos niveles de colesterol. Quienes presentan arritmias (fibrilación auricular) también son más susceptibles a estos accidentes. Después de un ataque de apoplejía, parte del cerebro deja de funcionar y se requiere atención médica urgente.

¿QUÉ ES LO QUE SUCEDE?
Por lo general, hay poca o ninguna advertencia sobre el ataque. Una internación inmediata es esencial para una evaluación y tratamiento de la condición si es que existe posibilidad de evitar el daño cerebral permanente. Los ataques pueden presentar síntomas moderados y temporales, que van desde la pérdida de visión hasta la discapacidad permanente, o, en algunas personas, si el accidente causa daños severos en el cerebro, puede provocarles un coma y hasta la muerte.

Si los síntomas desaparecen dentro de 24 horas, la condición se conoce como **ataque isquémico transitorio (AIT)**, que es una advertencia de un posible ataque de apoplejía en el futuro.

¿QUÉ TAN COMÚN ES?
Cada año, unas 100.000 personas sufren apoplejía en el Reino Unido, y el riesgo aumenta con la edad. Un individuo de 70 años que vive en este país tiene un 100 por ciento más de posibilidades de sufrir un ataque que otro de 40. Aunque el número de fallecimientos ha disminuido en los últimos 50 años, la apoplejía sigue siendo la **tercera causa más común de muerte** en el Reino Unido después de los ataques cardíacos y el cáncer.

¿CUÁLES SON LAS CAUSAS?
■ Aproximadamente la mitad de los ataques ocurren cuando se forma un **coágulo de sangre** en una arteria del cerebro, un proceso que recibe el nombre de **trombosis cerebral**.
■ La **embolia cerebral** sucede cuando un fragmento de un coágulo de sangre que se ha formado en alguna otra parte del cuerpo, por ejemplo, en el corazón o en las arterias principales del cuello, viaja por el torrente sanguíneo hasta alojarse en una de las arterias que irrigan el cerebro. Sólo un tercio de todos los ataques de apoplejía son causados por la embolia cerebral.
■ La **hemorragia cerebral** (derrame), que causa una quinta parte de los ataques, ocurre cuando una de las arterias que irrigan al cerebro se rompe y la sangre se derrama sobre él.

Los coágulos que ocasionan la trombosis cerebral y la embolia cerebral suelen tener en arterias dañadas por la **aterosclerosis**, condición en la que las paredes de la arteria son cubiertas por depósitos de grasa (ateromas). Los factores que incrementan el riesgo de aterosclerosis son las dietas altas en grasas, el cigarrillo, la diabetes mellitus y los altos niveles de colesterol en la sangre.

¿CUÁLES SON LOS RIESGOS?
■ Los riesgos de embolia, trombosis o hemorragia cerebral aumentan si hay una presión alta, la que siempre debe ser evaluada y tratada con prontitud.
■ La embolia cerebral puede deberse a una complicación de condiciones específicas como desórdenes del ritmo cardíaco, desórdenes de las válvulas cardíacas y un ataque cardíaco reciente, las cuales pueden originar la formación de coágulos de sangre en el corazón.
■ La anemia de células falciformes, una anomalía de los glóbulos rojos, también aumenta el riesgo de trombosis cerebral, ya que las células anormales tienden a agruparse y a bloquear los vasos sanguíneos.
■ Menos común es que la trombosis sea causada por el estrechamiento de las arterias que irrigan el cerebro debido a la inflamación de un trastorno autoinmune, como la poliarteritis nodosa, en la que el sistema inmunológico ataca los tejidos sanos del cuerpo.

¿CUÁLES SON LOS SÍNTOMAS?
En la mayoría de las personas, los síntomas se desarrollan rápidamente, en segundos o minutos. Los síntomas exactos dependen del área del cerebro que se vea afectada. Éstos pueden incluir:
• debilidad o imposibilidad de mover un lado del cuerpo
• entumecimiento de un lado del cuerpo
• temblores, problemas de coordinación o pérdida del control de los movimientos finos
• dificultad visual, como la pérdida de visión en un ojo
• dificultades del habla
• dificultad para encontrar las palabras correctas o para entender lo que le dicen
• vómitos, vértigo y dificultad para mantener el equilibrio

Si el ataque es severo, la persona afectada perderá la conciencia, pudiendo entrar en coma y morir.

¿CÓMO SE DIAGNOSTICA?
■ Si sospecha que una persona ha sufrido un ataque de apoplejía, llévela de inmediato al hospital para encontrar la causa y comenzar el tratamiento.
■ El diagnóstico por imágenes del cerebro, como la tomografía computarizada (TC) o las imágenes por resonancia magnética (IRM), puede utilizarse para determinar si el ataque fue causado por un derrame o por el bloqueo de un vaso sanguíneo.
■ Las drogas antihipertensivas, que ayudan a controlar la elevada presión sanguínea, y una

EXAMEN

Tomografía computarizada

La tomografía computarizada (TC) se realiza conjuntamente con rayos X y un computador. Una serie de rayos pasa a través del cuerpo en ángulos levemente distintos para producir imágenes de corte transversal del cuerpo muy detalladas (diapositivas), llamadas tomogramas. La TC permite reunir información detallada sobre los órganos en forma indolora, manteniendo al mínimo la exposición a la radiación.

El escáner de TC consiste en una fuente de rayos X y un detector de estos rayos, los cuales rotan durante el procedimiento de modo que quedan siempre enfrentados uno al otro. No utiliza los rayos X como lo hace la radiografía tradicional para lograr una imagen de alta calidad. La TC puede mostrar detalles imposibles de ver en una radiografía común, incluyendo el tejido fibroso en órganos sólidos, como el hígado.

La información obtenida por el detector de rayos X es enviada al computador, que arma las imágenes de corte transversal y las muestra en el monitor. Estas imágenes resultantes pueden ser archivadas tanto como documentos de PC o imprimirse en película de radiografía tradicional. Los computadores más avanzados pueden producir imágenes tridimensionales con la información estándar obtenida. Los escáners de TC más nuevos utilizan una técnica en espiral (o helicoidal) en la que el escáner rota alrededor del paciente

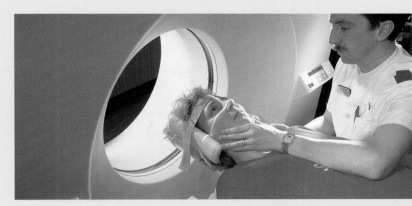

La TC es un procedimiento indoloro que puede llevar menos de un minuto hasta una hora, dependiendo de la afección que se investiga.

mientras la camilla avanza con lentitud para que los rayos X sigan el curso de la espiral. Este tipo de TC produce imágenes tridimensionales y reduce el tiempo que se requiere para que estén listas.

Durante la TC, usted estará recostado en una camilla motorizada que se moverá a lo largo del escáner. El radiólogo le pedirá que se quede quieto y que contenga la respiración mientras se efectúa cada toma; la camilla se adelanta un poco después de cada una de ellas. Si usted está nervioso, pueden darle un sedante liviano antes, también pueden aconsejarle que lleve a un familiar o amigo si siente que pudiera necesitar apoyo moral. El tiempo que lleva tomar una TC depende de la naturaleza de la

toma y puede durar entre unos pocos segundos y una hora.

Se realizan con mayor frecuencia en la cabeza y el abdomen; sin embargo, pueden utilizarse para guiar procedimientos de biopsias, en los que células o tejidos son extraídos de los órganos internos para ser examinados. Al igual que las radiografías tradicionales, la TC produce imágenes claras de los huesos. Los vasos sanguíneos y las áreas de alto flujo de sangre, como los pulmones, también pueden ser captadas. Estas imágenes pueden ser mejoradas usando un medio de contraste (una sustancia que hace visible en la imagen una estructura hueca o llena de líquidos).

EXAMEN

Doppler de carótida

El escáner de Doppler de carótida utiliza el ultrasonido para visualizar el flujo de la sangre a través de los vasos sanguíneos del cuello. Generalmente se lo emplea para investigar afecciones como un ataque isquémico transitorio o una apoplejía. Las ondas de ultrasonido de un transductor producen una imagen del flujo sanguíneo que puede revelar el angostamiento de los vasos carótidos en el cuello. El examen dura unos 20 minutos y es seguro e indoloro.

En el Doppler de carótida, el tecnólogo ubica el transductor de ultrasonido en una de las arterias carótidas para ver el flujo de la sangre a través de ella.

dosis diaria de aspirina, que reduce el riesgo de coagulación sanguínea, pueden ser prescritas.
■ Las personas que fuman deben dejar de hacerlo inmediatamente.
■ La debilidad y la pérdida de motricidad pueden tratarse con fisioterapia.

■ Los problemas del habla pueden aliviarse con terapia oral.
■ Las drogas antidepresivas y/o la ayuda profesional pueden servir para tratar la depresión que se produce después de un ataque.

¿CUÁL ES EL PRONÓSTICO?
El tratamiento de los factores de riesgo, como la presión alta, disminuirán la probabilidad de sufrir un ataque futuro, que podría ser fatal. Se pueden administrar drogas anticoagulantes para disolver un coágulo existente.

EXAMEN

Angiografía cerebral

La angiografía cerebral utiliza los rayos X para detectar anormalidades en las arterias que proveen de sangre al cerebro. A menudo se la usa para investigar **ataques isquémicos transitorios.** Con uso de anestesia, un delgado tubo flexible, llamado catéter, se inserta en una arteria, por lo

general en la ingle o en el codo, y se lo guía hasta una que esté ubicada en el cuello. Cuando el catéter está en posición se inyecta a través de él una tinta especial que se ve bajo los rayos X. El contorno de las venas se observa en la radiografía (angiograma).

Ver también:
- **Anemias pág. 236**
- **Arritmias pág. 231**
- **Trastornos autoinmunes pág. 323**
- **Diabetes mellitus pág. 504**
- **Ataque cardíaco (infarto de miocardio) pág. 230**
- **Hipertensión pág. 226**
- **Terapias psicológicas pág. 286**
- **El corazón y la aterosclerosis pág. 222**

Ataques isquémicos transitorios (AIT)

EL ATAQUE ISQUÉMICO TRANSITORIO ES SIMILAR A LA APOPLEJÍA, AUNQUE MUCHO MENOS SEVERO. EN OCCIDENTE, UNAS 600 PERSONAS TIENEN AIT, Y SIN TRATAMIENTO, 1 DE CADA 5 SUFRIRÁ UNA APOPLEJÍA EN EL PLAZO DE UN AÑO.

Un ataque isquémico transitorio (AIT) es similar a una pequeña apoplejía de la que el paciente se recupera en 24 horas o, por lo general, en menos tiempo. Se debe a una reducida irrigación de sangre al cerebro. Al igual que la apoplejía, los AIT son más comunes en los hombres, y a veces se transmiten en las familias. Como ocurre en la apoplejía, el cigarrillo, la presión alta y las dietas altas en grasas son factores de riesgo. Un AIT es una advertencia que no debiera ignorarse porque existen altas posibilidades de que pueda sufrirse luego un ataque de apoplejía.

¿QUÉ SUCEDE?
En el ataque isquémico transitorio, parte del cerebro, en forma repentina y breve, deja de funcionar de manera adecuada, debido a que se lo priva temporalmente de oxígeno por el bloqueo de su suministro de sangre. Este ataque puede durar entre unos pocos segundos y una hora y no tener secuelas. Sin embargo, **si los síntomas persisten por más de 24 horas**, se considera una apoplejía.

¿CUÁLES SON LOS SÍNTOMAS?
Los síntomas de un ataque isquémico transitorio generalmente se desarrollan en forma repentina y duran muy poco, apenas unos minutos. Éstos varían dependiendo de la parte del cerebro que esté afectada y pueden incluir:
• pérdida de la visión en un ojo o visión borrosa en ambos
• lenguaje confuso
• dificultad para encontrar las palabras correctas
• problemas para entender lo que dicen las otras personas

• entumecimiento de un lado del cuerpo
• debilidad o parálisis de un lado del cuerpo que afecta una o ambas extremidades
• sensación de inestabilidad y pérdida general del equilibrio.
Aunque los síntomas del ataque isquémico transitorio desaparecen dentro de una hora, los ataques tienden a reaparecer. Las personas pueden tener varios en un mismo día o durante varios días, y el tratamiento es crucial. Su médico probablemente quiera hacer los mismos exámenes que se realizan para la apoplejía. A veces pueden pasar varios años entre un ataque y otro.

¿CUÁL ES EL TRATAMIENTO?
■ Una vez diagnosticado el ataque isquémico transitorio, el objetivo del tratamiento es reducir el riesgo de sufrir una apoplejía en el futuro; por eso, su médico le prescribirá los medicamentos apropiados para tratar la **presión alta** o los **latidos irregulares** si es que sufre de alguna de esas afecciones.
■ El tratamiento después de un ataque isquémico transitorio puede ser tan simple como tomar una **aspirina diaria** para ayudar a prevenir que se formen coágulos dentro de los vasos sanguíneos. Otras drogas que evitan la coagulación sanguínea, como la **warfarina**, pueden prescribirse si se originan embolias (fragmentos de coágulos) a partir de coágulos formados en el corazón.
■ Se le aconsejará que **reduzca el nivel de grasa en su dieta** y, **si fuma,** deberá dejar de hacerlo.
■ Si sufre de **diabetes mellitus,** debe asegurarse de que su nivel de glucosa en la sangre esté bien controlado.

■ Si su médico encuentra que las arterias de su cuello están severamente angostas, le recomendará realizar un procedimiento quirúrgico llamado **endarterectomía de la carótida** para liberar los depósitos de grasa de estas arterias.
■ Como alternativa se le recomendará someterse a un procedimiento quirúrgico llamado **angioplastia de balón,** en el que un pequeño globo es insertado en la arteria o arterias afectadas. Una vez ubicado, se lo infla para abrir la sección angosta de la arteria. Tanto la angioplastia de balón como la endarterectomía de carótida aumentan el diámetro del vaso sanguíneo y mejoran la irrigación sanguínea al cerebro.

¿CUÁL ES EL PRONÓSTICO?
Una persona puede sufrir ataques isquémicos transitorios intermitentemente durante un tiempo largo o éstos podrán detenerse en forma espontánea. Una de cada 5 personas que sufren un ataque isquémico transitorio, **tendrá una apoplejía dentro del año.** Cuanto más frecuentes sean los ataques, mayor será el riesgo de sufrir una apoplejía en el futuro. Sin embargo, si toma las medidas necesarias para cambiar algunos aspectos de su **estilo de vida,** como dejar de fumar y adoptar una dieta baja en grasas, e ingiere los medicamentos que le recete su médico, reducirá el riesgo de sufrir más ataques isquémicos transitorios o apoplejías posteriormente.

Ver también:
• **Apoplejía pág. 400**

DOLOR EN LA CABEZA Y EN LA CARA

Existen muchas causas para el dolor en la cabeza y en la cara. Éste varía en intensidad, pero en la **migraña**, la **cefalea cluster** (vasomotora histamínica) y la **neuralgia del trigémino,** el dolor puede ser muy severo y prolongado, lo que dificulta lograr aliviarlo.

El dolor que comienza inesperadamente debe siempre ser investigado por su médico, y aquel asociado con cualquier otro síntoma, como náuseas, mareos y molestias visuales, debe comentarlo con el médico de inmediato.

En muchos casos no sabemos la causa exacta del dolor en la cabeza y en la cara, y el tratamiento se limita a aliviar los síntomas.

Los dolores de cabeza o cara inusualmente fuertes deben someterse siempre a la opinión de un neurólogo especialista y es su derecho recurrir a uno.

Lamentablemente, el espacio sólo me permite abarcar las causas más comunes y más serias de dolor en cabeza y cara, es decir, **dolores de cabeza, migraña, meningitis, neuralgia del trigémino** y **hemorragia subaracnoidea**.

Dolor de cabeza

LOS DOLORES DE CABEZA SON EXTREMADAMENTE COMUNES Y MUCHOS DE ELLOS NO DEBIERAN CAUSAR PREOCUPACIÓN. EN OCASIONES, SIN EMBARGO, EL DOLOR DE CABEZA ES SÍNTOMA DE UNA ENFERMEDAD GRAVE, COMO MENINGITIS O HEMORRAGIA CEREBRAL, Y REQUIERE ATENCIÓN MÉDICA URGENTE.

Los dolores de cabeza son las molestias más comunes y aparecen por varias razones. Los más universales son los dolores de cabeza producidos por la tensión.

¿CUÁLES SON LAS CAUSAS?
Existen varias causas posibles para el dolor de cabeza que determinan dónde se encuentra el dolor y qué tan severo es.
■ De cada 4 dolores de cabeza, 3 son causados por **tensión** en los músculos del cuello o del cuero cabelludo debido al estrés. Estos dolores tienden a ocurrir con frecuencia y a ser moderados, especialmente en la parte posterior y frontal. A

menudo se le describe como una banda apretada alrededor de la cabeza.
■ Otras causas comunes del dolor de cabeza incluyen **resaca, comidas irregulares, viajes largos, ruidos, ambiente viciado, tiempo tormentoso, demasiado sueño, demasiada excitación, fiebre, sinusitis** y **dolor de muelas**.

Afortunadamente, muy pocos dolores de cabeza tienen una causa seria y todo lo que se requiere son medidas de autoayuda, como analgésicos, ejercicios de relajación, aromaterapia, yoga o descanso.

DOLORES DE CABEZA QUE REQUIEREN ATENCIÓN MÉDICA URGENTE
■ Un dolor de cabeza severo, con fiebre, cuello rígido y erupción cutánea puede corresponder a una **meningitis**, condición en la que las membranas que cubren el cerebro y la médula espinal se inflaman.
■ Un dolor de cabeza repentino que se siente como una explosión en la parte posterior de ésta podría ser originado por una **hemorragia subaracnoidea**, en la que se produce un derrame entre las membranas que recubren el cerebro.
■ En las personas mayores, el dolor de cabeza con hipersensibilidad del cuero cabelludo o las sienes

puede deberse a **arteritis temporal**, afección en la que los vasos sanguíneos de la cabeza se inflaman.

¿QUÉ SE PUEDE HACER?
Si su médico sospecha que una afección subyacente está causando el dolor de cabeza, puede pedirle exámenes tales como una tomografía computarizada (TC), una resonancia magnética (IRM) de su cerebro y la opinión de un neurólogo.

¿CUÁL ES EL TRATAMIENTO?
El tratamiento depende de la causa del dolor de cabeza. Por ejemplo, el dolor por tensión, por lo general, desaparece con descanso y analgésicos. Las cefaleas cluster o histamínicos y las migrañas (ver abajo) pueden tratarse con ciertas drogas como el sumatriptán. El exceso de analgésicos, especialmente de aquellos que contienen codeína, puede causar dolor de cabeza.

ADVERTENCIA:

Si el dolor de cabeza es severo, dura más de 24 horas o si está acompañado de otros síntomas, como fiebre, problemas con la visión o vómitos y somnolencia, debe buscar ayuda médica de inmediato.

Ver también:
• **Meningitis pág. 404**
• **Relajación pág. 292**
• **Hemorragia subaracnoidea pág. 408**

Migraña

LA MIGRAÑA ES UNA DE LAS EXPERIENCIAS MÁS DOLOROSAS Y LIMITADORAS QUE SE PUEDEN PADECER Y PUEDEN INTERRUMPIR LA VIDA NORMAL MIENTRAS EL DOLOR PERDURE.

Cualquiera puede sufrir una migraña, sin importar la edad, la raza, la inteligencia y la ocupación. Al menos el 10 por ciento de la población es propensa a los ataques de migraña.

Existen pruebas suficientes de que la migraña y las afecciones relacionadas, como el asma, la fiebre de heno, las alergias y el

eccema, son de origen familiar. De cada 10 pacientes afectados, 8 tienen un pariente cercano que la padece.

No sólo la sufren los adultos, la migraña, por lo general, comienza en la adolescencia o a comienzo de la segunda década de vida, y hasta niños pequeños pueden verse afectados por ella; pero

para la mayoría, la migraña aparece generalmente entre los 30 y 40 años de edad.

¿CUÁLES SON LAS CAUSAS?
La verdadera causa de la migraña, probablemente, sea un cambio en las hormonas del cerebro, como

continúa en pág. 407

ENFOQUE
en la meningitis

La meningitis está incluida aquí porque su principal síntoma suele ser el dolor de cabeza y afecta las membranas que cubren el cerebro. Dicho dolor es tan común en esta enfermedad, que debe alertarlo sobre la posibilidad de padecerla.

Luego debe buscar otros signos confirmadores, y si encuentra sólo uno de ellos, deberá buscar atención médica urgente. El dolor de cabeza es causado por la inflamación de las **meninges**, las membranas que cubren el cerebro y la espina dorsal, debido a una infección causada por un virus o bacteria.

¿QUÉ ES?
• En la meningitis, las membranas que cubren el cerebro y la espina dorsal, las meninges, se inflaman.
• La meningitis viral es más común y, por lo general, menos severa que la meningitis bacteriana.
• Aun cuando la meningitis bacteriana es menos común, puede representar un **riesgo vital**.
• Tanto la meningitis bacteriana como la viral ocurren a cualquier edad, pero la primera aparece predominantemente en **niños** y la segunda, en **adultos jóvenes**.
• Existe una forma de meningitis que se observa actualmente en quienes sufren de **SIDA**.
• En el Reino Unido, se diagnostican varios cientos de casos de meningitis bacteriana y unos 500 de

meningitis viral cada año, aunque se piensa que la verdadera incidencia de ésta es mucho mayor.

¿CUÁLES SON LAS CAUSAS?
Viral:
Diferentes virus causan la meningitis. Entre los más comunes están los **enterovirus**, como el **virus coxsacki**, que también causa anginas o **diarrea**, y menos frecuentes es el que causa **paperas**. La meningitis viral tiende a producirse en **pequeños brotes**, especialmente en **verano**.
Bacteriana:
La meningitis bacteriana suele ocurrir sin razón aparente en un niño o adolescente sano. Es menos frecuente que aparezca como complicación de una infección ocurrida en alguna otra parte del cuerpo y que se expande hacia las **meninges** a través del torrente sanguíneo.
• La bacteria *Streptococcus pneumoniae*, la causa más común de meningitis en los adultos de occidente, se puede desplazar desde los pulmones, donde causa neumonía, hacia las meninges.
• La causa más común en niños no vacunados es la *Haemophilus influenzae* tipo B.
• Otra bacteria, llamada *Neisseria meningitidis*,

causa la meningitis por **meningococo**. Existen tres tipos de estas bacterias. El tipo B es la más común en Estados Unidos, mientras que el tipo C causa el 40 por ciento de los casos en el Reino Unido. Muchas personas portan la bacteria de la meningitis en la parte posterior de la garganta, pero por razones desconocidas, sólo una minúscula fracción de ellas desarrollan este mal.
• La bacteria que causa la tuberculosis puede también infectar las meninges.
La meningitis bacteriana suele presentarse en **casos aislados**. Sin embargo, pueden haber pequeños brotes, especialmente en ciertas instituciones, como **escuelas** y **universidades**. Esta forma de meningitis es más común durante el **invierno**.
Las personas que tienen un sistema inmunológico debilitado como resultado de una enfermedad existente o de un tratamiento particular, como aquellas con VIH o las que reciben quimioterapia, corren mayor riesgo de contraer meningitis.

¿CÓMO COMIENZA LA MENINGITIS?
• Inicialmente, la meningitis puede producir **síntomas** vagos similares a los de la **gripe**, como **fiebre moderada, dolores** y **molestias**, los que empeoran.
• Los síntomas son más severos en la meningitis bacteriana y se pueden desarrollar rápidamente, a menudo en unas pocas horas.
• Los síntomas de la meningitis viral, en tanto, pueden tomar unos días en aparecer.

Diferencias entre la meningitis viral y la bacteriana

	¿Quiénes corren riesgo?	Síntomas	Diagnóstico	Tratamiento
VIRAL	• Todos, pero especialmente los **adultos jóvenes** • Ocurre en pequeños brotes • Más común en verano	Los síntomas pueden desarrollarse **lentamente** durante unos días. Fuerte dolor de cabeza, fiebre, rigidez de cuello, molestia provocada por la luz intensa	Punción lumbar; TC o IRM para descartar inflamación cerebral.	Una vez que la punción lumbar ha descartado la meningitis bacteriana, **no suele necesitarse más tratamiento** que analgésicos para aliviar el dolor.
BACTERIANA	• Todos, pero es más común en **niños** • Suelen ser casos aislados • Más común en invierno	Los síntomas pueden desarrollarse **rápidamente** durante el curso de unas pocas horas: fiebre, rigidez de cuello, molestia provocada por la luz intensa, **erupción que no desaparece al ser presionada.**	Punción lumbar; TC o IRM para descartar presión en el cerebro.	Si se confirma mediante la punción lumbar, **se continúan los antibióticos y los pacientes deben ser controlados en una unidad de cuidados intensivos**. Pueden administrarse drogas anticonvulsivas y otras si fuera necesario.

EXAMEN

Cómo reconocer la erupción de la meningitis

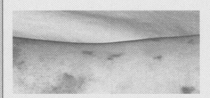

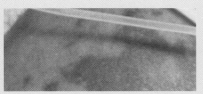

La erupción de la meningitis en piel blanca

La erupción de la meningitis es causada por una filtración de sangre de los vasos sanguíneos rotos ubicados debajo de la piel y, a diferencia de otras erupciones, **no desaparece al presionarla**. Suele ser de color rojo oscuro o púrpura y puede aparecer en cualquier lugar del cuerpo.

La mejor forma de comprobar si una erupción sospechosa corresponde a una meningitis es presionarla con un vaso de vidrio transparente; si la erupción sigue siendo visible a través de éste, debe buscarse atención médica de inmediato.

Presionar un vaso de vidrio contra la piel le permite ver claramente si la erupción desaparece.

La erupción de la meningitis en piel negra

• En la meningitis tuberculosa, los síntomas se desarrollan lentamente y pueden tardar varias semanas en volverse notorios.

¿CUÁLES SON LOS PRINCIPALES SÍNTOMAS?
Los síntomas incluyen:
• dolor de cabeza **severo**
• **fiebre**
• **rigidez** de cuello
• **intolerancia** a la luz intensa
• en la meningitis por **meningococco**, una erupción de puntos planos y rojizos que varían en tamaño, desde el de la cabeza de un alfiler hasta grandes parches que no desaparecen al ser presionados con un vaso de vidrio.

A menos que se administre un tratamiento rápido, la meningitis bacteriana puede ocasionar:
• **convulsiones**, somnolencia y coma
• la formación de pus que causa un absceso cerebral, lo que provoca la compresión del tejido circundante.

¿QUÉ SE PUEDE HACER?
Si se sospecha la presencia de meningitis, son necesarias una inmediata atención médica y la internación hospitalaria. La prioridad es comenzar a administrar antibióticos por vía intravenosa y luego determinar a qué tipo de meningitis, si la hubiera, corresponde.

• Se comienza de inmediato un tratamiento con antibióticos administrados por vía intravenosa.
• Se toma una muestra del fluido que rodea la médula espinal (punción lumbar) y se lo estudia para encontrar pruebas de la infección.
• La TC y la IRM pueden emplearse para buscar un absceso cerebral.
• Si los exámenes excluyen la posibilidad de una meningitis bacteriana, suele permitírseles a los pacientes retirarse a sus casas siempre que su condición general sea buena. No existe un tratamiento específico para la meningitis viral, pero se pueden administrar medicamentos para aliviar los síntomas, como analgésicos para el dolor de cabeza.
• Si se confirma la meningitis bacteriana mediante los resultados de la punción lumbar, se continúa con el suministro de los antibióticos por lo menos por una semana.
• Si se encuentra que la causa de la meningitis es la bacteria de la tuberculosis, se prescriben fármacos **antituberculosos**.
• En los casos de meningitis bacteriana, a menudo se necesita el monitoreo continuo en una unidad de cuidados intensivos.
• Podrían suministrarse fluidos intravenosos, drogas anticonvulsivas y otras que reducen la inflamación del cerebro, como los **corticosteroides**.

¿CUÁL ES EL PRONÓSTICO?
La recuperación de la meningitis viral suele ser completa entre 1 y 2 semanas; en cambio, puede llevar semanas y hasta meses recuperarse de la meningitis bacteriana. Ocasionalmente, pueden presentarse problemas a largo plazo, como deterioro en la audición y en la memoria debido al daño de parte del cerebro. De cada 10 personas tratadas por meningitis bacteriana, 1 muere a pesar del tratamiento. Los decesos se producen comúnmente entre niños y ancianos.

¿SE LA PUEDE PREVENIR?
Las personas que están en contacto con alguien infectado con meningitis meningocócica, por ejemplo, los familiares, deben recibir antibióticos por dos días como precaución. Este tratamiento elimina la bacteria del **meningococo** que puede estar presente en la parte posterior de la garganta y evita su propagación a otros individuos.

En la actualidad, los niños reciben rutinariamente la vacuna contra *H. Influenzae* tipo B, una causa importante de meningitis infantil, y contra *N. Meningitidis* tipo C (meningitis C).

Las personas que viajan a zonas de alto riesgo, como África, pueden necesitar vacunarse contra otros tipos de **bacteria meningocócica**, y deben consultarlo con su médico.

LA VACUNA CONTRA LA MENINGITIS C

Ésta es una vacuna contra la meningitis **meningocócica** grupo C y septicemia que asegura una protección prolongada para bebés desde los dos meses.

¿QUÉ TAN EFECTIVA ES?

Los científicos dicen que la nueva vacuna es, al menos, un 95 por ciento efectiva contra la meningitis meningocócica grupo C y contra la septicemia, pero no ofrece ninguna protección contra el grupo B. Cerca de 40 por ciento de los casos en el Reino Unido corresponde al grupo C, aunque el grupo B causa la mayoría del restante 60 por ciento. **No existe una vacuna para prevenir la enfermedad del grupo B, por eso sigue siendo importante estar atento a los signos y síntomas de la meningitis y la septicemia.**

¿CUÁNDO DEBO ESTAR ATENTO A LA MENINGITIS?

Los casos de meningitis y septicemia aumentan enormemente cada invierno. El objetivo del programa de vacunación es prevenir las muertes a causa de la enfermedad, protegiendo a la mayor cantidad posible de personas que corren riesgo antes de la llegada del invierno.

¿QUIÉNES CORREN RIESGO DE CONTRAER MENINGITIS?

Los bebés y los adolescentes son los grupos etarios con mayor riesgo.

¿CÓMO SE HACE PARA RECIBIR LA VACUNA?

• Los bebés y niños reciben la vacuna junto con las demás inmunizaciones de rutina. Cualquier persona que no haya sido vacunada y que sienta que debiera serlo, debe contactar a su médico.

¿ES SEGURA LA VACUNA CONTRA LA MENINGITIS C?

• La vacuna contra la meningitis C ha sido probada en más de 6.000 personas en el Reino Unido y en 21.000 en todo el mundo, demostrando ser segura y otorgar inmunidad a largo plazo.

• No se registraron efectos secundarios de gravedad durante el período de prueba de la seguridad de la vacuna. Algunos bebés y niños tuvieron algo de temperatura, una noche molesta o enrojecimiento e hinchazón en el lugar de la inyección, pero la posibilidad de tener estas reacciones moderadas no supera la de otras vacunas. Niños mayores y adolescentes se quejan a veces de dolores de cabeza. Se registraron vómitos en bebés, pero esto se debe, probablemente, a otras vacunas que se administraron en el mismo momento.

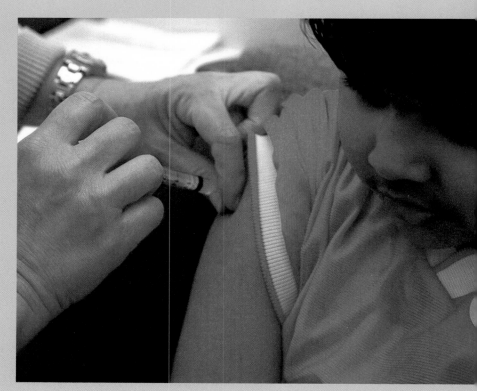

• La vacuna no está "viva" y no puede causar siquiera una forma leve de meningitis ni de septicemia.

• No existen nuevos ingredientes en la vacuna. Todos los ingredientes de la nueva vacuna ya han sido aplicados a miles de niños durante muchos años como componentes de otras vacunas, sin que causaran daño alguno.

¿HAY PERSONAS QUE NO DEBERÍAN RECIBIR LA VACUNA?

• Las personas que han tenido una reacción severa a la vacuna simple contra **meningococo,** o a las vacunas contra la **Hib** o contra la **difteria,** no deben aplicarse la vacuna.

• La vacunación debe posponerse en todos quienes estén padeciendo fiebre alta.

• No ha sido probada en mujeres embarazadas, y aunque no hay razón que sugiera que no es segura durante el embarazo, las mujeres que piensan que pueden estar embarazadas deben comentárselo al médico o a la enfermera.

¿HAY ALGÚN PROBLEMA CON LAS VACUNAS "MÚLTIPLES"?

A algunos padres puede preocuparles que recibir juntas las vacunas contra la difteria, la Hib, la polio y la nueva vacuna sobrecargue el inmaduro sistema inmunológico del bebé.

• No hay peligro en recibir estas vacunas al mismo tiempo. Durante las pruebas de la nueva vacuna, los científicos demostraron que las vacunas no podían interactuar en ninguna forma que pudiera dañar a los bebés o niños.

• Estas vacunas no "sobrecargan" el sistema inmunológico. **Las vacunas trabajan elevando la respuesta del sistema inmunológico, pero recibir todas las vacunas y la nueva vacuna C al mismo tiempo es menos problemático para el sistema inmunológico que eventos diarios como un bebé que contrae anginas o un niño que se cae y se raspa la rodilla.**

• Las vacunaciones de rutina están programadas para proteger a los bebés cuando más lo necesitan.

Ver también:
• **Quimioterapia pág. 257**
• **VIH y SIDA pág. 338**
• **Paperas (cuadro) pág. 544**
• **Cronograma de inmunización pág. 519**
• **Trombocitopenia pág. 239**

AUTOAYUDA

Prevenir la migraña y evitar sus causas

Usted debe tratar de saber cuáles son las causas de su migraña y evitarlas lo más posible. Podrá detectar los signos de advertencia y gracias a ellos controlar mejor el ataque de migraña. A menudo se puede evitar un ataque si se toma alguna clase de tratamiento en cuanto se siente el aura (malestar previo), evitando la aparición del dolor. Si el ataque comienza, intente tratarlo lo antes posible con un analgésico como el paracetamol, en forma soluble de ser posible.

Se sabe de muchos factores que provocan la migraña. Usted deberá identificar cuáles son los que lo afectan. Si los evita puede ayudarle a reducir la frecuencia y la severidad de los ataques.

■ Lleve un registro durante algunas semanas para ayudar a determinar cuáles son los factores.

■ Evite las comidas que puedan estar relacionadas con los ataques. Entre los factores alimentarios que desencadenan la migraña se

encuentran el vino tinto, el queso (especialmente el queso maduro) y el chocolate.

■ Coma con regularidad, porque obviar una comida puede provocar un ataque.

■ Siga un patrón de sueño estable de ser posible, porque cambiarlo puede producir un ataque.

■ Si el estrés es un desencadenante, puede serle útil intentar ejercicios de relajación.

continúa de pág. 403

resultado de la constricción de los vasos sanguíneos (que causa los destellos luminosos), primero, y luego la dilatación (que causa el terrible dolor de cabeza). Existen muchas causas bien conocidas que alteran estas hormonas cerebrales, siendo la más conocida la **serotonina**.

¿CUÁNTO DURA UN ATAQUE DE MIGRAÑA?
La migraña puede variar en intensidad desde un dolor con latidos, por lo general de un lado de la cabeza, que dura aproximadamente una hora, hasta uno tan fuerte que obliga a recostarse a oscuras por dos o más días.

¿CUÁLES SON LOS SÍNTOMAS?
Los síntomas de la migraña pueden tomar una gran variedad de formas.

PROBLEMAS DE VISIÓN
Casi media hora antes del comienzo del dolor, usted puede notar luces destellantes o que las luces tienen un halo alrededor. Parte del campo visual puede oscurecerse. Estos síntomas pueden ocurrir por sí solos **sin dolor de cabeza**, en cuyo caso se la denomina **migraña óptica**.

DOLOR DE CABEZA
La migraña es un dolor de cabeza muy fuerte. El dolor pulsante o martillador, por lo general encima del ojo, es seguido de náuseas (deseos de vomitar), vómitos e intolerancia a la luz, sonidos y movimientos de cualquier tipo. Para que se considere migraña debe presentar más de uno de estos síntomas, pero no necesariamente todos.

PARÁLISIS
A veces, la sensibilidad y el movimiento de un lado del cuerpo se ven afectados, como un pequeño ataque de apoplejía, pero vuelven a la normalidad cuando desaparece el dolor de cabeza. Ésta se denomina **migraña hemipléjica**.

PROBLEMAS ABDOMINALES
La migraña en la que aparecen principalmente síntomas abdominales, como vómitos y dolor de estómago, se llama **migraña abdominal** y es común en los niños.

¿QUÉ ES UN AURA?
El aura precede al dolor de cabeza y puede ir desde la distorsión de la visión hasta el hormigueo o simplemente una sensación extraña.

LA MIGRAÑA EN LAS MUJERES
Muchas mujeres encuentran que la migraña forma parte del **síndrome premenstrual (SPM)** debido a los cambios hormonales que ocurren cada mes.

Sus niveles hormonales cambian en forma constante durante sus vidas reproductivas, y esto puede ser la causa de que sean más propensas a sufrir migrañas que los hombres. También está la **migraña menopáusica,** que ocurre cuando los niveles hormonales bajan al desaparecer la menstruación.

LA MIGRAÑA EN LOS NIÑOS
Entre los 5 y los 15 años, **1 de cada 9 niños** sufre ataques de migraña. Hasta la pubertad, los niños y niñas los sufren por igual.

La migraña infantil puede ser totalmente distinta de la del adulto. Los ataques tienden a ser más cortos (a veces, apenas una hora), con énfasis en el dolor abdominal, náuseas y vómitos; el dolor de cabeza puede ser moderado o incluso no aparecer.

Los niños pequeños a menudo son incapaces de describir los síntomas de la migraña y pueden explicar cómo se sienten diciendo "me duele la cabeza en el estómago". A medida que crecen, los síntomas abdominales generalmente desaparecen y el dolor de cabeza se torna prominente.

Puede ser difícil diferenciar este estado de la **apendicitis**, y muchos niños han sido operados innecesariamente.

¿HAY COMIDAS QUE PUEDEN CAUSARLA?
Ciertas comidas como el chocolate, el queso, vinos añejos, como el oporto y el jerez, y la cafeína pueden desencadenar un ataque. Saltarse comidas, lo que ocasiona la **caída del nivel de azúcar en sangre**, también puede precipitar un ataque de migraña.

¿PUEDE CAUSAR MIGRAÑA EL ESTRÉS?
Un período de estrés suele ser seguido por una migraña, por lo general cuando uno comienza a relajarse. Si su trabajo o su estilo de vida son estresantes, es probable que sufra **migrañas en los fines de semana o en las vacaciones.**

¿LA FALTA DE SUEÑO PUEDE AFECTAR?
El patrón de sueño irregular es una causa común de migraña. Las curas de sueño o el exceso de horas de sueño en el fin de semana suelen considerarse algo bueno, pero en realidad pueden desencadenar la migraña tanto como la falta de descanso.

¿QUÉ OTROS FACTORES CAUSAN LA MIGRAÑA?
Los viajes, los cambios climáticos, los factores hormonales (en las mujeres), los ruidos fuertes, las luces intensas o destellantes, la TV, el cine, ir de compras y los olores fuertes han sido reconocidos como causas de ataques.

¿CUÁL ES EL TRATAMIENTO?
Todas las personas que sufren de migraña tienen su receta favorita para aliviarse de ella, a la cual llegan después de años probando y equivocándose. Por ejemplo, la mía eran los supositorios de **Stemetil** (sólo por prescripción médica) y la oscuridad; la de mi hijastra es Solpadeine extra fuerte, dos cápsulas cada cuatro horas.

Una regla estricta y rápida es que cualquier dolor de cabeza puede significar migraña, por eso nunca debe ignorarlo.

El farmacéutico le aconsejará sobre los remedios y medicinas para niños de venta sin receta médica. Sin embargo, éstos son para tratar los síntomas, no llegan a la causa.

Hay muchos medicamentos de venta restringida que usted podrá probar, el último de los cuales es un Inhibidor Selectivo de Reincorporación de Serotonina (ISRS), que trata la causa. Algunos de estos fármacos son inyectables, mientras que otros son masticables o inhalables. Además, si las migrañas ocurren con frecuencia (más de unas cuatro veces al mes), existen medicamentos que se pueden tomar en forma diaria para prevenir su aparición.

Su botiquín de emergencia: Cuando mi migraña estaba en su peor momento, nunca salía sin mis medicamentos. Lleve consigo los suyos para poder tomar acciones rápidas si fuera necesario.

Ver también:
• **La familia de condiciones atópicas pág. 311**

Neuralgia trigeminal

LA NEURALGIA DEL TRIGÉMINO ES UN DOLOR AGUDO DE UNO DE LOS LADOS DE LA CARA DEBIDO A LA COMPRESIÓN, INFLAMACIÓN O DAÑO DEL NERVIO TRIGÉMINO. EL DOLOR SE EXPERIMENTA EN EPISODIOS BREVES Y RECURRENTES QUE, SI BIEN NO SON DE GRAN DURACIÓN, SON EXTREMADAMENTE INTENSOS.

El nervio trigémino conduce la sensibilidad desde partes de la cara hacia el cerebro y controla los músculos que participan en la masticación. El daño o irritación de este nervio causa la aparición repetida de un dolor agudo y punzante, conocido como neuralgia trigeminal. El dolor, que se siente en los labios, encías o mejillas de uno de los lados de la cara, puede seguir el recorrido del nervio o afectar la piel irrigada por éste. Los ataques de neuralgia trigeminal pueden durar desde unos pocos segundos hasta varios minutos.

Esta neuralgia es poco común en personas de menos de 50 años de edad, y en individuos jóvenes puede ser un signo temprano de esclerosis múltiple.

Recorrido del nervio trigémino

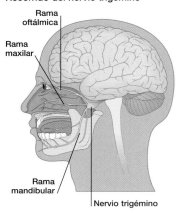

Rama oftálmica

Rama maxilar

Rama mandibular

Nervio trigémino

¿QUÉ SE PUEDE HACER?

El dolor rara vez tiene origen maligno, pero se puede desencadenar por el tacto, al afeitarse, lavarse, al comer, al beber e incluso al hablar.

■ El tratamiento general es sintomático, por lo cual se prescriben analgésicos como **paracetamol** para aliviar el dolor.

■ Si el dolor persiste, su médico puede recetarle drogas anticonvulsivas, como la **carbamazapina**, que son efectivas para tratar la neuralgia trigeminal.

A diferencia de los analgésicos, que deben ingerirse sólo en presencia del dolor, tanto los anticonvulsivos como los antidepresivos deben administrarse **todos los días** para **prevenir que ocurran los ataques**.

CIRUGÍA

■ Si se encontrara un tumor, lo que es muy poco probable, puede ser necesaria una intervención quirúrgica para extirparlo.

■ La cirugía también puede usarse para separar el nervio trigémino de un vaso sanguíneo si es que el vaso está comprimiendo el nervio.

■ Las personas que sufren dolores crónicos severos que no responden a los medicamentos pueden optar por un tratamiento que adormece la cara. Se puede cortar el nervio trigémino o se le puede inyectar alcohol para inactivarlo. El dolor también puede ser aliviado utilizando una sonda especial caliente para destruir el nervio.

Nota: Si usted recibió el tratamiento para desensibilizar la cara, la neuralgia trigeminal no

Neuralgia posherpética

El dolor facial posherpético puede ser el efecto secundario más serio de las erupciones que afectan la cara. El virus herpes zoster puede dañar el nervio facial y aproximadamente un tercio de las personas puede quedar con un dolor severo que dura mucho tiempo. Cuanto mayor es la persona y cuanto más pronunciada es la erupción, más durará el dolor. Ocasionalmente se pueden recetar hormonas esteroides, ya que éstas pueden ayudar a evitar que el dolor se haga crónico.

reaparecerá, pero debe evitar las comidas calientes o las bebidas que puedan quemarlo.

¿CUÁL ES EL RESULTADO?

Los ataques de neuralgia pueden desaparecer en forma espontánea, volverse más frecuentes o persistir sin cambios durante meses o años. Sin embargo, los síntomas suelen mejorar significativamente con el tratamiento.

Hemorragia subaracnoidea

EL DERRAME DE SANGRE EN EL ESPACIO COMPRENDIDO ENTRE LAS DOS MEMBRANAS INTERNAS QUE CUBREN EL CEREBRO SE CONOCE COMO HEMORRAGIA SUBARACNOIDEA. POR LO GENERAL PRODUCE UN DOLOR INTENSO QUE SE SIENTE COMO UNA EXPLOSIÓN EN LA PARTE SUPERIOR DE LA CABEZA.

La mayor parte de las hemorragias subaracnoideas ocurren más en forma espontánea que como resultado de una herida en la cabeza. Son más comunes en personas de entre 35 y 60 años.

¿CUÁLES SON LOS SÍNTOMAS?

El comienzo de los síntomas es, por lo general, repentino y sin advertencias. Sin embargo, en algunos casos, un dolor de cabeza aparece unas pocas horas antes de la hemorragia. Los síntomas típicos incluyen:

● dolor de cabeza repentino y agudo
● náuseas y vómitos
● rigidez del cuello
● intolerancia a la luz
● irritabilidad.

En unos pocos minutos, éstos pueden cambiar a:

● confusión y somnolencia
● convulsiones
● pérdida de la conciencia.

El cuerpo puede reaccionar comprimiendo las arterias del cerebro, reduciendo aún más su suministro de oxígeno, lo que puede causar un ataque de apoplejía y producir debilidad muscular o parálisis.

¿QUÉ SE PUEDE HACER?

■ Si se sospecha de una hemorragia subaracnoidea, debe recurrirse de inmediato al hospital.

■ Por lo general se realiza un **tomografía computarizada (TC)** para identificar la ubicación y extensión del derrame.

■ Ocasionalmente, puede realizarse una **punción**

lumbar para buscar signos de sangrado dentro del fluido que rodea el cerebro y la médula espinal.

■ La **imagen de resonancia magnética(IRM)** o la **angiografía cerebral** pueden ser útiles para observar los vasos sanguíneos del cerebro.

■ Si se confirma la hemorragia subaracnoidea, suelen administrarse drogas llamadas **antagonistas de los canales del calcio** para reducir el riesgo de apoplejía.

■ Si la angiografía cerebral muestra la presencia de uno o más **aneurismas**, probablemente se requiera de cirugía para extirparlos.

¿CUÁL ES EL PRONÓSTICO?

Si no vuelve a producirse otra hemorragia dentro de seis meses o si la cirugía es exitosa, **es poco probable que haya nuevos derrames**.

Tumores cerebrales

LOS TUMORES CEREBRALES SON CRECIMIENTOS ANORMALES QUE PUEDEN DESARROLLARSE EN EL TEJIDO CEREBRAL O EN LAS MENINGES, LAS MEMBRANAS QUE RECUBREN EL CEREBRO. LA GRAVEDAD DE UN TUMOR CEREBRAL DEPENDE DE SU UBICACIÓN, TAMAÑO E ÍNDICE DE CRECIMIENTO.

Los tumores cerebrales pueden ser cancerosos o no. Sin embargo, a diferencia de la mayoría de los que aparecen en otros lados del cuerpo, los tumores cerebrales cancerosos y no cancerosos pueden ser igualmente graves, porque cualquiera de ellos puede comprimir los tejidos circundantes, causando presión dentro del cráneo. Los tumores cerebrales son más comunes en los hombres, en quienes aparecen con mayor frecuencia entre los 60 y 70 años de edad.

Los tumores que surgen del tejido cerebral o de las meninges que cubren el cerebro reciben el nombre de **tumores primarios** y son comparativamente raros.

Los **tumores cerebrales secundarios** (metástasis) son más comunes que los tumores primarios. Siempre son cancerosos, ya que se desarrollan a partir de células cancerosas que han llegado al cerebro desde tumores ubicados en otras partes del cuerpo, como las mamas.

Ciertos tipos de tumores cerebrales, como los **neuroblastomas**, afectan sólo a niños.

¿CUÁLES SON LOS SÍNTOMAS?

Los síntomas suelen ser resultado de un tumor primario o de una metástasis que comprime parte del cerebro o que eleva la presión intracraneana. Éstos incluyen:
- dolor de cabeza que suele ser más fuerte en la mañana y se agudiza al toser o al agacharse
- náuseas y vómitos
- visión borrosa.

Otros síntomas tienden a relacionarse con el área del cerebro que esté afectada por el tumor y pueden incluir:
- problemas del habla
- dificultad para leer y escribir
- cambio de personalidad
- entumecimiento y debilidad de las extremidades de un lado del cuerpo.

Un tumor también puede causar **convulsiones**. A veces bloquea el flujo del líquido cerebroespinal que circula dentro y alrededor del cerebro y la médula espinal. Como resultado, la presión dentro de los ventrículos (los espacios llenos de líquido del cerebro) aumenta y produce mayor compresión del tejido cerebral. Si no se trata, puede provocar **somnolencia**, que, eventualmente, se desarrolla hasta el estado de **coma** y luego la **muerte**.

¿CÓMO SE DIAGNOSTICAN LOS TUMORES CEREBRALES?

■ Si sospecha de la presencia de un tumor cerebral, deberá asesorarse inmediatamente por un neurólogo.
■ Le harán una tomografía computarizada (TC), o una resonancia magnética (IRM) del cerebro para buscar el tumor y determinar su ubicación y tamaño. Si estos exámenes sugieren que el tumor proviene de un cáncer ubicado en algún otro

lugar, puede que le recomienden otros, como una **mamografía** o una **radiografía de tórax** para ver si hay tumores en los pulmones o en las mamas.
■ Se podrá realizar otra **imagen por resonancia magnética** (IRM) para observar el tumor y el tejido circundante con más detalle.

■ También podrá ser necesario realizar una **biopsia cerebral** en la que se toma una muestra del tumor y se la estudia bajo el microscopio para identificar el tipo de células de las cuales proviene el tumor.

continúa en pág. 412

EXAMEN

Imagen por resonancia magnética (IRM)

La técnica de la imagen por resonancia magnética se ha utilizado desde la década del 80 para obtener imágenes seccionadas altamente detalladas de los órganos y las estructuras internas.

Estas imágenes son creadas por un computador que utiliza la información recibida de un escáner. A diferencia de la radiografía o la tomografía computarizada (TC), la IRM no expone al paciente a la peligrosa radiación; en cambio, utiliza ondas magnéticas y de radio.

Las imágenes de la IRM son similares a las que produce la TC, pero la IRM puede distinguir tejidos anormales con mayor claridad. Las IRM pueden tomarse además con una mayor variedad de planos que la TC, y por eso pueden utilizarse para obtener imágenes de cualquier parte del cuerpo. La IRM está libre de radiación y se

la considera una de las técnicas de diagnóstico por imágenes más seguras. Durante la IRM, el paciente está recostado dentro de un escáner rodeado de un enorme y poderoso imán. El imán receptor se ubica alrededor de la parte del cuerpo que se quiera investigar. Si el área es grande, como el abdomen, el imán receptor se coloca dentro del escáner de IRM; para áreas más pequeñas, como una articulación, el imán es ubicado alrededor de la zona a investigar. El escáner IRM es operado desde un cuarto adyacente porque el computador que lo maneja debe ser protegido del fuerte campo magnético que se genera durante el procedimiento. Los escáneres de IRM pueden ser muy ruidosos y es común darle al paciente tapones para los oídos o auriculares. Cada toma de IRM dura unos pocos minutos, pero un examen completo puede requerir la toma de una secuencia de imágenes que puede tardar entre 15 minutos y una hora. Si se siente nervioso por el procedimiento, le pueden administrar un sedante suave; también le dirán que puede ir acompañado de un amigo o familiar que le brinde apoyo moral.

La IRM es especialmente útil para observar el cerebro y para detectar tumores cerebrales. También es valiosa para estudiar la médula espinal y se la puede emplear para investigar los dolores de la zona baja de la espalda. Las lesiones deportivas, especialmente las de la rodilla, cada vez más son examinadas mediante la IRM. En un pequeño número de casos se ha utilizado la IRM para examinar las mamas. Las IRM muestran la ubicación de los tumores dentro del tejido mamario con más precisión que las radiografías de dos dimensiones. Además, debido a que no usan radiación, los exámenes de IRM pueden repetirse con más frecuencia, permitiendo a los médicos monitorear cuidadosamente una afección.

Las imágenes de la IRM se ven en el computador, en la sala central, lejos del campo magnético del escáner.

ENFOQUE
en síndrome de fatiga crónica

La terminología aplicada a la fatiga es confusa para todos, inclusive para los médicos. Como todos los que se sienten crónicamente cansados saben, existe un espectro de fatiga que va desde necesitar sólo un par de noches de buen sueño para recuperarse, hasta dejar de trabajar por un tiempo y reposar en cama.

Por eso es tan importante separar el cansancio ordinario del síndrome de fatiga crónica (SFC), también conocido como **encefalopatía miálgica** o EM.

¿QUÉ ES EL SFC?
El síndrome de fatiga crónica es una enfermedad compleja que incluye una fatiga extrema y que se extiende durante un largo tiempo. El agotamiento extremo es casi siempre la parte prominente del SFC, sumado al dolor muscular y al malestar similar a la gripe. Otros síntomas pueden incluir problemas de concentración y memoria, pérdida del equilibrio, problemas digestivos, trastornos del sueño y alteración de los estados de ánimo.

El SFC afecta a más de 15.000 personas en el Reino Unido, pero no sabemos exactamente la causa; no existe un examen específico y el tratamiento es sólo sintomático. Muchos casos aparecen después de una infección viral que ha **debilitado** el sistema inmunológico. La asociación de la infección viral seguida de cansancio no es algo nuevo: hace años que sabemos que el virus de fiebre glandular, por ejemplo, puede provocar secuelas como cansancio y depresión, que pueden tardar entre 9 y 12 meses en mejorar.

¿POR QUÉ NOS CANSAMOS TANTO?
Nuestro sistema de alerta, que libera adrenalina para prepararnos para luchar contra un enemigo o huir de él, funcionaba perfectamente milenios atrás, cuando el estrés consistía en la detección ocasional de la presencia de los miembros de una tribu hostil.

Pero hoy, este sistema está en permanente

¿Cómo me puedo ayudar?

Al igual que los expertos en esta área, me preocupa que se esté promoviendo fuertemente el uso de suplementos para un grupo de personas vulnerables cuyas expectativas pueden ser falsamente alimentadas. A modo personal recomiendo siempre una buena alimentación conjuntamente con ejercicio para aliviar la fatiga crónica. El ejercicio es la única forma que conozco para aumentar el nivel de energía. La piedra angular del estado físico, el ejercicio, es también el antídoto para el cansancio y asegura el buen descanso. Vea los beneficios del ejercicio en la pág. 21. Pero aquí hay tablas con los **alimentos que contienen hidratos de carbono** y minerales que también pueden ayudar a elevar su nivel de energía.

Minerales
Personalmente siempre recomiendo una buena alimentación combinada con ejercicio para aliviar el cansancio crónico. Pero primero, aquí están los alimentos que contienen los minerales que le ayudarán a elevar su nivel de energía.

Mejor fuente alimenticia	Nutriente	Cantidad	Máximo
Bróculi (brócoli), salmón enlatado, queso, jugo de naranja fortificado, leche, productos a base de soya y yogur	Calcio	1,000 mg	1,500 mg
Cebada, legumbres, langosta, nueces, interiores de animales y ciruelas pasas	Cobre	1,5 a 3 mg	9 mg
Arvejas, panes y cereales fortificados, verduras de hoja verde, nueces, ostras y vieiras	Magnesio	310 mg	700 mg
Aguacate, carne de res, damascos secos, panes y cereales fortificados, legumbres y crustáceos	Hierro	15 mg	65 mg
Pollo, hongos, nueces, cebollas, mariscos, semillas, ajo, germen de trigo y pan integral	Selenio	55 mcg	200 mcg
Carne de res, cereales fortificados, legumbres, hígado, crustáceos, germen de trigo y yogur	Cinc	12 mg	30 mg

Hidratos de carbono
La mejor fuente de energía son los carbohidratos, así es que empiece a incorporarlos en su dieta.

Comida	Gramos de carbohidratos
230 g de pasta cocida	50
60 g de copos de maíz	50
150 g de arroz	45
2 rodajas de pan integral	30
1 tostada	30
54 g de chocolate con leche	30
2 cucharadas de puré de patatas	25
1 plátano mediano, manzana o pera	20
160 ml de jugo de naranja	15

Y así es como debe ingerir los carbohidratos: trate de comer 5 g de hidratos de carbono por kilo de peso corporal al día. Para un hombre de 70 kg esto significa un mínimo de 350 g de carbohidratos al día, y para una mujer de 55 kg, 275g.
Para alcanzar estas cifras incluya algo de hidratos de carbono en cada comida. Pruebe con el pan y productos panificados, pastas, desayuno de cereales, arroz, patatas, arvejas, verduras de raíz, frutas y **pan tostado.** Idealmente, haga una comida con hidratos de carbono entre 2 y 4 horas antes de hacer ejercicio y consuma un pequeño refrigerio como un plátano, una hora antes.
Intente comer unos 50 g de carbohidratos dentro de las dos horas posteriores al ejercicio. Esto ayuda a recargar los músculos y debería incluir algún alimento de rápida absorción, como las barras de fruta, los plátanos, **los copos de maíz** con leche descremada, las uvas pasas o un vaso de una bebida deportiva.

alerta roja debido a las presiones del entorno en el que vivimos. Simplemente no se puede manejar el estrés moderno.

Nuestros cuerpos nunca tienen la posibilidad de recuperarse de una reacción aguda (repentina) al estrés y pronto terminan afectados por un estado de estrés crónico (permanente), que puede comprometer el sistema inmunológico.

Cuando este sistema no puede luchar contra la infección, estamos en una espiral viciosa y descendente hacia el agotamiento.

¿CUÁLES SON LOS SÍNTOMAS DEL SFC?

Aunque el número y la gravedad de los síntomas pueden variar, los principales de la fatiga crónica son:
- fatiga aguda y **prolongada** que se extiende al menos durante seis meses
- **problemas** con la memoria reciente y la concentración
- **dolor de garganta**
- nódulos linfáticos **sensibles**
- dolor **muscular** y articular sin hinchazón ni enrojecimiento
- sueño que no deja sensación de **descanso**
- **dolor de cabeza**
- fatiga **prolongada** y malestar después del mínimo esfuerzo

Muchas personas que sufren de fatiga crónica también desarrollan los síntomas de la depresión, como la falta de interés por sus trabajos y por las actividades de esparcimiento, o de la ansiedad. Esto puede llevar a la inactividad prolongada, lo que puede producir la "pérdida de estado físico" de todo el cuerpo, que afecta particularmente a los músculos. Las condiciones que incluyen reacción alérgica, como el eccema y el asma, pueden empeorar en las personas que sufren síndrome de fatiga crónica.

¿CÓMO SE DIAGNOSTICA EL SFC?

Existen criterios específicos que deben darse antes de poder hacer un diagnóstico. El solo hecho de estar cansado no significa que se está en presencia del SFC. Su médico puede sospechar que usted tiene SFC si se ha sentido agotado por más de seis meses sin causa obvia y si

además tiene al menos cuatro de los otros síntomas enumerados. Incluso si no se determina una causa subyacente, el diagnóstico del síndrome de fatiga crónica sólo podrá hacerse si sus síntomas reúnen ciertos criterios.

MANEJAR EL SFC

Si usted ha desarrollado el SFC, es probable que sienta cambios en su nivel de energía. Sentirá la necesidad de ajustar su estilo de vida para vivir con esa condición. Las siguientes acciones pueden resultar de ayuda.
- Trate de dividir el día en sesiones de trabajo y descanso.
- El ejercicio gradual puede ser beneficioso. Intente incrementar la actividad progresivamente semana a semana.
- Póngase objetivos realistas.
- Cambie su dieta, especialmente bebiendo menos alcohol y suspendiendo el consumo de las bebidas que contienen cafeína.
- Trate de bajar el estrés.
- Únase a un grupo de apoyo para no sentirse solo.

¿CUÁL ES EL TRATAMIENTO PARA EL SFC?

Aunque no existe un tratamiento específico para el síndrome de fatiga crónica, hay algunas medidas que le pueden ayudar a vivir con esa condición.
- El médico le podrá recetar medicamentos para ayudar a aliviar algunos de los síntomas. Por ejemplo, los dolores de cabeza y dolores de las articulaciones pueden ser aliviados con analgésicos, como aspirina, o **drogas antiinflamatorias no esteroideas**.
- Los **antidepresivos** pueden producir un mejoramiento de la condición incluso aunque no haya desarrollado los síntomas de la depresión.
- Su médico puede recomendarle recibir ayuda profesional para manejar su enfermedad y para brindarle apoyo.
- También puede beneficiarse con la terapia cognitiva y la terapia del comportamiento.

¿CUÁL ES EL PRONÓSTICO?

El síndrome de fatiga crónica es una afección prolongada. Muchas personas encuentran que los síntomas están en su peor momento en los primeros dos años. En más de la mitad de los casos, la afección desaparece por completo después de varios años. En algunos individuos, los síntomas van y vienen durante algunos años.

Ver también:
- **Insomnio pág. 296** • **Depresión pág. 298**
- **La menopausia pág. 497**

Síndrome CETM

Si usted es parte del 38 por ciento de la población del Reino Unido que se siente exhausta la mayor parte del tiempo y se despierta sin sentirse **descansado**, usted está en buenas manos.

Usted tiene un síndrome **reconocido**, el síndrome CETM, "Cansado En Todo Momento". No existe cura para esta afección, pero le irá mucho mejor si come **bien**, duerme ocho horas diarias y dedica tiempo para usted mismo todos los días. La simple explicación del cansancio prolongado en la actualidad es que hacemos demasiadas cosas. Estamos sobrecargados, incluso **extenuados**.

Un problema especial para las mujeres. Las mujeres a menudo luchan para cuidar a sus

hijos, trabajar durante el día, hacer las tareas de la casa por la tarde y ser buenas esposas por la noche, y se sienten presionadas a desempeñarse bien en todos sus roles; por eso no resulta sorprendente que muchas terminen con un cansancio crónico.

Las personas con cansancio crónico, por lo general, trabajan demasiado. Y si, además, duermen mal, nunca llegan a "recargar las baterías" al final del día. La clave es alcanzar un equilibrio entre el trabajo y el esparcimiento. No es malo llevar un diario de su estilo de vida, a qué hora se acuesta, la calidad del sueño y si se toma un tiempo para relajarse y disfrutar.

continúa de pág. 409

¿CUÁL ES EL TRATAMIENTO?

El tratamiento para los tumores cerebrales depende de si es un solo tumor o varios tumores, de la ubicación precisa y el tipo de células involucradas.

■ Los tumores cerebrales primarios generalmente se tratan con **cirugía**. El objetivo de la intervención es extirpar el tumor completo o la mayor parte posible de éste, causando el menor daño al tejido cerebral circundante.

■ La cirugía quizás no sea una opción para aquellos tumores ubicados en zonas muy profundas del tejido cerebral.

■ La **radioterapia** puede usarse adicionalmente al tratamiento quirúrgico o como una alternativa a éste, tanto para los tumores primarios cancerosos y no cancerosos.

■ Como las metástasis cerebrales suelen ser múltiples, la cirugía no siempre es una opción. Sin embargo, en aquellos casos en los que existe una metástasis única, la extirpación quirúrgica puede ser exitosa. Los tumores múltiples, por lo general, se tratan con radioterapia o, menos frecuentemente, con **quimioterapia**.

■ Otros tratamientos pueden ser necesarios para tratar los efectos de los tumores cerebrales. Por ejemplo, la droga **dexametasona** puede administrarse para reducir la presión dentro del cráneo.

■ También pueden recetarse **fármacos anticonvulsivos** para prevenir o tratar ataques de epilepsia.

■ Si un tumor bloquea el flujo del líquido cerebroespinal en el cerebro y el líquido se acumula en los ventrículos, puede insertarse un **pequeño tubo** a través del cráneo para eliminar el bloqueo.

■ También puede beneficiarse con tratamientos para enfrentar los efectos físicos del tumor, como la fisioterapia para los problemas motrices.

■ La terapia del habla es útil para aprender a manejar los problemas del lenguaje.

¿CUÁL ES EL PRONÓSTICO?

El futuro es, por lo general, más auspicioso para los tumores no cancerosos de lento crecimiento, y muchos podrán curarse por completo. Para otros tumores, el resultado depende del tipo de células afectadas y de si el tumor puede ser extirpado quirúrgicamente. De cada 4 personas, 1 vive dos años después del diagnóstico inicial de un tumor canceroso primario, pero pocos sobreviven más de cinco. La mayoría de las personas con metástasis cerebral no viven más de seis meses, aunque en contadas excepciones un individuo con un único tumor metastásico se cura. Todos los tipos de tumores cerebrales corren el riesgo de ocasionar un daño permanente en el tejido cerebral adyacente.

Esclerosis múltiple

LA ESCLEROSIS MÚLTIPLE (EM) ES UNA INFLAMACIÓN DEL CEREBRO Y DE LA MÉDULA ESPINAL QUE CAUSA DEBILIDAD Y PROBLEMAS EN LA SENSIBILIDAD Y LA VISIÓN. POR LO GENERAL SE DESARROLLA ENTRE LOS 20 Y LOS 40 AÑOS Y ES MÁS COMÚN EN LAS MUJERES.

La EM es el trastorno del sistema nervioso más común entre los adultos jóvenes. Los nervios del cerebro y de la médula espinal se dañan progresivamente, causando una amplia variedad de síntomas que afectan la sensibilidad, la motricidad, las funciones corporales y el equilibrio. Los síntomas específicos se relacionan con el área particular que se haya dañado y varían en gravedad de individuo a individuo. Por ejemplo, el daño del nervio óptico puede ocasionar la reducción de la visión, en especial del color. Si las fibras de los nervios de la médula espinal resultan afectadas, puede causar debilidad y pesadez en piernas o brazos. El daño de los nervios del tronco encefálico, la zona del cerebro que se conecta con la médula espinal, puede afectar el equilibrio, causando una severa sensación de vértigo.

Por lo general, los síntomas de la EM se presentan en forma intermitente y pueden ser seguidos por largos períodos sin síntomas (remisión). Sin embargo, algunas personas tienen síntomas crónicos que empeoran con el tiempo. En el Reino Unido, aproximadamente 1 de cada 1.000 personas sufre de EM. Quienes tienen un pariente cercano con EM son más propensos a desarrollarla. La afección es mucho más común en el hemisferio norte, lo que sugiere que también son importantes los factores ambientales.

¿CUÁLES SON LAS CAUSAS?

La EM es un trastorno **autoinmune**, en el que el sistema inmunológico ataca sus propios tejidos, en este caso, a los del sistema nervioso. Muchos de los nervios del cerebro y de la médula espinal están cubiertos por una vaina protectora e aisladora de **mielina**. En la EM, pequeñas áreas de mielina se dañan, dejando agujeros en la vaina, proceso conocido como **desmielinación**. Una vez que la vaina de mielina se ha dañado, los impulsos no pueden ser conducidos en forma normal a través de los nervios hacia y desde el cerebro y la médula espinal. Al principio, el daño puede limitarse a un nervio, pero la mielina que cubre otros podrá ir dañándose con el tiempo. Eventualmente, los trozos dañados del aislante de mielina son reemplazados por cicatrices.

Se piensa que la EM podría ser **desencadenada** por factores externos, como una infección viral durante la infancia en individuos con la predisposición genética a la enfermedad.

¿QUÉ TIPOS DE EM HAY?

Existen **tres** tipos de EM.

■ En la forma más común, conocida como **EM remitente**, los síntomas duran días o semanas y luego desaparecen por meses o años. Sin embargo, algunos pueden persistir entre los ataques.

■ Aproximadamente 3 de cada 10 personas con EM sufren un tipo llamado **EM crónico-progresiva**, en la que hay un empeoramiento gradual de los síntomas sin remisión.

■ El tercer tipo es **EM primaria progresiva**, en la que el deterioro se ve desde el comienzo. Una persona con EM remitente puede desarrollar la EM crónico-progresiva.

¿CUÁLES SON LOS SÍNTOMAS?

Los síntomas pueden darse por separado en las etapas iniciales y combinados a medida que el trastorno avanza. Pueden incluir:

● reducción de la visión, especialmente del color
● entumecimiento u hormigueo en cualquier parte del cuerpo
● fatiga, que puede ser persistente
● debilidad y sensación de pesadez en piernas o brazos
● problemas de coordinación y equilibrio
● dificultad para hablar
● vértigo.

El estrés, el calor y el cansancio empeoran los síntomas. La mitad de las personas que sufren EM tiene problemas de concentración y experimentan lapsus de memoria. La **depresión** es común en los

---

EXAMEN

Imágenes por IRM

Las imágenes por resonancia magnética pueden utilizarse para detectar áreas de desmielinación en el cerebro que son características de la EM.

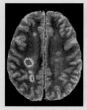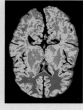

En estas imágenes IRM del cerebro de personas con EM, las zonas de desmielinación aparecen en colores amarillo y anaranjado.

estados avanzados de esclerosis múltiple. Más adelante, en el curso de la enfermedad, algunas personas con debilidad muscular desarrollan **espasmos musculares dolorosos**. El daño de los nervios también puede conducir a la **incontinencia urinaria**, y a los hombres puede resultarles cada vez más difícil lograr una **erección**. Eventualmente, el daño de la mielina que recubre los nervios de la médula espinal puede causar una **parálisis parcial** y la persona afectada podrá necesitar una **silla de ruedas**.

¿CÓMO SE LA DIAGNOSTICA?

No existe un único examen para el diagnóstico de la EM y, debido a que los síntomas son tan diversos, el diagnóstico sólo se alcanza una vez que se descartan todas las demás posibles causas de los síntomas. A menudo es posible hacer un diagnóstico bastante certero si se basa en la historia clínica y en el examen físico del paciente.

■ Si tiene problemas visuales, como visión borrosa, puede ser derivado a un oftalmólogo, quien examinará el nervio óptico, que comúnmente es afectado en las primeras etapas de la enfermedad.

■ El médico puede pedirle exámenes para determinar qué tan rápido el cerebro recibe los mensajes al estimular ciertos nervios. El examen más común utiliza los caminos visuales.

■ Probablemente le pida también una IRM del cerebro para ver si existen áreas de desmielinación.

■ El médico puede solicitar una punción lumbar, un procedimiento en el que una pequeña cantidad del líquido que rodea la médula espinal es aspirado para su análisis microscópico. Las anomalías en este fluido confirmarán el diagnóstico.

¿CUÁL ES EL TRATAMIENTO?

■ No hay cura para la EM, pero si se tiene el tipo remitente de EM, la droga **interferón** puede ayudar a prolongar los períodos de remisión y a acortar la duración de los ataques.

■ Su médico puede prescribirle **corticosteroides** para acortar la duración del relapso. Sin embargo, actualmente no existe un tratamiento específico para detener el avance de la EM crónico-progresiva.

■ Su médico puede tratar los espasmos musculares con un relajante muscular.

■ De igual forma, la incontinencia suele mejorar con algunos medicamentos.

■ Los problemas para lograr una erección pueden atenuarse con un tratamiento con fármacos como el **sildenafil**.

■ Si tiene problemas de motricidad, su médico puede recomendarle que siga una fisioterapia.

■ La terapia ocupacional hace más fáciles las actividades cotidianas.

¿QUÉ PUEDO HACER?

Si se le diagnostica EM, usted y su familia necesitarán tiempo y quizás ayuda profesional para aceptar la enfermedad. Debe minimizar el estrés en su vida y evitar exponerse a altas temperaturas si el calor provoca un empeoramiento de los síntomas. El ejercicio regular liviano, como la natación, le ayudará a mantener fuertes sus músculos sin riesgo de sobreexigirlos.

¿CUÁL ES EL PRONÓSTICO?

El avance de la EM es extremadamente variable, pero las personas que son mayores, cuando comienza a desarrollarse la enfermedad, suelen no tener tan buen pronóstico. De cada 10 personas con EM, 7 llevan vidas activas con largos períodos

Marihuana y EM

La marihuana o cannabis puede ser muy útil en la EM, ya que alivia los espasmos musculares y la incontinencia. Fumar cannabis puede ayudar a caminar o a recobrar movilidad. Los canabinoides, los ingredientes activos del cannabis que se cree que ayudan a la EM, no son tan potentes como el cannabis propiamente tal, que contiene más de 3.000 sustancias químicamente activas. Este uso de la marihuana es una bandera de lucha para lograr la autorización de su consumo como aplicación medicinal. En la actualidad se está desarrollando una prueba para el uso de la marihuana en la EM.

de remisión entre relapsos. Sin embargo, algunas personas, en especial aquellas con EM crónico-progresiva, se vuelven gradualmente discapacitadas. La mitad de los enfermos de EM siguen teniendo una vida activa 10 años después del diagnóstico, y su expectativa de vida promedio desde el diagnóstico es de 25 a 30 años.

Ver también:
• **Terapias psicológicas** pág. 286

EM y embarazo

La EM no afecta la fertilidad de las mujeres de ninguna manera y no tiene efecto alguno sobre el curso del embarazo y del parto. Las mujeres con EM tienen muy pocas complicaciones durante el embarazo. En un estudio realizado en 36 embarazadas con EM, las únicas complicaciones mencionadas fueron dos casos de vómitos moderados. No hay incremento de abortos espontáneos, complicaciones en el embarazo o el parto, malformaciones ni partos de fetos muertos.

Muchos estudios de investigación sugieren que el embarazo es una **protección** para las mujeres con EM. Esto se debe, probablemente, a que el estado natural de inmunosupresión que se produce durante el embarazo para evitar que el cuerpo de la mujer rechace al bebé también suprime la inflamación que causa los daños en los nervios y en el cerebro en la EM. Por otro lado, existe un riesgo levemente mayor

de rebote entre 3 y 6 meses después del parto. Entre el 40 y 60 por ciento de las mujeres sufre una recaída durante este período; el 20 por ciento de ellas sufre de efectos secundarios permanentes, mientras que el 80 por ciento vuelve al estado de EM en el que se encontraba antes del embarazo. El curso a largo plazo de la EM no parece verse afectado por el embarazo.

La EM y el bebé

En una zona de alta incidencia de EM, 1 de cada 1.000 personas de entre la población normal podrá ser propensa a desarrollar la enfermedad. Un estudio ha demostrado que entre los hijos de personas afectadas por la EM, el número se eleva a 1 de cada 100. La mayoría de los afectados siente que el riesgo de que sus hijos tengan EM no es lo suficientemente grande como para preferir no concebir.

La medicación de la EM y el desarrollo del bebé

Las fármacos para detener los dolorosos espasmos musculares deberán suspenderse antes de la concepción, al igual que las terapias antiinflamatorias de largo plazo. Las drogas que ayudan a controlar la frecuencia o la incontinencia urinaria también serán suspendidas. Aquellas más fuertes, como los esteroides, que sólo se dan si la madre o el bebé están en peligro, rara vez se necesitan durante el embarazo.

Después del nacimiento

No existen razones médicas para que una mujer con EM no amamante a su hijo, y ella debe insistir en hacerlo. El descanso, sin embargo, es extremadamente importante, por lo que deberá hacer arreglos para contar con alguien que la ayude con su hijo y deberá extraerse la suficiente leche para la alimentación nocturna, que deberá ser dada por otra persona.

Enfermedad de Alzheimer

EN LA ENFERMEDAD O MAL DE ALZHEIMER EXISTE UN PROGRESIVO DETERIORO DE LA
HABILIDAD MENTAL DEBIDO A LA DEGENERACIÓN DEL TEJIDO CEREBRAL.

Es normal perder un poco la memoria con el avance de la edad, pero la pérdida severa de la memoria reciente puede ser un signo de la enfermedad o mal de Alzheimer, en la que las células del cerebro se degeneran gradualmente y se producen depósitos de una proteína anormal en el cerebro. Como resultado, el tejido cerebral se contrae, con una pérdida progresiva de las habilidades mentales conocida como **demencia**.

La enfermedad de Alzheimer es la forma más común de demencia y la cuarta causa de muerte en occidente. En el Reino Unido, esta enfermedad afecta a **7 de cada 100 personas de 65 años, y a 3 de cada 10 de 85**.

¿CUÁLES SON LAS CAUSAS?

La causa subyacente es desconocida, aunque, casi con certeza, participan factores genéticos. Los estudios han encontrado que 15 de cada 100 personas con la enfermedad de Alzheimer tienen un progenitor afectado por este mal. En las mujeres, la falta de estrógenos después de la menopausia probablemente esté relacionada, y la terapia de reemplazo hormonal (TRH) se utiliza para evitar la aparición de esta afección.

¿CUÁLES SON LOS SÍNTOMAS?

El primer síntoma suele ser la **falta de memoria**. El deterioro normal de la memoria que ocurre a edad avanzada es mucho más severo y comienza a afectar la habilidad intelectual del individuo. La pérdida de memoria va, eventualmente, acompañada por otros síntomas, entre los que están:

- problemas de memoria, especialmente al tratar de recordar eventos recientes
- pérdida gradual del intelecto, que afecta el razonamiento y la comprensión
- dificultad para mantener una conversación
- vocabulario reducido
- exabruptos emocionales
- deambulación y desasosiego
- descuido de la higiene personal
- escasa concentración
- dificultad para comprender el lenguaje oral y escrito
- pérdida del sentido de ubicación, incluso en entornos familiares.

En las primeras etapas de la enfermedad, las personas están conscientes de que están perdiendo la memoria. Esto puede causarles depresión y ansiedad. Con el tiempo, los síntomas existentes empeoran y pueden desarrollarse síntomas adicionales, como por ejemplo:

- movimientos lentos e inestabilidad al caminar
- cambios de ánimo repentinos, de la risa al llanto
- cambios de la personalidad, agresividad y sentimientos de persecución.

Algunas personas encuentran difícil dormir y se vuelven más inquietas por la noche. Después de varios años, quienes sufren esta enfermedad ya no pueden cuidar de sí mismas y necesitan atención permanente.

¿CÓMO SE LA DIAGNOSTICA?

■ Existen nuevos exámenes que pueden ayudar al diagnóstico temprano de la enfermedad de Alzheimer. Sin embargo, la depresión severa puede parecerse a la demencia, la llamada pseudodemencia.

■ Pueden pedirse estudios para descartar otras posibles causas de demencia. Por ejemplo, análisis de sangre para controlar si existen deficiencias de vitamina B.

■ El diagnóstico por imágenes, como la TC o la IRM, puede determinar el encogimiento del cerebro y descartar otros trastornos cerebrales, como la hemorragia subdural o un tumor cerebral.

■ La evaluación de la habilidad mental, incluyendo tests de memoria y escritura, pueden realizarse para determinar la gravedad de la demencia.

¿CUÁL ES EL TRATAMIENTO?

No existe cura para esta enfermedad, pero fármacos como el **donepezil** pueden retardar la pérdida de la función mental en los casos leves a moderados. Algunos de los síntomas asociados a este mal, como la depresión y los problemas del sueño, pueden aliviarse con drogas antidepresivas. Una persona agitada puede recibir un sedante para calmarse. En las mujeres, debe intentarse el TRH o, de ser posible, debe ser administrado desde el comienzo de la menopausia como preventivo.

Eventualmente, podrá ser necesaria la asistencia permanente al enfermo, ya sea en su casa o en una institución. Cuidar a alguien con la enfermedad de Alzheimer suele ser estresante y muchas veces quienes lo hacen necesitan apoyo práctico y emocional, en especial si el afectado o la afectada se vuelve hostil o agresivo. Los grupos de apoyo pueden ayudar a la persona a manejar la situación de cuidar a un familiar anciano que sufre esta afección. La mayoría de las personas con esta enfermedad tiene una sobrevida de entre 5 y 10 años desde el momento del diagnóstico.

AUTOAYUDA

Cuidar a alguien con demencia

Si usted debe cuidar a alguien con demencia, deberá equilibrar las necesidades del enfermo con las propias. En las primeras etapas es importante permitir que la persona siga siendo lo más independiente y activa posible. A medida que la enfermedad avanza, existen varias medidas que se pueden tomar para ayudar a compensar la pérdida de memoria del afectado, su pérdida de juicio y su comportamiento impredecible.

■ Arme una cartelera con una lista de las cosas que deben hacerse cada día.

■ Si el problema es la deambulación, pídale a la persona que use una identificación con sus datos, contactos y número telefónico.

■ Ponga notas en toda la casa para ayudarle a recordar apagar los artefactos eléctricos.

■ Considere instalar accesorios de baño que faciliten su utilización.

■ Sea paciente, es común que las personas que sufren de demencia tengan cambios de ánimo frecuentes.

■ Tome un descanso cada vez que pueda buscando a alguien que lo ayude durante un par de horas, así es que averigüe sobre los servicios de asistencia locales.

■ Únase a un grupo de apoyo e infórmese sobre la existencia de centros de cuidados diurnos.

Procedimientos simples, como dejar notas recordatorias, pueden ayudar a las personas con demencia leve.

Enfermedad de Parkinson y parkinsonismo

LA ENFERMEDAD O MAL DE PARKINSON ES UN TRASTORNO CEREBRAL PROGRESIVO QUE CAUSA TEMBLORES Y PROBLEMAS MOTRICES. ES RESULTADO DE LA FALTA DE DOPAMINA, EL NEUROTRANSMISOR QUE SUAVIZA LOS MOVIMIENTOS MUSCULARES, Y ES MÁS COMÚN EN LOS HOMBRES DE MÁS DE 60 AÑOS.

La enfermedad de Parkinson resulta de la degeneración de las células en una zona del cerebro en particular, llamada **ganglios basales,** que controla la fineza de los movimientos musculares. Las células de los ganglios basales producen un **neurotransmisor** (un químico que transmite los impulsos nerviosos) llamado **dopamina,** que actúa junto a la **acetilcolina,** otro neurotransmisor, para refinar los movimientos musculares. En la enfermedad de Parkinson, el nivel de dopamina en relación a la acetilcolina es reducido y se pierde el control de los músculos.

Aunque se desconoce la causa de esta enfermedad, probablemente tengan que ver factores genéticos. De cada 10 personas que la sufren, 3 tienen un miembro de la familia afectado. Aproximadamente 1 de cada 100 personas de más de 60 años sufre este mal en occidente.

Parkinsonismo es el término dado a los síntomas que presenta esta afección cuando se deben a otra causa subyacente. Ciertos fármacos, incluyendo algunos **antipsicóticos** utilizados en enfermedades psiquiátricas y algunos antiespasmódicos y medicamentos para el vértigo, pueden causar parkinsonismo, al igual que los golpes repetidos en la cabeza.

¿CUÁLES SON LOS SÍNTOMAS?

Los principales síntomas comienzan gradualmente en un período de meses, incluso años. Incluyen:

- grasitud de la cara y salivación excesiva
- falta de expresión en el rostro
- temblor en una mano, brazo o pierna, que luego se produce en ambos lados del cuerpo
- rigidez muscular, que dificulta iniciar un movimiento
- escritura que se vuelve cada vez más pequeña
- lentitud de movimiento
- dificultad al caminar
- postura encorvada.

Luego, la rigidez, la inmovilidad y el constante temblor de ambas manos pueden dificultar las tareas cotidianas. El lenguaje puede volverse lento y dubitativo, y puede haber dificultad para tragar. Muchas personas con Parkinson desarrollan depresión; 3 de cada 10 enfermos eventualmente desarrollan demencia.

¿CÓMO SE LO DIAGNOSTICA?

Ya que la enfermedad de Parkinson comienza gradualmente, a menudo no es posible diagnosticarla de inmediato.

■ Su médico lo remitirá al neurólogo. Pueden hacerse TC o IRM para descartar otras posibles causas.

■ A veces, sólo una respuesta positiva a las drogas antiparkinson puede confirmar el diagnóstico.

■ Si se encuentra que la causa es un desorden subyacente, se le diagnosticará parkinsonismo en vez de Parkinson.

¿CÓMO LO PUEDE TRATAR EL MÉDICO?

Aunque no existe cura específica, los **fármacos,** la **cirugía** y los **tratamientos físicos** pueden aliviar los síntomas. Si sufre parkinsonismo a causa de una medicación, el doctor podrá cambiarla. Los síntomas desaparecerán en unas ocho semanas. Si no se resuelven, puede requerirse un tratamiento con drogas antiparkinson.

TRATAMIENTO CON FÁRMACOS

■ El objetivo es recuperar el equilibrio entre dopamina y acetilcolina en el cerebro. Para síntomas leves a moderados se prescriben dos tipos principales de fármacos:

1. Fármacos como la **amantadina** para incrementar la actividad de la dopamina.
2. Fármacos anticolinérgicos, como el **trihexyfenidil,** para bajar la actividad de la acetilcolina.

Juntos ayudan a reducir los temblores y la rigidez muscular y mejoran la movilidad.

■ La amantadina puede ser efectiva sólo por unos meses. Entre los efectos secundarios están náuseas, insomnio, pérdida del apetito y alucinaciones.

■ La levodopa suele ser efectiva por unos años. Los primeros efectos secundarios son náuseas, vómitos y, en algunos casos, alucinaciones y movimientos involuntarios.

■ El uso prolongado de la levodopa suele resultar en un abrupto cambio de los síntomas conocido como **fenómeno "on-off".** Los movimientos son lentos y difíciles a medida que la droga pierde efecto en los períodos "off". En los "on", la movilidad se dificulta debido a movimientos involuntarios, como tics, espasmos y contorsiones.

■ La levodopa suele darse **junto con** otra droga llamada **carbidopa,** que reduce los efectos secundarios. La carbidopa evita la destrucción de la levodopa, permitiendo dar dosis más pequeñas de ésta con el mismo efecto.

■ Las fármacos anticolinérgicos pueden ser efectivos por años, pero los efectos secundarios pueden incluir problemas de visión, dificultad al orinar y sequedad en la boca.

■ Si siente cambios en los síntomas, consulte al médico porque quizás deba cambiarle el régimen de medicamentos.

TRATAMIENTO FÍSICO

Su médico puede recomendarle la **fisioterapia** para los problemas motrices o terapia del lenguaje para los **problemas del habla** y la dificultad para tragar. La **terapia ocupacional** también puede ser útil.

CIRUGÍA

■ Las personas jóvenes pueden operarse si los temblores no pueden controlarse con medicación. La cirugía del mal de Parkinson implica destruir parte del tejido cerebral responsable del temblor.

■ Terapias experimentales recientes incluyen el reemplazo de las células dañadas con **tejido adrenal fetal transplantado.**

■ La profunda estimulación del cerebro con impulsos eléctricos resulta útil para reducir el temblor y promete un tratamiento futuro.

¿CUÁL ES EL PRONÓSTICO?

El curso de la enfermedad es variable, pero los medicamentos pueden tratar los síntomas y mejorar la calidad de vida. Las personas pueden llevar vidas activas por bastantes años. Sin embargo, muchos llegan a necesitar ayuda permanente y los síntomas se tornan difíciles de controlar con medicamentos.

AUTOAYUDA

Moverse

Es importante seguir ejercitándose y cuidar la salud en general. Camine todos los días. Los ejercicios de estiramiento le ayudan a mantener la fuerza y la movilidad; pero también debe descansar durante el día para evitar el agotamiento. El apoyo de la familia y amigos es igualmente importante.

Enfermedad de Creutzfeldt-Jakob

LA ENFERMEDAD DE CREUTZFELDT-JAKOB (ECJ) ES UNA AFECCIÓN MUY RARA EN LA QUE EL TEJIDO CEREBRAL ES DESTRUIDO EN FORMA PROGRESIVA POR UN AGENTE INFECCIOSO POCO COMÚN.

La pérdida general en todas las áreas de la habilidad mental y física lleva a la muerte. La ECJ afecta a una persona en un millón cada año.

¿CUÁL ES LA CAUSA?
La ECJ es causada por un agente infeccioso conocido como **prión**, que se reproduce en el cerebro y lo daña.

■ Un tipo de ECJ, que aparece en 15 de cada 100 casos, tiene origen hereditario. La mayoría de las personas que desarrolla esta afección tiene más de 50 años. Por lo general, la fuente de la infección es desconocida. En 1 de cada 20 afectados se la puede rastrear en tratamientos anteriores con productos derivados de tejidos humanos. Antes del uso de hormonas artificiales para los problemas de crecimiento, una de las fuentes de infección era la inyección de hormonas de crecimiento humanas.

■ A mediados de los 90 apareció una rara variante de ECJ entre personas jóvenes. Se cree que esta variante está relacionada con el consumo de carne de vacuno contaminada con una enfermedad llamada **encefalopatía bovina espongiforme (EBE)**. Es posible que esta forma de la enfermedad se trasmita de la madre embarazada al bebé.

¿CUÁLES SON LOS SÍNTOMAS?
Se cree que la ECJ está presente entre dos y 15 años antes de que se manifiesten los síntomas. Los síntomas iniciales son graduales, entre ellos:
- depresión
- memoria pobre
- inestabilidad y falta de coordinación.

Otros síntomas aparecen con el desarrollo de la enfermedad:
- contracciones musculares repentinas
- apoplejía
- debilidad o parálisis de un lado del cuerpo
- demencia progresiva
- pérdida de la visión.

Finalmente, la persona afectada no podrá moverse ni hablar. Los pacientes en la última etapa de la enfermedad están postrados y están propensos a serias infecciones pulmonares.

¿QUÉ SE PUEDE HACER?
La ECJ suele diagnosticarse a partir de los síntomas. Los exámenes de amígdalas y apéndice pueden confirmar la presencia de priones asociados con la nueva forma variante de ECJ.

Otros exámenes son:
- resonancia magnética (IMR) para descartar otras causas curables
- biopsia cerebral para la examinación del tejido.

La ECJ no tiene cura, pero los fármacos pueden aliviar algunos síntomas.

■ La depresión puede tratarse con antidepresivos.

■ Las contracciones musculares pueden tratarse con relajantes musculares.

La enfermedad suele tener resultado fatal dentro de tres años.

Enfermedad de las neuronas motrices

EN LA ENFERMEDAD DE LAS NEURONAS MOTRICES EXISTE UNA DEGENERACIÓN PROGRESIVA DE LOS NERVIOS DEL CEREBRO Y DE LA MÉDULA ESPINAL QUE CONTROLAN LA ACTIVIDAD MUSCULAR, CAUSANDO LA DEBILIDAD Y PÉRDIDA DE LOS MÚSCULOS. ALGUNOS TIPOS SON HEREDADOS.

¿CUÁLES SON LOS SÍNTOMAS?
En la etapa inicial, hay debilidad y pérdida de masa muscular que ocurre en pocos meses y que afecta los músculos de brazos, manos y piernas.

Otros síntomas tempranos son:
- movimientos punzantes en los músculos
- rigidez y calambres
- dificultad para los movimientos giratorios, como destapar una botella y girar una llave.

Con el avance de la enfermedad aparecen:
- arrastre de un pie y tendencia a tropezar
- dificultad para subir escaleras o levantarse del asiento

- menos frecuente, dificultad del habla, ronquera y dificultad para tragar
- cambios de humor, ansiedad y depresión
- infecciones de pecho recurrentes y posible neumonía
- caída de la cabeza hacia delante por la debilidad de los músculos del cuello
- eventualmente, dificultad para respirar por la debilidad de los músculos que controlan la respiración.

¿CUÁL ES EL TRATAMIENTO?
Actualmente no hay un tratamiento que pueda detener el avance de la enfermedad. Sin embargo, una nueva droga llamada riluzol puede tener un pequeño efecto. Los síntomas pueden tratarse con antidepresivos y antibióticos para las infecciones de pecho. Para tratar la dificultad al tragar puede realizarse una gastrostomía, que consiste la inserción de un tubo permanente en el estómago o intestino a través del cual se pasa el alimento.

Un grupo de especialistas suele ocuparse de brindar apoyo a la persona afectada y a sus familiares, y a ellos se les podrá recomendar la ayuda profesional. El enfermo puede recibir fisioterapia para mantener flexibles las articulaciones y los músculos.

Parálisis facial

EN LA PARÁLISIS FACIAL, O PARÁLISIS DE BELL, EXISTE UNA DEBILIDAD O PARÁLISIS DE LOS MÚSCULOS FACIALES DE UN LADO DE LA CARA DEBIDO AL DAÑO DEL NERVIO FACIAL. EL PROBLEMA SUELE SOLUCIONARSE SIN TRATAMIENTO.

¿CUÁLES SON LAS CAUSAS?

■ El **herpes zoster** es una causa conocida de daño del nervio facial, y muchos otros virus, especialmente el herpes simple, también pueden producirla.

■ La **enfermedad de Lyme**, infección bacteriana transmitida por las garrapatas, es otra causa conocida.

■ La inflamación del nervio facial suele deberse a la infección del oído medio.

■ En pocos casos, el nervio facial es comprimido por un tumor llamado **neuroma acústico**.

¿CUÁLES SON LOS SÍNTOMAS?

En algunos casos, los síntomas de la parálisis facial aparecen repentinamente y duran unas 24 horas. En otros, incluyendo los causados por el neuroma acústico, se desarrollan lentamente. Los síntomas incluyen:

• parálisis parcial o total de los músculos de un lado de la cara

• dolor detrás de la oreja del lado afectado

• inclinación de la comisura de la boca, salivación

• imposibilidad de cerrar el párpado del lado afectado, lagrimeo

• pérdida del sentido del gusto.

Si la parálisis es muy severa, puede tener dificultad para hablar y comer. En algunos casos, el sonido resulta intolerable en el oído afectado. Si no se puede bajar el párpado, el ojo puede infectarse, con una posible úlcera de córnea. En la parálisis facial debida al herpes zoster aparece una erupción de ampollas en la cara.

¿QUÉ SE PUEDE HACER?

■ Si los síntomas aparecieron en las últimas 48 horas, le pueden recetar **corticosteroides** para reducir la inflamación del nervio.

■ Los analgésicos aliviarán el dolor.

■ Para evitar daños en la córnea deberá aplicar lágrimas artificiales y quizás le recomienden pegar con cinta adhesiva el ojo afectado para dormir.

¿CUÁL ES EL PRONÓSTICO?

La parálisis de Bell suele desaparecen sin tratamiento. Las causas subyacentes también serán tratadas. Por ejemplo, si se debe al herpes zoster, se darán drogas antivirales como el **aciclovir**. Para que este tratamiento sea efectivo debe comenzar **en cuanto aparece la erupción**. Si hay un neuroma acústico, será extirpado quirúrgicamente para aliviar la compresión del nervio facial.

Si la parálisis facial persiste, se puede emplear la **cirugía plástica** para redireccionar otro nervio hacia la cara. El ejercicio y el masaje facial pueden ayudar a mantener el tono y simetría de la cara.

Con el tratamiento correcto, la condición mejora en unas dos semanas. Sin embargo, la recuperación completa puede llevar hasta tres meses. Algunas personas quedan con debilidad de la zona afectada y la parálisis puede reaparecer.

Estado vegetativo permanente

EL ESTADO VEGETATIVO PERMANENTE ES UNA CONDICIÓN DE INCONSCIENCIA CAUSADA POR DAÑO AL CEREBRO. QUIENES LA SUFREN NO TIENEN RESPUESTA FÍSICA NI MENTAL A LOS ESTÍMULOS EXTERNOS, PERO NO NECESITAN ASISTENCIA EN SUS FUNCIONES VITALES, COMO LA RESPIRACIÓN Y EL RITMO CARDÍACO.

El coma puede resultar del grave daño del cerebro, como heridas en la cabeza o después de un infarto en el cual el cerebro ha quedado demasiado tiempo sin oxígeno. La causa más común son las heridas graves en la cabeza. El estado vegetativo permanente también puede ser causa de una infección cerebral, como la **encefalitis viral**, o de la falta de oxígeno al cerebro por **asfixia**.

En esta afección, las zonas del cerebro que controlan las funciones mentales superiores resultan dañadas, mientras que las que controlan las funciones vitales, como la respiración y el ritmo cardíaco quedan intactas.

Por eso, aunque alguien no responda física ni mentalmente al ruido, luz y otros estímulos, puede respirar sin asistencia. Hasta puede mover la cabeza y las extremidades.

Las personas en estado vegetativo parecieran tener patrones de sueño normales: sus ojos se cierran y abren como si despertaran o durmieran. Sin embargo, no parecen tener sensaciones físicas ni emocionales. Debido a que las áreas que controlan las funciones físicas están intactas, las personas en estado vegetativo pueden permanecer con vida meses y hasta años.

¿QUÉ SE PUEDE HACER?

El diagnóstico de estado vegetativo permanente se hace si una persona inconsciente no responde a la estimulación, pero sus funciones vitales se mantienen intactas. Está aceptado que la mente de esa persona no funciona conscientemente.

No existe un tratamiento efectivo. Sin embargo, existen medidas de apoyo y cuidados generales que aseguran que el afectado esté lo más cómodo posible. Una persona en estado vegetativo permanente puede vivir varios años, aunque la recuperación es poco probable.

Vértigo

EL VÉRTIGO ES UNA SENSACIÓN DE MOVIMIENTO O GIRO, A MENUDO COMBINADA CON NÁUSEAS Y VÓMITOS. EL ATAQUE DE VÉRTIGO PUEDE SER MUY PERTURBADOR Y, EN CASOS SEVEROS, PUEDE HACER IMPOSIBLE EL CAMINAR O SIQUIERA ESTAR DE PIE.

El vértigo es síntoma de muchos trastornos distintos, por ejemplo:
• un trastorno de los órganos del equilibrio en el oído interno (aparato vestibular)
• un trastorno del nervio que conecta el oído interno y el cerebro
• problemas en las zonas del cerebro que controlan el equilibrio
• una afección como la esclerosis múltiple (EM) que requiere atención médica urgente.

¿CUÁLES SON LAS CAUSAS?
Existen distintas causas posibles:
■ **Infección del aparato vestibular**: la laberintitis suele comenzar como infección viral del tracto respiratorio, como un resfrío o gripe común, o, menos frecuentemente, como infección bacteriana del oído medio. Este tipo de vértigo **comienza repentinamente y dura 1 ó 2 semanas**.
■ **Enfermedad de Ménière**: el vértigo recurrente combinado con sordera y tinitus es signo condicional de esta enfermedad.
■ **Antibióticos:** el vértigo es un efecto secundario de ciertos antibióticos.
■ **Neuroma acústico:** este tipo de tumor afecta el nervio que conecta el oído interno con el cerebro y es una rara causa de vértigo.
■ **Apoplejía y heridas en la cabeza** son otras causas de vértigo.

AUTOAYUDA
Aliviará el vértigo si se recuesta, cierra los ojos y evita movimientos repentinos. Si ha vomitado, tome pequeños sorbos de agua cada 10 minutos para evitar deshidratarse hasta que desaparezcan los síntomas. Si el vértigo persiste por más de algunos minutos, o si recurre, consulte a su médico.

¿QUÉ EXÁMENES PUEDEN HACERSE?
■ El médico podrá revisar sus oídos, movimiento ocular y sistema nervioso para buscar la causa.
■ Los exámenes pueden incluir una prueba calórica, en la cual se vierte agua a distintas temperaturas en el oído para controlar el funcionamiento del aparato vestibular del oído interno.
■ Puede hacerse una radiografía de cuello para detectar la espondilitis cervical.

■ Si también tiene tinitus, se puede hacer una tomografía computarizada (TC) o una resonancia magnética (IRM) para determinar si hay un tumor que presione sobre el cerebro.

¿CUÁL ES EL TRATAMIENTO?
Los antiespasmódicos y antihistamínicos aliviarán el vértigo. Si éste es efecto secundario de un antibiótico, puede pedir que le den otra alternativa.

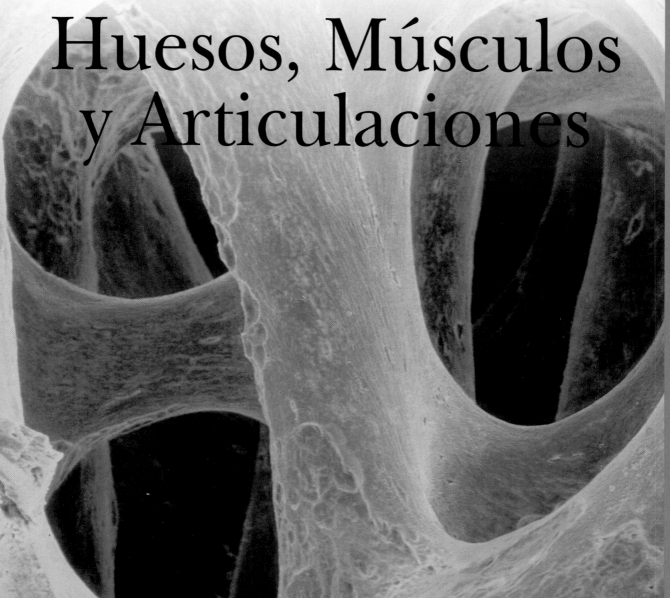

Huesos, Músculos y Articulaciones

La imagen muestra una microscopía electrónica del hueso esponjoso normal

El resumen de Miriam

Damos por sentado el funcionamiento eficiente y confortable del esqueleto hasta que algo empieza a andar mal. Los dolores de los huesos, articulaciones y músculos pueden ser extremadamente intensos e incapacitantes.

Con artritis en una rodilla, las actividades diarias se dificultan; pero con un hombro fijo, no se puede ni salir a la calle, ya que ni siquiera podemos vestirnos.

Dentro del cuerpo, nuestros huesos, articulaciones y músculos trabajan en armonía para hacernos ágiles y diestros. La eficiencia de nuestros músculos para mover las articulaciones y los huesos es increíble, aunque necesita mantenimiento.

Los músculos no pueden trabajar bien si no están en buen estado. Las articulaciones no están libres de fricción si se las daña o maltrata, y los huesos pueden adelgazarse si no se los nutre y ejercita debidamente.

Por eso es nuestra responsabilidad mantener este sistema en buen estado, resistiéndonos a la vida sedentaria y haciendo ejercicio periódicamente. Si no lo hacemos, y en especial las mujeres, pagaremos un precio muy caro.

El nivel más alto de masa ósea, la fuerza intrínseca de nuestros huesos, llega a su máximo antes de los 35 años. Si hemos hecho dieta o no hemos hecho mucho ejercicio, o peor, si hemos sido anoréxicos, nuestro nivel máximo de masa ósea es bajo.

Cuando llega la menopausia y los huesos se adelgazan, pueden perder un tercio de su masa en tres años por la falta de estrógeno; son más propensos a la osteoporosis. Y los huesos quebradizos son dolorosos, se fracturan, colapsan y pueden llevar a una mujer al hospital, del cual podría no salir más. De cada 4 mujeres con fractura de cadera, 1 muere en el hospital.

Se han dado grandes pasos con la biotecnología del reemplazo de articulaciones. Hoy, casi cualquier articulación puede ser renovada tanto para los que sufren osteoartrosis como artritis reumatoide. Esta última es más difícil de tratar, ya que la articulación se inflama tanto que es inevitable que haya daño, y deja horribles deformaciones. Nuevos fármacos y formas de administrarlos son la esperanza de poder detener el curso de la artritis reumatoide.

"es nuestra *responsabilidad* mantener este sistema en *buen estado*"

La lesión por exigencia repetitiva (LER) es un fenómeno moderno. Antes no había trabajos que requirieran la repetición de movimientos finos por largos períodos. El principal problema está en el cerebro, no en los dedos, muñecas o codos que nos duelen. El cerebro, aparentemente, se confunde en la LER y les pide a los músculos y articulaciones que hagan los movimientos opuestos al mismo tiempo. Debido a eso es tan esencial volver a entrenar su cerebro como descansar las manos y posicionar cuidadosamente el teclado del computador.

AL INTERIOR
de sus huesos, articulaciones y músculos

El **esqueleto** humano está formado por 206 **huesos** y es el armazón del cuerpo. Protege los órganos internos y brinda los puntos de anclaje de los músculos. El hueso es un tejido vivo y se renueva constantemente. Dentro del hueso, la sustancia suave y grasosa llamada **médula ósea** es responsable de fabricar la mayor parte de las células de la sangre. Un tipo de tejido conectivo llamado **cartílago**, no tan duro como el hueso, es también un componente importante de muchas partes del organismo.

Donde se juntan dos huesos existe una **articulación**. Las articulaciones que se mueven libremente, como el codo o la rodilla, son denominadas **articulaciones sinoviales** y son lubricadas por el **líquido sinovial** segregado por la membrana que las recubre. Las **articulaciones semimóviles**, como las de la pelvis, son más estables. Ciertas articulaciones, como las del cráneo, son **fijas** y no se mueven.

Mover el cuerpo es el trabajo de los **músculos**. Éstos se unen a los huesos mediante cordones flexibles y fibrosos llamados **tendones**. Los músculos, por lo general, cruzan dos huesos y su articulación.

el esqueleto

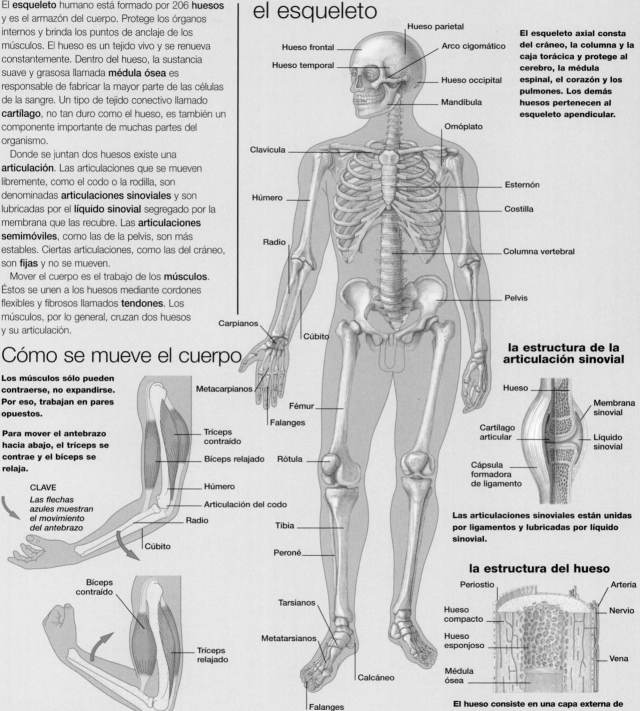

Hueso parietal
Hueso frontal
Arco cigomático
Hueso temporal
Hueso occipital
Mandíbula
Omóplato
Clavícula
Esternón
Húmero
Costilla
Radio
Columna vertebral
Pelvis
Carpianos
Cúbito
Metacarpianos
Fémur
Falanges
Rótula
Tibia
Peroné
Tarsianos
Metatarsianos
Calcáneo
Falanges

El esqueleto axial consta del cráneo, la columna y la caja torácica y protege al cerebro, la médula espinal, el corazón y los pulmones. Los demás huesos pertenecen al esqueleto apendicular.

Cómo se mueve el cuerpo

Los músculos sólo pueden contraerse, no expandirse. Por eso, trabajan en pares opuestos.

Para mover el antebrazo hacia abajo, el tríceps se contrae y el bíceps se relaja.

CLAVE
Las flechas azules muestran el movimiento del antebrazo

Tríceps contraído
Bíceps relajado
Húmero
Articulación del codo
Radio
Cúbito

Bíceps contraído

Tríceps relajado

Para mover el antebrazo hacia arriba, el bíceps se contrae y el tríceps se relaja.

la estructura de la articulación sinovial

Hueso
Membrana sinovial
Cartílago articular
Líquido sinovial
Cápsula formadora de ligamento

Las articulaciones sinoviales están unidas por ligamentos y lubricadas por líquido sinovial.

la estructura del hueso

Periostio
Arteria
Hueso compacto
Nervio
Hueso esponjoso
Vena
Médula ósea

El hueso consiste en una capa externa de hueso compacto que rodea una capa interna de hueso esponjoso. En el centro, la médula ósea produce las células de la sangre.

HUESOS

Los huesos están compuestos por un marco de proteínas endurecido por el calcio y el fósforo. No es algo inerte, sino que es un tejido vivo que pierde consistencia y se reconstituye nuevamente. El hueso es, además, la fuente de la sangre y la mayoría de las células sanguíneas se produce en la médula ósea. Por eso, los trastornos óseos pueden producir **anemias**, y el crecimiento de células anormales en la médula ósea puede provocar **leucemia**. El hueso se puede debilitar por deficiencias nutricionales, especialmente de calcio y vitamina D. Las hormonas garantizan la integridad del hueso, por eso la deficiencia de estrógeno durante la **menopausia** provoca el debilitamiento y fragilidad de los huesos (**osteoporosis**), a menos que se tomen precauciones.

La osteoporosis, que afecta a 1 de cada 3 mujeres después de la menopausia, es el trastorno óseo más común. El estrógeno mantiene el equilibrio del proceso de ruptura y reemplazo del hueso. Sin estrógeno, el reemplazo no puede seguir el paso de la ruptura, por lo cual los huesos se vuelven frágiles y se fracturan con más facilidad.

Las fracturas son comunes y diversas. Los cánceres primarios de hueso son raros, pero los secundarios (**metástasis**) son más comunes.

Fracturas

LA FRACTURA ES LA RUPTURA O FISURA DE UN HUESO. POR LO GENERAL SE PRODUCEN POR UNA CAÍDA, PERO TAMBIÉN PUEDEN SER CAUSADAS POR ATAQUES DE TOS O HASTA UN ABRAZO SI LOS HUESOS PRESENTAN OSTEOPOROSIS.

Tipos de fractura

Fractura transversal
En la fractura transversal, se produce una ruptura lineal que atraviesa el hueso. Las que ocurren en brazos o piernas suelen deberse a un impacto fuerte, como el que puede suceder en un accidente de automóvil.

Fractura en espiral
Las fracturas en espiral, u oblicuas, suelen ser causadas por movimientos de rotación repentinos y violentos, como al girar la pierna durante una caída, especialmente si hay un esquí al final de ésta.

Fractura en tallo verde
Si un hueso largo del brazo o pierna se dobla, puede partirse sólo de un lado, produciendo una fractura incompleta llamada "en tallo verde". Este tipo es común en los niños, cuyos huesos aún están creciendo y son más flexibles.

Fractura por estrés
Las fracturas causadas por la exigencia repetida de un hueso se denominan fracturas por estrés. Pueden ocurrir en los huesos del pie o tibia en los corredores de larga distancia. En los ancianos, estas fracturas pueden resultar de exigencias menores, como un catarro crónico, que puede romper una costilla.

Fractura conminuta
El hueso se rompe en pequeños fragmentos, lo que incrementa el riesgo de daños a los tejidos blandos circundantes. Estas fracturas suelen ser causadas por fuerzas directas severas.

Fractura por avulsión
Una pieza del hueso es arrancada del hueso principal por un tendón que une al músculo con el hueso. Suele producirse por la contracción violenta del músculo.

Fractura por compresión
Esta ocurre si un hueso esponjoso, como los de la columna vertebral, es aplastado. Este tipo de fractura suele deberse a la osteoporosis.

Las fracturas causadas por torcer o doblar el hueso suelen ocurrir en deportes como el esquí o el rugby. La **osteoporosis** aumenta el riesgo de sufrir fracturas, afecta mayormente a mujeres en edad menopáusica y causa la fragilidad de los huesos. Pueden ocurrir fracturas en huesos afectados por tumores, y se las conoce como **fracturas patológicas**. Éstas pueden ocurrir ante la menor herida o en forma espontánea. Las **fracturas en tallo verde** ocurren cuando un hueso largo se dobla y se parte de un solo lado; estas fracturas son especialmente comunes en niños.

¿QUÉ TIPOS HAY?
Existen dos tipos principales de fracturas: **cerrada** (simple), en la que el hueso roto no sale por la piel que lo cubre, y **expuesta** (compuesta), en la que el hueso perfora la piel y queda expuesto. Las fracturas expuestas son más serias porque se corre riesgo de infección y daño a los nervios y vasos sanguíneos.

¿CUÁLES SON LOS SÍNTOMAS?
Los síntomas dependen del tipo de fractura e incluyen:
- deformidad en el área afectada
- dolor y sensibilidad que limita el movimiento
- hinchazón y enrojecimiento de la zona
- ruido crujiente producido por los extremos de los huesos con el movimiento o presión
- en una fractura expuesta, daño de la piel, sangrado y hueso visible.

Todas las fracturas causan un cierto grado de **hemorragia interna** debido al daño de los

continúa en pág. 426

ENFOQUE *en* osteoporosis

La dolorosa, incapacitante y, muchas veces, peligrosa afección conocida como osteoporosis es el padecimiento más importante entre las mujeres en edad menopáusica. Es más común que las enfermedades cardíacas, la apoplejía, la diabetes y el cáncer de mama.

La palabra "osteoporosis" proviene del griego y significa "hueso con muchos agujeros". Una radiografía especial del hueso afectado mostrará su "baja densidad ósea", lo que implica un mayor riesgo de fractura. Algunos huesos pueden ser tan frágiles que pueden fracturarse con sólo toser, hasta con un abrazo. De cada 4 mujeres mayores que se fracturan el cuello del fémur como consecuencia de una caída, 1 muere en el hospital. Por eso, la osteoporosis debe ser considerada de gravedad y, de ser posible, debe prevenirse. Las mujeres negras, debido a que tienen una densidad ósea mayor, corren menor riesgo de sufrirla que las blancas. La osteoporosis también se presenta en hombres, pero con menor frecuencia que en las mujeres.

¿QUÉ SUCEDE?
Al bajar los niveles de estrógeno y progesterona durante la menopausia, los huesos comienzan a perder masa (hasta 3 por ciento al año). Pero cuando la mujer cumple 80 años, bien puede haber perdido la **mitad** de su **masa ósea**.

Los huesos sanos tienen vasos sanguíneos y nervios y un eficiente sistema de reparación y mantenimiento. Hay células especiales, llamadas osteoblastos, que renuevan, reparan y producen hueso nuevo, y otras, llamadas osteoclastos, que destruyen el hueso. **La actividad de los osteoblastos es controlada principalmente por las hormonas, incluyendo el estrógeno, que se cree aumenta la velocidad de reparación y renovación del hueso.** Si el nivel de estrógeno baja, el hueso no es reemplazado en forma eficaz.

¿CORRO RIESGO?
● Si está en la menopausia, sí. La menopausia es la principal causa de osteoporosis.
● Si presenta una **masa ósea máxima deficiente**, sí. La máxima densidad se da entre los 25 y los 27 años. Si en ese momento la masa es baja, se requerirá una menor pérdida de ésta para desarrollar osteoporosis cuando llegue a la menopausia. La **anorexia** y las **dietas repetidas** bajan el nivel de densidad ósea, haciéndola candidata a la osteoporosis más adelante.

● Si su **madre** tiene osteoporosis, su riesgo es mayor al del promedio.
● La osteoporosis aparece en mujeres con ausencia **premenopáusica** del período menstrual (**amenorrea**) debido al bajo nivel de estrógeno.
● Las **bailarinas de ballet**, que ejercitan excesivamente y hacen dietas estrictas, corren riesgo.
● Las mujeres que sufren de **hipertiroidismo** corren riesgo de desarrollar osteoporosis.

● Mientras **antes** se llegue a la **menopausia**, mayor será el riesgo de padecer osteoporosis.
● La menopausia puede comenzar hasta cinco años antes de lo normal en mujeres fumadoras, lo que es otro factor de riesgo.
● La **histerectomía** y la **extirpación** de los **ovarios** producen pérdida de masa ósea. Muchas mujeres muestran signos tempranos de osteoporosis durante los cinco años posteriores a la extirpación de los ovarios si no se administra una terapia de reemplazo hormonal (TRH).
● Si ha tomado **corticosteroides**, como **cortisona** o **prednisona**, por seis meses o más, es candidato a la osteoporosis, por eso debe pedir un examen a los huesos al terminar el tratamiento.
● Una enfermedad maligna, un trastorno hepático crónico, y la artritis reumatoide incrementan el riesgo.

Densitometría

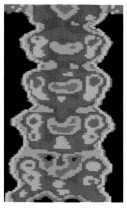

Masa ósea normal
El hueso normal tiene in puntaje T mayor a -1 unidad SD.

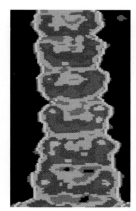

Masa ósea menor a lo normal
El puntaje T entre -1 y -2,5 unidades SD es menor a lo normal.

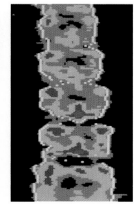

Hueso osteoporósico
El puntaje T menor a -2,5 unidades SD indica osteoporosis.

Esta técnica usa bajas dosis de rayos X para medir la densidad del hueso. La prueba se hace para detectar y diagnosticar la osteoporosis, afección especialmente común en mujeres posmenopáusicas. La diferente absorción de los rayos al pasar a través del cuerpo es interpretada por un computador, el cual la traduce en imagen. El computador calcula la densidad promedio y la compara con los parámetros normales para la edad y sexo de la persona. El procedimiento dura entre 10 y 20 minutos y es indoloro. Se le pedirá que se recueste con las piernas levantadas. El generador de rayos X y el detector se mueven a lo largo de su columna y transmiten la información al computador.

¿CUÁLES SON LOS SÍNTOMAS?
● Si usted tiene 50 años o más, cualquier **curvatura de la columna (cifosis)** y **pérdida de altura** merecen especial atención.
● Los síntomas de la osteoporosis pueden incluir dolor en la parte baja o alta de la espalda, dolores en las articulaciones y extremidades, articulaciones inflamadas en los extremos de los dedos.
● Las fracturas son un síntoma muy común; a menudo, el primero.
● Si usted tiene más de 40 años y se fractura la muñeca o la cadera con una caída menor, es probable que tenga osteoporosis. (La regla es que si se produce fractura con un trauma menor, hay osteoporosis.)
● Las fracturas de muñeca), **fracturas de Colle,** en mujeres menopáusicas se producen cuando, al caer, tratan de protegerse.
● Las **fracturas de cadera** son una de las fracturas más serias porque dejan postrada a una persona mayor.
● Las **fracturas por compresión de las vértebras** también son comunes y producen una disminución de la altura y la curvatura hacia afuera de la columna, conocida como **Joroba de Dowager.**

La estructura del hueso

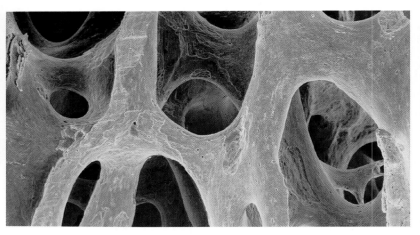

Hueso sano
El hueso es un tejido vivo que es destruido y reparado permanentemente por el cuerpo. Está formado por un marco de fibras proteicas con depósitos de calcio y fósforo entre ellas.

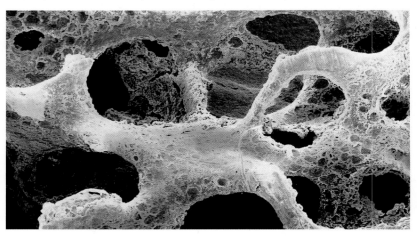

Hueso con osteoporosis
Si el contenido mineral del hueso no se mantiene adecuadamente, puede aparecer la osteoporosis, enfermedad en la que el hueso se debilita y está más expuesto a las fracturas.

JOROBA DE DOWAGER
Cuando los huesos de la columna pierden gradualmente su densidad, las vértebras colapsan, causando que la caja torácica se incline hacia la cadera. La curvatura en la alta columna vertebral crea una segunda curva en la baja columna, empujando los órganos internos hacia delante. Debido a la compresión de la columna, se pueden perder hasta 20 cm en casos severos. El estreñimiento puede ser un problema; la respiración puede resultar dificultosa; son comunes la dispepsia y el reflujo de ácido, y aparece dolor en la parte baja de la espalda y extremidades por la presión de las vértebras colapsadas sobre los nervios. La vida diaria puede tornarse difícil.

¿CÓMO SE LA DIAGNOSTICA?
● Al primer signo de menopausia, por lo general, períodos menstruales largos y abundantes, pídale a su médico que le realice una densitometría.
● Si **repentinamente** comienza a sufrir dolor de espalda, pídale a su médico que le tome una radiografía de columna.
   Existen varias formas de evaluar la densidad ósea, y el escáner es la mejor manera de predecir fracturas.

¿CUÁL ES EL TRATAMIENTO?
El objetivo de los medicamentos, como la TRH, es detener la pérdida de hueso, prevenir fracturas y reemplazar o reparar el hueso, de ser posible. **Una vez ocurrida la fractura, al menos un tercio de la masa ósea** se ha perdido; en algunos casos, hasta un 60 por ciento.

TRATAMIENTO NO HORMONAL
● Pregunte a su médico acerca de los complementos de calcio. Para **maximizar** sus beneficios, el calcio debe administrarse con otros tratamientos, como la TRH y vitamina D. Además, debe aumentar la ingesta de

calcio en su dieta. Incorpore alimentos ricos en calcio, lácteos, pescados con su hueso enlatados , como sardinas, y verduras, como el bróculi (brócoli).

● Una droga llamada **etidronate** ha demostrado tratar efectivamente la osteoporosis que afecta la columna vertebral.

● Una nueva clase de drogas llamadas SERMS para las mujeres menopáusicas trata la osteoporosis. También previene las enfermedades cardíacas, pero no es efectiva contra los síntomas de la menopausia, como los bochornos y la sequedad vaginal.

● Los suplementos de vitamina D aumentarán la eficacia de los suplementos de calcio.

ALIVIO DEL DOLOR

● Las mujeres con osteoporosis vertebral pueden sufrir un intenso dolor de espalda, especialmente después de una nueva fractura, y pueden necesitar analgésicos fuertes.

● La curvatura de la columna produce un fuerte dolor de músculos y ligamentos que puede tratarse con **analgésicos,** como **paracetamol** o codeína.

● Los fisioterapeutas aplican varias formas de **electroterapia** o **ultrasonido** para aliviar el dolor.

● Las máquinas de ETEN (**Estimulación Transcutánea Eléctrica del Nervio**) para aliviar el dolor están disponibles en muchos centros de tratamiento y farmacias.

● Técnicas **complementarias**, como la acupuntura, y el uso de compresas calientes, bolsas de agua caliente o hielo en la casa suelen ser útiles para aliviar el dolor, pero no corrigen la osteoporosis.

● Un terapeuta ocupacional le puede ayudar a **organizar su casa** y su ámbito de trabajo para **minimizar el dolor.** Debe usar una silla con respaldo alto para apoyar bien la columna y su cama debe ser firme aunque no tan dura como para que no se adapte a la forma alterada de su espalda.

¿CÓMO PREVENGO LA OSTEOPOROSIS?

Ya que todas las mujeres corren riesgo de desarrollarla, es importante adoptar medidas de autoayuda para armar una resistencia contra la enfermedad.

● **Realice ejercicio regular al menos desde los 35 años**

El ejercicio es crucial en la menopausia. La mayor fuerza de los músculos, de la columna, la mejor postura, el mantenimiento de la fuerza ósea, el alivio del dolor y la tonificación de los músculos del piso pélvico para manejar la incontinencia por estrés son todos beneficios del ejercicio. Participe en clases de gimnasia. Las mujeres que hacen ejercicio con pesas, aunque caminar es suficiente, dos veces por semana, tienen huesos más densos que las que lo hacen semanalmente, quienes, a su vez, tienen huesos más densos que las que no hacen ejercicios. Nunca es tarde para fortalecer los huesos.

● **Coma una dieta rica en calcio**

Desde una edad temprana ingiera alimentos ricos en calcio, como lácteos, pescados con su hueso (como sardinas) y hortalizas oscuras. Búsquelos, téngalos siempre en la heladera, y elíjalos en los menús de los restaurantes.

● **Considere la TRH**

Una forma sensata de **prevenir la osteoporosis** una vez entrada la menopausia es ingerir la cantidad suficiente de estrógeno como para mantener la masa ósea. La aplicación permanente de TRH en forma de estrógeno combinado con progesterona entre 10 y 13 días al mes, parece **optimizar** la salud ósea y prevenir fracturas. Idealmente, usted debe realizarse una densitometría para evaluar la salud de sus huesos antes de empezar la TRH, pero no es obligatorio. La administración de TRH puede hacerse por vía oral o a través de la piel por medio de un gel o un parche. Existen más de 50 formas en el mercado, así es que debe haber una apropiada para usted. Haga una prueba de cuatro meses. Para que sus huesos se beneficien, debe estar en terapia de reemplazo hormonal durante cinco años, y el beneficio se pierde al detener el tratamiento.

Los tipos naturales de TRH, incluyendo la crema de progesterona, NO han demostrado tener efecto alguno sobre la osteoporosis.

PREVENIR LAS FRACTURAS

Como el mayor peligro de la osteoporosis son las fracturas, es fundamental evitar que éstas ocurran.

● El ejercicio regular, la dieta equilibrada y el estado de alerta mental la pueden ayudar a mantener el estado general, que reduce la posibilidad de sufrir caídas fuertes.

● Mantenga una buena visión controlando regularmente sus ojos, en especial por una condición llamada glaucoma.

● Evite los sedantes y otras drogas que puedan reducir su estado de alerta, como antihistamínicos, e intente limitar el consumo de alcohol.

● Reduzca los peligros en casa retirando cables sueltos y alfombras.

● Ponga barandas en las escaleras y tenga cuidado al caminar en superficies resbalosas.

● Algunas mujeres evitan salir y, como resultado, pueden sufrir la falta de ejercicio y de vitamina D (por falta de exposición al sol). Esto puede empeorar la condición.

● El apoyo emocional y el contacto con otras mujeres con problemas similares pueden ayudar a lograr una actitud más positiva frente a la vida y a ser más segura y decidida.

● Controle regularmente su salud.

● Pídale a su médico que le controle el corazón y la presión una vez al año.

continúa de pág. 422

vasos sanguíneos en el hueso. Los extremos del hueso roto pueden causar más sangrado, dañando tejidos y vasos en el área lesionada. En algunas fracturas, especialmente de fémur, la pérdida de sangre puede ser severa y producir un shock hemodinámico.

Varias complicaciones se asocian con la fractura. Por ejemplo, si se fractura una costilla, corre el riesgo de perforar el pulmón, causando un **neumotórax**.

El **retraso** en tratar debidamente la fractura puede impedir que el hueso se suelde, causando una deformidad o discapacidad permanente. Consulte al médico de inmediato si cree que se ha fracturado.

¿CÓMO SE DIAGNOSTICA?
El médico le pedirá tomarse radiografías para revelar el tipo y gravedad de la fractura. Puede requerirse una TC o una IRM para investigar fracturas complejas. Si la fractura no se debe a una herida, el médico buscará una afección subyacente que pueda haber debilitado sus huesos.

¿CUÁL ES EL TRATAMIENTO?
Si los extremos rotos del hueso se han desplazado, serán puestos en su lugar manualmente para devolver la forma normal. Este proceso se conoce como reducción. Cada tipo de fractura tiene su propia **forma de manipulación** que debe ser realizada bajo anestesia local o general.

EXAMEN

Radiografías

La radiografía es uno de los métodos más antiguos para obtener imágenes del cuerpo. En ella, radiación de alta intensidad (en forma de rayos X) atraviesa el cuerpo para formar una imagen en la película ubicada del otro lado del cuerpo. Las estructuras duras dentro del cuerpo, como los huesos, bloquean la radiación, por eso se ven en la película como áreas blancas. Sin embargo, las radiografías no son útiles para ver los tejidos blandos, como el hígado, ya que no bloquean la radiación. Un tipo especial de radiografía, llamada radiografía por contraste, puede usarse para ver ciertos tejidos blandos.

Durante la radiografía, la fuente de rayos X se posiciona sobre el área a examinar. Se le pedirá que permanezca quieto para asegurar que la imagen sea nítida. La exposición a los rayos dura menos de un segundo y el procedimiento, apenas unos minutos.

Ver también:
• TC pág. 401 • IRM pág. 409
• Osteoporosis pág. 423
• Neumotórax pág. 395 • Shock pág. 560

Cánceres óseos

EXISTEN DOS TIPOS DE CRECIMIENTOS CANCEROSOS QUE OCURREN EN LOS HUESOS: CÁNCER ÓSEO PRIMARIO, QUE SE ORIGINA EN EL PROPIO HUESO Y OCURRE CON POCA FRECUENCIA, Y EL SECUNDARIO, QUE PROVIENE DE UN CÁNCER EN OTRO LUGAR DEL CUERPO Y QUE HA LLEGADO AL HUESO A TRAVÉS DE LA SANGRE.

Los cánceres secundarios, llamados **metástasis**, son mucho más comunes que los primarios.

CÁNCER ÓSEO PRIMARIO
Es un tumor canceroso que se origina en el hueso y es extremadamente raro. Los cánceres óseos primarios son más comunes en la infancia y adolescencia y, a veces, son hereditarios.

¿QUÉ SE PUEDE HACER?
En muchos casos, el tumor se extirpa **quirúrgicamente**. La **radioterapia** puede reducir el tamaño del tumor; en tanto que la **quimioterapia** ayuda a destruir cualquier célula cancerosa remanente. El hueso extirpado se reemplaza con prótesis metálicas o por un hueso extraído de otra parte del cuerpo o de un donante.

Las personas tratadas por este cáncer tienen una muy pequeña posibilidad de que reaparezca dentro de los cinco años posteriores. Después, la reaparición es improbable.

CÁNCER ÓSEO SECUNDARIO (METÁSTASIS ÓSEA)
Es un tumor canceroso en el hueso que se ha extendido desde un cáncer producido en otro lugar del cuerpo. Los cánceres que por lo general hacen metástasis ósea son el cáncer de **pulmón**, **mama**, **ovario** y **próstata**, y se los suele llamar "secundarios".

Las metástasis suelen desarrollarse en las costillas, la pelvis, el cráneo o la columna. La condición es más común que el cáncer óseo primario, especialmente en personas mayores, que son más propensas a desarrollar cánceres en otros lugares.

¿CUÁLES SON LOS SÍNTOMAS?
Las metástasis óseas pueden causar los siguientes síntomas, además de los propios del cáncer principal:
● dolor punzante que empeora por la noche
● hinchazón del área afectada
● sensibilidad del área afectada
● propensión de los huesos afectados a fracturarse con facilidad, a menudo ante la menor lesión.

¿QUÉ SE PUEDE HACER?
Si usted ya tiene cáncer en otro lugar del cuerpo, puede hacerse una radiografía o un radionúclido para ver si el cáncer se ha extendido a los huesos. Si se desconoce la ubicación del cáncer primario, puede necesitar más exámenes para averiguar de dónde proviene la metástasis. Por ejemplo, las mujeres pueden hacerse una **mamografía** para buscar el cáncer de mama. El médico, probablemente, dirija el tratamiento al cáncer original. Puede indicarle **quimioterapia**, **radioterapia** o **terapia hormonal** para aliviar el dolor del hueso.

El pronóstico, por lo general, depende del lugar del cáncer original y del éxito del tratamiento. Sin embargo, lo mejor que puede lograrse con la metástasis ósea es un período de remisión y alivio del dolor.

Ver también:
• Cáncer de mamas pág. 261 • Cáncer de ovario pág. 260 • Cáncer de próstata pág. 265
• Cáncer de pulmón pág. 394 • Mamografías pág. 245 • Quimioterapia pág. 257
• Radioterapia pág. 395

ARTICULACIONES

Las articulaciones hacen que nuestro cuerpo sea flexible. Su perfecta ingeniería se debe principalmente a una cápsula que las envuelve, la **sinovial**, y que las lubrica mediante el líquido sinovial. Dentro de las articulaciones, el cartílago recubre los extremos de los huesos y evita la fricción durante el movimiento. Los ligamentos fibrosos rodean las articulaciones dándoles fuerza, apoyo y estabilidad. Las articulaciones pueden dañarse por lesiones, inflamación y degeneración de huesos, cartílagos y ligamentos, afecciones que aparecen con la edad o como producto de alguna enfermedad. Los trastornos de las articulaciones causan discapacidad e inmovilidad, pero el tratamiento de la enfermedad crónica de las articulaciones ha mejorado mucho en los últimos 20 años gracias a nuevos fármacos y a prótesis seguras y fiables.

La palabra **artritis** significa inflamación de una o más articulaciones, aunque no hay demasiada evidencia de inflamación en la forma más común de este mal, la **osteoartrosis**, que afecta a muchas articulaciones con la edad, especialmente si éstas han sufrido lesiones. La **espondilosis** es un deterioro natural de las articulaciones vertebrales que afecta aquellas partes de la columna donde hay más movimiento, el cuello y la baja espalda, y nos afecta a todos a partir de la edad mediana. La **artritis reumatoide** es una verdadera artritis inflamatoria y puede ser la forma más aguda de esta condición, en la que hay inflamación en muchos otros órganos además de las articulaciones. Este tipo de trastorno es llamado **trastorno del tejido conectivo** o **enfermedad autoinmune** y la artritis reumatoide es el ejemplo más común. Y la gota, aunque menos común, es muy dolorosa y merece atención.

Por último, el **bunio** es una inflamación de los tejidos que rodean una articulación, la bursa del dedo gordo del pie, la cual afecta a muchas personas.

Artritis

EL TÉRMINO ARTRITIS CUBRE UN AMPLIO GRUPO DE AFECCIONES INFLAMATORIAS Y DEGENERATIVAS QUE CAUSAN RIGIDEZ, HINCHAZÓN Y DOLOR EN LAS ARTICULACIONES.

La artritis puede relacionarse con enfermedades de la piel, como la **psoriasis**; con trastornos intestinales, como la **enfermedad de Crohn**, y enfermedades autoinmunes, como el **lupus**.

¿QUÉ TIPOS HAY?
Existen diferentes tipos de artritis, cada uno con sus características.
■ La forma más común de este mal es de tipo degenerativo, la **osteoartrosis**, que por lo general afecta a personas de edad mediana y ancianos en sus articulaciones que soportan peso, sus rodillas y caderas, y después de la menopausia, los extremos de los dedos. La **espondilosis** es una forma de osteoartrosis que afecta las articulaciones de la columna, especialmente la zona del cuello (cervical) y la parte baja de la espalda (lumbar).

■ La **artritis reumatoide** resulta de la inflamación de las articulaciones y otros tejidos del cuerpo, como el **corazón**, **pulmones** y **ojos**.
■ Otro trastorno crónico es la **espondilitis anquilosante**, que afecta la columna y sus articulaciones entre la base de ésta y la pelvis. Al igual que en la artritis reumatoide, otros tejidos pueden ser afectados. La afección causa la fusión de las vértebras, dificultando el caminar.

Vivir con artritis

Si usted sufre de artritis, puede intentar controlar los síntomas para mantener una vida activa. Consulte a su médico para tratar el dolor y mantener móviles las articulaciones. Las organizaciones dedicadas a la artritis (ver Direcciones útiles, pág. 567) pueden brindar valiosa información.

Autoayuda
• Si tiene sobrepeso, quizás lo mejor que pueda hacer es perderlo.
• Además, los ejercicios que requieran fuerza muscular ayudarán a estabilizar la articulación afectada y a reducir los síntomas.

Movilidad
El ejercicio moderado y regular ayuda a aliviar la rigidez y mejora la movilidad. La actividad física también fortalece los músculos que soportan las articulaciones, pero si el ejercicio causa dolor, suspenda la actividad y consulte al médico.

Alivio del dolor
El dolor severo puede mejorar aplicando frío o calor en el área. El calor aumenta la circulación sanguínea; el frío reduce la hinchazón. Ambos aminoran la sensibilidad al dolor.

Equipo especializado
Su médico o un fisioterapeuta pueden recomendarle equipos que le ayudarán en sus tareas hogareñas. Estos aparatos pueden tener manijas fáciles de agarrar o brazos extensibles para alcanzar objetos sin agacharse.
• Si la artritis restringe los movimientos de sus manos, use elementos fáciles de agarrar. Los platos hondos pueden evitar que se caigan los alimentos, y un paño antideslizante ayudará a mantener el plato en su lugar mientras come.
• Las tenazas le permiten levantar objetos sin agacharse o estirarse. Algunas tienen un mecanismo de gatillo que mueve las pinzas que están en su extremo.
• Un asiento fijo en la ducha le permite sentarse durante el baño. Las barandas y las alfombras antideslizantes reducen el riesgo de caídas.

TRATAMIENTO

Reemplazo de articulaciones

Las articulaciones que resulten muy dañadas por la artritis o lesiones pueden ser reemplazadas quirúrgicamente por prótesis artificiales de metal, cerámica o plástico. Muchas articulaciones del cuerpo pueden ser reemplazadas, pero las más comunes son las caderas, rótulas y hombros. En la operación, los extremos de los huesos dañados son extirpados y sustituidos por los componentes artificiales. La operación suele aliviar el dolor y aumenta la movilidad de la articulación.

Cadera

La articulación más reemplazada es la cadera. En la operación, el acetábulo pélvico y la cabeza del fémur son sustituidos. Se utiliza anestesia general y requiere un período de hospitalización corto. Durante las dos semanas siguientes a la operación, la nueva articulación está inestable y los pacientes deben tener cuidado de no dislocarla.

Otras articulaciones

Muchos tipos de articulaciones del cuerpo pueden ser reemplazados, desde las más pequeñas de los dedos hasta las más grandes, como la rótula.

Reemplazo de rótula

Muchas de las articulaciones de rodilla artificiales son implantes de metal y plástico que cubren el cartílago desgastado de la rótula; se preserva lo más posible de la rótula original. La operación se hace bajo anestesia general. El yeso colocado durante la intervención se retira unos 5 días después y el paciente recién puede apoyarse en esa pierna después de dos o tres semanas.

Reemplazo de articulaciones de los dedos

Las prótesis son de metal, plástico o silicona y reemplazan las articulaciones dañadas de los dedos. La operación puede hacerse bajo anestesia local o general y los puntos son retirados unos 10 días después.

■ La **artritis reactiva** se desarrolla en personas susceptibles después de una infección, a menudo del **tracto genital**, como una **uretritis no específica**, o de los **intestinos**, como una colitis ulcerosa. Esta clase de artritis suele causar inflamación de los **tobillos** o **rodillas**.

■ En la **gota**, los cristales de **ácido úrico** se depositan en la articulación causando hinchazón y dolor.

■ El **tratamiento** de la artritis depende del tipo. Los **analgésicos** y los **antiinflamatorios no esteroideos** pueden cooperar a aliviar los síntomas. La **fisioterapia** ayuda a la movilidad de las articulaciones. Si estuvieran muy dañadas, éstas deberán ser reemplazadas por prótesis artificiales.

Ver también:
- **Artritis reumatoide pág. 429**
- **Espondilitis anquilosante pág. 430**
- **Enfermedad de Crohn pág. 366**
- **Lupus pág. 324**
- **Psoriasis pág. 448**
- **Gota pág. 433**

Osteoartrosis

LA DEGENERACIÓN GRADUAL DEL CARTÍLAGO QUE CUBRE LOS EXTREMOS DE LOS HUESOS DEBIDO AL DESGASTE POR LOS AÑOS CAUSA EL DOLOR, LA HINCHAZÓN Y LA RIGIDEZ PRODUCIDOS POR LA OSTEOARTROSIS.

Esta afección aparece rara vez antes de edad mediana y afecta con mayor frecuencia las articulaciones que soportan peso, caderas y rótulas. Cercana la menopausia, las articulaciones terminales de los dedos muestran un cambio osteoartrósico con la aparición de excrecencias o formaciones óseas a los lados de las articulaciones, los **nódulos de Heberden**. Cualquier articulación dañada puede volverse osteoartrósica más tarde. Cuanto mayor sea el desgaste precoz, mayor la posibilidad de sufrir osteoartrosis (OA). La OA es casi siempre asimétrica.

¿CÓMO SE DESARROLLA?

La OA se desarrolla por el desgaste excesivo de las articulaciones y suele ser parte del proceso natural de envejecimiento. Por ejemplo, en la OA de la rótula, donde se encuentran el fémur y la tibia, el cartílago que evita que se desgasten entre sí se ha deteriorado y el resultado de esto es el dolor.

La OA es común en aquellas articulaciones que soportan peso y que han sufrido lesiones en la juventud o que se han utilizado excesivamente en ciertos deportes o por obesidad. Muchas personas de más de 60 años tienen algún grado de OA y el número

de mujeres que la padece triplica el de los hombres. Las áreas más afectadas son las grandes articulaciones vertebrales de la zona baja de la espalda, caderas, rótulas, tobillos y pies. El ensanchamiento de los extremos de los huesos provoca la aparición de excrecencias óseas en los costados de las articulaciones.

El mismo proceso se da en la vértebra cervical y a menudo causa rigidez de cuello y dolor. Esta condición se conoce como **espondilosis cervical**.

¿CUÁLES SON LOS SÍNTOMAS?

■ Además de dolor, la OA causa hinchazón, crujido y rigidez de las articulaciones.

■ Los músculos relacionados pueden debilitarse y encogerse si el dolor impide usar normalmente la articulación.

■ La presión de una formación ósea sobre un nervio del cuello (espondilosis cervical) puede causar dolor en el hombro, codo y dedos.

■ Cuando aparecen excrecencias óseas en la zona baja de la espalda (espondilosis lumbar), la presión del nervio ciático causará dolor en las nalgas y desde la parte posterior de las piernas hasta la planta del pie, dolor conocido como **ciática**.

Formación de osteofitos óseos

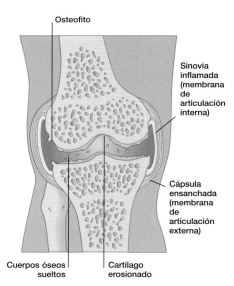

Osteofito

Sinovia inflamada (membrana de articulación interna)

Cápsula ensanchada (membrana de articulación externa)

Cuerpos óseos sueltos

Cartílago erosionado

Las articulaciones que soportan peso pueden erosionarse y pueden formarse osteofitos (espolones óseos).

Ejercicios para personas con osteoartrosis

1. Extienda los brazos a los lados del cuerpo, luego levántelos hacia delante y hacia los costados. Con los brazos en esa posición, tómese las manos detrás de la cabeza.

2. Mueva los dedos de los pies y los pies hacia delante y hacia atrás. Mueva los pies y tobillos en forma circular.

3. Acuéstese, preferentemente en el piso; lleve una pierna al pecho, hacia el hombro opuesto.

4. Apoye el brazo sobre una mesa dejando la mano sin apoyo. Inclínela hacia el suelo y luego levántela; muévala hacia la izquierda y luego hacia la derecha. Asegúrese de descansar la mano en la posición central y de mantenerla alineada con el antebrazo y no hacia abajo.

5. Flexione los dedos y cierre con fuerza el

puño. Luego estire y separe los dedos. Toque la punta de cada dedo con el pulgar.

Si sentarse en un asiento rígido resulta doloroso después de una media hora, párese y camine, o masajee las rodillas. **No cruce las piernas**, no es bueno para las rodillas.

Nadar es una excelente forma de fortalecer los músculos y mantener la movilidad de las articulaciones. Como el agua sostiene su cuerpo, los músculos pueden ejercitarse sin exigir las articulaciones. Si tiene una piscina temperada cerca de su casa, úsela al menos una vez por semana para incrementar la fuerza muscular sin perjudicar las articulaciones.

¿CUÁL ES EL TRATAMIENTO?

■ Desafortunadamente no hay cura, aunque se pueden aliviar los síntomas con analgésicos y antiinflamatorios no esteroideos.

■ La fisioterapia, el tratamiento por calor y el ejercicio son útiles para aliviar el dolor y para la movilidad.

■ Las inyecciones de corticosteroides pueden brindar alivio instantáneo, aunque temporal, pero deben usarse esporádicamente.

> **Ver también:**
> • **Antiinflamatorios no esteroideos pág. 431**
> • **Espondilosis pág. 432**

Artritis reumatoide

ESTA FORMA DE ARTRITIS CAUSA LA INFLAMACIÓN CRÓNICA DE LOS TEJIDOS CONECTIVOS DE TODO EL CUERPO, PERO ESPECIALMENTE DE LAS ARTICULACIONES DONDE LOS PRINCIPALES SIGNOS SON EL DOLOR, LA HINCHAZÓN Y LA RIGIDEZ DE ÉSTAS, QUE PODRÁN EVENTUALMENTE DEFORMARSE.

La artritis reumatoidea (AR) afecta a 1 de cada 100 personas, es más común entre los 40 y 60 años y afecta tres veces más a las mujeres que a los hombres. En ocasiones es hereditaria, lo que sugiere la existencia de un factor genético. Casi siempre afecta las mismas articulaciones de ambos lados del cuerpo.

¿QUÉ SUCEDE?

En la artritis reumatoide, las articulaciones se vuelven rígidas y se hinchan debido a la inflamación de la membrana sinovial. Gradualmente, el cartílago que cubre los extremos de los huesos se erosiona junto con el hueso que está debajo. Los tendones y ligamentos que dan apoyo a las articulaciones se desgastan y éstas se deforman.

¿CÓMO AFECTA LA AR AL CUERPO EN GENERAL?

En muchos casos, la AR afecta a varias articulaciones. Suele comenzar en las pequeñas articulaciones de las manos y pies, pero puede aparecer en cualquiera. Tiende a ser simétrica, apareciendo en articulaciones similares a ambos lados del cuerpo. Es clasificada como un **trastorno autoinmune**, en el que el cuerpo produce anticuerpos que atacan sus propios tejidos. Los tejidos, especialmente el conectivo

formado por **colágeno**, de otras partes del cuerpo, como **ojos**, **pulmones**, **corazón** y **vasos sanguíneos**, pueden resultar afectados por la inflamación, por eso la AR también se describe como un **trastorno del tejido conectivo**. Sigue un curso crónico y suele reaparecer en episodios que duran varias semanas o meses, con períodos de relativa ausencia de síntomas. Después de varios años "se agota" y se torna quiescente como un volcán extinto.

¿CUÁLES SON LOS SÍNTOMAS?

La AR suele desarrollarse lentamente, aunque en ocasiones el inicio puede ser rápido y agudo. Los síntomas generales incluyen **fatiga**, **palidez**, **falta de aliento** al esforzarse y **falta de apetito**. Los **síntomas específicos** son:

● articulaciones rígidas, hinchadas y doloridas, a menudo en las manos, especialmente la articulación media de los dedos de modo que éstos toman forma de huso

● clásicamente, el dolor y la rigidez son más fuertes al despertar y mejoran a lo largo del día

● nódulos indoloros en áreas de presión como los codos.

¿EXISTEN COMPLICACIONES?

■ Los huesos de las articulaciones afectadas pueden perder densidad y fuerza por la

reducida movilidad, haciéndose más frágiles y más susceptibles a las fracturas.

■ Los **síntomas más generales** de la AR se deben en parte a la **anemia** causada por la imposibilidad de la médula ósea de fabricar suficientes glóbulos rojos nuevos.

■ Puede aparecer **bursitis**, en la que uno o más sacos de líquido alrededor de una articulación se inflaman.

■ La inflamación que comprime el **nervio medio** de la **muñeca** puede causar hormigueo y dolor en los dedos. Es el llamado síndrome de túnel carpiano.

Como parte del trastorno autoinmune generalizado que afecta al tejido conectivo de todo el cuerpo, las complicaciones pueden incluir:

● la inflamación de las paredes **arteriales** que irrigan los dedos de manos y pies que causa el **fenómeno de Raynaud**, en el que los dedos de manos y pies se vuelven pálidos y duelen ante la exposición al frío

● en forma menos común, el bazo y los nódulos linfáticos se agrandan

● la membrana que rodea el corazón, el pericardio, también puede inflamarse (pericarditis)

● algunas personas pueden experimentar inflamación en los ojos, iridociclitis o uveitis.

Los síntomas pueden mejorar durante el embarazo, pero reaparecen después del parto.

¿CÓMO SE LA DIAGNOSTICA?

■ Los cambios en las articulaciones de las manos son tan clásicos que permiten confirmar el diagnóstico. Sin embargo, su médico puede pedir un análisis de sangre para determinar la presencia de un anticuerpo llamado **factor reumático** (FR), que se asocia con la AR.
■ Los análisis de sangre pueden también evaluar la gravedad de la inflamación.
■ Pueden tomarse radiografías para determinar el nivel de daño de huesos y articulaciones.

¿CUÁL ES EL TRATAMIENTO?

El objetivo del tratamiento es doble: primero, aliviar los síntomas, y segundo, detener el daño de las articulaciones atacando la inflamación y retrasando el progreso de la enfermedad. Existen distintos fármacos, y su médico se los recetará dependiendo de la gravedad y progreso de la afección, su edad y su estado de salud general.
■ **Si los síntomas son leves**, el médico simplemente prescribirá un antiinflamatorio no esteroideo (AINES).
■ **Si los síntomas son severos**, se sugieren fármacos que retrasan el avance de la enfermedad, como la **sulfasalazina** o la **cloroquina**. Éstas deberían limitar el daño permanente, pero deben ingerirse por algunos meses antes de sentir sus beneficios.
■ **Si los síntomas persisten**, el médico puede indicarle drogas como **ciclosporina**, **penicilamina**, **metotrexato** u **oro**. Como éstas tienen efectos secundarios serios, su evolución debe ser seguida de cerca por el médico.

Artritis reumatoide

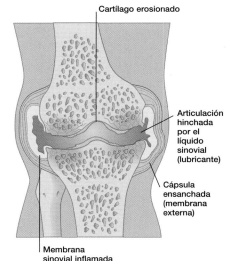

Los cambios característicos de la artritis reumatoide dañan la articulación.

Cartílago erosionado

Articulación hinchada por el líquido sinovial (lubricante)

Cápsula ensanchada (membrana externa)

Membrana sinovial inflamada

■ La **anemia** que se asocia con la AR puede mejorar con la hormona **eritropoyetina**.
■ El médico puede recomendarle que use una **tablilla o faja**, especialmente por la noche, como apoyo para la articulación afectada y para demorar el desarrollo de deformidades.
■ El **ejercicio** regular liviano puede ayudar a la movilidad de las articulaciones y evita la debilidad muscular.
■ La **fisioterapia** puede mejorar la movilidad articular y la fuerza muscular.

■ La **hidroterapia** y los tratamientos por **frío** o **calor** pueden aliviar el dolor.
■ Si una articulación provoca mucho dolor, puede necesitar una **inyección** de corticosteroides.
■ Si la articulación resulta gravemente dañada, el médico puede sugerirle su reemplazo por una **artificial**.

¿CUÁL ES EL PRONÓSTICO?

Muchas personas con AR llevan una existencia normal, aunque el tratamiento de por vida puede ser necesario para controlar los síntomas. De cada 10 personas, 1 tiene algún grado de discapacidad, ya que los ataques repetidos destruyen las articulaciones.

Existen muchos artículos para el hogar que le ayudarán a llevar una vida normal. Pregúntele a su médico sobre ellos.

Se necesitarán análisis de sangre regulares para controlar el avance de la enfermedad y la respuesta al tratamiento. A veces, los ataques disminuyen gradualmente y se dice que la **enfermedad se agota**. Después de los 50 años sucede con frecuencia. Sin embargo, pueden quedar algunas discapacidades permanentes.

> **Ver también:**
> • **AINES pág. 431**
> • **Trastornos autoinmunes pág. 323**
> • **Fenómeno de Raynaud pág. 234**
> • **Reemplazo de articulaciones pág. 428**
> • **Síndrome de túnel carpiano pág. 434**
> • **Vivir con artritis pág. 427**

Espondilitis anquilosante

LA INFLAMACIÓN Y RIGIDEZ CRÓNICA Y PROGRESIVA DE LAS ARTICULACIONES, QUE SON LOS PRINCIPALES SÍNTOMAS DE LA ESPONDILITIS ANQUILOSANTE, AFECTAN A HOMBRES JÓVENES. LA AFECCIÓN TIENDE A SER HEREDITARIA.

Aunque los principales síntomas se dan en las articulaciones, la espondilitis anquilosante es un trastorno de los tejidos conectivos que afecta a otros órganos del cuerpo. Suele afectar las **articulaciones sacroilíacas** que unen la parte posterior de la pelvis con los huesos de la columna. Si la columna enferma gravemente, empieza a crecer hueso entre las vértebras que eventualmente las funde, con lo que la columna se vuelve fija e inmóvil.

Una variante de la enfermedad es precedida por un trastorno de la piel, la **psoriasis**, y por la enfermedad inflamatoria intestinal llamada **enfermedad de Crohn**.

¿CUÁLES SON LAS CAUSAS?

La causa de la espondilitis anquilosante es desconocida, pero 9 de cada 10 personas que la sufren tienen una sustancia particular que causa una respuesta autoinmune en el cuerpo (**antígeno**), llamada HLA-B27, en la superficie de la mayoría de las células. Este antígeno es hereditario, lo que explica la transmisión de la enfermedad en las familias. Sin embargo, muchas de estas personas no desarrollan la enfermedad, por lo que deben existir otros factores que tienen incidencia.

Se cree que una infección bacteriana puede desencadenar la espondilitis anquilosante en las personas con predisposición.

¿CUÁLES SON LOS SÍNTOMAS?

Los síntomas de la espondilitis anquilosante suelen aparecer al final de la adolescencia o comienzos de la edad adulta y desarrollarse gradualmente durante meses o años. Los principales síntomas incluyen:
● dolor en la zona baja de la espalda, que puede llegar a nalgas y muslos
● rigidez de la zona baja de la espalda que empeora por la mañana y mejora con el ejercicio
● dolor en otras articulaciones, como caderas, rodillas y hombros
● dolor y sensibilidad de los tobillos
● fatiga, pérdida de peso y fiebre leve.

El ejercicio regular suave ayuda a mantener la flexibilidad y a aliviar los síntomas de la espondilitis anquilosante.

¿CUÁLES SON LAS COMPLICACIONES?

■ Si no se la trata, la espondilitis anquilosante puede causar distorsión en la columna, formando una curvatura convexa llamada **cifosis.**
■ Si las articulaciones entre la columna y las costillas resultan afectadas, se restringe la **expansión torácica**.
■ En algunas personas, la enfermedad causa inflamación o daño de otros tejidos, como los **ojos**.

¿CÓMO SE LA DIAGNOSTICA?

■ Su médico puede sospechar de espondilitis anquilosante a partir de sus síntomas.
■ Una radiografía mostrará la fusión de las articulaciones de la pelvis y la columna.
■ Los análisis de sangre medirán el nivel de inflamación y buscarán el antígeno HLA-B27.

¿CUÁL ES EL TRATAMIENTO?

El tratamiento apunta a aliviar los síntomas y a prevenir el desarrollo de deformaciones.
■ El médico puede prescribir un **antiinflamatorio no esteroideos** (AINES) para controlar el dolor y la inflamación.
■ Podrá seguir una fisioterapia, incluyendo ejercicios de respiración y ejercicios diarios para mejorar la postura, fortalecer los músculos de la espalda y evitar deformidades en la columna.

■ Puede también beneficiarse con una actividad física suave, como la **natación**, que alivia el dolor y la rigidez.
■ Si una articulación como la cadera es afectada, puede llegar a necesitar su **reemplazo**.
■ Si la movilidad se reduce severamente, puede requerir **terapia ocupacional**.
■ Su terapeuta puede sugerir que use **equipos especiales** y muebles que simplifiquen su vida.

¿CUÁL ES EL PRONÓSTICO?

La mayoría de las personas afectadas sufre esta enfermedad en forma leve, con una mínima incidencia en su vida diaria. Incluso en quienes tienen síntomas más severos, la enfermedad tiende a tornarse más leve con la edad. En muchos casos, el tratamiento precoz y el ejercicio regular alivian el dolor, la rigidez y previenen deformaciones. Sin embargo, 1 de cada 20 personas afectadas queda discapacitada.

Ver también:
• **Enfermedad de Crohn pág. 366**
• **Reemplazo de articulaciones pág. 428**
• **Psoriasis pág. 448**

AINES

Los antiinflamatorios no esteroideos (AINES) son un grupo de drogas no adictivas usadas para aliviar el dolor y la inflamación en músculos, ligamentos y articulaciones. Trabajan limitando la liberación de prostaglandinas, químicos producidos por el cuerpo que causan dolor y desatan la inflamación. Uno de los AINES más conocidos es el ibuprofeno, que es de venta libre.

Los AINES pueden tener efectos secundarios. Uno de los más comunes es la irritación de estómago, que puede producir úlceras pépticas si se los consume por mucho tiempo. Si le recetan un AINES para una condición crónica, quizás deba también ingerir un protector estomacal para contrarrestar este efecto. Otro efecto secundario es la reacción alérgica, en forma de erupción o hinchazón. Las personas con asma o problemas a los riñones no deben tomar AINES porque pueden empeorar estas afecciones.

Espondilosis

LOS HUESOS Y CARTÍLAGOS DEL CUELLO Y LA ZONA BAJA DE LA ESPALDA SE DEGENERAN
GRADUALMENTE CON LA EDAD, CAUSANDO EL DOLOR Y RIGIDEZ DE LA ESPONDILOSIS.

Hay dos clases de espondilosis: si los síntomas están en el cuello, se la llama espondilosis **cervical**, y si están en la zona baja de la espalda, se la denomina espondilosis **lumbar**. Debido a que todos los individuos mayores de 45 años sufren algún grado de espondilosis, se la considera parte del proceso normal de envejecimiento.

La espondilosis es un tipo de **osteoartrosis** que afecta la columna, donde las vértebras y los discos cartilaginosos ubicados entre ellos comienzan a degenerar. En las zonas de mayor movimiento, cuello y la zona baja de la espalda, los huesos se engruesan, y se desarrollan espolones o excrecencias óseas en los bordes de las vértebras.

Complicaciones

Espondilitis
Ocasionalmente, la espondilosis deriva de una **inflamación** y pasa a denominarse espondilitis. Esta afección puede necesitar de tratamiento con fármacos antiinflamatorios.

Espondilolistesis
Una vértebra puede salirse de su posición y deslizarse hacia delante sobre otra, provocando dolor debido a la tracción de los músculos y ligamentos adyacentes. Esto ocurre en la región lumbar baja y puede ser asintomática.

Los espolones pueden presionar los nervios de la columna causando un **dolor de raíz** que se extiende a brazos y piernas.

¿CUÁLES SON LOS SÍNTOMAS?
Muchas personas no tienen síntomas. Cuando aparecen, incluyen:
- movimientos restringidos del cuello y de la zona baja de la espalda
- dolor detrás de la cabeza y en la zona baja de la espalda
- dolor o punzadas que van desde los hombros hasta las manos y desde la zona baja de la espalda hasta los glúteos, desde detrás de las piernas hasta la planta del pie
- entumecimiento, hormigueo y debilidad muscular en manos, brazos y piernas.

A veces, si se mueve rápido la cabeza, los espolones óseos pueden comprimir temporalmente los vasos sanguíneos que irrigan el cerebro, causando mareos, inestabilidad y visión doble.

¿CÓMO SE LA DIAGNOSTICA?
Como puede no presentar síntomas, la afección suele diagnosticarse recién cuando se hace una radiografía por otra razón.
- Si siente dolor en el cuello o mareos, consulte a su médico, quien puede ordenar una radiografía para buscar la espondilosis cervical.
- Si su médico duda de que los síntomas se deban sólo a esta afección, puede pedir más exámenes en busca de otras causas, como el prolapso o hernia de disco.

- También puede indicarle **estudios de conducción nerviosa** y una electromiografía (EMG) para evaluar el funcionamiento de los nervios de brazos y manos.
- También pueden hacerse una TC e IRM para ver si hay cambios en los huesos de la columna, los discos y cartílagos o en los tejidos que los rodean.

¿CUÁL ES EL TRATAMIENTO?
La degeneración de la columna no puede ser detenida, pero sus efectos pueden ser reducidos con tratamiento.
- Para reducir el dolor en casos leves de espondilosis cervical, el médico puede darle **analgésicos,** como paracetamol, o prescribirle antiinflamatorios no esteroideos (AINES).
- Una vez aliviado el dolor, puede sugerirle hacer ejercicios de cuello para mantener la movilidad y aumentar su fuerza.
- Si la espondilosis cervical ha dañado un nervio, puede recurrirse a la cirugía para evitar que los síntomas empeoren. Esto implica ampliar la abertura natural de la vértebra a través de la cual pasa el nervio. En algunos casos, se puede operar para estabilizar la columna **fusionando** las vértebras afectadas.

Ver también:
- Osteoartrosis pág. 428
- Disco dislocado pág. 437

Bunios

UN BUNIO (JUANETE) ES UNA INFLAMACIÓN EN LA BASE DEL DEDO GORDO DEL PIE. POR LO GENERAL ES
CAUSADA POR UNA DEFORMIDAD ÓSEA MENOR (HALLUX VALGUS), EN LA QUE LA ARTICULACIÓN DE LA BASE
DEL DEDO SE PROYECTA HACIA FUERA, FORZANDO A LA PUNTA DEL DEDO A INCLINARSE HACIA DENTRO.

Esto causa el engrosamiento del tejido blando (bursitis) y un crecimiento óseo en la base del dedo gordo del pie, que se inflama y duele, lo que dificulta el caminar. La causa del hallux valgus es múltiple. Como resultado de la presión sobre la deformidad, el tejido adyacente se engruesa. La protuberancia causada por la deformidad ósea y el tejido blando engrosado se llama bunio.

¿CUÁL ES LA CAUSA?
- La condición es común en mujeres jóvenes como resultado del uso de calzado demasiado apretado o puntiagudo, especialmente de tacones altos. Cuando se sobreexige la articulación del dedo gordo, se produce una

especie de almohadón de fluido (bursa) que rodea la articulación.
- En ciertos casos, la fricción constante del calzado apretado en la piel que cubre el bunio puede causar abrasión y provocar una infección bacteriana.
- Las personas que sufren **diabetes mellitus** son especialmente susceptibles a los bunios debido a la falta de sensibilidad en los pies y a su piel, que tiende a sanar con mayor lentitud.

¿CUÁL ES EL TRATAMIENTO?
Sin atención, el bunio empeora gradualmente. El dolor puede aliviarse usando calzado cómodo y un protector especial para el dedo o media correctiva que lo enderece. Sin

embargo, si el bunio causa una incomodidad severa, puede corregírselo con cirugía realineando el hueso.

Si el bunio se infecta con bacterias, el médico le dará antibióticos.

AUTOAYUDA
Descanse los pies cuando sea posible. No use zapatos de tacones altos o apretados: elija calzado bajo y amplio.

CIRUGÍA
Si el bunio es extremadamente severo y los pies están muy deformados, es posible un tratamiento quirúrgico. Éste involucra la extirpación completa de la bursa inflamada y

de la articulación. Con esto, el cirujano fija la articulación que, aun cuando será completamente indolora, quedará rígida e inmóvil. Esto no afecta el caminar, pero no podrá ponerse en puntas de pie.

¿CÓMO PUEDE PREVENIRSE?
El bunio sólo se forma cuando la articulación del dedo gordo del pie es sobreexigida. La prevención entonces es evitar usar calzado de tacones altos por largos períodos y no usar zapatos ni medias que no calcen perfectamente.

> **Ver también:**
> • **Diabetes mellitus pág. 504**
> • **Osteoartrosis pág. 428**

TRATAMIENTO

Cirugía de bunio

La cirugía del bunio busca corregir la deformidad del hueso, conocida como hallux valgus. Un tipo común de procedimiento quirúrgico de bunio implica realinear y devolver la forma al hueso afectado (el primer metatarso) en la base del dedo gordo.

Durante la operación, la protuberancia del hueso es retirada y se realiza un corte en forma de V en la parte inferior del hueso. Esto permite que el hueso se deslice a los lados y se realinee. En algunos casos puede insertarse temporalmente un alambre o un tornillo permanente en el hueso. Para sostener el dedo, el pie es cubierto por vendaje o yeso que debe mantenerse allí durante unas seis semanas.

La operación se realiza bajo anestesia general y puede requerir una breve hospitalización. Pueden necesitarse muletas o un bastón durante el período posoperatorio, pero el andar normal suele reanudarse en unas seis semanas después de la cirugía.

Gota

ES UN TIPO DE ARTRITIS EN LA QUE SE FORMAN DEPÓSITOS CRISTALINOS DE ÁCIDO ÚRICO ENTRE LAS ARTICULACIONES. LA GOTA ES 20 VECES MÁS COMÚN EN HOMBRES, ESPECIALMENTE EN AQUELLOS CON SOBREPESO Y QUE SE EXCEDEN CON LAS COMIDAS Y VINOS.

La base del dedo gordo del pie es la ubicación más común de la gota, pero puede afectar a cualquier articulación. La gota causa un repentino dolor e inflamación, por lo general en una sola articulación. En las mujeres, rara vez aparece antes de la menopausia.

¿CUÁLES SON LAS CAUSAS?
La gota suele ser causada por altos niveles de ácido úrico en la sangre. Este exceso es provocado por la sobreproducción de ácido úrico, lo que puede ocasionar el depósito de **cristales** de ácido úrico en las articulaciones. No se sabe por qué sucede esto, pero la

afección suele ser hereditaria. Algunas personas con gota desarrollan también **cálculos renales** formados por cristales de ácido úrico.

Este procedimiento puede aparecer espontáneamente o ser desencadenado por una cirugía, el sobrepeso, la ingesta de alcohol o la excesiva destrucción celular asociada con la **quimioterapia**.

¿CUÁLES SON LOS SÍNTOMAS?
Los síntomas de la gota suelen aparecer repentinamente. Pueden incluir:
• enrojecimiento, sensibilidad, calor e hinchazón de la zona afectada, como si fuera una infección
• dolor, que puede ser muy intenso, en la articulación afectada
• fiebre leve.
En la gota prolongada, pueden acumularse depósitos de ácido úrico en los lóbulos de las orejas y en los tejidos blandos de las manos, formando pequeñas protuberancias cremosas llamadas **tofos**.

¿QUÉ SE PUEDE HACER?
■ Su médico le pedirá análisis de sangre para medir el nivel de ácido úrico. Los niveles altos diagnosticarán la gota.
■ Para confirmar el diagnóstico, se puede hacer una aspiración articular, en la que se extrae líquido de la zona afectada, para examinar el ácido úrico y los cristales. Por razones obvias, este procedimiento se hace sólo cuando la articulación no tiene dolor.

¿CUÁL ES EL TRATAMIENTO?
La gota puede desaparecer por sí sola después de unos días sin tratamiento. Si persiste, puede hacerse lo siguiente.
■ Para reducir el dolor y la inflamación pueden recetársele antiinflamatorios no esteroideos (AINES), la droga antigota **colchicina** o **corticosteroides orales**.
■ Si tiene una gota recurrente, puede necesitar tratamiento de por vida con fármacos preventivos, como el **allopurinol,** para reducir la producción de ácido úrico, o **probenecid,** para aumentar la excreción de ácido úrico.
■ El médico puede recomendarle hacer cambios en su estilo de vida, reduciendo la ingesta de alcohol y mejorando la calidad de su dieta; en especial, debe evitar comer hígado y otros interiores, pollo y legumbres.
■ La pérdida del exceso de peso puede ayudar a reducir la frecuencia y la intensidad de los ataques de gota.

¿CUÁL ES EL PRONÓSTICO?
La gota puede ser muy dolorosa e impedir las actividades normales, pero los ataques tienden a ser menos frecuentes e intensos con la edad. Los ataques repetidos pueden causar daños permanentes en las articulaciones afectadas y ocasionalmente en los riñones.

> **Ver también:**
> • **Quimioterapia pág. 257**
> • **Cálculos renales pág. 377**

TRASTORNOS MUSCULOESQUELÉTICOS

El sistema musculoesquelético está formado por los huesos y las articulaciones del esqueleto y por cientos de músculos, tendones y ligamentos. Si uno de los componentes se daña, todo el sistema se descompone y aparece el dolor. Por ejemplo, la mayoría de los casos de dolor en la zona baja de la espalda puede deberse a un cierto grado de espondilosis (osteoartrosis) de la columna con un **espasmo muscular doloroso** alrededor de la vértebra afectada. De la misma forma, suele haber un **músculo debilitado** al lado de un disco prolapsado.

Síndrome de túnel carpiano

SUELE AFECTAR A PERSONAS ENTRE 40 Y 60 AÑOS, ESPECIALMENTE MUJERES. EL SÍNDROME DE TÚNEL CARPIANO CAUSA HORMIGUEO Y DOLOR EN LA MANO Y ANTEBRAZO DEBIDO A LA INFLAMACIÓN DEL TEJIDO BLANDO Y LA COMPRESIÓN DEL NERVIO DE LA MUÑECA.

El túnel carpiano es un espacio angosto formado por los huesos de la muñeca (huesos carpianos) y el fuerte ligamento que pasa sobre ellos. Los nervios y tendones pasan por este túnel. En este síndrome, el **nervio medio**, que controla algunos músculos de la mano y la sensibilidad del pulgar, índice y medio, es comprimido cuando pasa por esta cavidad. Esto causa un hormigueo doloroso en la mano, el antebrazo y la muñeca, y a menudo afecta ambas manos. En las mujeres, la menopausia tiene una importancia fundamental. Un trabajo que requiere movimientos repetitivos de las manos es un factor de riesgo.

¿CUÁLES SON LAS CAUSAS?

El síndrome de túnel carpiano ocurre cuando los tejidos blandos dentro del túnel se inflaman y presionan el nervio medio de la muñeca. Tal inflamación puede producirse durante el **embarazo**, como parte de la **artritis reumatoide** y después de una **fractura de muñeca**. Puede ser causa de una **LER** (lesión por exigencia repetitiva). En la mayoría de los casos no hay una causa clara.

¿CUÁLES SON LOS SÍNTOMAS?

Los síntomas afectan mayormente la zona de las manos controlada por el nervio medio, es decir, el pulgar, los dedos índice y medio, la cara interior del anular y la palma de la mano. Los síntomas iniciales son:
- calor y hormigueo en la mano
- dolor en la muñeca y antebrazo.

Con el empeoramiento gradual de la afección, aparecen:
- entumecimiento de la mano
- menor capacidad para tomar objetos
- pérdida de masa ósea en la mano, especialmente en la base del pulgar.

Los síntomas suelen ser más intensos por la noche y el dolor puede interrumpir el sueño. Sacudir el brazo puede aliviar temporalmente los síntomas, pero el entumecimiento persistirá si no se trata.

¿QUÉ SE PUEDE HACER?

Los síntomas del síndrome de túnel carpiano pueden aliviarse con **antiinflamatorios no esteroideos** (AINES) o usando una faja de muñeca. A menudo ayuda descansar la mano y el brazo sobre una almohada. En algunos

casos, una inyección de corticosteroides bajo el ligamento puede reducir la inflamación. Si los síntomas persisten o reaparecen, se puede recurrir a la cirugía para cortar el ligamento y liberar la presión sobre el nervio. Después de la cirugía, los síntomas no suelen reaparecer.

> **Ver también:**
> - **Diabetes mellitus pág. 504**
> - **AINES pág. 431** • **LER pág. 439**

Dolor en la zona baja de la espalda

EL DOLOR EN LA ZONA BAJA DE LA ESPALDA CAUSA MÁS AUSENTISMO LABORAL QUE CUALQUIER OTRA ENFERMEDAD, AFECTA A 3 DE CADA 5 ADULTOS.

El dolor en la zona baja de la espalda aparece debajo de la cintura, y puede ser repentino y agudo o persistente y leve; puede llegar hasta los glúteos y desde allí a la parte posterior de la pierna hasta la planta del pie.

En muchos casos, el dolor dura cerca de una semana, pero muchas personas encuentran que vuelve a aparecer a menos que cambien su estilo de vida y la forma en que realizan sus actividades diarias. En una menor cantidad de personas, el dolor en la zona baja de la espalda causa discapacidad. Este dolor suele ser causado por un daño menor de los ligamentos y músculos de la espalda como consecuencia de una lesión menor (por ejemplo, una torcedura), sobreexigencia (cavar el jardín) o por espondilosis lumbar (el proceso de envejecimiento natural de la columna). La zona baja de la espalda es vulnerable a estos problemas porque soporta gran parte del peso del cuerpo y está permanentemente exigida con movimientos como agacharse y girar. En menor medida, el dolor se debe a una causa subyacente, como la hernia de disco.

¿CUÁLES SON LAS CAUSAS?

El dolor puede aparecer de pronto (agudo) o desarrollarse gradualmente durante semanas. Si persiste, pasa a ser crónico.

AGUDO

El dolor repentino suele aparecer al **levantar** o **mover** objetos pesados, como ciertos muebles, y se debe al estiramiento de un músculo o tendón. La lesión puede empeorar con la actividad posterior. En la mayoría de los casos, los síntomas duran entre 2 y 14 días.

CRÓNICO

■ El dolor en la zona baja de la espalda que tiende a ser más persistente suele ser causa de la **mala postura** o de la excesiva tensión del músculo provocada por estrés emocional.

■ Durante el **embarazo** hay dos factores que inciden en el dolor de espalda: los cambios posturales por el aumento de peso y la distensión de los ligamentos de la columna debido al alto nivel de hormonas del embarazo.

■ En personas de más de 45 años, el dolor en la zona baja de la espalda persistente es causado por la **osteoartrosis** de la columna; mientras que en las más jóvenes, las articulaciones pueden estar afectadas por la **espondilitis anquilosante.**

■ El **dolor** causado por la compresión de la raíz del nervio se debe a un disco prolapsado o a la espondilosis que presiona sobre un nervio espinal. El dolor de este tipo suele estar acompañado de **ciática**, un trastorno en el que el dolor agudo se extiende desde la espalda hacia una o ambas piernas.

■ El dolor de espalda rara vez proviene del **hueso** mismo, excepto, por ejemplo, en el caso de un tumor.

■ Las condiciones que afectan los **órganos pélvicos** pueden causar dolor en la zona baja de la espalda. Por ejemplo, la **enfermedad inflamatoria pélvica** y la **infección renal. Las úlceras pépticas** y la enfermedad de la vesícula biliar pueden causar dolores "reflejos" que se sienten en la espalda.

¿CUÁLES SON LOS SÍNTOMAS?

El dolor en la zona baja de la espalda puede tomar distintas formas:

● dolor punzante localizado en una pequeña área de la espalda

● un dolor más general en espalda y glúteos, que empeora al sentarse y mejora al pararse

● rigidez y dolor al agacharse

● dolor que llega a los glúteos, piernas y pies, a veces con entumecimiento y hormigueo.

¿QUÉ PUEDO HACER?

En muchos casos, uno mismo puede tratar el dolor.

■ Un **antiinflamatorio no esteroideo** (AINES) de venta libre debería reducir el dolor, y un paño caliente o bolsa de agua caliente, o a veces hielo, pueden brindar alivio adicional.

■ Si el dolor es intenso, estará más cómodo recostado, pero no debe quedarse en cama más de dos días. Comience a moverse y retome sus actividades normales.

■ Si el dolor empeora o sigue siendo fuerte después de unos días, consulte a su médico.

Ejercicios para la espalda

La clave es fortalecer los músculos abdominales para que "tiren" y soporten la espalda. Puede ayudar a prevenir el dolor de espalda haciendo ejercicios suaves con los músculos de espalda y abdomen. Consulte al médico o a un fisioterapeuta antes de comenzar un programa de ejercicios. No debe continuar si siente dolor. Los movimientos que se muestran abajo fortalecerán los músculos de su espalda y harán más flexible su columna. Repita cada uno 10 veces si puede, y ejercite todos los días. Hágalos sobre una superficie cómoda, pero firme, como una colchoneta en el piso.

Estiramiento lumbar

Este estiramiento aliviará el dolor de músculos y articulaciones de la zona lumbar. Recuéstese boca arriba con los pies apoyados en el piso y las rodillas flexionadas. Lleve las rodillas al pecho y sosténgalas con las manos durante siete segundos y respire profundamente. En esa posición, mueva los pies hacia el piso, de a uno a la vez.

Arquear y hundir

Los movimientos de este ejercicio deberían incrementar la flexibilidad de las articulaciones y músculos de la espalda. Póngase de rodillas y con las palmas apoyadas en el piso, con las rodillas separadas.

Pegue la barbilla al pecho y arquee suavemente la espalda. Mantenga la posición por cinco segundos. Levante la cabeza relajando la espalda y vuelva a mantener por cinco segundos.

Inclinación pélvica

Este movimiento ayuda a estirar los músculos y ligamentos de la zona baja de la espalda. Acuéstese de espalda con los pies apoyados y las rodillas flexionadas. Presione la espalda contra el piso.

Apriete los glúteos y el abdomen de forma que los glúteos se levanten levemente al igual que la pelvis. Mantenga seis segundos, luego relájese. Cuando haya aprendido el ejercicio, puede hacerlo de pie.

■ Una vez aliviado el dolor, puede prevenir que reaparezca cuidando su postura, aprendiendo a levantarse correctamente y haciendo **ejercicio en forma regular** para fortalecer y flexibilizar la espalda (ver recuadro, arriba).

¿QUÉ PUEDE HACER EL MÉDICO?

■ Su médico hará un examen físico completo para evaluar su postura, el movimiento de la columna y las áreas sensibles.

■ Sus reflejos, fuerza muscular y la sensibilidad de las piernas serán controlados para ver si hay presión sobre los nervios de la columna o la médula espinal.

TRATAMIENTO

Prevenir el dolor de espalda

Posición para conducir: Regule el ángulo del asiento un poco hacia atrás para que soporte la columna, y ubíquelo para alcanzar cómodamente los controles de manos y pies.

Posición de asiento: Siéntese con la espalda recta y los pies apoyados en el piso. Use una silla que afirme la espalda. Al usar el computador, posicione el monitor de forma de tenerlo a la altura de sus ojos.

Posición de levantamiento: Mantenga la espalda recta y tome el objeto lo más cerca del cuerpo posible. Use los músculos de las piernas y no los de la espalda.

La mayoría de las personas ha experimentado dolor de espalda en algún momento de su vida, pero muchas de las causas podrían haberse evitado. El dolor de espalda a menudo se debe a la mala postura, a la debilidad de los músculos del abdomen o espalda, o a una exigencia muscular. Usted puede mejorar la postura usando zapatos cómodos, sentándose o estando de pie con la espalda recta y eligiendo un colchón adecuado para su cama. Los ejercicios regulares suaves fortalecen los músculos del abdomen y espalda, y la pérdida del exceso de peso puede aliviar el estrés de las articulaciones y músculos. Aprender a hacer las tareas físicas en forma segura, como cargar objetos, puede prevenir el dolor. Pídale a su médico o terapeuta consejos sobre la postura, ejercicios y dieta.

Postura correcta

Para superar los malos hábitos posturales, debe prestar constante atención a la forma en que se pone de pie, se sienta, se mueve y hasta cómo duerme. Las figuras de la izquierda muestran cómo se deben hacer las actividades diarias con mínima exigencia para la espalda.

Levantar un objeto

Al levantar o empujar un objeto pesado, manténgalo cerca suyo para poder usar toda la fuerza para moverlo. Para levantarlo, tómelo de abajo para soportar el peso completo del objeto, y mantenga el cuerpo en equilibrio mientras lo levanta para evitar lesionar la columna.

1- Agáchese cerca del objeto con su peso distribuido en ambos pies y el objeto entre las piernas. Tome la base del objeto.

2- Mantenga la espalda recta. Levántese en un solo movimiento suave, haciendo la fuerza con los músculos de las piernas y manteniendo el objeto cerca suyo.

3- Una vez de pie, mantenga el peso cerca de su cuerpo, la espalda recta y la cabeza hacia delante, para que el cuerpo esté equilibrado en su centro de gravedad.

■ Puede hacerse un **examen pélvico** o **rectal** para descartar trastornos de los órganos internos.

■ Pueden tomarse **análisis de sangre** y **radiografías** para buscar las causas subyacentes del dolor, como inflamación de las articulaciones o cáncer óseo.

■ Si hay presión sobre los nervios o médula espinal, la IRM o la TC pueden detectar anormalidades que requieren tratamiento especial, como la hernia de disco.

¿CUÁL ES EL TRATAMIENTO?

■ A menos que el examen físico y otros análisis indiquen que hay una causa seria para el dolor, el médico le indicará que siga con los antiinflamatorios no esteroideos (AINES).

■ Puede hacer **fisioterapia** para movilizar las articulaciones afectadas entre las vértebras.

■ En las zonas sensibles se puede inyectar un anestésico combinado con un corticosteroide.

■ La **osteopatía** puede ser efectiva para tratar el dolor, y vale la pena consultar a un osteópata. La kinesiología es menos efectiva.

¿CUÁL ES EL PRONÓSTICO?

Usted puede pensar que el dolor de espalda nunca mejorará, pero hasta los peores ataques lo hacen. La mayoría desaparece sin tratamiento, aunque el problema suele recurrir a menos que se corrijan factores como la mala postura o la forma de levantar peso.

En pocos casos, el dolor en la zona baja de la espalda puede ser una afección prolongada, que perjudica el trabajo y la vida social de las personas, y a veces las lleva a la depresión. El control efectivo del dolor es esencial en estas situaciones, y hay personas que creen que los nuevos **antidepresivos** ISRS las ayudan a manejarlo y a relajar los músculos.

Si el dolor aparece una vez, probablemente recurrirá. Con la edad, los episodios de dolor se vuelven más intensos y cuesta más tiempo reponerse de ellos, pero con calor, ejercicio, analgésicos y fisioterapia muchos mejoran después de algunos meses. Cuidar la postura, la forma de sentarse y de mover o levantar peso debe ser parte de nuestras vidas.

Ver también:
- **Espondilitis anquilosante pág. 430**
- **Ejercicios para la espalda pág. 435**
- **TC pág. 401**
- **Infección renal pág. 376**
- **IRM pág. 409** • **Osteoartrosis pág. 428**
- **Úlcera péptica pág. 353**
- **Disco dislocado pág. 437**
- **Radiografías pág. 426**

Disco dislocado

CUANDO UNA DE LAS ALMOHADILLAS QUE SE ENCUENTRAN ENTRE LAS VÉRTEBRAS DE LA COLUMNA
SE DESVÍA DE SU LUGAR Y SOBRESALE, SE LO CONOCE COMO DISCO DISLOCADO.
LOS MÉDICOS LO DENOMINAN PROLAPSO O HERNIA DE DISCO.

La hernia de disco es más común entre los 25 y 45 años, principalmente en los hombres. El sobrepeso y la carga incorrecta de objetos son factores de riesgo.

Los discos absorben los golpes entre las vértebras y están formados por un recubrimiento exterior fibroso y un centro blando y gelatinoso. El disco prolapsado se produce cuando el centro empuja hacia fuera, distorsionando la forma del disco. Si la capa exterior se rompe, la condición se denomina **hernia de disco.** Cuando esto sucede, el tejido adyacente se inflama. Junto con el disco, estos tejidos pueden hacer presión sobre un nervio espinal, y causar dolor en toda la longitud de ese nervio, siendo el más común el **nervio ciático,** que produce **ciática.**

¿CUÁLES SON LAS CAUSAS?

Después de los 25 años, los discos comienzan a **secarse,** estando más secos al despertar, por lo que no debe hacerse actividad física sin calentamiento. Los discos también se tornan más vulnerables al prolapso o hernia como resultado del estrés normal de la vida diaria y lesiones menores. A veces, el daño de un disco es causado por agacharse incorrectamente o una torcedura, o al levantar un objeto pesado en forma indebida. A partir de los 45 años, el tejido fibroso se forma alrededor de los discos llegando a estabilizarlos y a hacerlos menos propensos a estos daños.

¿CUÁLES SON LOS SÍNTOMAS?

Los síntomas del prolapso o hernia de disco pueden desarrollarse progresivamente o aparecer repentinamente. Incluyen:
- dolor sordo en el área afectada
- espasmo muscular y rigidez en el área afectada que dificulta el movimiento y empeora el dolor.

Si el disco presiona un nervio de la columna, puede además sentir:
- dolor intenso, hormigueo o entumecimiento de la pierna, o si el cuello está afectado, del brazo
- debilidad o movimiento restringido de pierna o brazo.

El dolor suele aliviarse con descanso, pero puede empeorar al subir escaleras, sentarse, toser, estornudar o agacharse. La evacuación intestinal también puede empeorar el dolor. El mal funcionamiento de la vejiga e intestinos indica presión sobre la médula espinal; debe consultar al médico de inmediato.

¿QUÉ SE PUEDE HACER?

■ Las radiografías descartarán otras causas de dolor, como la espondilosis.
■ Pueden hacerse IRM o TC para determinar la posición exacta del disco prolapsado o herniado.
■ Incluso si el daño del disco fuera permanente, el dolor suele desaparecer en unas 6 u 8 semanas a medida que disminuye la inflamación. El médico le indicará reposo y medicación. Si no tiene dolor, la fisioterapia y los ejercicios le ayudarán a reducir los espasmos musculares y a acelerar la mejoría. Si el dolor es persistente, deberá recurrir al hospital.

TRATAMIENTO

Disquectomía

La disquectomía es un procedimiento quirúrgico usado para tratar la hernia del disco que presiona el nervio espinal o la médula espinal. La parte del disco que sobresale se extirpa mediante una incisión en la capa fibrosa externa de éste usando un microscopio. La operación se hace bajo anestesia general y requiere una breve internación.

■ En algunos casos, el dolor puede aliviarse mediante **tracción,** en la que la columna se estira suavemente con pesas para crear más espacio entre los nervios, reduciendo la presión.
■ Algunas personas se benefician con el **bloqueo selectivo de raíces nerviosas,** en el que un anestésico, a veces combinado con un corticosteroide, es inyectado en la zona del nervio comprimido para disminuir la inflamación. Ocasionalmente, se necesita cirugía para descomprimir la raíz del nervio afectado.

Ver también:
- **TC pág. 401**
- **Dolor en la zona baja de la espalda pág. 434**
- **IRM pág. 409** • **Espondilosis pág. 432**

Piernas inquietas (Síndrome de Ekbom)

EL SÍNDROME DE EKBOM CAUSA UNA SENSACIÓN DE ARDOR EN LAS PIERNAS Y PIES
QUE SE PUEDE ALIVIAR AL MOVERLAS, A VECES CONTINUAMENTE.

Todavía tenemos mucho que aprender de esta afección, pero casi el 5 por ciento de la población puede experimentar todos o algunos de sus síntomas en algún momento de sus vidas.

¿CUÁL ES LA CAUSA?

Especialmente relacionadas con las mujeres mayores, las piernas inquietas pueden afectar también a hombres y niños, y hay evidencia de su carácter hereditario. Los primeros síntomas suelen ser leves durante la adolescencia, reaparecen en el embarazo hasta el parto, para retornar después de muchos años. Algunos estudios sugieren una asociación con la **ansiedad,** la **depresión** y el **estrés.** Se sabe que un tercio de los pacientes con artritis reumatoide sufren esta condición.

¿CUÁLES SON LOS SÍNTOMAS?

Una sensación desagradable de hormigueo, ardor y quemazón en una o ambas pantorrillas que a veces se extiende a los pies, muslos, tronco y brazos. Comienza lentamente al sentarse o acostarse, en especial por la noche, ocasionando trastornos del sueño. Aunque los síntomas pueden variar, el factor más consistente es que el movimiento otorga un breve alivio.

Si usted sufre frecuentemente este tipo de incomodidad, consulte a su médico para su diagnóstico. Otros trastornos, como la anemia ferropénica, los problemas circulatorios o de disco pueden presentar síntomas similares.

Una condición similar, común en los ancianos, es la **meralgia paraestésica,** o dolor en la cara exterior de la pierna. A diferencia de las piernas inquietas, puede ser fácilmente manejada con tratamientos convencionales, por eso es importante el diagnóstico preciso.

¿QUÉ PUEDO HACER?

Hasta hoy no hay cura para las piernas inquietas, pero algunos pacientes encuentran que el ejercicio regular leve, la natación, las duchas frías, el yoga y los ejercicios de relajación y la vitamina B$_{12}$ los ayudan.

Es prudente evitar estar sentado o de pie por mucho rato, las siestas durante el día, las comidas pesadas antes de acostarse, el café, las ropas ajustadas y de materiales sintéticos. El tratamiento con ciertos fármacos ha resultado efectivo, especialmente **el ropinirole**. No se han hecho pruebas clínicas con ropinirole como terapia para las piernas inquietas, pero existe evidencia que indica que alivia a muchos pacientes. Esta droga se desarrolló para aliviar los temblores de piernas en los enfermos de Parkinson y se está descubriendo su aplicación más amplia.

Como no está registrada como terapia, el médico deberá recetarla en forma privada para un paciente en particular. En este caso el médico notifica a las autoridades que está administrando una droga sin licencia a un paciente y que ambos aceptan la responsabilidad de la decisión.

El grupo de apoyo a los afectados (ver Direcciones útiles, pág. 567) puede ofrecer valiosa información y consejos prácticos que han resultado para otras personas. En sus boletines trimestrales, el grupo comparte información sobre investigación médica.

MÚSCULOS Y TENDONES

Cuando los músculos se contraen y se relajan mueven el cuerpo haciendo que las articulaciones se estiren y flexionen. Los músculos se conectan con los huesos por medio del tejido fibroso conocido como tendones. Ambos pueden resultar temporal o permanentemente dañados por lesiones y sobreexigencia, causando dolor, debilidad, restricción de movimiento y fatiga.

Aunque los músculos representan la mitad de nuestro peso corporal, rara vez se ven afectados por enfermedades. La sobreexigencia de los músculos o tendones, por el ejercicio extenuante, actividad inusual o movimientos repetitivos o inmovilización, causará muchos de los trastornos descritos en esta sección, incluyendo los **calambres musculares**, **el hombro fijo**, la **lesión por exigencia repetitiva** y el **codo de tenista**. La inflamación del tendón (tendinitis) o de la vaina del tendón (tenosinovitis) es realmente bastante común y dolorosa, por eso incluí algunas consideraciones personales. Tal vez la causa más común de dolor muscular sea la **fibromialgia**, una afección cuyo origen es un misterio, pero en la cual casi siempre existe un componente psicológico.

Algunos trastornos que afectan los músculos están desarrollados en otras partes del libro. Por eso encontrará trastornos del **sistema inmunológico**, como la **polimiositis** y la **dermatomiositis**, en la pág. 326, y la **distrofia muscular**, en la pág. 523. Los trastornos musculoesqueléticos están en la pág. 434.

Calambre muscular

EL ESPASMO DOLOROSO DE UN MÚSCULO O GRUPO DE MÚSCULOS, POR LO GENERAL
EN LA PARTE INFERIOR DE LA PIERNA, ES CONOCIDO COMO CALAMBRE; ESTA AFECCIÓN DESAGRADABLE,
PERO TEMPORAL AFECTA A CASI TODAS LAS PERSONAS OCASIONALMENTE.

¿CUÁL ES LA CAUSA?

Los dolorosos calambres, que a menudo duran sólo unos minutos, endurecen el músculo; esto se debe, por lo general, a la sobreexigencia. El dolor prolongado de un espasmo muscular se debe normalmente a que el músculo está protegiendo una parte lesionada debajo de él, como la espondilosis o la espondilitis, y no cesará hasta que ésta mejore. Los calambres pueden darse en cualquier músculo, pero es más común que ocurran en los grupos de músculos grandes de las piernas, como el cuádriceps, en el frente del muslo; los tríceps, detrás, y los gemelos, en las pantorrillas. Cuando afectan los músculos abdominales se les conoce como "punzada".

■ El calambre suele desarrollarse durante el **ejercicio**, cuando el músculo agota su provisión de oxígeno o cuando acumula ácido láctico durante el ejercicio anaeróbico.
■ Otra causa es la perdida de sal y agua a causa de la excesiva transpiración por calor o ejercicio extremo.
■ El calambre también puede aparecer si ha estado sentado o acostado en mala posición por mucho tiempo.
■ El calambre no es la única causa de dolor muscular. El dolor recurrente en los gemelos al caminar debe consultarse con el médico; la causa puede ser la mala circulación debido a que las arterias que irrigan los músculos de las piernas se ocluyen por la aterosclerosis.

¿QUÉ SE PUEDE HACER?

■ El tratamiento inmediato es estirar y friccionar el área afectada y aplicar calor.

■ Beber abundante líquido y comer algo salado.
■ Si suele tener calambres por la noche, su médico puede recetarle **quinina**, una droga contra la malaria que alivia los síntomas.
■ A veces ayudan los relajantes musculares.
■ El flunitrazepam, un sedante con efectos relajantes, puede permitirle dormir sin dolor.

Ver también:
● **El corazón y la aterosclerosis pág. 222**
● **Espondilosis pág. 432**

ENFOQUE *en* LER

Cualquier persona cuyo trabajo o hobby incluya movimientos repetitivos, especialmente de manos y brazos, corre el riesgo de dañar sus tendones, nervios, músculos y otros tejidos blandos. Este tipo de daño se conoce como lesión por exigencia repetitiva (LER).

Los trabajadores pueden desarrollar una lesión por una exigencia repetitiva (LER) como resultado de las tareas que realizan. El computador, con el teclado plano que permite digitar a alta velocidad, ha producido una epidemia de lesiones en las manos, brazos y hombros.

¿CUÁLES SON LOS SÍNTOMAS?
- **Rigidez**, incomodidad, inflamación y ardor en manos, muñecas, dedos y antebrazos o codos.
- **Hormigueo**, frío o entumecimiento en manos.
- **Torpeza** o pérdida de fuerza y coordinación en manos.
- **Dolor** que interrumpe el sueño.
- **Necesidad** de masajear las manos, muñecas o brazos.

CONDICIONES DE LER
Las afecciones específicas incluyen la **compresión nerviosa**, **tendinitis**, **síndrome de túnel carpiano**, que causa entumecimiento y dolor en las manos, y movimientos y espasmos involuntarios de manos y dedos.

Todas tienen síntomas diferentes, que van desde el dolor y la rigidez hasta movimientos torpes y calambres.

¿CUÁL ES LA CAUSA?
Los investigadores de todo el mundo han buscado explicaciones para la LER. Algunos no creen que se deba a una única causa, sino que una serie de factores, incluyendo los genes y la personalidad, estarían involucrados.

Una teoría dice que es de origen psicológico y otra, que es físico. Una tercera teoría dice que es una interacción entre lo físico y lo mental. No hay una sola causa, algunas personas sufren una LER y otras no, aunque hacen la misma tarea. Incluso puede ser causada por una confusión del cerebro ante la tarea repetitiva.

AUTOAYUDA
Las muñequeras, los apoyabrazos, los teclados divididos y el ajuste de columna no lo devolverán pronto al trabajo. Su LER volverá a aparecer a menos que haga cambios a largo plazo en la técnica y hábitos de trabajo. Si, como piensan algunos expertos, la LER resulta ser un problema del cerebro, será útil reeducarlo. Por eso, ejercicios como el uso de las tarjetas de **Braille** o **jugar al dominó con los ojos cerrados,** lo que los expertos llaman **entrenamiento sensorial,** pueden ser la respuesta para muchas personas (ver recuadro, abajo).

¿CUÁL ES EL TRATAMIENTO?
El tratamiento va desde antiinflamatorios hasta la cirugía, pero para algunas personas, la única cura es cambiar de trabajo. Y puede ser difícil encontrar compensación.

¿CÓMO EVITO LA LER?
- Use el computador sólo lo necesario. **Ningún cambio ergonómico, teclado moderno ni ejercicio** le ayudará si digita demasiado.
- **No** use juegos de computador o video que involucran el uso intenso del teclado.
- Aumente el tamaño de las letras; las pequeñas lo obligan a inclinarse hacia el monitor, presionando los nervios y vasos sanguíneos del cuello y hombros.
- No golpee las teclas. Tóquelas suavemente.
- Use ambas manos para las operaciones de dos teclas, más que torcer una sola mano. Mueva toda la mano para alcanzar las teclas de función en vez de estirar los dedos.
- Tome descansos breves para estirarse y relajarse y otros más prolongados, cada una hora.
- Tome el ratón con suavidad, no lo apriete. Téngalo cerca del teclado. Planifique el tiempo de su trabajo en el computador.
- **No** sostenga el teléfono entre la oreja y el hombro para poder escribir al mismo tiempo, ya que es una fuerte exigencia para su cuello, hombros y brazos.
- Mantenga las manos y brazos tibios. Los músculos y tendones fríos son más propensos a lesionarse.
- Cuide sus ojos.
- Observe sus otras actividades. Los problemas pueden ser causados, o agravados, por otras cosas que hace con frecuencia. Los deportes, alzar a los niños, hobbies que requieren trabajo minucioso, como el tejido, y el exceso de esfuerzo/tensión en otras actividades diarias pueden tener también un enorme impacto.
- Preste atención a su cuerpo. El dolor es síntoma de problema, pero saber qué es cómodo y qué es incómodo para su cuerpo le permitirá prevenir lesiones.
- Los niños también corren riesgo, ya que pasan mucho tiempo frente al computador, tanto en casa como en la escuela, y estos equipos no suelen estar preparados para personas de su tamaño.

Consejos útiles

- Haga ejercicios que reentrenen sus dedos.
- Juegue al dominó con los ojos cerrados.
- Encaje formas con los ojos cerrados.
- Arme rompecabezas que tengan textura con los ojos cerrados.
- Juegue a las cartas con un mazo Braille.
- Pídale a alguien que escriba letras y números en las yemas de sus dedos, y con los ojos cerrados intente descifrar cuáles son.
- Pídale a alguien que frote diferentes objetos en su mano y trate de identificarlos.
- Lleve pares de objetos diferentes en sus bolsillos e intente encontrar las parejas.
- Meta en una bolsa diferentes objetos y trate de identificarlos.
- Haga juegos de orientación, como ponerle la cola al burro.

Fibromialgia

ES UN TRASTORNO MUSCULAR QUE CAUSA UN DOLOR MUSCULAR DISEMINADO,
RIGIDEZ Y FATIGA ASOCIADO CON SENSIBILIDAD MUSCULAR.

Aunque la afección no tiene una causa obvia ni se ha identificado una anomalía visible del músculo, la fibromialgia es más común en las mujeres, y suele aparecer en períodos de estrés.

¿CUÁLES SON LOS SÍNTOMAS?

Los síntomas de la fibromialgia aparecen lentamente durante semanas y siguen un patrón en todo el cuerpo. Pueden incluir:
● dolor muscular en la zona alta de la espalda, cabeza, muslos, abdomen y caderas
● las áreas musculares particularmente sensibles son la base del cráneo, el cuello y los hombros.

Suele asociarse con dolores de cabeza, fatiga, depresión, ansiedad y alteración de los patrones del sueño. Algunas personas sufren irregularidad intestinal (síndrome del colon irritable). Todos estos síntomas empeoran cuando el nivel de estrés aumenta.

¿QUÉ SE PUEDE HACER?

■ El diagnóstico de la fibromialgia suele basarse en los síntomas y el examen físico, pero el médico puede pedirle análisis de sangre para descartar otros trastornos, como la artritis reumatoide.
■ Aunque no hay tratamiento específico, el dolor puede aliviarse con el masaje del tejido profundo y la aplicación de calor húmedo, el tratamiento de ultrasonido o una inyección de anestésico local.

■ El médico puede también recetarle una baja dosis de amitriptilina, efectiva contra el dolor de esta afección.
■ El ejercicio regular también es importante para mantener el tono y flexibilidad muscular.

La mayoría de las personas se recupera totalmente, pero en algunos casos los síntomas reaparecen.

El masaje del tejido profundo puede aliviar el dolor de la fibromialgia.

> **Ver también:**
> ● **Síndrome del colon irritable pág. 362**
> ● **Artritis reumatoide pág. 429**

Polimialgia reumática

LA PRINCIPAL QUEJA DE QUIENES PADECEN POLIMIALGIA REUMÁTICA
ES EL DOLOR Y LA RIGIDEZ DE LOS HOMBROS Y CADERAS, ASOCIADOS CON LA PÉRDIDA
DE ENERGÍA Y UNA SENSACIÓN DE MALESTAR GENERAL.

Esta enfermedad, que puede ser hereditaria, es poco frecuente antes de los 60 años y dos veces más común en mujeres. Se trata de un **trastorno autoinmune** en el que los anticuerpos atacan a los tejidos del cuerpo. Puede asociarse con otro trastorno autoinmune, la **arteritis temporal.**

¿CUÁLES SON LOS SÍNTOMAS?

Los síntomas suelen aparecer durante semanas, pero a veces lo hacen repentinamente. Incluyen:
● músculos rígidos y doloridos, con dificultad para salir de la cama o moverse, que afecta cuello y hombros
● fatiga profunda

● fiebre persistente o intermitente, sudor nocturno
● pérdida de peso
● depresión.

Si la arteritis temporal también está presente, puede haber dolor de cabeza en uno o ambos lados y sensibilidad del cuero cabelludo.

¿QUÉ SE PUEDE HACER?

Es importante consultar al médico porque el tratamiento es simple y efectivo.
■ Probablemente el médico haga el diagnóstico sólo con la evaluación física y los resultados del análisis de sangre en busca de inflamación.

■ Se pueden tomar análisis de sangre adicionales para descartar otros trastornos, como la artritis reumatoide.
■ Los **corticosteroides orales** reducen la inflamación y el dolor. Si hay arteritis temporal, las dosis iniciales pueden ser altas. En ambos casos se reducirán a un nivel de mantenimiento cuando disminuyan los síntomas.

¡Ánimo! Los síntomas suelen aliviarse al empezar el tratamiento con corticosteroides. Sin embargo, la polimialgia reumática puede persistir, y entonces deberá seguir tomando bajas dosis de algún corticosteroides, como la prednisona.

Codo de tenista y codo de golfista

ESTA INFLAMACIÓN DEL TENDÓN, PRODUCIDA EN SU ENGANCHE CON EL HUESO DEL CODO,
SE DEBE AL MOVIMIENTO REPETITIVO.

El trastorno es poco común entre los profesionales, pero sí se presenta entre quienes juegan ocasionalmente al tenis o al golf y entre aquellos que realizan tareas que no acostumbran, como limpiar ventanas y colocar papel mural. ¡Los directores de orquesta también sufren de codo de tenista!

Tanto el codo de tenista como el de golfista ocurren cuando se daña el enganche del tendón con el músculo. En el codo de tenista, el tendón del lado externo de esta zona se lesiona; en el de golfista, el afectado es el tendón del lado interno. Depende fundamentalmente de si el movimiento es de **revés**, usando el tendón extensor (codo de tenista) o de **frente,** si se utiliza el tendón flexor (codo de golfista).

Ambas afecciones son causadas por el uso enérgico y repetido del antebrazo contra una resistencia, que puede darse al practicar ciertos deportes, como el tenis, al usar un destornillador o las tijeras podadoras. El tendón es repetidamente tensionado en el punto donde se une con el hueso, y el daño produce sensibilidad y dolor en el brazo afectado.

¿CUÁL ES EL TRATAMIENTO?
■ Descanse el brazo dolorido lo más posible.
■ La fisioterapia, las bolsas de hielo y un programa de ejercicios simples para estirar y fortalecer los músculos pueden ayudar.
■ El tratamiento de ultrasonido puede ayudar a aliviar los síntomas.

■ Podrá sentir que un antiinflamatorio no esteroideo (AINES) ayuda.
■ Si el dolor no mejora dentro de 2 a 6 semanas, el médico puede inyectarle un corticosteroide en el área afectada.

■ Una vez que los síntomas han cedido, debe ver a un fisioterapeuta para cambiar su técnica antes de retomar el deporte o actividad que originó la afección.

Hombro fijo

EL DOLOR Y EL MOVIMIENTO RESTRINGIDO DE LA ARTICULACIÓN DEL HOMBRO, A MENUDO DESPUÉS
DE UNA LESIÓN MENOR, SE LLAMA HOMBRO FIJO. DICHA AFECCIÓN ES MÁS COMÚN EN MUJERES QUE EN
HOMBRES. UNA LESIÓN DEL HOMBRO PUEDE TRANSFORMARSE EN UN HOMBRO FIJO.

¿CUÁLES SON LAS CAUSAS?
El hombro fijo puede ser originado por una inflamación producida por una lesión en esa zona. También puede aparecer si el hombro es inmovilizado, por ejemplo, después de una lesión menor o parálisis. Sin embargo, en muchos casos, se desarrolla sin razón aparente. Las personas con **diabetes mellitus** son más susceptibles a desarrollar esta afección. El dolor probablemente se origina en los músculos que rodean la articulación, los que entran en espasmo para proteger la lesión que está debajo de ellos.

¿CUÁLES SON LOS SÍNTOMAS?
Los síntomas suelen comenzar gradualmente durante semanas o meses. Incluyen:
● dolor en el hombro, que puede ser intenso en las primeras etapas y empeorar por la noche
● con el tiempo, el dolor baja, pero aumenta la rigidez y la restricción de movimiento
● en casos agudos, el dolor se expande hacia el codo y el cuello del lado afectado.

Si tiene dolor en el hombro por más de unos días, consulte al médico de inmediato. Cuanto más deje el hombro fijo, más difícil es

tratarlo. Es común que la afección dure un año o más, pero siempre mejora. Es cuestión de reentrenar los músculos en espasmo para que se relajen, y eso lleva tiempo.

¿QUÉ SE PUEDE HACER?
■ Un analgésico o AINES aliviará el dolor y reducirá la inflamación.
■ Si el dolor persiste o es agudo, pueden darle un corticosteroide mediante una inyección **directa** en la articulación del hombro.
■ Pueden indicarle seguir una fisioterapia, hidroterapia, masaje y tratamiento por calor.

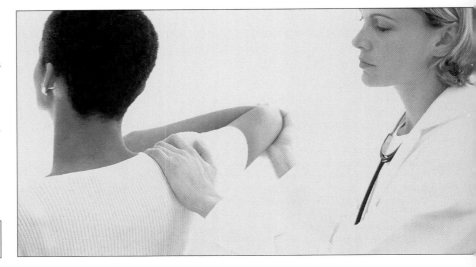

El sedante y relajante muscular **flunitrazepam** es útil durante la noche.

■ A pesar de estas medidas, su hombro puede seguir rígido hasta por un año o más.

■ En casos muy agudos y persistentes, se estira el hombro hasta el límite, bajo anestesia general.

Sin importar la gravedad, la recuperación suele ser lenta y pueden pasar más de seis meses desde la desaparición de la rigidez hasta volver a la normalidad.

Ver también:
• **Diabetes mellitus pág. 504** • **AINES pág. 431**

Contractura de Dupuytren

EN LA CONTRACTURA DE DUPUYTREN, EL TEJIDO FIBROSO DE LA PALMA DE LA MANO SE ENGRUESA Y ACORTA, LO QUE CAUSA UNA DEFORMIDAD.

Uno o más dedos, a menudo el anular y el meñique, son atraídos hacia la palma de la mano en posición flexionada y, a veces, aparecen dolorosas protuberancias en las palmas y la piel se arruga. En aproximadamente la mitad de los casos, ambas manos resultan afectadas. Es poco común que las plantas de los pies se vean afectadas. La contractura de Dupuytren es mucho más frecuente en hombres de más de 50 años; el abuso de la ingesta de alcohol es un factor de riesgo. Este trastorno puede ser hereditario.

Los cambios de tejido en la contractura de Dupuytren se desarrollan lentamente durante meses o años. La causa es desconocida, pero ocurre mayormente en personas con **diabetes mellitus** o **epilepsia**, y en quienes **beben en exceso**. De cada 10 personas con contractura de Dupuytren, 1 tiene antecedentes familiares, por lo que podría haber un factor genético.

¿QUÉ SE PUEDE HACER?

■ En casos leves no se necesita tratamiento.

■ Si los dedos se doblan levemente, puede ser de ayuda hacer ejercicios de estiramiento y usar una tablilla momentánea.

■ Para las protuberancias de la palma, se puede inyectar un corticosteroide en la zona afectada.

■ En casos graves, la cirugía es el tratamiento más específico, en especial si se la realiza con prontitud. Bajo anestesia local o general, el tejido engrosado de la palma es extirpado para permitir que los dedos se enderecen.

■ Se requerirá más tratamiento si el trastorno reaparece.

Ver también:
• **Diabetes mellitus pág. 504**
• **Epilepsia pág. 538**

Piel, Cabello y Uñas

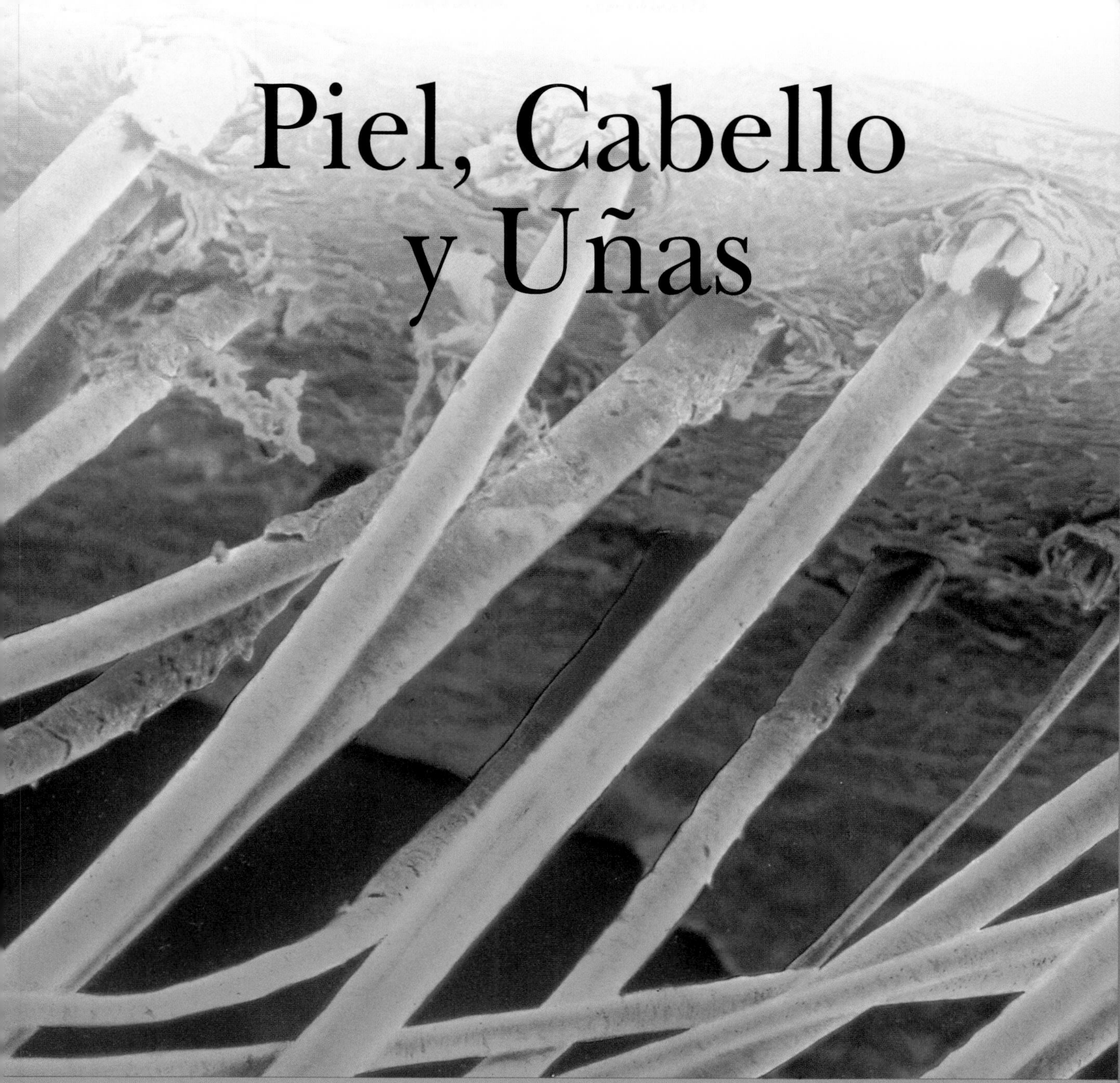

La imagen muestra un electromiograma de las pestañas

El resumen de Miriam

La piel es el órgano más grande del cuerpo. Cuando se calienta y enrojece, utiliza la mitad de toda nuestra sangre, por eso nos sentimos mareados cuando nos acaloramos o nos ofuscamos, ya que no queda suficiente sangre para alimentar el cerebro.

La piel es la primera defensa del cuerpo; es una capa protectora que impide que ingresen elementos que pueden dañarlo y que salgan los que le hacen bien.

Entre otras funciones vitales mantiene constante la temperatura corporal, puesto que conserva el calor cuando nos enfriamos y desecha calorías cuando sentimos calor.

Estas dos funciones principales de la piel pueden fallar, lo que puede tener consecuencias terribles.

• Cuando más de la mitad de la piel resulta dañada, como en las quemaduras graves, el cuerpo pierde su capacidad de mantener la temperatura constante y podemos sobrecalentarnos peligrosamente.

• Si al cuerpo le falta más de la mitad de su cobertura, no puede retener los componentes vitales, pues éstos se escapan. Un ejemplo es la proteína, que puede perderse tan rápidamente con una quemadura que se pone en riesgo la vida.

El principal mensaje del milenio sobre la piel es no exponerse al sol. Use protector solar en las zonas expuestas todos los días; sí, todos los días. La exposición al sol causa cáncer de piel, y el reflejo de un día nublado en Inglaterra también cuenta en el TOTAL DE LA DOSIS DE SU VIDA. Es la dosis acumulada la que provoca el cáncer. Completará esta dosis rápidamente si vive en Australia y más lentamente si vive en el Reino Unido. Significa que en Australia, usted será más joven cuando la piel haya absorbido toda su dosis de sol. Una vez que esto ocurre, usted está expuesto al cáncer de piel. Con la capa de ozono cada vez más delgada, la dosis total de sol se completa antes. Por eso hay que protegerse en todo momento, desde el nacimiento.

"use protector solar en las zonas expuestas todos los días; sí, *todos los días"*

Esto es importantísimo, porque sabemos que las quemaduras de sol que sufrimos de niños pueden dañar nuestro sistema inmunológico, por lo que estamos más propensos a contraer cáncer de piel en el futuro. Nunca comprendí la obsesión por estar bronceados. Cada día expuesto al sol implica una arruga más. El sol envejece la piel, y su efecto no se puede revertir.

La piel tiene accesorios, cabello y uñas, los cuales son tejidos muertos. Por eso, sólo se puede afectar su calidad básica mientras éstos se encuentran creciendo en los folículos pilosos o en la matriz de la uña, respectivamente. Eso sucede unos seis meses antes de que su condición sea visible, por lo que se hace un juicio retrospectivo. Puesto de otra forma, si quiere tener cabello y uñas hermosos para el verano, comience con su plan (especialmente con lo que come) en junio.

La inflamación de la piel, como el eccema (dermatitis), suele ser parte de una reacción genéticamente programada al estrés llamada atopía, desarrollada en la pág. 312.

AL INTERIOR
de su piel, cabello y uñas

La piel es el órgano más grande del cuerpo y la primera línea de defensa contra lesiones e infecciones. El cabello y las uñas, que crecen de la piel, ofrecen protección adicional.

Está formada por dos capas de tejido: la **epidermis** externa, que es delgada, y la más gruesa, **dermis** interior. La capa superior de la epidermis consiste mayormente en células muertas, mientras que la dermis está formada por tejido fuerte y elástico que contiene **vasos sanguíneos, glándulas** y **terminaciones nerviosas**. El cabello, compuesto casi en su totalidad por una proteína llamada **queratina**, crece de los **folículos** de la piel. Las uñas también están formadas por queratina, y crecen desde el área ubicada debajo de la **cutícula**, llamada **matriz**.

las partes de la uña

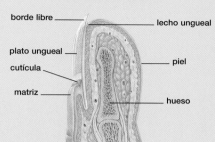

vista externa

borde libre

plato ungueal

lúnula

cutícula

matriz

corte transversal

borde libre

plato ungueal

cutícula

matriz

lecho ungueal

piel

hueso

Las uñas corresponden a tejido muerto formado por queratina, la misma proteína del cabello. Éstas ofrecen una cobertura protectora a los extremos sensibles de los dedos.

la estructura de la piel y del cabello

La piel es el órgano más grande del cuerpo. Tiene dos capas, la externa es la epidermis y la dermis, más gruesa, se ubica debajo de ella.

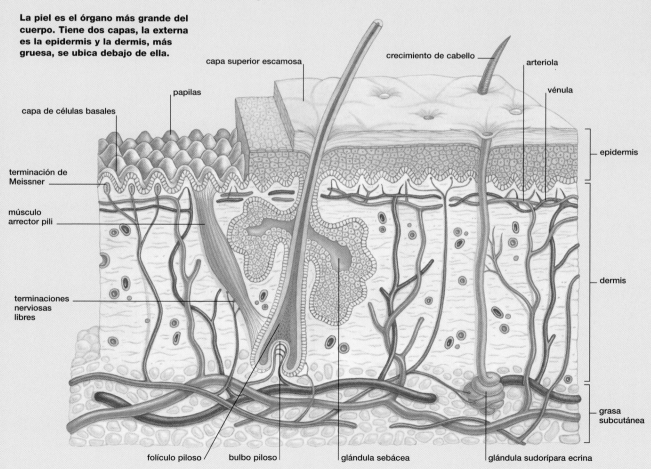

capa superior escamosa

crecimiento de cabello

arteriola

vénula

papilas

capa de células basales

terminación de Meissner

músculo arrector pili

terminaciones nerviosas libres

epidermis

dermis

grasa subcutánea

folículo piloso

bulbo piloso

glándula sebácea

glándula sudorípara ecrina

Acné de la adolescencia

LA PIEL GRASA CON PUNTOS NEGROS, GRANOS CON PUS, PROTUBERANCIAS ROJAS AMORATADAS Y POSIBLES CICATRICES QUE CARACTERIZAN EL ACNÉ, ES MÁS COMÚN EN LA ADOLESCENCIA, ESPECIALMENTE EN VARONES, Y PUEDE SER HEREDITARIA.

El acné afecta principalmente la cara, el pecho y la espalda, y es causado por el bloqueo e inflamación de las glándulas sebáceas de la piel. Hay una forma de acné que persiste en la edad adulta.

Nuestra piel tiene glándulas de grasa (sebáceas) que segregan una sustancia aceitosa (sebo) para mantener la piel flexible y húmeda. Si las salidas de estas glándulas se bloquean, el sebo irrumpe en las capas internas de la piel, causando una inflamación que puede infectarse. El resultado son los granos con pus y las clásicas protuberancias moradas y dolorosas del acné. Cuando éstas se curan, suelen dejar cicatrices.

¿CUÁLES SON LAS CAUSAS?

■ Las **hormonas masculinas** son la causa del acné, y esto se aplica a los adolescentes varones y mujeres. Bajo la influencia de estas hormonas, de las cuales la más conocida es la **testosterona**, las células ubicadas en la salida de las glándulas sebáceas crecen y tapan el conducto. En la **pubertad**, los andrógenos entran en el torrente sanguíneo y alcanzan su máximo nivel en ambos sexos. En las mujeres, éste es incluso más alto que el de estrógenos. Por eso, en la adolescencia con todos esos andrógenos, las glándulas sebáceas se tapan con facilidad. Para empeorar las cosas, los andrógenos aumentan la producción de sebo, por lo que las glándulas se llenan al máximo, incluso pueden explotar.

■ Muchas mujeres presentan una forma leve de acné antes de la **menstruación**, cuando los niveles de estrógeno son bajos.

■ Quienes toman **esteroides** pueden sufrir acné.

■ Las **bacterias** de la piel también están relacionadas. Después de la pubertad, la piel de la cara y del tronco superior, con acné o sin

él, contiene muchas bacterias. Las más importantes en el acné son las *Propionibacterium acnes*. Éstas entran en los ductos de las glándulas sebáceas causando más inflamación, lo cual no significa que el acné sea infeccioso. Tampoco es cuestión de higiene. La causa del acné no reside en lavarse o no hacerlo.

A veces el acné persiste hasta los 20 o, lo menos frecuente, 30 años y el **acné del adulto** es más difícil de curar.

FACTORES QUE AFECTAN EL ACNÉ

■ No importa lo que le hayan contado, el acné **no** es causado por la alimentación, ni por lavarse demasiado, ni por beber alcohol.

■ Hay una tendencia a la transmisión hereditaria del acné.

■ En las mujeres, es común un brote de acné antes del **período menstrual**.

■ El embarazo no suele influir en el acné.

■ El **sol** puede ayudar, no así las camas solares.

■ La **dieta** probablemente no tenga injerencia.

■ La **falta de higiene** no empeora el acné.

■ **Apretar los granos** suele empeorar el problema.

■ El **estrés** puede empeorar el acné.

■ Lavarse de más, frotar o usar productos con abrasivos empeoran el acné, porque liberan bacterias de las glándulas sebáceas que producen más granos en la piel .

Si el acné comienza después de la adolescencia, por ejemplo, en mujeres de más de 25 años, los factores mencionados también se aplican.

¿DEBO VER AL MÉDICO, Y QUÉ PUEDE HACER ÉL?

Sí, hágalo, el acné puede curarse. Pero un tratamiento efectivo sólo está disponible bajo **receta**. La base del tratamiento es cuádruple:
1. Reducir la cantidad de bacterias en la piel
2. Detener la multiplicación de células que causan el bloqueo en las glándulas sebáceas
3. Desbloquear los poros
4. Reducir la producción de sebo.

PRINCIPIOS GENERALES DEL TRATAMIENTO

Con el tratamiento por receta, no de venta libre, se pueden controlar los granos y evitar las cicatrices. El **90 por ciento de los pacientes muestra una mejoría del 50 por ciento en tres meses,** y del 80 por ciento a los seis meses, pero el **tratamiento se debe seguir** por **varios años.**

Existen tres tipos de terapias orales: los **antibióticos**, las **hormonas** y los **retinoides**. Todos deben ser recetados y, con excepción de los retinoides, deben combinarse con terapias tópicas. Las personas que responden a los antibióticos orales pueden necesitar tratamientos repetidos, de seis meses cada uno.

■ Los geles y cremas que contienen **peróxido** suelen recomendarse para destapar los poros.

■ Las terapias prolongadas con antibióticos suelen ayudar. Los **antibióticos** se prescriben por períodos de seis meses cada uno y tienen efecto no sólo en las bacterias de la piel, sino también sobre las células inflamadas de los granos y la producción de sebo. Una dosis diaria del antibiótico **tetraciclina** (750 mg por día) ha demostrado ayudar. Por lo general no hay efectos secundarios y la dosis se reduce según el progreso del tratamiento.

■ Las cremas a base de **vitamina A** reducen la producción de sebo, pero pueden provocar enrojecimiento de la piel y sólo deben usarse bajo supervisión médica.

■ El tratamiento del acné grave ha mejorado mucho gracias al uso de **drogas retinoides** orales, como la isotretinoína (relacionada con la vitamina A), que se prescriben solamente cuando los antibióticos y otras medidas no han resultado. La **isotretinoína** oral es muy efectiva, aunque sólo puede recetarla el dermatólogo, y sus instrucciones deben ser seguidas

Etapas del acné

El acné se clasifica en etapas de intensidad:

Etapa 1: Piel grasa con puntos negros
Etapa 2: Etapa 1 más granos con pus
Etapa 3: Etapa 2 más protuberancias púrpuras, duras y dolorosas
Etapa 4: Etapa 3 con piel llena de hoyos y cicatrices

estrictamente. El tratamiento suele durar cuatro meses, **después de los cuales el acné habrá casi desaparecido**. Estos medicamentos deben usarse con cuidado porque pueden dañar el hígado y causar malformaciones en el bebé en gestación. También se ha informado que la depresión podría ser un efecto secundario.

■ Los quistes del acné a menudo pueden tratarse con **terapia intralesional** (la inyección de una droga directamente en los puntos de acné), que además ayuda a reducir las cicatrices.
■ Si quedan demasiadas cicatrices, puede recurrirse a la **dermabrasión** (eliminación de la capa superior de la piel bajo anestesia general).
■ Una forma especial de **píldora anticonceptiva** puede prescribirse a las mujeres, ya que además suele mejorar el acné. Los anticonceptivos comunes tienen poco o ningún efecto sobre el acné. Sin embargo, su médico puede recetar una píldora en particular (Dianette) que suele ayudar, puesto que el estrógeno de esta píldora reduce la producción de sebo. Además, contrarresta el efecto de las hormonas masculinas que provocan el bloqueo de las glándulas sebáceas y las libera. Suele tomarse entre 12 y 36 meses. Los efectos secundarios de Dianette son los mismos de cualquier píldora anticonceptiva; su médico le explicará cuáles son. Los médicos no suelen recetar la píldora antes de los 17 años, a menos que sea para evitar la concepción, porque estas hormonas pueden interferir en el crecimiento.

RUTA DE ESCAPE
Si no está conforme con los resultados del tratamiento, pídale a su médico que lo derive a un **dermatólogo**, quien le informará sobre los últimos avances en el tratamiento del acné y sobre procedimientos especiales que sólo se realizan en hospitales.

El acné es una afección que puede ser curada por expertos, y si realmente le molesta, insista en ver a un dermatólogo.

TRATAMIENTO DE LAS CICATRICES
Ciertos pacientes pueden ser candidatos a la dermabrasión. Esta operación suele ser realizada por un cirujano plástico, bajo anestesia local o general. La tasa de éxito está entre un 25 y 70 por ciento. Sólo a los pacientes que estén muy motivados con la operación se les puede recomendar. Si hay dudas, la cirugía debe ser evitada.

¿QUÉ TAN EXITOSO ES EL TRATAMIENTO DEL ACNÉ?
El acné es, por lo general, una de las condiciones de la piel de más fácil tratamiento, pero éste debe comenzarse lo antes posible. El tratamiento precoz minimiza la aparición de cicatrices.

No se rinda. Los médicos ahora pueden ofrecer terapias que garantizan resultados satisfactorios en casi todos los pacientes.

Rosácea

La rosácea es una afección cutánea de largo plazo, a veces permanente, y es más común en mujeres entre 30 y 55 años, y después de la menopausia. Las características de la rosácea incluyen enrojecimiento y granos en las mejillas y frente. Suele ser heredada. El alcohol, el café y las comidas picantes pueden desatar los ataques, por eso es mejor evitarlos, como así también las temperaturas extremas en invierno.

El dermatólogo prescribirá un tratamiento especial.

¿HAY MÉTODOS ALTERNATIVOS?
Los naturistas le recomendarán dietas y cremas especiales, y posiblemente algunas hierbas medicinales o naturales, ninguna de las cuales ha demostrado ser efectiva. Se cree que la salvia, el plátano, el verbasco y la hiedra terrestre tienen propiedades astringentes. La bolsa de pastor tiene propiedades purificantes. La aromaterapia utiliza la bergamota, el alcanfor, el cedro, el enebro y la lavanda.

AUTOAYUDA

Vivir con acné

■ **Lave** su piel meticulosamente. Use **jabón** o solución **antiséptico** haciendo espuma en la mano y masajeando suavemente por al menos dos minutos, luego enjuague. El objetivo es quitar grasa de la piel. Lávese al menos tres veces al día.
■ **No** use limpiadores contra el acné de venta libre, ya que desgastan la piel, rompen las pústulas y propagan los gérmenes aumentando la afección.
■ Puede tratar los puntos negros con **vapor**. Ponga su cara a 30 cm de un bol con agua caliente de la llave y cúbrase la cabeza con una toalla. El vapor abrirá los poros. Presione suavemente los puntos negros con los dedos limpios.
■ Lo único que puede apretar son los puntos negros. Trate de alejar los dedos de los granos; tocarlos transmite los gérmenes. Peor aún, al apretarlos pasa el sebo de las glándulas a la piel, lo que causa esas protuberancias duras y dolorosas.

■ No ponga nada aceitoso sobre la piel. Empeorará el acné.
■ Si es mujer, use maquillaje sin aceite para cubrir los granos. Muchos creen erróneamente que el maquillaje tapa los poros, pero no es así. Nada que se ponga sobre la piel, excepto pintura, puede bloquear los poros. El maquillaje no empeorará la afección, aunque sí mejorará el ánimo y, por lo tanto, el acné.
■ La exposición moderada al sol puede ayudar. Los doctores recomiendan una exposición al sol suave para producir una **descamación leve** que destapa los poros.
■ No deje que el acné afecte su dieta. Se ha comprobado que alimentos tales como el chocolate no tienen ningún efecto sobre este mal; por eso, siga una dieta equilibrada que beneficie su salud general.

El acné leve puede controlarse con éxito usando las medidas de autoayuda.

Psoriasis

APROXIMADAMENTE, 1 DE CADA 50 PERSONAS SUFRE PSORIASIS. LA ERUPCIÓN ROJA, GRUESA Y ESCAMOSA TIENDE A APARECER EN DISTINTAS ETAPAS DE LA VIDA.

Si la psoriasis afecta a varias partes del cuerpo, en especial las rodillas, codos, tronco, cuero cabelludo y espalda, puede causar tanto incomodidad como vergüenza, ya que la piel se descama visiblemente. Puede afectar las uñas y las articulaciones. La psoriasis suele ser hereditaria y las infecciones y el estrés pueden desencadenar los ataques.

En una placa de psoriasis, las nuevas células de la piel se renuevan diez veces más rápido de lo normal y no dan tiempo para eliminar las células muertas. Las células se apilan formando escamas gruesas y de color claro. La causa es desconocida, pero la psoriasis suele tener un componente genético. Un brote de esta enfermedad puede originarse en una infección, lesión o por el estrés. Ciertos fármacos, como los **antidepresivos**, especialmente el **litio, los antihipertensivos, betabloqueadores y drogas contra la malaria** pueden provocarla en algunas personas. El alcohol empeora la psoriasis existente.

¿QUÉ TIPOS HAY?

Existen **cuatro** formas de psoriasis, cada una con un aspecto propio. Algunos individuos pueden estar afectados por más de un tipo. Estas son las características de cada una:

1. PSORIASIS EN PLACAS
■ Las placas, formadas por piel engrosada y enrojecida con descamaciones de color crema, aparecen con frecuencia en las rodillas, codos, baja espalda y cuero cabelludo, detrás de las orejas y en la línea del cabello.
■ Hay picazón intermitente.
■ Las uñas se descoloran y se cubren de pequeños huecos. En casos graves, se engruesan y desprenden.
■ Las placas tienden a durar semanas o meses y pueden reaparecer.

2. PSORIASIS GUTATA
Esta forma afecta principalmente a **niños** y **adolescentes**, a menudo después de una **infección bacteriana a la garganta**.

■ Aparecen numerosos parches rosados y escamosos de casi 1 cm de diámetro principalmente en espalda y pecho.
■ Suele haber picazón intermitente.
Estos síntomas suelen desaparecer a los 4 ó 6 meses y no reaparecen, pero más de la mitad de los afectados tiende a desarrollar luego otros tipos de psoriasis.

3. PSORIASIS PUSTULAR
■ Pequeñas ampollas de pus pueden aparecer abruptamente en las palmas de las manos y en las plantas de los pies.
■ Puede haber grandes áreas de piel inflamada y dolorida.
■ Puede haber engruesamiento y descamación de las áreas afectadas.

4. PSORIASIS INVERSA
Las personas mayores suelen sufrir este tipo de psoriasis, en la que se desarrollan grandes áreas húmedas y enrojecidas en los **pliegues de la piel**, más que diseminada en otras partes del cuerpo. La erupción suele afectar la ingle, el pliegue submamario y, a veces, las axilas. Por lo general se cura con tratamiento, pero tiende a reaparecer.

¿EXISTEN COMPLICACIONES?
De cada 10 personas con psoriasis, 1 desarrolla algún tipo de **artritis** que, por lo general, afecta los **dedos** o las **articulaciones de la rodilla**. En la psoriasis **pustular** y **exfoliativa**, la pérdida masiva de células de la superficie de la piel puede causar falta de proteínas, infecciones y fiebre alta. Si no se trata, puede representar un riesgo vital.

¿QUÉ SE PUEDE HACER?
TRATAMIENTO TÓPICO
■ La psoriasis se suele tratar con **emolientes** para ablandar la piel. Otros tratamientos comunes usan preparados de **alquitrán de carbón** o una sustancia llamada **antralina**. Éstos reducen la inflamación y la descamación. Ambos son efectivos, pero tienen un olor desagradable y pueden manchar la ropa y las sábanas. La antralina debe aplicarse sólo en las áreas afectadas, porque puede irritar la piel sana.
■ Alternativamente, el médico puede indicarle una preparación tópica que contiene vitamina D derivada del **calcipotriol** que se

Una dieta rica en cereales integrales y baja en grasas saturadas y azúcares puede ayudar al tratamiento de la psoriasis.

debe aplicar dos veces al día. No tiene olor ni mancha, y suele ser efectiva en cuatro semanas. Siga el consejo de su médico o dermatólogo, porque este tratamiento no debe usarse en la cara ni en los pliegues de la piel.
■ También pueden prescribirse corticosteroides tópicos en forma aislada.

TRATAMIENTOS ESPECIALES
■ Para la psoriasis extendida que no responde al tratamiento tópico, la exposición terapéutica a los **rayos ultravioletas** (UV) suele ser efectiva. La terapia PUVA incluye la terapia UV más **psoralen**, una droga oral que se toma antes de la exposición UV y ayuda a sensibilizar la piel a los efectos de la luz.
■ Las dosis breves y regulares de **exposición al sol** pueden ayudar. La exposición moderada de las áreas afectadas puede ser beneficiosa durante el verano.
■ En casos muy graves de **psoriasis pustular** en los que no funcionaron los tratamientos tópicos, se recomienda el tratamiento con fármacos orales o intravenosos. Éstos incluyen **retinoides**, la droga anticancerosa **metotrexato** y la inmunosupresora **ciclosporina**. Sin embargo, tanto las retinoides como el metotrexato causan anormalidades en el feto en gestación. Por eso no se deben ingerir durante el embarazo o si se planifica tener un niño.
■ Las hierbas chinas en tabletas, infusiones y cremas pueden ser muy efectivas y siempre vale la pena probarlas.
■ El tratamiento del Mar Muerto asegura una remisión de tres años. Nadie sabe cómo funciona, pero no es por la mera inmersión en el Mar Muerto. Otros pacientes brindan apoyo, pero para eso hay que viajar al Mar Muerto.

¿CUÁL ES EL PRONÓSTICO?
Aunque no hay cura para la psoriasis, el tratamiento normalmente alivia los síntomas y ayuda a llevar una vida normal. Si es un problema permanente, puede unirse a un grupo de autoayuda o a la Asociación de Psoriasis (ver Direcciones útiles, pág. 567).

AUTOAYUDA
Puede ser útil reducir la ingesta de carne, grasas animales, azúcar y alcohol, y aumentar la de cereales, frutas, verduras, legumbres, nueces y semillas. Coma más pescado, especialmente caballa, sardinas, arenque y salmón. El baño de avena puede ayudar a suavizar la piel irritada. Ponga 1 kg de avena en bolsas de tela dentro de la bañera con agua caliente y sumérjase por 15 minutos. Luego aplique su tratamiento.

Fotosensibilidad
ES LA SENSIBILIDAD ANORMAL DE LA PIEL A LA LUZ ULTRAVIOLETA, QUE PROVOCA ENROJECIMIENTO E INCOMODIDAD.

Varias sustancias pueden causar fotosensibilidad, incluyendo **fármacos** como las **tetraciclinas**, los **diuréticos** y los **anticonceptivos orales**, al igual que algunos productos **químicos** usados en la fabricación de cosméticos. Un extraño trastorno metabólico llamado porfiria también puede causar fotosensibilidad.

¿CUÁLES SON LOS SÍNTOMAS?
La reacción ocurre en zonas de la piel frecuentemente expuestas al sol, como la cara y las manos. No se necesita mucha exposición. Los efectos suelen aparecer enseguida, quizás con un retraso de 24 a 48 horas. Los síntomas incluyen:
● erupción enrojecida, a veces dolorosa
● pequeñas ampollas que pican
● piel escamosa.

¿CUÁL ES EL TRATAMIENTO?
■ Para aliviar los síntomas, el médico puede indicarle corticosteroides tópicos.
■ Puede suministrarle **antihistamínicos** orales.
■ Los casos severos se tratan con exposición a rayos UV, a veces combinados con drogas para desensibilizar la piel.
■ Si la causa es algún medicamento en especial, su médico podrá recetarle otro.

AUTOAYUDA
Usted puede ayudar a controlar la reacción evitando la luz solar. Si está al aire libre, cubra la piel, use sombrero y protector solar.

Púrpura
LA ERUPCIÓN CARACTERÍSTICA DE LA PÚRPURA CAUSA PUNTOS ROJOS AMORATADOS QUE NO DESAPARECEN AL SER PRESIONADOS.

Los puntos son pequeñas áreas de sangrado debajo de la piel, y pueden ser causadas por vasos dañados o por una anomalía de la sangre, como la **trombocitopenia**, que afecta la coagulación. Pueden ir desde el tamaño de una cabeza de alfiler hasta los 2,5 cm de diámetro. La púrpura es el signo clásico de una clase de meningitis bacteriana. La más común de todas es la púrpura senil, que afecta principalmente a mujeres de mediana edad y ancianas. A veces es signo de un trastorno potencialmente peligroso, por eso debe consultar siempre a su médico de inmediato si nota una erupción violácea.

Ver también:
● Meningitis pág. 404
● Trombocitopenia pág. 239

Sabañones
CUANDO LA PIEL DE UNA PERSONA SENSIBLE A LAS BAJAS TEMPERATURAS ES EXPUESTA AL FRÍO Y A LA HUMEDAD, LOS VASOS SE CIERRAN PARA CONSERVAR EL CALOR, LO QUE HACE QUE LA PIEL SE ENTUMEZCA Y SE VUELVA PÁLIDA O TENGA GRANOS.

Cuando los vasos sanguíneos se vuelven a dilatar con el calor, la piel se enrojece y causa picazón. Los sabañones resultantes, causados por la hipersensibilidad al frío, son molestos, pero no graves. Suelen aparecer en las extremidades y otras partes del cuerpo en donde la circulación es escasa, como los tobillos, manos y pies y detrás de las piernas.
Consulte a su médico si los sabañones causan mucha incomodidad. Puede indicarle una crema vasodilatadora para mejorar la circulación.

AUTOAYUDA
■ Mantenga todas las partes sensibles del cuerpo abrigadas durante el tiempo frío y húmedo.
■ Agregue plantillas térmicas en los zapatos si sufre de sabañones.
■ Si ha salido al frío sin suficiente abrigo, espolvoree la piel con talco o con harina de maíz para aliviar la irritación.

INFECCIONES DE LA PIEL

Aunque la superficie de la piel ofrece protección frente al medio ambiente, los organismos infecciosos pueden entrar de varias maneras. Las aberturas naturales, como los folículos pilosos o las glándulas sudoríparas, la piel lesionada por la picadura de un insecto o un corte brindan una puerta de entrada a las bacterias. Las zonas húmedas y calientes, como la piel que está entre los dedos del pie, son susceptibles a los hongos. Algunas infecciones virales de la piel pueden contagiarse de una parte del cuerpo a otra o a otras personas.

Forúnculos

ES UNO DE LOS TIPOS MÁS COMUNES DE INFECCIÓN CUTÁNEA. ES UN NÓDULO DOLOROSO QUE RODEA UN FOLÍCULO Y QUE SE HA INFECTADO CON BACTERIAS, POR LO GENERAL ESTAFILOCOCO. PUEDEN SER GRANDES O PEQUEÑOS.

El nódulo lleno de pus sale gradualmente en forma de pústula y revienta después de dos o tres días. Puede también sanar solo sin reventar, desapareciendo lentamente. Como los folículos pilosos son muy cercanos entre sí, las bacterias pueden infectar una gran área. Esto puede suceder en la cara, especialmente en la zona de afeitado, en el cuello, cerca de la línea del cabello, donde éstos se pueden encarnar. También suelen aparecen en zonas de presión, como aquellos en que roza la camisa, o en los glúteos.

Aunque desagradable, el forúnculo no es grave, pero puede ser muy doloroso, en especial si se desarrolla en una zona de hueso, como la mandíbula o la frente, donde la piel está muy tensa. Consulte a su médico si el forúnculo no forma pústula en cinco días, si causa mucho dolor o si ve líneas rojas que salen del centro, lo que indica la propagación de la infección.

¿CUÁL ES EL TRATAMIENTO?
■ El médico examinará el forúnculo y la zona adyacente. Si siente pus debajo de la piel, quizás lo abra con un bisturí y drene el pus, aliviando el dolor.
■ Si la infección se ha propagado o si ya ha tenido forúnculos, el médico puede recetarle una crema **desinfectante** para tratar la superficie de la piel, o **antibióticos** para prevenir la propagación a zonas más profundas de la piel.
■ Si hay grupos de forúnculos, el médico le dará un **antiséptico** especial con el cual deberá bañarse.
■ Si los forúnculos son recurrentes, será derivado a un **dermatólogo** para determinar si hay causas subyacentes, como una diabetes mellitus.

AUTOAYUDA
■ No rasque ni toque la zona afectada. Lave la piel con una solución quirúrgica o agua tibia con sal para evitar que se propague la infección.
■ **No apriete** el forúnculo, ni siquiera cuando haya formado pústula. Si lo hace, empeorará las cosas.
■ Una vez que el forúnculo ha reventado, limpie el área y tápela por unos días.

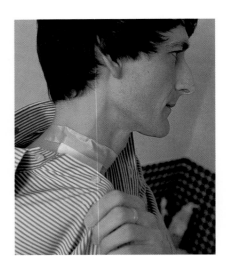

■ Use una toalla **distinta** a la que ocupa el resto de la familia.
■ Si el forúnculo está en una zona de roce, coloque un **protector grueso** para evitar fricción.

Candidiasis

LA CANDIDIASIS ES UNA INFECCIÓN MICÓTICA QUE SUELE AFECTAR SÓLO UNA PARTE DEL CUERPO, PERO QUE PUEDE SER GRAVE SI SE PROPAGA.

En las personas sanas, el hongo *Candida albicans* aparece en la superficie de ciertas áreas, incluyendo la boca, la garganta y la vagina. A veces, la sobrepoblación de hongos causa formas menores de candidiasis, como las aftas bucales. En personas con inmunidad reducida, como los pacientes con SIDA o diabetes mellitus, el hongo puede entrar en la sangre y en otros tejidos. La infección se propaga por el cuerpo y puede también afectar a quienes tienen catéteres urinarios o intravenosos permanentes, o aquellos que han tenido largos tratamientos con antibióticos o usan drogas intravenosas.

La candidiasis generalizada se diagnostica cultivando el hongo desde una muestra de sangre, otros fluidos corporales o de tejidos. Una radiografía de tórax también puede detectar signos de infección en los pulmones. Pueden prescribirse drogas antimicóticas orales o intravenosas, dependiendo de la gravedad de la infección. Si no se la trata, ésta se propaga a todo el cuerpo y puede ser fatal. El pronóstico depende del alcance de la infección y del estado de salud general del paciente.

Ver también:
● **Diabetes mellitus pág. 504**
● **Infección por VIH y SIDA pág. 338**
● **Candidiasis vaginal pág. 279**

Impétigo

EL IMPÉTIGO ES UNA INFECCIÓN BACTERIANA DE LA PIEL QUE SUELE VERSE ALREDEDOR
DE LOS LABIOS, LA NARIZ Y LAS OREJAS.

El impétigo es causado por bacterias comunes (estafilococos y estreptococos), que se alojan en la nariz. La erupción comienza con pequeñas ampollas, que se rompen y forman una costra marrón amarillenta. Suele verse en niños en edad escolar y es muy contagioso, por lo cual debe tratarse de inmediato, aunque rara vez tiene efectos graves.

¿CUÁL ES EL TRATAMIENTO?
■ El médico le recetará un **antibiótico en crema** que resolverá el impétigo en cinco días.
■ También puede darle **antibióticos** orales para erradicar la infección del cuerpo o una crema nasal para evitar que se propague desde la nariz.

AUTOAYUDA
■ Antes de aplicar el ungüento, **lave suavemente y retire** las costras amarillas y seque la zona con una toalla de papel.
■ Sea meticuloso con la higiene. **Lávese las manos** antes y después del tratamiento.
■ Terminada la infección, humecte el área con crema emoliente.

Pie de atleta

EL PIE DE ATLETA, UNA CONTAGIOSA INFECCIÓN POR HONGOS, SUELE CONTRAERSE AL CAMINAR DESCALZO
EN ÁREAS PÚBLICAS, COMO DUCHAS, GIMNASIOS Y PISCINAS.

El pie de atleta afecta el área de la piel blanda ubicada entre y debajo de los dedos de los pies, y parece ser más común en los pies transpirados. La **sudoración** agrava la infección porque el hongo **tinea**, que también causa tiña en otras partes del cuerpo, vive en condiciones cálidas y húmedas. El pie de atleta igualmente puede afectar las uñas de estos dedos. No todos los que se exponen a esta infección la contraen.

¿CUÁLES SON LOS SÍNTOMAS?
■ Piel blanca y ampollada entre los dedos de los pies. Picazón en la zona afectada, y al rascar las ampollas se descubre piel enrojecida.
■ Piel seca y escamosa.

■ Uñas gruesas y amarillas.
   Es una afección común que requiere un tratamiento simple y una buena higiene. Sin embargo, como es contagiosa, debe actuar rápidamente para que la infección no se propague. Consulte a su médico si la planta del pie ya está afectada o si tiene las uñas deformadas o amarillas. También debe consultarlo si las medidas de autoayuda (abajo) no logran mejorar la afección en dos o tres semanas.

¿QUÉ SE PUEDE HACER?
Si el hongo ha afectado las uñas del pie, éstas adquieren un tono blanquecino, se engruesan y a veces se desprenden del lecho ungueal.

Normalmente, debajo del borde libre de la uña infectada se juntan desperdicios. El diagnóstico se confirma al examinar bajo microscopio una muestra de los desechos de la uña y al cultivar los hongos para determinar qué clase es la que causa la infección.
■ Si ha consultado al médico después de probar las medidas de autoayuda, éste le recetará otro **polvo o crema antimicótico** y le sugerirá un procedimiento para una buena higiene de los pies.
■ Si las uñas están afectadas, el médico le recetará una medicación antimicótica que tal vez tenga que ingerir por **tres meses.** Las uñas infectadas eventualmente comenzarán a crecer sanas.

AUTOAYUDA

Tratar el pie de atleta

■ Controle el área de piel entre y debajo de los dedos de los pies en busca de ampollas, enrojecimiento y descamación.
■ Controle la condición de las uñas.
■ Compre un **polvo o crema antimicótico** en la farmacia y, después de lavar y secar muy bien los pies, aplíquelo.
■ Use una toalla y alfombra de baño **distinta** a las que utiliza el resto de la familia y lávelas todos los días.
■ **No ande descalzo** hasta que la afección haya curado.
■ Use **medias limpias** cada día, de preferencia hechas de fibras naturales, como algodón o lana.
■ Rote los zapatos, especialmente las zapatillas, para que se sequen entre usos.

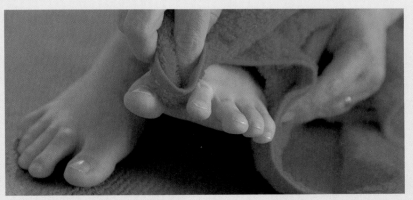

Mantener los pies limpios y secos, especialmente entre los dedos, ayuda a prevenir el pie de atleta.

Verrugas

LAS VERRUGAS SON PEQUEÑAS PROTUBERANCIAS BENIGNAS CAUSADAS POR EL VIRUS DEL PAPILOMA HUMANO. LA VERRUGA PLANTAR ES UNA VERRUGA DOLOROSA QUE SE FORMA EN LA PLANTA DEL PIE Y QUE HA SIDO EMPUJADA HACIA EL INTERIOR POR LA PRESIÓN QUE SE EJERCE AL CAMINAR.

Las verrugas son un exceso de células muertas que sobresalen de la superficie de la piel. Pueden aparecer solas o en números alarmantes en cualquier parte del cuerpo, incluyendo la cara y los genitales.

El cuerpo tarda unos dos años en armar una resistencia contra el virus de la verruga, y después de ese tiempo, las verrugas desaparecen espontáneamente. Se trasmiten por contacto directo con la persona infectada.

¿CUÁLES SON LOS SÍNTOMAS?

■ Bultos duros de piel seca que aparecen espontáneamente y crecen solos o en grupos. Suelen ser redondos y tienen una superficie saliente; las verrugas plantares son planas, con una superficie gruesa.

■ Tanto las verrugas comunes como las plantares pueden tener pequeños puntos negros (son vasos sanguíneos, no suciedad).

Las verrugas en la piel no son graves ni dolorosas, pero consulte al médico si se siguen multiplicando o aparecen en la cara y quiere extirparlas. Las plantares pueden ser dolorosas e incómodas, lo cual depende en qué lugar de la planta del pie estén.

¿CUÁL ES EL TRATAMIENTO?

■ El médico puede indicarle que ignore las verrugas o derivarlo a un dermatólogo.

■ Los métodos para extirparlos incluyen la criocirugía, la cauterización y la cirugía.

Ver también:
• **Verrugas genitales pág. 282**

AUTOAYUDA

Curas

Puede intentar con medicamentos de venta libre. Éstos trabajan por la aplicación de una solución débil de ácido en la verruga y la limpieza diaria de la piel quemada. Siga las instrucciones y no aplique sobre la piel sana. No use estas soluciones en verrugas que aparezcan en la cara o en los genitales: puede causar cicatrices.

PARÁSITOS DE LA PIEL

Al igual que otras partes del cuerpo, la piel puede plagarse de diminutas criaturas que se alimentan de la sangre humana. Éstas ponen huevos y se multiplican y, cuando alcanzan un número suficiente, comienzan los molestos síntomas, especialmente la erupción y la picazón.

Las infestaciones más comunes de la piel son la sarna y los piojos (del cuerpo, cabeza o pubis). Aunque ninguno causa efectos dañinos, son muy contagiosos y la comezón puede ser embarazosa y molesta.

Sarna

LA SARNA ES UNA ERUPCIÓN IRRITANTE CAUSADA POR UN PEQUEÑO ÁCARO. EL ANIDAMIENTO Y LA PUESTA DE HUEVOS DE ESTOS ÁCAROS PRODUCE UNA ERUPCIÓN QUE CASI SIEMPRE AFECTA LAS MANOS Y DEDOS, Y ESPECIALMENTE LAS HENDIDURAS ENTRE ÉSTOS.

La sarna se ve como una línea gris fina donde el ácaro ha anidado dentro de la piel, que termina en un punto negro, el ácaro. También afecta los tobillos, pies, dedos de los pies, codos y la zona de los genitales. Los huevos pueden pasar fácilmente de una persona a otra por contacto directo. Asimismo pueden contagiarse a través de ropa de cama que esté infestada por ácaros.

¿CUÁLES SON LOS SÍNTOMAS?

■ Picazón intensa.

■ Anidamientos, que son líneas finas y cortas en las palmas de las manos y costados de los dedos que terminan en un punto negro.

■ Costras en las áreas de picazón.

La sarna no es grave, pero es contagiosa y puede transmitirse a toda la familia si no se la trata. Consulte a su médico si sospecha de sarna o si se rasca mucho.

¿CUÁL ES EL TRATAMIENTO?

El médico le recetará una **loción antiparasitaria** para que la use toda la familia. Debe tratarse toda la piel con esta solución.

AUTOAYUDA

■ Intente **no rascar** las áreas afectadas para no obstaculizar el diagnóstico del médico y causar lastimaduras que puedan infectarse.

■ Después de lavarse bien, debe pasar la loción por **todo el cuerpo** del cuello hacia abajo, y dejarla secar. No la lave por 24 horas. Para asegurar la desinfección, repita el procedimiento en uno o dos días.

■ **Toda la familia** debe tratarse simultáneamente.

■ **Lave o ventile toda la ropa de cama** para erradicar el ácaro. Éste no vive más de cinco o seis días después de que es retirado de la piel humana.

Piojos

LOS PIOJOS SON INSECTOS SIN ALAS QUE SE ALIMENTAN DE SANGRE HUMANA. HAY TRES TIPOS DE PIOJOS QUE AFECTAN AL HOMBRE: EL PIOJO PÚBICO, EL DEL CUERPO Y EL DE LA CABEZA.

PIOJO PÚBICO

El piojo púbico necesita el calor corporal de la persona para mantenerse con vida, por eso no vive mucho en el ambiente de un baño, aunque sí un poco más en la vestimenta o ropa de cama.

Los libros de medicina dicen que los piojos casi siempre se transmiten de una persona a otra durante el **contacto sexual,** porque éstos viven en el vello púbico, y a veces en el vello corporal, donde se alimentan de la sangre y ponen huevos llamados liendres. En el Reino Unido se tratan unos 10.000 casos de infestaciones de piojo púbico al año.

Los síntomas más comunes son la picazón en la zona púbica y alrededor del ano, especialmente por la noche. Algunas personas no tienen síntomas y recién se dan cuenta cuando ven las liendres o los insectos. El lavado normal no saca las liendres, que están bien sujetas al vello púbico.

Si cree que usted o su pareja tienen piojos púbicos, consulte al médico o diríjase a una clínica especializada en enfermedades de transmisión sexual (ETS).

PIOJO DEL CUERPO

El piojo del cuerpo, por otro lado, vive en las telas y ropa de cama y es muy fácil de contraer de este modo. Obviamente, en ocasiones puede anidar en la zona púbica. Muchas personas confunden ambas clases.

¿CUÁL ES EL TRATAMIENTO?

El médico le recetará una preparación con **lindano** o **permetrín** para aplicar en las zonas afectadas. A **los 10 días** de la aplicación inicial se requiere una segunda para destruir a las liendres.

Para evitar el contagio de los piojos, los **compañeros sexuales** deberán tratarse si fuera necesario. Las **ropas y las sábanas** usadas por la persona infestada deben lavarse en agua caliente.

PIOJO DE LA CABEZA

El piojo de la cabeza afecta a todas las clases sociales y no tiene absolutamente nada que ver con la higiene personal. Ataca tanto las cabezas limpias como las sucias y estar infestado no tiene nada de vergonzoso. Si tiene hijos, es muy probable que usted tenga contacto con estos piojos en algún momento.

Éstos viven y chupan sangre del cuero cabelludo, dejando pequeñas marcas rojas que causan picazón. Los piojos adultos viven varias semanas y las hembras ponen una pequeña y pálida bolsa de huevos (liendres) todos los días cerca del cuero cabelludo, los cuales se abren después de unos días. Las liendres se transmiten por contacto directo, pero es necesario que una cabeza esté junto a otra.

¿CUÁL ES EL TRATAMIENTO?

El tratamiento tradicional para la plaga de piojos de la cabeza es la aplicación de potentes lociones que contienen pesticidas. La principal ventaja es que penetran la coraza de los huevos matando las liendres.

Sin embargo, científicos y padres están repensándolo por lo siguiente:

■ Pareciera que debido al uso repetido, estos pesticidas han perdido efectividad. Se ha informado de zonas donde ya no matan a las liendres y se supone que algunos piojos adultos también pueden ser resistentes.

■ Hay preocupación sobre el efecto de estos fuertes químicos sobre los niños.

■ Son caros e incómodos de aplicar. Sin embargo, hay alternativas efectivas.

TRATAMIENTOS ALTERNATIVOS

■ El arma más importante y la primera en usarse contra el piojo de cabeza es el **peine fino** (también llamado peine de liendres, porque sus dientes están tan juntos que puede retirar los huevos). Se recomiendan los peines plásticos más que los de metal porque son más flexibles y llegan más cerca del cuero cabelludo. Son más fáciles de limpiar y no arrancan el cabello.

Use el peine de liendres cada vez que se lave el cabello, y cada vez que se lo lave a sus hijos. Use abundante **acondicionador** después del champú para facilitar el proceso y evitar nudos. Preste especial atención al cabello crespo, ya que en él es más difícil ver las liendres y hacer correr el peine.

■ El uso de hojuelas de cuasia como remedio alternativo, es cada vez más popular entre los padres. Estas hojuelas son semejantes a pequeños trozos de madera seca. Son económicas, naturales, no tienen olor ni dejan grasitud. Para usar las hojuelas de cuasia:
1. Coloque 25 g de hojuelas de cuasia en una cacerola y agregue 560 ml de agua hirviendo. Esto afloja el aceite dentro de las hojuelas. Deje reposar toda la noche y al día siguiente póngalas a hervir durante 10 ó 15 minutos. Deje enfriar y pase a un frasco con atomizador.
2. Lave el cabello con champú, enjuague y aplique acondicionador. Utilice el peine fino. Enjuague el acondicionador y seque con una toalla. Aplique la solución de cuasia en todo el cabello. Deje secar al aire libre. Vuelva a aplicar cuando se haya secado.
3. A la mañana siguiente vuelva a aplicar después de peinar y repita esto durante un par de días. La solución de cuasia puede usarse también como preventivo, ya que crea un medio amargo y hostil que ningún piojo resiste.

■ Biz Niz es una combinación de cinco aceites esenciales (citronela, geranio, eucalipto, lavanda y romero). Asegura la eliminación de los piojos y actúa como repelente.

ANOMALÍAS DE PIGMENTACIÓN

La pigmentación de la piel se debe a una sustancia conocida como melanina, la cual filtra los rayos ultravioletas y ayuda a proteger la piel del daño del sol (el bronceado lo causa el exceso de melanina que produce el cuerpo como respuesta a la exposición a la luz solar). Algunas afecciones, como el vitiligo y el cloasma, son resultado de los cambios en la cantidad de melanina en áreas localizadas de la piel.

Vitiligo

ESTA AFECCIÓN SE CARACTERIZA POR LAS MANCHAS DE PIEL BLANCA PRODUCIDAS POR LA PÉRDIDA DEL PIGMENTO NATURAL (MELANINA) DE ALGUNAS ZONAS DE LA PIEL, Y SUELE OCURRIR EN LA CARA Y LAS MANOS. EL VITILIGO ES MÁS NOTORIO EN PERSONAS DE PIEL OSCURA.

¿CUÁL ES LA CAUSA?

Se cree que el vitiligo es un **trastorno autoinmune** en el que el cuerpo reacciona contra sus propios tejidos. Los anticuerpos destruyen las células de la piel que producen melanina. De cada 3 personas con vitiligo, 1 tiene un **historial familiar** que presenta esta afección. Casi la misma proporción tiene además **otro tipo** de trastorno autoinmune, como la **anemia perniciosa**.

AUTOAYUDA

■ En el vitiligo leve, las zonas descoloradas pueden disimularse con maquillaje. No se necesita más tratamiento.
■ Las áreas afectadas no pueden estar al sol. Para evitar quemaduras no se exponga al sol y use siempre protector solar.
■ La fototerapia que usa luz ultravioleta (UV) puede ser útil, pero tarda varios meses.
■ Antes del tratamiento UV pueden

administrarle una droga llamada **psoralen** para aumentar la sensibilidad de la piel a la luz. Este tratamiento se usa para la psoriasis y se llama PUVA (psoralen y luz UV).

¿CUÁL ES EL PRONÓSTICO?

No hay cura para el vitiligo y a menudo las manchas se van agrandando lentamente. Sin embargo, 3 de cada 10 personas recobran el color normal de su piel en forma espontánea.

Cloasma

TAMBIÉN LLAMADO MÁSCARA DEL EMBARAZO, EL CLOASMA ES UNA FORMA ESPECIAL DE PIGMENTACIÓN QUE CAUSA MANCHAS MARRONES EN EL PUENTE DE LA NARIZ, MEJILLAS Y CUELLO.

La única forma de manejar el cloasma es disimularlo con los cosméticos que se usan para las marcas de nacimiento. Nunca intente blanquear el pigmento; las manchas comenzarán a desaparecer después del parto. En las mujeres negras se desarrollan manchas de piel pálida en cara y cuello. Éstas probablemente desaparezcan después del nacimiento y pueden ser disimuladas durante el embarazo.

CÁNCERES DE PIEL

Hay varios tipos de cánceres de piel, muchos de ellos asociados con la exposición prolongada al sol. Las personas de piel clara corren mayor peligro. La exposición al sol es un factor de riesgo y debe ser evitada desde la niñez; el uso de camas bronceadoras también es factor de riesgo e igualmente se deben evitar.

El cáncer de piel es actualmente la causa de cáncer **más común** en el mundo. En años recientes, su incidencia ha aumentado, y esta enfermedad afecta hoy a millones de personas. La buena noticia es que el cáncer de piel puede curarse si se lo diagnostica precozmente, aunque siempre son preferibles las medidas de prevención.

¿CUÁLES SON LOS RIESGOS?

La causa más común del cáncer de piel es la exposición prolongada a la nociva radiación ultravioleta del sol. El riesgo es mayor si se es de piel blanca y si se vive o se pasan las vacaciones en zonas de sol intenso: cuanto más cerca esté del ecuador, mayor es el riesgo. Es la **acumulación** de horas de sol lo que cuenta; por eso, si vive en un lugar muy soleado, alcanzará su **"dosis inductora del cáncer"** antes que en un lugar como el Reino Unido, donde el sol no es tan intenso. Se cree que el daño reciente de la capa de

ozono tiene injerencia en la creciente incidencia del cáncer de piel, porque esta capa actúa como escudo contra los rayos ultravioletas (UV). Las camas bronceadoras, que emiten luz ultravioleta, también pueden causar cáncer de piel. Tenga en cuenta que si ha sufrido continuas quemaduras de sol, mayor es la probabilidad de que desarrolle un melanoma maligno, la forma más peligrosa de cáncer de piel. Si trabaja al aire libre o si ha sufrido quemaduras (especialmente en la infancia), puede ser muy vulnerable a este cáncer de piel. Las

personas de piel clara son muy susceptibles porque tienen bajos niveles de melanina, el pigmento que le da color a la piel y ayuda a protegerla de los dañinos rayos UV del sol.

Para reducir el riesgo de desarrollar cáncer de piel, intente evitar la exposición solar y proteja su piel al estar al sol. Examine su piel regularmente y pídale a alguien que revise su espalda y cuero cabelludo. Use ropa que filtre los rayos UV en zonas de radiación intensa y donde haya mucho reflejo solar, por ejemplo, en la nieve o en el agua.

¿CUÁLES SON LOS TIPOS?

Hay tres tipos principales de cáncer de piel, todos vinculados con la sobreexposición al sol.

1. El tipo más común es el **carcinoma de células basales**, que se trata fácilmente. Rara vez se expande.

2. El **carcinoma de células escamosas** es una forma de cáncer de piel que puede propagarse y ocasionalmente es fatal, pero puede curarse si es detectado a tiempo.

3. El **melanoma maligno** todavía es menos frecuente, aunque se está volviendo cada vez más común. Puede diseminarse rápidamente a otras partes del cuerpo y causa más muertes que los otros cánceres de piel.

Un cáncer poco común, conocido como sarcoma de Kaposi, suele aparecer sólo en personas con SIDA.

¿QUÉ SE PUEDE HACER?

El cáncer de piel suele ser curado si se lo diagnostica tempranamente. Debe consultar al médico si nota cualquier cambio en su piel, como protuberancias o llagas que se agrandan o no sanan. Puede necesitar una biopsia de piel. En este procedimiento se retira una pequeña muestra de piel para ser examinada bajo el microscopio y detectar células anormales.

El tipo de cáncer de piel y su propagación determinan el tratamiento y el pronóstico. A veces, sólo la zona afectada requiere ser tratada. Es posible extirpar **quirúrgicamente** la mayor parte de los cánceres de piel. En ocasiones es necesario hacer **injertos de piel** si el cáncer ha invadido grandes áreas adyacentes. Si el cáncer se ha propagado a otras zonas del cuerpo, puede también necesitarse **radioterapia** o **quimioterapia**.

Melanoma maligno

DE TODOS LOS TIPOS DE CÁNCER DE PIEL, EL MELANOMA MALIGNO ES EL MÁS GRAVE. ES CADA VEZ MÁS COMÚN DEBIDO A NUESTRA OBSESIÓN POR EL BRONCEADO.

El melanoma puede comenzar como un nuevo crecimiento sobre la piel normal o puede desarrollarse a partir de un lunar existente. Sin tratamiento, el cáncer se expande rápidamente a otras partes del cuerpo y puede ser fatal. Al igual que otros cánceres de piel, la exposición al sol y el uso de camas bronceadoras son factores de riesgo, y las personas de piel clara son más susceptibles. El melanoma maligno es más común en personas entre los 40 y 60 años, y cada vez más en adultos jóvenes, y más común en mujeres.

En todo el mundo, el número de casos de melanoma maligno, en especial en adultos jóvenes, ha aumentado de gran manera en los últimos 10 años. Este aumento se debe probablemente a la creciente popularidad de las actividades al aire libre. Sin embargo, la afección sigue siendo más común en personas entre 40 y 60 años. En el Reino Unido hay 4.000 nuevos casos cada año, de un total de 40.000 nuevos casos de cánceres de piel de todos los tipos.

¿CUÁLES SON LAS CAUSAS?

Se cree que el melanoma maligno se produce por el daño de los **melanocitos** (las células de la piel que producen la melanina) a causa del sol. El cáncer ocurre más frecuentemente en personas de **piel clara** que en quienes tienen piel oscura.

Las **personas que se exponen continuamente** al sol intenso o que viven en climas soleados corren mayor riesgo de desarrollar este cáncer.

Se ha comprobado que las **quemaduras de sol graves en la infancia** duplican las posibilidades de desarrollar este cáncer más adelante. Reducir la exposición al sol puede disminuir el riesgo de desarrollar cualquier tipo de cáncer de piel.

¿CUÁLES SON LOS RIESGOS?

Si se los detecta tempranamente, casi todos los cánceres de piel pueden ser tratados con éxito por medio de la cirugía, aunque algunos pueden ser fatales.

Los cánceres de piel han aumentado un 7 por ciento en las personas de piel blanca en todo el mundo durante los últimos 10 años. El riesgo de sufrir este tipo de cáncer aumenta por varios factores, incluyendo:

- tener piel clara
- tener piel con tendencia a las pecas
- tener muchos lunares
- historial familiar de melanoma maligno
- haber tenido una o más quemaduras de sol graves en la infancia
- tener más de 30 años
- muchos años de exposición al sol intenso.

¿CUÁLES SON LOS SÍNTOMAS?

Los melanomas malignos pueden desarrollarse en cualquier parte del cuerpo, pero aparecen más comúnmente en las zonas de exposición al sol. Algunos se distribuyen en la piel como manchas planas e irregulares, otros aparecen como protuberancias de rápido crecimiento. En las personas mayores pueden aparecer en la cara en forma de manchas que semejan pecas, conocidas como **lentigo maligno,** y que crecen lentamente durante varios años. Si no se los extirpa, todos estos tipos de melanoma irán bajando a capas más profundas de la piel.

continúa en pág. 458

Usar protector solar de factor alto y ponerse un sombrero ayudan a reducir el daño del sol sobre la piel.

ENFOQUE *en* protección solar

A más de 40.000 personas se les diagnostica cáncer de piel en el Reino Unido cada año, y cerca de 2.000 mueren a causa de este mal. Es el segundo cáncer más común en el país. A diferencia de muchos cánceres, el de piel es una enfermedad evitable, cuya causa principal, la exposición al sol, es ampliamente reconocida

Tomando precauciones simples al estar al sol podemos detener el número creciente de casos de cáncer de piel o revertirlo. Cuando disfrute del sol en el Reino Unido o fuera de él este verano, recuerde de que está dañando su piel. No hace falta tomar sol para quemarse, basta con una caminata. El bronceado puede hacerlo sentir saludable, pero es signo de que su piel está siendo dañada y está tratando de protegerse, sin importar si lo adquiere gradualmente.

Una cara quemada y una quemadura caliente y dolorida en el cuerpo no es nada atractivo, es doloroso y desagradable y puede causar daños permanentes en el colágeno de la piel, lo que provoca arrugas.

¿QUÉ LE HACE EL SOL A LA PIEL?

• La exposición a los rayos UV provoca que la capa externa de la piel se engruese pues se producen más células en esta zona, lo que causa arrugas.
• El tejido elástico de la piel también se rompe, causando bolsas.
• Además, el sol tiende a secar la piel, dejándola áspera y curtida.

• Pueden aparecer parches oscuros o manchas, debido a la sobreproducción de melanina (un pigmento producido por las células de la piel). Estas manchas suelen presentarse en personas mayores, pero aparecen también en las más jóvenes que toman sol con frecuencia.

PROTÉJASE

Estar a salvo es fácil, siga estos consejos simples y reducirá enormemente el riesgo de contraer cáncer de piel.
• La ropa es la barrera ideal contra el sol, es más económica que los protectores solares y no se sale. Póngase ropa cómoda y fresca y un sombrero. Cuide especialmente sus orejas y cuello, que son los lugares donde más ataca el cáncer de piel. Puede comprar ropa hecha de materiales resistentes a los rayos UV en las tiendas deportivas.
• En las partes del cuerpo que no pueda cubrir, use siempre protectores de alto factor, con un

Los rayos ultravioletas

La luz solar contiene rayos visibles, rayos infrarrojos y rayos ultravioletas. Estos últimos son los responsables del bronceado y del daño a la piel.

Hay tres tipos de rayos ultravioletas en la luz solar: UVA, UVB y UVC. Los UVA son rayos largos y bronceantes, y los UVB son rayos cortos y queman. Ambos lesionan fácilmente el ADN de las células y de los melanocitos que forman el pigmento, lo que causa daños en la piel y cáncer.

Muy poca radiación UVC, que es potencialmente muy peligrosa, llega a la Tierra, ya que es filtrada por la capa de ozono; el desarrollo de agujeros en esta capa es muy preocupante.

Los rayos UV también pueden dañar las células **Langerhans** en la epidermis de la piel, que son aquellas que eliminan las bacterias invasoras o las células cancerosas.

FPS no menor de 15. Además, deben tener tres estrellas o más. Aplíquelos una hora antes de salir, y reaplíquelos frecuente y abundantemente.
● Encuentre alguna sombra para el momento de más calor del día, por lo general entre las 11 a.m. y las 3 p.m.
● **Nunca** se quede dormido al sol sin protección. Controle cuánto tiempo pasa al sol y reaplique el protector con frecuencia.
● **No** se deje engañar por un día nublado, el sol puede pasar a través de las nubes, así es que puede sufrir quemaduras.
● Si es fanático de los **deportes acuáticos**, recuerde que el reflejo de los rayos del sol en el agua pueden hacerlos aún más fuertes. Proteja su piel con un protector resistente al agua.
● Use **siempre** lentes para el sol de buena calidad cuando esté expuesto a él. En el Reino Unido busque en la etiqueta el Estándar Británico BS2724:1987.

¿QUÉ SIGNIFICA FPS?
FPS significa Factor de Protección Solar y es la medida que indica cómo el protector solar protege su piel contra las quemaduras del sol. Cuanto más alto sea el FPS, mayor es la protección. La graduación va de 2 a 30, o más. Puede conseguir el protector de un famoso surfista que tiene FPS 45.

¿CUÁNTO PROTECTOR SOLAR?
La mayoría de las personas se ponen una capa muy fina de protector, y por lo cual terminan con menos protección que la indicada por el FPS del envase.

CUANDO USE PROTECTOR SOLAR
● **aplíquelo en forma abundante** y uniforme en todas las zonas expuestas.
● **recuerde**, las partes del cuerpo que no suelen exponerse al sol tienden a quemarse más fácilmente. Preste especial atención a orejas, cuello, zonas sin cabello, manos y pies.
● vuelva a aplicarlo regularmente, en especial después de estar en el agua.

CREMA POST SOLAR
Las cremas y lociones post solares pueden ayudar a aliviar la piel quemada o seca, pero no sirven para reparar el serio daño sufrido por la piel.

PROTEGER A LOS NIÑOS
Los bebés y los niños necesitan especial cuidado, porque no se pueden proteger por sí solos y no tienen conciencia de que el sol puede dañar su piel. Por eso es importante tomar precauciones con ellos.
    Las quemaduras de sol en la infancia aumentan el riesgo de cáncer de piel en la etapa adulta. Es importante que los niños, especialmente los bebés, reciban una protección adecuada.
Bebés: Mantenga a los bebés de menos de 12 meses de edad fuera del sol y en la sombra. Las ropas sueltas ayudarán a mantenerlos frescos. Recuerde que los bebés no pueden moverse por sí solos y pueden sentirse acalorados e incómodos si hace demasiado calor. Asegúrese de darle a su bebé suficiente líquido para prevenir la deshidratación.
Niños: Vista a los niños pequeños con ropa suelta y resistente a los rayos UV y póngales sombreros con visera cuando están al sol. Aplique, antes de salir al sol, abundante protector solar en las partes del cuerpo que quedan expuestas. Elija un protector con FPS de al menos 15 y asegúrese de que sea resistente al agua.
    Anime a los niños para que jueguen a la sombra en los momentos en que el sol está más fuerte. Puede crear su propia sombra con una sombrilla de playa o toldo, o aprovechar la sombra natural de los árboles.
    Elija lentes para el sol infantiles que cumplan con los estándares. Si lleva a los niños en el auto, asegúrese de que tengan la ventilación adecuada y nunca los deje solos en él.

TRATAR LAS QUEMADURAS
La loción o crema de calamina puede aliviar la piel quemada, que debe ser protegida de una mayor exposición al sol hasta que se haya curado. Un **analgésico antiinflamatorio no esteroideo,** como el ibuprofeno, puede recetarse para aliviar la sensibilidad. Una persona con una quemadura grave debe consultar al médico, quien puede prescribirle una crema con **corticosteroides** para aliviar los síntomas.

continúa de pág. 455

AUTOAYUDA

■ Usted debe revisar su piel con regularidad y prestar atención a la ubicación y tamaño de los lunares. Pida ayuda para que otra persona le examine la espalda y el cuero cabelludo. Los cambios en los lunares existentes o la aparición de nuevos deben ser informados al médico lo antes posible. Un lunar de más de 6 mm de diámetro o que muestra cambios de color o tonalidad debe ser controlado por el médico inmediatamente.

■ Si tiene **lunares o pecas** en zonas de **fricción**, por ejemplo, debajo del bretel del corpiño, en la cintura o al costado del pie, haga que lo extirpen de inmediato.

■ Siempre use **protector solar** en la cara y dorso de las manos, sombrero y ropa resistente a los rayos UV para estar al sol o donde haya un fuerte reflejo, como la nieve o el agua.

¿QUÉ SE PUEDE HACER?

Si su médico sospecha que usted tiene un melanoma maligno, deberá pedir que retiren una muestra para su análisis microscópico (biopsia). Si la muestra resulta ser cancerosa, habrá que extirpar más cantidad de piel para reducir el riesgo de que aún queden células malignas. Si se debe extirpar una gran zona de piel, puede hacer falta un injerto.

También pueden tomarse muestras de los ganglios linfáticos cercanos al melanoma para examinarlos en busca de células cancerosas, cuya presencia indicará que el cáncer se ha extendido. Si lo ha hecho y ha afectado otras zonas del cuerpo, podrán indicarle **quimioterapia** o **radioterapia**.

¿CUÁL ES EL PRONÓSTICO?

El pronóstico depende de dónde esté ubicado el melanoma, hasta dónde haya crecido la lesión dentro de la piel y si el cáncer se ha propagado a otras áreas. Las personas con melanomas superficiales que reciben tratamiento temprano suelen curarse. Si los melanomas son particularmente agresivos o penetran en la profundidad de la piel, el pronóstico es menos optimista. Los melanomas que se han propagado a otras partes del cuerpo suelen ser fatales.

ADVERTENCIA:
Usted puede tener un melanoma maligno si un punto irregular, oscuro y de rápido crecimiento se desarrolla en su piel. Si nota alguno de estos cambios en un lunar, busque atención inmediata:
- aumento de tamaño
- bordes asimétricos e irregulares
- picazón, inflamación o enrojecimiento
- endurecimiento de la superficie
- sangrado o encostrado
- cambio de tonalidad o color

Ver también:
- Exámenes de tejido pág. 259
- Protección solar pág. 456

CUIDANDO SU CABELLO

El cabello es una parte tan importante de la apariencia de la persona que muchas de ellas, especialmente las mujeres, dedican mucho tiempo y dinero a su cuidado. Esto no es necesario, y un régimen sencillo de lavado suave y acondicionamiento, combinado con una dieta sana y equilibrada, asegurarán una cabellera saludable.

Los problemas del cabello se pueden evitar si se siguen algunas reglas sobre peinados y productos de coloración. La tensión del cabello causada por peinados como trenzas apretadas o por usar rulos por períodos prolongados puede originar zonas sin cabello, y tanto las permanentes como las decoloraciones pueden dañarlo.

LAVADO

La mayoría de las personas necesita lavarse el cabello día por medio.

1. Use el champú más suave que encuentre y sólo lávelo una vez. Los champús son tan eficientes que no hace falta aplicarlos dos veces.

2. Vierta dos cucharadas de té colmadas de champú en un vaso de agua tibia, mézclelo y aplíquelo sobre el cabello mojado.

3. Luego masajee suavemente el cabello.

4. No frote fuerte para hacer espuma, sólo deje que el champú actúe unos minutos y enjuáguelo.

5. Siempre use acondicionador para evitar que el cabello se enrede.

6. Después de lavarse el cabello, envuélvalo en una toalla. No lo frote con demasiada energía.

Consejos útiles

No frote el cuero cabelludo cuando se lave el cabello, ya que aflojará los cabellos de los folículos mojados.

No tire del cabello mojado al peinarlo porque podrá arrancarlo o cortarlo. Use un peine o cepillo de dientes anchos.

No cepille ni peine demasiado su cabello, ya que esto puede irritar el cuero cabelludo y estimular las glándulas sebáceas a que produzcan más grasa, lo cual hará que su cabello se vea opaco y sin gracia.

No use champú anti-caspa a menos que su médico lo indique.

No use el champú anti-caspa más de una vez cada dos semanas, puesto que éste contiene ingredientes, como el selenio, que pueden irritar el cuero cabelludo y empeorar la condición.

Alopecia

LA PÉRDIDA DEL CABELLO, O ALOPECIA, PUEDE OCURRIR EN CUALQUIER PARTE DEL CUERPO, PERO ES PARTICULARMENTE NOTORIA CUANDO AFECTA AL CUERO CABELLUDO, LO QUE CAUSA CALVICIE.

La alopecia puede ser localizada (en cuyo caso el cabello se pierde en parches) o generalizada (en la que hay un enrarecimiento o pérdida total del cabello en todo el cuero cabelludo). La pérdida del cabello puede ser temporal o permanente. La alopecia no siempre está asociada con una mala salud, pero puede causar vergüenza.

¿CUÁLES SON LAS CAUSAS?

■ La causa más común de la alopecia en los hombres es la hipersensibilidad a la hormona **testosterona**, que produce un patrón característico de caída del cabello (**calvicie de patrón masculino**). Este patrón es **hereditario** y es la forma más común de alopecia. El proceso comienza cuando el cabello en las sienes y en la corona es reemplazado por un cabello fino y sin fuerza. La línea del cabello comienza gradualmente a retroceder. Sólo un dermatólogo capacitado puede determinar si el folículo está tan dañado que la alopecia es permanente.
■ La pérdida de cabello en parches suele deberse a la **alopecia areata**, un trastorno **autoinmune** que causa parches calvos en el cuero cabelludo, rodeados por cabellos cortos y dañados. El cabello suele regenerarse a los seis meses, pero en casos poco comunes la alopecia areata puede causar la pérdida permanente del cabello de todo el cuerpo, la **alopecia universalis**.
■ Los peinados que tiran del cuero cabelludo son una causa común de la pérdida del cabello en parches. Si la tensión es constante, la alopecia puede ser permanente.
■ La pérdida del cabello en parches puede ser resultado de un trastorno psicológico en el que el pelo es arrancado compulsivamente, la tricotilomanía.
■ Las quemaduras o enfermedades de la piel, como la tiña, pueden causar una pérdida de cabello permanente.
■ El enrarecimiento generalizado del cabello es notorio después de la **menopausia**, y la alopecia es común en las personas mayores.
■ Después del embarazo puede producirse una alopecia temporal por un período de hasta 18 meses, y es común como efecto secundario de la **quimioterapia** y del **hipotiroidismo**.
■ Otras causas de enrarecimiento del cabello incluyen las **enfermedades agudas**, el **estrés** y la **desnutrición**.

¿CUÁL ES EL TRATAMIENTO?

El cabello suele recuperarse una vez tratada la causa subyacente. El médico puede diagnosticar la alopecia areata por la apariencia del cuero cabelludo.
1. Esta afección no suele requerir tratamiento, pero la inyección de corticosteroides en los parches calvos puede ayudar a promover la recuperación.
2. Si el cuero cabelludo tiene **parches de cicatrices,** se necesitará una biopsia de piel para diagnosticar la causa subyacente. Las áreas encostradas pueden tratarse con corticosteroides tópicos o antimicóticos; pero si el daño es serio y ha afectado los folículos pilosos, es poco probable que el cabello vuelva a crecer.

OPCIONES ANTE LA CALVICIE PERMANENTE

Durante años se han usado estrategias diferentes con distintos grados de éxito. Éstas son algunas.

POSTIZOS

Es la forma más segura y menos dolorosa de camuflar la pérdida del cabello. Algunos pueden colocarse en forma permanente, ya sea pegándolos a los cabellos existentes o cosiéndolos al cuero cabelludo. Esto último puede causar infección y por eso no es recomendable. Otro efecto secundario puede ser la sensibilidad a los adhesivos que suelen usarse.

ENTRETEJIDO CAPILAR

Es un procedimiento no quirúrgico que agrega cabello de reemplazo al cabello existente para llenar parches calvos. El nuevo cabello es trenzado uno por uno en las bases del cabello existente. Requiere mantenimiento y lavado cuidadoso.

IMPLANTE CAPILAR

Es un procedimiento cuasi quirúrgico en el que franjas de cabello se fijan al cuero cabelludo en las zonas calvas. Los implantes suelen ser sintéticos por lo que no debe usarse secador de cabello.

TRANSPLANTE CAPILAR

Es un procedimiento quirúrgico que generalmente resulta en el reemplazo permanente del cabello, aunque incluso cuando está bien hecho, no parece tan natural como el cabello perdido. Se cortan mechones de cabello de los lugares no afectados, como lados y parte posterior de la cabeza, y se los implanta en los parches calvos. Este cabello suele caerse después del transplante, pero es reemplazado por cabello nuevo. En cada sesión no deben transplantarse demasiados folículos, por lo que el procedimiento deberá repetirse si se quiere cubrir toda el área calva.

COLORANTES DEL CUERO CABELLUDO

En las farmacias venden un spray que cubre la cabeza de un polvo orgánico que disimula los parches calvos. Las cremas con color pueden oscurecer el cuero cabelludo para disimular la piel clara y sin pelo.

MEDICACIÓN

Durante la investigación de una droga para la presión alta se descubrió que el **minoxidil** promovía el crecimiento del cabello. Debe aplicarse al cuero cabelludo dos veces al día durante un mínimo de cuatro meses. El tratamiento debe ser continuo o la pérdida del cabello se reanudará.

Lo único que todos estos tratamientos tienen en común es el gasto que representan. Es sensato buscar consejo antes de comprometerse con una forma de tratamiento en particular (vea las organizaciones de las Direcciones útiles, pág. 567).

LA ALOPECIA Y LAS MUJERES

■ Los receptores de estrógeno ubicados en los folículos mantienen la salud de cada cabello, por eso pueden aparecer problemas en la edad de la menopausia si el nivel de estrógeno es bajo. Es probable que el problema de pérdida del cabello se deba a un desequilibrio hormonal, y la terapia de reemplazo hormonal puede ayudar.
■ También es posible que tenga una **tiroides hipoactiva**, ya que la alopecia es uno de sus síntomas. Esto se diagnostica con un simple análisis de sangre.
■ La **anemia ferropénica** también puede causar pérdida del cabello. Las mujeres que sufren períodos menstruales intensos suelen tener deficiencias de hierro.
■ La **pérdida de peso** rápida y el **estrés** afectan los folículos pilosos, lo que comprime los vasos y limita el suministro de oxígeno.
■ El enrarecimiento del cabello es común después del **embarazo**. Las hormonas del embarazo llevan gran parte del cabello a su fase de crecimiento. En circunstancias normales, los cabellos pasan distintas etapas de descanso y de crecimiento, y, por lo tanto, la pérdida del cabello es gradual. La caída masiva asociada con el embarazo se debe al alto número de cabellos que sale de la fase de descanso y que cae al mismo tiempo. Ésta puede durar hasta 18 meses o dos años. Aunque desagradable, no debe causar alarma porque es limitada y reversible,

aunque el cabello puede tardar en volver a crecer, y el cabello lacio puede crecer ondulado y viceversa.

■ Rascarse el **cuero cabelludo en forma crónica,** especialmente en la nuca, es un síntoma bastante común de ansiedad y puede ocasionar la pérdida de cabello. Sin embargo, no suele ser completa y se detiene cuando se deja de rascar el área.

■ La **tricotilomanía,** o **arrancamiento del cabello,** puede causar parches calvos, pero se la puede diagnosticar porque la caída nunca es completa y suelen haber cabellos cortados de diferentes longitudes presentes en los parches calvos. Al igual que la picazón crónica, la tricotilomanía casi siempre tiene una causa **psicológica.**

> **Ver también:**
> • **Hipotiroidismo pág. 507**

Exceso de pelo

EL CRECIMIENTO DEL CABELLO EN ZONAS DONDE NO DEBERÍA O EL CRECIMIENTO EXCESIVO SON MÁS COMUNES EN LAS MUJERES Y OCURRE SÓLO DESPUÉS DE LA PUBERTAD. ES MÁS FRECUENTE CON EL AVANCE DE LA EDAD Y A VECES ES HEREDITARIO.

Existen dos tipos de crecimiento excesivo del cabello: el **hirsutismo** y la **hipertricosis.** El hirsutismo afecta sólo a las mujeres. En esta afección, se desarrolla un exceso de pelo, especialmente en la cara, tronco y extremidades. Este tipo de crecimiento es más común en mujeres de más de 60 años, debido a una deficiencia de estrógeno, y en especial en aquellas de origen mediterráneo, asiático, hispano o árabe. La **hipertricosis** puede afectar tanto a hombres como a mujeres. En esta condición, el pelo crece en todo el cuerpo, incluso en zonas donde normalmente no crece el vello.

¿CUÁLES SON LAS CAUSAS?

■ El hirsutismo leve en las mujeres suele ser considerado normal, especialmente después de la menopausia, cuando hay un exceso de hormonas masculinas (andrógenos) y el nivel de estrógenos baja.

■ El hirsutismo puede ser resultado del aumento de los andrógenos normales en mujeres con trastornos como el síndrome ovárico poliquístico (SOPQ).

La hipertricosis puede aparecer con la **anorexia** nerviosa o ser un efecto secundario de las **drogas inmunosupresoras** o **antihipertensivas.**

¿QUÉ SE PUEDE HACER?

■ Si usted es una mujer joven y padece hirsutismo, el doctor puede pedirle un análisis de sangre para medir el nivel de hormonas masculinas y descartar el SOPQ.

■ Si los andrógenos son altos, pueden darle una droga para bloquear los efectos de la hormona y recibir tratamiento para un trastorno subyacente como el SOPQ.

■ Si la hipertricosis ocurre como efecto secundario de un medicamento, el cambio de éste suele revertir esta condición.

TRATAMIENTO

Eliminación del pelo

Puede manejar usted mismo el exceso de pelo decolorándolo, afeitándolo, arrancándolo o depilándolo con cera o cremas. La única forma definitiva de eliminar el pelo son la electrólisis y el tratamiento láser, pero son lentos y pueden ser incómodos.

A diferencia del pelo de otras partes del cuerpo, el vello facial puede empeorar con algunos métodos de depilación, por eso es bueno que el médico identifique la causa del hirsutismo antes de intentar un tratamiento.

Azucarado y cera
El azucarado implica pintar la piel con una mezcla de limón, azúcar, agua y hierbas, esperar a que se seque y luego arrancarlo, junto con los vellos que quedaron pegados. Funciona con el mismo principio que la depilación con cera, en la que se derrite cera y se la aplica sobre la piel, se la deja secar para después retirarla junto con los vellos que quedaron incorporados a ella; pero como la mezcla es fría, es menos probable que cause reacciones en pieles sensibles. Suele costar lo mismo que la depilación con cera y el efecto dura entre 4 y 5 semanas.

Hay kits hogareños para ambos métodos, aunque para estar seguros conviene hacerlo en un salón de belleza recomendado. Tanto el azucarado como la cera, y también la crema depilatoria, pueden usarse para retirar el vello de la entrepierna.

Decoloración
Este método no elimina el vello, sino que lo disimula. Es más conveniente en mujeres con cabello claro. El pelo grueso seguirá viéndose después de la decoloración, pero no tanto como antes, ya que será más claro.

Cremas depilatorias
Las cremas para eliminar el vello especialmente diseñadas para la cara deben ser las únicas que se usen en esta parte tan sensible del cuerpo. Las cremas comunes son demasiado fuertes y causarán irritación. El crecimiento reaparece después de dos o tres semanas. Los aclaradores del pelo y las cremas depilatorias varían en precio y se venden en casi todas las farmacias.

Láser
Recientemente se han hecho numerosas investigaciones sobre el uso del láser para demorar o suspender el crecimiento del pelo sin dañar la piel circundante. Se utiliza un láser que produce una luz roja. Ésta es altamente absorbida por el pelo y sólo mínimamente por la piel. La luz se aplica por menos de una milésima de segundo, lo suficiente como para destruir el pelo, pero no para calentar la piel. Se puede tratar cualquier parte del cuerpo y ha demostrado una gran popularidad entre las mujeres que tienen problemas con el vello facial.

Electrólisis
Éste es un método muy efectivo y relativamente barato para quitar el vello facial. Implica pasar corriente eléctrica a través del vello, cortándolo de raíz. Puede llevar algún tiempo quitar todo el vello y debe ser realizado por un operador calificado.

Epilight
El último concepto en eliminación permanente del vello trabaja sobre el principio de la tecnología de luz intensa pulsada (LIP). Por medio de destellos de un flahs de ondas lumínicas múltiples pulsadas a través de un cristal de cuarzo, el resultado es la eliminación rápida y permanente de todos los tipos de vellos de todas las zonas del cuerpo. Puede aparecer un leve enrojecimiento de la piel después de finalizado el tratamiento, pero, por lo general, desaparece después de 24 horas.

Terapia de Reemplazo Hormonal (TRH)
El exceso de pelo puede ser contrarrestado por el estrógeno en forma de TRH. Una mujer que toma hormonas femeninas debería tener pocos problemas con pelos no deseados.

UÑAS

Las uñas, al igual que el cabello, son tejido muerto, excepto por la raíz de crecimiento, y están hechas de **queratina** compactada, la misma proteína que forma el cabello. Tardan nueve meses en salir, por lo que el plato ungueal es, de hecho, una fotografía de lo que ocurre semana a semana dentro del cuerpo. Consecuentemente, en las uñas se pueden "leer" los acontecimientos que ocurran en el interior del organismo. El cuadro de la derecha describe algunos de ellos.

Trastornos internos que se reflejan en las uñas

Afección de la uña	Significado
Surco horizontal	Enfermedad, trauma psicológico, cirugía
Agujeros, como en superficie de un dedal	Psoriasis
Lechos ungueales pálidos	Enfermedad hepática
Uñas con forma de cuchara	Deficiencia de hierro
Marcas longitudinales marrones (hemorragias en astilla)	Trastorno hemorrágico, septicemia
Uñas muy curvas ("garra")	Enfermedad del pulmón, corazón o hígado

Uña encarnada

MÁS COMÚN EN LOS HOMBRES, LA UÑA ENCARNADA ES UN CRECIMIENTO DOLOROSO DE LOS BORDES INTERNOS DE LA UÑA DEL DEDO GORDO DEL PIE DENTRO DE LA PIEL ADYACENTE. LOS ZAPATOS AJUSTADOS INCREMENTAN EL RIESGO.

¿QUÉ LA CAUSA?

La uña encarnada se dobla sobre uno o ambos lados y corta la piel circundante, causando dolor, inflamación y, a veces, infección. Una uña pequeña en un dedo muy carnoso tendrá predisposición a encarnarse. El dedo gordo es particularmente vulnerable a los zapatos que no calzan bien y que aprietan una uña mal cortada. En algunos casos, la lesión puede hacer que la piel alrededor de la uña crezca excesivamente y la tape. La falta de higiene también aumenta el riesgo de infección, provocando inflamación.

¿CUÁLES SON LOS SÍNTOMAS?

Los síntomas de la uña encarnada pueden incluir:

● dolor, enrojecimiento e hinchazón alrededor de la uña

● piel dañada en el borde de la uña, de la cual emana un líquido claro, pus o sangre.

Debe consultar a su médico en cuanto detecte que tiene una uña encarnada porque es posible que se infecte el dedo.

¿CUÁL ES EL TRATAMIENTO?

■ Puede aliviar el dolor de la uña encarnada **sumergiendo** el pie **en agua tibia con sal todos los días** y **tomando analgésicos.**

■ Debe proteger el dedo afectado cubriéndolo con **gasa seca y limpia.**

■ Si el dedo se infecta, se prescribirán **antibióticos orales** o **tópicos.**

Un par de medidas simples pueden ayudar a prevenir su reaparición.

■ Mantenga sus pies limpios y **use calzado que le quede bien.**

■ **Corte la uña en línea recta** y no en forma curva para evitar que crezca hacia dentro de la piel.

Si el problema reaparece, la uña, o parte de ella, será extirpada para evitar que vuelva a crecer hacia el interior.

AUTOAYUDA

■ Examine la piel alrededor de las uñas para ver si éstas han penetrado en la piel.

■ Corte una pequeña V en los extremos de la uña para aliviar la presión en los bordes.

■ Aplique una crema antiséptica en los lados de la uña para prevenir infecciones.

■ Si hay algún signo de enrojecimiento o pus, siéntese con el pie hacia arriba. Coloque una gasa estéril sobre el dedo.

■ Corte las uñas en línea recta y no las deje demasiado cortas. Córtelas regularmente; no permita que crezcan mucho.

■ Asegúrese de que sus zapatos y medias no aprieten, debe tener espacio suficiente para poder mover los dedos.

■ Si la uña se ha infectado, no use medias; haga un agujero para el dedo en un zapato viejo o use sandalias hasta que la infección sane.

TRATAMIENTO
CUIDADO DE LOS PIES

El pedicuro cortará la uña del dedo gordo para evitar mayores problemas. Es importante no dejar astillas de uña en los costados, por eso es mejor que lo haga un experto.

La buena higiene mantiene los pies sanos y reduce las probabilidades de desarrollar una uña encarnada.

EXTRACCIÓN DE LOS BORDES ENCARNADOS

Bajo anestesia local, el médico o pedicuro pueden levantar los bordes encarnados de la uña y cortarlos para que no sigan creciendo dentro de la piel, lo cual permite que la infección ceda y que el lecho ungueal sane. Si sigue las medidas de autoayuda, la uña no volverá a encarnarse.

EXTRACCIÓN DE LA UÑA ENCARNADA

Puede requerirse cirugía menor para ciertas uñas encarnadas. El dedo será anestesiado y lavado con antiséptico. Se extraerá la uña, o parte de ella, y se aplicará fenol al lecho expuesto para sellar los vasos sanguíneos. Después de 24 horas de ocurrida la cirugía ya se sentirá cómodo al caminar y la herida sanará por completo en una semana.

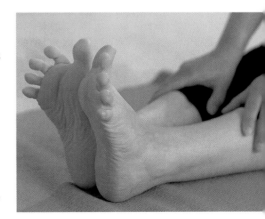

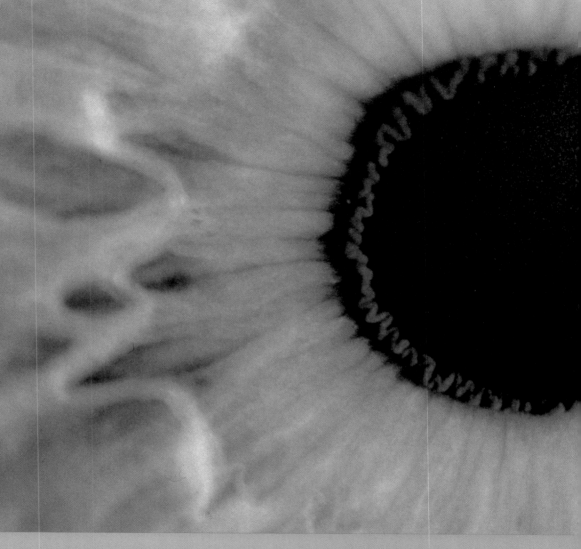

Ojos y Visión

La imagen muestra una macrofotografía del iris y de la pupila humanos

El resumen de Miriam

Los ojos están equipados con uno de los antisépticos más potentes conocidos por la ciencia: las lágrimas. Éstas no sólo bañan el globo ocular continuamente para que el parpadeo sea cómodo, sino que también lo mantienen libre de infecciones.

El poderoso antiséptico que contienen las lágrimas se llama lisozima. Si tan sólo pudiéramos embotellarlo...

Creemos que el perder visión es signo de vejez, pero no lo es; es signo de que el globo ocular está cambiando de forma. Las imágenes de los objetos llegan delante o detrás de la retina en el fondo del ojo y aparecen borrosas.

Si el globo ocular se elonga en el plano horizontal, la imagen llega delante de la retina; cuando se elonga verticalmente, ocurre lo inverso.

Las gafas y lentes de contacto llevan la imagen al lugar correcto, en tanto que la cirugía láser puede alterar la forma del globo ocular quitando delgadas capas de conjuntiva. El tratamiento de las cataratas ha avanzado mucho recientemente, por lo que la cirugía moderna de cataratas es rápida, simple y muy efectiva. En la actualidad, nadie puede tener su vista en peligro por un problema de cataratas.

> ## "la cirugía moderna de *cataratas* es rápida, simple y *altamente efectiva*"

El glaucoma puede tratarse si se lo aborda en forma temprana, por eso es importante hacerse regularmente exámenes de tonometría para medir la presión dentro de los ojos. El "ojo rojo" debe ser una causa para que acuda al médico de inmediato, ya que puede ser el primer signo de glaucoma.

AL INTERIOR
de su vista

Las células sensoriales del ojo son una extensión del cerebro, y brotan de éste durante el desarrollo fetal. El ojo muestra menos crecimiento que cualquier otro órgano entre el nacimiento y la vida adulta. El ojo es sensible a la luz, que se focaliza a través de la **córnea** y el **cristalino** sobre la **retina** en el fondo del ojo. La retina contiene 137 millones de **células**, de las cuales 130 millones tienen **forma de vara** y se usan para la visión en blanco y negro, la percepción del movimiento y para ver con poca luz, mientras que los otros 7 millones tienen **forma de cono** y se usan para percibir el color y las formas a plena luz. Los conos se concentran en la parte de la retina llamada **fovea centralis** (depresión central) y la **mácula**. Una red de células nerviosas en la superficie de la retina convierte las señales de la luz en impulsos eléctricos y los transmite al cerebro por medio del **nervio óptico**. El ojo contiene el 70 por ciento de los sensores del cuerpo y puede manejar un millón y medio de mensajes simultáneos. Las **pupilas** se dilatan y contraen automáticamente para controlar la cantidad de luz que llega a la retina.

las partes del ojo

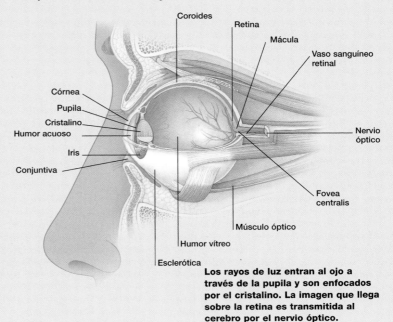

Coroides · Retina · Mácula · Vaso sanguíneo retinal · Córnea · Pupila · Cristalino · Humor acuoso · Iris · Conjuntiva · Nervio óptico · Fovea centralis · Músculo óptico · Humor vítreo · Esclerótica

Los rayos de luz entran al ojo a través de la pupila y son enfocados por el cristalino. La imagen que llega sobre la retina es transmitida al cerebro por el nervio óptico.

Enfoque y visión

El ojo humano es mucho más eficiente en cuanto a la acomodación (capacidad de resolver detalles finos) que el de la mayor parte de los mamíferos. La luz entra en él a través de la pupila, que se dilata y contrae según las condiciones de luz, el ajuste del cristalino y las emociones. Entonces el cristalino enfoca la luz en la retina cambiando de forma. Cuando enfoca en distancias largas (más de 7 metros), el cristalino está en su posición más plana y delgada. Al enfocarse en objetos cercanos, el cristalino se torna más curvo y grueso.

El punto más cercano en que el ojo puede enfocar varía con la edad, desde unos 7 cm en la infancia a sólo 40 cm en la edad adulta. El cristalino proyecta la imagen al revés en la retina, la mente consciente interpreta la imagen y la "ve" en la posición correcta.

La fuerza de acomodación del ojo está determinada por el número de receptores de luz (varas y conos) presentes en la retina y de lo cerca que estén agrupados unos de otros. Tenemos 200.000 receptores por mm^2, lo que da una excelente resolución, siempre que la vista no haya sido afectada de alguna manera durante la infancia. Algunas criaturas tienen resoluciones aún mayores; la retina del buitre, por ejemplo, contiene un millón de receptores por mm^2.

cómo vemos

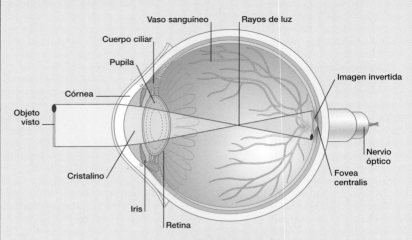

Los rayos de luz reflejados desde un objeto son parcialmente enfocados por la córnea antes de entrar al ojo a través de la pupila. La imagen es enfocada aún más por el cristalino sobre la retina, donde aparece invertida. Las señales eléctricas que salen de la retina transmiten la imagen al cerebro, que la interpreta en la posición correcta.

Campo visual

Debido a que nuestros ojos están ubicados en el frente de la cara, tenemos una visión binocular (tridimensional o 3D). La visión binocular significa que podemos ver en 180° sin mover la cabeza, con una superposición de 90° entre los campos visuales de la derecha y la izquierda. Esto nos permite calcular distancias y observar detalles, y mejora nuestra sensibilidad de visión cuando la luz es mala.

superposición de 90° entre los campos visuales de la derecha e izquierda

Visión del color

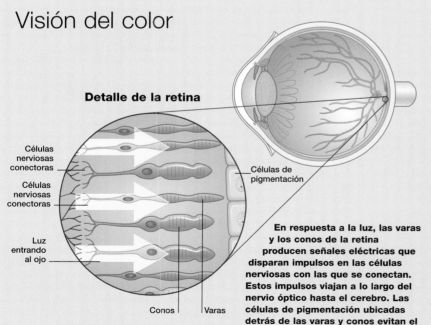

Detalle de la retina

Células nerviosas conectoras

Células nerviosas conectoras

Luz entrando al ojo

Conos | Varas

Células de pigmentación

En respuesta a la luz, las varas y los conos de la retina producen señales eléctricas que disparan impulsos en las células nerviosas con las que se conectan. Estos impulsos viajan a lo largo del nervio óptico hasta el cerebro. Las células de pigmentación ubicadas detrás de las varas y conos evitan el reflejo de la luz dentro del ojo.

Igual que otros mamíferos, vemos sólo parte del espectro de colores, ya que algunas ondas, como las infrarrojas y las ultravioletas, son invisibles para nosotros. Los pigmentos de color que percibimos son el azul, el verde y el rojo. El color es registrado en los **conos** de la retina; éstos se concentran en la **fovea centralis** y en la **mácula**, que la rodea. Cada cono tiene una sensibilidad especial para el azul, el verde o el rojo, y sensibilidad intermedia para el resto del espectro de colores. Estas sensibilidades se superponen para que las ondas diferentes al azul, verde y rojo también disparen percepciones de color; por ejemplo, cuando la luz da sobre una curva superpuesta de azul y rojo, "vemos" el color violeta. Sólo podemos ver color en la luz. Las **varas** de la retina no distinguen colores y son principalmente responsables de la visión nocturna.

TRASTORNOS PROPIOS DEL OJO

El ojo es un órgano complejo formado por numerosos componentes altamente especializados. Muchos de los trastornos que lo afectan no amenazan la visión, pero algunas condiciones graves, como el glaucoma, pueden dañarlo y provocar la pérdida de la visión. Unas pocas enfermedades, como la conjuntivitis, son muy comunes y si se las diagnostica con prontitud suelen ser tratadas con éxito.

Elegí empezar con la afección más común, los **flotadores**, porque, virtualmente, todos tendremos y no causan mayor riesgo. Otros problemas comunes, como los **orzuelos** y el **estrabismo**, afectan principalmente a niños y los encontrará en la sección de la infancia. Varias afecciones, incluyendo el glaucoma, pueden causar el "**ojo rojo**", la más común es la **conjuntivitis** infecciosa, que se trata con antibióticos locales. El **glaucoma**, tanto agudo como crónico, es una afección eminentemente tratable, pero que si no se la trata, puede causar seria pérdida de la visión; por eso, a ambas categorías se les da gran importancia en esta sección.

Flotadores

ES BASTANTE COMÚN VER PEQUEÑAS MANCHITAS QUE PARECEN FLOTAR EN EL CAMPO VISUAL. AUNQUE LOS FLOTADORES PARECIERAN ESTAR EN LA PARTE DE AFUERA DEL OJO, EN REALIDAD SON FRAGMENTOS DE TEJIDO QUE SE ENCUENTRAN EN EL FLUIDO GELATINOSO QUE LLENA SU FONDO.

Los flotadores se mueven rápidamente con el movimiento ocular, pero cuando el ojo está quieto, se desplazan con lentitud. No suele necesitarse tratamiento.

La causa de la mayoría de los flotadores es desconocida. Rara vez afectan la visión, aunque se debe consultar al médico de inmediato si aparecen repentinamente en grandes números o si interfieren en la visión. En las personas mayores o en alguien con problemas preexistentes del ojo, un aumento repentino de los flotadores, que puede estar combinado con una sensación de luces destellantes, puede indicar un trastorno ocular serio que requiere atención urgente, como el desprendimiento de retina del fondo del ojo.

Ver también:
• **Desprendimiento de retina pág. 467**

Conjuntivitis

TAMBIÉN LLAMADA OJO ROJO O ROSA, LA CONJUNTIVITIS ES UNA AFECCIÓN COMÚN. LA CONJUNTIVA, LA MEMBRANA QUE CUBRE LO BLANCO DEL OJO Y EL INTERIOR DE LOS PÁRPADOS, SE INFLAMA Y CAUSA EL ENROJECIMIENTO Y LA INFLAMACIÓN.

La conjuntivitis puede parecer alarmante, pero rara vez es grave. Puede afectar a uno o ambos ojos, y en algunos casos comienza en uno y luego se contagia al otro. El uso de lentes de contacto, cosméticos y gotas son factores de riesgo.

¿CUÁLES SON LAS CAUSAS?
• Puede ser causada por una **infección bacteriana** o **viral**. La **conjuntivitis bacteriana** es común y puede ser provocada por varios tipos de bacterias; la **conjuntivitis viral,** en tanto, puede producirse por una epidemia y ser originada por uno de los virus responsables del resfrío común. También puede deberse al **virus herpes simplex.** Ambos tipos pueden transmitirse por contacto entre mano y ojo y son muy contagiosos.
• La conjuntivitis puede resultar de una reacción alérgica o irritación de la conjuntiva, por ejemplo, por humo, contaminación o luz ultravioleta. La **conjuntivitis alérgica** es una característica común de la fiebre del heno y de la alergia al polvo, polen y otras sustancias volátiles. También puede ser desatada por químicos que se encuentran en las gotas para los ojos, en los cosméticos y en las soluciones de las lentes de contacto. A menudo es hereditaria.
• Los recién nacidos a veces desarrollan conjuntivitis. Esto, ocasionalmente, sucede si se transmite una infección de la vagina de la madre a los ojos del bebé durante el parto.

¿CUÁLES SON LOS SÍNTOMAS?
Los síntomas de la conjuntivitis suelen desarrollarse en unas pocas horas y a menudo se los siente por primera vez al despertar. Incluyen:
• enrojecimiento de la parte blanca del ojo
• sensación pastosa e incómoda en el ojo
• hinchazón y picazón en los párpados
• secreción amarillenta y espesa o clara y acuosa
• costras en pestañas y márgenes de los párpados debido a la secreción que se ha secado durante la noche. Como resultado, los párpados pueden pegarse.

!

ADVERTENCIA
Si un ojo comienza a doler y a enrojecerse, consulte al médico lo antes posible para descartar una afección más grave.

¿QUÉ PUEDO HACER?
Los síntomas de la conjuntivitis pueden aliviarse bañando el ojo en lágrimas artificiales que se venden en farmacias. Para evitar que la infección se propague, lávese las manos después de tocar los ojos y no comparta las toallas. Cuando la conjuntivitis desaparece, no suele dejar secuelas en la visión.

Si usted es susceptible a la conjuntivitis alérgica, evite exponerse a las sustancias que la pueden provocar. Use gotas antialérgicas para calmar los síntomas.

La conjuntivitis causada por una infección bacteriana puede ser tratada fácilmente con gotas antibióticas que su médico le recetará. Los síntomas suelen desaparecer 48 horas después de comenzado el tratamiento.

¿QUÉ PUEDE HACER EL MÉDICO?

■ Si sospecha de infección, el médico puede tomar una muestra de la secreción para identificar la causa.

■ La conjuntivitis bacteriana se trata con ungüentos o gotas antibióticas. En estos casos, los síntomas suelen desaparecer en 48 horas. Sin embargo, el tratamiento debe continuarse entre 2 y 10 días, aun cuando los síntomas mejoren, para asegurar que la infección sea erradicada.

■ La conjuntivitis viral por herpes puede ser tratada con unas gotas que contienen drogas antivirales. Aunque otros tipos de conjuntivitis viral no pueden tratarse, los síntomas suelen desaparecer en 2 ó 3 semanas.

■ Su médico puede recetarle gotas o fármacos antialérgicos orales para la conjuntivitis alérgica.

Ver también:
- **Alergias pág. 315**
- **Fiebre del heno pág. 319**
- **Infección por herpes simplex pág. 336**

Glaucoma agudo

NORMALMENTE, EL LÍQUIDO QUE SE SECRETA EN LA CÁMARA ANTERIOR DEL OJO PARA MANTENER SU FORMA Y NUTRIR LOS TEJIDOS, DRENA EN FORMA CONTINUA.

Sin embargo, en el glaucoma, el sistema de drenaje se obstruye y la presión del líquido dentro del ojo se eleva rápidamente, causando dolor y el "ojo rojo". El glaucoma agudo es una emergencia médica. Sin el tratamiento inmediato, el ojo puede dañarse gravemente, lo que puede provocar una reducción permanente de la visión. El glaucoma agudo es raro antes de los 40 años y más común a partir de los 60. La tendencia a desarrollarlo a veces es hereditaria.

¿CUÁLES SON LAS CAUSAS?

El líquido en la parte anterior del ojo es producido continuamente por un tejido llamado **cuerpo ciliar**, que se encuentra detrás del iris coloreado. Por lo general, el líquido fluye a través de la pupila y drena por medio de la red en forma de tamiz que está detrás del ángulo de drenaje del borde exterior del iris. En el glaucoma agudo, el iris se comba hacia delante y cierra el ángulo de drenaje, con lo cual el fluido queda encerrado en el ojo. La presión dentro del ojo sube con la secreción de más líquido y al elevarse puede dañar el nervio óptico, que lleva las señales al cerebro, causando la reducción de la visión.

¿CUÁLES SON LOS RIESGOS?

■ Tener el globo ocular más reducido de lo normal es una causa común de hipermetropía y aumenta el riesgo de desarrollar glaucoma agudo.

■ El trastorno es más común en personas mayores, porque el cristalino del ojo se engruesa durante la vida y eventualmente puede presionar contra el iris. El líquido se acumula entonces detrás del iris, que se comba hacia delante y bloquea el ángulo de drenaje.

■ Ocasionalmente, el glaucoma agudo puede ser producido cuando la luz muy baja hace que la pupila se abra, entonces el iris entonces se ensancha y puede cerrar el ángulo de drenaje.

■ El glaucoma agudo puede ser hereditario.

¿CUÁLES SON LOS SÍNTOMAS?

Los ataques leves de glaucoma agudo tienden a ocurrir en las noches, cuando se está cansado, y los síntomas incluyen dolor en los ojos y halos que se perciben alrededor de las luces. Dormir suele aliviar los síntomas. Los ataques más severos aparecen repentinamente e incluyen estos síntomas:
- deterioro rápido de la visión
- dolor intenso en el ojo
- enrojecimiento y lagrimeo del ojo
- sensibilidad a la luz
- halos alrededor de las luces
- náuseas y vómitos.

¿CUÁL ES EL TRATAMIENTO?

La tonometría de aplanación, que mide la presión dentro del ojo, se usa para detectar el glaucoma agudo. La iridotomía láser (ver recuadro a la derecha) suele realizarse para corregir esta afección.

TRATAMIENTO

Iridotomía láser

Esta técnica se usa para tratar el glaucoma agudo, en el que la presión del ojo se eleva rápidamente por el bloqueo del drenaje de líquidos. Primero, la presión se reduce con gotas, medicamentos intravenosos y, posiblemente, orales. Luego se colocan gotas anestésicas y se ubica una lente de contacto gruesa en el ojo para enfocar el rayo láser en el iris encorvado. El láser abre un pequeño agujero en el iris, con lo cual libera el líquido detrás de él. El iris se aplana, abriendo el ángulo de drenaje y permitiendo que salga el fluido atrapado. El agujero queda en el iris, sin causar daños.

Ver también:
- **Exámenes oculares pág. 468**
- **Miopía e hipermetropía pág. 469**

Glaucoma crónico

EL GLAUCOMA CRÓNICO ES UN AUMENTO GRADUAL E INDOLORO DE LA PRESIÓN DE LÍQUIDO AL INTERIOR DEL OJO, QUE SUELE COMENZAR DESPUÉS DE LOS 40 AÑOS Y A VECES TIENE ORIGEN HEREDITARIO. ES MÁS COMÚN EN PERSONAS DE DESCENDENCIA AFRICANA.

El glaucoma crónico también se conoce como **glaucoma de ángulo abierto.** La afección causa el deterioro gradual de la vista como consecuencia del acumulamiento progresivo de presión dentro del ojo durante varios años. A menudo no aparecen síntomas hasta que la enfermedad está muy avanzada, y la pérdida de la visión es permanente. Aunque puede producir ceguera total, el tratamiento precoz puede prevenir daños severos. En la mayoría de los casos, ambos ojos son afectados, aun cuando los síntomas puedan aparecer inicialmente sólo en uno.

¿CUÁLES SON LOS SÍNTOMAS?
Para cuando aparecen los síntomas, es probable que la visión se encuentre permanentemente

afectada. En este punto, los síntomas pueden incluir:
● chocar con los objetos por la pérdida de la visión lateral (visión periférica)
● visión borrosa de objetos próximos.

¿QUÉ SE PUEDE HACER?
El médico le hará un examen llamado tonometría por aplanación para medir la presión del ojo. También pueden realizarse otros exámenes, incluyendo un test de campo visual para determinar la pérdida de la visión periférica.

¿CUÁL ES EL TRATAMIENTO?
■ Si el glaucoma crónico se diagnostica con prontitud, le pueden recomendar gotas

oftálmicas que reducen la presión en el ojo. Probablemente deba continuar usándolas de por vida.
■ Si la afección es avanzada o si las gotas no bajan la presión lo suficiente, puede requerirse cirugía para hacer un canal de drenaje en la zona blanca del ojo.
■ En otra técnica quirúrgica, llamada **trabeculoplastia láser,** se utiliza un rayo láser para aumentar el flujo a través de la malla trabecular, permitiendo que drene el líquido.

Ver también: ● **Exámenes oculares pág. 468**

Desprendimiento de retina

NORMALMENTE, LA RETINA ESTÁ ADHERIDA AL TEJIDO SUBYACENTE DEL OJO; PERO EN EL DESPRENDIMIENTO DE RETINA, PARTE DE ELLA SE SEPARA DE ESTE TEJIDO.

El desprendimiento de retina suele afectar a un solo ojo, pero, sin un tratamiento rápido, puede provocar la ceguera total o parcial del ojo afectado. El desprendimiento retinal es más común en personas mayores de 50 años y a veces es hereditario. Los deportes que pueden implicar golpes en el ojo, como el boxeo, son un factor de riesgo; también lo es la miopía aguda.

Esta afección suele comenzar con una pequeña fisura en la retina. El líquido pasa por el agujero y la separa del tejido subyacente que la sustenta.

¿CUÁLES SON LOS SÍNTOMAS?
■ Luces destellantes en las esquinas del ojo.
■ Aparición repentina de una gran cantidad de manchas oscuras (flotadores) en el campo visual.
■ Sombra que afecta la visión.

¿QUÉ SE PUEDE HACER?
El médico puede diagnosticar el desprendimiento de retina usando un oftalmoscopio, instrumento que se usa para examinar el fondo de ojo. Si sólo una pequeña parte de la retina se ha desprendido, la fisura puede repararse con cirugía láser, que sólo requiere anestesia local. Sin embargo, si el desprendimiento es grande, será necesaria una microcirugía láser (ver recuadro a la derecha) bajo anestesia general. Si es tratado a tiempo, se puede recuperar totalmente la vista, pero el tratamiento tardío es menos efectivo.

TRATAMIENTO

Microcirugía

La microcirugía es una técnica que le permite a los cirujanos operar en tejidos extremadamente pequeños y delicados del cuerpo. En ella se usa un microscopio binocular para ver el campo de operación y los cirujanos utilizan instrumental pequeño especialmente adaptado.

Suele usarse para operar ciertos tejidos, como nervios y vasos sanguíneos, y en estructuras pequeñas del ojo, oído medio y sistema reproductor. Por ejemplo, la microcirugía se utiliza para reparar los desprendimientos de retina. También se la emplea para extirpar los cristalinos de los ojos en las cataratas y reemplazarlos por unos artificiales. En la cirugía para reimplantar un dedo o un miembro, se usa microcirugía para reparar los nervios y vasos cortados. Asimismo, puede utilizársela para intentar revertir operaciones de esterilización: ligadura de trompas en las mujeres y vasectomía en los hombres.

Por lo general se realiza bajo anestesia general, pero para algunos procedimientos menores, como las operaciones de cataratas, puede usarse anestesia local. Ya que son más largas que otros procedimientos quirúrgicos similares, el tiempo del efecto de la anestesia es mayor, lo que puede extender el período de recuperación de la anestesia. El riesgo de infección también puede ser más alto con la microcirugía, puesto que el campo de operación está expuesto durante un período relativamente largo comparado con el requerido para otros procedimientos.

La microcirugía suele tener mucho éxito en procedimientos de rutina, como cataratas y reparación del desprendimiento de retina. En otros procedimientos, el éxito suele depender del grado inicial de daño en los tejidos.

VISIÓN IMPERFECTA, PRESBICIE

La mayoría de las personas tiene algún problema visual en ciertos momentos de su vida, por eso es importante revisarse periódicamente los ojos con el oftalmólogo. Los trastornos más comunes de la visión son la **miopía** y la **hipermetropía**, que son errores de **enfoque** (refractivos). Si usted presenta un error refractivo, eso significa que la imagen de un objeto no puede ser enfocada con claridad en la retina, por lo cual el objeto aparece borroso, o el ojo no puede dirigir la luz correctamente o tiene una forma inadecuada y la luz refractada no llega a la retina. Otro error refractivo, la **presbicie**, puede desarrollarse con la edad por esa misma razón; la forma del globo ocular puede cambiar al envejecer y las imágenes no llegan a la retina. Muchos errores refractivos pueden ser corregidos con gafas o lentes de contacto, o sanados mediante técnicas quirúrgicas.

En esta sección incluyo el **daltonismo**, que afecta más a hombres que a mujeres, y problemas visuales serios, entre los cuales se encuentra la visión doble.

EXÁMENES

Exámenes oculares

Es importante revisarse regularmente los ojos, no sólo para controlar la vista, sino también porque un chequeo de rutina incluirá una tonometría, la que puede detectar signos de glaucoma y la examinación del nervio óptico en el fondo de ojo para asegurar que la retina está sana.

Exámenes de la visión
Debe controlar su visión una vez cada dos años, especialmente si tiene más de 40 años. Los exámenes de visión más comunes evalúan la precisión de la visión a distancia y qué tan bien enfocan sus ojos los objetos cercanos. Estos exámenes también determinan qué tipo de lentes correctivas se necesitan. Puede realizarse un examen adicional para el glaucoma (ver Tonometría por aplanación, abajo) dependiendo de su edad e historial clínico.
Foróptero Este aparato sostiene diferentes lentes delante de cada ojo, permitiendo que el oftalmólogo revise cada uno por separado.
Cartel de Snellen La agudeza de la visión a distancia es controlada en cada ojo por separado. El examen consiste en leer letras que van disminuyendo de tamaño en un cartel de Snellen.
Examen de visión cercana Con las gafas o las lentes de contacto puestas, si es que usa, le pedirán que lea una leyenda muy pequeña en un cartel sostenido a una distancia de lectura normal. Este examen muestra qué tan bien puede enfocar objetos cercanos.
El examen de visión Las lentes del foróptero son cambiadas hasta que puede leer las letras cerca del final del cartel de Snellen, permitiéndole al oftalmólogo recetar la corrección adecuada para sus lentes.
Tonometría por aplanación El glaucoma, afección en la que la presión dentro del ojo aumenta, puede ser detectado usando un

El foróptero, que puede sostener lentes de diferentes graduaciones delante del ojo, se usa junto con el cartel de Snellen para evaluar la visión a distancia. Cada ojo puede examinarse por separado.

instrumento llamado tonómetro de aplanación. Se colocan gotas anestésicas en los ojos y el tonómetro es presionado suavemente contra la córnea (la parte frontal transparente del ojo) para medir la fuerza necesaria para aplanarla. El examen dura unos segundos y es indoloro.

Exámenes de la visión para niños
Los exámenes de visión para los niños están diseñados según edad y habilidad, y son aplicados regularmente para detectar defectos que pueden ocasionar el retraso del desarrollo normal y del aprendizaje. En los infantes, la visión puede medirse usando exámenes especiales, mientas que en niños más grandes se pueden utilizar formas y letras. Cuando los niños aprenden a leer, ya se pueden aplicar los tests para adultos (ver Cartel de Snellen, arriba).

Retinoscopia Puede ser realizada en infantes. Unos 30 minutos antes del examen, se colocan gotas para dilatar las pupilas y evitar el enfoque, y un haz de luz se emite sobre cada ojo desde un instrumento llamado retinoscopio. El efecto de las diferentes lentes sobre el haz de luz establece si el niño necesita gafas. Este procedimiento se realiza en un cuarto oscuro.
Test de las letras Este examen se aplica a niños mayores de 3 años que ya reconocen las letras. Se le da al niño una tarjeta con letras. El oftalmólogo levanta otras con letras de tamaño decreciente a una distancia de 3 metros y le pide al niño que identifique la misma letra en la tarjeta que tiene en sus manos. Ambos ojos pueden ser evaluados separadamente usando un parche.

Miopía e hipermetropía

LA MIOPÍA ES LA INCAPACIDAD DE VER OBJETOS DISTANTES CON CLARIDAD DEBIDO A LA FALTA DE COINCIDENCIA ENTRE EL TAMAÑO O FORMA DEL GLOBO OCULAR Y EL PODER DE ENFOQUE DEL OJO.

En la miopía, el globo ocular es demasiado largo y la imagen se forma frente a la retina. Esta afección puede corregirse con el uso de gafas que utilicen lentes **cóncavas** o con lentes de contacto (ver recuadro, abajo).

La hipermetropía es la incapacidad de ver con claridad los objetos cercanos debido a que la imagen no puede ser enfocada con precisión sobre la retina. En esta afección el globo ocular es muy corto y la imagen se enfoca detrás de la retina. Se corrige con gafas que usen lentes **convexas** o con lentes de contacto (ver recuadro, abajo). En niños esta incapacidad puede interferir en la lectura y el aprendizaje temprano, por eso debe ser corregida desde una edad temprana.

¿QUÉ SE PUEDE HACER?
MIOPÍA
■ El oftalmólogo evaluará su agudeza visual y el nivel de detalle que puede ver; sólo después determinará la severidad de cualquier defecto visual.
■ La miopía puede corregirse usando lentes de contacto o gafas con lentes cóncavas. El poder de enfoque de sus lentes disminuye gradualmente con la edad, por lo que sus gafas deben ser renovadas con regularidad.

Es muy importante tratar la miopía en los niños, en especial cuando están en edad escolar, ya que puede provocar que puede impedirle

seguir las lecciones escritas en la pizarra o no permitirle realizar deportes que impliquen atrapar una pelota.

HIPERMETROPÍA
■ El oftalmólogo controlará su agudeza visual y el nivel de detalle que puede ver, para luego evaluar la severidad de cualquier defecto visual.
■ La hipermetropía puede corregirse con lentes de contacto o gafas con lentes convexas. El poder de enfoque de sus lentes disminuye gradualmente con la edad, por lo que sus gafas deben ser renovadas con frecuencia.
■ Algunas personas con hipermetropía pueden recibir un tratamiento láser que vuelve a dar forma a la superficie de la córnea para incrementar su poder de enfoque.
■ No causa complicaciones, pero quienes la padecen son más propensos al **glaucoma agudo**, una afección grave que debe tratarse de inmediato. Por eso debe visitar regularmente al oftalmólogo, para que cualquier problema pueda ser detectado y tratado con prontitud.

Es fundamental tratar la hipermetropía en los niños. Aunque puede ser detectada durante los exámenes de visión rutinarios en la escuela, los niños con antecedentes familiares de hipermetropía deben ser examinados antes de los 3 años, ya que el tratamiento temprano es vital para el aprendizaje.

Presbicie

Muchos encontramos que la distancia normal de lectura se vuelve más y más larga con los años; lo que se conoce como **presbicie**. A medida que envejecen, nuestros ojos pierden poder de enfoque; el deterioro comienza alrededor de los 45 años y para los 65 ya queda poco. La presbicie puede corregirse con anteojos para leer (ver Gafas y lentes de contacto, abajo). Las lentes deben cambiarse cuatro o cinco veces en 20 ó 30 años hasta que eventualmente todo el enfoque será realizado por las lentes.

Errores de enfoque

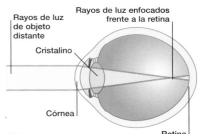

Miopía
En la miopía, el globo ocular es demasiado largo en relación con el poder de enfoque de la córnea y del cristalino. La luz de los objetos distantes es enfocada delante de la retina y la imagen es borrosa.

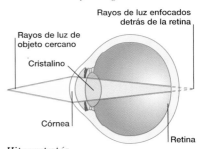

Hipermetropía
En la hipermetropía, el globo ocular es demasiado corto en relación con el poder de enfoque de la córnea y del cristalino. La luz es enfocada detrás de la retina y la imagen es borrosa.

Ver también:
- **Glaucoma agudo pág. 466**
- **Glaucoma crónico pág. 467**
- **Cirugía de errores refractivos pág. 470**

TRATAMIENTO

Gafas y lentes de contacto

La mayoría de los errores de enfoque (refractivos) pueden ser corregidos con gafas o, en el caso de niños mayores y adultos, lentes de contacto. Las gafas pueden corregir la mayor parte de los errores refractivos y no causan complicaciones. Las lentes de contacto son más efectivas para la miopía y la hipermetropía. Requieren ser limpiadas con cuidado con el fin de reducir la posibilidad de infecciones de córnea, sobre la cual se ubican.

Cómo funcionan las lentes correctivas
Las gafas y las lentes de contacto corrigen los errores de refracción alterando el ángulo de los rayos de luz antes de que lleguen a la superficie de la córnea, la capa transparente en el frente del ojo, lo que permite que el cristalino enfoque correctamente los rayos en la retina.

■ La miopía se corrige con lentes cóncavas, que separan los rayos de luz de forma que se enfoquen en la retina y no enfrente de ella.
■ La hipermetropía requiere una lente convexa que hace que los rayos de luz converjan, enfocándolos en la retina y no detrás de ella.

Lentes de contacto
Existen tres tipos de lentes de contacto: rígidas (duras), permeables al gas y blandas. Las blandas son las más usadas y las menos rígidas. Hay lentes desechables que se usan uno o varios días. Las no desechables deben ser limpiadas y desinfectadas diariamente, a menos que se las use durante un período largo (no recomendable). Si el ojo enrojece o comienza a doler, deje de usar las lentes y consulte de inmediato al oftalmólogo.

Dolor ocular

MUCHAS PERSONAS SUFREN DE UNA INCOMODIDAD TEMPORAL O DOLOR ALREDEDOR DE O EN LOS OJOS DE VEZ EN CUANDO.

El dolor ocular no es un término médico ni un diagnóstico. Contrariamente a lo que se cree, los ojos no se dañan por ser usados en condiciones difíciles, como leer letras pequeñas con mala luz o usar gafas de una graduación incorrecta. Aunque el dolor y la incomodidad suelen vincularse al cansancio ocular, por lo general la causa es un dolor de cabeza producto de la tensión o fatiga de los músculos del ojo por frotarlos o restregarlos.

Los síntomas que normalmente se atribuyen al dolor ocular no requieren tratamiento y suelen desaparecer solos, pero si el problema empeora o persiste, debe consultar al médico.

Migraña óptica

LOS SÍNTOMAS CLÁSICOS DE LA MIGRAÑA ÓPTICA INCLUYEN DISTORSIONES VISUALES, DOLOR DE CABEZA Y, POSIBLEMENTE, NÁUSEAS Y VÓMITOS.

A veces los síntomas se limitan a los ojos que presentan **visión borrosa, luces destellantes, halos** alrededor de las luces y **sensibilidad** a la luz que duran más de 30 ó 40 minutos. No hay dolor de cabeza ni náuseas. Cuando los síntomas visuales desaparecen, la migraña también cesa.

Astigmatismo

UNA CURVATURA IRREGULAR DE LA CÓRNEA EN LA PARTE FRONTAL DEL OJO CAUSA EL ASTIGMATISMO, QUE CORRESPONDE A LA VISIÓN DISTORSIONADA QUE PUEDE PROVOCAR LA VISIÓN BORROSA DE LETRAS PEQUEÑAS.

Usted puede notar problemas al leer y, a veces, tanto en la visión de cerca como en la de lejos. Debe acudir al oftalmólogo para realizarse un examen. Por lo general se nace con esta afección.

¿CUÁL ES EL TRATAMIENTO?

■ La visión suele ser corregida con gafas que poseen lentes con curvaturas especiales para compensar la forma irregular de la córnea.
■ Las lentes de contacto rígidas también son efectivas para tratar el astigmatismo porque suavizan la superficie de la córnea.
■ Las lentes de contacto convencionales blandas se amoldan a la superficie de la córnea y normalmente sólo corrigen el astigmatismo leve. Sin embargo, hay lentes de contacto blandas especialmente diseñadas para corregir esta afección (conocidas como **lentes tóricos**).
■ El astigmatismo puede corregirse mediante un tratamiento quirúrgico que retoca la forma de la córnea (ver recuadro, a la derecha). Uno de los más comunes es la cirugía láser, que sólo deja una pequeña cicatriz.

Ver también:
• **Gafas y lentes de contacto pág. 469**

Consejos para los ojos cansados

■ Cuando realice trabajos minuciosos, descanse los ojos levantando la vista de vez en cuando.
■ Si los ojos se secan o hinchan después de realizar un trabajo minucioso (por olvidar pestañear seguido), parpadee un par de veces para enjuagar el globo ocular con lágrimas e hidratarlo.
■ La práctica común de taparse los ojos con las manos para descansarlos no hace daño, pero cerrarlos de vez en cuando es igual de efectivo para refrescarlos y relajarlos.
■ Después de haber llorado prolongadamente, las compresas de agua fría sobre los párpados ayudan a aliviar la incomodidad provocada por los ojos hinchados.
■ No hace daño frotarse los ojos, siempre que no haya ningún objeto extraño dentro de ellos y que frotarlos no cause dolor.

TRATAMIENTO

Cirugía de errores refractivos

Se puede recurrir a la cirugía para corregir algunos errores refractivos en forma permanente. Las tres técnicas principales son:
● la queratomileusis con láser in situ (LASIK), en la que la forma de la córnea es corregida con láser
● la queratotomía radial (KR), en la que la córnea es aplanada por cortes de bisturí
● la queractotomía fotorrefractiva (KFR), en la que parte de la córnea es extraída con láser.

Advertencia:

La queratotomía radial (KR) puede **debilitar** la córnea. La queractotomía fotorrefractiva puede causar una leve cicatriz en la córnea. La LASIK es el método que deja menos cicatrices y el más usado.

Visión doble

SI SUFRE DE VISIÓN DOBLE, ES DECIR, VE DOS IMÁGENES DEL MISMO OBJETO, PUEDE NOTAR QUE EL DEFECTO DESAPARECE SI CIERRA UN OJO.

Sin embargo, debe consultar a su médico de inmediato si repentinamente comienza a experimentar visión doble, porque esto puede significar que hay un trastorno subyacente serio.

¿CUÁLES SON LAS CAUSAS?

■ La causa más común de la visión doble es la debilidad o parálisis de uno o más músculos que controlan los movimientos de un ojo.

■ Muchas afecciones graves que afectan el cerebro y el sistema nervioso pueden causar una discapacidad en los movimientos oculares, la que produce la visión doble. Las causas potenciales incluyen **la esclerosis múltiple, los daños en la cabeza, los tumores cerebrales** y el abultamiento de una arteria al interior de la cabeza causada por la debilidad de la pared del vaso (**aneurisma**).

■ En las personas mayores, la dificultad en el movimiento ocular provocada por la visión doble puede estar relacionada con la **diabetes mellitus** y, rara vez, con la **aterosclerosis** y la **hipertensión**.

■ La visión doble puede ser producida también por un **tumor** o **coágulo sanguíneo** detrás de un ojo, que afecta el movimiento de éste.

¿CÓMO SE DIAGNOSTICA?

■ El médico puede pedirle que cierre alternadamente los ojos para ver si la visión doble desaparece.

■ Probablemente también observará los movimientos del ojo para establecer si alguno de los músculos está debilitado o paralizado y realizarle exámenes visuales especiales para identificar el movimiento débil.

■ Si la visión doble aparece en forma repentina o si no se detecta una causa aparente, debe realizarse una tomografía computarizada (TC) o una imagen por resonancia magnética (IRM) para detectar anormalidades en las cuencas de los ojos o en el cerebro que puedan estar afectando la alineación de los ojos. También puede realizarse un examen neurológico.

> Ver también:
> • **TC pág. 401**
> • **IRM pág. 409**

PÁRPADOS Y LÁGRIMAS

Los párpados y las lágrimas trabajan juntos para evitar que el ojo se dañe. Los párpados actúan como persianas que se cierran para impedir el ingreso de elementos nocivos a los ojos; en tanto que las lágrimas contienen uno de los antisépticos más potentes que se conocen, llamado **lisozima**. Éste mantiene humectada la superficie ocular y ayuda a prevenir infecciones. Los trastornos de los párpados o del sistema lacrimal pueden dañar los ojos, pero muchos se tratan con facilidad si se los detecta precozmente.

Los párpados superiores e inferiores ofrecen una protección esencial. Si algo se acerca al ojo o a la cara, éstos se cierran casi instantáneamente en forma refleja. Es más, cada párpado tiene dos o tres filas de pestañas, las que ayudan a prevenir el ingreso de partículas pequeñas al ojo. Las lágrimas son otra defensa importante. Están hechas de un líquido salado producido por las glándulas lagrimales ubicadas arriba del párpado superior; lubrican la superficie expuesta del ojo y la limpian de cualquier sustancia potencialmente peligrosa, como el polvo y los productos químicos. La producción de lágrimas puede disminuir con la edad, por lo que el uso de lentes de contacto puede resultar incómodo. Sin embargo, la sequedad ocular puede ser parte de una afección llamada síndrome de Sjögren, que incluye artritis y sequedad de boca, además de sequedad ocular.

Blefaritis

LA BLEFARITIS ES LA INFLAMACIÓN, EL ENROJECIMIENTO Y LA ESCAMACIÓN DEL MARGEN DEL PÁRPADO SUPERIOR O INFERIOR, O AMBOS, DEL OJO. A MENUDO SE LA ASOCIA CON LAS GLÁNDULAS SEBÁCEAS DE LAS PESTAÑAS Y CON UNA AFECCIÓN CUTÁNEA LLAMADA DERMATITIS SEBORREICA.

La blefaritis también puede aparecer por una infección bacteriana o por alergia a los cosméticos.

Si padece este mal, los párpados estarán hinchados, rojos y presentarán picazón. Los márgenes de los párpados pueden cubrirse con escamas blandas y grasas, las que se secan formando costras que hacen que las pestañas se peguen entre sí. A veces, las raíces de éstas se infectan, formando un orzuelo.

¿CUÁL ES EL TRATAMIENTO?

■ Puede aliviar los síntomas aplicando un paño limpio, tibio y húmedo sobre el párpado.

■ El proceso de curación podrá acelerarse limpiando los párpados dos veces al día con champú para bebés diluido en agua, en porciones iguales o con una solución para párpados de venta libre en farmacias.

■ Si tiene dermatitis seborreica, tratarla aliviará la blefaritis.

■ Si la blefaritis reaparece con frecuencia, consulte a su médico, quien puede prescribirle antibióticos tópicos. La afección suele desaparecer después de 2 semanas de tratamiento, aunque puede reaparecer.

■ La blefaritis alérgica suele mejorar por sí sola, pero debe evitar el contacto con la sustancia que la provocó.

> Ver también:
> • **Dermatitis seborreica pág. 315**
> • **Orzuelo pág. 543**

ENFOQUE *en* cataratas

Con la edad, las cataratas (pérdida de transparencia del cristalino del ojo) son la causa más común del deterioro de la visión. Éstas se forman por cambios en las delicadas fibras proteicas dentro del cristalino, en un proceso que es similar a la forma en que la clara se solidifica cuando hervimos un huevo.

Producto de una pérdida de transparencia cada vez más aguda, la claridad y el detalle de lo que vemos se pierden progresivamente. Las cataratas suelen ocurrir en ambos ojos, pero casi siempre hay uno más afectado.

Prácticamente todas las personas de más de 65 años tienen algún grado de catarata, aunque esta afección suele ser menor y a veces se limita al borde del cristalino, donde no interfiere con la visión. Una gran cantidad de personas mayores de 75 años experimentan alguna discapacidad visual debido a las cataratas.

¿CUÁLES SON LAS CAUSAS?
No hay que temerle a las cataratas, son tan comunes que se las puede considerar parte normal del proceso de envejecimiento.
- La exposición a la **radiación** ultravioleta producto de la **exposición al sol intenso** incrementa el riesgo, y las cataratas son más comunes en países tropicales que en Europa o América del Norte. Por lo general, aparecen en quienes han pasado gran parte de sus vidas al aire libre, en especial sin utilizar protección en sus ojos.
- La exposición a otros tipos de radiación, incluyendo la radiación **infrarroja** y los **rayos X** puede provocar cataratas.
- Las cataratas pueden aparecer por una **lesión directa en el ojo**, y son casi inevitables si entra una partícula extraña, como un pequeño trozo de metal o vidrio, en el cristalino.
- Son comunes en personas con **diabetes** y pueden aparecer tempranamente si este mal no es bien controlado y los niveles de azúcar son elevados.
- La formación de cataratas puede verse facilitada por el tratamiento prolongado con **corticosteroides**, el envenenamiento con sustancias como la **naftalina** (para matar polillas) o el **ergot** (se forma en los cereales almacenados contaminados por cierto tipo de hongo).
- Exponerse al sol si está consumiendo el antidepresivo herbal de la marca naturista **St John's wort** puede causar cataratas. La **hipericina**, su componente activo, reacciona con la luz visible y ultravioleta produciendo radicales libres que dañan el cristalino. Una vez dañadas, las proteínas producen opacidad en el cristalino, formando la catarata. La hipericina no causa daño proteico si se la mantiene fuera de la luz, de forma que quienes la ingieran deben por lo menos usar sombrero y gafas para el sol.

¿CUÁLES SON LOS SÍNTOMAS?
- Las cataratas son absolutamente indoloras.
- El inicio de los síntomas visuales es casi imperceptible y el avance suele ser muy lento.
- El principal síntoma es la visión borrosa y la **miopía**, que empeora gradualmente. Por eso una persona que solía ser hipermétrope, ahora podrá leer sin usar gafas para leer.
- Los colores se distorsionan, con apagado de los azules y acentuación de los rojos, amarillos y anaranjados; la percepción completa del color se recupera totalmente después de la cirugía.
- ¡Cuidado! No conduzca de noche. A menudo la opacidad del cristalino causa la dispersión de los rayos de luz y, en etapas tempranas inclusive, puede afectar seriamente la visión nocturna.

¿CUÁL ES EL TRATAMIENTO?
Una vez que la catarata se ha desarrollado, los cambios en el cristalino son irreversibles. Hoy, la necesidad de usar lentes gruesos puede evitarse reemplazando el cristalino del ojo con un pequeño implante que se fija en forma permanente durante la cirugía. La cirugía de cataratas logra excelentes resultados en la mayoría de los casos.

Cirugía de cataratas

La catarata es una zona opaca en el cristalino del ojo que causa la pérdida de la visión. Durante la cirugía de cataratas, el cristalino afectado es extirpado y reemplazado por uno artificial utilizando técnicas de microcirugía. La operación suele hacerse bajo anestesia local y probablemente se vaya a casa el mismo día. Primero, el **cristalino es ablandado por una sonda de ultrasonido** y luego el tejido ablandado es extraído. La parte posterior de la cápsula natural del cristalino queda en su lugar y se coloca dentro de ella el cristalino artificial. La incisión en la córnea se cierra con **puntos** quirúrgicos o se deja que cure gradualmente por sí sola.

Ojo seco (queratoconjuntivitis seca)

LA SEQUEDAD PERSISTENTE DEL OJO CAUSADA POR LA PRODUCCIÓN INSUFICIENTE DE LÁGRIMAS SE CONOCE MÉDICAMENTE COMO QUERATOCONJUNTIVITIS SECA. ESTA AFECCIÓN ES CADA VEZ MÁS COMÚN EN MUJERES MAYORES DE 35 AÑOS.

¿CUÁLES SON LAS CAUSAS?

El ojo seco puede ser característico de algunos trastornos autoinmunes en los que las glándulas lagrimales se dañan, como:

- la artritis reumatoide
- el síndrome de Sjögren
- el lupus.

Si nota que sus ojos se secan con frecuencia, debe consultar al médico para que descarte cualquier afección que pueda estar relacionada.

¿CUÁLES SON LOS SÍNTOMAS?

Los síntomas del ojo seco incluyen:

- visión borrosa
- ardor y picazón
- sensación pegajosa.

Si no se trata, puede producir úlceras en la córnea y, eventualmente, cicatrices en dicha membrana.

¿CUÁL ES EL TRATAMIENTO?

■ El médico le recetará lágrimas artificiales para devolver la humedad a los ojos.

■ Debe investigarse la causa subyacente de esta afección y aplicarse el tratamiento adecuado.

■ En algunos casos, puede recurrirse a la cirugía para tapar el conducto que drena las lágrimas del ojo.

Ver también:
- **Lupus pág. 324**
- **Artritis reumatoide pág. 429**

Síndrome de Sjögren

LOS OJOS SECOS SON UN SÍNTOMA IMPORTANTE DE LA AFECCIÓN AUTOINMUNE LLAMADA SÍNDROME DE SJÖGREN.

Otras partes del cuerpo que normalmente están húmedas, nariz, boca, garganta y vagina, también tienden a secarse, lo que produce variados problemas. La artritis, similar a la artritis reumatoide, se manifiesta cuando el proceso autoinmune comienza a destruir las glándulas que producen los líquidos protectores y lubricantes. De cada 10 pacientes, 9 son mujeres menopáusicas.

¿CUÁL ES EL TRATAMIENTO?

■ Las lágrimas artificiales son esenciales para tratar este síndrome.

■ Los controles odontológicos periódicos evitarán el deterioro de los dientes debido a la falta de saliva.

■ La sequedad vaginal se trata con lubricantes vaginales, la TRH y las cremas de estrógenos o pesarios usados vaginalmente.

■ La artritis debe ser tratada de la misma forma que la artritis reumatoide.

Daltonismo

Algunas personas tienen un defecto en los conos, las células especializadas de la retina localizadas en el fondo del ojo, que reduce su capacidad para distinguir ciertos colores. La incapacidad de distinguir el rojo y el verde es el tipo más común de daltonismo, y es un trastorno genético vinculado al sexo. Se produce con menor frecuencia en mujeres que en hombres.

Las causas no hereditarias de daltonismo incluyen ciertas condiciones ópticas, como la degeneración macular. También puede ser efecto secundario de ciertos fármacos, por ejemplo, las que se usan contra la malaria.

El daltonismo no suele causar problemas serios, pero puede excluir a las personas de determinados trabajos donde es esencial poder distinguir colores, como pilotear un avión.

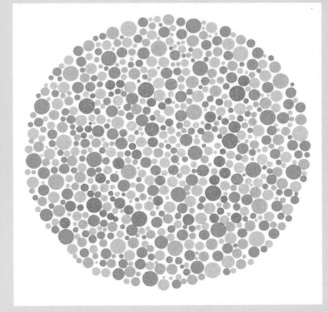

Las personas daltónicas no pueden distinguir el número dentro del círculo.

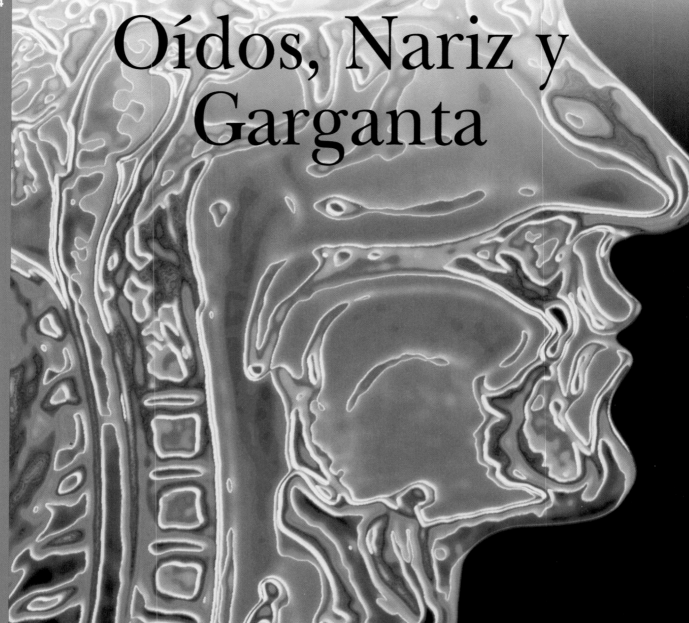

Oídos, Nariz y Garganta

la imagen muestra un corte transversal de una TC (tomografía computarizada) de la cabeza humana, en la cual se ven el cerebro y el canal auditivo.

El resumen de Miriam

Cuando yo era niña, Oídos, Nariz y Garganta (ONG), u otorrinolaringología, era una especialidad importante, si bien abarca una superficie anatómica comparativamente pequeña.

La popularidad de ONG como especialidad médica se debía principalmente a la amigdalectomía, extirpación de las amígdalas, procedimiento que gozaba de gran popularidad hasta hace 30 años.

Se creía que las amígdalas infectadas eran "algo malo" y que los niños estarían mejor sin ellas. Este enfoque resultaba lógico en aquel momento, pero después nos dimos cuenta de que las amígdalas eran, por así decirlo, los guardianes de la garganta y del pecho, y que al infectarse no hacían más que cumplir con su trabajo de evitar que la infección llegara más adentro.

Cuando se adoptó este nuevo enfoque, recuerdo a un cirujano otorrinolaringólogo lamentando las "toneladas de amígdalas" que había sacado innecesariamente.

El mayor conocimiento médico implica cambios en las prácticas. En los años 90, la operación de ONG de moda fue la inserción de cánulas. Ésta era consecuencia de la concepción de que muchos de los casos de enfermedades del oído medio, la otitis media, tenían que ver con "el oído con goma de pegar", un nuevo término acuñado para describir la mucosidad gruesa y pegajosa que llenaba el oído medio en niños pequeños, lo que causaba sordera y luego producía dificultad en la escuela. Se desarrolló una nueva operación para drenar esta mucosidad, lo que permite que el oído trabaje normalmente y que se restituya la audición; ésta consistía en la inserción de cánulas, tubos muy pequeños, en el tímpano que ventilan el oído medio y mantienen abierto el conducto entre el oído y la garganta.

Pero esta moda también, al parecer, cumplió su ciclo. Las cánulas no son tan fáciles de mantener y se caen, por eso se colocan cada vez menos.

> *"nos dimos cuenta de que las amígdalas* eran, por así decirlo, los guardianes *de la garganta y del pecho"*

El ronquido es motivo de bromas y causa de noches sin dormir para compañeros desvelados. Sin embargo, recientemente descubrimos que algunos individuos que roncan corren riesgo de sufrir infartos. Hay personas, especialmente hombres, que tienen períodos de "apnea del sueño", momentos en que dejan de respirar. La cantidad de oxígeno en la sangre disminuye, lo que pone en peligro la salud del corazón.

El ronquido necesita atención inmediata y no sólo ser motivo de bromas y burlas.

AL INTERIOR
de sus oídos, nariz y garganta

Los oídos son responsables de dos sentidos diferentes: la audición y el equilibrio. El oído está formado por estructuras externas, medias e internas. La parte externa, que es visible, se llama **pina** y la abertura hacia el oído medio es el **canal auditivo**. Al final del canal auditivo está el **tímpano**, que vibra en respuesta a las ondas sonoras. Más allá de él se encuentra el **oído medio**, que contiene los **osículos**, tres huesos pequeños que transmiten la vibración que proviene del tímpano a la membrana conocida como **ventana oval**. Detrás de esta membrana se encuentra el **oído interno**. Éste contiene la **cóclea**, que transforma la vibración en impulsos eléctricos que después son transmitidos a través de los nervios hasta el cerebro. El oído interno también contiene estructuras responsables de detectar el movimiento y el equilibrio.

La **trompa de Eustaquio** conecta el oído medio con la parte posterior de la nariz y la garganta, y permite que se mantenga una presión de aire constante a ambos lados del tímpano. La nariz está conformada por la estructura externa visible, las **fosas nasales** y la **cavidad nasal interna**, que calienta y humedece el aire que ingresa. Dentro de los huesos del cráneo se encuentran los **senos**, cavidades que tienen poco uso en los humanos. La parte posterior de la cavidad nasal se conecta con la **garganta**, o faringe. En la parte superior de ésta se encuentran las **amígdalas**, que ayudan a proteger el cuerpo de las infecciones. Al final de la garganta se encuentra la **caja de la voz** (laringe), la estructura que contiene las **cuerdas vocales** que permiten emitir la voz.

cómo funciona el oído

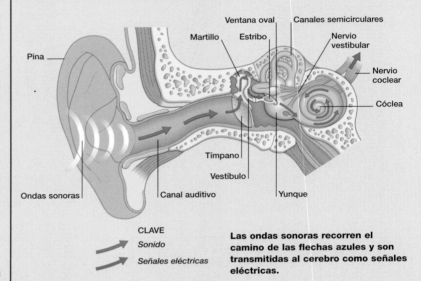

CLAVE
Sonido
Señales eléctricas

Las ondas sonoras recorren el camino de las flechas azules y son transmitidas al cerebro como señales eléctricas.

la nariz y la garganta

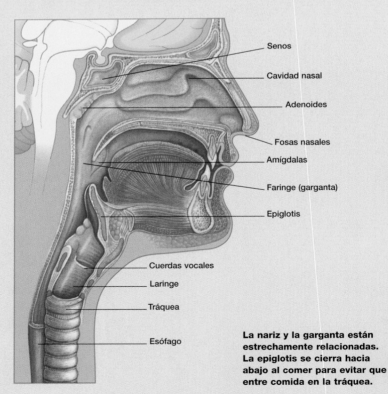

La nariz y la garganta están estrechamente relacionadas. La epiglotis se cierra hacia abajo al comer para evitar que entre comida en la tráquea.

pasos conectores

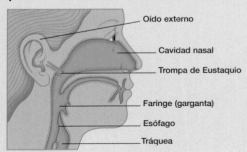

Los oídos, la nariz y la garganta están interconectados. La trompa de Eustaquio mantiene la misma presión en ambos lados del tímpano.

Bloqueo de cera

LA CERA ES PRODUCIDA POR GLÁNDULAS UBICADAS EN EL CANAL AUDITIVO Y SU FUNCIÓN ES LIMPIARLO, HUMECTARLO Y PROTEGERLO. SI HAY UNA PRODUCCIÓN DE CERA EN CANTIDADES MAYORES A LAS NORMALES, PUEDE CAUSAR UN BLOQUEO E INTERFERIR EN LA AUDICIÓN.

Por lo general, la cera del oído es producida en pequeñas cantidades y emerge naturalmente del oído. Si el canal se bloquea con cera, produce una sensación de taponamiento, picazón y a veces pérdida de la audición.

ADVERTENCIA
En circunstancias normales, el canal auditivo se limpia por sí solo. Nunca use hisopos, algodones o sus dedos para quitar la cera, pues sólo la compactará, endureciéndola.

¿CUÁL ES EL TRATAMIENTO?
■ El bloqueo de cera puede tratarse con gotas de venta libre, siguiendo las instrucciones del fabricante, y normalmente disolverán el tapón en un plazo de 4 a 10 días.
■ Si el oído sigue bloqueado, debe consultar al médico.
■ El médico utilizará un instrumento (otoscopio) para inspeccionar el canal auditivo.
■ Podrá succionar la cera con una sonda u otro elemento de aspiración.
■ Podrá enjuagar el oído con agua tibia que inyectará con una jeringa.
■ A veces, el bloqueo de cera reaparece después del tratamiento, ya que algunos canales auditivos producen más cera que otros.

Enfermedad de Ménière

EN LA ENFERMEDAD DE MÉNIÈRE, EL LÍQUIDO DEL OÍDO INTERNO AUMENTA OCASIONALMENTE. EL AUMENTO DE PRESIÓN EN EL OÍDO INTERNO ESTORBA A LOS ÓRGANOS DE LA AUDICIÓN Y EL EQUILIBRIO, CAUSANDO ATAQUES REPENTINOS DE ZUMBIDO EN LOS OÍDOS Y MAREOS SEVEROS.

Los ataques de la enfermedad de Ménière ocurren repentinamente y pueden durar desde unos pocos minutos hasta varios días antes de comenzar a ceder.

¿CUÁLES SON LOS SÍNTOMAS?
Los síntomas pueden incluir:
● mareos repentinos y agudos y pérdida del equilibrio (vértigo)
● náuseas y vómitos
● movimientos incontrolables del ojo
● ruidos o zumbidos en los oídos (tinitus)
● sensación de presión en el oído afectado.
 El tiempo entre un ataque de la enfermedad de Ménière y otro va desde unos pocos días hasta años. El tinitus puede ser constante u ocurrir sólo durante los ataques. Entre un ataque y otro, el vértigo y las náuseas desaparecen y la audición puede mejorar. Si los ataques se repiten, la audición se va deteriorando progresivamente.

¿CÓMO SE DIAGNOSTICA?
■ El médico puede indicarle que se haga exámenes auditivos para evaluar la pérdida de la audición.

■ Exámenes como la TC (tomografía computarizada) y la IRM (imagen de resonancia magnética) también son útiles.

¿CUÁL ES EL TRATAMIENTO?
■ Pueden recetarle medicamentos para aliviar las náuseas (drogas antieméticas).
■ Se puede administrar un antihistamínico para aliviar las náuseas y el vértigo, y reducir la frecuencia de los episodios.
■ Sedantes como el diazepam se pueden prescribir para aliviar el vértigo. Se pueden emplear diuréticos para ayudar a evitar otros ataques.

AUTOAYUDA
■ Durante un ataque repose con sus ojos cerrados y evite los ruidos; use tapones auditivos si es necesario.
■ Entre un episodio y otro, evite el estrés.
■ Las técnicas de relajación pueden ayudarle.
■ Una dieta con poca sal puede ayudar. No agregue sal al cocinar y evite comidas saladas, como pescado ahumado y embutidos.

Para personas que padecen de vértigo invalidante, una operación que secciona el nervio entre el oído interno y el cerebro es la última alternativa. La operación cura el vértigo y previene la pérdida auditiva.

¿CUÁL ES EL PRONÓSTICO?
■ Los síntomas de la enfermedad de Ménière suelen mejorar con la medicación.
■ La frecuencia y la gravedad de los episodios tienden a disminuir con los años.
■ Sin embargo, la audición suele empeorar progresivamente con cada ataque y el resultado final puede ser la pérdida total de la audición.
■ Para el momento en que la pérdida de la audición es severa, los otros síntomas habrán desaparecido.

Ver también:
● **TC pág. 401** ● **IRM pág. 409**
● **Relajación pág. 292**
● **Tinitus pág. 478** ● **Vértigo pág. 418**

Otosclerosis

EN LA OTOSCLEROSIS SE PRODUCE UN CRECIMIENTO ÓSEO ANORMAL ALREDEDOR DE UNO DE LOS TRES PEQUEÑOS HUESOS (OSÍCULOS) DEL OÍDO MEDIO, LO QUE IMPIDE LA TRANSMISIÓN DE LAS VIBRACIONES SONORAS AL OÍDO INTERNO Y CAUSA SORDERA. USUALMENTE AMBOS OÍDOS SON AFECTADOS, AUNQUE NO SIEMPRE DE IGUAL MANERA.

El crecimiento óseo anormal en el oído medio, llamado otosclerosis, afecta a 1 de cada 12 personas, y a veces produce la pérdida de la audición, aunque puede no presentar síntomas. Éstos se desarrollan entre los 20 y 30 años. No sabemos por qué se produce la enfermedad, es dos veces más común en mujeres y 3 de cada 5 casos tienen antecedentes familiares.

¿CUÁLES SON LOS SÍNTOMAS?
Los síntomas de la otosclerosis se desarrollan gradualmente y pueden incluir:

- pérdida de la audición en la que los ruidos se perciben sordos, pero a veces mejoran si hay ruido de fondo
- tañido o zumbido en los oídos (tinitus, ver abajo)
- en casos graves, mareos y falta de equilibrio (vértigo).

¿QUÉ SE PUEDE HACER?
Su médico probablemente pueda diagnosticar la otosclerosis a partir de los resultados de exámenes auditivos y de su historia familiar. La enfermedad no puede detenerse, pero un mecanismo de asistencia auditiva puede ser útil. De lo contrario, consulte a su médico sobre la posibilidad de someterse a una cirugía para liberar los osículos.

> **Ver también:**
> - **Vértigo pág. 418**

Tinitus

LAS PERSONAS CON TINITUS ESCUCHAN SONIDOS QUE SE ORIGINAN EN EL PROPIO OÍDO. ESTOS SONIDOS PUEDEN INCLUIR TAÑIDOS, ZUMBIDOS, SILBIDOS, RUGIDOS Y CHIRRIDOS QUE PUEDEN IR AL COMPÁS DEL RITMO CARDÍACO O, MÁS COMÚNMENTE, OCURREN EN FORMA CONTINUA Y PERMANENTE.

¿CUÁLES SON LAS CAUSAS?
El tinitus puede no tener una causa aparente, pero suele ser parte de la **enfermedad de Ménière**. Las personas con anemia, hipertiroidismo o que han sufrido heridas en la cabeza pueden padecer tinitus, y el tratamiento con varios medicamentos, como la aspirina y los antibióticos, también pueden causarlo.

Si desarrolla tinitus, especialmente si éste afecta sólo un oído, debe consultar a su médico de inmediato. Cuando el tinitus es continuo y permanente puede provocar depresión y trastornos de la ansiedad.

¿QUÉ SE PUEDE HACER?
EXÁMENES
Después de observar el tímpano con un otoscopio, el médico puede pedir exámenes auditivos y análisis de sangre para detectar anemia, como también una TC (tomografía computarizada) o IMR (imagen de resonancia magnética).

TRATAMIENTO
- Si se encuentra una causa subyacente, como un trastorno de la tiroides, y se la trata con éxito, el tinitus puede mejorar.
- Si el tinitus persiste, su médico puede recomendar un aparato llamado "**masker**", que se lleva detrás del oído como un audífono y produce un sonido que lo distrae del tinitus.
- Si esta afección está acompañada de pérdida de la audición, un audífono puede dar alivio aumentando su percepción del ruido de fondo al tiempo que cubre los sonidos internos.

- Muchas personas con tinitus encuentran que el ruido de fondo, como la música, reduce la percepción de los sonidos dentro del oído.
- Si el tinitus es muy perturbador o causa depresión y ansiedad, la ayuda profesional, los grupos de autoayuda o los ejercicios de relajación pueden ayudarle.

> **Ver también:**
> - **TC pág. 401**
> - **Enfermedad de Ménière pág. 477**
> - **IRM pág. 409**

Laberintitis

EN LA LABERINTITIS, LA PARTE DEL OÍDO INTERNO CONOCIDA COMO LABERINTO SE INFLAMA.

Ya que el laberinto contiene los órganos del equilibrio y la audición, la inflamación de esta parte del oído causa mareos, náuseas, vómitos y tinitus.

¿CUÁL ES EL TRATAMIENTO?
La laberintitis suele diagnosticarse a partir de los síntomas. El médico puede sugerirle:

- antibióticos, para la laberintitis bacteriana
- que descanse en un cuarto oscuro con los ojos cerrados
- un fármaco antiemético para aliviar las náuseas.

Puede tomarle algunas semanas recuperarse de la laberintitis, así es que tómese su tiempo.

Trastornos asociados con el movimiento

ESTOS TRASTORNOS APARECEN CUANDO EL MOVIMIENTO CAUSA MALESTAR EN LOS ÓRGANOS DEL EQUILIBRIO, CON SÍNTOMAS QUE VAN DESDE NÁUSEAS HASTA VÓMITOS Y DESMAYOS.

Los trastornos que aparecen con el movimiento son muy comunes en algunas familias. Cuando la sensación de movimiento no corresponde con lo que los ojos ven, causa confusión en el cerebro y eso produce el trastorno. El problema puede ocurrir, por ejemplo, cuando sube a una montaña rusa o cuando viaja en auto, barco o avión. Los niños tienden a sufrir este malestar más que los adultos, aunque no se sabe por qué; la mayoría lo supera antes de la adolescencia.

¿SON GRAVES?

Los trastornos producidos por el movimiento no son graves, pero son un inconveniente. En un niño pequeño se corre el riesgo de que los vómitos prolongados causen deshidratación.

¿QUÉ DEBO HACER PRIMERO?

1. Recuéstese.
2. Cierre los ojos para minimizar las señales confusas que recibe el cerebro.

POSIBLES SÍNTOMAS

- Náuseas.
- Vómitos.
- Frente pálida, húmeda y fría.
- Debilidad o mareos.
- Desmayo.

¿DEBO CONSULTAR AL MÉDICO?

Consulte a su médico si sufre trastornos asociados con el movimiento, aunque sea en viajes cortos, o si los medicamentos de venta libre para estos malestares no funcionan.

¿QUÉ PUEDE HACER EL MÉDICO?

Después de preguntarle sobre los síntomas y su frecuencia, el médico puede recetarle una droga como un **antihistamínico**, aunque algunos pueden tener efectos secundarios, como la somnolencia.

AUTOAYUDA

- Prevenga los trastornos asociados con el movimiento tomando un medicamento para este tipo de afección antes de empezar un viaje. Existen varios fármacos de venta libre disponibles en farmacias.
- Coma algo liviano antes de partir. No viaje con el estómago lleno.
- Lleve abundante líquido, o asegúrese de poder comprarlo en la ruta, para evitar la deshidratación en caso de vómitos. Las bebidas frescas pueden también reducir la sensación de náuseas.
- Lleve algunas bolsas (las de papel grueso son mejores) en caso de vómitos.
- Algunas personas encuentran que usar una pulsera de cobre en la muñeca les ayuda.

Hemorragia nasal

LA HEMORRAGIA NASAL PUEDE OCURRIR POR VARIOS MOTIVOS, INCLUYENDO LESIONES, METERSE LOS DEDOS EN LA NARIZ, SONARLA CON FUERZA, TENER UN CUERPO EXTRAÑO EN SU INTERIOR Y COMO SÍNTOMA DE ALGUNAS ENFERMEDADES. ESTAS HEMORRAGIAS SUELEN SER COMUNES EN NIÑOS Y PERSONAS MAYORES DE 50 AÑOS.

El sangrado de la nariz, especialmente de una de las fosas nasales, es común en niños, pero por lo general se detiene solo y no es de gravedad. Proviene de un conjunto de vasos sanguíneos al interior de las fosas y justo bajo el tejido nasal. Las hemorragias también son comunes, y a veces muy serias, en personas mayores de 50 años, en las que el sangrado puede venir de la parte posterior de la nariz y ser difícil de detener, en especial si está acompañado de hipertensión.

¿CUÁLES SON LAS CAUSAS?

Las hemorragias nasales pueden ser provocadas por lesiones en la nariz, por meterse el dedo en ella o sonarse con fuerza. En los niños, las hemorragias suelen ocurrir como resultado de algún juego brusco. Un cuerpo extraño que ha entrado en la nariz o una infección del tracto respiratorio superior también pueden resultar en una hemorragia nasal.

continúa en pág. 481

Pólipos nasales

Los crecimientos carnosos benignos de los tejidos que segregan mucus dentro de la nariz, conocidos como pólipos nasales, no tienen una causa conocida. Pueden bloquear la nariz y originar una voz nasal, producir que la nariz gotee y la disminución del sentido del olfato.

¿Qué se puede hacer?

- Puede tomarse una pequeña muestra de un solo pólipo para examinarla bajo el microscopio y descartar causas malignas.

- Los pólipos pequeños pueden tratarse con un corticosteroide en atomizador, que los reduce en algunas semanas.
- Los pólipos más grandes pueden extirparse mediante un procedimiento endoscópico. El atomizador de corticosteroides también puede ser necesario por varios meses para prevenir su reaparición.
- En casos más serios, pueden prescribirse corticosteroides orales.

ENFOQUE *en* el ronquido

El ronquido es un sonido que se produce cuando algún tejido del fondo de la garganta, como la úvula, bloquea las vías aéreas superiores durante el sueño. Puede ser síntoma de un trastorno más grave llamado apnea del sueño, más común en los hombres.

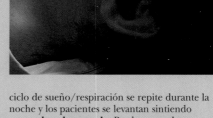

Un flujo de aire turbulento provoca vibraciones violentas en el paladar blando o en otras estructuras de la **boca**, la **nariz** y la **garganta**. Dependiendo de cuán flexibles sean esas estructuras, las vibraciones pueden producir ronquidos de una resonancia tal, que los decibelios se pueden escuchar en toda la casa, alterando el sueño de todos los que estén en ella.

La mayoría de las causas del ronquido se remedia con facilidad, y hay una buena posibilidad de que un tratamiento simple o un cambio en el estilo de vida mejoren significativamente las cosas. Pero hay otras causas más complejas que necesitan investigación y tratamiento especiales.

Tratamiento

Cirugía

Existe un gran número de nuevas operaciones quirúrgicas para personas que roncan y que presentan obstrucciones o deformidades en la boca, nariz y garganta. Sin embargo, no se garantiza que funcionen.

Si el ronquido es acompañado por apnea del sueño, que es perjudicial para la salud, hay tratamientos quirúrgicos que pueden ser realizados por un otorrinolaringólogo cirujano. Pregúntele a su médico acerca de estas posibilidades.

Somnoplastia

Es un nuevo tratamiento revolucionario que usa energía de radiofrecuencia de bajo poder y baja temperatura reducirá el tamaño de su paladar blando.

Uvuloplastia asistida por láser – UPAL

Es un tratamiento láser de dióxido de carbono que reducirá la longitud y flexibilidad del paladar y la úvula. La técnica da nueva forma al paladar blando y es un tratamiento efectivo para los roncadores de paladar.

Cirugía correctiva del canal nasal – septoplastia/polipectomía nasal

Cirugía menor que abre el pasaje nasal removiendo un pólipo o corrigiendo la deformidad que causa la reducción del tamaño del pasaje nasal.

Amigdalectomía

Cuando las amígdalas y las paredes de la faringe causan una obstrucción, esta operación beneficiará a un pequeño número de personas que roncan y a quienes sufren apneas del sueño leves.

¿CUÁLES SON LAS CAUSAS?

Algunos factores nos hacen más propensos a roncar. El cigarrillo, el sobrepeso, el alcohol, las pastillas para dormir, la mala posición durante el sueño y la reacción al polvo son responsables de esta afección. Evitar estos factores reducirá la probabilidad de roncar.

Diversas cosas nos hacen más propensos a roncar:

● la obstrucción causada por la lengua si ésta cae hacia atrás
● fosas nasales pequeñas o cerradas
● tabique nasal desviado, por ejemplo, a causa de una lesión deportiva
● congestión de catarro repentina
● paladar o úvulas blando, grandes y colgantes
● huesos nasales grandes en las fosas nasales
● pólipos nasales
● en niños, adenoides grandes y respiración bucal.

¿ES PELIGROSO RONCAR?

Roncar no es en sí mismo grave, pero puede ser síntoma de un trastorno más serio, la apnea del sueño, en la que la persona que ronca deja de respirar varias veces en una hora de sueño. El punto es que quienes la padecen son propensos a las arritmias e incluso a los infartos.

La persona más vulnerable es un hombre mayor de 45 años o una mujer menopáusica que no está haciendo una terapia de reemplazo hormonal. Por eso, si usted es de edad mediana y ronca, pídale a su médico que lo controle.

¿QUÉ ES LA APNEA DEL SUEÑO?

Apnea significa literalmente la incapacidad temporal de respirar. La apnea del sueño se da cuando un paciente deja de respirar durante el sueño. La pausa en la respiración hace que baje el nivel de oxígeno en la sangre, que provoca que el cuerpo vuelva a respirar. El ciclo de sueño/respiración se repite durante la noche y los pacientes se levantan sintiendo que **no han descansado**. Por lo general, no están conscientes de su condición.

¿CUÁLES SON LOS SÍNTOMAS DE LA APNEA DEL SUEÑO?

Los síntomas comunes son:
● ronquido fuerte
● sensación de ahogo y falta de aliento por la noche
● sueño inquieto y falta de descanso
● sueño excesivo durante el día
● cambios de la personalidad
● dolor de cabeza matutino.

¿QUÉ SE PUEDE HACER?

Algunos hospitales tienen **clínicas de apnea del sueño** y **ronquidos** que pueden investigar la causa del ronquido y diagnosticar la apnea. Su médico puede derivarlo para que se realice exámenes especiales que permitan diagnosticar la causa de su ronquido y recomendar un tratamiento.

CAMBIOS DE ESTILO DE VIDA

Algunos pacientes con sobrepeso son considerados **roncadores "de peso"**. Se les da un programa de reducción de peso, y el solo hecho de enflaquecer suele ofrecer la cura completa.

¿EN QUÉ AYUDA BAJAR DE PESO?

Los problemas de ronquido suelen empeorar si además se tiene sobrepeso. La reducción del peso, en el grado que sea, suele ofrecer un alivio significativo, por lo que un buen plan de alimentación puede ser muy útil.

continúa en pág. 479

¿QUÉ PUEDO HACER?

■ Ejerza presión directa sobre la parte blanda de la nariz apretando ambos lados de ésta por al menos 15 minutos y respire por la boca.
■ Evite aspirar o sonar su nariz porque puede mover el coágulo de sangre que se ha formado y causar otra hemorragia.
■ Si el sangrado persiste por media hora o más, busque atención médica.

■ Si las membranas de la nariz están secas y agrietadas, aplique en esta zona una pomada a base de agua varias veces al día o use un atomizador salino para evitar nuevas hemorragias.

¿QUÉ PUEDE HACER EL MÉDICO?

Una hemorragia nasal persistente requerirá tratamiento hospitalario.
■ El médico puede taparle la nariz con esponjas nasales que se dejan puestas por un par de días.

■ También puede insertarse un tubo flexible con un pequeño globo inflable en la punta para detener la hemorragia haciendo presión sobre los vasos.
■ Los vasos afectados pueden ser cauterizados (sellados usando calor o productos químicos) bajo anestesia local.
■ Pueden realizarle análisis sanguíneo para controlar qué tan bien coagula su sangre.

Sinusitis

SINUSITIS SIGNIFICA INFLAMACIÓN DE LOS SENOS, CAVIDADES LLENAS DE AIRE QUE ESTÁN DENTRO DEL CRÁNEO DETRÁS DE LA NARIZ, LOS OJOS, LAS MEJILLAS Y LA FRENTE. EL PROBLEMA SUELE SER PROVOCADO POR UNA INFECCIÓN BACTERIANA SECUNDARIA EN LOS SENOS BLOQUEADOS.

Los senos se encuentran cubiertos por una membrana que segrega mucus y están conectados con la cavidad nasal por medio de canales angostos. En los humanos, desempeñan una función mínima.

¿CUÁLES SON LAS CAUSAS?

La causa primaria más común de la sinusitis es una infección viral, como un resfrío común. Si los conductos que conectan la nariz con los senos se bloquean debido a esta infección, el mucus se acumula en los senos. Cuando éste no puede drenar, puede sufrir una infección bacteriana.

El bloqueo de los conductos es más común en personas que presentan anormalidades en la nariz, como pólipos nasales o el tabique desviado (torsión del cartílago que divide internamente a la nariz en dos). Quienes padezcan de fiebre del heno o fibrosis quística también son más propensos a desarrollar sinusitis.

¿CUÁLES SON LOS SÍNTOMAS?

En los adultos, los síntomas dependen de cuáles son los senos afectados y pueden incluir:
● dolor de cabeza
● dolor y sensibilidad en la cara que tiende a empeorar al agacharse
● dolor de muelas, si los senos detrás de las mejillas están afectados
● secreción nasal espesa y amarilla
● congestión u obstrucción nasal.

AUTOAYUDA

Inhalación de vapor

Inhalar vapor de un recipiente de agua caliente puede ayudar a aliviar los síntomas de resfríos, anginas, sinusitis y laringitis. La humedad del vapor afloja las secreciones de las vías respiratorias superiores congestionadas, ayudándolas a despejarse. También puede dejar correr el agua caliente en el baño e inhalar el vapor. Los niños no deben hacer estas inhalaciones a menos que estén supervisados por un adulto.

Preparación

Llene un tercio del recipiente con agua caliente. Inclínese sobre él, coloque una toalla tapando su cabeza y el recipiente, e inhale el vapor durante algunos minutos.

Mi madre solía agregar bálsamo de los frailes (Friar's Balsam), en el agua, pero usted puede usar los productos mentolados de venta libre que ofrecen en las farmacias. Algunas personas prefieren aceites aromáticos de hierbas solubles en agua.

Inhalar vapor es una buena forma de despejar la nariz o senos bloqueados y aliviar el dolor de garganta.

En algunos casos, la infección se propaga y causa enrojecimiento e hinchazón en la piel que rodea el ojo.

AUTOAYUDA

En muchos casos, la sinusitis desaparece sin tratamiento.

■ Los analgésicos y descongestionantes, ambos de venta libre, pueden aliviar los síntomas.

■ Las inhalaciones de vapor suelen ayudar a despejar la nariz y a aliviar los síntomas.

■ Si los síntomas empeoran o no mejoran en tres días, debe consultar al médico.

¿QUÉ PUEDE HACER EL MÉDICO?

Los tratamientos y exámenes pueden incluir:

● antibióticos recetados para resolver una infección bacteriana secundaria

● si la sinusitis reaparece o no se despeja por completo, se pueden tomar radiografías para ver si hay tejido engrosado de los senos y exceso de mucus

● endoscopia nasal

● una TC (tomografía computarizada) para buscar una causa específica, como pólipos nasales

● la cirugía puede ser necesaria para agrandar

los conductos de drenaje desde los senos hasta la nariz o para crear otros nuevos.

La sinusitis aguda suele desaparecer en algunas semanas, pero los síntomas de la sinusitis crónica pueden durar un par de meses y requerir un tratamiento de antibióticos prolongado.

Ver también:
● **Fiebre del heno pág. 319**
● **TC pág. 401**
● **Fibrosis quística pág. 521**

Laringitis

LA INFLAMACIÓN DE LA LARINGE (CAJA DE LA VOZ) SE CONOCE COMO LARINGITIS O "DOLOR DE GARGANTA".

La laringitis suele ser causada por una infección, a menudo viral, y produce ronquera. Es más común en personas que fuman o beben con frecuencia.

¿CUÁLES SON LOS SÍNTOMAS?

Los síntomas, por lo general, se desarrollan en un lapso de 12 a 24 horas y varían dependiendo de la causa subyacente. Pueden incluir:

● ronquera

● pérdida gradual de la voz

● dolor en la garganta, especialmente al hablar.

A veces la laringitis está asociada con nódulos en las cuerdas vocales producto de sobreexigencia o del mal uso.

¿QUÉ PUEDO HACER?

Cuando las cuerdas vocales se inflaman, necesitan descansar. En ambas formas de laringitis descansar la voz puede ayudar a aliviar el dolor y a evitar daños mayores en las cuerdas vocales. La laringitis aguda causada por una infección viral suele desaparecer sin tratamiento; en cambio, no existe tratamiento específico para la laringitis crónica.

La ronquera repentina en personas de edad mediana o avanzada siempre debe investigarse ya que puede indicar cáncer o una enfermedad pulmonar subyacente.

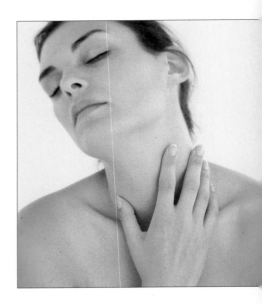

Cáncer de la laringe

EL CÁNCER DE LA LARINGE SUELE CAUSAR RONQUERA PERSISTENTE.
ES MÁS COMÚN ENTRE LOS 55 Y 65 AÑOS, Y ES CINCO VECES MÁS FRECUENTE EN LOS HOMBRES,
ESPECIALMENTE SI FUMAN Y BEBEN.

En 3 de cada 5 casos, el cáncer se desarrolla en las cuerdas vocales.

¿CUÁL ES EL TRATAMIENTO?

■ Pueden recomendarle la cirugía para extirpar parte o toda la laringe y/o radioterapia.

■ Si la laringe debe ser extirpada, me temo que no podrá ser posible volver a hablar en forma normal.

Sin embargo, se han desarrollado varias técnicas que le permiten hablar sin utilizar la

laringe. La terapia del habla le enseña a hablar usando el esófago, o quizás pueda aprender a hablar con la ayuda de un artefacto electromecánico portátil que genera sonidos. Como alternativa, hay un pequeño aparato conocido como implante traqueoesofágico que puede ser colocado para ayudarle a hablar.

¡BUENAS NOTICIAS!

En más de 9 de cada 10 casos, el tratamiento es exitoso si el tumor se desarrolla en las cuerdas vocales y se detecta y trata precozmente.

!

<u>ADVERTENCIA:</u>
Toda ronquera
sin razón aparente
a edad mediana o avanzada
debe ser evaluada
por su médico.

Dientes y Encías

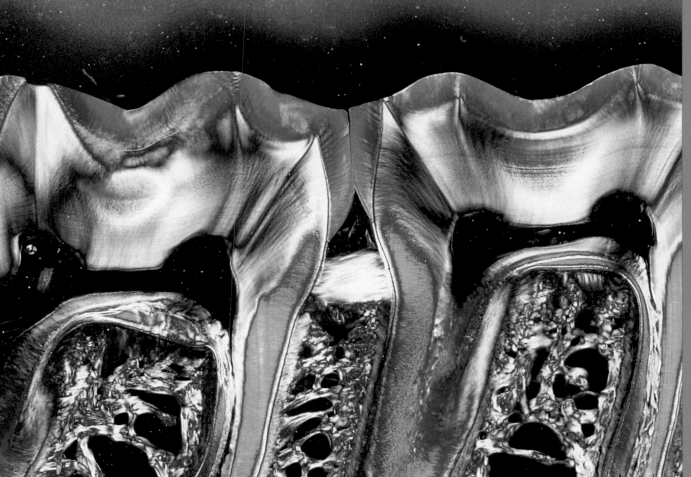

Micrografía de luz polarizada de un corte transversal de los molares inferiores

El resumen de Miriam

El viejo chiste dice: "Un dentista mirando la boca de un paciente: 'Sus dientes están bien, pero vamos a tener que sacar las encías'". Y hay mucho de cierto en eso.

Sin encías sanas, los dientes no pueden estar sanos. Las infecciones en los espacios al borde de las encías, causadas por la placa bacteriana, eventualmente aflojan el ajuste de los dientes en el hueso mandibular, lo que provoca infecciones, dientes "sensibles", dolor, dificultad para masticar y eventual pérdida de los dientes, pues éstos simplemente se caen.

"sin *encías sanas,* los dientes no pueden estar sanos"

Existen dos formas principales de mantener la salud de las encías: previniendo la acumulación de placa alrededor de los dientes de nuestros hijos, para lo cual hay que restringirles los alimentos con azúcar, y asegurándonos de que los niños crezcan con buenos hábitos de higiene dental y los mantengan durante toda su vida.

A medida que crecemos, esto requiere más que el cepillado. Se forman espacios entre los dientes donde puede alojarse comida fermentada que crea las condiciones ideales para las bacterias que destruyen las encías. Cada comida requiere, entonces, el ritual del cepillado y el uso del hilo o seda dental (o de palillos dentales o microcepillos) para deshacerse de todos los fragmentos de alimento.

La odontología estética apareció hace 20 años y es muy popular. Va más allá de los aparatos que usan los adolescentes para enderezar los dientes torcidos. Los dientes manchados pueden ser blanqueados, se los puede rellenar, rearmar, reemplazar, se les pueden poner coronas tanto para conservarlos como para mejorarlos.

Los dientes se consideran accesorios cuya apariencia es importante no sólo para nuestra moral, sino también por razones profesionales. Una sonrisa atractiva es tan importante para quien se gana la vida con su imagen como cualquier otra parte de su cuerpo.

"*cada comida* requiere, entonces, el ritual del *cepillado* y el uso del *hilo o seda dental*"

AL INTERIOR
de sus dientes y encías

La primera dentadura de los niños tiene 20 piezas, los **dientes primarios** o **de leche**, que emergen de las encías entre los seis meses y los tres años. Éstos comienzan a ser reemplazados por los 32 **dientes secundarios** alrededor de los 6 años, y, por lo general, el proceso termina alrededor de los 21.

Todos los dientes tienen la misma estructura. Cada uno tiene una coraza dura que rodea una cavidad llena de tejido blando, llamada **pulpa**. La parte expuesta del diente, o **corona**, está cubierta por una capa de **esmalte** duro, y debajo de éste hay una sustancia llamada **dentina**, similar al marfil. Las **raíces** largas y puntiagudas se extienden desde la dentina y la pulpa hacia la mandíbula y están selladas por una capa de tejido firme y carnoso llamado **encías**.

la estructura del diente

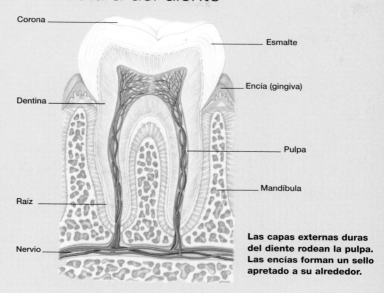

Corona

Esmalte

Encía (gingiva)

Dentina

Pulpa

Mandíbula

Raíz

Nervio

Las capas externas duras del diente rodean la pulpa. Las encías forman un sello apretado a su alrededor.

Cuidado de los dientes y encías

LA SALUD DE LOS DIENTES DEPENDE, POR LO MENOS, EN UN 50 POR CIENTO DE LA SALUD DE LAS ENCÍAS: EN EL MUNDO OCCIDENTAL SE PIERDEN MÁS DIENTES POR ENFERMEDADES DE LAS ENCÍAS QUE POR SU PROPIO DESGASTE.

Cepillar los dientes regularmente (al menos dos veces por día) es la mejor forma de mantener y proteger la salud de dientes y encías.

Muchos dentistas estarán de acuerdo en que lo más importante es usar un método que le convenga y que sea eficiente. Inicialmente se sugería un método que aplicaba un movimiento hacia abajo para los dientes superiores y un movimiento hacia arriba para los inferiores. Éste, sin embargo, demostró ser la mitad de efectivo que la técnica que actualmente se recomienda, una acción suave, corta, rápida y de vaivén en el plano horizontal usando el **borde** y el **lateral** del cepillo. No presione demasiado ni haga fuerza con el cepillo, ya que esto puede dañar el delicado borde de las encías. Si no puede cepillarse entre comidas, una goma de mascar sin azúcar puede ayudar. Evite las comidas y bebidas con azúcar. Si su agua no tiene flúor, consulte al dentista sobre tabletas o gotas que lo contengan.

HILO DENTAL
Usar hilo o seda dental es una excelente forma de complementar el cepillado. Debe usarlo con cuidado de no dañar los delicados bordes de la encía. Úselo así:
1. Enrolle unos 10 ó 15 cm de hilo dental entre los primeros dos dedos de cada mano.
2. Deslícelo suavemente entre dos dientes, presionándolo contra el costado del diente (pero sin friccionar la encía). Luego muévalo hacia arriba, presionando contra el costado del otro diente y retirando cualquier desecho que pudiera haber quedado.

CUIDADO DENTAL
■ El dentista limpiará los dientes y eliminará los depósitos de sarro de los bordes de las encías. Las visitas deberían hacerse cada seis meses.
■ Los niños, cuyos dientes y huesos están en formación, deben incorporar el suficiente calcio y vitamina D en sus dietas.

continúa en pág. 488

ENFOQUE
en miedo al dentista

Una de las fobias más comunes es el miedo al dentista. Con sólo pensar en entrar a la sala de espera podemos empezar a sentir un sudor frío. Es muy importante mantener en buen estado los dientes y las encías, y para eso hay que realizarse controles periódicamente. Pero superar nuestro miedo al dentista puede ser un camino cuesta arriba.

Hoy, la odontología cuenta con procedimientos bastante indoloros. De hecho, muchos dentistas se esmeran para que sus tratamientos sean lo más cómodos posible. He conocido a un dentista, por ejemplo, que les proporciona auriculares a los pacientes para que no escuchen el ruido del torno o fresa, el llamado "ruido blanco", y otro que se sienta y conversa hasta que la anestesia hace efecto.

● Otra posibilidad es pedirle al dentista que aplique un **anestésico local en gel** sobre sus encías antes de inyectar. Pídale que ponga primero sólo la mitad de la inyección de anestesia, que espere unos cinco minutos, y que luego inyecte el resto. De esta forma no sentirá nada.

● También está la **jeringa sin aguja**, o **analgesia dental eléctrica**, que aplica un pulso eléctrico moderado que el paciente controla y que bloquea las señales de dolor enviadas al cerebro.

● Algunos dentistas usan una técnica llamada **sedación por inhalación** cuando realizan extracciones. El paciente está consciente en todo momento, pero es calmado respirando una mezcla de **óxido nitroso** y oxígeno.

● En casos extremos se puede usar **anestesia general**, pero sólo puede administrarse en un hospital.

● Una alternativa utilizada por algunas personas es aplicarse una inyección de **valium** en el brazo para relajarse. Así, aunque están despiertas, se encuentran tan relajadas que no sienten nada. El único problema es que tienen que ir acompañadas porque el efecto dura por varias horas. Estas inyecciones no son adictivas.

AUTOAYUDA
Haga este ejercicio para aliviar inmediatamente un ataque de pánico (ver pág. 287).

Visualización
1. Imagine que va al dentista y visualice el viaje desde el momento que sale de su casa hasta que llega a la puerta de la consulta. Piense en sus reacciones. Realice ejercicios de relajación (ver página opuesta) para reducir la ansiedad. A medida que se familiariza con lo que ve, vaya más allá, observando igual que antes.

2. Visualícese en la recepción, en la sala de espera o en cirugía. Imagine que el dentista le dice que deberá tomarle unos exámenes. Quédese con esto y observe sus reacciones, aunque quiera escapar. Observe lo que está pensando, quizás está imaginando un tratamiento complicado.

Si estas ideas le quedan dando vueltas, no las elimine. Quédese con ellas hasta que no surtan ningún efecto.

• La Fundación Británica de Salud Dental (BDHF, por sus siglas en inglés) sugiere que una de las mejores formas de encontrar un dentista **comprensivo con los pacientes nerviosos** es mediante la recomendación de un amigo. Los médicos suelen conocer algunos dentistas comprensivos. También puede contactar a los centros odontológicos locales y explicar que usted se pone muy nervioso y preguntar qué tratamiento tienen para personas como usted.

• Para empezar, pida una cita para poder explicar sus miedos antes de comprometerse con un tratamiento. Trate de que alguien lo acompañe para tener un apoyo moral.

• La BDHF puede brindar más información sobre los medios para aliviar dolores y molestias y entrega una serie de **folletos gratuitos,** entre ellos "No Tenga Miedo", "Ir al Dentista", "Opciones de Tratamiento" y "Cuidar sus Dientes".

• Pruebe con la grabación de una **cinta de relajación**. Escúchela en casa y llévela consigo al dentista.

• La **hipnoterapia** hace maravillas en algunas personas. Puede necesitar varias sesiones, lo que es costoso. Si quiere explorar esta alternativa, le sugiero que contacte a la Sociedad Británica de Hipnosis Médica y Dental, ya que es vital encontrar un hipnostista calificado y allí podrán darle una lista.

Ejercicios de relajación

Cabeza: Siéntese en una silla en la que pueda apoyar los brazos, los hombros y la cabeza. Apriete los puños, mantenga la tensión y relájese. Repita esto hasta que sienta las manos relajadas. Con la boca abierta, respire profundo y mantenga el aire en los pulmones por cinco segundos y suéltelo. Repítalo seis veces. Se sentirá más calmado y relajado.

Piernas: Estire ambas piernas, levantándolas en el aire. Estire los pies hacia delante manteniéndolos tensos. Apunte los pies hacia usted y tense los músculos de las piernas. Relájese, dejando que las piernas caigan al piso. Repítalo hasta que las piernas estén sueltas y relajadas.

Abdomen: Contraiga los músculos del abdomen y respire profundo. Mantenga la tensión. Libere el aire y relájese. Hágalo cinco veces.

Brazos: Apriete los puños, sostenga la presión y relájese. Levante los brazos (como para tocar el techo) y tense los músculos, llegando lo más alto posible.

Relájese, dejando que los brazos caigan a los lados. Repita esto hasta que sienta los brazos sueltos y relajados.

Hombros: Levante los hombros como para tocarse las orejas. Deje que caigan y se relajen. Hágalo cinco veces. Lleve los hombros hacia delante formando una joroba en la espalda (con los brazos hacia delante). Mueva los hombros hacia delante y hacia atrás arqueando la espalda. Mantenga la tensión y relájese. Repita esto cinco veces.

Cuello: Gire la cabeza hacia la izquierda, mantenga la tensión; gírela hacia la derecha y repita. Baje la cabeza hacia delante con el mentón en el pecho y tensione la parte posterior del cuello. Relájese, dejando que la cabeza se apoye en el respaldo. Repítalo cinco veces.

Cabeza y cara: Levante las cejas, ténselas, frúnzalas y vuelva a tensarlas. Repita hasta que el cuero cabelludo y la frente se hayan relajado. Cierre fuerte los ojos y mantenga la tensión. Apriete los dientes, sienta la tensión y relaje dejando que la mandíbula baje un poco. Frunza la boca en forma de "O", luego tense

los labios como para pronunciar una "E". Relaje la boca.

• Concéntrese en respirar profunda y regularmente, exhalando el aire .

• Quédese relajado en el asiento por unos 10 minutos y disfrútelo.

• Piense en una imagen que lo relaje y llene su mente con ella.

Recuerde

• Cuando se haya relajado, abra lentamente los ojos.

• Nunca corra a hacer algo inmediatamente.

• Aplique la relajación en cualquier parte del cuerpo que sienta tensa durante el día.

• Respirar profundo ayuda siempre a sentirse calmado.

• Comience relajándose cuando esté solo. Pronto descubrirá que puede hacerlo con otras personas alrededor.

• Comience haciendo cada uno de los ejercicios. Luego encontrará que sólo necesita sentarse y relajarse en un momento, haciendo algunos ejercicios.

BRAZOS

Levante los brazos y tense los músculos

HOMBROS

1. Lleve los hombros hacia delante y hacia adentro

2. Lleve los hombros hacia atrás y hacia adentro

continúa de pág. 485

■ Mientras que es un mito que sus dientes sufren durante el embarazo, sus encías ciertamente lo hacen; uno de los efectos del alto nivel de estrógeno y progesterona circulante que ocurre durante el embarazo es ablandar los márgenes de las encías. Sólo por esto deberá visitar al dentista dos o tres veces durante el embarazo para asegurarse de que todo esté bien.

■ Existen pruebas irrefutables que muestran que el tipo de dieta afecta la salud de nuestras encías y dientes, y que la caries es principalmente causada por los alimentos dulces y azucarados que contienen sacarosa. Esta dieta incluye mayormente alimentos elaborados y bebidas dulces, caramelos, chocolates y helados. Si quiere dientes sanos, no tiene que ingerir dulces, alimentos ni líquidos azucarados entre las comidas. A los 20 minutos de haberlo hecho, el daño a sus encías y dientes ya ha comenzado.

■ Los dentistas concuerdan en que los "**refrigerios seguros**" incluyen frutas y verduras frescas, patatas fritas, nueces y queso. El queso es particularmente útil y saludable para la boca, encías y dientes, ya que estimula la producción de saliva y es una buena forma de terminar una comida. La saliva ayuda a prevenir la formación de placa, que es causada por la fermentación bacteriana de los azúcares en la dieta (el proceso que inicia la caries).

■ Existen pruebas claras que muestran que el flúor, en todas sus formas, protege los dientes contra el deterioro y que es más efectivo todavía si es incorporado a los dientes durante su formación. La mejor forma de consumir flúor es beber agua. Asegúrese de usar siempre pastas dentales con flúor y consulte al dentista sobre las tabletas o gotas de flúor que se pueden suministrar a los niños para proteger sus dientes en desarrollo.

■ El archienemigo de los dientes es la **placa bacteriana,** que corroe el esmalte protector del diente y eventualmente se abre paso hasta la parte interna viva del diente, la pulpa (causando pulpitis).

■ El cigarrillo altera la flora bacteriana natural de la boca; causa aliento desagradable y manchas en los dientes, la boca y hasta en la piel que rodea los labios con un desagradable color amarillo. También eleva el riesgo de sufrir trastornos en las encías y cáncer bucal.

■ Ciertas drogas pueden afectar la salud de las encías y dientes. Los fármacos para la epilepsia, como las hidantoínas, pueden enrojecer, ablandar e inflamar los márgenes de las encías. Algunos medicamentos usados para tratar afecciones cardíacas pueden hinchar las encías. Las tetraciclinas, ingeridas por una mujer embarazada, pueden depositarse en los dientes en desarrollo del bebé y mancharlos con un tono amarillo.

Caries dental

EL DETERIORO PROGRESIVO Y GRADUAL DE UN DIENTE ES CONOCIDO COMO CARIES DENTAL.

La caries dental suele comenzar como una pequeña cavidad en el esmalte (la cobertura protectora, externa y dura del diente).

Si no se trata, la caries eventualmente penetra en la capa externa del esmalte y ataca la dentina (el material blando que forma el grueso del diente). Si la caries avanza, la pulpa (el núcleo vivo del diente que contiene el nervio y los vasos sanguíneos) puede verse afectada. Si la pulpa queda expuesta y se infecta, puede morir.

¿CUÁLES SON LAS CAUSAS?

■ La caries suele ser causada por la formación de **placa** (depósito de partículas de comida, mucus y bacterias) en la superficie del diente. Las bacterias de la placa utilizan el azúcar de los alimentos para formar un ácido que erosiona el esmalte dental. Si se ingieren con regularidad comidas y bebidas dulces, y no se limpian bien los dientes, es probable que no tarde en formarse la caries.

■ La afección es especialmente común en los niños, adolescentes y adultos jóvenes, ya que son más propensos a las dietas altas en azúcares y no se cepillan regularmente los dientes.

■ Los bebés que suelen quedarse dormidos con un biberón de jugo en la boca también pueden desarrollar caries severas, en especial en los dientes frontales, llamados "boca de mamadera".

¿QUÉ SE PUEDE HACER?

■ Su dentista examinará los dientes con un espejo y una pinza para buscar áreas de caries.

También puede tomar una radiografía para revelar el estado bajo la superficie de los dientes.

■ Si tiene una caries que se limita a la superficie del esmalte, el dentista solamente aplicará flúor en la zona y le recomendará que sea más cuidadoso con la higiene bucal.

■ Si la caries o cavidad ha avanzado más en el esmalte, o si ya ha afectado la dentina, es probable que el dentista deba rellenarla. Suele aplicarse una inyección de anestésico local para adormecer el diente y la encía adyacente para evitar que usted sienta dolor. Cuando el área está adormecida, las partes deterioradas son trabajadas con la fresa, y la cavidad se limpia y rellena para evitar más deterioro.

■ Si tiene pulpitis (inflamación de la pulpa) y se cree que no se puede salvar la pulpa, le harán un tratamiento de conducto.

¿PUEDE PREVENIRSE?

Debe cepillar y usar hilo dental en sus dientes y encías en forma regular para mantenerlos limpios y libres de placa. También puede ayudar a evitar la caries resistiendo la tentación de consumir alimentos y bebidas dulces y comiendo refrigerios seguros.

Ver también:
• Radiografías pág. 489
• **Tratamiento de conducto pág. 489**

Cepillos

Los dentistas coinciden ampliamente en cuanto al tipo de cepillo que debe usarse y la frecuencia con la que debe ser utilizado. Estos son algunos consejos:

■ El cepillo de dientes debe tener un mango corto que sea fácil de controlar para que usted sepa exactamente dónde está la cabeza del cepillo y que no oscile sin rumbo dentro de la boca.

■ El mango del cepillo debe ser recto, sin curvaturas, para que, nuevamente, usted pueda dirigir la cabeza con precisión.

■ La cabeza del cepillo debe ser relativamente pequeña y las cerdas idealmente, deben ser cortas.

■ Elija cerdas de nailon, no cerdas puras, porque el nailon no se parte y es más flexible que el material natural.

■ Asegúrese de que la cabeza de las cerdas sea absolutamente plana. Nunca elija un cepillo de dientes con una forma aserrada.

■ Las cerdas no deben ser demasiado duras; elija las etiquetadas como "medianas".

■ Cepille los dientes dos veces al día. Cambie el cepillo cada seis semanas o en cuanto las cerdas empiecen a perder forma.

■ Use pasta dental con flúor.

Abscesos dentales

LA ACUMULACIÓN DE PUS EN O ALREDEDOR DE LA RAÍZ DE UN DIENTE SE CONOCE COMO ABSCESO DENTAL. PUEDE SER EXTREMADAMENTE DOLOROSO Y HACE QUE EL DIENTE AFECTADO SE AFLOJE EN SU CAVIDAD.

¿CUÁLES SON LAS CAUSAS?

El absceso suele desarrollarse como una complicación de la caries dental, que gradualmente destruye la capa de esmalte del exterior del diente y la dentina interior, permitiendo que las bacterias invadan el núcleo central blando o pulpa del diente. Eventualmente, se puede formar un absceso dental, que es muy doloroso y puede hacer que la encía adyacente al diente se inflame y duela (fístula).

También puede ser resultado de ciertas formas de enfermedades de la encía (periodontitis). La periodontitis suele ser causada por una formación de placa dental (depósito que incluye partículas de comida, mucus y bacterias) en un bolsillo que se forma entre el diente y la encía.

¿CUÁLES SON LOS SÍNTOMAS?

Los principales síntomas del absceso dental se desarrollan gradualmente y pueden incluir:
- dolor intenso en el diente afectado
- dolor intenso al tacto en el diente afectado o al morder o masticar
- aflojamiento del diente afectado
- enrojecimiento, dolor e hinchazón de la encía que está sobre la raíz del diente
- secreción de pus en la boca.

Si el absceso no se trata, la infección puede hacer un canal desde el diente hasta la superficie de la encía y formar una dolorosa protuberancia llamada fístula. Si ésta se abre, derrama pus de sabor desagradable y el dolor disminuye. En algunos casos, el canal persiste, lo que causa un absceso crónico que produce pus periódicamente. Si la infección se propaga a los tejidos adyacentes, la cara puede hincharse y puede aparecer fiebre. Si sospecha que tiene un absceso, debe consultar al dentista lo antes posible.

¿QUÉ PUEDO HACER?

Si no logra ver al dentista de inmediato, puede intentar tomando analgésicos, como paracetamol, que pueden aliviar el dolor. Enjuagar la boca con agua tibia con sal también puede ayudar a aliviar el dolor y posiblemente haga que se abra la fístula. Si esto se produce, lávese bien la boca con agua tibia con sal.

¿QUÉ PUEDE HACER EL DENTISTA?

- El dentista le preguntará sobre sus dientes y encías. Puede tomar una radiografía de su boca para confirmar el diagnóstico.
- Si el absceso fue causado por una caries, el dentista siempre intentará salvar la pieza. Bajo anestesia local, se realiza un orificio con el torno desde la superficie del diente para drenar el pus, lo que aliviará el dolor. Si hay fístula, se hará un pequeño corte para drenar el pus que contiene. Luego se limpia la cavidad con una solución antiséptica.
- Para tratar el absceso causado por enfermedad de la encía, el dentista utilizará un instrumento para raspar la placa del bolsillo entre el diente afectado y la encía. Luego lavará el bolsillo con una solución antiséptica.
- Los bolsillos son tratados con varias semanas de higiene bucal intensa, incluyendo cepillado y uso frecuente del hilo dental, y la aplicación de un gel antiséptico en el hilo. La mayoría puede ser erradicada.

TRATAMIENTO

Conducto

A veces, la caries invade y destruye la pulpa, que contiene los nervios y los vasos sanguíneos en el centro del diente, y se realiza un tratamiento de conducto. La pulpa es retirada y se usa una solución antiséptica para esterilizar la cavidad. Si la infección dentro del diente es seria, puede insertarse un relleno temporal por unos días antes de volver a esterilizar la cavidad. Los conductos y el área deteriorada del diente son entonces rellenados

- Cualquiera sea la causa del absceso, es muy probable que le receten antibióticos.
- Una vez que la infección ha cedido, probablemente necesite un tratamiento de conducto (ver recuadro, arriba).
- Si no es posible salvar el diente, la única opción será la extracción.
- El diente extraído puede ser reemplazado con uno postizo, un puente o un implante.

¿CUÁL ES EL PRONÓSTICO?

Casi todos los tratamientos dan buen resultado, pero puede persistir una pequeña área de infección que requiera más tratamiento.

Ver también:
- **Caries dental pág. 488** • **Gingivitis pág. 493**

Maloclusión (mordida cruzada)

LO IDEAL ES QUE LOS DIENTES FRONTALES SUPERIORES SE ADELANTEN LEVEMENTE A LOS DIENTES FRONTALES INFERIORES Y QUE LOS MOLARES SE ENCUENTREN EN FORMA PAREJA. SIN EMBARGO, ES RARO HALLAR DIENTES PERFECTOS Y LA MAYORÍA DE LAS PERSONAS TIENE ALGÚN DIENTE FUERA DE POSICIÓN.

Las imperfecciones no suelen ser un gran problema, a menos que afecten la apariencia o que dificulten la mordida o la masticación.

La mordida cruzada puede producirse cuando los dientes están apiñados y se superponen unos con otros, torciéndose. Otra causa es la desalineación de las mandíbulas, que causa que los dientes frontales superiores se adelanten excesivamente por sobre los dientes frontales inferiores, o si la mandíbula inferior cierra por delante de la superior. Los dientes posteriores pueden hacer que los dientes frontales no se encuentren, condición conocida como mordida abierta.

¿CUÁLES SON LAS CAUSAS?

La maloclusión suele tener un origen hereditario y, por lo general, se desarrolla en la infancia, cuando los dientes y las mandíbulas están en crecimiento. Suele ser causada por la discrepancia entre el número y el tamaño de los dientes y el crecimiento de las mandíbulas. Los dientes frontales salientes también pueden producirse en niños que succionan persistentemente sus pulgares después de los 6 años. Si los dientes de leche se pierden precozmente (antes de los 9 ó 10 años) debido a caries, los molares secundarios que ya están en posición pueden moverse hacia delante y ocupar el espacio destinado para los nuevos dientes frontales. Los nuevos dientes quedan entonces apiñados y mal alineados.

continúa en pág. 492

ENFOQUE
en odontología estética

Si quieres tener una sonrisa blanca y perfecta a los 20 años, tú (y tus padres) deberán comenzar a trabajar en ella desde que eres bebé. No es bueno pensar que los dientes de leche no son importantes simplemente porque los niños comienzan a perderlos alrededor de los 6 años.

Los dientes de leche fuertes y bien posicionados guían a los secundarios o permanentes cuando salen y crecen para ubicarse en sus posiciones definitivas en las mandíbulas. Si los dientes de leche están apiñados, los secundarios crecerán torcidos. Si ha quedado un espacio por la extracción de un diente de leche con caries, el diente permanente de cualquiera de los dos lados de dicho espacio no tendrá la capacidad de crecer derecho.

Por eso vale la pena cuidar muy bien los dientes de leche desde el momento en que aparecen. Nunca ofrezca al bebé una mamadera de jugo para que se tranquilice, pues el contenido de azúcar deteriora rápidamente los dientes y lo inclinará a ser adicto por los dulces más adelante. Es útil darle comidas sólidas para que mastique, ya que los movimientos de **masticación** ejercitan los músculos de la mandíbula y ayudan a hacer que los dientes crezcan derechos.

Las posibilidades de caries de los dientes pueden **minimizarse teniendo una dieta adecuada** (evitando comidas con azúcar y almidón), cepillándolos cuidadosamente con un cepillo adecuado (ver pág. 488) y visitando regularmente al dentista. El uso de flúor, ya sea en forma de tabletas, gotas o dentífrico, también ayuda a detener el deterioro.

BLANQUEAR LOS DIENTES
Según la opinión de los dentistas, no existen buenos "cosméticos" de venta libre para los dientes. Las **pastas de dientes** que aseguran blanquear los dientes, por lo general lo hacen mediante dos métodos.

El primero es realmente una ilusión óptica: la pasta contiene un pigmento rojo que hace que las encías tomen un color rosa profundo, de modo que los dientes se ven comparativamente más blancos.

Las pastas de dientes que usan el segundo método, y aseguran dejar una sonrisa lustrosa y brillante, lo logran gracias al uso de abrasivos (incluyendo una **pasta pulidora**, denominada rojo inglés). Estas sustancias son demasiado duras para ser usadas en los dientes, pues raspan la superficie del esmalte, que se puede dañar o desaparecer con el uso prolongado de

ellas. Resulta insólito pensar que se hayan dejado de usar abrasivos en los fregaderos de acero inoxidable y los artefactos cerámicos de los baños y que los sigamos utilizando en nuestros dientes. La mejor forma, y la más segura, de dar una nueva apariencia a nuestros dientes es visitar a un **higienista dental**. Para mantener la salud de dientes y encías debe hacerlo al menos cada seis meses, aunque cada tres es mejor. El higienista quitará el **sarro** (placa endurecida) formado entre los dientes, que irrita las encías y las hace sangrar. Hace esto raspando los dientes y dándoles un buen lustre. Este tratamiento logra que los dientes se vean varios tonos más blancos, especialmente en el caso de los fumadores.

Reposicionamiento de los dientes

En la odontología estética se puede lograr mucho con el uso de métodos y materiales simples. Es posible mover las raíces de los dientes dentro de la mandíbula en una fracción de **milímetro**, aproximadamente, si se los empuja en una dirección durante algún tiempo. Hasta un ajuste tan pequeño puede tener un gran efecto. Muy a menudo se puede aplicar fuerza suficiente sobre dientes **mal alineados** con el simple uso de bandas elásticas. Para deformidades más severas, se pueden colocar aparatos de ortodoncia que manipulen los dientes durante meses hasta que alcancen la posición correcta.

¿QUÉ PUEDE HACER EL DENTISTA ESTÉTICO?
Es posible que un buen dentista estético cambie no sólo el aspecto de sus dientes o su sonrisa, sino también el conjunto de su boca, y, por lo tanto, en algún grado, su expresión facial. Si, por ejemplo, los dientes se han gastado con los años, ya sea debido a que los aprieta por la noche o simplemente porque tiene músculos de masticación muy fuertes, sus mandíbulas tenderán a juntarse. Esto acentúa los pliegues a ambos lados de la boca y puede dar una apariencia de **persona mayor**. El dentista estético puede aumentar la distancia entre las mandíbulas reposicionando los dientes o usando coronas sobre ellos, con lo cual estirará la piel del rostro. Este procedimiento también puede aliviar el dolor y la sensibilidad de las articulaciones de la mandíbula, que se sobreestresan cuando los dientes se desgastan.

La odontología estética también puede cambiar la forma, color y disposición de sus dientes para lograr un aspecto más agradable.

FUNDAS Y CORONAS
Un diente roto, feo o **fuera de su lugar** puede tener un nuevo aspecto y una nueva vida con una funda o corona (los dos términos son sinónimos). Esto suele hacerse puliendo el diente hasta formar una punta sobre la que se cementa la corona. Incluso un diente roto o que ha tenido que ser removido en la línea de la encía puede recibir una corona. En ese caso, se colocan pernos en los restos del diente sobre los cuales se fijará la funda.

Las fundas y coronas están hechas de distintos materiales. Los más modernos son los compuestos de porcelanas extremadamente duras o de metales cubiertos en porcelana, que vienen en una variedad de tonos para que coincidan con los del resto de los dientes. La corona puede hacerse de cualquier forma, siguiendo el tamaño y contorno del diente original; de hecho, su forma puede ser levemente imperfecta para mantener un aspecto natural.

IMPLANTES
Si uno o más dientes deben ser extraídos o si se pierden, pueden ser reemplazados por uno de tres tipos diferentes de dientes artificiales: un puente, dientes postizos o un implante dental.

El puente consiste en uno o más dientes artificiales que se colocan dentro de la boca en forma permanente, por lo general fijándolos a los dientes adyacentes. Esto puede requerir que se coloquen coronas en dichos dientes. Los dientes postizos pueden retirarse y

DIENTES SALIENTES

Lo ideal es que los dientes salientes sean tratados antes de los 14 años con un ortodoncista especializado en niños que utilizará **retenedores** o **brackets** para alinear el diente con los demás. Si llega a la edad adulta con los dientes salientes, a veces la odontología estética puede corregir la deformidad mediante el uso de coronas. Los **dientes mal posicionados** son limados y se colocan coronas que sigan la línea normal.

La odontología estética es altamente creativa y los buenos profesionales afrontarán cualquier desafío para encontrar una forma innovadora de corregir una deformidad dental. Uno de los ejemplos más bellos y efectivos que he visto es la corrección de un diente mal posicionado en una persona con paladar hendido. Debido a la hendidura del paladar, había menos dientes de los normales; además, algunos se habían desplazado por la mandíbula y los frontales estaban descentrados. El dentista transformó el aspecto usando cada uno de los dientes existentes como base para una corona, pero moviendo la posición de cada corona sobre su diente un **milímetro** aproximadamente en la dirección que los volvió a llevar al centro.

> **Ver también:**
> • **Maloclusión pág. 489**

reemplazar cualquier cantidad de dientes. Tienen una **base** de metal o de plástico y se mantienen en su lugar apoyados en los bordes de las encías o sostenidos por enganches que calzan sobre los dientes naturales. Pueden ser retirados para limpiarlos, ya sea con una solución esterilizadora o con un cepillo.

El implante es un método permanente y efectivo para reemplazar un solo diente. Se hace un agujero en la mandíbula en el lugar del diente faltante y se coloca un tornillo en su interior. Unas semanas más tarde, cuando esto ha sanado, se coloca un diente artificial sobre el tornillo.

DIENTES "CORTOS" O "LARGOS"

En algunas personas que padecen enfermedad periodontal, las encías retroceden, dejando expuesta la superficie de las raíces de los dientes. Esto puede sensibilizar mucho al diente ante comidas frías o calientes y hacer que la corona se vea demasiado larga. Si se logra una excelente higiene bucal, es posible reposicionar quirúrgicamente la encía para cubrir las superficies expuestas de las raíces y mejorar el aspecto. Como alternativa, puede colocarse una corona o dar forma al diente para esconder su apariencia.

En ciertos individuos el problema es al revés: las encías crecen demasiado sobre los dientes y éstos parecieran ser demasiado cortos o la fricción fuerte entre ellos puede desgastarlos por completo. Puede mejorarse el aspecto colocando coronas.

Blanqueado cosmético de los dientes

El blanqueado estético de los dientes es un procedimiento no invasivo que usa un agente blanqueador para aclarar el color de la dentadura. El dentista comienza tomando un molde de sus dientes, del que se hace una capucha plástica que se coloca sobre ellos. Le enseñará a llenar esta capucha con el gel blanqueador. También le dará instrucciones para que la use en su casa varias horas al día o, si es posible, que duerma con ella puesta. La duración del tratamiento depende del gel que use y del grado de blanqueado que se quiera lograr, pero suele durar de una semana a 10 días. Una técnica similar se usa para blanquear los dientes en la clínica odontológica.

Antes del blanqueado de los dientes

Después del blanqueado de los dientes

continúa de pág. 489

¿CUÁLES SON LOS SÍNTOMAS?

Los síntomas se desarrollan gradualmente a partir de los 6 años. Pueden incluir:

● dientes mal alineados, apiñados o anormalmente espaciados

● dientes frontales superiores excesivamente salientes sobre los inferiores

● mandíbula inferior saliente

● dientes frontales que no se juntan.

Algunos niños tienen síntomas leves, pero éstos son sólo temporales y tienden a producirse por un crecimiento repentino.

En casos severos de maloclusión, el habla y la masticación pueden verse afectadas. La mordida anormal puede ser dolorosa o causar incomodidad en la articulación mandibular. La maloclusión severa puede también afectar el aspecto de la cara.

¿QUÉ SE PUEDE HACER?

■ El dentista buscará la maloclusión como parte del control dental.

■ Si encuentra maloclusión, un dentista especializado llamado **ortodoncista** tomará el molde de sus dientes para estudiar la mordida en detalle. También puede sacarle radiografías de los dientes, especialmente si aún quedan algunos por salir.

■ El tratamiento suele ser necesario sólo si la maloclusión es severa y causa dificultad al comer y hablar o si afecta el aspecto.

■ Si los dientes están apiñados, algunos de ellos pueden ser extraídos.

■ Los dientes rotos o irregulares suelen ser limados o se les colocan coronas.

■ Si es necesario, se alinearán usando un aparato de ortodoncia, fijo o removible.

■ La cirugía no suele ser necesaria.

Es mejor tratar la maloclusión durante la infancia, cuando los dientes y los huesos están aún desarrollándose. Sin embargo, si la maloclusión es causada por una severa discordancia entre el tamaño de la mandíbula y de los dientes, puede recurrirse a la cirugía y el tratamiento puede postergarse hasta la edad adulta.

Ver también:
● **Trastorno de la articulación temporomandibular pág. 494**

TRATAMIENTO

Ortodoncia

La ortodoncia es la corrección de los dientes superpuestos o mal espaciados. El tratamiento ortodóncico suele realizarse en niños mayores y en adolescentes mientras los dientes están aún en desarrollo, aunque los adultos también pueden beneficiarse con este procedimiento. Se toman moldes de los dientes antes de colocar un aparato ortodóncico para moverlos o enderezarlos gradualmente. En algunos casos, es necesario extraer uno o más dientes para dejarle espacio a los demás. El tratamiento suele ser a largo plazo y puede durar meses o años, con visitas regulares al ortodoncista para su control.

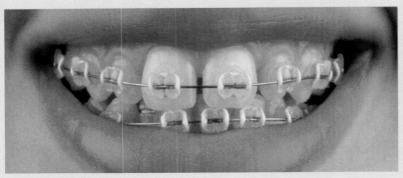

Detalle de la boca de un niño con aparatos fijos.

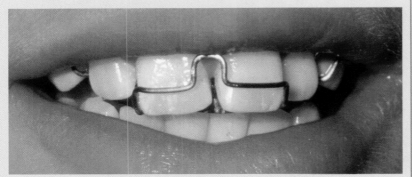

Detalle de la boca de un niño con aparatos removibles.

TIPOS DE MALOCLUSIÓN

Hay una gran variedad de maloclusiones, que se pueden dividir en un pequeño número de grupos dependiendo de la posición de los primeros molares. Aquí le mostramos algunos tipos comunes de maloclusión.

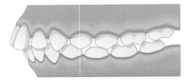

Mala alineación de los molares, causando una leve sobremordida

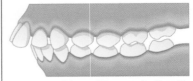

Sobremordida con mala alineación de los molares

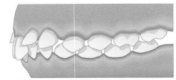

Incisivos retroclinados (no coinciden con los dientes inferiores); incisivos laterales proclinados (inclinados hacia delante)

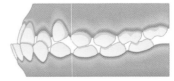

Bajomordida, con los molares mal alineados

TRASTORNOS DE LAS ENCÍAS

La encía sana forma un sello apretado alrededor de la base de la corona del diente y protege el área sensible de la raíz de infecciones bacterianas y la corrosión. Si se dañan las encías o se forman bolsillos, los dientes están más expuestos a la caries. La mayoría de los trastornos de las encías son provocados por la placa (depósito de partículas de comida, mucus y bacterias en la superficie del diente) y pueden ser evitados con una buena higiene bucal.

Muchos adultos tienen algún grado de enfermedad en las encías que, si no se trata, puede llevar eventualmente a la pérdida de dientes. Una buena higiene bucal es esencial para prevenir estos trastornos. Durante los controles odontológicos periódicos, el dentista y el higienista dental le brindarán información sobre la forma correcta de cepillar los dientes y usar el hilo dental y sobre el cuidado general de su boca.

La **gingivitis** y la **periodontitis**, que pueden causar el aflojamiento y la pérdida de los dientes, son provocadas, principalmente, por una higiene bucal deficiente. El cepillado inadecuado de los dientes hace que se forme **placa** sobre éstos. Si la placa no se elimina,

hace que las encías se inflamen (gingivitis). En casos más serios, se forman bolsillos en donde las bacterias pueden erosionar el esmalte dental y causar caries e inflamación de la membrana ósea que los rodea (periodontitis). Los dientes pueden aflojarse

y salirse, ya sea porque el tejido periodontal está inflamado y separado del diente o porque las encías retroceden, lo cual deja expuestas las raíces y provoca caries.

Gingivitis (enfermedad de las encías)

LA INFLAMACIÓN MODERADA DE LOS BORDES DE LAS ENCÍAS (GINGIVITIS) ES MUY COMÚN Y OCURRE EN 9 DE CADA 10 ADULTOS. LAS ENCÍAS SANAS SON ROSADAS Y FIRMES. EN LA GINGIVITIS, EN TANTO, SE VUELVEN ROJAS AMORATADAS, BLANDAS Y BRILLANTES Y SANGRAN CON FACILIDAD, ESPECIALMENTE AL CEPILLARLAS.

Esta afección suele ser causada por la acumulación de placa (depósito de partículas de comida, mucus y bacterias) en el punto donde la encía se encuentra con la base del diente.

La gingivitis puede empeorar con algunas drogas, como la fenitoína, utilizada para la epilepsia, y los antihipertensivos. Éstas pueden provocar el crecimiento de las encías, dificultando la remoción de la placa. Algunos anticonceptivos también pueden empeorar los síntomas. Las mujeres embarazadas son especialmente susceptibles a la gingivitis debido a los importantes cambios en sus niveles hormonales.

Si se desarrolla de repente en forma aguda, se la conoce como **"boca de trinchera"** y suele ocurrir en adolescentes y adultos jóvenes. La afección a veces se desarrolla desde la gingivitis crónica y es causada por el aumento anormal de bacterias inocuas que se encuentran en la boca. La boca de trinchera es más común en personas estresadas o agotadas y en los enfermos de SIDA.

¿CUÁLES SON LOS SÍNTOMAS?
Los síntomas de la gingivitis se desarrollan gradualmente y suelen incluir:
• encías rojas amoratadas, blandas, brillantes e hinchadas
• encías que sangran con el cepillado.
Si no es tratada, se desarrolla un bolsillo entre el diente y la encía en el que puede formarse más placa dental. Las bacterias de la placa pueden hacer que la inflamación se extienda.

Eventualmente, se produce la periodontitis crónica o retroceso de las encías. En casos severos, se pueden perder uno o más dientes.

Los síntomas de la boca de trinchera suelen desarrollarse en 1 ó 2 días y pueden incluir:
• encías rojas cubiertas de un depósito grisáceo
• úlceras en las encías

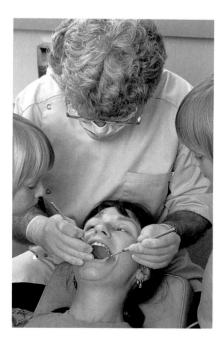

• encías que sangran con facilidad
• mal aliento y sabor metálico en la boca
• dolor en las encías.
A medida que la boca de trinchera avanza, los ganglios linfáticos del cuello se agrandan y puede aparecer fiebre.

¿CUÁL ES EL TRATAMIENTO?
■ La gingivitis se trata y previene con el cepillado efectivo y la higiene bucal para quitar la placa ubicada alrededor de los bordes de las encías.

■ Si tiene gingivitis, el dentista probablemente pula los dientes para quitar la placa y el **sarro** (placa endurecida). El procedimiento implica raspar las áreas resistentes con un **pulidor de ultrasonido** y eliminar el sarro con un instrumento manual. Después del pulido, los dientes son lustrados. Deberá hacer visitas de control al dentista para controlar la salud de sus encías. El dentista puede recomendarle usar un antiséptico bucal.

■ Si padece de boca de trinchera, el dentista limpiará profundamente alrededor de los dientes. También puede indicarle antibióticos y un enjuague antiséptico; puede recetarle analgésicos para aliviar el dolor. Una vez que sus dientes hayan sido pulidos y limpiados, las encías volverán gradualmente a la normalidad.

Ver también:
• **Cuidado de los dientes y encías pág. 485**

Periodontitis

LA ENCÍA SANA FORMA UN SELLO APRETADO ALREDEDOR DE LA BASE DE LA CORONA DEL DIENTE. SI LA ENCÍA RETROCEDE, LA RAÍZ DEL DIENTE QUEDA EXPUESTA, LO QUE CAUSA QUE LA UNIÓN ENTRE EL DIENTE Y LA CAVIDAD SE DEBILITE.

Cuando la encía retrocede, el diente puede aflojarse y, en casos severos, necesitar ser extraído por el dentista.

Si las raíces quedan expuestas, el diente puede volverse sensible a las sustancias frías, calientes o dulces. Puesto que las raíces son más blandas que el esmalte de la corona, también son más susceptibles a la caries.

La **periodontitis** afecta a muchas personas mayores de 55 años y es una de las principales causas de pérdida de piezas dentales. En esta afección, los tejidos periodontales que mantienen los dientes en sus cavidades se inflaman, lo que provoca que éstos se aflojen. El daño producido por esta enfermedad es irreversible, pero puede evitarse una inflamación mayor si se mejora la higiene bucal.

¿CUÁLES SON LAS CAUSAS?

■ El retroceso severo de las encías suele ser síntoma de gingivitis o periodontitis.

■ Estos trastornos suelen aparecer por una **mala higiene bucal** y por la **formación de placa bacteriana** y sarro entre la base del diente y la encía. Las encías eventualmente se inflamarán y retrocederán, lo que dejará expuesta la raíz del diente.

■ El cepillado vigoroso y desgastador sobre los bordes de las encías, especialmente en dirección horizontal con un cepillo duro, también puede provocar que la encía retroceda.

■ Las pastas de dientes que contienen abrasivos suelen contribuir.

¿QUÉ SE PUEDE HACER?

■ Mejorar la higiene bucal es importante para detener el retroceso de las encías.

■ El dentista o higienista dental quitarán la placa y el sarro de sus dientes. El pulido ayudará a evitar que las encías sigan retrocediendo.

■ También le indicarán algunas recomendaciones para el cepillado y uso del hilo dental con el fin de evitar que dañe aún más las raíces expuestas.

■ El dentista o higienista dental podrá también sugerir que use una pasta de dientes desensibilizante o un enjuague bucal que contenga flúor, lo que reducirá el riesgo de caries.

■ Si los dientes están muy sensibles, el dentista puede tratarlos con un barniz desensibilizante o un material de relleno adhesivo.

■ Los procedimientos de injerto de encías pueden usarse para cubrir raíces expuestas y evitar el mayor retroceso de éstas.

■ Si las encías que han retrocedido severamente hacen que ciertos dientes se aflojen, éstos pueden fijarse a otros más firmes.

Ver también:
- **Cuidado de los dientes y encías pág. 485**
- **Gingivitis pág. 493**

Trastorno de la articulación temporomandibular

LA ARTICULACIÓN TEMPOROMANDIBULAR CONECTA LA MANDÍBULA (MAXILAR INFERIOR) CON LA PARTE DEL CRÁNEO CONOCIDA COMO HUESO TEMPORAL. ESTA ARTICULACIÓN PERMITE QUE EL MAXILAR INFERIOR SE MUEVA EN TODAS DIRECCIONES PARA MORDER Y MASTICAR LOS ALIMENTOS EN FORMA EFECTIVA.

En el trastorno que afecta la articulación temporomandibular, la articulación, los músculos y los ligamentos que la controlan no funcionan correctamente en conjunto, lo que causa dolor. La afección es tres veces más común en mujeres.

Este trastorno suele ser causado por **espasmos** en los músculos de la masticación, a menudo como resultado de **apretar los maxilares** o **rechinar los dientes**. Estas tendencias pueden incrementarse con el estrés. La mala mordida (maloclusión) exige los músculos y también puede provocar este mal, al igual que un golpe en la cabeza, la mandíbula o el cuello que disloque la articulación. En algunos casos, puede ser causado por la artritis.

¿CUÁLES SON LOS SÍNTOMAS?

Usted puede notar uno o más síntomas:
- dolor de cabeza
- sensibilidad en los músculos de la mandíbula
- dolor en la cara
- dolor intenso cerca de los oídos.

En algunos casos, el dolor es causado por masticar o por abrir demasiado la boca al bostezar. Puede haber dificultad para abrir o cerrar la boca y se pueden escuchar ruidos de la articulación al efectuar ambos movimientos.

¿QUÉ SE PUEDE HACER?

■ El dentista puede tomarle radiografías de la boca y de la mandíbula.

■ Puede indicarle que vea a un especialista para el tratamiento e investigación con TC o IRM.

■ El tratamiento apunta a eliminar el espasmo y tensión muscular y a aliviar el dolor.

■ Hay varias medidas de autoayuda que usted puede adoptar, incluyendo la aplicación de una toalla húmeda y tibia en la cara, masajear los músculos faciales, comer sólo alimentos blandos y usar un aparato en la boca por la noche para no apretar o rechinar los dientes.

■ Ingiera analgésicos, como aspirina y paracetamol, para aliviar el dolor.

■ El doctor puede prescribirle un relajante muscular si la tensión de los músculos de la masticación es severa.

■ Si el estrés es un factor importante, las técnicas de relajación pueden ayudar.

■ Si la mordida necesita un ajuste, el dentista puede recomendarle el uso de un aparato ortodóncico fijo o removible durante un tiempo.

¿CUÁL ES EL PRONÓSTICO?

En aproximadamente 3 de cada 4 personas con este trastorno, los síntomas mejoran a los tres meses de tratamiento. Sin embargo, si éstos no desaparecen, puede requerirse un procedimiento más duradero. En pocos casos, puede ser necesaria la cirugía de la articulación.

Ver también:
- **Maloclusión pág. 489** • **IRM pág. 409**
- **Artritis reumatoide pág. 429**

Hormonas

La imagen muestra una micrografía de luz polarizada de los cristales de la hormona progesterona

El resumen de Miriam

Cuando era estudiante de medicina, me era difícil entender el concepto de hormonas.

Se las define como:

"Mensajeros químicos formados en un lugar del cuerpo, generalmente en una glándula hormonal, que son introducidos en el torrente sanguíneo para ser llevados a una parte distante del cuerpo donde surten un efecto". Pero esta definición no describe su complejidad.

Las hormonas controlan la mayor parte de las funciones vitales de nuestro organismo. Ciertamente regulan todos los aspectos del metabolismo y mantienen nuestros órganos en buen funcionamiento.

Es más, cada hormona tiene una función especial. Es similar a un rayo láser que se concentra en una pequeña área de nuestra salud general. Juntas, las hormonas funcionan como una orquesta que toca en tono la mayor parte del tiempo. Naturalmente, requieren de un director, y tenemos uno, la glándula pituitaria, ubicada en el cerebro: un órgano muy pequeño que tiene el poder de activar y desactivar las hormonas.

Si una glándula hormonal se sale de control, enseguida lo notaremos. Una glándula tiroides o suprarrenal hiperactiva nos hace enfermar. Si el páncreas funciona por debajo de lo normal, aparecen los síntomas de la diabetes; y si los ovarios se detienen, aparece la menopausia. Clasificamos esta clase de falla hormonal como estado de deficiencia hormonal y lo corregimos con variados suplementos hormonales, como la insulina para la diabetes y la terapia de reemplazo hormonal (TRH) para la menopausia.

"juntas, *las hormonas* funcionan como *una orquesta*"

Por lo tanto, las hormonas son reguladores muy potentes del cuerpo; algunos tan poderosos, que dan vida y curan. Aprovechamos las hormonas de las glándulas suprarrenales, los esteroides, para atacar inflamaciones tan diferentes como las producidas por la artritis o por la psoriasis.

Hemos sintetizado las hormonas sexuales en fórmulas potentes para controlar mecanismos básicos como la ovulación, con el fin de obtener una anticoncepción que es virtualmente ciento por ciento efectiva.

AL INTERIOR
de su metabolismo

Las **hormonas** son productos químicos que influyen o cambian la actividad de determinadas células del cuerpo. Son producidas por diversas **glándulas** y **órganos** y llevadas en el torrente sanguíneo hasta sus células meta. La producción de hormonas es regulada por mecanismos de comunicación que ayudan a asegurar que se mantengan correctos los niveles de hormonas y otras sustancias en la sangre. La **glándula pituitaria**, un órgano del tamaño de una arveja ubicado en la base del cerebro y regulado por el **hipotálamo**, controla la mayor parte de la secreción hormonal del cuerpo.

Las principales glándulas y órganos que secretan hormonas son la **tiroides**, la **paratiroides** y las **glándulas suprarrenales**, el **páncreas** y los **testículos**, en los hombres, y **los ovarios**, en las mujeres. Otros órganos que secretan hormonas son los **riñones**, el **corazón** y el **estómago**.

glándulas y células que secretan hormonas

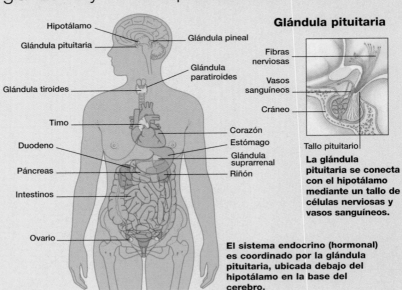

Hipotálamo
Glándula pituitaria
Glándula pineal
Glándula paratiroides
Glándula tiroides
Timo
Duodeno
Páncreas
Intestinos
Corazón
Estómago
Glándula suprarrenal
Riñón
Ovario

Glándula pituitaria

Fibras nerviosas
Vasos sanguíneos
Cráneo
Tallo pituitario

La glándula pituitaria se conecta con el hipotálamo mediante un tallo de células nerviosas y vasos sanguíneos.

El sistema endocrino (hormonal) es coordinado por la glándula pituitaria, ubicada debajo del hipotálamo en la base del cerebro.

LA MENOPAUSIA

La mayoría de las mujeres llega a la menopausia entre los 40 y 55 años; la edad promedio es 51. La producción de hormonas sexuales disminuye; los ovarios dejan de producir óvulos, y los períodos menstruales se vuelven menos frecuentes y eventualmente desaparecen; por eso, después de la menopausia, la mujer ya no puede quedar embarazada. La menopausia es un estado de deficiencia de estrógeno, y los síntomas que aparecen se deben a la falta de él. Muchos de ellos se solucionan tomando estrógeno, el que se suministra en forma de una terapia de reemplazo hormonal (TRH). Los síntomas más comúnmente asociados con el "cambio" incluyen bochornos y sudoración nocturna; sequedad y dolor de la vagina y, como consecuencia de ello, sensación de dolor al mantener relaciones sexuales; ansiedad, depresión, irritabilidad y cansancio; imposibilidad de dormir de noche; pérdida de la libido; piel seca y afinamiento del cabello; y problemas urinarios y de la vejiga debido al adelgazamiento del tejido de la vejiga.

Durante la menopausia, las mujeres tienden a subir de peso, especialmente alrededor de la cintura: el "ensanchamiento de la edad mediana". Este cambio corporal es un signo que lleva aparejado un mayor riesgo de sufrir una enfermedad cardíaca, un efecto secundario de la menopausia, junto con la apoplejía, la osteoporosis y el mal de Alzheimer. Todos estos peligros que conlleva la menopausia se pueden aliviar con la TRH.

Creo que las mujeres deben enfrentar su menopausia y tomar las medidas correspondientes para estar bien. Existen muchas herramientas que se pueden usar para asumir la responsabilidad de la salud menopáusica. La más efectiva es la TRH.

AUTOAYUDA
Además de las vitaminas y hierbas medicinales disponibles para las mujeres menopáusicas, hay diversas formas de autoayuda.
Para los bochornos, por ejemplo, intente mantener la temperatura ambiental muy baja y usar ropa suelta, no ajustada (la ropa de algodón es útil). Por la noche, puede usar frazadas que pueda correr con facilidad si tiene calor. Tenga cerca otro pijama en caso de sufrir una sudoración nocturna. Evite el café fuerte, el alcohol y la sal. Un buen vaso de agua puede ayudar.

Si se siente acalorada y enrojecida, puede tratar de dormir pensando "en frío", imaginando que está parada sobre la nieve o caminando por un club de esquí o en una excursión por el Ártico. La temperatura de su piel bajará en respuesta a esas imágenes y el acaloramiento se mantendrá al mínimo.

Finalmente, aunque sienta que su piel se enrojece durante el acaloramiento, recuerde que es muy difícil que lo puedan notar las personas que le rodean.

Para controlar la sequedad vaginal y mejorar las relaciones sexuales, pruebe con un aceite o gel. Puede comprar productos especiales en la farmacia o usar aceite corporal sin fragancia o para bebé. (Evite productos demasiado espesos o aceitosos o lubricantes que contengan alcohol o medicamentos.) Recuerde que la saliva es un lubricante útil y efectivo.

Los síntomas menopáusicos persistentes o molestos merecen una visita al médico, ya que la TRH es considerada por muchos especialistas el remedio más seguro y efectivo para las mujeres con problemas. La TRH puede aliviar los síntomas que las mujeres consideran más molestos y, a pesar de la controversia del pasado, la mayoría de los médicos está de acuerdo en que reemplazar las hormonas faltantes es razonable, natural y aceptable. Cuando es necesario, el tratamiento puede realizarse por varios años. Personalmente, no veo el motivo de detenerlo.

Para finalizar, recuerde que aun cuando muchas mujeres presentan uno o dos síntomas, otras pasan por la menopausia sin sentir ningún síntoma desagradable.

Enfrentar la menopausia en forma no hormonal

ALGUNAS MUJERES ATRAVIESAN LA MENOPAUSIA SIN PROBLEMAS, PERO LA MAYORÍA EXPERIMENTA SÍNTOMAS, LOS QUE PUEDEN SER DESDE LEVES HASTA MUY INTENSOS.

La terapia de reemplazo hormonal puede hacer una gran diferencia; pero ¿cuáles son las opciones si la TRH no funciona para usted o si prefiere no interferir en la naturaleza? La buena noticia es que hay muchas cosas que puede hacer para ayudarse, y la homeopatía y los tratamientos naturales con hierbas medicinales pueden ser de gran ayuda para aliviar los síntomas.

HOMEOPATÍA
Ésta es una forma de curación natural basada en el principio simple de que una sustancia que produce los mismos síntomas que una enfermedad, en forma muy diluida, ayudará a curarla. Los remedios homeopáticos son derivados minerales, animales o vegetales. La teoría homeopática sobre los problemas de la menopausia es que son la manifestación de desequilibrios existentes que sólo pueden ser tratados teniendo en cuenta la conformación psíquica y física del individuo. Las mujeres son animadas a prepararse para la menopausia teniendo en cuenta su salud general y desarrollando una actitud positiva antes de su inicio.

Si quiere tratar sus síntomas en forma homeopática, es una buena idea consultar al médico homeópata. Si decide hacerlo, tenga en cuenta lo siguiente:
■ Debe dejar de ingerir los remedios tan pronto como los síntomas comiencen a mejorar.
■ Si los síntomas no mejoran después de haber ingerido sus dosis, busque consejo médico.
■ Los remedios homeopáticos deben guardarse en un lugar fresco y oscuro, alejado de otros olores.
■ Algunas sustancias, como el café, la menta, el mentol y el alcanfor, contrarrestan los efectos de los remedios homeopáticos y deben ser evitadas.
■ Algunas píldoras homeopáticas están recubiertas en lactosa y debe evitarlas si es alérgica a la leche.
■ Si los síntomas son muy agudos, puede consumir un remedio cada hora. Para los problemas de largo plazo, los remedios se ingieren por la mañana y por la noche.

TRATAMIENTO CON HIERBAS

Algunos de los métodos más antiguos de curación se basan en el tratamiento con hierbas. El conocimiento sobre éstas se ha traspasado de generación en generación en las familias que tienen sus propios libros de recetas de tónicos y tés.

Al igual que la homeopatía, los objetivos de este tratamiento son sanar la causa de los síntomas más que detener los síntomas en sí mismos y mejorar la salud general del paciente. La desventaja del tratamiento con hierbas es que el acuerdo sobre los remedios que se deben usar para un trastorno en particular aún sigue siendo sorprendentemente limitado.

Sin embargo, el tratamiento con hierbas ofrece una alternativa atractiva frente a otras formas de tratamiento, porque permite experimentar con una variedad de hierbas sin las complicaciones de padecer efectos secundarios serios. También se reconoce que estos remedios pueden funcionar como complementos de la medicina tradicional. No obstante, es importante mencionar que muy pocos remedios han sido sometidos a pruebas clínicas controladas. Si planea tratar sus síntomas con hierbas, debe seguir estas instrucciones.

■ Siempre use las hierbas con moderación.
■ Suspenda el uso si comienza a tener efectos secundarios.
■ Dele a cada hierba una semana o dos para evaluar su efecto.
■ Comience tomando las hierbas en forma de infusión. Aumente la cantidad de media taza por día a varias tazas en el período de una semana.
■ No consuma las hierbas por más de seis semanas sin un descanso.
■ Si está ingiriendo medicamentos, debe consultar al médico antes de optar por la terapia herbal.
■ No deje de buscar consejo médico aunque esté con una terapia herbal.

HIERBAS CHINAS

La medicina china explica que la enfermedad es resultado de un desequilibrio o disturbio en las dos fuerzas energéticas del cuerpo, el yin y el yang. Esta medicina prepara sus remedios y dosis para cada mujer y sus síntomas. Debe consultar a un médico chino para un diagnóstico individual.

VITAMINAS Y MINERALES

Todos sabemos lo importante que es mantener una dieta equilibrada para estar sanos, pero es especialmente importante asegurar la ingesta diaria de vitaminas y minerales durante la menopausia.

¿CUÁLES SON LOS SÍNTOMAS?

SUDORACIÓN NOCTURNA

El equivalente nocturno de los bochornos es la sudoración nocturna, por lo cual usted se despierta acalorada y empapada en sudoración. Muchas mujeres que experimentan sudor nocturno también padecen bochornos durante el día, pero no siempre sucede a la inversa. En ocasiones, la sudoración nocturna puede ser síntoma de estrés o de una enfermedad relacionada con la menopausia; si consulta a su médico, éste le podrá hacer un diagnóstico.

El insomnio en las mujeres menopáusicas casi siempre está vinculado con la sudoración nocturna.

Autoayuda

■ Mantenga la temperatura ambiental baja. Deje abiertas las ventanas; intente crear una corriente de aire.
■ Evite los pijamas y sábanas de nailon o poliéster que actúan como capas de plástico que mantienen el sudor pegado a su cuerpo. Los de algodón serán más cómodos.
■ Tenga cerca de la cama un ventilador a pilas, una fuente con agua tibia y una esponja para poder refrescarse. Nunca use agua helada, porque le hará sentir más calor después de aplicársela.
■ Deje que el agua se evapore en su piel: al hacerlo eliminará el calor de su piel, se sentirá más fresca y acortará la duración de la sensación de fiebre.

continúa en pág. 500

GUÍA RÁPIDA DE REMEDIOS HOMEOPÁTICOS

Síntoma	Remedio
Bochornos	Lachesis
Insomnio, SPM, dolor de articulaciones	Pulsatilla
Vagina seca, prolapso, bochornos, sudor nocturno, adelgazamiento del cabello	Sepia
Piel y vulva secas y urticantes	Sulphur
SPM, dolor de mama (mastalgia)	Bryonia
Bochornos y sudor nocturno	Belladonna

GUÍA RÁPIDA DE REMEDIOS CHINOS

Síntoma	Remedios
Sudor nocturno	Nuo dao gen
Sudor nocturno	Wu wei zi
Bochornos	Quing huo
Bochornos	Mu dan pi
Adelgazamiento del cabello	Bao shao yao
Adelgazamiento del cabello	Sang shen zi
Piel seca y urticante	Di fu zi
Piel seca y urticante	Chi shao yao
Vagina seca y dolorida	Tu fu ling
Vagina seca y dolorida	Chaung zi

GUÍA RÁPIDA DE REMEDIOS HERBALES

Síntomas y efectos	Remedio
Hinchazón, bochornos	Salvia, beberla en infusión para los bochornos
Irregularidades menstruales, SPM (síndrome pre menstrual)	Alfalfa
Períodos menstruales intensos o irregulares	Raíz de Beth
Depresión, letargo, insomnio, mala memoria, hipertensión	Hierba de San Juan
Prolapso, ligamentos débiles, dolores	Raíz de falso unicornio
Nerviosismo, irritabilidad, ansiedad	Scullcap. (lateriflora de Scutellaria) Combinar con bálsamo para la ansiedad
Ansiedad, síntomas emocionales	Verbena. Beber como té o tintura
Inflamación de la piel	Saúco. Usar como agua de saúco en la piel
Irregularidades menstruales, SPM, problemas cíclicos de la piel	Cohosh negro
Dolor de ovarios y útero, aumento de producción de hormonas femeninas	Ñame silvestre
Bochornos, sudor nocturno	Vitex agnus-castus
Síntomas urinarios	Gaulteria, raíz de zarzamora, coleus

MINERALES QUE BENEFICIARÁN LOS MALESTARES DE LA MENOPAUSIA
Siempre consuma los minerales en los alimentos, no como suplementos sintéticos.

Malestar	Mineral	Fuentes
Osteoporosis, alta concentración de grasa en la sangre, hipertensión	Calcio	Leche y lácteos, verduras de hoja verde oscuro, cítricos, arvejas y porotos secos
Osteoporosis, fatiga, diabetes mellitus, enfermedad coronaria, ansiedad, depresión	Magnesio	Verduras de hoja verde, nueces, porotos de soya, cereales integrales
Fatiga, enfermedad cardíaca, hipertensión, ansiedad, depresión	Potasio	Jugo de naranja, plátanos, frutas secas, manteca de maní, carne
Osteoporosis	Cinc	Carne, hígado, huevos, ave, mariscos
Sangramiento menstrual excesivo	Hierro	Nueces, hígado, carnes rojas, yema de huevo, verduras de hoja verde, frutos secos
Hipotiroidismo, enfermedad fibroquística de la mama	Yodo	Mariscos, pescado, algas
Baja cantidad de glucosa en la sangre	Cromo	Carne, queso, cereales integrales, panes
Enfermedad fibroquística de la mama y cáncer de mama	Selenio	Mariscos, carne, cereales integrales
Aterosclerosis	Manganeso	Nueces, frutas y verduras, cereales integrales
Bochornos, sangramiento menstrual excesivo, problemas vaginales, ansiedad, irritabilidad y otros problemas emocionales	Bioflavonoides	Todos los cítricos, especialmente la pulpa y la parte blanda de la cáscara

VITAMINAS QUE BENEFICIARÁN LOS MALESTARES DE LA MENOPAUSIA
Siempre consuma las vitaminas en los alimentos, no como pastillas o cápsulas.

Malestar	Vitamina	Fuentes
Hemorragia menstrual excesiva, anomalías cervicales, enfermedad fibroquística y cáncer de mama	Vitamina A	Zanahoria, espinaca, nabo, albaricoque, hígado fresco, melón, batata
Anomalías cervicales y cáncer, osteoporosis, diabetes mellitus	Ácido fólico	Verduras de hoja verde, nueces, arvejas, porotos, hígado y riñón
Alta concentración de grasa en la sangre	Vitamina B_3	Carne y ave, pescado, legumbres, trigo integral, salvado de trigo
Anomalías cervicales y cáncer, diabetes mellitus	Vitamina B_6	Carne y ave, pescado, plátano, cereales integrales, lácteos
Ansiedad, depresión, cambios de ánimo, fatiga	Vitamina B_{12}	Pescado, ave, huevos, leche, productos de soya enriquecidos con B_{12}
Hemorragia menstrual excesiva, anomalías cervicales, cáncer cloasma	Vitamina C	Cítricos, fresas, bróculi, pimientos verdes
Mala absorción de calcio, aumento del riesgo de osteoporosis	Vitamina D	Luz solar, pescados aceitosos, cereales y panes fotificados, margarina fortificada
Bochornos, ansiedad, problemas vaginales, hipotiroidismo, cloasma y otras afecciones de la piel, aterosclerosis, osteoartrosis, enfermedad fibroquística de la mama	Vitamina E	Aceites vegetales, verduras de hoja verde, cereales, porotos secos, cereales integrales, pan

continúa de página 498

■ La relajación es especialmente terapéutica: calma la mente y el cuerpo, que luego normaliza la química corporal y hace que la piel transpire menos.

SÍNTOMAS DE LOS MÚSCULOS Y DE LAS ARTICULACIONES

El colágeno es una proteína que provee el andamiaje para todos los tejidos del cuerpo, y cuando comienza a desintegrarse en la menopausia, los músculos pierden masa, fuerza y coordinación y las articulaciones se endurecen.

Autoayuda

■ Si mantiene los músculos fuertes haciendo ejercicio, evitará la osteoporosis y las fracturas, será más ágil y, si llegara a caerse, la fuerza muscular y la coordinación le permitirán aminorar el impacto al caer.
■ Si sufre artritis reumatoide u osteoartrosis, el médico le recomendará algunas medidas para aplicar en casa.
■ Si sus articulaciones están rígidas e inflamadas, un emplasto hecho con pimienta de Cayena puede ayudar.

SÍNTOMAS PREMENSTRUALES

Si ha sufrido del síndrome premenstrual (SPM) durante toda su vida, es probable que experimente los síntomas con mayor intensidad en la menopausia. Los síntomas del SPM suelen incluir fatiga, ansiedad, irritabilidad, llanto, dolor de mama, retención de líquidos, problemas cutáneos, deseo de comer dulces e insomnio. Si sospecha que su estado de ánimo se debe al SPM, puede confirmarlo registrando su ciclo menstrual durante tres meses y anotando los síntomas día a día.

Autoayuda

■ Evite los dulces comiendo varias comidas pequeñas al día; encontrará que el deseo desaparece si el nivel de azúcar en la sangre es estable.
■ Coma menos sal, ya que ésta aumenta la retención de líquidos.
■ Evite el alcohol y la cafeína; éstos agravan muchos de los síntomas emocionales del SPM.
■ Asegúrese de estar ingiriendo suficiente calcio, magnesio, vitamina B_6 y vitamina E, ya que pueden reducir los síntomas emocionales.
■ Haga mucho ejercicio.
■ La aromaterapia recomienda los aceites de ylang-ylang, lavanda y **lemon grass** (yerba Luisa), que puede usar en un baño de inmersión tibio.

SÍNTOMAS DE LA PIEL, OJOS, CABELLO, BOCA Y UÑAS

El bajo nivel de estrógenos que se produce durante la menopausia puede ocasionar cambios en la piel, el cabello, las uñas, los ojos, la boca y las encías.

Autoayuda

■ La humectación es importante. Evite el jabón, que priva a la piel de sus aceites naturales, y use cremas y lociones de limpieza especiales.
■ Las uñas de manos y pies necesitan cuidado especial, por eso recurra a una manicura y una pedicura al menos cada seis u ocho semanas.
■ Las úlceras en la boca y en la lengua deben ser tratadas inmediatamente. Enjuague la boca con agua con sal o use un ungüento. Si los bordes de los dientes causan las úlceras, haga que se los limen.
■ Cuide su piel del sol. Con los años, usted estará menos protegida ante la exposición solar. Evite siempre la exposición directa y cuando salga al sol, use protector solar. Si es posible, limite la exposición a las primeras y últimas horas del día.
■ La salud de la piel, uñas y cabello y de los ojos depende mayormente de una dieta rica en vitaminas, minerales y oligoelementos. Es esencial que consuma suficiente vitaminas A, B, C y E y de potasio, cinc, magnesio, bioflavonoides, hierro, calcio y ácidos grasos esenciales. Debe prestar especial atención a las vitaminas del grupo B, especialmente B_1, B_2, B_3, B_6, B_{12} y ácido fólico.

INSOMNIO

Si se siente deprimida o ansiosa o si padece sudoración nocturna, puede ser difícil dormir y es común despertarse temprano por la mañana.

Autoayuda

■ Si hace una larga caminata o algún otro tipo de ejercicio aeróbico una hora antes de dormir, la calidad de su sueño mejorará notablemente.
■ La leche tibia funciona para muchos insomnes. Esto puede deberse a la acción del calcio sobre los nervios.

SÍNTOMAS ESTOMACALES E INTESTINALES

La distensión abdominal puede ser un problema durante la menopausia. Suele deberse a los gases en el intestino grueso, que son producidos por la fermentación en el delgado. El estreñimiento es otro síntoma frecuente en la menopausia, porque la movilidad intestinal es afectada por las hormonas sexuales.

Autoayuda

■ Una dieta alta en fibras, mucho líquido y ejercicio frecuente mantendrán la normalidad intestinal. Limitar el azúcar, los lácteos y el alcohol también ayudará.
■ Coma alimentos que causen fermentación, como los que contienen levaduras y azúcares, sólo al comienzo del día.
■ Un remedio rápido y efectivo para el estreñimiento es comer ciruelas e higos secos, ambos ricos en fibras.

SÍNTOMAS EMOCIONALES

Sentimientos como la tensión, ansiedad, depresión, apatía, irritabilidad, llanto y cambios de estado de ánimo pueden ocurrir a cualquier edad, pero rara vez aparecen todos a la vez o con la frecuencia con que lo hacen en la menopausia.

Autoayuda

■ Los cambios severos de estado de ánimo y la irritabilidad pueden distanciarla de su pareja y, ocasionalmente, poner en peligro la relación. Sin embargo, si comparte sus sentimientos, contará con el apoyo de su compañero. Muchos estudios han demostrado que las parejas comprenden los síntomas de la menopausia y prefieren conocer los potenciales problemas antes que ésta comience.
■ Las mujeres que participan en grupos de autoayuda suelen controlar mejor la depresión. Piense en unirse a un grupo o inicie usted uno.
■ Hacer 20 ó 30 minutos de ejercicio vigoroso libera endorfinas, que producen un "lleno de energía" que dura unas ocho horas.
■ El yoga, la relajación y la meditación promueven la tranquilidad y combaten la ansiedad.

SÍNTOMAS INTELECTUALES

La falta de memoria es uno de los síntomas más comunes de los que se quejan las mujeres, y pueden experimentarlo mucho antes de dejar de menstruar. La capacidad de concentración también desmejora.

Autoayuda

Cualquier clase de trabajo o estudio le ayudará a preservar su habilidad intelectual. Nunca es tarde para buscar un trabajo, aunque muchas mujeres menopáusicas temen no poder encontrarlo. Varias universidades, escuelas y academias ofrecen cursos en diversos temas, incluyendo el reentrenamiento laboral.

SÍNTOMAS DE LAS MAMAS

Se estima que el 70 por ciento de las mujeres de Gran Bretaña sufre de dolores en las mamas en algún momento de sus vidas, pero especialmente en los años de la pre y perimenopausia.

■ Pídale al médico que la examine para descartar alguna masa.

■ Use un sostén con buen soporte. Dormir con él puesto puede aliviar el dolor durante la noche.

■ Disminuya la ingesta de grasas saturadas en la dieta.

■ Uno de los ácidos grasos esenciales, el ácido gamolénico, que se encuentra en el aceite de primavera, reduce significativamente el dolor de mama hasta en un 70 por ciento de las mujeres y no se han detectado efectos secundarios.

■ Si el dolor de mama es muy severo, puede ser tratado con fármacos, como danazol y bromocriptina, que alteran el equilibrio hormonal. Sin embargo, éstos pueden tener efectos secundarios, como náuseas, aumento de peso y, a veces, hirsutismo (exceso de vello corporal) y disminución de la voz.

AUMENTO DE PESO

El peso que podemos subir durante la menopausia se debe a un funcionamiento más lento del metabolismo, que afecta tanto a hombres como a mujeres a medida que envejecen, y a la disminución del nivel de estrógenos que influye en la manera en las que son distribuidas las grasas. Es importante ser realista y tener presente que todas las mujeres menopáusicas sufren cambios en su figura. No es recomendable hacer dietas excesivas.

Autoayuda

Si su peso es mayor al recomendado para su edad y talla, estos consejos pueden ser útiles para usted:

■ Beba un vaso de agua antes de empezar a comer, ya que le hará sentirse más satisfecha al final de la comida.

■ Sírvase la comida en un plato pequeño; de esta forma podrá controlar la cantidad que consuma.

■ Cuanto más lento coma, más satisfecha se sentirá. Las personas que comen mucho lo hacen demasiado rápido; no saborean los alimentos y deben ingerir más para sentirse satisfechas.

■ Hacer ejercicio una hora antes de comer es un gran supresor del apetito. Ingiera su comida principal temprano para que tenga suficiente tiempo para quemar las calorías. Evite comer en abundancia por la noche, ya que el sueño no quema muchas calorías.

SÍNTOMAS SEXUALES

Un mito común sobre la menopausia es que marca el comienzo del declinar sexual de la mujer. Nada más alejado de la verdad. La mayoría de las mujeres puede continuar experimentando placer sexual hasta edad avanzada.

Autoayuda

■ Antes de tener relaciones sexuales aplique algún tipo de gel acuoso en la entrada de la vagina. Éstos son mejores que los aceitosos porque no promueven el crecimiento de bacterias y no dañan el látex del preservativo.

■ Evite las duchas vaginales, los talcos, los papeles higiénicos perfumados y aceites y espumas de baño aromatizadas porque pueden irritar la vagina.

■ Evite lavar el interior de sus labios de la vulva con jabón, ya que resecará la piel.

■ Evite los remedios para la picazón genital que contengan antihistamina o perfumes.

■ Dedique más tiempo al juego previo para darle al cuerpo una mayor cantidad de tiempo para producir su propia lubricación.

■ A las mujeres con bajos niveles de histaminas puede costarles alcanzar el orgasmo. Aquellas que tengan que ingerir antihistamínicos deben estar al tanto de la posibilidad de pérdida del deseo sexual y de la dificultad para lograr el orgasmo.

■ El cinc es un mineral asociado con la producción de histamina, y esta deficiencia puede ser común en mujeres que sufren hemorragias intensas o que hacen dietas excesivas. Puede aumentar la ingesta de cinc incluyendo más alimentos ricos en este mineral, como las sardinas y el germen de trigo.

ENFOQUE *en* TRH

La terapia de reemplazo hormonal (TRH) es el principal método para tratar los problemáticos síntomas que aparecen con la menopausia. También es una medicina preventiva importante, ya que reduce efectivamente el riesgo de sufrir algunas afecciones graves o dolorosas, como los infartos y la osteoporosis.

La TRH no es recomendable para cualquier mujer, pero comprender sus ventajas y desventajas y reunir la mayor información posible le ayudará a tomar una decisión bien respaldada sobre la forma de enfrentar su menopausia.

No hay un solo órgano en el cuerpo de la mujer que no sea mantenido por el **estrógeno**. Por eso, todos los órganos se benefician con los suplementos de estrógeno cuando los ovarios llegan al fin de su vida reproductiva.

¿CUÁL ES EL TRATAMIENTO?

La TRH es una combinación de las hormonas femeninas estrógeno y progesterona sintética (**progestogen**). El estrógeno se suministra para mantener la salud de órganos vitales, como el corazón y el cerebro, y también para los órganos sexuales femeninos y las mamas. Asimismo mantiene la elasticidad del tejido vaginal y de otros tejidos del cuerpo, la actividad del cerebro, alivia la ansiedad y promueve el sueño. Es útil para prevenir los infartos, la apoplejía, la osteoporosis y el mal de Alzheimer. La progesterona provoca el desprendimiento del recubrimiento uterino, lo que significa que con algunos tipos de TRH usted seguirá teniendo su período, aunque hay otras opciones que no incluyen sangrado. Cuando se

recetó terapia hormonal por primera vez, en las décadas de los 60 y 70, sólo se utilizaba estrógeno. Luego se descubrió que las mujeres que seguían este tratamiento tenían un riesgo algo mayor de desarrollar cáncer al útero. Desde entonces comenzó a agregarse la progesterona, que elimina el riesgo de este cáncer e incluso protege contra él.

¿CÓMO SE ADMINISTRA?

Tipos de TRH

Tabletas – La mayoría de las TRH se prescriben en forma de tabletas y son muy efectivas para combatir los síntomas físicos y emocionales, y pueden detenerse de inmediato si no dan resultado. Pueden no ser adecuadas si usted tiene antecedentes de presión alta, coagulación sanguínea, problemas hepáticos, masas en las mamas o cáncer de mama. Algunas mujeres experimentan sensibilidad en los pechos y náuseas y pueden tener sangramiento si olvidan ingerir la pastilla.

Cremas – Un aplicador coloca la dosis correcta de crema impregnada con estrógeno directamente en la vagina. Esto reduce la picazón genital, la incomodidad y los problemas urinarios.

Pesarios – Una pastilla libera bajas dosis de estrógeno directamente en la vagina. Reduce la sequedad vaginal y el dolor al orinar. Tanto las cremas como los pesarios son fáciles de usar, pero las dosis son demasiado bajas para tratar los síntomas generales de la menopausia o para actuar como medicina preventiva.

Parches transdérmicos – Una baja dosis de la hormona entra en el cuerpo a través de la piel. Los parches deben ser cambiados cada tres o cuatro días. Tan efectivos como la forma en tabletas de la TRH, son fáciles de usar y tienen pocos efectos secundarios. Muy pocas mujeres presentan piel enrojecida y picazón debajo del parche; esto suele empeorar en climas cálidos.

Gel cutáneo – La forma más baja y más fisiológica de la TRH es proporcionada por un gel que se frota en la piel de los muslos. Es la que conlleva menos efectos secundarios y uno puede modificar la dosis. Es mi favorita.

Implantes – Se inserta una pastilla con estrógeno con una duración de **seis meses** debajo de la piel del abdomen o glúteos. También suelen administrase tabletas de **progesterona**. Alivia los síntomas físicos y ofrece un alto nivel de protección contra la osteoporosis. Pero las dosis

son difíciles de modificar y la inserción requiere de un procedimiento quirúrgico menor. Puede realizarse al mismo tiempo un implante de testosterona para elevar el deseo sexual.

FORMAS DE CONSUMIRLA

Terapia continua – El método más común. El estrógeno es absorbido todos los días con la ingesta de una tableta o con el uso del parche dos veces por semana. La progesterona se ingiere en forma de pastillas o en un parche combinado durante 12 ó 14 días. Más del 90 por ciento de las mujeres tendrá un sangrado mensual, pero muchas encontrarán que éstos desaparecen después de unos meses.

Terapia cíclica – El estrógeno se consume desde el día 1 hasta el día 21 del ciclo y la progesterona durante los últimos 12 ó 13 días, ambos se suspenden el día 21. Muchas mujeres experimentan sangrado entre los días 22 y 28, aun cuando normalmente disminuye hasta desaparecer por completo. La alternativa es ingerir la progesterona una vez cada tres meses. Esto significa que tendrá cuatro sangrados al año.

Terapia combinada continua (TRH sin hemorragia) – Dosis diarias continuas de estrógeno con una dosis muy baja de progesterona. Algunas mujeres sangran al comienzo, aunque el período suele desaparecer a los pocos meses. Este es un método bastante común entre las mujeres que tienen tratamiento de largo plazo y entre las que comienzan la TRH en edad avanzada, por ejemplo, cuando desarrollan osteoporosis.

Encontrar el método indicado

La amplia variedad existente de métodos de la TRH indica que hay uno para cada tipo de mujer. Puede llevar algún tiempo determinar cuál es la dosis óptima para usted y deberá experimentar junto a su médico, ya que no hay forma de predecir cómo responderá cada persona a los diferentes tipos de **estrógeno** disponibles. Es recomendable hacer una prueba de por lo menos cuatro meses puesto que es lo que le toma al cuerpo establecerse. De ser necesario, el médico puede evaluar si la dosis hormonal es correcta haciendo un análisis de sangre. No cambie la dosis ni la suspenda sin consultar a su médico.

MSRE – La última forma de TRH se llama **raloxifen** y pertenece a un grupo de drogas llamadas MSRE (Moduladores Selectivos de los Receptores Estrogénicos). Protege los huesos y el corazón y no causa riesgo de cáncer de mama. Sin embargo, no alivia los bochornos, la sequedad vaginal ni los síntomas de la vejiga como sí lo hace la TRH convencional. Tampoco protege contra el mal de Alzheimer.

¿CUÁNTO TIEMPO DURA?

El tratamiento suele continuarse entre dos y cinco años, durante los cuales el cuerpo se ajusta gradualmente a la deficiencia de estrógeno. No obstante, la TRH debe aplicarse durante al menos cinco años si se quiere que prevenga la pérdida de masa ósea y los problemas al corazón. Si se suspende por un período breve, síntomas como los calores pueden reaparecer en forma más severa. En mi opinión, no hay motivo para suspender la TRH. Ya que existe un pequeño aumento en el riesgo de cáncer de mama después de los 10 años, muchos médicos dirán que dicho lapso es lo máximo que debe durar el tratamiento. Sin embargo, el aumento del riesgo es el mismo que se corre por tener un hijo después de los 30 años, por lo que estoy preparada a correrlo para disfrutar los beneficios de la TRH.

MUJERES QUE DEBEN CONSUMIR LA TRH PARA PROTEGERSE

- **Las mujeres con antecedentes familiares de infartos, apoplejía o mal de Alzheimer.**
- **Las mujeres con antecedentes personales de infartos, apoplejía o mal de Alzheimer.**
- **Las mujeres con antecedentes familiares de osteoporosis.**
- **Las mujeres con antecedentes personales de osteoporosis que han tomado corticosteroides.**

EFECTOS SECUNDARIOS Y RIESGOS

Algunas mujeres han informado que sufren retención de líquidos, náuseas, sensibilidad en las mamas, dolor de cabeza, mareos y depresión. La respuesta puede estar en experimentar con los distintos tipos de TRH. Entre el 10 y el 15 por ciento de las mujeres **reacciona a la progesterona** y experimenta algo similar al **síndrome premenstrual**. Para casi la mitad de las mujeres afectadas, los síntomas **desaparecen** en un **período de cuatro meses. La dosis de progesterona puede reducirse ingiriéndola sólo cada tres meses (terapia cíclica).**

CÁNCER

La posible relación entre la TRH y el cáncer de útero es una gran preocupación.

Afortunadamente, el uso de la **progesterona** elimina el riesgo de desarrollar cáncer al útero e incluso puede brindar protección a futuro. El debate en torno al cáncer de mama no es algo simple. Está generalmente aceptado que en los primeros 10 años de tratamiento no hay un aumento del riesgo. Después de eso, el riesgo se eleva ligeramente, pero en especial en las mujeres que ya tienen otros factores de riesgo en su historial clínico. Aquellas que siguen la TRH y desarrollan cáncer de mama suelen hacerlo en forma menos invasiva y tienen mayores índices de supervivencia. Sin embargo, la progesterona no protege contra este cáncer y puede ocasionar problemas de mamas en algunas mujeres.

ENFERMEDAD DE LA VESÍCULA

Entre los 50 y los 75 años, se estima que 3 de cada 100.000 mujeres mueren por complicaciones de enfermedades de la vesícula. Este número se duplica a 6 de cada 100.000 en las mujeres que se someten a la TRH.

MUJERES EN RIESGO

A las mujeres que están dentro de una o varias de las siguientes categorías, los médicos pueden recomendar no seguir una TRH, aunque si sus síntomas son muy agudos, deberá evaluar los pros y los contras con su médico.

- Presión alta.
- Antecedentes de trombosis.
- Diabetes.
- Enfermedad hepática crónica.
- Antecedentes de cáncer de mama, de vagina, de endometrio o cervical.

Las primeras cuatro pueden tratarse por ejemplo con una baja dosis de estrógeno, que puede ser en parche, gel o cremas o pesarios vaginales.

Cómo puede ayudar la TRH

- **Bochornos y sudoración nocturna** Más del 90 por ciento de las mujeres encuentra alivio completo al recibir estrógeno sin importar la forma en que se consuma; más del 98 por ciento informa que los síntomas disminuyen.
- **Sequedad vaginal y dolor al mantener relaciones sexuales** Pueden ser aliviados.
- **Problemas intelectuales** (falta de concentración/capacidad para tomar decisiones) Mejoran en el plazo de un mes.
- **Piel, cabello y uñas** Todos deben mejorar. La recesión de las encías también puede aliviarse.
- **Menorragia** (períodos menstruales muy intensos) Las mujeres de entre 40 y 50 años suelen encontrar que sus períodos se vuelven más intensos. La TRH puede ayudar, pero el sangrado profuso anormal puede requerir tratamiento adicional.
- **Sueño** Las investigaciones indican que las mujeres pueden soñar menos cuando tienen deficiencias de estrógeno. Como este tipo de sueño es importante para el bienestar, la TRH ayudará a que usted se sienta descansada después de dormir. Ingiera la TRH justo antes de acostarse para dormir bien.
- **Libido** (deseo sexual) Ésta varía de mujer a mujer. La testosterona, la hormona masculina, también es fabricada por los ovarios y se cree que es la responsable del deseo sexual femenino. Los altos niveles de estrógeno pueden eliminarlo. Bajas dosis diarias de testosterona o un implante de ella, pueden significar un leve retorno de la vitalidad sexual sin efectos secundarios.

Otros beneficios

- **Prevención de infartos y apoplejías** La enfermedad coronaria aguda cobra la vida de una de cada cuatro mujeres mayores de 60 años. La TRH reduce el riesgo en un 50 por ciento.
- **Osteoporosis** Éste es un proceso de adelgazamiento de los huesos que ocurre en las mujeres menopáusicas. Puede causar fracturas, curvatura de la columna y dolor de espalda agudo. Se cree que la TRH es una forma importante de protección.
- **Reducción del riesgo de cáncer de pulmón, colon, ovario y cuello del útero. Puede retrasar el inicio del mal de Alzheimer.**

Diabetes mellitus

LA DIABETES MELLITUS ES LA INCAPACIDAD DEL CUERPO DE USAR LA GLUCOSA COMO ENERGÍA DEBIDO A LA CANTIDAD INADECUADA O PÉRDIDA DE LA SENSIBILIDAD DE LA HORMONA INSULINA.

En la diabetes mellitus, el páncreas no produce la cantidad suficiente de insulina o las células del cuerpo se vuelven resistentes a los efectos de esta hormona.

Esta diabetes es una de las enfermedades crónicas más comunes en Occidente, y afecta a más de 1 de cada 20 personas; a veces es hereditaria.

¿CUÁLES SON LOS TIPOS?

Hay dos formas principales de diabetes mellitus, **diabetes tipo I** y **diabetes tipo II**.

TRATAMIENTO

Insulina

Normalmente, la insulina es producida por el páncreas y permite que las células del cuerpo absorban su principal fuente de energía, la glucosa, de la sangre. En la diabetes, las células deben usar otras fuentes de energía, que pueden causar la producción de subproductos tóxicos para el cuerpo. El más dañino de éstos es la **acetona**, que puede olerse en el aliento como **quitaesmalte**. La glucosa no utilizada se acumula en la sangre y en la orina, elevando el nivel de azúcar y provocando síntomas como **micción excesiva, sed y pérdida de peso**. El tratamiento busca mantener estables los niveles de glucosa en la sangre. Entre las personas tratadas por diabetes mellitus, 1 de cada 10 depende de las inyecciones de insulina de por vida. El resto necesita una dieta bien equilibrada y, a veces, fármacos orales. Mientras esté bien controlada, la diabetes permite llevar una vida normal. Sin embargo, pueden aparecer complicaciones, aunque su inicio se puede retrasar mediante un tratamiento cuidadoso. Las complicaciones pueden afectar los **ojos, riñones, el sistema cardiovascular** y **el sistema nervioso e incluir trastornos de los nervios periféricos**. La diabetes mellitus también debilita el **sistema inmunológico**, pues aumenta la posibilidad de contraer infecciones como la **cistitis**. La diabetes mellitus suele ser una condición permanente.

DIABETES TIPO I

Ocurre cuando el páncreas produce muy poca o nada de insulina. Suele desarrollarse repentinamente en la infancia o adolescencia. Aunque las medidas dietéticas son importantes, debe tratarse con inyecciones de insulina. Unas 60.000 personas tienen este tipo de diabetes en el Reino Unido.

DIABETES TIPO II

El tipo II es la forma más común de diabetes. El páncreas sigue secretando insulina, pero las células del cuerpo se vuelven resistentes a sus efectos. Esta forma de diabetes afecta principalmente a personas mayores de 40 años y es más común en las que tienen sobrepeso. Se desarrolla lentamente y suele pasar inadvertida durante años. A veces esta afección se puede tratar con dieta, pero eventualmente pueden necesitarse fármacos orales o inyecciones de insulina. Unas 600.000 personas tienen diabetes tipo II en el Reino Unido.

A veces puede desarrollarse durante el **embarazo**. Esta afección se conoce como **diabetes gestacional** y suele tratarse con insulina para mantener la salud de la madre y del bebé. La diabetes gestacional, por lo general, desaparece después del parto. Sin embargo, las mujeres que la han sufrido tienen mayor riesgo de desarrollar la diabetes tipo II en el futuro.

¿CUÁLES SON LAS CAUSAS?

■ **La diabetes tipo I** suele ser causada por una reacción anormal en la que el sistema inmunológico destruye las células que secretan insulina en el páncreas. Este tipo de diabetes puede ser considerado un **trastorno autoinmune.**

■ El desencadenante de la reacción anormal es desconocido, puede ser una **infección viral**.

■ En algunos casos, la destrucción de los tejidos que secretan insulina ocurre después de una inflamación del páncreas, durante una pancreatitis aguda.

■ La genética también tiene que ver, pero el patrón de transmisión es complejo. El hijo de una persona con diabetes tipo I corre grandes riesgos de desarrollar la enfermedad. Sin embargo, la mayoría de los niños afectados no son hijos de diabéticos.

■ Las causas de la **diabetes tipo II** no se comprenden tan bien, pero la genética y la obesidad juegan un papel importante. De cada 3 diabéticos, 1 tiene un familiar con el mismo tipo de diabetes.

■ La diabetes tipo II es un problema creciente en las sociedades acaudaladas, en las cuales la ingesta de comida es mayor y hay una mayor cantidad de personas con sobrepeso.

■ La diabetes tipo II también puede ser causada por los corticosteroides o por niveles excesivos de hormonas corticosteroides naturales, como ocurre en la hiperactividad de las glándulas suprarrenales (síndrome de Cushing), que se opone la acción de la insulina.

¿CUÁLES SON LOS SÍNTOMAS?

Aunque algunos de los síntomas de ambas formas de diabetes mellitus son los mismos, la diabetes tipo I tiende a desarrollarse más rápidamente y a ser más aguda. Los síntomas del tipo II pueden no ser obvios o no descubrirse hasta realizar un chequeo de rutina. Los principales síntomas de ambas formas pueden incluir:

- micción excesiva
- sed y boca seca
- sueño insuficiente por la necesidad de orinar por la noche
- falta de energía
- visión borrosa
- pérdida de peso.

En algunas personas, el primer signo de la diabetes es la **cetoacidosis**, una condición en la que productos químicos tóxicos llamados **cetonas** se acumulan en la sangre. Éstos son producidos cuando los tejidos no pueden absorber la glucosa de la sangre debido a una producción de insulina inadecuada y deben usar las **grasas** como energía. La cetoacidosis también puede ocurrir en personas con diabetes tipo I que reciben insulina si omiten varias dosis o desarrollan otra enfermedad (porque cualquier tipo de enfermedad incrementa la necesidad de insulina del cuerpo). Sus principales síntomas incluyen:

- náuseas y vómitos, a veces con dolor abdominal
- respiración profunda
- olor a acetona en el aliento
- confusión.

Éstos constituyen una emergencia médica porque pueden causar deshidratación severa y coma si no se tratan con rapidez. El tratamiento de emergencia de la cetoacidosis comprende:

- líquidos intravenosos para corregir la deshidratación y componer el equilibrio químico de la sangre
- inyecciones de insulina para permitir que las células absorban la glucosa de la sangre.

¿EXISTEN COMPLICACIONES?

La diabetes mellitus puede provocar **complicaciones a corto** y **largo plazo**. Las complicaciones a corto plazo suelen ser fáciles de solucionar, pero las de largo plazo son difíciles de controlar y pueden significar una expectativa de vida menor.

AUTOAYUDA

Vivir con diabetes

Las personas con diabetes mellitus pueden llevar vidas normales y seguir haciendo ejercicios y comiendo la mayoría de los alimentos. Sin embargo, es muy importante hacer una dieta sana, mantener un buen estado físico y, de ser necesario, bajar de peso. Seguir un régimen sano minimiza el riesgo de desarrollar complicaciones con el tiempo, incluyendo enfermedades cardíacas, problemas circulatorios e insuficiencia renal.

Una dieta sana: para algunas personas con diabetes, la dieta sana y la pérdida de peso son suficientes para mantener normales los niveles de glucosa en la sangre. La dieta debe ser alta en carbohidratos complejos, como el arroz, las pastas y las legumbres, y baja en grasas, especialmente las de origen animal.

Beber y fumar: beber alcohol en forma moderada no presenta riesgos para la mayoría de las personas, pero un consumo excesivo puede bajar el nivel de glucosa en la sangre. Además, tiene muchas calorías y puede causar aumento de peso. El cigarrillo es muy dañino porque aumenta el riesgo de complicaciones a largo plazo, como enfermedades cardíacas y apoplejía.

Cuidados especiales para los pies: la diabetes puede incrementar el riesgo de infecciones y úlceras en la piel de los pies. Puede ayudar a evitarlas usando zapatos cómodos, visitando al podólogo en forma periódica cortándose bien las uñas y evitando caminar descalzo. Debe inspeccionar y limpiar sus pies diariamente y consultar de inmediato al médico si desarrolla una herida en uno de ellos.

Ejercicio y deporte: el ejercicio regular lo hace sentir más sano, reduce el riesgo de sufrir una enfermedad cardíaca, apoplejía y presión alta y puede ayudar si tiene que bajar de peso. Si padece diabetes tipo I, tendrá que controlar el nivel de glucosa en su sangre antes, durante y después del ejercicio para ver cómo afecta la actividad física, sus requerimientos de insulina y de comida.

Ejercicio intenso: los niveles de glucosa en la sangre suelen bajar durante el ejercicio intenso. Deberá ajustar la dosis de insulina o comer más antes de realizar una actividad física.

Ejercicio moderado: el ejercicio regular moderado reduce las posibilidades de desarrollar una enfermedad arterial coronaria y puede mejorar el control de la diabetes.

Controles médicos: debe visitar al médico periódicamente para que éste pueda detectar problemas relacionados con la diabetes en forma precoz y tratarlos efectivamente.

El control de la diabetes incluye un examen neurológico, control del pulso y presión sanguínea y un examen físico completo al menos una vez al año. Su nivel de azúcar en la sangre y la hemoglobina glicosilada serán controlados. Se hará un examen de orina para descartar problemas en el riñón.

Examen ocular: el examen de la retina (la membrana sensible a la luz que se encuentra en el fondo del ojo) puede detectar daño causado por la diabetes.

Control de presión sanguínea: las personas con diabetes mellitus tienen mayor riesgo de tener presión alta, por eso es importante controlarla periódicamente.

COMPLICACIONES A CORTO PLAZO

La diabetes de tipo I mal controlada o sin tratamiento puede llevar a la cetoacidosis, cuyos síntomas ya se han descrito.

COMPLICACIONES A LARGO PLAZO

Ciertos problemas permanentes representan la mayor amenaza a la salud de las personas con diabetes y eventualmente afectan incluso a las que tienen esta afección bastante controlada. El control del nivel de azúcar en la sangre reduce el riesgo de desarrollar estos problemas, y el reconocimiento temprano de las complicaciones ayuda a controlarlas. Por eso, todas las personas afectadas deben visitar al médico al menos cuatro veces al año. La diabetes tipo II suele no diagnosticarse hasta varios años después de su inicio. Como resultado, las complicaciones ya son evidentes al momento del diagnóstico.

■ Las personas diabéticas corren mayor riesgo de enfermedades **cardiovasculares**. Los grandes vasos sanguíneos pueden resultar dañados por la aterosclerosis, una de las principales causas de **enfermedad coronaria arterial y apoplejía**.

■ El alto nivel de **colesterol**, que acelera el desarrollo de **aterosclerosis**, es más común en personas diabéticas.

■ La diabetes también está asociada con la **presión alta**, otro factor de riesgo que puede provocar una enfermedad cardiovascular.

■ Otras complicaciones a largo plazo resultan del daño de pequeños vasos sanguíneos en todo el cuerpo. Los daños en los vasos de la retina, ubicados en el fondo del ojo, pueden causar la **retinopatía diabética**.

■ La diabetes también incrementa el riesgo de desarrollar **cataratas** en los ojos. Las personas con diabetes mellitus deben controlar sus ojos una vez al año.

■ Si la diabetes afecta los vasos que irrigan los **nervios**, puede dañarlos causando una pérdida gradual de sensibilidad, la que comienza en manos y pies y a veces se extiende gradualmente a las extremidades.

■ Los síntomas iniciales pueden incluir **mareos**.

■ Puede presentarse **impotencia** en los hombres.

■ En edad avanzada, la pérdida de sensibilidad y la mala circulación hacen que las piernas estén más susceptibles a **úlceras**, y hasta **gangrena**; por eso son vitales las visitas al médico.

■ El daño de los pequeños vasos sanguíneos en los riñones puede ocasionar la insuficiencia renal crónica y la **insuficiencia renal terminal**, que requieren diálisis de por vida o transplante de riñón.

¿CÓMO SE DIAGNOSTICA?

El médico le pedirá un análisis de orina para controlar el nivel de glucosa. El diagnóstico se confirma con un análisis de sangre. Si el nivel de glucosa está en el límite, puede que le realicen otro análisis en **ayuno desde la noche anterior**. También puede hacerse un análisis de sangre para ver la **hemoglobina glicosilada**, una forma alterada del pigmento en los glóbulos rojos que aumenta en concentración cuando la glucosa en la sangre ha permanecido alta por varias semanas o meses.

¿CUÁL ES EL TRATAMIENTO?

Para los que sufren diabetes mellitus, el objetivo del tratamiento es mantener el nivel de glucosa dentro de los parámetros normales sin fluctuaciones marcadas. Esto puede lograrse con una dieta, con combinación de dieta e inyecciones de insulina, o con una dieta y pastillas que bajen el nivel de glucosa en sangre. El tratamiento suele ser de por vida y deberá asumir la responsabilidad del ajuste diario de la dieta y la medicación según el nivel diario de azúcar en su sangre, que usted mismo controlará.

TRATAMIENTO PARA LA DIABETES TIPO I

■ Esta forma de diabetes mellitus casi siempre se trata con **inyecciones de insulina**. Las drogas orales por sí solas no son efectivas.

■ La insulina está disponible en varias formas, incluyendo las de **acción corta**, las de **acción prolongada** y las combinadas.

■ Los tratamientos deben prepararse para cada individuo y pueden incluir combinaciones de insulina y medicamentos orales.

■ El médico le hablará sobre sus necesidades y le enseñará a inyectarse la insulina.

■ También deberá controlar su dieta y el nivel de glucosa como se describe más adelante.

■ Si la diabetes es difícil de controlar, le pueden dar una bomba de insulina que dispensa esta hormona a través de un catéter colocado en la piel.

POSIBLE TRANSPLANTE

La única forma de **curar** la diabetes tipo I es con un transplante de páncreas, pero esta cirugía no se ofrece en forma rutinaria, ya que el cuerpo puede rechazar el nuevo órgano y porque luego se requiere un tratamiento de por vida a base de drogas inmunosupresoras. Sin embargo, algunas personas sometidas a un transplante de páncreas al mismo tiempo que uno de riñón. Actualmente se está desarrollando un método para transplantar las células que producen insulina desde un páncreas normal. Pero la técnica todavía está en etapa experimental.

Inyectar la insulina

Si usted necesita inyecciones de insulina regulares deberá aprender a aplicárselas. Puede usar una jeringa con aguja, pero muchas personas prefieren los lápices de insulina, que son más fáciles de usar y más discretos. La insulina puede inyectarse en cualquier zona adiposa, como el brazo, el abdomen o los muslos. Inserte la aguja en la piel con un movimiento rápido e inyecte lentamente esta hormona. Debe intentar no usar siempre el mismo punto de inyección. A partir de los 10 años, los niños con diabetes pueden aprender a inyectarse.

Lápiz de insulina: este aparato que sirve para transportar y administrar insulina contiene un cartucho de insulina y tiene un indicador que le permite manejar la dosis requerida. En un extremo se coloca una aguja desechable.

TRATAMIENTO PARA LA DIABETES TIPO II

Muchas personas con este tipo de diabetes pueden controlar los niveles de glucosa en su sangre **haciendo ejercicio regularmente** y llevando una **dieta sana** para mantener el peso ideal.

■ Debe seguir los lineamientos generales de la alimentación sana y si es necesario busque la opinión de un nutricionista. Trate de mantener baja la ingesta de grasas y obtenga energía de los carbohidratos complejos (como el pan y el arroz) para minimizar las fluctuaciones del nivel de glucosa en su sangre. La dieta debe tener un contenido calórico fijo. Las proporciones entre proteínas, carbohidratos y grasas deben ser estables para mantener el equilibrio entre la ingesta de comida y el medicamento.

■ También debe controlar el nivel de glucosa regularmente. Si el nivel es más alto o más bajo de lo recomendado, puede tener que alterar su dieta o ajustar la dosis de insulina o droga con la ayuda del médico. El control efectivo es especialmente importante si desarrolla otra enfermedad, como una gripe, y en otras situaciones, como hacer ejercicio o planificar comer más de lo habitual.

■ Cuando la dieta no basta para controlar el

azúcar en la sangre, una o más drogas pueden administrarse. Probablemente comience con drogas orales, como las **sulfonilureas**, que estimulan al páncreas a liberar insulina, o la **metformina**, que ayuda a los tejidos del cuerpo a absorber la glucosa. También le pueden suministrar acarbosa, que retrasa la absorción de glucosa en el intestino y evita las fluctuaciones del nivel de azúcar en la sangre. Si los fármacos orales no surten efecto, deberá aplicarse inyecciones de insulina.

¿CUÁL ES EL PRONÓSTICO?

Si hay complicaciones cardiovasculares, la diabetes mellitus puede causar presión alta e infartos. Los avances en el control de los niveles de azúcar en la sangre, combinados con un estilo de vida sano, han hecho que la diabetes sea más fácil de controlar y les permiten a quienes la sufren llevar una vida más normal. Existen grupos de autoayuda para diabéticos.

Ver también:
• **El corazón y la aterosclerosis pág. 222**
• **Cataratas pág. 472 • Cistitis pág. 378**
• **Hipertensión pág. 226 • Insuficiencia renal aguda, crónica y terminal pág. 380**

EXAMEN

Controlar el nivel de glucosa

Usted puede controlar el nivel de glucosa en su sangre utilizando un **medidor digital**. El método de uso varía según el tipo de aparato, pero, por lo general, implica colocar una gota de sangre sobre una tira de material impregnado con un producto químico que reacciona a la glucosa. Comprobar el nivel de azúcar por lo menos **una vez al día** o según recomiende su médico le permitirá monitorear su tratamiento para confirmar su efectividad y modificarlo si es necesario.

1. Antes de comenzar, lave y seque sus manos. Con ellas limpias, utilice el elemento punzante del medidor para obtener una gota de sangre de la punta de un dedo.
2. Cubra el material impregnado con la gota de sangre. Espere un minuto (o el tiempo que indiquen las instrucciones).
3. Finalmente, retire el exceso de sangre del material e inserte la tira en el medidor digital. Éste analiza la sangre y hace una lectura instantánea del nivel de glucosa.

Hipertiroidismo y enfermedad de Graves

CUANDO LA TIROIDES PRODUCE HORMONAS EN EXCESO, MUCHAS DE LAS FUNCIONES DEL CUERPO SON ESTIMULADAS Y EL METABOLISMO SE ACELERA.

El exceso de hormonas de la tiroides, conocido como hipertiroidismo, es uno de los trastornos hormonales más comunes. Es más habitual en mujeres de entre 20 y 50 años y puede ser hereditario.

De cada 4 casos, 3 son producidos por la enfermedad de Graves, un **trastorno**

autoinmune en el que el sistema inmunológico produce anticuerpos que atacan la tiroides, que reacciona sobreproduciendo hormonas. La enfermedad de Graves tiende a ser hereditaria y se cree que tiene un factor genético. En casos raros, el hipertiroidismo se puede asociar con otros trastornos autoinmunes, especialmente el

trastorno cutáneo llamado vitiligo y la anemia perniciosa, un trastorno de la formación de la sangre. En algunos casos, los nódulos tiroideos, a menudo llamados nódulos "calientes", secretan hormonas que causan el hipertiroidismo.

La inflamación de la glándula puede producir temporalmente los síntomas del hipertiroidismo.

¿CUÁLES SON LOS SÍNTOMAS?

En la mayoría de los casos, los síntomas del hipertiroidismo se desarrollan gradualmente durante varias semanas y pueden incluir:

- pérdida de peso aunque aumente el apetito
- ritmo cardíaco acelerado, a veces irregular, que se siente como palpitaciones
- temblores que afectan las manos
- piel caliente y húmeda como resultado de la sudoración excesiva
- intolerancia al calor
- ansiedad e insomnio
- movimientos intestinales frecuentes
- dolor en el cuello por el agrandamiento de la tiroides (bocio)
- debilidad muscular
- en las mujeres, ciclos menstruales irregulares.

Las personas con hipertiroidismo causado por la enfermedad de Graves también pueden presentar ojos protuberantes, condición llamada exoftalmos.

¿CÓMO SE DIAGNOSTICA?

Si el médico sospecha que hay hipertiroidismo, le ordenará un análisis de sangre para detectar niveles anormalmente altos de la hormona de la tiroides y los anticuerpos que pueden atacar la glándula. También le revisará el cuello en busca de protuberancias causadas por el agrandamiento de la tiroides. Si detecta alguna inflamación, se le puede tomar un examen con radionúclidos para detectar un nódulo caliente.

¿CUÁL ES EL TRATAMIENTO?

■ Los síntomas del hipertiroidismo pueden aliviarse inicialmente con **drogas betabloqueadoras** que reducen los temblores y la ansiedad, pero no afectan los niveles de hormonas.

■ Existen tres tratamientos principales para reducir la producción hormonal de la tiroides.

■ El más común es el de las **drogas antitiroideas**, como **carbimazole** y **propranolol**, que se usan cuando el hipertiroidismo se debe a la enfermedad de Graves y trabajan suprimiendo la producción hormonal. Estos fármacos deben tomarse diariamente durante 12 a 18 meses, después de los cuales la tiroides suele volver a funcionar con normalidad.

■ El **yodo radiactivo** puede ser el tratamiento más efectivo para los **nódulos** de la tiroides que secretan hormonas, y también se lo utiliza para tratar la enfermedad de Graves. El tratamiento consiste en beber una solución o ingerir una pastilla de yodo radiactivo. El yodo es absorbido y se acumula en la tiroides, destruyendo parte de ésta.

■ Rara vez, si los tratamientos con medicamentos no funcionan, la extirpación quirúrgica de parte de la tiroides puede ser necesaria.

¿CUÁL ES EL PRONÓSTICO?

Muchas personas se recuperan por completo siguiendo el tratamiento. Sin embargo, el hipertiroidismo puede reaparecer, especialmente en quienes padecen la enfermedad de Graves. Si el tratamiento incluye cirugía o yodo radiactivo, la parte restante de la glándula puede no producir la suficiente cantidad de hormonas, lo que provoca el hipotiroidismo (ver abajo). Por eso es importante controlar regularmente los niveles hormonales después del tratamiento para poder consumir suplementos hormonales de ser necesario. La forma autoinmune de hipertiroidismo puede "agotarse" dejando a su paso un estado hipotiroideo.

Ver también:
- **Anemias pág. 236** • **Arritmias pág. 231**
- **Trastornos autoinmunes pág. 323**
- **Radionúclidos pág. 508**
- **Vitiligo pág. 454**

Hipotiroidismo

EN EL HIPOTIROIDISMO, TAMBIÉN CONOCIDO COMO MIXEDEMA, LA GLÁNDULA TIROIDES NO PRODUCE SUFICIENTES HORMONAS. ÉSTAS SON IMPORTANTES PARA REGULAR EL METABOLISMO CORPORAL. SU DEFICIENCIA RALENTIZA MUCHAS FUNCIONES DEL CUERPO.

El hipotiroidismo es más común en las mujeres, especialmente de más de 40 años, y suele ser hereditaria.

¿CUÁLES SON LAS CAUSAS?

■ Una causa común de hipotiroidismo es la tiroiditis. El tipo más común de **tiroiditis** que causa hipotiroidismo es un **trastorno autoinmune** conocido como **tiroiditis de Hashimoto**, en el que el organismo produce anticuerpos que atacan la glándula tiroides y la dañan en forma permanente. Otras formas de tiroiditis pueden causar hipotiroidismo temporal o permanente. La tiroiditis ocurre en las mujeres después del parto en un 10 por ciento de los casos, pero suele ser una condición temporal.

■ **Los tratamientos para el hipertiroidismo** que incluyen **yodo radiactivo** o **cirugía** pueden causar un hipotiroidismo permanente. Éstos destruyen parte de la glándula y el tejido que queda puede no producir las hormonas suficientes.

■ **Una dieta con un bajo contenido de yodo**, que es esencial para la producción de hormonas de la tiroides, puede causar hipotiroidismo, pero esto es raro en los países desarrollados.

■ En casos poco frecuentes, el hipotiroidismo se debe a que la glándula pituitaria secreta una cantidad insuficiente de **hormonas de estimulación tiroidea** (HET), que estimulan a la tiroides para que produzca sus propias hormonas. La baja producción de HET suele deberse a un tumor en la glándula pituitaria.

¿CUÁLES SON LOS SÍNTOMAS?

Los síntomas del hipotiroidismo varían en intensidad, suelen desarrollarse lentamente durante meses o años y pueden pasar inadvertidos en la etapa inicial. Incluyen:
- fatiga que dificulta hasta la actividad más mínima
- aumento de peso
- estreñimiento
- ronquera
- intolerancia al frío
- hinchazón de la cara y ojos
- debilitamiento general del cabello
- en las mujeres, períodos menstruales intensos.

Algunas personas con hipotiroidismo desarrollan una protuberancia en el cuello (bocio) debido al agrandamiento de la glándula.

¿QUÉ SE PUEDE HACER?

El médico puede pedirle análisis de sangre para medir los niveles de hormonas de la tiroides y para detectar anticuerpos que actúen contra la glándula.

¿CUÁL ES EL TRATAMIENTO?

El tratamiento apunta a la causa subyacente. El hipotiroidismo permanente puede tratarse con el **reemplazo por hormonas tiroideas sintéticas**, que deberán ingerirse de por vida. Los síntomas comenzarán a ceder a las tres semanas después de iniciado el tratamiento. El tratamiento hormonal debe controlarse regularmente para asegurar que se mantenga la dosis correcta. Si la causa es un tumor pituitario, se harán más exámenes y se puede extirpar quirúrgicamente el tumor o tratarlo con radioterapia.

El hipotiroidismo temporal no suele necesitar tratamiento, pero en algunos casos puede administrarse un reemplazo hormonal de corto plazo, por ejemplo, en la tiroiditis posparto. La deficiencia de yodo en la dieta puede tratarse con suplementos o mejorando la alimentación.

Radionúclidos

La técnica del escáner con radionúclidos produce imágenes usando la radiación emitida por una sustancia dentro del cuerpo. La sustancia radiactiva, llamada radionúclido, es introducida en el organismo (por lo general, mediante inyección intravenosa) y captada por el órgano o tejido a investigar. Un contador ubicado en el exterior detecta la radiación emitida por el radionúclido y transmite esta información al computador, que la convierte en imágenes. El escáner con radionúclidos se usa tanto para observar la estructura de muchos órganos internos como para evaluar el funcionamiento de éstos. El escáner de perfusión miocárdica (SPECT), por sus siglas en inglés y la tomografía por emisión de positrones son dos formas especializadas de escáner con radionúclidos.

Las tomas con radionúclidos muestran las partes del cuerpo como áreas de color de distintas intensidades. Las áreas de color intenso se denominan puntos calientes: son aquellas donde hay alta concentración de radionúclidos. Las de color menos intenso, llamadas puntos fríos, son zonas de menos depósito de radionúclidos. Cuanto mayor sea la actividad de los tejidos, mayor será la concentración de radionúclidos.

Cómo se hace

Durante el examen le pedirán que se recueste sobre una camilla motorizada que pasará a lo largo de una cámara especial que detecta la radiación emitida por los radionúclidos. La cámara envía la información al computador, que arma una imagen. El procedimiento suele durar entre 45 minutos y una hora.

El escáner con radionúclidos se puede utilizar para detectar niveles anormales de actividad en los órganos, como la glándula tiroides, donde se lo usa para ubicar nódulos tiroideos, y los riñones. Los cambios de la función de un tejido u órgano suelen desarrollarse antes de que ocurran los cambios estructurales, y este escáner puede detectar algunas enfermedades en etapas significativamente más tempranas que otras técnicas de diagnóstico por imágenes. Por ejemplo, puede detectar la infección del tejido óseo semanas antes de que sea evidente en una radiografía común. Los radionúclidos son especialmente útiles para evaluar si un tratamiento ha funcionado. Pueden hacerse exámenes antes y después de administrarlo para comparar el funcionamiento de un órgano.

Dos tipos particulares de radionúclidos pueden utilizarse para observar el funcionamiento del corazón. **El escáner con talio** revela las zonas del músculo cardíaco que tienen mala irrigación sanguínea y se usa para observar el músculo cardíaco durante el ejercicio. La técnica **MUGA** registra cuánta sangre entra y sale del corazón para evaluar qué tan eficientemente bombea la sangre a todo el cuerpo.

GLÁNDULAS SUPRARRENALES

El cuerpo tiene dos glándulas suprarrenales, una sobre cada riñón. Las hormonas producidas allí son vitales para controlar la química corporal. Si los niveles de la hormona suprarrenal se desequilibran, los efectos pueden ser graves, abarcar todo el organismo y representar riesgo vital. Sin embargo, estos trastornos son raros.

Los trastornos de la glándula suprarrenal pueden implicar la **producción excesiva** o **deficiente** de hormonas, lo que produce el **síndrome de Cushing** y la **enfermedad de Addison,** respectivamente. La sobreproducción de hormonas suprarrenales se debe, por lo general, a la presencia de un tumor en la glándula, el que se extirpa con cirugía.

A veces, estos trastornos se deben a un tumor pituitario que afecta la producción de hormonas de estimulación suprarrenal en la glándula pituitaria, las que controlan el flujo de hormonas de las glándulas suprarrenales.

Enfermedad de Addison

LA ENFERMEDAD DE ADDISON ES UN TRASTORNO EN EL QUE LAS GLÁNDULAS SUPRARRENALES NO PRODUCEN SUFICIENTES HORMONAS. LA FALTA DE HORMONAS SUPRARRENALES (CORTICOSTEROIDES) SUELE SER CAUSADA POR UN TRASTORNO AUTOINMUNE QUE DAÑA LA GLÁNDULA.

¿CUÁLES SON LOS SÍNTOMAS?

Los síntomas de la enfermedad de Addison aparecen gradualmente, pero se tornan cada vez más evidentes en un período de semanas o meses. Incluyen:
- sensación vaga de mala salud
- fatiga y debilidad
- pérdida gradual del apetito
- pérdida de peso
- pigmentación de la piel similar al bronceado, especialmente en los pliegues de las palmas y en los nudillos, codos y rodillas.

¿CUÁL ES EL PRONÓSTICO?

Las personas con enfermedad de Addison suelen tener presión sanguínea baja (hipotensión).

Si los niveles de corticosteroides bajan demasiado, puede ocurrir una crisis, especialmente en el curso de una enfermedad o después de una lesión. Esta crisis es causada por la pérdida excesiva de sales y agua, lo que causa deshidratación, debilidad extrema, dolor abdominal, vómitos y confusión. Si no es tratada, la crisis puede llevar al coma y luego a la muerte. La enfermedad de Addison suele tratarse exitosamente con hormonas sintéticas.

> **Ver también:**
> • **Presión baja (hipotensión) pág. 234**

Síndrome de Cushing

EL SÍNDROME DE CUSHING ES EL NOMBRE QUE SE DA A UNA COMBINACIÓN CARACTERÍSTICA DE SÍNTOMAS CAUSADOS POR LA PRODUCCIÓN EXCESIVA DE HORMONAS SUPRARRENALES.

¿CUÁLES SON LOS SÍNTOMAS?

Los síntomas aparecen gradualmente y se vuelven evidentes en un período de semanas o meses. Cualquiera de los siguientes síntomas puede aparecer:

- cambios en la cara, que puede tornarse roja y redondeada
- aumento de peso concentrado en el pecho y abdomen
- excesivo crecimiento del vello facial (más notorio en las mujeres)
- en las mujeres, menstruación irregular; eventualmente puede no haber menstruación
- estrías rojas amoratadas en abdomen, muslos y brazos
- acumulación de grasa entre los hombros y la base del cuello
- dificultad para subir escaleras asociada con el deterioro muscular y la debilidad de las piernas; los brazos también pueden verse afectados
- tendencia a generar hematomas con facilidad, especialmente en las extremidades
- acné
- falta de deseo sexual; a veces impotencia en los hombres
- depresión y cambio de estados de ánimo.

¿CUÁL ES EL PRONÓSTICO?

Si el trastorno no se trata, puede producir complicaciones como **presión alta** (hipertensión), **debilitamiento de los huesos** (osteoporosis), **diabetes mellitus** e **insuficiencia cardíaca crónica**.

> **Ver también:**
> - **Insuficiencia cardíaca crónica pág. 233**
> - **Diabetes mellitus pág. 504**
> - **Presión alta (hipertensión) pág. 226**
> - **Osteoporosis pág. 423**

Trastornos de la glándula pituitaria

La glándula pituitaria es una pequeña glándula ubicada en la base del cerebro y que produce un gran número de hormonas que controlan el crecimiento, el desarrollo sexual y el equilibrio de líquidos. También produce hormonas que controlan muchas otras glándulas productoras de hormonas, como la tiroides. Una gran cantidad de trastornos pituitarios son causados por tumores que alteran la producción de determinadas hormonas pituitarias.

Algunos trastornos pituitarios

TUMORES PITUITARIOS

Los tumores pituitarios son crecimientos cancerosos o no cancerosos en la glándula pituitaria que pueden causar problemas hormonales en muchas otras glándulas, incluyendo ovarios, tiroides y las suprarrenales.

El prolactinoma es un tumor pituitario que causa excesiva secreción de prolactina, una hormona que influye en la fertilidad y la producción de leche. Es más común en las mujeres, en las cuales se lo suele asociar con problemas del ciclo menstrual.

ACROMEGALIA

Es el crecimiento excesivo de partes de la cara y del cuerpo producto de la sobreproducción de hormonas del crecimiento en la glándula pituitaria.

HIPOPITUITARISMO

Es la producción insuficiente, en primer término, de alguna y de todas, después, las hormonas pituitarias. No suele ocurrir antes de la pubertad, etapa en la que puede provocar infantilismo.

DIABETES INSÍPIDA

La diabetes insípida es la producción inadecuada o la resistencia a los efectos de la hormona pituitaria relacionada con el control del equilibrio de líquidos, la hormona antidiurética (HAD), por lo que se pierden grandes volúmenes de orina.

Afecciones de los niños

La imagen muestra un electromiograma en color del virus del sarampión

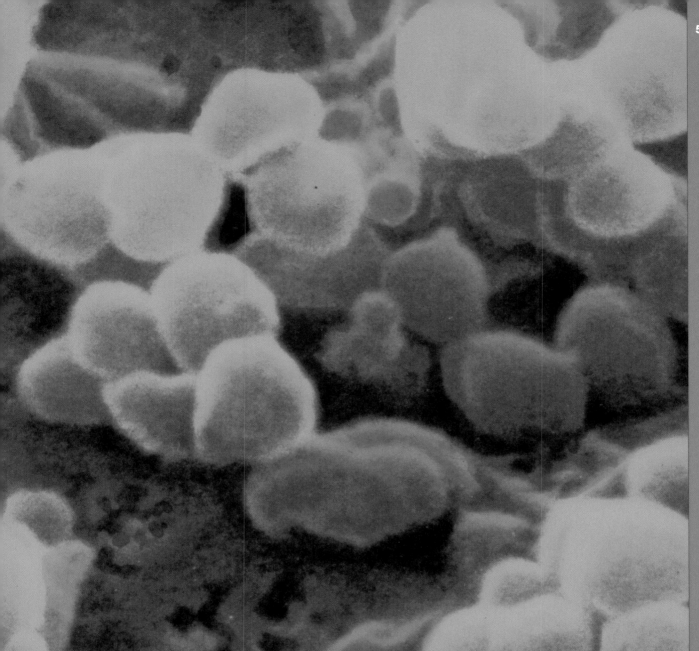

El resumen de Miriam

Tengo tres principios fundamentales en cuanto a las enfermedades infantiles.

● Los niños no son adultos pequeños. Por eso, una enfermedad infantil debe ser considerada distinta de una de adultos; la enfermedad en los niños no es la de los adultos en miniatura. Así, el asma infantil, la diabetes infantil y la migraña infantil son distintas de sus equivalentes en los adultos y deben manejarse apropiadamente.

Además, hay enfermedades que se dan en los niños y no en los adultos. La fibrosis quística, la hidrocefalia, el testículo no descendido son sólo algunos ejemplos. Estas afecciones están fuera del ámbito de discusión de las enfermedades adultas.

● Cuando empecé a ejercer no tardé en darme cuenta de que hay una persona que no puede ser ignorada cuando hay un niño enfermo. Esa persona es usted, mamá. Nadie más en el mundo (ni siquiera el padre) conoce tan bien al niño. Usted está atenta a los signos más pequeños y sutiles como una palidez leve; los que otros no ven y que incluso si se los hace notar no los pueden identificar. Con este conocimiento debe comprender que el bienestar de su hijo depende de usted más que de cualquier otra persona. Aunque médicos y enfermeras escuchen escépticos lo que dice, debe insistir si está convencida de que su hijo está enfermo. Nunca desista. No acepte un no como respuesta. Insista hasta obtener la atención y el tratamiento que quiere para el pequeño. Si usted no cuida los intereses de su hijo, nadie más lo hará.

"si usted *no cuida* los intereses de su hijo, *nadie más lo hará*"

● Los niños enfermos pueden desmejorar muy rápidamente, por lo cual deben recibir atención médica inmediata. La demora puede ser un riesgo, por eso no dude en acudir al médico si está preocupada. Es mejor prevenir que curar. Ningún médico se molestará si lo único que puede hacer es asegurarle que todo está bien.

El estado de salud de un niño puede deteriorarse rápidamente por varios motivos.

● Uno de los más importantes es que los niños están construidos en una escala mucho menor a la de los adultos; por eso, los órganos que en nosotros están bastante separados para resistir la propagación de infecciones, en los niños están tan cerca unos de otros, que la infección de uno de ellos a menudo debe tratarse como la infección del todo. El oído, la nariz, la garganta, los senos faciales y el pecho son un sistema: si en un niño pequeño, uno de ellos se infecta hay riesgo de que infecte a los demás.

● La respuesta inmunológica de los niños es más lenta que la de los adultos, por lo cual un bebé puede desarrollar rápidamente una fiebre alta, lo que se suma al hecho de que los niños no controlan su temperatura con tanta eficiencia como los adultos.

El corolario de todo esto es que los niños también se recuperan rápido, mucho más que los adultos, porque sus cuerpos son resistentes y sanan antes. Es motivo de celebración que un niño enfermo, pálido y decaído pueda estar corriendo y pidiendo galletas a la media hora.

Exámenes genéticos

El núcleo de cada célula del cuerpo normalmente contiene 23 pares de cromosomas, 22 pares de autosomas y un par de cromosomas sexuales (XX en las mujeres y XY en los hombres). Cada cromosoma está formado por una cierta cantidad de genes, que son códigos químicos que controlan el funcionamiento de cada célula del cuerpo. Una falla en un gen o cromosoma puede provocar una enfermedad o trastorno. Actualmente puede identificarse un amplio espectro de anomalías genéticas, y permanentemente se desarrollan exámenes genéticos más avanzados. Algunos de estos exámenes más conocidos son los de cromosomas, que se utilizan para detectar el síndrome de Down y otros trastornos cromosómicos durante el embarazo. En ellos se analiza el número y estructura de los cromosomas para determinar si la cantidad de cromosomas es correcta y si alguno de ellos es anormal.

Otros exámenes genéticos estudian específicamente los genes que componen cada cromosoma. En el caso de algunas afecciones genéticas, como la fibrosis quística y la anemia de células falciformes, ya se conoce exactamente cuál es la anomalía genética y la forma en que se hereda.

Estos exámenes suelen hacerse sobre los glóbulos blancos tomados de una muestra de sangre o de una muestra de tejido del interior de la mejilla. En los exámenes prenatales, se toman células de una muestra del líquido amniótico (amniocentesis) o de la placenta (muestra de la vellosidad coriónica).

Los exámenes genéticos pueden identificar muchas afecciones genéticas, incluyendo el síndrome de Down, en el que hay 47 cromosomas en vez de 46.

CUIDAR A UN NIÑO ENFERMO

Muchos padres parecen saber instintivamente cuándo su hijo no se siente bien. Por ejemplo, el niño puede no estar tan activo como de costumbre, puede no querer comer o estar irritable.

El problema es que las madres y los padres no siempre pueden diagnosticar con exactitud qué es lo que está mal y tampoco pueden necesariamente reconocer si los síntomas son graves.

Llamar al médico

VER A UN NIÑO ENFERMO SIEMPRE ES PREOCUPANTE, Y LA SITUACIÓN PUEDE SER AÚN MÁS TENSA SI NO SE DECIDE A LLAMAR O NO AL MÉDICO.

En algunas circunstancias, por ejemplo, frente a una herida grave, no cabe duda de que se debe buscar atención inmediata. Sin embargo, hay otras en las que la gravedad no es tan clara. Aquí es donde comienza la preocupación: "¿Debo dejar de preocuparme por los síntomas de mi hijo o son potencialmente graves?".

Debe recordar que la mayoría de los médicos no se molestará si les pide consejo. Siempre siga su instinto y si tiene dudas, consulte a su médico. Si el niño ya está en tratamiento, pero le preocupa su progreso, vuelva a llamar al médico. Sólo lleve al niño al hospital si está demasiado preocupado por los síntomas o si él muestra algún síntoma de meningitis (ver pág. 405).

QUÉ DECIR AL MÉDICO
- La edad del niño.
- Si el niño tiene fiebre. En ese caso, por cuánto tiempo la ha tenido, cuáles han sido las

fluctuaciones y, si las hubo, cuáles fueron. Si el niño tiene fiebre, ¿le subió rápidamente?
- ¿Tiene los ganglios inflamados?
- ¿Ha vomitado o tiene diarrea?
- ¿Tiene alguna erupción?
- ¿Se ha quejado de algún dolor? ¿Dónde?
- ¿Se ha sentido mareado o ha tenido visión borrosa (en especial si se ha golpeado la cabeza recientemente)?
- ¿Ha tenido convulsiones? ¿Cuánto han durado?
- ¿Ha perdido la conciencia?
- ¿Comió la última vez que le ofreció alimentos y ha comido algo en las últimas tres horas?

QUÉ ESPERAR DEL MÉDICO
El médico deberá examinar minuciosamente al niño y le dará una opinión honesta sobre lo que está mal. Si no sabe qué está mal, le dirá que se necesitan más análisis para lograr un diagnóstico claro. También le hablará sobre las implicancias de la enfermedad o afección. Si, por ejemplo, el niño tiene un ataque agudo de sinusitis o una infección del oído medio, el médico puede decirle que deberá tomar antibióticos para erradicarlas completamente. Por otro lado, el médico no le medicará si considera que no hay nada mal. Haría mal en recetarle algo simplemente porque usted ha llevado al niño para que lo trate. Respételo por no sentirse presionado a medicar.

Dicho esto, deberá contestar todas las preguntas que usted tenga; persista hasta quedar totalmente satisfecho. Si se requieren medicamentos, el médico debe entregar toda la información posible sobre lo que ha recetado. También le dirá si debe administrarlos antes o después de las comidas, si tienen efectos secundarios y si hay que tomar alguna precaución especial, y deberá advertirle sobre posibles complicaciones y signos de peligro que se deben observar.

QUÉ PREGUNTARLE AL MÉDICO
Si el niño tiene una afección recurrente, como herpes o forúnculos, pregúntele al médico qué

puede hacer usted si nota algunos síntomas. También puede pedirle consejos para los cuidados en el hogar.

Si su hijo tiene una afección crónica, pregúntele qué puede hacer en casa para aliviarla. Por ejemplo, para el eccema infantil hay muchas cosas que puede hacer, como agregar aceite en el agua de baño en que se lavará el niño, usar jabón especial, aplicar cremas y lociones humectantes, incluso cuando la piel está sana. Si el niño tiene una enfermedad infecciosa, pregunte sobre el período de incubación: ¿podrían sus amigos estar infectados también?

LEVANTE EL TELÉFONO AHORA
Éstas son las circunstancias en las que **siempre** debe llamar al médico.

TEMPERATURA
- Temperatura superior a los 39°C.
- Fiebre alta con somnolencia y erupción morada.
- Fiebre con convulsión o si su niño ha tenido convulsiones en el pasado.
- Fiebre con rigidez de cuello y dolor de cabeza.
- Temperatura inferior a los 35°C, con piel fría, somnolencia, quietud y apatía.
- Temperatura que baja y vuelve a subir repentinamente.
- Temperatura superior a los 38°C por más de 24 horas.

DIARREA
- Diarrea que dura más de seis horas.
- Diarrea acompañada de dolor en el abdomen, fiebre u otros signos obvios de enfermedad.

NÁUSEAS Y VÓMITOS
- Vómitos que duran más de seis horas.
- Vómitos violentos y prolongados.
- Náuseas más mareos y dolor de cabeza.
- Náuseas y vómitos acompañados por dolor del lado derecho del abdomen.

Emergencias

Siempre lleve a su niño al hospital más cercano en auto o ambulancia si nota alguno de estos síntomas:
- El niño ha dejado de respirar.
- El niño respira con dificultad y sus labios se están volviendo azules.
- El niño está inconsciente.
- El niño tiene una herida profunda que sangra.
- El niño tiene una quemadura grave.
- El niño pareciera tener un hueso roto.
- Ha entrado un producto químico en el ojo del niño.
- El ojo o el oído del niño se ha perforado.
- El niño ha sido mordido.
- El niño ha ingerido una sustancia tóxica.

PÉRDIDA DEL APETITO

■ Si su bebé deja de comer repentinamente o si tiene menos de seis meses y pareciera no tener apetito.
■ Si el niño suele tener buen apetito, pero no quiere comer durante un día entero y parece apático.

■ Pérdida del apetito con dolor y malestar.
■ Dolor de cabeza, malestar y mareos.
■ Si el niño se queja de visión borrosa, especialmente después de un golpe en la cabeza.
■ Dolores intensos a intervalos regulares.
■ Dolor en el lado derecho del abdomen y malestar.

RESPIRACIÓN

■ Si la respiración del niño es dificultosa y las costillas se levantan con cada inspiración.
■ Si el niño presenta sibilancias respiratorias.

Tomar la temperatura y el pulso del niño

EN LOS NIÑOS, LA TEMPERATURA NORMAL DEL CUERPO VA DESDE LOS 36°C A LOS 37°C. CUALQUIER TEMPERATURA SUPERIOR A LOS 37,7°C ES CONSIDERADA FIEBRE. LA HIPOTERMIA SE PRODUCE SI LA TEMPERATURA BAJA DE LOS 35°C.

La temperatura corporal variará de acuerdo a la actividad del niño y la hora del día: es más baja por la mañana, porque durante el sueño hay poca actividad muscular, y más alta por la tarde, después de todo un día de actividad.

La frente demasiado caliente suele ser el primer indicador de que el niño tiene fiebre. Para ser preciso, debe tomar la temperatura con un termómetro. Debido a que el centro cerebral que controla la temperatura todavía es rudimentario en los niños, la fiebre les sube más rápido que a los adultos. Cuando hay fiebre, debe volver a tomarle la temperatura después de 20 minutos, para descartar que haya sido sólo un alza temporal. Nunca considere la fiebre como el único signo que indica si su hijo está enfermo o no. Puede estar muy enfermo sin tener fiebre alta o puede estar sano aunque la tenga.

TERMÓMETROS

Hay dos clases comunes de termómetros que se usan para los niños: los **digitales** y los de **cristal líquido**. El viejo termómetro de mercurio ya no suele usarse en ellos. Los **termómetros digitales** son fáciles de usar en

niños de todas las edades y son más seguros que los de mercurio para usar en forma oral, porque son irrompibles. Funcionan a pilas, por eso debe asegurarse de tener siempre repuestos a mano. Algunos termómetros digitales, conocidos como sensores óticos, están diseñados para tomar la temperatura dentro del oído y hacer una lectura en pocos segundos. Si usa este tipo de termómetro, cerciórese de tomar la temperatura siempre en el mismo oído, ya que ésta varía de un oído a otro.

Los **termómetros de cristal líquido** tienen un panel sensible al calor de un lado, y del otro, paneles con números. Cuando se coloca el panel sensible sobre la frente, los números (la temperatura del niño) se iluminan. Estos termómetros no son tan precisos como los digitales o los de mercurio, pero son seguros y fáciles de usar.

Los de mercurio son el medio más preciso para tomar la temperatura pero sólo debe usarse en niños mayores. Hechos de vidrio, registran la temperatura cuando el mercurio se expande hacia arriba por el tubo hasta alcanzar un punto en la escala. Existen dos

formas de tomar la temperatura del niño con un termómetro de mercurio, en la axila o debajo de la lengua, siempre que pueda confiar en que el niño no lo morderá. Para leer este termómetro, sosténgalo entre los dedos índice y pulgar y gírelo hasta que pueda distinguir el punto en la escala.

TOMAR EL PULSO DEL NIÑO

El pulso es la onda de presión que pasa a lo largo de cada arteria con cada latido del corazón. Puede sentir el pulso sobre cualquier arteria que pase cerca de la piel. El punto más común para tomar el pulso es la muñeca (pulso radial). También se lo puede tomar en el cuello (pulso de carótida), aunque éste sólo suele usarse si se sospecha que el corazón ha dejado de latir, y en la cara interna del brazo (pulso braquial).

El pulso varía con la edad. Normalmente es más rápido después de hacer ejercicio y más lento después del descanso. El corazón de un bebé pequeño latirá unas 160 veces por minuto; para cuando tenga 1 año, latirá unas 100 ó 120 veces por minuto y para los 7 u 8 llegará al pulso de los adultos, entre 80 y 90 pulsaciones

Tomar la temperatura del niño

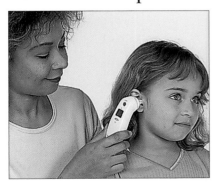

Con un sensor ótico (termómetro aural)

Con un termómetro de cristal líquido

Consejos

■ Nunca tome la temperatura del niño si éste ha estado corriendo.
■ Nunca deje solo al niño con el termómetro en la boca.
■ Si usa un termómetro de mercurio, asegúrese de que no presente fallas en el mercurio, afectaría la lectura.
■ Si el termómetro está roto, deshágase de él inmediatamente.

Tomar el pulso radial, braquial y de carótida

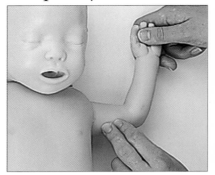

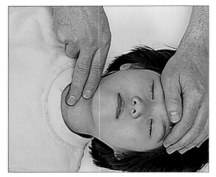

Pulso radial
El pulso radial se encuentra en la cara interna de la muñeca más abajo del pulgar. Use los dedos índice y medio para encontrarlo y no el pulgar, que tiene su propio pulso.

Pulso braquial
El pulso braquial se encuentra en la cara interna del brazo, en la hendidura entre el bíceps y el tríceps (en la parte frontal y posterior del brazo). Use los dedos índice y medio para buscar este pulso.

Pulso de carótida
El pulso de carótida se encuentra en la parte superior del cuello, justo a la derecha o a la izquierda de la laringe. Use los dedos índice y medio para encontrarlo y no el pulgar, que tiene su propio pulso.

por minuto. El pulso normal es regular y fuerte; cualquier anormalidad, como un pulso rápido, débil o lento, puede indicar que el niño está enfermo. Cuando tome el pulso del

niño, use los primeros dos dedos de la mano y no el pulgar, que tiene su propio pulso. Cuente los latidos por un período de 15 segundos y multiplique por cuatro para tener

el total de latidos por minuto. Quizás le sea más fácil encontrar el pulso braquial, ubicado en la cara interior del brazo.

Dar los medicamentos al niño

CUANDO LLEVA AL NIÑO AL MÉDICO, ÉSTE PUEDE RECETARLE ALGÚN TIPO DE MEDICAMENTO.

Pida toda la información posible sobre los medicamentos: pregunte si tienen efectos secundarios, si hay comidas que deban evitarse o si hay que tomar precauciones especiales mientras el niño ingiera el medicamento, y clarifique si debe administrarlo antes o después de las comidas.

La mayoría de los medicamentos pediátricos vienen en forma de jarabes dulces

que le resulten más agradables al paladar del niño y que se puedan administrar con una cuchara, tubo o gotero. Los goteros y tubos suelen ser indicados para bebés que no han aprendido a tragar con la cuchara. Algunos medicamentos para niños mayores vienen en tabletas o cápsulas.

Casi siempre el niño cooperará, pero en ocasiones puede negarse a ingerirlo. Es muy

importante que el niño tome el medicamento que se le ha recetado. De hecho, piense en éste como un caso en el que vale hacer trampa. Por eso no dude en darle el medicamento con helado u otra comida favorita. En raras ocasiones el niño puede resistirse físicamente; en esos casos no quedará más alternativa que usar la fuerza.

En general, los niños mayores no suelen

Dando los medicamentos

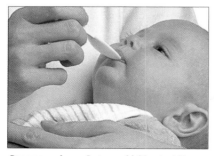

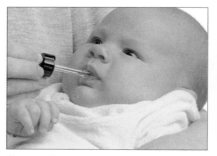

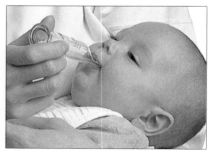

Con una cuchara *Sostenga al bebé en posición semirreclinada, ábrale suavemente la boca bajándole el mentón con el dedo y ubique la cuchara sobre su labio inferior. Eleve el ángulo de la cuchara para que el medicamento caiga en la boca; no permita que caiga directamente en la garganta del bebé porque puede ahogarse.*

Con un gotero
Sostenga al niño en sus brazos y coloque el gotero en la comisura de la boca. Presione lentamente el bulbo de goma para que salga el medicamento. No permita que el líquido caiga directamente en la garganta del niño porque puede ahogarse.

Con un tubo medicinal
Sostenga al niño en sus brazos y coloque el tubo en la comisura de la boca. Eleve lentamente el ángulo del tubo dejando que el medicamento caiga en la boca. No permita que el líquido caiga directamente en la garganta del niño porque puede ahogarse.

Consejos para administrar los medicamentos

Dar medicamentos a los bebés

■ Pídale ayuda a otro adulto o a hermanos mayores.

■ Si usted está solo, envuelva al bebé en una sábana para que no mueva los brazos y pueda tomarlo bien.

■ Ponga sólo una pequeña cantidad del medicamento en la boca del bebé cada vez.

■ Si el bebé escupe el medicamento, pida que otra persona le mantenga la boca abierta mientras usted administra con cuidado el medicamento en el fondo de la boca. Luego, suave, pero firmemente, ciérrele la boca.

Dar medicamentos a niños mayores

■ Sugiera al niño que se tape la nariz al ingerir el medicamento para atenuar el efecto del gusto.

■ No sujete a la fuerza la nariz del niño, ya que puede inhalar parte del medicamento.

■ Mezcle el medicamento con algún otro jarabe, por ejemplo, miel.

■ No agregue el medicamento líquido a una bebida, ya que puede quedar en el fondo del vaso y no podrá asegurarse de que el niño haya ingerido la dosis completa.

■ Muéstrele al niño que tiene su bebida preferida lista para cuando haya ingerido el medicamento; haga esto aunque no siempre le permita consumir esta bebida.

■ Después de ingerir el medicamento ayude al niño a lavarse los dientes para evitar que el jarabe se pegue en ellos.

■ Muela las pastillas (nunca las cápsulas) entre dos cucharas y mezcle el polvo con algo dulce, como miel, jalea o helado.

Colocando las gotas

En los oídos
Pídale al niño que se recueste de costado. Usando un gotero, presione el bulbo y deje que las gotas, que se han calentado a la temperatura corporal, caigan en el centro del oído.

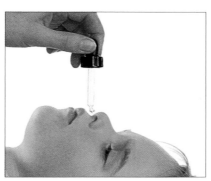

En la nariz
Pídale al niño que se recueste boca arriba con la cabeza levemente hacia atrás. Usando un gotero, presione el bulbo y deje que dos o tres gotas, que se han calentado a la temperatura corporal, caigan dentro de cada fosa nasal.

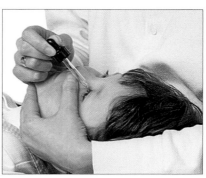

En los ojos
Pídale al niño que se recueste boca arriba. Baje suavemente el párpado inferior del ojo afectado, presione el bulbo del gotero y deje que una o dos gotas caigan dentro del párpado.

presentar problemas para ingerir medicamentos y a veces prefieren administrárselos ellos en vez de que se los dé usted. He preparado algunos consejos (ver cuadro, arriba) que pueden ayudar si su hijo no los ingiere con facilidad. Por ejemplo, las pastillas pueden molerse y mezclarse con jalea o helado. Las cápsulas, sin embargo, no deben romperse.

GOTAS
Las infecciones de ojos, nariz y oídos suelen tratarse con gotas externas. Siempre es más fácil administrar las gotas a los bebés o niños pequeños si se los recuesta sobre una superficie plana y si se cuenta con la ayuda de otra persona para mantenerlos quietos. Un niño mayor seguramente cooperará más y bastará con pedirle que incline la cabeza mientras usted coloca las gotas.

Consejos para colocar gotas

Dar gotas

■ Entibie las gotas para nariz y oídos colocando el frasco en un recipiente con agua tibia, no caliente, por unos minutos, para que el niño no reaccione a la diferencia de temperatura cuando las gotas entren en su nariz u oídos.

■ Tenga cuidado de no tocar la nariz, ojos u oídos con el gotero, o transferirá los gérmenes al frasco. Si el gotero toca al niño, asegúrese de lavarlo muy bien antes de volver a colocarlo en el frasco.

■ Las gotas de venta libre no se deben aplicar por más de tres días sin consultar al médico. Si se las usa por demasiado tiempo, pueden causar una irritación e inflamación peores que la afección que se estaba tratando.

El botiquín

Usted debe tener siempre en casa algunos medicamentos en caso de una emergencia en medio de la noche, situación en la cual puede ser difícil encontrar una farmacia. Téngalos en un lugar en el que pueda encontrarlos rápidamente si los necesita. Nunca mezcle distintas pastillas en un mismo recipiente ni guarde los restos de los medicamentos recetados. Mantenga siempre los medicamentos lejos del alcance de los niños, en lugar alto y con llave. Si es necesario, también puede tener un botiquín de primeros auxilios (ver pág. 565). Guárdelo todo en una caja seca, limpia y hermética y déjela en un lugar accesible en caso de emergencia.

Los ítemes que se enumeran a continuación serán de utilidad en casos de emergencia y por eso es bueno tenerlos en casa.

Botiquín
■ Termómetro digital o de cristal líquido; tenga dos, por seguridad.

■ Tabletas pediátricas de paracetamol.
■ Paracetamol líquido, infantil: de tres meses a seis años, o pediátrico: de seis a 12 años.
■ Loción de calamina.
■ Toallas antisépticas.
■ Algodón.
■ Gasas: secas y recubiertas en parafina.
■ Cinta quirúrgica.
■ Vendas elásticas para torceduras y esguinces.
■ Vendas de punto abierto.
■ Vendas triangulares.
■ Imperdibles, tijeras, pinzas sin punta.

Elementos del hogar que son útiles
■ Paquete de arvejas congeladas o cubos de hielo en bolsas de plástico para hacer compresas frías.
■ Diario (doblado puede servir de tablilla).
■ Cinturón elástico para vendar una torcedura o una esguince.
■ Suero oral para reponer el líquido perdido después del vómito o diarrea.

■ Bicarbonato de sodio para agregar al baño con el fin de aliviar una picazón.
■ Sal para agregar al baño con el fin de limpiar heridas y detener la infección.
■ Vinagre para mezclar con agua y aliviar la picadura de medusas.

Medicamentos a evitar
Los siguientes ítemes, que suelen tenerse como útiles, deben ser evitados:
■ Cualquier producto de venta libre que contenga anestésico local, como la ametocaína o la lidocaína, porque pueden causar alergias. Suelen encontrarse en cremas para úlceras bucales o para picaduras de insectos.
■ Cualquier crema para la piel que contenga antihistamínicos (no recetada por el médico); puede causar alergias en la piel.
■ Cualquier producto de venta libre que contenga aspirina.
■ Enjuagues bucales, gárgaras, gotas para los ojos, nariz u oídos, a menos que las recomiende el médico.

Cuidar a un niño enfermo

NO SE NECESITAN CONOCIMIENTOS ESPECIALES PARA CUIDAR A UN NIÑO ENFERMO. ES BUENO QUE FLEXIBILICE LAS REGLAS E INTENTE OCULTAR SU ANSIEDAD. NO INSISTA EN QUE COMA MIENTRAS ESTÉ ENFERMO, PERO SÍ HAGA QUE BEBA MUCHO LÍQUIDO.

Además de cualquier tratamiento que indique el médico, las siguientes rutinas ayudarán a que el niño se sienta más cómodo mientras dure la enfermedad.
■ Ventile todos los días la habitación y la cama del niño.
■ Deje un recipiente cerca de la cama del niño si tiene vómitos o tos convulsiva.
■ Deje una caja de pañuelos de papel al lado de la cama del niño.
■ Dele pequeñas comidas con frecuencia, ya que las raciones grandes pueden resultarle poco atractivas.
■ Dele paracetamol en jarabe para aliviar el dolor.

¿DEBE EL NIÑO ESTAR EN CAMA?
Al comienzo de una enfermedad, cuando el niño no se siente bien, probablemente quiera estar en cama, y puede dormir mucho. A medida que empieza a sentirse mejor necesitará reposo, pero quizás quiera estar levantado y jugar esporádicamente. Lo mejor es armar una cama en el sofá cerca del lugar donde usted está trabajando para que el niño pueda acostarse cuando lo desee. No insista en que se quede en la cama porque está enfermo; los

niños con fiebre, por ejemplo, no se recuperan más rápido si guardan reposo. Cuando el niño esté cansado, sin embargo, será el momento de ir a la cama. Pero no lo deje solo. Asegúrese de visitarlo en intervalos regulares (cada media hora) y dese el tiempo para estar con él y jugar, leer un libro o armar un rompecabezas.

Cuando esté en proceso de recuperación, cerciórese de que sucedan suficientes cosas en su día para marcar una diferencia entre el día y la noche. Si no ha mirado televisión, permítale ver un poco antes de ir a dormir.

BEBIDAS
Es esencial que el niño beba mucho cuando está enfermo, cuando tiene fiebre, diarrea o vómitos, porque se deshidratará y necesitará reponer líquidos. La ingesta de líquidos recomendada para un niño con fiebre es de 100 a 150 mililitros por kilo de peso corporal por día, el equivalente a 1 litro por día para un pequeño que pesa 9 kilogramos.
Anime al niño a beber dejando cerca de su cama su bebida favorita (preferentemente no bebidas dulces ni gaseosas), usando vasos que le resulten especialmente atractivos y dándole pajillas flexibles para que beba.

MANTENERLO OCUPADO
La enfermedad es una ocasión en la que puede mimar al niño. Cuando él no esté descansando, juegue y convérsele. Flexibilice las reglas y déjelo jugar a lo que quiera, incluso si normalmente prohíbe hacerlo en la cama. Si el niño quiere pintar, estire una sábana vieja o un nailon sobre la cama. Si puede, lleve temporalmente el televisor al cuarto del niño, esto lo mantendrá entretenido y le hará sentirse especial.

Déjelo pintar, léale en voz alta, saque algunos de sus juguetes viejos y jueguen juntos, canten e inventen historias; pídale que haga un dibujo de lo que hará cuando se sienta mejor, y a menos que sea una enfermedad contagiosa, permita que lo visiten sus amigos por períodos cortos durante el día. Cuando se sienta mejor, déjelo jugar fuera; pero si tiene fiebre, no permita que corra demasiado.

VÓMITOS
Vomitar puede ser una experiencia desagradable para el niño, por eso debe intentar que se sienta lo más cómodo posible. Haga que se siente en la cama y tenga siempre

cerca un recipiente o balde para que no tenga que correr al baño. Si tiene el cabello largo, recójaselo. Cuando vomite, sosténgale la cabeza y cálmelo. Luego ayúdelo a lavarse los dientes o dele una pastilla de menta para eliminar el mal sabor.

Si el niño ha pasado unas horas sin vomitar y tiene hambre, ofrézcale comidas blandas, como puré de papas, pero no insista en que coma si no lo desea. Más importante que comer es mantener el nivel de líquidos. Dele mucha agua o use una solución rehidratante que se compra en las farmacias; asegúrese de seguir las instrucciones cuidadosamente. Evite bebidas como la leche y dele jugos de frutas diluidos en agua.

TRATAR LA FIEBRE ALTA

El primer signo de fiebre suele ser la frente caliente, pero para saber si el niño está afiebrado, tómele la temperatura (ver pág. 515). Llame al médico si la fiebre supera los

Cronograma de inmunización

¿Qué se suministra?	¿Cómo se suministra?	¿Cuándo se suministra?
POLIO	Gotas	A los 2, 4 y 6 meses y entre los 4 y 6 años
HIB, DIFTERIA, TÉTANOS, PERTUSIS, MENINGITIS C	Inyección	A los 2, 4 y 6 meses y entre los 12 y 15 meses y entre los 4 y 6 años (no la Hib)
SARAMPIÓN, PAPERAS, RUBÉOLA (MMR)	Inyección	A los 12 meses y y entre los 4 y 6 años

39°C, si dura más de 24 horas o si hay otros síntomas que la acompañen. Las temperaturas de más de 37,7°C deben tomarse muy seriamente en los niños menores de seis meses.

Intente bajarle la temperatura quitándole la ropa y recostándolo en la cama. Cúbralo con una sábana de algodón y tómele la temperatura cada hora. Cambiar las sábanas regularmente ayudará a mantenerlo cómodo. Dele paracetamol (la aspirina es peligrosa para los niños). Es importante que beba abundante líquido, ya que sudará mucho.

El niño hospitalizado

LE HARÁ UN GRAN FAVOR A SU HIJO SI LO ANIMA A PENSAR EN LOS HOSPITALES COMO LUGARES AMISTOSOS. LLÉVELO CON USTED SI TIENE QUE VISITAR A UN AMIGO O PARIENTE HOSPITALIZADO, SIEMPRE QUE A LA PERSONA NO LE MOLESTE Y EL REGLAMENTO LO PERMITA.

PREPARAR AL NIÑO

Si el niño debe ir al hospital, para una operación, por ejemplo, prepárelo hablándole del tema en todos los aspectos posibles. Hable del tema con el resto de la familia y haga que el niño se acostumbre a la idea.

Conteste a todas sus preguntas con honestidad. No haga promesas que no pueda cumplir y no mienta. Si lo van a operar, probablemente le pregunte si va sentir dolor o malestar después de la operación. Si usted dice que no le dolerá y luego sí le duele, el niño se sentirá defraudado y no confiará en usted en el futuro. Explíquele que puede haber algún malestar, pero que no durará mucho.

Otra buena forma de prepararlo para el hospital es leerle un libro sobre alguien internado. También puede comprarle un estetoscopio de juguete y jugar al doctor con él. Anímelo a que sea el médico o la enfermera y sugiérele que haga una cama de hospital para su osito o juguete preferido.

EN EL HOSPITAL

Son pocas las secciones pediátricas que dan miedo. Los hospitales saben que es muy importante para los padres poder estar con sus hijos el mayor tiempo posible mientras están internados; por eso, casi todos les permiten a los padres acompañar a los niños, especialmente si son muy pequeños. Muchos hospitales tienen dormitorios para los padres que tienen hijos de hasta seis años.

Cuando esté allí, pregúntele a la enfermera de guardia cómo puede ayudar en la rutina diaria. Le pedirán que bañe y cambie a su hijo y que ayude con la alimentación. Puede leerle libros y jugar con él y con los demás niños de la sala que quieran unirse. Si la sala cuenta con un profesor, pregúntele si puede ayudar con la tarea de su hijo. Si el niño está bastante bien y su estadía será prolongada, pídale a su propio profesor que le pase los trabajos que estaría haciendo en clase.

Si no puede estar todo el día con su hijo, trate que haya siempre alguien conocido con él.

DE VUELTA A CASA

Es normal que el niño se comporte extraño cuando sale del hospital. Primero, sus patrones de sueño y comida pueden haber cambiado. Las comidas y los horarios de sueño del hospital tienden a ser más tempranos que los del hogar. Segundo, como el niño ha estado alejado de la disciplina doméstica encontrará que hace un escándalo de pequeñas cosas, como lavarse los dientes. No sea demasiado duro con él, dele tiempo a que se reacomode antes de reinsertarlo en la antigua rutina.

Qué llevar al hospital

Si puede, usted y su hijo deben armar juntos el bolso unos días antes de la internación.

■ Tres pares de pijamas.
■ Bata y pantuflas.
■ Tres pares de calcetas.
■ Peine y cepillo.
■ Esponja, jabón, toalla, cepillo de dientes y pasta de dientes.
■ Reloj para la mesa de noche.
■ Radio portátil o casetera con audífonos.
■ Libros preferidos y juegos portátiles.
■ Foto o dibujo preferido para poner al lado de la cama.

ENFERMEDADES CONGÉNITAS

Las condiciones congénitas son aquellas que se presentan desde el nacimiento; además, pueden ser genéticas, lo que significa que son causadas por un gen defectuoso.

Muchas condiciones congénitas, como la displasia de cadera congénita o la fimosis, son relativamente menores; mientras que otras, como algunos defectos cardíacos congénitos, son más graves.

La buena noticia es que muchas de estas afecciones son tratables y los niños que reciben tratamiento temprano pueden llevar vidas normales.

Parálisis cerebral

SE DENOMINA PARÁLISIS CEREBRAL AL DAÑO DEL CEREBRO QUE OCURRE A TEMPRANA EDAD Y CAUSA LA FALTA DE CONTROL TOTAL SOBRE LOS MOVIMIENTOS FÍSICOS.

En la mayoría de los niños, el daño ocurre en el embarazo, aunque en algunos, durante un parto complicado; el bebé puede sufrir por la falta de oxígeno. Sin embargo, suele no ser posible determinar la causa exacta de la parálisis cerebral. Puede producirse si un bebé prematuro tiene problemas graves para respirar, y el derrame cerebral y la falta de oxígeno contribuyen a esta afección. Las causas no congénitas incluyen lesiones graves en la cabeza y meningitis.

¿CUÁLES SON LOS SÍNTOMAS?
Como los centros de control voluntario más avanzados del cerebro no funcionan durante los primeros meses de vida, la parálisis cerebral puede no detectarse al nacer. Unos meses más tarde puede notarse que el niño tarda en aprender a sentarse, es inestable y no puede coger y sostener objetos. La parálisis cerebral puede afectar un solo lado (por ejemplo, la

pierna y el brazo derechos), ambas piernas sin afectar los brazos o los cuatro miembros y el tronco. El niño aprende a caminar tardíamente pero, por lo general, lo logra. Si los miembros tienden a estar rígidos y fijos en ciertas posturas, el niño recibe el nombre técnico de "espástico". Si sufre movimientos involuntarios frecuentes, se le denomina "atetoide".

La parálisis cerebral no es una enfermedad progresiva que pueda seguir empeorando. Es muy común que los niños con parálisis cerebral tengan una inteligencia y capacidades sociales normales.

¿CUÁL ES EL TRATAMIENTO?
El tratamiento para la parálisis cerebral consiste en desarrollar al máximo las capacidades físicas, mentales y sociales del niño. Por eso es importante que el niño sea evaluado por un especialista y un fisioterapeuta para comenzar el tratamiento a

temprana edad. Los ejercicios de estiramiento evitarán deformidades en los miembros; los artefactos ortopédicos y, a veces, la cirugía, pueden mejorar la movilidad; y el tratamiento, como la terapia del habla, puede compensar la discapacidad física.

Cuando no hay discapacidad mental, el pronóstico es extremadamente bueno. Los niños se adaptan bien a la falta severa de la función motora siempre que su capacidad mental sea buena y puedan hacerse entender.

¿QUÉ PUEDO HACER?
La reacción de la familia es de gran importancia. Los padres deben evitar sentir lástima por el niño. Si hay otros niños en la familia, debe ser tratado igual que ellos, aunque a veces sea difícil para los padres. Como ocurre con todos los niños discapacitados, debe ponerse énfasis en lo que el niño puede hacer más que en lo que no puede.

Enfermedad cardíaca congénita

LA ENFERMEDAD CARDÍACA CONGÉNITA IMPLICA QUE HAY UNO O MÁS DEFECTOS DEL CORAZÓN PRESENTES DESDE EL NACIMIENTO.

¿CUÁLES SON LOS SÍNTOMAS?
Los defectos congénitos menores pueden no mostrar síntomas, pero si los hay, éstos pueden incluir:
- Respiración corta que produce dificultad para alimentarse.
- Aumento de peso y crecimiento lentos.
- Coloración azulada en la lengua y los labios si el nivel de oxígeno en la sangre es bajo.

- Susceptibilidad a infecciones de pecho o del tejido que cubre el corazón.

¿CUÁL ES EL TRATAMIENTO?
Muchos defectos cardíacos congénitos se corrigen solos o no requieren tratamiento. Sólo 1 de cada 3 niños necesita cirugía. Los niños afectados suelen ser controlados durante la

infancia y, si es necesario, son operados cuando son más grandes y la cirugía es menos complicada. Actualmente puede hacerse un transplante de corazón en niños que presentan múltiples defectos cardíacos. Las infecciones de pecho deben tratarse enseguida, y si el niño está en tratamiento odontológico o en cirugía, deben suministrársele antibióticos para prevenir la infección del tejido que cubre al corazón. Algunos necesitan diuréticos para controlar los síntomas de un defecto cardíaco.

¿CUÁL ES EL PRONÓSTICO?
Los defectos septales pueden cerrarse naturalmente o corregirse con cirugía. Los avances quirúrgicos de los últimos 20 años hacen que hasta los defectos más graves puedan ser corregidos.

Tipos de enfermedades cardíacas congénitas

- Defectos septales (por lo general, un agujero en la pared interna que divide el corazón, conocida como septum; a menudo llamados "agujero en el corazón").
- Conducto arterioso persistente (falla de un pequeño vaso sanguíneo del corazón, conocido como ducto arterioso que no se

cierra poco después del nacimiento, lo que impide una circulación normal).
- Defectos valvulares (cualquier anormalidad en una o más de las cuatro válvulas del corazón).
- Defectos múltiples (rara vez varios defectos ocurren conjuntamente).

Displasia de cadera congénita

ÉSTE ES UN TÉRMINO QUE ABARCA UNA AMPLIA VARIEDAD DE PROBLEMAS DE LA ARTICULACIÓN DE LA CADERA EN LOS BEBÉS. ÉSTOS SON SEIS VECES MÁS COMUNES EN LAS NIÑAS Y, A VECES, TIENEN ORIGEN FAMILIAR, LO QUE SUGIERE UN FACTOR GENÉTICO.

En casos leves, la articulación de la cadera se mueve excesivamente al ser manipulada. En casos moderados, la cabeza del fémur se sale del receptáculo de la cadera al manipularlo, pero puede ser devuelto a su lugar. En casos severos, la dislocación es permanente y la cabeza del fémur está fuera del receptáculo de la cadera. Por lo general, se manipula la cadera del bebé poco después del nacimiento para detectar este trastorno y, más adelante, durante los controles de rutina.

La displasia de cadera es más común en la cadera izquierda y rara vez afecta a las dos. En las culturas en que los bebés son cargados en las espaldas de las madres no suele persistir.

¿CUÁLES SON LOS SÍNTOMAS?

Las formas leves de displasia de cadera pueden no causar síntomas. De lo contrario, éstos incluyen:

- pliegues asimétricos en la piel de la parte posterior de las piernas del bebé
- imposibilidad de mover libremente la pierna afectada a la altura de la cadera
- la pierna afectada parece más corta
- cojera, si la afección no es tratada tempranamente.

¿DEBO CONSULTAR AL MÉDICO?

Consulte al médico lo antes posible si sospecha que hay algún problema en las caderas de su bebé. Si la displasia no se corrige, puede causar deformidades permanentes y el inicio temprano de la osteoartrosis.

¿CUÁL ES EL TRATAMIENTO?

Si el médico sospecha de la presencia de una displasia congénita de cadera, puede pedir un examen de ultrasonido para confirmar el diagnóstico. Las formas menos graves de esta afección suelen corregirse por sí solas durante las primeras 3 semanas de vida. Si el problema persiste, la articulación puede ser acomodada en un arnés por un período de entre 8 y 12 semanas para mantener la cabeza del fémur en la cadera, lo que permite que el receptáculo de la cadera se desarrolle normalmente. En bebés mayores se coloca un yeso hasta por 6 meses para corregir el problema. Si el tratamiento no da resultados puede ser necesaria una cirugía. Si la displasia se trata en forma precoz, gran parte de los bebés desarrollan articulaciones normales y no quedan secuelas.

Fibrosis quística

LA FIBROSIS QUÍSTICA ES UNA ENFERMEDAD CONGÉNITA POCO COMÚN QUE SE HEREDA DE AMBOS PADRES.

Si la madre y el padre son sanos, pero ambos tienen un gen defectuoso de fibrosis quística, cada niño que conciban tiene un 25 por ciento de probabilidades de heredar los dos genes defectuosos y nacer con la enfermedad.

La fibrosis quística afecta a varias glándulas, especialmente las que se encuentran en las membranas que recubren los bronquios. En vez de producir una mucosidad normal y liviana, las glándulas bronquiales producen una flema espesa y pegajosa que bloquea la vía respiratoria y provoca infecciones en los pulmones. Cuando pequeñas partes del pulmón colapsan, el resultado es neumonía. Ésta es una infección común y recurrente entre los pacientes con fibrosis quística.

En esta enfermedad, el páncreas no produce ciertas enzimas que son vitales para la digestión. Estas enzimas degradan los alimentos para que puedan ser asimilados por el organismo. Cuando faltan, la comida no se digiere bien, lo que produce diarrea y deposiciones de olor fétido. Debido a la mala absorción de los nutrientes, los niños con fibrosis quística tienden a ser pequeños, de bajo peso y no se desarrollan bien. La diarrea puede alternar con estreñimiento, lo que ocasionalmente bloquea el intestino.

Los padres de niños afectados que planifiquen un nuevo embarazo suelen recibir consejo de un genetista.

¿CUÁLES SON LOS SÍNTOMAS?

- Infecciones de pecho recurrentes con tos y cierta dificultad para respirar.
- Diarrea, alternada con estreñimiento.
- Deposiciones grasosas y fétidas.
- Retraso en el crecimiento.
- Abdomen hinchado y miembros atrofiados.

¿CUÁL ES EL TRATAMIENTO?

No hay cura para la fibrosis quística, pero la detección temprana disminuye la probabilidad de sufrir daños permanentes en los pulmones. Pueden realizarse análisis simples de sangre y materia fecal del recién nacido, aunque la prueba definitiva para la fibrosis quística es un examen del sudor, porque allí aparece un elevado nivel de sal. Éste se realizará a todos los hermanos y hermanas del pequeño, o si el bebé tiene brotes recurrentes de neumonía o no crece. Estos análisis se llevarán a cabo cuando el bebé tiene alrededor de tres meses de edad.

Las infecciones respiratorias se tratan con antibióticos: a veces se usa en forma de atomizador. Otros tratamientos incluyen la inhalación de enzimas para ayudar a disolver la secreción pulmonar o un transplante de pulmón y corazón.

El gen de la fibrosis quística ha sido

Las personas con fibrosis quística necesitan fisioterapia diaria para mantener los pulmones libres de mucosidad.

identificado y seguramente se podrá optar por una terapia génica en el futuro.

¿QUÉ PUEDO HACER?

Un niño con fibrosis quística debe hacer una dieta especial baja en grasas, con suplementos vitamínicos y reemplazo de enzimas, que pueden ingerirse vía oral. La fisioterapia y los ejercicios de respiración deben realizarse todos los días para aflojar y drenar la mucosidad de los pulmones. La exposición al aire húmedo y las nebulizaciones pueden ayudar a los pulmones.

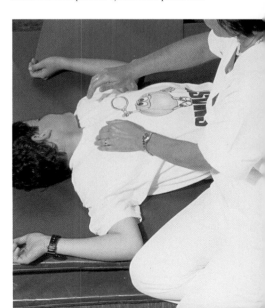

Estenosis pilórica

EN LA ESTENOSIS PILÓRICA CONGÉNITA, EL ANILLO MUSCULAR (PÍLORO) QUE CONECTA EL ESTÓMAGO CON EL DUODENO SE VUELVE MÁS GRUESO Y SE ESTRECHA, IMPIDIENDO QUE EL ESTÓMAGO SE VACÍE. LA CAUSA ES DESCONOCIDA, PERO LOS SÍNTOMAS COMIENZAN AL MES DE VIDA.

La comida se acumula en el estómago, el cual se contrae fuertemente en un intento por forzar el paso de su contenido por el píloro engrosado. Ya que esto no es posible, la leche es vomitada con violencia. Esto se conoce como vómito en proyectil y la leche cortada y la mucosidad pueden ser arrojadas hasta uno o dos metros de distancia. El vómito en proyectil no debe confundirse con la regurgitación normal que hace el bebé después de comer. La estenosis pilórica es mucho más común en varones.

Ésta es una afección grave. El vómito produce deshidratación y retraso en el crecimiento.

¿CUÁLES SON LOS SÍNTOMAS?
- Vómito en proyectil después de comer que empieza alrededor de las cuatro semanas de vida.
- Retraso del crecimiento.
- Debilidad y apatía.
- Falta de movimientos intestinales.

¿DEBO CONSULTAR AL MÉDICO?
Consulte al médico inmediatamente si su bebé vomita violentamente después de comer.

¿CUÁL ES EL TRATAMIENTO?
Si se sospecha de una estenosis pilórica, el médico lo derivará al hospital. El pediatra examinará el abdomen del bebé mientras éste come para ver si puede palpar el píloro abultado. Si diagnostica la estenosis pilórica, una operación simple permitirá la curación total.

¿QUÉ PUEDO HACER?
Quédese con su bebé en el hospital. Luego de la operación le recomendarán que lo alimente aumentando gradualmente las cantidades de leche. A las 48 horas después de la operación, la rutina alimentaria debe volver a la normalidad.

Síndrome de Down

EL SÍNDROME DE DOWN ES LA ANORMALIDAD CROMOSÓMICA MÁS COMÚN. LOS NIÑOS CON SÍNDROME DE DOWN TIENEN 47 CROMOSOMAS EN VEZ DE 46 EN CADA CÉLULA. EL CROMOSOMA EXTRA, EL 21, SUELE VENIR DEL ÓVULO DE LA MADRE.

La probabilidad de tener bebés con síndrome de Down se incrementa notablemente con el aumento de la edad materna, y hay varios exámenes que pueden determinar durante el embarazo si el feto está afectado, con lo cual los padres pueden decidir si abortar o no. El examen de la vellosidad coriónica y la transparencia nucal (escáner del cuello del feto) pueden hacerse entre la novena y décimotercera semanas de embarazo. Alrededor de las 20 semanas, un análisis de amniocentesis suele ofrecerse a las embarazadas mayores de 35 años. Los análisis de sangre (conocidos como el test triple) también pueden ser realizados en esta etapa.

Un nuevo examen para el síndrome de Down puede identificar más del 90 por ciento de los casos con sólo 12 semanas de embarazo. Esto es unas seis u ocho semanas antes que el test triple y detectará un 30 por ciento más de casos. Éste funciona combinando varios de los métodos para detectar el síndrome de Down que ya se han descrito. El 5 por ciento de las pacientes que se consideran con riesgo mayor debe someterse a un procedimiento de diagnóstico definitivo, como el análisis de vellosidades coriónicas o la amniocentesis.

¿CUÁLES SON LOS SÍNTOMAS?
- Ojos pequeños, inclinados hacia arriba; nariz con puente ancho; manos anchas con pliegue profundo en la palma; espacio entre el primer y segundo dedo del pie.
- Algún grado de dificultad de aprendizaje.

¿CUÁL ES EL TRATAMIENTO?
El grado de dificultad de aprendizaje varía ampliamente en los niños con síndrome de Down, y pocos estarán dentro de los parámetros normales de inteligencia. Las teorías modernas rechazan la idea de que todos los menores con síndrome de Down deban asistir a instituciones especiales. Su educación estará determinada por sus dificultades de aprendizaje específicas, pero a menudo pueden asistir a las escuelas comunes. Como ocurre con todos los niños, se debe poner énfasis en lo que pueden hacer y no en lo que no pueden.

Casi todos los niños con este síndrome aprenderán a caminar y a hablar, y algunos aprenderán también a leer y escribir. Necesitarán más ayuda para alcanzar su potencial, pero con esta ayuda algunos de ellos lograrán llevar vidas semiindependientes.

Distrofia muscular

LA DISTROFIA MUSCULAR ES UN GRUPO DE AFECCIONES GENÉTICAS EN LAS QUE LOS MÚSCULOS SE DEBILITAN Y ATROFIAN.

Las dos formas principales de distrofia muscular afectan casi exclusivamente a los varones. El tipo más común es la distrofia muscular de Duchenne, que causa discapacidad seria desde la primera infancia. Un segundo tipo, menos común, es la distrofia muscular de Becker. El inicio de esta afección es más lento y los síntomas comienzan más entrada la infancia. Otras formas extremadamente escasas de distrofia muscular pueden afectar tanto a niños como a niñas.

La distrofia muscular de Duchenne y la de Becker son causadas por un gen anormal transmitido por el cromosoma sexual X. Las niñas pueden tener el gen defectuoso, pero no suelen desarrollar el trastorno, porque tienen dos cromosomas X y el gen del cromosoma X normal compensa los defectos genéticos del otro.

¿CUÁLES SON LOS SÍNTOMAS?

Los síntomas de la distrofia muscular de Duchenne suelen aparecer cuando el niño comienza a caminar. El retraso en el andar es común; a menudo el niño afectado no empieza a caminar sino hasta los 18 meses y cuando lo hace, se cae con mayor frecuencia que los demás niños. Los síntomas más evidentes pueden no aparecer hasta que el niño llega a una edad de entre 3 y 5 años y pueden incluir:

- problemas al caminar
- dificultad para subir escaleras
- apoyar las manos sobre los muslos en forma ascendente para erguirse
- grandes músculos en las pantorrillas y músculos atrofiados en la parte superior de piernas y brazos
- discapacidad de aprendizaje leve (especialmente en la de tipo Becker).

Los síntomas son progresivos y el niño puede dejar de caminar a los 12 años. Los síntomas de la distrofia muscular de Becker son similares, pero no suelen aparecer sino hasta los 11 años de edad o más. La enfermedad avanza más lentamente; muchos de los pacientes afectados pueden caminar aún hasta los 20 años y más.

¿CUÁL ES EL TRATAMIENTO?

Si el médico sospecha de una distrofia muscular, le pedirá análisis de sangre para buscar evidencias del daño muscular. Puede hacerse una electromiografía, que detecta la actividad eléctrica en los músculos. Bajo anestesia general puede tomarse una muestra de músculo para ser analizada bajo el microscopio. Pueden hacerse estudios para determinar si el corazón está afectado, incluyendo la grabación de la actividad eléctrica del corazón (ECG) y el escáner de ultrasonido.

El tratamiento para la distrofia muscular apunta a mantener al niño móvil y activo el mayor tiempo posible. Un equipo de profesionales, como terapeutas físicos, médicos y trabajadores sociales, puede brindar apoyo a toda la familia. La terapia física es importante para mantener la flexibilidad de los miembros y pueden usarse tablillas de sustento.

La distrofia muscular de Duchenne suele ser fatal antes de los 20 años; el pronóstico en la de Becker es mejor, y quienes la sufren pueden llegar a los 40 años.

Fenilcetonuria

LA FENILCETONURIA (PKU) ES UN DEFECTO QUÍMICO HEREDITARIO QUE PUEDE CAUSAR DAÑO CEREBRAL.

Los niños con fenilcetonuria carecen de la enzima que procesa la **fenilalanina**, una sustancia presente en casi todos los alimentos que contienen proteínas. Como resultado, la fenilalanina se convierte en una serie de sustancias dañinas que se acumulan en la sangre y que pueden dañar el cerebro en desarrollo.

Aunque la fenilcetonuria es poco común, se controla a todos los recién nacidos debido al alto riesgo de daño cerebral, lo que puede evitarse siguiendo una dieta especial baja en fenilalanina. Se pincha el talón del bebé con una pequeña aguja para obtener unas gotas de sangre; los resultados estarán listos en un par de días.

¿CUÁLES SON LOS SÍNTOMAS?

Al nacer, algunos bebés con fenilcetonuria presentan una erupción roja y urticante similar al eccema, pero muchos infantes afectados parecen sanos. Si no se controla al bebé afectado después del nacimiento y la afección no es tratada, los síntomas se desarrollan gradualmente en un período de entre 6 y 12 meses e incluyen:

- vómitos
- irritabilidad y a veces ataques
- olor desagradable y rancio en la piel
- retraso en el crecimiento.

Si no es tratada, la fenilcetonuria puede causar daños cerebrales graves y severas discapacidades de aprendizaje.

¿CUÁL ES EL TRATAMIENTO?

Si al bebé se le diagnostica fenilcetonuria, probablemente deba consumir una leche especial rica en proteínas, pero con poca fenilalanina. El niño deberá seguir una dieta baja en fenilalanina de por vida; esto es especialmente importante en las mujeres que la padecen y que pueden quedar embarazadas. Con un diagnóstico y tratamiento tempranos, los niños afectados se desarrollan con normalidad y concurren a escuelas normales.

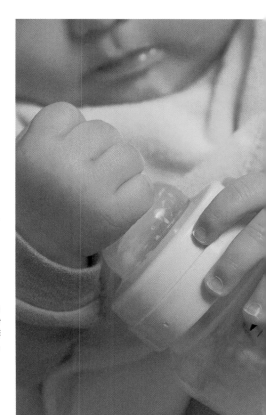

Leche especial para la fenilcetonuria
Los bebés con fenilcetonuria necesitan una leche especial baja en fenilalanina, una sustancia que está presente en muchas proteínas.

Hidrocefalia

EL TÉRMINO "HIDROCEFALIA" SIGNIFICA "AGUA EN EL CEREBRO". ES UNA AFECCIÓN PROVOCADA POR UN EXCESO DE PRESIÓN AL INTERIOR DEL CEREBRO DEBIDO A LA ACUMULACIÓN DE LÍQUIDO CEFALORRAQUÍDEO.

El líquido cefalorraquídeo, o LCR, lleva los nutrientes al cerebro y actúa como líquido protector y regulador. Si la circulación de LCR se bloquea o si el líquido es producido en cantidad excesiva, su acumulación eleva la presión al interior del cerebro. El tejido cerebral se vuelve más delgado y los huesos del cráneo se expanden para acomodar el exceso de líquido. La presión puede ocasionar daños cerebrales si no es tratada, y más del 50 por ciento de los niños con hidrocefalia muere.

¿CUÁLES SON LOS SÍNTOMAS?

■ Tamaño anormal de la cabeza al nacer o crecimiento rápido de ésta en los primeros meses.
■ Venas que sobresalen en el cuero cabelludo.
■ Fontanela abombada.
■ Dolor de cabeza.
■ Vómitos.
Los síntomas dependen de la edad en la que se desarrolla la hidrocefalia. Si se presenta al nacer, la cabeza es anormalmente grande porque los huesos del cráneo han sido separados por el líquido. En esos casos, el bebé probablemente también sufra de espina bífida, un defecto del tubo neural (ver abajo). En las formas más leves, la cabeza puede ser normal al nacer, pero crece rápidamente en los meses siguientes.

La hidrocefalia puede también desarrollarse más adelante como resultado de un tumor o infección, como la meningitis, en la cual puede no haber un agrandamiento notorio de la cabeza, aunque la presión del LCR puede causar dolor de cabeza y vómitos.

¿CUÁL ES EL TRATAMIENTO?

Si la afección está presente en el nacimiento, normalmente el médico la notará en el parto o en los controles de rutina al medir la cabeza del bebé. Se requiere una cuidadosa evaluación inicial por parte del pediatra para determinar la causa exacta de la acumulación de líquido. En casos leves se pueden utilizar fármacos para evitar la producción excesiva de LCR. De lo contrario, si la hidrocefalia no está muy avanzada, la afección mejorará con una intervención quirúrgica. Bajo anestesia, se inserta un tubo fino con una válvula de una sola vía en el cerebro a través de un agujero en el cráneo. El otro extremo suele insertarse en la cavidad peritoneal (abdominal) hacia donde drena el líquido. Después de estos tratamientos, la cabeza del bebé vuelve gradualmente a la normalidad: el 40 por ciento de los niños con hidrocefalia llegan a desarrollar una inteligencia casi normal. Si en algún momento posterior a la operación el niño se torna irritable y tiene vómitos, se sospechará del bloqueo del tubo. En ese caso se lo reemplazará o se liberará el bloqueo.

Defectos del tubo neural

LOS DEFECTOS DEL TUBO NEURAL SON ANORMALIDADES DEL CEREBRO, DE LA MÉDULA ESPINAL Y DE LAS CUBIERTAS QUE LOS PROTEGEN.

El tubo neural, que se desarrolla en la espalda del embrión a partir de la tercera semana de embarazo, se convierte luego en el cerebro y en la médula espinal y sus recubrimientos. Si este tubo no se cierra completamente, pueden aparecer defectos en alguna de estas partes. El defecto más común del tubo neural es la espina bífida, en la que la médula espinal y las vértebras son afectadas. Los efectos pueden variar desde una hendidura o mechón de pelo en la base de la columna y una anomalía menor de las vértebras, hasta la exposición completa de parte de la médula espinal. En casos poco frecuentes, el cerebro y el cráneo también resultan afectados. Los defectos del tubo neural suelen ser hereditarios.

Desde que se descubrió en 1992 que el ácido fólico consumido antes de la concepción y en la primera etapa del embarazo previene los defectos del tubo neural, la espina bífida es cada vez menos común.

¿CUÁLES SON LOS SÍNTOMAS?

En los casos menores, no hay síntomas obvios y sólo se diagnostica la espina bífida al investigar

Grupos de apoyo familiar
Las familias de los niños afectados por trastornos congénitos, como la espina bífida, pueden beneficiarse con el apoyo práctico y emocional mutuo.

una afección menor, como un dolor de espalda cuando se es adulto. Los síntomas pueden aparecer en la infancia y afectar principalmente los miembros inferiores, incluyendo:
- una hendidura o lunar marrón y con pelo en la base de la columna
- parálisis o debilidad de las piernas
- falta de sensibilidad en las piernas
- funcionamiento anormal de la vejiga o intestinos.

Muchos niños con espina bífida severa también presentan acumulación de líquido en el cerebro (hidrocefalia).

¿DEBO CONSULTAR AL MÉDICO?

Si le preocupa la capacidad de su hijo para mover las piernas o el funcionamiento de su vejiga o intestinos, consulte al médico lo antes posible.

¿CUÁL ES EL TRATAMIENTO?

Un bebé con un defecto en el tubo neural probablemente deba pasar por una TC o IRM de la columna para evaluar la gravedad del defecto. Si éste es menor, no se necesita tratamiento. Sin embargo, si un bebé tiene un defecto serio, es probable que deba ser operado durante los primeros días de vida. Incluso con cirugía, los niños que nacen con defectos graves quedarán discapacitados en forma permanente y necesitarán atención de por vida. Si no es tratado, los bebés suelen morir pacíficamente a semanas de haber nacido.

Si el niño está seriamente afectado, usted necesitará el apoyo práctico y emocional de un grupo de especialistas médicos, fisioterapeutas y profesores de educación especial. Su familia puede beneficiarse uniéndose a un grupo de apoyo.

¿QUÉ PUEDO HACER?

Usted puede reducir el riesgo de que su bebé padezca defectos del tubo neural consumiendo un suplemento de ácido fólico (por lo general, 400 microgramos por día) durante los primeros tres meses de embarazo, y si es posible, mientras intenta concebir. El médico le sugerirá una dosis más alta si usted ya tiene hijos con estos defectos.

> **Ver también:**
> - Hidrocefalia pág. 524
> - IRM pág. 409
> - TC pág. 401

Hipospadias

EL HIPOSPADIAS ES UN DEFECTO DE NACIMIENTO COMÚN EN EL QUE LA ABERTURA DE LA URETRA (EL CONDUCTO QUE LLEVA LA ORINA DESDE LA VEJIGA HASTA EL EXTERIOR) SE DESARROLLA EN EL LADO INFERIOR DEL GLANDE Y NO EN LA PUNTA.

Comúnmente, la abertura se desarrolla cerca del final del pene, pero en casos serios puede aparecer más atrás, cerca del escroto.

A veces, parte del prepucio puede faltar y el pene se curva hacia abajo, afección conocida como **encordamiento**. El hipospadias puede ser hereditario, lo que sugiere un factor genético. La afección suele detectarse en el examen de rutina después del nacimiento.

¿CUÁL ES EL TRATAMIENTO?

El hipospadias suele tratarse con cirugía antes de los 2 años. Durante la operación se usa el prepucio para formar una extensión de la uretra existente para que llegue hasta la punta del pene, y es importante que el niño no sea circuncidado si nace con hipospadias. Si también hay encordamiento, éste puede ser corregido durante la misma operación. El tratamiento suele permitir que la orina pase normalmente, y la actividad sexual y la fertilidad en la vida adulta no resultan afectadas.

Fimosis

LA FIMOSIS ES UNA ESTRECHEZ ANORMAL DEL PREPUCIO QUE LE IMPIDE SER LLEVADO HACIA ATRÁS DESDE LA PUNTA DEL PENE (GLANDE).

La fimosis puede provocar en infecciones como la balanitis, ya que el pene no puede ser aseado correctamente. También puede causar problemas con la micción y dolor durante las erecciones. Si el prepucio no se afloja naturalmente, suele recomendarse la circuncisión. Nunca intente forzar el prepucio, especialmente si el niño tiene menos de cinco años.

¿CUÁLES SON LOS SÍNTOMAS?

- El prepucio no puede correrse desde la punta del pene.
- La orina no sale en un chorro uniforme; sale lentamente o el prepucio se infla con la presión de la orina, que sale en todas direcciones.

¿DEBO VER AL MÉDICO?

Consulte al médico si le preocupa la afección o si el prepucio no se ha soltado naturalmente para cuando el niño tiene cinco o seis años. Consulte al médico lo antes posible si el prepucio ha sido forzado hacia atrás y no vuelve a subir.

¿CUÁL ES EL TRATAMIENTO?

- Si es posible, el médico volverá el prepucio a su posición normal si ha sido tirado hacia atrás y no vuelve.
- El médico puede derivarlo a un cirujano para la corrección permanente de la afección por medio de la circuncisión. El niño será internado y se retirará el prepucio bajo anestesia general. A las 24 horas será dado de alta.

¿QUÉ PUEDO HACER?

- Trate de no preocuparse por la afección si su hijo tiene menos de cinco años; puede corregirse sola con el tiempo.
- Asegúrese de que el niño se bañe con frecuencia. El baño tibio es la mejor forma de mantener limpio el pene no circuncidado y de prevenir infecciones. No es necesario correr el prepucio para limpiar el pene.
- Si el niño acaba de ser circuncidado, báñelo en agua con un puñado de sal dos veces al día para mejorar la cicatrización.
- Deje que ande desnudo, el roce de la ropa sobre el pene circuncidado lo inflamará.
- Dele al niño un recipiente con agua tibia para que la vierta sobre el pene cuando orine. La micción será dolorosa durante las primeras 48 horas posteriores a la operación.

Controlar los testículos no descendidos

Cuando nace el bebé, el pediatra le examinará los testículos para ver si han descendido. Si no lo han hecho, se lo comunicarán y les comentará que es probable que desciendan naturalmente. Si los testículos del bebé no han descendido al nacer, controle el escroto con frecuencia. Si han descendido, los sentirá pequeños, cada uno del tamaño de una arveja. Caliéntese las manos antes de esto; de lo contrario, los testículos pueden retraerse temporalmente en el abdomen.

Testículo no descendido

LOS TESTÍCULOS CRECEN Y SE DESARROLLAN DENTRO DEL ABDOMEN, CERCA DE LOS RIÑONES.

Poco antes de que el niño nazca, sus testículos "descienden" a su posición normal dentro de una bolsa de piel llamada escroto. Para desarrollarse normalmente durante la adolescencia y producir esperma, los testículos deben colgar fuera del cuerpo. Esto se debe a que la producción de esperma sólo puede realizarse a una temperatura levemente inferior a la del cuerpo. Si los testículos, o más comúnmente, uno de ellos no desciende, el esperma no se producirá con normalidad, aunque no habrá problemas con la producción de la hormona masculina (que produce rasgos característicos como la voz más gruesa), la testosterona.

¿DEBO VER AL MÉDICO?
Teóricamente, un solo testículo descendido bastaría para producir esperma y hormonas masculinas, pero si los de su hijo no han descendido a los 2 años, debe consultar al médico.

¿CUÁL ES EL TRATAMIENTO?
El médico probablemente tome medidas antes de que el niño cumpla los cinco o seis años. Si los testículos del menor no descienden, el cirujano recomendará operarlo antes de los $2^1/_2$ años. Un testículo no descendido que produce testosterona incrementa el riesgo de cáncer testicular si no es tratado.

¿QUÉ PUEDO HACER?
■ Quédese con su hijo mientras se encuentre internado para ser intervenido.
■ Manténgalo tranquilo después de la operación. Si comienza demasiado pronto a participar en juegos bruscos, puede dañar el escroto.

Marcas de nacimiento

LA MARCA DE NACIMIENTO ES UN PARCHE DE PIEL DECOLORADA PROVOCADO POR UN CONJUNTO DE PEQUEÑOS VASOS SANGUÍNEOS UBICADOS DEBAJO DE LA SUPERFICIE DE LA PIEL. PUEDE PRESENTARSE AL MOMENTO DEL NACIMIENTO O APARECER POCO DESPUÉS.

Hay tres tipos de marcas de nacimiento: las manchas vasculares, las manchas fresa y las manchas rojo vino (o vino de oporto).

MARCAS VASCULARES DE NACIMIENTO
Estas marcas de nacimiento están formadas por vasos sanguíneos anormales ubicadas en la piel. La más común es la llamada **parche salmón**, que afecta a uno de cada dos recién nacidos.

Los parches salmón aparecen en los párpados, en el puente de la nariz, en el labio superior y en la nuca (donde se los llama picotazos de cigüeña). Se desvanecen durante la infancia (excepto quizás los de la nuca) y no requieren tratamiento. Más importantes son las marcas de nacimiento menos comunes, conocidas como manchas fresa y manchas rojo vino.

MANCHAS FRESA
Las manchas fresa afectan al 2 por ciento o más de los recién nacidos. Son pequeñas protuberancias rojas y suaves sobre la piel, del tamaño de una moneda. También se las llama hemangiomas capilares o hemangiomas cavernosos si aparecen en capas más profundas de la piel o son de color azul. Los vasos sanguíneos de estas marcas de nacimiento aparecen en número y tamaño excesivos.

Las manchas fresa no son signo de mala salud ni están relacionadas con el cáncer. Pueden aparecer en cualquier lugar del cuerpo, pero adquieren importancia si aparecen en la cara o en la zona del pañal. Estas marcas no siempre son notorias al nacer sino que pueden aparecer en los primeros meses de vida. En ciertas ocasiones llegan a ser muy grandes y pueden sangrar, infectarse o ulcerarse.

¿POR QUÉ APARECEN?
Las manchas fresa son más comunes en los bebés prematuros. Al parecer surgen de grupos de células "sobrantes" de la piel del bebé. Se han creado muchos mitos sobre ellas, pero ningún padre debe sentirse responsable por la presencia de estas imperfecciones.

¿DESAPARECEN LAS MANCHAS FRESA?
Las marcas de nacimiento pueden seguir y crecer durante los primeros 3 a 6 meses y a veces más. Luego comienzan a empequeñecer. En el 30 por ciento de los niños habrán desaparecido antes del tercer cumpleaños. Para el séptimo, el 70 por ciento de las marcas ya no estarán. A veces, la piel queda delgada o arrugada en el lugar donde estuvo el hemangioma. La cirugía plástica puede mejorar la apariencia si hay un problema.

¿QUÉ TRATAMIENTOS EXISTEN?
Por lo general no se necesita tratamiento, ya que la mayoría de los hemangiomas disminuirán por sí solos. Los niños no están conscientes de éstos hasta los 3 años, y para entonces, muchas de las manchas

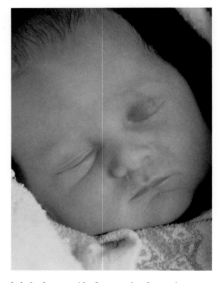

habrán desaparecido. Las manchas fresa más grandes o problemáticas que aparecen en ciertos lugares, como cerca del ojo, pueden necesitar tratamiento para evitar que afecten la visión de ese órgano. Los esteroides orales o inyectables contraen los vasos sanguíneos. El interferón inyectable se usa en casos especiales. Sólo en ciertas ocasiones se recurre a la cirugía para reducir el tamaño de la mancha. Se puede utilizar un tratamiento láser para acelerar la curación de las marcas ulceradas y detener el sangrado, pero no se usa con frecuencia para este tipo de marcas.

MANCHAS ROJO VINO (O VINO DE OPORTO)

Son marcas de nacimiento color rojo o púrpura que afectan a 1 de cada 500 bebés. Estas manchas están presentes al momento del nacimiento y se desarrollan a medida que el niño crece. No mejoran con el tiempo. Pueden aparecer en cualquier parte de la superficie de la piel, pero causan preocupación especialmente cuando afectan la cara. También se las denomina nevo en llama.

¿POR QUÉ APARECEN?

Aparecen porque los vasos sanguíneos de las zonas afectadas carecen de las pequeñas fibras nerviosas necesarias para angostarlos. El resultado es que los vasos afectados se dilatan y permiten un flujo de sangre mayor debajo de la piel, lo que causa un enrojecimiento permanente, la mancha rojo vino.

¿CAMBIAN CON LA EDAD?

Sí. En los bebés y niños estas manchas son planas y rosadas. Con la edad, los vasos sanguíneos de la mancha pueden volverse más grandes y la sangre puede fluir por ellos más lentamente. En esta etapa su coloración es más púrpura que rosada. Luego, en la edad adulta, estas manchas suelen desarrollar áreas irregulares que pueden ser difíciles de disimular con maquillaje. Ocasionalmente estas zonas pueden sangrar si se las rasca.

¿EXISTEN PROBLEMAS ASOCIADOS?

Las manchas rojo vino faciales ocasionalmente afectan el ojo u otros órganos subyacentes, y en ciertos casos se requiere mayor investigación. Si se presentan en el brazo o en la pierna, es común controlar que el crecimiento del miembro sea normal.

PROBLEMAS PSICOLÓGICOS

Estas manchas causan incomodidad porque a menudo aparecen en zonas visibles que son importantes para la imagen corporal, como el rostro. Pueden tomarse varias medidas para reducir el impacto psicológico, incluyendo los tratamientos que se detallan a continuación, el maquillaje y el consejo de los grupos de apoyo.

¿TIENE ÉXITO EL TRATAMIENTO?

Sí, por lo general. El tratamiento con láser pulsado de luz amarilla ayuda a muchos pacientes, aunque puede no borrar la mancha completamente. Es ofrecido por unos pocos centros especializados en el Reino Unido. Las manchas rojo vino en niños mayores pueden tratarse bajo anestesia local o cremas anestésicas. Los niños pequeños y los que presentan áreas extensas con estas manchas, especialmente alrededor de los ojos, deben recibir terapia láser bajo anestesia general o sedación.

El tratamiento láser aclara el 90 por ciento o más de las manchas rojo vino en los niños. Dependiendo del tamaño y la ubicación de la marca de nacimiento, pueden requerirse hasta 10 sesiones de tratamiento en intervalos de ocho semanas aproximadamente. Las manchas rojo vino en los miembros no se pueden tratar tan fácilmente como las de la cara.

Camuflaje cosmético

Las cremas cosméticas o de camuflaje suelen ser muy útiles y suele brindarse asesoramiento en algunos centros dermatológicos. Centros como **Changing Faces y Disfigurement Guidance Centre** (ver Direcciones útiles, pág. 567) también ofrecen un servicio más amplio para pacientes con todo tipo de marcas de nacimiento.

Problemas en piernas y pies

ALGUNOS PROBLEMAS CONGÉNITOS MENORES DE PIERNAS Y PIES INCLUYEN LOS PIES QUE APUNTAN HACIA ADENTRO O HACIA FUERA, LAS PIERNAS ARQUEADAS, EL MANETO Y EL PIE PLANO. ESTOS PROBLEMAS SON COMUNES A DIFERENTES EDADES.

Los problemas menores de pies y piernas rara vez interfieren en el andar o requieren tratamiento. Algunos de ellos pueden ser hereditarios, lo que sugiere un factor genético.

El **pie rotado hacia adentro**, con los dedos apuntando al centro, es común y ocurre en cualquier momento hasta los 8 años. El **pie que apunta hacia fuera** es menos común, pero puede presentarse alrededor de los 6 meses. Las **piernas arqueadas**, en las que las tibias se curvan hacia fuera, es una afección normal en niños de hasta 3 años. El arqueo severo es poco común y puede indicar que hay una deficiencia de vitamina D. El **maneto**, en el que las piernas del niño se curvan a la altura de la rodilla, es común entre los 3 y 7 años.

La mayoría de los niños tiene **pie plano** hasta que el arco se desarrolla entre los 2 y 3 años de edad. Los niños poseen, además, una plantilla de grasa debajo del pie que lo hace ver aún más plano. Algunos, sin embargo, tienen pie plano, afección que se mantiene en la edad adulta.

¿DEBO CONSULTAR AL MÉDICO?

Consulte al médico si le preocupa el aspecto de los pies o piernas de su hijo o si el niño tiene dificultad para caminar, cojea o se queja de dolor.

¿CUÁL ES EL TRATAMIENTO?

Muchos problemas menores no necesitan tratamiento porque no son tan serios como para interferir en el andar normal: suelen desaparecer naturalmente a medida que el niño crece. El pie rotado hacia fuera suele ser el primero en desaparecer durante el año en que el niño comienza a caminar. El pie que apunta hacia adentro y las piernas arqueadas casi siempre desaparecen entre los 3 y 4 años y el maneto, entre los 11 y 12. El pie plano persistente no suele requerir tratamiento, salvo que cause dolor.

Si el niño tiene dificultad para caminar o si la forma de las piernas es anormal, el médico puede recomendar fisioterapia. En ciertas ocasiones, si las piernas o pies están seriamente afectados, puede requerirse cirugía ortopédica.

Pie zambo (talipes)

EL PIE ZAMBO (TAMBIÉN LLAMADO TALIPES) ES UNA AFECCIÓN EN LA QUE EL BEBÉ NACE CON UNO O AMBOS PIES TORCIDOS.

Los bebés suelen nacer con los pies en posiciones extrañas, y hay dos tipos de pie zambo: **el pie zambo posicional**, en el que el pie está torcido y puede manipularse para que vuelva a su posición normal, y el **pie zambo estructural**, en el que el pie torcido está rígido.

En el posicional, el pie es de tamaño normal, pero está torcido, posiblemente debido a la compresión del bebé en el útero. La mayoría de los casos son leves y se corrigen por sí solos. El pie zambo estructural es una afección más seria en la que el pie apunta hacia abajo y hacia adentro y generalmente es anormalmente pequeño. En casi la mitad de los bebés con pie zambo estructural, ambos pies están afectados. La afección es dos veces más común en varones y suele repetirse en la familia, lo que sugiere un factor genético. Ambos tipos de pie zambo suelen diagnosticarse durante el examen del bebé después del parto.

¿CUÁL ES EL TRATAMIENTO?
El pie zambo posicional puede no requerir tratamiento. Si es necesario, la terapia física puede ayudar a enderezar el pie y puede usarse un yeso para mantenerlo en posición. La posición normal suele lograrse a los tres meses. El pie zambo estructural requiere terapia física y yeso por un período prolongado. En 6 de cada 10 casos, el tratamiento da buenos resultados. Finalmente, puede recurrirse a la cirugía entre los 6 y 9 meses de edad. Ésta suele ser exitosa y permite que la mayoría de los niños camine normalmente.

Labio leporino y paladar hendido

EL LABIO LEPORINO Y LA FISURA PALATINA SON HENDIDURAS EN EL LABIO SUPERIOR Y EN EL PALADAR QUE SE PRESENTAN DESDE EL NACIMIENTO. PUEDEN APARECER POR SEPARADO O JUNTOS Y OCURREN CUANDO EL LABIO O EL PALADAR NO SE TERMINAN DE UNIR COMPLETAMENTE EN EL FETO.

En muchos casos, la causa es desconocida, pero el riesgo es más alto si se toman ciertas drogas anticonvulsivas durante el embarazo o si la madre es alcohólica. El labio leporino y el paladar hendido suelen ser hereditarios. Ambas afecciones pueden ser muy dolorosas para los padres, pero la cirugía plástica suele proporcionar excelentes resultados.

Si un bebé está severamente afectado, puede costar alimentarlo y si no se trata tempranamente, puede retrasar el habla. Los niños con estos problemas son también susceptibles a la acumulación persistente de líquido en el oído medio (oído de goma de pegar), que afecta la audición y puede retrasar el habla.

¿CUÁL ES EL TRATAMIENTO?
El labio leporino suele repararse quirúrgicamente alrededor de los tres meses de edad, y el paladar hendido, entre los 6 y 15 meses. Mientras se espera para someterlo a una cirugía se puede colocar una placa en el paladar si el bebé tiene problemas para alimentarse. Después de la cirugía puede hacerse un examen de audición para controlar la discapacidad auditiva causada por la acumulación de líquido en el oído. El niño también puede necesitar terapia del habla cuando comience a hablar. La cirugía plástica suele lograr excelentes resultados y permite que el habla se desarrolle normalmente.

Ojos desviados (estrabismo)

ES BASTANTE COMÚN QUE LOS OJOS DE LOS RECIÉN NACIDOS SE MUEVAN EN FORMA INDEPENDIENTE ENTRE SÍ HASTA LAS 6 SEMANAS. PARA ESE MOMENTO, LOS OJOS DEL BEBÉ DEBERÍAN ALINEARSE DEFINITIVAMENTE.

Si no se alinean y uno o ambos ojos se mueven independientemente, la afección se conoce como ojos desviados o estrabismo. Lo más común es que esta afección sea causada por un desequilibrio en los músculos oculares. También puede asociarse con otros defectos de la visión, como la miopía o la hipermetropía. El cerebro compensa el ojo desviado bloqueando lo que éste ve.

El médico revisará la visión del bebé a las 6 semanas, a los 3 meses y a los 2 y 3 años para evaluar su desarrollo.

¿CUÁLES SON LOS SÍNTOMAS?
Los ojos parecen mirar en distintas direcciones.

¿DEBO CONSULTAR AL MÉDICO?
Consulte al médico lo antes posible si el desvío persiste después de los tres meses de edad. El estrabismo es serio porque el niño puede perder la visión del ojo desviado.

¿CUÁL ES EL TRATAMIENTO?
■ El médico tapará el ojo sano con un parche. Esto hace trabajar los músculos del ojo desviado, para que se fortalezcan. El tratamiento suele corregir la afección en cuatro o cinco meses.
■ Si el niño es mayor, el oculista le enseñará una serie de ejercicios simples que le ayudarán a fortalecer los músculos del ojo.
■ Si el estrabismo está asociado con otro defecto de la visión y se necesitan gafas, lo remitirán al oculista.
■ Si el estrabismo persiste, puede recurrirse a la cirugía para corregir el desequilibrio muscular. Esta posibilidad sólo puede ser considerada a partir de los dos años de edad.

¿QUÉ PUEDO HACER?
■ Controle los ojos del niño cada año.
■ Si le preocupan los ojos del niño, pida que lo remitan a un oftalmólogo para tener otra opinión.

CONDUCTA Y DESARROLLO

En años recientes, tanto los médicos como los medios de comunicación han prestado una creciente atención a los trastornos de la conducta infantil, especialmente al trastorno de déficit atencional y de hiperactividad. Cada vez a más niños se les diagnostica trastornos del comportamiento, correctamente o no.

La cantidad de diagnósticos de trastornos del espectro autista también parece estar aumentando, tal vez porque los criterios están siendo más reconocidos. Asimismo, la dislexia y otros trastornos del desarrollo preocupan a los padres, pero hay muchas medidas de ayuda que pueden ser adoptadas.

Déficit atencional con hiperactividad

CON EL AFÁN DE CLASIFICARLOS, SE DICE QUE ALGUNOS NIÑOS COMPLETAMENTE NORMALES, PERO DIFÍCILES, SON HIPERACTIVOS. EN MI OPINIÓN, EL TÉRMINO ES INJUSTIFICADO.

La palabra "hiperactivo" es el término amplio que se usa para describir a los niños que sufren el trastorno de déficit atencional y el de déficit atencional con hiperactividad, condiciones conductuales que incluyen comportamientos intempestivos, baja capacidad de atención, insomnio y excitabilidad. Contrariamente a lo que creen los padres, no se ha comprobado que ciertos colorantes o saborizantes de las comidas contribuyan a la hiperactividad, y el trato comprensivo puede mejorar el comportamiento de muchos menores. Son pocos los grados de hiperactividad que no son normales, graves o que necesiten atención médica.

¿CUÁLES SON LOS SÍNTOMAS?
- Conductas intempestivas.
- Intranquilidad.
- Baja capacidad de atención.
- Insomnio.
- Temeridad e impredecibilidad.

¿DEBO VER AL MÉDICO?
Consulte al médico si resulta difícil convivir con el niño o si su comportamiento interfiere en el aprendizaje escolar.

¿CUÁL ES EL ENFOQUE MÉDICO?
Es difícil encontrar dos médicos que coincidan en el origen, características o incluso en el hecho de que exista algo llamado hiperactividad. Si ciertos problemas menores del comportamiento se combinan con alguna forma de problema de aprendizaje, como la dislexia, la confusión es aún mayor. El médico puede derivar al niño a un psiquiatra infantil para determinar si tiene o no déficit atencional o déficit atencional con hiperactividad (DA/DAH). Si también hay dificultades de aprendizaje, es probable que éstas recién se detecten cuando el niño comience la escuela. El médico no prescribirá medicamentos a menos que se llegue a un diagnóstico definido. Yo, personalmente, estoy en contra del uso de

fármacos como el Ritalin sin una previa y cuidadosa evaluación de distintos médicos, especialmente porque muchos niños responden a terapias cognitivas y conductuales menos agresivas.

¿QUÉ PUEDO HACER?
- El enfoque esencial para los padres con niños hiperactivos es el manejo sensible, y es mejor si ambos adoptan el mismo enfoque para que el niño tenga una guía coherente.
- Aprenda a vivir con el niño tratándolo como un niño excitante, impredecible, pero absolutamente normal. Mientras el niño es pequeño, esto puede ser muy difícil, aunque para el momento en que comience a ir a la escuela habrá aprendido a concentrarse.
- Debe vigilar mucho al niño si éste es osado e inventarle juegos creativos para que no se aburra.

Dispraxia y DAMP

LA DISPRAXIA Y EL DAMP, QUE SIGNIFICA DEFICIENCIA DE ATENCIÓN, CONTROL MOTRIZ Y PERCEPCIÓN, SON DOS AFECCIONES ESTRECHAMENTE VINCULADAS.

Dispraxia simplemente significa torpeza, pero la definición médica sería pérdida parcial de habilidad para realizar movimientos hábiles y coordinados en ausencia de defectos en las funciones motoras o sensoriales.

El sistema nervioso es el centro de control y almacenamiento de la información y está organizado como un computador que controla una máquina de gran complejidad. Los trastornos de este sistema pueden dañar o alterar el funcionamiento de sus componentes. "Motriz" es un término usado para describir todo lo relacionado con el movimiento, ya sea de un músculo o un nervio. Suele aplicarse a

los nervios que estimulan los músculos al contraerse, lo que produce el movimiento, incluyendo los músculos que controlan el habla. La "percepción" es la interpretación de una sensación. La información del entorno se recibe por medio de los cinco sentidos: gusto, olfato, oído, visión y tacto, pero la forma en que esta información es interpretada también depende de otros factores.

AYUDA PARA USTED Y SU HIJO
La terapia con medicamentos suele usarse en aquellos niños con dispraxia que no responden a la psicoterapia. En la terapia

prolongada, cada año debe bajarse la dosis del medicamento para determinar si sigue siendo necesario.

Es importante comprender que si su hijo tiene dificultades, usted debe destacar aquello que hace bien, en vez de poner atención en lo que no hace tan bien. Los padres y profesores pacientes pueden hacer mucho para compensar la falta de habilidades del niño. Algunas estrategias facilitan bastante esta situación, y con medicación y otras ayudas, muchos niños con dispraxia se desenvuelven muy bien en la escuela.

ENFOQUE
en trastornos autistas

Los niños autistas tienen problemas para comunicarse y relacionarse con los demás y su estado abarca una amplia variedad de afecciones. El autismo afecta a 1 de cada 500 niños. Siempre se desarrolla antes de los 3 años, pero puede detectarse a partir de los 18 meses.

Los niños autistas no tienen discapacidades físicas como un niño con parálisis cerebral y en apariencia son niños normales.

LOS DATOS

● Todo el espectro de trastornos autistas afecta las vidas de más de 500.000 familias en el Reino Unido.
● El autismo no se puede curar, pero las investigaciones han demostrado que la intervención temprana mediante una educación

Terapia Cotidiana

La Terapia Cotidiana fue desarrollada en Japón en la década del 60 como una forma de enseñar a los niños con autismo en las escuelas comunes, enfatizando el estímulo para todas las actividades y resaltando todos los logros. El objetivo general es que los niños se desarrollen física, emocional e intelectualmente, para que logren independencia social y dignidad.
La Terapia Cotidiana tiene tres objetivos principales:
● **estabilizar** las emociones y fortalecer la autoconfianza por medio de los logros
● establecer una rutina cotidiana a través del ejercicio físico, que además otorga fuerza y control corporal
● estimular la mente mediante la matemática, el lenguaje, la comunicación y las aptitudes sociales.

El enfoque se concentra en unas pocas lecciones básicas, simplificando lo que se espera de cada niño. Muchas actividades son grupales para que el aprendizaje no sea entregado sólo del maestro al niño, sino también de los niños entre sí, y a menudo de un niño que imita a otro. **La Terapia Cotidiana tiene sus detractores, quienes ven este enfoque grupal muy basado en la cultura japonesa y difícil de aplicar en la cultura occidental.** A otros les preocupa el elemento de capacitación de esta terapia.

especializada puede marcar una diferencia crucial en el desarrollo del niño autista.
● En el extremo de más alto funcionamiento se encuentra una afección llamada **Síndrome de Asperger**; son personas muy inteligentes, pero con dificultades para relacionarse con los demás.
● En el extremo de más bajo funcionamiento del espectro se encuentran aquellas que se flagelan o que no han aprendido a hablar o a controlar sus esfínteres.
● No hay pruebas que vinculen las vacunas del sarampión, las paperas y la rubéola (MMR) con el autismo.

EL NIÑO AUTISTA

El niño autista parece estar aislado en su propio mundo, no gesticula ni establece contacto visual y no habla; se resiste al cambio, no juega imaginativamente ni muestra interés en otros niños, y está encerrado en rutinas inapropiadas y repetitivas. No tiene herramientas de comunicación incorporadas. Lo que todos los niños autistas **comparten** es una forma de percibir el mundo que es muy distinta a la de los demás.

Las diversas formas de autismo se agrupan en el espectro de los trastornos autistas, una discapacidad de por vida. Las causas exactas no se conocen, pero los factores genéticos son importantes al igual que ciertas condiciones que afectan el desarrollo de partes del cerebro relacionadas con el razonamiento, la interacción social y la comunicación. Por lo general, se ve un trío de discapacidades:
1. Dificultad para comunicarse y relacionarse con los demás.
2. Falta de juego imaginativo.
3. Conducta obsesiva y ritualista.

COMPRENDER EL AUTISMO

El autismo es cuatro veces más común en varones y no hay distingos raciales, étnicos o sociales. El ingreso familiar, el estilo de vida y el nivel de educación no afecta las posibilidades de que ocurra.

Se dice que el autismo aparece en **1 de cada 500 niños**, pero si se incluye todo el espectro, puede alcanzar a **1 de cada 9** menores. Dentro del espectro del autismo están, en un extremo, aquellos que presentan dificultades severas del

aprendizaje y, en el otro, aquellos con mucha habilidad que llegan a ser **adultos completamente independientes**.

El diagnóstico precoz es vital y la conducta común por lo general puede detectarse entre el nacimiento y los tres años de edad. Pero debido a que hay diversas formas, los niños autistas pueden no ser diagnosticados y, por ende, no beneficiarse con la **educación especializada** que podría ayudarlos en el futuro.

Las dificultades en la interacción social y la relación del autista con los demás crean presiones particulares en padres y hermanos. Y debido a que no es físicamente visible es difícil hacer que la comunidad lo comprenda.

LOS PADRES

Ser padre de un niño autista puede ser difícil, frustrante y desmoralizante. Puede creer que la ayuda profesional no siempre es adecuada, tal como lo muestran estas estadísticas.
● El 65 por ciento de los padres ve a tres o más profesionales antes de lograr un diagnóstico certero; el 25 por ciento ve a cinco profesionales o más.
● A menudo se entregan diagnósticos múltiples a los padres. Al transcurrir el tiempo, el diagnóstico suele pasar de uno general e incompleto a uno más específico dentro del espectro del autismo.
● El 45 por ciento de los padres sostiene que el autismo les es explicado inadecuadamente o no les es explicado al momento del diagnóstico; el 81 por ciento dice que tampoco se evalúa la severidad de esta afección.
● El 45 por ciento de los padres no está del todo satisfecho con el proceso de diagnóstico, y el 20 por ciento queda muy insatisfecho.

Retraso en el desarrollo

LOS NIÑOS CON RETRASO EN EL DESARROLLO A MENUDO PRESENTAN ALGUNAS CARACTERÍSTICAS DE ESTA AFECCIÓN DESDE SU NACIMIENTO, LAS QUE AL PRINCIPIO PUEDEN SER DIFÍCILES DE RECONOCER.

- El 45 por ciento de los padres informa que no se les brinda consejo sobre dónde conseguir ayuda/apoyo/información después del diagnóstico.
- El 50 por ciento de los padres dice que el apoyo que reciben al momento del diagnóstico es inadecuado.

OBTENER LA AYUDA CORRECTA

Cualquiera sea la edad al momento del diagnóstico, a los dos o a los 22 años, una ayuda correcta puede hacer una gran diferencia. La evaluación correcta y el apoyo pueden mejorar la calidad de vida en forma tangible y práctica. Las personas con autismo y Síndrome de Asperger necesitan **asistencia y educación preescolar especializada**, **cuidados** o **ayuda para conseguir empleo** y beneficios a los que tienen derecho, incluyendo asignaciones.

LAS BUENAS NOTICIAS

Mientras antes se llegue al diagnóstico de autismo, mayores serán las posibilidades de que el niño reciba la educación especial y el apoyo que pueden marcar una diferencia.
- Los profesionales del autismo **en todo el mundo** coinciden en que la intervención precoz es vital. Terapias como los programas intensivos del comportamiento iniciados en Estados Unidos han obtenido resultados extraordinarios.
- La constancia es esencial. En un estudio sobre niños autistas menores de 5 años, casi el 50 por ciento de los que recibieron 40 horas de terapia por semana durante dos años lograron aptitudes intelectuales y educativas normales. Sólo el 2 por ciento de los que recibieron 10 horas por semana alcanzaron el mismo nivel.

Los padres suelen pensar que simplemente tienen un bebé muy bueno y tranquilo. Esto, sin embargo, puede significar que un bebé no responde a los estímulos. Si alguna vez se escucha pronunciando alguna de estas frases, debe preguntarle al médico si todo está bien.

"Siempre es un bebé muy bueno y casi nunca llora."

"Ni nos damos cuenta de que está ahí; nunca nos da problemas."

"Es un ángel, un bebé maravilloso y no da problemas, como su hermano."

"Ni se lo escucha; parece vivir en su propio mundo."

"Pareciera que empezó a vivir a los ocho meses, no se movía mucho antes de esa edad."

¿CÓMO PUEDO RECONOCERLO?

Lo que caracteriza al retraso en el desarrollo es la lentitud que afecta **todos** los hitos. El retraso en alcanzar uno o dos logros es común. Casi siempre el primer signo es el retardo en notar las cosas y en sonreír. Ocasionalmente, esto es tan notorio que incluso se puede pensar en una ceguera. Debido a que el niño pareciera notar tan poco lo que ocurre a su alrededor, sus padres pueden sospechar que hay problemas en su visión o audición.

A veces, el niño puede tardar en aprender a masticar, lo que dificulta que pueda ingerir comidas sólidas. Algunos de los logros pueden tardar más de lo debido. Por ejemplo, el **reflejo de prensión** debe perderse alrededor de las 3 ó 4 semanas, pero puede prolongarse más allá de los tres meses e incluso durar hasta los 20 meses. A su vez, **llevarse objetos a la boca** es normal para un niño de entre 6 y 12 meses, aunque puede durar más tiempo en los niños afectados.

El deseo de **arrojar objetos** suele desaparecer a los 16 meses, pero puede durar más en un bebé con retraso mental. Y mientras que los niños normales, brillantes o excepcionalmente inteligentes pueden tener problemas de atención, la **falta de concentración e interés** puede significar la discapacidad de la habilidad mental, al igual que la **hiperactividad injustificada**. Esta hiperactividad puede no aparecer por algún tiempo y los niños con tendencia a dormir mucho cuando pequeños pueden sufrir una gran transformación y presentar ahora una falta de concentración. Pueden pasar de una actividad a otra, incluso deambular físicamente por la habitación mostrando un interés momentáneo en varias cosas pequeñas, y esto puede aumentar hasta convertirse en una actividad casi frenética con

la que es muy difícil convivir. Esto es particularmente notorio en los niños autistas.

¿QUÉ SE PUEDE HACER?

No cabe duda de que un niño con retraso se puede beneficiar desde edad temprana del interés, la atención y la estimulación de sus padres por medio de canciones, charlas, libros, juegos y juguetes educativos. Un entorno estimulante basado en la discusión, en el escuchar y en el cuestionamiento ayudará al niño a alcanzar su potencial óptimo.

Esto surge del estudio meticuloso de los esquemas de intervención infantil realizado por Craig Ramey en Carolina del Norte, en la década del 80. Los niños estudiados provenían de familias pobres cuyas madres tenían CI bajos y participaban en programas de cuidados diarios especiales, cinco días a la semana, ocho horas diarias. (Esto no significa que su hijo necesite una ayuda o una educación tan intensiva, sólo muestra el efecto de un programa educativo.) Los niños entraron al programa entre las 6 y 12 semanas de edad hasta que cumplieron los cinco años y comenzaron a asistir al jardín en una escuela normal.

El programa era estimulante y emocionalmente cálido, muy similar a las características familiares que hacen que los niños se desarrollen. Al mismo tiempo había un grupo de control de características similares que no recibía un programa tan enriquecido pero sí suplementos nutricionales y tratamiento médico mientras se los criaba en casa.

¿QUÉ DEMOSTRÓ EL ESTUDIO?

Los resultados fueron inequívocos. En todas las edades, el cuidado enriquecido mejoró el CI significativamente en comparación con el del grupo criado en sus casas antes de llegar a la escuela. Es más, la diferencia entre los niños que concurrieron al programa siguió siendo significativa hasta 18 meses después del inicio de la escuela normal.

Estos resultados no significan que la discapacidad mental pueda curarse sólo con dar a los niños fuertes dosis de educación especializada y estimulante en la infancia. Lo que muestran es que la capacidad intelectual de los niños que comienzan sus vidas con alguna desventaja pueden mejorar si se les brinda una estimulación rica. Para mí, lo importante de estas conclusiones es que los padres con hijos con una aptitud mental levemente menor sólo pueden ayudar si intentan ofrecer un **entorno enriquecedor** en sus propios hogares desde la infancia.

Dislexia y discapacidades del aprendizaje

EL DESARROLLO TARDÍO DEL HABLA SUELE MANIFESTARSE ANTES DE LOS TRASTORNOS DEL APRENDIZAJE Y LA LECTURA. SE HA NOTADO QUE LOS PROBLEMAS DE APRENDIZAJE PUEDEN COMENZAR DESDE LOS DOS AÑOS.

Retraso en la lectura y dislexia

El retraso en aprender a leer suele ser parte de un espectro más amplio de trastornos del aprendizaje, incluyendo la dificultad para deletrear, escribir y aprender el idioma. Este trastorno compuesto del lenguaje, llamado dislexia, puede definirse como dos años de retraso en el aprendizaje de la lectura respecto de la edad mental.

El retraso en la lectura puede ser simplemente una variación de lo normal. Sin embargo, en un niño mentalmente lento suele haber un retraso en el aprendizaje de la lectura más que en cualquier otra área de las lecciones escolares. Algunas características comunes que acompañan el retraso de la lectura son la baja capacidad de atención, la hiperactividad injustificada, la mala concentración, la impulsividad, agresividad y la torpeza. La percepción visual del niño también debe ser controlada.

El término dislexia se aplica muy fácilmente en la actualidad, pero nunca debe decirse que un niño es disléxico a menos que el diagnóstico sea realizado con la ayuda de un experto en psicología. Casi siempre hay antecedentes familiares, al menos de un trastorno del aprendizaje. La dislexia es cuatro veces más común en varones y casi siempre se presenta en los gemelos. En ocasiones hay problemas de lateralidad, que implican que el niño es zurdo o ambidiestro, y una tendencia a leer de derecha a izquierda o a invertir las letras.

La dislexia empeora con algunos factores, incluyendo la corta edad de los padres, la pobreza y el desempleo, la falta de material de lectura adecuado en la infancia, la falta de conversación, los problemas domésticos, el abuso infantil, el abuso sexual, la presencia de un solo padre o cualquier motivo de inseguridad. Los factores escolares incluirán la mala enseñanza, la falta de motivación y la inasistencia. La mala pedagogía y la crítica docente convencerán al niño de que no sabe leer, por eso dejará de intentarlo, por lo tanto, los profesores son responsables por catalogarlo con un mal lector y termina siéndolo, con lo que su incapacidad de leer se convierte en una profecía autocumplida.

La dislexia tiene cierta relación con la sociedad occidental, porque es diez veces más común en occidente que en oriente, a pesar del hecho de que en China hay 10.000 letras de uso común de un total de 50.000.

Las discapacidades en el aprendizaje suelen presentarse junto a la falta de coordinación, movimientos repetitivos, a mala memoria y a incapacidad de dibujar.

¿QUÉ SE PUEDE HACER?
Muchos niños superan su dislexia sin ayuda especial, aunque en algunos se puede mantener la dificultad de deletrear por el resto de sus vidas. Sin embargo, busque ayuda especial. El profesor del niño o el director local lo pondrá en contacto con un psicólogo o profesor especializado con experiencia en niños disléxicos. Puede que el niño deba asistir a clases especiales por la tarde varias veces por semana durante varios años.

Su apoyo y entusiasmo hacia las lecciones especiales, el progreso y los logros de su hijo son irreemplazables. Tenga en cuenta que cualquiera sea la ayuda especial, el niño no puede evitar su dificultad y no hace mal las cosas por capricho o estupidez. Cuéntele al niño que muchas personas famosas que lograron grandes cosas tuvieron el mismo problema. Auguste Rodin, uno de los más grandes escultores de todos los tiempos, fue descrito como "el peor alumno de la escuela". Su padre dijo "Mi hijo es idiota" y su tío, "Es ineducable". Rodin nunca aprendió a deletrear en su vida, pero eso no le impidió destacarse en el oficio que eligió.
La Asociación Británica de Dislexia (ver Direcciones útiles, pág. 567) le brindará apoyo, consejo e información sobre las escuelas locales y grupos de autoayuda en los cuales se tratará pacientemente el problema de su niño y sus propias dificultades. También le darán folletos y libros que le ayudarán a comprender y a cuidar al niño.

Encopresis

SI EL NIÑO ENSUCIA FRECUENTEMENTE CON DEPOSICIONES SÓLIDAS SU ROPA INTERIOR LUEGO DE CONTROLAR SU ESFÍNTER ANAL, PRESENTA ENCOPRESIS.

La encopresis que comienza en un niño que controla su esfínter debe considerarse como el síntoma de un problema más que como retraso del desarrollo. A menudo empieza como resultado de un problema emocional en la vida del niño, como la llegada de un nuevo bebé, la separación de los padres, el traslado a otra ciudad, la pérdida de contacto con los amigos o el divorcio. Vista así, la encopresis no debe ser motivo de castigo. Ocasionalmente, los niños persisten en ensuciar su ropa interior. Esto puede ser una reacción contra una enseñanza demasiado autoritaria sobre el uso del baño, algo a lo que me opongo tenazmente.

En un niño de cuatro o cinco años, una causa común de encopresis es el estreñimiento crónico. La retención de materia fecal, no querer evacuar causando estreñimiento, suele ser una característica. Esto puede producirse nuevamente por la exigencia excesiva de los padres de que el niño use el baño. La encopresis no es un problema serio. Nunca culpe al niño. Primero mírese usted mismo.

¿DEBO CONSULTAR AL MÉDICO?
El estreñimiento es fácil de tratar, por eso consulte al médico lo antes posible si piensa

que su niño sufre estreñimiento crónico. Si no encuentra motivo para la encopresis, el médico puede ser la persona indicada para descubrir el motivo de la tensión familiar.

¿CUÁL ES EL TRATAMIENTO?
■ Si su hijo está estreñido, el médico le recetará un laxante suave especialmente formulado para niños.
■ El médico le aconsejará cómo reducir el estreñimiento en el futuro.

■ Cuando existe una razón emocional para la encopresis, el médico evaluará la situación después de hablar con usted y con el niño. Si considera que se necesita ayuda profesional, el médico los remitirán a usted y al niño a un psicoterapeuta.

¿QUÉ PUEDO HACER?
■ NUNCA castigue al niño ni muestre desagrado si ensucia su ropa interior; esto sólo empeorará las cosas.

■ Observe los signos de bajo desempeño escolar. El niño puede ser objeto de bromas por el olor si se ensucia en la escuela. Sea comprensivo y ayúdelo; él no quiere realmente hacerlo, por eso mándele ropa interior para que se cambie y cuéntele el problema al profesor.
■ Asegúrese de que el niño siga una dieta rica en fibras y líquidos y haga ejercicio regularmente.

AFECCIONES DE LAS VÍAS RESPIRATORIAS SUPERIORES EN BEBÉS Y NIÑOS

El oído medio, la garganta, los senos paranasales, la nariz y la laringe pueden considerarse un sistema interconectado en los niños, porque los tubos y pasajes que conectan cada componente son muy cortos. Puesto que en ciertos lugares sólo unos milímetros separan un área de otra (por ejemplo, la garganta se conecta con el oído medio a través de la trompa de Eustaquio, que en los bebés es extremadamente corta), las bacterias o virus consideran estos espacios como si fueran uno solo. Por eso, una infección de garganta puede contagiarse casi inmediatamente al oído medio y causar otitis media (infección del oído medio).

A su vez, una afección de la garganta descenderá rápidamente a los pulmones y a las pequeñas vías aéreas (bronquiolos), porque, para un virus invasor, la garganta y los pulmones son una sola unidad en el niño. Y cuanto más pequeño es el niño, más rápido se propaga debido a que las distancias son mínimas.

A medida que el niño crece, los pasos de aire se alargan y amplían; los organismos invasores ya no pueden extenderse por las vías aéreas superiores. En los adultos, la propagación de las infecciones es poco común porque oído, nariz y garganta están anatómicamente separados. Debido a la unificación anatómica en los niños, resulta lógica la agrupación de las condiciones de las vías respiratorias superiores, ya que el desperfecto de un componente casi siempre incide en los demás.

Resfriados en los niños

EL RESFRÍO COMÚN ES CAUSADO POR UN VIRUS QUE ENTRA AL CUERPO A TRAVÉS DE LAS FOSAS NASALES Y LA GARGANTA, PROVOCA INFLAMACIÓN DE LAS MEMBRANAS MUCOSAS DE ESTAS VÍAS.

Las defensas del cuerpo tardan unos 10 días en vencer al virus del resfriado común.

Este resfriado no es grave, pero debido a que baja las defensas del organismo, pueden aparecer complicaciones como la **bronquitis** y la **neumonía**. El resfrío es más grave en los bebés, porque síntomas menores, como la congestión nasal, pueden ocasionar problemas al alimentarlos.

¿CUÁLES SON LOS SÍNTOMAS?
■ Estornudo.
■ Nariz tapada o con secreción.
■ Fiebre.
■ Tos.
■ Dolor de garganta.
■ Dolor muscular.
■ Irritabilidad.
■ Catarro.

¿DEBO CONSULTAR AL MÉDICO?
Consulte al médico inmediatamente si cree que el niño ha desarrollado una infección secundaria. Si el bebé tiene problemas para dormir por la noche o para alimentarse, consulte al médico.

¿CUÁL ES EL TRATAMIENTO?
■ El médico tratará las infecciones secundarias provocadas por el resfriado.
■ Puede recetarle gotas nasales para facilitar la alimentación. Siga las instrucciones, ya que el exceso puede dañar las membranas de la nariz.
■ El médico puede recetar un antitusivo o un expectorante para aliviar la tos.

¿QUÉ PUEDO HACER?
■ Facilite la respiración del bebé colocando una almohada debajo del colchón de la cuna para elevar su cabeza.
■ Dele mucho líquido.
■ Si es posible, cree una atmósfera húmeda en el cuarto del niño para que las membranas de la nariz no se sequen.
■ Unte vaselina en la nariz y en el labio superior del niño si estas zonas han sido lastimadas por sonarlo constantemente.
■ Las cápsulas de alcanfor diseminadas en la ropa y en la cama del niño facilitarán la respiración nocturna.
■ Una limonada caliente, jugo de limón natural, antes de dormirse aliviará el dolor de garganta y limpiará las cavidades nasales.

La gripe (gripa)

SI SU HIJO ESTÁ EN EDAD ESCOLAR, ES POCO PROBABLE QUE PUEDA ESCAPAR AL VIRUS DE LA GRIPE (GRIPA) O DEL RESFRIADO. LA GRIPE SUELE DISTINGUIRSE FÁCILMENTE DEL RESFRIADO, YA QUE, EN PRIMER LUGAR, ES MÁS GRAVE Y ATACA CON MÁS RAPIDEZ.

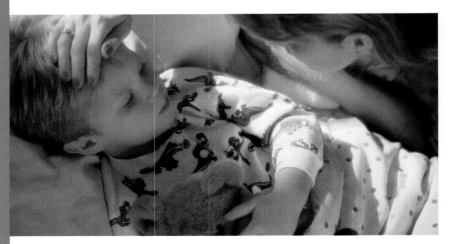

Su pequeño puede verse rebosante de buena salud en un momento y estar pálido, decaído y sudoroso al otro. Aquí hay algunas cosas que considerar.

■ La enfermedad suele durar entre tres o cuatro días. A menos que haya infección secundaria, el tratamiento de los síntomas es lo único que se necesita en la mayoría de los casos.

■ El virus de la gripe tiene la habilidad de mutar rápidamente a nuevas formas, lo que significa que se puede propagar con rapidez causando epidemias en todo el mundo en muchos inviernos.

¿ES GRAVE?

Es raro que aparezcan complicaciones graves en la gripe infantil. Sin embargo, a veces pueden producirse infecciones secundarias como la **neumonía**, la **otitis media** (infección del oído medio), la **bronquitis** o la **sinusitis**.

¿CUÁLES SON LOS SÍNTOMAS?

■ Secreción nasal.
■ Dolor de garganta.
■ Tos.
■ Temperatura superior a los 38°C.
■ Temblores.
■ Dolores.
■ Diarrea, vómitos y náuseas.
■ Debilidad y letargia.

¿QUÉ DEBO HACER PRIMERO?

1. Mantenga en casa a los niños con gripe. No los haga guardar cama a menos que quieran hacerlo; en cambio, anímelos a jugar tranquilos. Deben evitarse los deportes extenuantes durante las enfermedades virales. Use sábanas de algodón, son mucho más cómodas para el niño con fiebre. Cámbielas regularmente, en especial si el niño tiene fiebre; las sábanas limpias son más agradables. Deje cerca de la cama una caja con pañuelos de papel.

2. Mientras el niño tenga fiebre trate de mantenerlo a temperatura estable, incluso si eso significa que se quede en el sofá con usted.

3. Cuando el niño está enfermo, es momento de relajar un poco las reglas. Lleve el televisor a su cuarto y dele refrigerios especiales. No olvide que la enfermedad hace que el niño se sienta inseguro, por eso léale cuentos, juegue con él y mímelo.

4. Evite el contacto con otros niños que no sean de la casa para que no se contagien. Evitar el contacto con los hermanos no suele ser fácil.

5. Muchos niños con fiebre no tienen apetito, por eso, aunque usted le ofrezca comida, no lo fuerce a comer si no quiere. Mientras beba suficiente líquido podrá sobrevivir perfectamente bien comiendo muy poco por dos o tres días. Cuando la enfermedad termine recobrará el apetito. Cuando esto suceda, deje que coma todo lo que quiera.

6. No debe preocuparse si el niño no come por uno o dos días, pero asegúrese de que beba mucho líquido. Los niños en edad escolar deben beber dos litros de agua por día cuando sufren una infección viral, esto es, de seis a ocho vasos de agua u otras bebidas. Para bebés y niños pequeños que siguen tomando biberón, tenga siempre uno a mano con agua o jugo. Puede darles la bebida que más les guste para asegurarse de que han ingerido el líquido suficiente.

7. Tome la temperatura del niño dos veces al día y cada vez que lo sienta caliente. La fiebre es una defensa natural contra la infección viral, ya que los virus no se pueden multiplicar a altas temperaturas. **Por esta razón, ya no se recomienda bajar la fiebre con una esponja con agua fría, a menos que sea muy alta (más de 40°C).**

8. Si aparece erupción justo después del inicio de los síntomas de la gripe, el niño puede tener sarampión, por lo que deberá llamar al médico.

¿DEBO CONSULTAR AL MÉDICO?

Sí, cuando:
● la temperatura del niño se mantiene sobre los 39°C o éste no puede ingerir la suficiente cantidad de líquidos. Los síntomas de la deshidratación moderada son tos seca, orina altamente concentrada (amarillo oscuro) o poca orina, y letargia general
● le preocupa que se esté desarrollando una infección bacteriana secundaria, empeoramiento de la tos o tos que produce esputo verde o amarillo, secreción purulenta de la nariz o dolor de oído.
● el niño no comienza a mejorar después de 48 horas.

¿QUÉ PUEDE HACER EL MÉDICO?

■ Si hay una infección secundaria, el médico recetará un **antibiótico**.

■ Recientemente se han desarrollado **nuevos fármacos** que prometen reducir la duración y los síntomas de la gripe, pero su aplicación en los tratamientos directos aún no está definida. El médico puede considerar utilizarlas si el caso es grave o si el niño tiene otros problemas de salud.

¿QUÉ PUEDO HACER?

■ La **vacunación** puede prevenir la gripe, pero debe ser aplicada cada otoño porque el virus puede mutar a nuevas formas. La **vacunación anual contra la gripe** debe considerarse para los niños con problemas crónicos serios, como **asma, diabetes o fibrosis quística,** y para niños inmunosuprimidos, como los transplantados o los pacientes con cáncer. El mejor momento de vacunación es entre **marzo** y **mayo** para preparar al niño para el invierno. Pregunte en la escuela qué planes de vacunación tienen o hable con su médico.

■ Informe en la **escuela** que el niño tiene gripe para que se pueda diagnosticar y tratar a sus compañeros si fuera necesario.

■ El niño puede volver a clases cuando la fiebre y los demás síntomas hayan desaparecido y se sienta bien.

Crup

CRUP ES EL NOMBRE QUE SE DA AL SONIDO QUE SE PRODUCE CUANDO EL AIRE ENTRA
POR LA TRÁQUEA CONSTREÑIDA Y PASA POR LAS CUERDAS VOCALES INFLAMADAS.

El crup suele ocurrir en niños pequeños de hasta 4 años de edad, quienes son susceptibles porque sus vías aéreas (bronquios) son angostas y se bloquean con mucosidad cuando se inflaman, a menudo debido a un virus, como el del resfrío común, o una infección, como la bronquitis. En casos poco frecuentes puede ser causado por la inhalación de un cuerpo extraño. En niños mayores, la afección es menos grave y se conoce como laringitis. El primer ataque de crup puede ser repentino, por lo general de noche, y durar un par de horas. El niño tendrá una tos perruna y seca y dificultad para respirar.

Si el niño tiene un ataque severo de crup,

puede presentar dificultad para respirar. Esto debe tratarse como una emergencia.

¿CUÁLES SON LOS SÍNTOMAS?

- Tos ronca.
- Dificultad para respirar.
- Estridor.
- Color facial que se torna gris o azul.

¿DEBO CONSULTAR AL MÉDICO?

Consulte al médico inmediatamente si la piel del niño se torna gris o azul y debe luchar por respirar. Comuníquese lo antes posible para hacerle saber que el niño ha tenido un ataque de crup.

¿CUÁL ES EL TRATAMIENTO?

- En un ataque grave, el médico le dará oxígeno al niño.
- Si es necesario, el médico le recetará antibióticos para erradicar una infección secundaria.
- El médico le aconsejará lo que debe hacer si hay otro ataque.
- Si el ataque es causado por la inhalación de un objeto extraño, el médico lo retirará.

¿QUÉ PUEDO HACER?

Si ocurren más ataques, quédese con el niño y siga las instrucciones del médico.

Tos

LA TOS ES SÍNTOMA DE UNA ENFERMEDAD O LA FORMA QUE TIENE EL CUERPO DE
REACCIONAR A UN AGENTE IRRITANTE PRESENTE EN LA GARGANTA O EN LAS VÍAS AÉREAS.

La tos puede sacar flema del pecho y mucosidad clara de las vías aéreas, por ejemplo, durante un ataque de asma o tos convulsiva (conocida como tos productiva).

La tos seca, que no produce flema, no tiene un propósito y su causa no siempre es evidente. El elemento irritante que provoca la tos puede ser mucosidad de los senos paranasales con infecciones crónicas o la secreción nasal del resfriado común, que baja e inflama la parte posterior de la garganta. La tos seca también puede ser la manera en que el cuerpo expulsa un objeto extraño atorado en la tráquea. La tos puede aparecer en los "fumadores pasivos". Si hay adultos que fuman alrededor del niño, el humo puede irritarle la garganta y causarle tos. Los niños también pueden adoptar la tos como mecanismo para llamar la atención, convirtiéndose en un tic.

La tos no suele ser grave, aunque puede ser molesta. Sin embargo, si causa dificultad para respirar y que los labios se ponen azules, es grave y debe ser tratada como una emergencia.

¿DEBO CONSULTAR AL MÉDICO?

Consulte al médico lo antes posible si la tos del niño no mejora después de tres o cuatro días, o si el niño no duerme por la noche o si no puede retirar el objeto extraño atorado en la garganta. Consulte de inmediato al médico si el bebé desarrolla una tos seca o si ésta es acompañada por una respiración rápida,

difícil y sibilante. Ésta podría ser síntoma de crup o asma.

¿CUÁL ES EL TRATAMIENTO?

- Si la tos del niño es parte de una infección como la otitis media, la amigdalitis o el crup, el médico le prescribirá antibióticos.
- Si el niño sufre una infección viral, el médico le aconsejará sobre cómo aliviar los síntomas para ayudar al menor a expulsar la flema.
- Si la tos es parte de una afección asmática, el médico puede recetarle fármacos broncodilatadores que ayudarán a ensanchar las vías aéreas.
- El médico puede prescribir gotas nasales para que le sean administradas al niño por esa vía antes de dormir. Estas gotas alivian la congestión y evitan que la mucosidad baje por la parte posterior de la garganta del menor.
- El médico puede recetar un medicamento para la tos: puede ser un antitusivo (reduce la irritación y suaviza la garganta) o un expectorante (fomenta la expulsión de flema).

¿QUÉ PUEDO HACER?

- Mantenga al niño tranquilo y cálido para prevenir la propagación de infecciones menores en los pulmones, que pueden causar una afección grave como la bronquitis.
- No deje que el niño corra demasiado durante el día. La agitación puede desatar un ataque de tos.
- Anime al niño a dormir boca abajo o de

costado para que la mucosidad no baje por la garganta.
- Mantenga húmedo el aire del cuarto del niño dejando una ventana abierta. No sobrecaliente el ambiente.
- No fume en la casa y no lleve al niño a lugares donde haya gente que fume.

Amigdalitis

UBICADAS EN EL FONDO DE LA GARGANTA, LAS AMÍGDALAS SON LA PRIMERA LÍNEA DE DEFENSA DEL CUERPO. ATRAPAN Y MATAN LAS BACTERIAS EVITANDO QUE ENTREN EN EL TRACTO RESPIRATORIO.

En el proceso, las amígdalas pueden infectarse, lo que causa la amigdalitis. Los adenoides ubicados en el fondo de la nariz también suelen resultar afectados. Los bebés menores de un año rara vez sufren de amigdalitis. Es más común en los niños en edad escolar, en los que las amígdalas y adenoides son relativamente grandes y están más expuestos a infecciones microbianas. A medida que la resistencia a los microbios aumenta, los ataques deben ir disminuyendo. La mayoría de los niños no sufre amigdalitis después de los 10 años. Esta enfermedad no es grave a menos que esté continuamente acompañada por infecciones del oído medio.

¿CUÁLES SON LOS SÍNTOMAS?
■ Dolor de garganta, dificultad para tragar.
■ Amígdalas rojas e inflamadas, posiblemente cubiertas de puntos amarillos.
■ Temperatura superior a los 38°C.
■ Ganglios inflamados en el cuello.
■ Respiración bucal, ronquido y voz nasal.
■ Mal aliento.

¿DEBO CONSULTAR AL MÉDICO?
Consulte a su médico lo antes posible si sospecha que existe una amigdalitis.

¿CUÁL ES EL TRATAMIENTO?
■ El médico hará un hisopado de fauces (toma de muestra de secreción amigdaliana) para identificar la infección. Puede indicar antibióticos para la amigdalitis bacteriana.

■ Examinará los oídos del niño para buscar si hay infección o no y puede recetar antibióticos.
■ Si el niño tiene amigdalitis con frecuencia o si los adenoides abultados provocan repetidas infecciones del oído medio, lo derivarán a un especialista.

¿QUÉ PUEDO HACER?
■ Trate al niño como cuando tiene fiebre.
■ Haga que beba mucho líquido.
■ Nunca le dé gárgaras para el dolor de garganta. Puede propagar la infección de la garganta al oído medio.
■ Ofrézcale comidas fáciles de tragar, pero no lo fuerce a comer.

Bronquiolitis

LA BRONQUIOLITIS ES LA INFLAMACIÓN DE LAS VÍAS AÉREAS MÁS PEQUEÑAS DE LOS PULMONES (LOS BRONQUIOLOS). SUELE SER CAUSADA POR UN VIRUS Y OCURRE EN BEBÉS MENORES DE UN AÑO. LA AFECCIÓN PUEDE COMENZAR COMO TOS O RESFRÍO COMÚN.

El virus hace que se inflamen las membranas de las pequeñas vías aéreas y que se llenen con mucus, lo cual provoca dificultad para respirar. La bronquiolitis es seria por las dificultades graves que puede causar en la respiración.

¿CUÁLES SON LOS SÍNTOMAS?
■ Respiración acelerada, más de 50 inhalaciones por minuto.
■ Dificultad para respirar.
■ Alta temperatura.
■ Labios y lengua azules.
■ Somnolencia.

¿DEBO CONSULTAR AL MÉDICO?
Consulte al médico inmediatamente o lleve al bebé al hospital más cercano si tiene dificultades obvias para respirar o si sus labios o lengua se ponen azules. Consulte al médico de inmediato si nota que la afección del bebé se deteriora luego de un resfrío o tos.

¿CUÁL ES EL TRATAMIENTO?
Si el médico considera que la infección del bebé es leve, le recomendará cuidados especiales para el hogar. Sin embargo, la mayoría de los bebés suele quedar internada durante un día para observación.

¿QUÉ PUEDO HACER?
■ Si el bebé queda internado, permanezca con él. Su presencia lo hará sentir seguro.
■ Intente mantener al bebé alejado de otros niños y adultos con tos o resfrío.

Otitis media secretora

LA OTITIS MEDIA SECRETORA (OÍDO DE GOMA DE PEGAR) ES UNA AFECCIÓN QUE SE DESARROLLA CUANDO LA TROMPA DE EUSTAQUIO Y EL OÍDO MEDIO SE LLENAN DE LÍQUIDO, A MENUDO COMO RESULTADO DE UNA INFECCIÓN EN LA GARGANTA.

La trompa de Eustaquio, que va desde la garganta hasta el oído medio, produce grandes cantidades de líquido como respuesta a infecciones crónicas, como la sinusitis, la amigdalitis o, más comúnmente, las infecciones del oído medio. Si la trompa en cualquiera de los oídos es bloqueada por la inflamación, el líquido no puede drenar y se vuelve espeso como goma de pegar, lo que impide la vibración eficiente del sonido, causando pérdida de la audición.

El oído de goma de pegar debe tratarse seriamente porque puede llevar a la pérdida permanente de la audición en el oído afectado y causar problemas en el desarrollo del habla y el aprendizaje.

¿CUÁLES SON LOS SÍNTOMAS?
■ Sensación de tener el oído lleno.
■ Pérdida parcial de la audición o sordera en uno o ambos oídos.

¿DEBO CONSULTAR AL MÉDICO?
Consulte a su médico lo antes posible.

¿CUÁL ES EL TRATAMIENTO?
■ El médico examinará el oído del niño con un instrumento especial llamado otoscopio.
■ En casos leves, el médico recetará antibióticos para eliminar la infección y también podrá recetar drogas vasoconstrictoras que promueven el drenaje al reducir la inflamación de las trompas de Eustaquio.
■ En casos recurrentes y graves, el niño puede ser derivado a un especialista en nariz, oído y garganta para un examen de audición. Pueden internarlo para drenar el líquido bajo anestesia

general y se le pueden insertar cánulas. Éstas son pequeños tubos de plástico que permiten el drenaje del mucus. Pueden caer solos cuando el oído sana meses después o ser retirados quirúrgicamente. Si la otitis media secretora es resultado de infecciones reiteradas o de adenoides agrandados, también se tratará el problema subyacente para prevenir que reaparezca.

¿QUÉ PUEDO HACER?
■ Si el niño tiene cánulas en el oído, debe esperar dos semanas después de la operación para poder nadar y no puede zambullirse. Algunos especialistas prohíben nadar mientras se tengan las cánulas.
■ Intente mantener los oídos lo más secos posible.

OTROS PROBLEMAS EN BEBÉS Y NIÑOS

Varias afecciones que aquejan a bebés y niños no son clasificadas dentro de una categoría definida y se las incluye juntas en esta sección.

Algunas de éstas, como la costra láctea, la dermatitis del pañal, la dentición, la intususcepción y los cólicos, sólo afectan a lactantes y no suelen ser problemáticas en niños preescolares y mayores. Otras, como los orzuelos, la apendicitis, la epilepsia, los piojos de cabeza y la tiña, pueden afectar tanto a niños como a adultos, aunque suelen verse primero, o más comúnmente, en menores.

Muchas de estas afecciones no son graves y pueden tratarse fácilmente en casa, y en casos en que el tratamiento casero es posible, incluí información sobre lo que se debe hacer. Otras afecciones, especialmente la intususcepción, la apendicitis y la enfermedad de Kawasaki, son más peligrosas y requieren tratamiento médico urgente. Si alguna vez duda acerca de la gravedad de la afección de su hijo, no deje de consultar al médico de inmediato.

En esta sección también encontrará un cuadro que detalla las enfermedades infecciosas de la infancia, como el sarampión, la varicela, etcétera. Muchas de ellas pueden prevenirse mediante la inmunización de rutina (ver recuadro pág. 519), que es de vital importancia para salvaguardar la salud y el bienestar del niño.

Convulsiones febriles

LA CONVULSIÓN ES UN ATAQUE QUE OCURRE CUANDO EL CEREBRO REACCIONA ANORMALMENTE. LA CAUSA MÁS COMÚN DE ESTA AFECCIÓN EN LOS NIÑOS ES LA FIEBRE ALTA QUE ACOMPAÑA UNA INFECCIÓN VIRAL COMO LA GRIPE.

Este tipo de convulsiones se conoce como convulsiones febriles y suele ocurrir entre los 6 meses y los 6 años de edad.

Toda convulsión asusta, pero las convulsiones febriles son inocuas y no

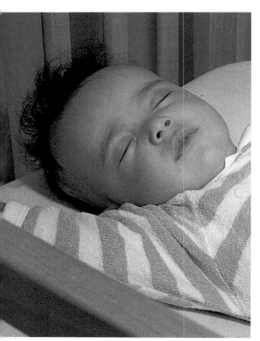

El niño con fiebre alta debe dormir destapado o cubierto sólo con una sábana liviana.

necesariamente son signo de epilepsia. La tendencia a sufrir convulsiones febriles suele ser familiar. Las convulsiones también pueden ser causadas por la **meningitis**, la **encefalitis** y, rara vez, por anormalidades químicas en la sangre, como el **bajo nivel de azúcar** en los diabéticos. La **epilepsia** es otra causa de convulsiones. Sin embargo, en ocasiones no hay causa específica.

Durante la convulsión febril, el niño pierde el conocimiento, se pone rígido por algunos segundos mientras contiene la respiración y luego flexiona y estira los brazos y piernas rítmicamente durante unos minutos. El niño puede gritar al comienzo del ataque, orinarse o defecarse. Cuando la convulsión termina el niño estará confundido y puede querer dormir.

¿CUÁLES SON LOS SÍNTOMAS?
■ Aumento repentino de la temperatura.
■ Grito y pérdida de la conciencia.
■ Fase rígida con retención de la respiración.
■ Movimientos rítmicos de los miembros.
■ Micción o defecación.
■ Confusión y somnolencia.

¿DEBO VER AL MÉDICO?
Si hay alguien acompañándolo, pídale que llame al médico mientras usted se queda con el niño. De lo contrario, consulte al médico en cuanto haya pasado la convulsión.

Si el médico no ha llegado en 15 minutos o si la convulsión no ha pasado para entonces, lleve al niño al hospital más cercano. Cualquier ataque que dure más de 20 minutos debe tratarse con anticonvulsivos.

¿CUÁL ES EL TRATAMIENTO?
■ Si la convulsión continúa, el médico puede administrar un anticonvulsivo, por lo general en forma rectal.
■ Si el niño es menor de dos años al momento de la primera convulsión, el médico lo internará para realizar estudios que descarten causas graves de convulsión, como la meningitis.
■ Si el niño es mayor, el médico lo derivará al hospital si la causa de la convulsión no es clara. Se le realizarán exámenes y el pediatra evaluará si se necesitan o no anticonvulsivos en caso de que el menor contraiga otro cuadro febril.
■ El médico le enseñará cómo evitar el aumento rápido de temperatura en el futuro.

¿QUÉ PUEDO HACER?
■ Durante la convulsión no intente agarrar o tocar al niño, y separe los objetos que lo rodean para que no se lastime.
■ Una vez terminada la convulsión, si el niño está afiebrado, sáquele la ropa y deje que su piel se enfríe. Cúbralo con una sábana liviana mientras duerme.
■ No le dé medicamentos sin indicación médica.
■ Conserve la calma.

Epilepsia

TRATO AQUÍ LA EPILEPSIA PORQUE ES EN LA INFANCIA CUANDO COMIENZAN CASI TODOS LOS CASOS. EL INICIO REPENTINO DE ESTA ENFERMEDAD EN LA VIDA ADULTA TIENE UN SIGNIFICADO DISTINTO.

La epilepsia puede comenzar en la vida adulta, como síntoma de tumor cerebral, lo que es muy poco frecuente en la epilepsia infantil.

¿CUÁLES SON LAS CAUSAS?
Esta enfermedad es un trastorno que causa convulsiones periódicas que ocurren cuando la actividad eléctrica normal del cerebro es perturbada. Suele desarrollarse en niños; a veces es de origen familiar. Entre el 3 y el 5 por ciento de los niños menores de 6 años tienen una convulsión ocasional, pero casi todas ellas son convulsiones febriles **inocuas** en las que la falla eléctrica del cerebro es causada por la fiebre alta que precede o sucede durante una enfermedad infecciosa, como la gripe.

¿CUÁLES SON LOS TIPOS?
Los ataques de epilepsia pueden ser **generalizados** o **parciales**, lo que depende de qué porción del cerebro esté afectada por la actividad eléctrica anormal. Durante un ataque generalizado, todas las áreas del cerebro son afectadas al mismo tiempo; mientras que durante el ataque parcial, sólo una parte es afectada. Los ataques generalizados pueden subdividirse en **ataques de gran mal**, que dejan un estado de somnolencia, y **ataques de pequeño mal**, o ataques de ausencia.

¿CUÁLES SON LOS SÍNTOMAS?
ATAQUES DE GRAN MAL
■ Primero puede haber un aviso del ataque conocido como **aura**, que dura unos pocos segundos y puede ser una sensación de malestar, un olor, un sabor, una sensación de *déja vu*.
■ Durante los primeros 30 segundos de la convulsión, el cuerpo se pone rígido y la respiración es irregular y seguida de movimientos rítmicos de extremidades y tronco.
■ Puede haber micción involuntaria.
■ Si los músculos de la mandíbula están involucrados, puede haber espuma en la boca.
　Después de la convulsión se recobra la conciencia, la respiración se normaliza y los músculos se relajan. La confusión y desorientación pueden durar algunas horas y puede desarrollarse dolor de cabeza. Generalmente no se recuerda lo que ha pasado.
　El **estado epiléptico** es una complicación muy rara y grave en la que una persona que no es controlada debidamente sufre ataques de gran mal reiterados sin recobrar la conciencia entre cada uno. Puede poner en riesgo la vida y la ayuda médica es urgente.

ATAQUES DE AUSENCIA (O PEQUEÑO MAL)
■ No hay una pérdida de conciencia real, sino que se pierde el contacto con el entorno, lo que causa un estado de ensueño que dura entre 5 y 30 segundos del cual el niño no puede ser sacado.
■ Los ojos pueden permanecer abiertos y fijos. Debido a que los ataques casi nunca están asociados con caídas u otros movimientos anormales, éstos pueden pasar inadvertidos o se los puede confundir con el soñar despierto. Sin embargo, los ataques frecuentes pueden intervenir en el desempeño escolar.

¿DEBO CONSULTAR AL MÉDICO?
Consulte al médico tan pronto haya pasado la convulsión, ya sea que piense que es un ataque de gran mal o una convulsión febril, y lo antes posible si piensa que el niño tiene un ataque de ausencia.

¿CUÁL ES EL TRATAMIENTO?
■ Si el niño tiene una convulsión, el médico lo examinará y le hará preguntas a usted acerca del ataque para determinar qué forma de ataque ha sufrido el menor.
■ El médico puede pedir análisis para buscar la causa subyacente. Si no se encuentra la causa, puede pedirle un EEG para detectar actividad eléctrica anormal en el cerebro, y si es necesario, pueden hacerse también TC e IRM del cerebro.
■ Si el niño tiene ataques recurrentes, sean de gran o pequeño mal, probablemente deba ser tratado con medicamentos **anticonvulsivos**. Éstos suelen ser recetados en dosis que aumentan gradualmente hasta que se controlan los ataques. En ocasiones puede necesitarse un segundo anticonvulsivo.

■ La afección del niño será revisada periódicamente por el pediatra. Si no hay ataques por 2 ó 3 años, el tratamiento puede reducirse o incluso suspenderse. Sin embargo, todos los cambios de dosis se deben hacer sólo bajo supervisión médica.
■ Las personas que desarrollan estado epiléptico deben ser llevadas de inmediato al hospital, donde se les suministrarán fármacos intravenosos para controlar las convulsiones.

¿QUÉ PUEDO HACER?
■ Puede ser duro enterarse de que su hijo tiene epilepsia y tanto usted como el niño deberán recobrar la confianza. Puede lograr esto por medio del médico, quien le aconsejará cómo manejar los ataques, y también hay grupos de autoayuda que pueden ser de gran apoyo.
■ Anote la frecuencia de los ataques de ausencia del niño para poder comentárselo al médico.
■ Observe cuidadosamente al niño e informe cualquier cambio mental o de personalidad que puedan aparecer como resultado del medicamento. Es importante que ésta sea dada en la dosis justa para que no cause efectos no deseados.
■ Trate al niño con la mayor normalidad posible. Cuénteles a amigos y profesores sobre la condición para que no se asusten si el niño sufre un ataque en presencia de ellos.
■ Haga grabar una medalla o pulsera con la información de la epilepsia del niño en el caso de que sufra un ataque cuando usted no está con él, y asegúrese de que el niño la use todo el tiempo.

continúa en pág. 541

AUTOAYUDA

Vivir con epilepsia

Si le han diagnosticado epilepsia recientemente, los siguientes puntos pueden ser útiles:
■ Evite todo lo que anteriormente ha desatado un ataque, como las luces destellantes.
■ Haga ejercicios de relajación para manejar el estrés, que también puede desencadenar los ataques.
■ Trate de comer a horarios regulares.
■ Evite beber demasiado alcohol.
■ Consulte con el médico antes de tomar medicamentos que interfieran en el efecto de las drogas anticonvulsivas.

■ Asegúrese de estar con alguien si va a nadar o a hacer deportes acuáticos.
■ Si conduce, debe dejar de hacerlo e informar a la autoridad de tránsito su condición. Deberá entregar su licencia, pero podrá pedirla de nuevo cuando haya pasado un año sin ataques. Antes de volver a pedirla consulte a su médico.
■ Consulte a un asesor antes de elegir una carrera, porque algunos tipos de empleos pueden no ser apropiados.
■ Consulte al médico si planea quedar embarazada.

ENFOQUE *en* fiebre en los niños

Los resfriados y la gripe son particularmente preocupantes en los niños pequeños porque, a diferencia de nosotros, suelen presentar fiebres altas que los hacen sentir enfermos y débiles. La fiebre puede causar alarma, por eso usted debe saber cómo tratarla y hacer que su hijo se sienta más cómodo.

Primero que todo, ¿qué es la fiebre? ¿Es grave? ¿Qué se puede hacer?

¿QUÉ ES LA FIEBRE?

La temperatura normal del cuerpo está entre los 36° y los 37°C. Cualquier temperatura superior a los 37,7°C es considerada fiebre, aunque el punto más alto que alcance no necesariamente refleja la gravedad de la enfermedad.

La fiebre no es en sí misma una enfermedad, sino un síntoma. Además de una enfermedad, la fiebre del niño puede estar relacionada con la hora del día y su nivel de actividad: después de un partido de fútbol muy extenuante, por ejemplo, la temperatura puede superar los 38°C durante un período corto.

¿ES GRAVE?

La temperatura superior a los 37,7°C siempre es grave en los bebés menores de seis meses. Si la temperatura permanece alta, existe un pequeño riesgo de convulsiones; no es signo de epilepsia, sino la reacción del cerebro del niño a la temperatura. A medida que crecemos, perdemos esa sensibilidad.

¿QUÉ DEBO HACER?

1. Si sospecha que el niño tiene fiebre, tómele la temperatura y vuelva a controlarla a la hora. Anote cada lectura.

2. Lleve al niño a la cama y quítele la ropa, incluso si el cuarto está frío. Sólo debe cubrirlo con una sábana liviana.

3. Sólo si la temperatura del niño es muy alta deberá bajarla. La fiebre impide que el virus se multiplique y por eso es la defensa natural del organismo. Baje la fiebre de más de 40°C aplicando sobre el niño una esponja mojada con agua tibia, NO fría. Tome la temperatura cada cinco minutos y deje de mojarlo cuando haya llegado a los 38°C. La razón de no usar agua fría es que ésta contrae los vasos sanguíneos impidiendo que se pierda el calor y, por lo tanto, hará la suba la temperatura en vez de bajarla.

4. Dele al niño jarabe de **paracetamol** sólo si los otros métodos han fallado. Nunca le dé aspirina a un niño con síntomas de varicela o gripe, ya que se la vincula con el **síndrome de Reye,** que es peligroso.

5. Anime al niño a beber mucho líquido ofreciéndole su bebida preferida en pequeñas cantidades cada **media hora**.

¿DEBO CONSULTAR AL MÉDICO?

• Consulte al médico de inmediato si el niño es menor de seis meses.

• Consulte al médico de inmediato si el niño tiene una convulsión, si las ha tenido en el pasado o si hay antecedentes de convulsiones en la familia.

• Consulte al médico lo antes posible si la fiebre dura más de 24 horas.

• Consulte al médico si le preocupan otros síntomas, como vómitos, diarrea o erupciones.

¿QUÉ PUEDE HACER EL MÉDICO?

El tratamiento dependerá de qué está causando la fiebre. Si es una infección bacteriana, probablemente se indiquen antibióticos.

Si la causa es una enfermedad como la varicela o un resfrío común, el doctor probablemente no le prescriba nada, sólo le aconsejará cómo hacerlo sentir más cómodo.

Probables causas de la fiebre

Otros síntomas	Posibles causas
El niño tiene tos y secreción nasal.	Posiblemente tiene un resfriado común.
El niño tiene tos, dolor de garganta y dolores corporales.	Posiblemente tiene gripe.
El niño tiene una erupción de puntos rojos y urticantes en el tronco.	Posiblemente tiene varicela.
El niño orina con frecuencia y, si es mayor, se queja de una sensación de ardor.	Posiblemente tiene una infección del tracto urinario.
El niño tiene congestión nasal y ojos hinchados y presenta una erupción marrón.	Posiblemente tiene sarampión.
Los costados de la cara del niño y la zona debajo del mentón están inflamados.	Posiblemente tiene paperas.
El niño tiene dolor de oído o, si es demasiado pequeño para decirlo, llora y se agarra las orejas.	Posiblemente tiene infección del oído medio (**otitis media**).
El niño tiene diarrea.	Puede ser fiebre gástrica o intoxicación alimentaria.
El niño o bebé respira agitadamente y con gran dificultad.	CONSULTE AL MÉDICO INMEDIATAMENTE El niño puede tener bronquitis, **bronquiolitis,** neumonía o crup.
El niño no puede flexionar el cuello sin sentir dolor y evita la luz fuerte. Puede aparecer una erupción violácea que no desaparece al ser presionada.	CONSULTE AL MÉDICO INMEDIATAMENTE El niño puede tener meningitis.

continúa de pág. 539

■ Si el niño debe tomar anticonvulsivos, no los suspenda sin autorización del médico porque puede causar una convulsión prolongada y grave después de unos días.

■ Enséñele al niño a reconocer los signos del ataque (aura). Si él es lo suficientemente grande como para identificar estas sensaciones, puede evitar sufrir un accidente.

¿CUÁL ES EL PRONÓSTICO?

De cada 3 personas que sufren un único ataque, 1 tendrá otro en el plazo de 2 años. El riesgo de ataques recurrentes es más alto durante las primeras semanas. Sin embargo, el pronóstico para la mayoría de las personas con epilepsia es bueno, y más de 7 de cada 10 experimentan una remisión de largo plazo dentro de los 10 años.

> **Ver también:**
> • **Convulsiones febriles pág. 533**
> • **Ejercicios de relajación pág. 292**

Síndrome de Reye

EL SÍNDROME DE REYE SUELE OCURRIR UNOS DÍAS ANTES DE QUE APAREZCAN LA VARICELA O LA GRIPE, ESPECIALMENTE SI SE HA USADO ASPIRINA PARA ALIVIAR LOS SÍNTOMAS O BAJAR LA FIEBRE.

El síndrome de Reye es una enfermedad infantil en la que el niño repentinamente presenta **fiebre** y **vomita**. La reacción del cuerpo a este mal hace que el **cerebro se inflame,** y el niño puede delirar e incluso perder la consciencia y entrar en coma. La causa del síndrome de Reye recién ahora es clara: un virus u otro agente tóxico daña las células de varias partes del cuerpo. Sin embargo, sólo algunos niños son susceptibles. Se cree que la susceptibilidad puede estar relacionada con la incapacidad del cuerpo de manejar ciertas sustancias químicas, en especial las grasas. El síndrome de Reye es muy grave y puede causar la muerte si no se lo identifica rápidamente. Es, sin embargo, poco frecuente.

¿CUÁLES SON LOS SÍNTOMAS?

■ Vómitos incontrolables.
■ Fiebre.
■ Delirio.
■ Somnolencia o inconsciencia.

¿DEBO CONSULTAR AL MÉDICO?

Consulte al médico de inmediato o llame a la ambulancia si hay demora, si el niño tiene fiebre o está somnoliento o inconsciente.

¿CUÁL ES EL TRATAMIENTO?

■ Si el médico sospecha del síndrome de Reye, internará al niño inmediatamente. Se suelen usar varios exámenes para confirmar el diagnóstico, pero si hay dudas, el médico retirará una pequeña muestra de hígado bajo anestesia local, usando un catéter plano (procedimiento llamado biopsia de hígado). Esta muestra será analizada en busca de la distribución anormal de grasa, que caracteriza la enfermedad.

■ El niño será tratado en la unidad de cuidados intensivos y se le dará glucosa intravenosa. Se tomarán medidas para controlar la inflamación del cerebro.

¿QUÉ PUEDO HACER?

■ Quédese con el niño en el hospital si puede.
■ Prepárese para una convalecencia larga. Pregunte acerca de las precauciones especiales que deben tomarse para evitar la reaparición del síndrome.

¿QUÉ PUEDO HACER?

● Cambie frecuentemente las sábanas para que el niño se sienta cómodo y tápelo sólo con una sábana liviana.

● Póngale una compresa húmeda fría en la frente.

● No lo despierte si tiene fiebre, el sueño es más importante.

● Relaje todas las rutinas. Desde mi punto de vista, un niño enfermo necesita algunos mimos. Dele refrigerios que le gusten, helado o yogur para el dolor de garganta, y permítale que juegue en la cama. Ponga el televisor en su cuarto.

● Él sabrá cuándo quiere levantarse; no lo fuerce.

● En cuanto haya pasado lo peor, levántele el ánimo invitando a sus amigos.

> **Ver también:**
> • **Cuidar a un niño enfermo pág. 514**

Costra láctea

ES UNA COSTRA ESPESA Y AMARILLA EN EL CUERO CABELLUDO Y NO ES ANORMAL.

La costra láctea (dermatitis seborreica) ocurre en bebés pequeños, aunque puede darse en niños de hasta 3 años. Las escamas amarillas aparecen en pequeños parches o pueden cubrir todo el cuero cabelludo.

Esta afección no se debe a una mala higiene. Los bebés que la sufren probablemente sólo tengan cueros cabelludos grasos.

Se produce porque las células de la piel del bebé cambian rápidamente y se acumulan debido a la presencia de cabello. Puede no ser agradable a la vista, pero es inocua a menos que esté acompañada por áreas rojas y con escamas en otras partes del cuerpo, en cuyo caso el bebé puede sufrir de eccema seborreico. Todos los bebés superan esta dermatitis sin tratamiento a los 8 ó 9 meses.

¿CUÁLES SON LOS SÍNTOMAS?

■ Costras espesas y amarillas en parte del cuero cabelludo o en su totalidad.

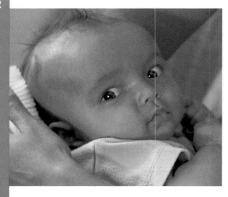

¿DEBO CONSULTAR AL MÉDICO?

Consulte al médico si le preocupa la afección o si el bebé presenta zonas enrojecidas y costras en otras partes del cuerpo.

¿CUÁL ES EL TRATAMIENTO?

NUNCA rasque o levante las costras. El médico le recetará un champú especial para evitar la formación de costras y le aconsejará cepillado y otros tratamientos caseros que ayudan a evitar la costra láctea.

¿QUÉ PUEDO HACER?

■ Puede evitar que se formen costras cepillando el cabello del bebé diariamente, incluso si tiene muy poco, con un cepillo de cerda suave.

■ Nunca frote el cuero cabelludo con fuerza al lavar la cabeza. Los champús eliminan la suciedad en segundos, sólo debe hacer espuma y luego enjuagarlo bien.

■ Un tratamiento infalible es aplicar aceite para bebés por la noche y lavar con champú por la mañana, cuando las costras se hayan ablandado. Repita hasta que todas las costras se hayan ido. Si éstas se vuelven espesas y duras, deberá continuar con el aceite de bebé o vaselina por 10 días hasta aflojarlas.

Pediculosis capilar

LOS PIOJOS DE LA CABEZA AFECTAN A TODAS LAS CLASES SOCIALES Y NO TIENEN NADA QUE VER CON LA HIGIENE PERSONAL. ATACAN TANTO LAS CABEZAS LIMPIAS COMO LAS SUCIAS Y NO SE DEBE SENTIR VERGÜENZA SI ESTÁ INFESTADO.

Si usted tiene un niño, es muy probable que tenga piojos en algún momento.

Los piojos de la cabeza viven y chupan sangre del cuero cabelludo, dejando pequeñas marcas rojas que causan gran picazón. Los piojos adultos pueden vivir semanas y sus hembras ponen un grupo de huevos todos los días cerca del cuero cabelludo, los cuales maduran a los pocos días. Los piojos se contagian por contacto directo, pero no necesariamente éste tiene que ser de cabeza a cabeza.

¿QUÉ SON?

Es la infestación de pequeños insectos sin alas en el cuero cabelludo que puede causar picazón intensa.

¿CUÁL ES EL TRATAMIENTO?

La respuesta tradicional a la invasión de piojos es la aplicación de poderosas lociones que contienen pesticidas. La principal ventaja es que éstas penetran en los huevos y matan las liendres.

Sin embargo, los científicos y los padres están comenzado a repensarlo porque:
● pareciera que con el uso repetido, los pesticidas están perdiendo efectividad. Se ha informado de zonas donde las liendres no son destruidas y se cree que algunos piojos adultos también pueden ser resistentes

● les preocupa usar repetidamente pesticidas fuertes en sus niños
● el costo es alto y son difíciles de usar.

Sin embargo, hay alternativas efectivas:
■ La primera y más importante arma contra los piojos es el peine fino (a menudo llamado peine de liendres porque sus dientes están tan juntos que hasta sacan los huevos). Se recomiendan los de plástico más que los de metal, ya que son más flexibles y, por ende, llegan más cerca del cuero cabelludo. Además, son más fáciles de limpiar y no arrancan el cabello. Utilice el **peine fino** cada vez que lave el cabello. Use bastante acondicionador después del champú, puesto que facilita el procedimiento y evita nudos, lo que posibilita sacar las liendres.

Preste especial atención a quienes tienen cabello rizado; en ellos es más difícil ver las liendres o pasar el peine, lo que les puede resultar particularmente molesto.

■ El uso de hojuelas de cuasia es un remedio alternativo cada vez más popular entre los padres. Estas hojuelas parecen trozos de madera seca. Son económicas, naturales y no tienen olor ni dejan un residuo grasoso.

Para usar las hojuelas de cuasia:
1. Coloque 25 g de hojuelas en una cacerola y agregue 560 ml de agua hirviendo. Esto afloja el aceite de las hojuelas. Deje reposar toda la noche

y al día siguiente hierva por 10 y 15 minutos. Deje enfriar y vierta el contenido a un envase con atomizador.

2. Lave el cabello con champú, enjuague y aplique acondicionador. Pase el peine fino. Enjuague el acondicionador y seque con una toalla. Coloque la solución de cuasia en todo el cabello y deje secar naturalmente. Vuelva a aplicar cuando se haya secado.

3. A la mañana siguiente aplique la solución nuevamente después de cepillar y repita el procedimiento un par de días. Puede usar la solución de cuasia para prevenir los piojos, ya que produce un medio agrio y hostil que no les es propicio.

■ Biz Niz es una combinación de cinco aceites esenciales (citronela, geranio, eucalipto, lavanda y romero). Se cree que erradica los piojos y actúa como repelente.

REMEDIOS DE VENTA LIBRE

Las infestaciones de piojos de la cabeza pueden tratarse con champús y lociones de venta libre, y las liendres pueden quitarse con el peine fino. El acondicionador facilitará el uso del peine para retirar liendres y huevos, especialmente si el niño tiene cabello largo, espeso o rizado. Todos los peines y toallas deben lavarse en agua muy caliente después de su uso para evitar la reinfestación.

Tiña

LA TIÑA ES UNA INFECCIÓN MICÓTICA DE LA PIEL Y DEL CABELLO QUE SE PRESENTA COMO PARCHES CALVOS EN LA CABEZA Y COMO PARCHES REDONDOS, ESCAMOSOS DE COLOR ROJO O GRIS EN LA PIEL.

A medida que la infección avanza, los bordes de la tiña siguen siendo escamosos, mientras que el centro comienza a verse como piel más normal. Esta infección suele contraerse de animales, como mascotas domésticas, o de otras personas infectadas.

Aunque no es un trastorno grave, la tiña es desagradable y molesta. También es muy **contagiosa,** por eso debe tratarse rápidamente.

¿CUÁLES SON LOS SÍNTOMAS?
■ Anillos de costras rojos o grises en cualquier parte del cuerpo, especialmente en las zonas cálidas y húmedas, y en el cuero cabelludo, donde produce parches calvos.
■ Picazón en las zonas afectadas.

¿DEBO CONSULTAR AL MÉDICO?
Consulte al médico lo antes posible, pues la tiña es contagiosa y molesta.

¿CUÁL ES EL TRATAMIENTO?
El médico le recetará una **crema antimicótica** para la piel y **medicación oral en tabletas o líquido** para el cuero cabelludo. Las pastillas deberán ingerirse **por al menos cuatro semanas**.

¿QUÉ PUEDO HACER?
■ Tire todos los peines, cepillos o accesorios para el cabello que el niño pueda haber usado mientras estuvo infectado. Los desinfectantes no matarán el hongo.
■ Separe la toalla del niño de las del resto de la familia para que no propague la infección.

■ Asegúrese de que tanto usted como el niño se laven las manos antes y después de tocar las áreas afectadas.
■ Si piensa que la fuente de infección puede ser su mascota, llévela lo antes posible al veterinario para que la trate.
■ La tiña de la piel se cura rápido, pero la del cuero cabelludo puede tardar un par de semanas o más. Dele al niño algún tipo de sombrero si le molestan los parches calvos.

Eritema infeccioso

EL ERITEMA INFECCIOSO, TAMBIÉN CONOCIDO COMO "CACHETADA EN LA MEJILLA", QUINTA ENFERMEDAD O INFECCIÓN POR PARVOVIRUS, ES UNA INFECCIÓN VIRAL QUE CAUSA ERUPCIÓN Y, OCASIONALMENTE, INFLAMACIÓN DE LAS ARTICULACIONES. SUELE SER LEVE EN LOS NIÑOS.

La infección se transmite por pequeñas partículas que quedan en el aire después de la tos o estornudo de una persona infectada, y se produce más a menudo en primavera. Aunque sólo suele causar un malestar leve, suspende brevemente la producción de glóbulos rojos en la médula ósea, por eso puede tener consecuencias graves en un niño con anemia.
   Un episodio de eritema infeccioso provee inmunidad de por vida ante futuras infecciones.

¿CUÁLES SON LOS SÍNTOMAS?
Algunos niños no presentan síntomas. Si éstos aparecen, suelen hacerlo entre los 7 y 14 días de comenzada la infección y pueden incluir:

● erupción roja y brillante en las mejillas, la que puede extenderse al tronco y los miembros
● fiebre leve
● en ocasiones, inflamación leve de las articulaciones.

¿DEBO CONSULTAR AL MÉDICO?
Consulte al médico lo antes posible si el niño desarrolla una erupción roja en las mejillas, tiene fiebre y las articulaciones parecen rígidas o inflamadas.

¿CUÁL ES EL TRATAMIENTO?
El médico puede recomendarle jarabe de

paracetamol para aliviar el dolor de las articulaciones y bajar la fiebre. La infección suele desaparecer por sí sola en dos semanas. Sin embargo, si el niño es anémico, puede necesitar tratamiento en el hospital.

¿QUÉ PUEDO HACER?
Si el niño tiene eritema infeccioso, cuídelo como si tuviera gripe o resfrío.

> Ver también:
> ● **Resfríos en los niños pág. 533**

Orzuelo

EL ORZUELO ES UNA INFLAMACIÓN LLENA DE PUS EN EL MARGEN DEL PÁRPADO. ES CAUSADA POR LA INFECCIÓN DE UNO O MÁS FOLÍCULOS DESDE DONDE SALEN LAS PESTAÑAS Y CASI SIEMPRE APARECE EN EL PÁRPADO INFERIOR.

El orzuelo suele formar pústula y drenar en cuatro o cinco días. Se facilita su aparición al frotar o tirar de las pestañas y se los puede asociar con la inflamación general de los párpados, llamada **blefaritis**. Los orzuelos no son altamente infecciosos, pero se pueden contagiar de un ojo al otro. Suelen ser inocuos y pueden tratarse en casa.

¿CUÁLES SON LOS SÍNTOMAS?
■ Hinchazón, dolor y enrojecimiento en el párpado, que se agranda al llenarse de pus.
■ Frotar y tirar de las pestañas, acompañado de irritación del ojo.

¿DEBO CONSULTAR AL MÉDICO?
Consulte al doctor lo antes posible si el tratamiento casero no mejora el orzuelo en cuatro o cinco días, si el párpado se inflama demasiado o si el orzuelo está acompañado de blefaritis.

¿CUÁL ES EL TRATAMIENTO?
Si hay infección del párpado o del ojo, el médico recetará un ungüento o gotas antibióticas. Si además hay blefaritis, puede prescribir un ungüento para aliviarlo.

¿QUÉ PUEDO HACER?
■ Separe la toalla del niño de las del resto de la familia para evitar contagios.
■ Lávese las manos antes y después de tratar el orzuelo y evite que el niño toque el área infectada.

> Ver también:
> ● **Blefaritis pág. 471**

ENFERMEDAD	POSIBLES SÍNTOMAS
Varicela Enfermedad viral común y leve.	Áreas rojas, urticantes que se transforman en ampollas llenas de líquido y luego costras. Dolor de cabeza y fiebre leve.
Rubéola Infección viral que suele ser leve en los niños.	Puntos rojos y pequeños, primero detrás de las orejas, luego en la cara y en todo el cuerpo, fiebre leve y ganglios inflamados detrás del cuello.
Paperas Infección viral común que raras veces es grave en los niños.	Ganglios sensibles e inflamados debajo de las orejas y piel. Fiebre, dolor de cabeza, boca seca y dificultad para masticar y tragar. Síntomas menos comunes incluyen dolor de los testículos e inflamación de los ovarios.
Sarampión Enfermedad viral altamente contagiosa y potencialmente grave.	Manchas rojo-marrón aparecen detrás de las orejas y luego se extienden al resto del cuerpo. Los puntos blancos en la boca (manchas de Koplik) son signos para el diagnóstico. El niño tiene fiebre, secreción nasal, tos y dolor de cabeza. Puede haber irritación de los ojos e intolerancia a la luz fuerte.
Tos convulsa (pertussis) Infección bacteriana que obstruye las vías aéreas con mucus.	Tos con un "grito" característico cuando el niño intenta respirar, síntomas de resfrío común (ver pág. 533) y vómitos. La tos puede impedir que el niño duerma.
Hepatitis Infección viral que causa inflamación del hígado. Hay dos tipos comunes, A y B. El tipo A es más común en niños que el B.	Pérdida del apetito, ictericia y síntomas de gripe. En casos graves, el niño puede producir una orina de color marrón oscuro y deposiciones pálidas.
Fiebre escarlatina Infección bacteriana cuyos efectos son similares a los de la amigdalitis, pero acompañada de erupción. No es muy común y no suele ser grave.	Amígdalas inflamadas y dolor de garganta, fiebre alta (hasta 40°C), dolor abdominal, vómitos, erupción de puntos pequeños que comienza en el pecho y se extiende, pero no afecta la zona perioral, y lengua áspera con parches rojos.
Roséola Infección viral relativamente poco frecuente cuyos síntomas se asemejan a los de la fiebre escarlatina.	Fiebre con temperatura entre 39° y 40°C durante unos tres días. Luego aparecen manchas rojas o rosadas en el tronco, miembros y cuello. La erupción desaparece en 48 horas.
Difteria Infección bacteriana grave y altamente contagiosa. En la actualidad es muy poco frecuente debido a la inmunización generalizada.	Las amígdalas se agrandan y pueden cubrirse de una membrana gris. El niño puede tener fiebre leve, tos, dolor de garganta, dificultad para respirar y dolor de cabeza.
Tuberculosis Infección bacteriana altamente contagiosa que afecta, por lo general, los pulmones, pero que puede afectar también riñones, meninges, articulaciones, huesos y pelvis si se prolonga en el tiempo.	Tos persistente (con sangre y pus en el esputo si están afectados los pulmones), dolor de pecho, dificultad al respirar, fiebre (especialmente por la noche), falta de apetito, pérdida de peso y cansancio.
Poliomielitis Infección viral de la médula y nervios espinales que puede causar parálisis.	Fiebre alta, dolor de garganta, dolor de cabeza, vómitos, debilidad, parálisis muscular, por lo general de los miembros inferiores o en el pecho.
Impétigo Infección bacteriana de la piel altamente contagiosa que suele verse en los labios, ojos y orejas.	Pequeñas ampollas alrededor de la nariz y boca u orejas que se abren y endurecen formando costras duras de color marrón amarillento.

TRATAMIENTO	COMPLICACIONES
Aplique loción de calamina sobre la erupción, mantenga al niño en casa y evite que se rasque. El médico puede recetar una crema antiséptica.	En pocos casos, la varicela puede llevar a la encefalitis (inflamación del cerebro) y, si se toma aspirina, al síndrome de Reye (ver pág. 541), una enfermedad grave cuyos síntomas son vómitos y fiebre.
No hay tratamiento médico específico. Puede dar al niño jarabe de paracetamol si tiene fiebre y debe intentar mantenerlo aislado.	El principal riesgo es para las mujeres embarazadas que estén en contacto con niños con rubéola, ya que causa defectos en el feto. Hay un leve riesgo de encefalitis.
No hay tratamiento médico específico. El niño no debe ir a la escuela y debe beber jarabe de paracetamol y abundante líquido; además debe ingerir comidas licuadas.	Ocasionalmente, meningitis, encefalitis y pancreatitis. A veces uno de los testículos es afectado y disminuye su tamaño. Si ambos están involucrados, puede producir esterilidad, pero esto es muy poco frecuente.
El niño debe guardar cama mientras dure la fiebre, no debe ir a la escuela y debe beber jarabe de paracetamol y abundante líquido. El médico puede recetarle gotas para los ojos irritados y antibióticos para las infecciones secundarias.	Infecciones de oído y pecho, vómitos y diarrea durante unos días después de la aparición de la erupción. Hay leve riesgo de neumonía y encefalitis. Los pulmones y oídos pueden sufrir daños irreversibles si no se suministran antibióticos.
El médico puede indicar antibióticos, y en casos graves, el niño puede ser internado para recibir oxígeno y tratamiento para la deshidratación. Ayude al niño a eliminar flema recostándolo boca abajo sobre sus muslos y dándole palmadas en la espalda cuando tose; no deje que se agote y aléjelo del humo de cigarrillo.	El principal peligro es la deshidratación por los vómitos persistentes. A veces, un ataque fuerte de tos convulsa puede dañar los pulmones y el niño queda propenso a infecciones de pecho. Entre las infecciones secundarias, que son poco frecuentes, están la neumonía y la bronquitis.
El niño debe estar aislado y hacer reposo al menos por dos semanas. Sea meticuloso con la higiene, la hepatitis es altamente contagiosa, y dele muchos líquidos. Si no quiere comer, agregue una cucharada de glucosa en la bebida.	Algunos niños sufren síntomas posthepatitis durante unos seis meses. Éstos pueden incluir sensibilidad y letargia.
El médico puede recetar antibióticos. El tratamiento en el hogar incluye dar al niño abundantes líquidos y licuar la comida para que sea más fácil de ingerir. Dele jarabe de paracetamol para bajar la temperatura.	Si el niño es sensible a la bacteria estreptococo, puede causar complicaciones, incluyendo nefritis (inflamación de los riñones) y fiebre reumática (inflamación de articulaciones y corazón). Éstas son poco frecuentes.
Haga que el niño descanse y mójelo con una esponja para bajar la temperatura si la fiebre es alta. Dele jarabe de paracetamol para bajar la temperatura.	Si la fiebre es muy alta, el niño puede sufrir convulsiones febriles (ver pág. 538).
La difteria es grave por las posibles dificultades para respirar que produce, por eso el niño debe ser hospitalizado inmediatamente. Le darán antibióticos fuertes y pueden hacerle una traqueotomía para ayudarlo a respirar (se inserta temporalmente un pequeño tubo en la tráquea para evitar el bloqueo que se produce en la garganta).	Sin tratamiento, la difteria puede causar complicaciones serias: neumonía e insuficiencia cardíaca.
La tuberculosis es una enfermedad grave si no se la trata, pero actualmente es poco frecuente debido a la vacunación masiva. Suele tratarse en la casa. El médico le recetará antibióticos.	Las principales complicaciones de la tuberculosis de los pulmones son las efusiones pleurales, en las que se junta líquido entre el pulmón y la pared torácica, y el neumotórax, en el que hay aire entre el pulmón y la pared torácica.
El descanso y el reposo son importantes; puede necesitarse fisioterapia. Hoy, la polio es poco frecuente debido a la inmunización.	Si la enfermedad avanza, puede causar parálisis, especialmente en los músculos de los miembros inferiores y del pecho.
El médico prescribirá antibióticos en cremas u orales.	El impétigo rara vez tiene efectos secundarios graves, pero como es altamente contagioso, se lo debe tratar de inmediato.

Dentición

DENTICIÓN ES EL TÉRMINO QUE SE USA PARA DESCRIBIR LOS SÍNTOMAS QUE PUEDEN ACOMPAÑAR LA APARICIÓN DE LOS PRIMEROS DIENTES DEL BEBÉ. LA DENTICIÓN COMIENZA ALREDEDOR DE LOS 6 Ó 7 MESES Y CASI TODOS LOS DIENTES HABRÁN SALIDO ANTES DE QUE CUMPLA 18 MESES.

El bebé producirá más saliva de lo común y babeará; intentará meterse los dedos en la boca y masticar cualquier objeto que esté a su alcance. Puede estar sensible e irritable, presentar dificultad para dormir y puede llorar y quejarse más de lo normal. La mayoría de estos síntomas ocurren justo antes de que aparezca el diente. Es importante comprender que los síntomas de la denticón no incluyen bronquitis, dermatitis del pañal, vómitos, diarrea ni pérdida del apetito. Éstos son síntomas de una enfermedad subyacente, no de la denticón. Los síntomas de esta última nunca son graves, y ningún síntoma agudo, como el dolor de oídos, puede adjudicarse a la denticón.

¿CUÁLES SON LOS SÍNTOMAS?
■ Aumento de la saliva y babeo.
■ Deseo de morder objetos duros.
■ Irritabilidad y sensibilidad.
■ Insomnio.
■ Hinchazón y enrojecimiento en la zona donde está apareciendo el diente.

¿DEBO CONSULTAR AL MÉDICO?
No hace falta consultar al médico a menos que los síntomas no puedan atribuirse a la denticón.

¿CUÁL ES EL TRATAMIENTO?
El médico le dirá cómo manejar los síntomas de la denticón y puede recetar un analgésico liviano para aliviar el dolor.

¿QUÉ PUEDO HACER?
■ Acune frecuentemente al bebé. Un bebé cuyos dientes están asomándose necesita que alguien esté cerca y le brinde cariño. La aparición de los dientes no implica la aceleración necesaria del proceso de destete. Los bebés con dientes pueden seguir tomando pecho sin molestia para la madre.
■ Distraiga al niño con un anillo plástico o mascadera para morder que esté frío (no lo congele porque puede causar lesiones) o un trozo de zanahoria, algo de textura firme. Nunca lo deje solo con comida, puede atragantarse.
■ Intente no recurrir al paracetamol. Durante el proceso de denticón se verá obligado a ir aumentando las dosis. Úselo sólo según indicación médica.
■ Frote las encías inflamadas con los dedos. Evite las jaleas de denticón que contienen anestésicos, ya que brindan sólo un alivio temporal y a veces pueden causar alergias.

■ Si el niño no quiere comer, aliéntelo con comidas blandas, como yogur, helado o gelatina.

Intususcepción

LA INTUSUSCEPCIÓN ES UNA AFECCIÓN QUE OCURRE CUANDO PARTE DEL INTESTINO DELGADO SE INTRODUCE DENTRO DE LA PORCIÓN QUE LA PRECEDE, COMO UN TELESCOPIO, O UN GUANTE QUE SE HA DADO VUELTA. LA PORCIÓN DEL INTESTINO DOBLADA SE INFLAMA Y CAUSA UN BLOQUEO.

Al intentar superar el bloqueo, la zona afectada del intestino entra en espasmo, lo que produce dolor y vómitos. No se conoce la causa de la intususcepción, pero afecta a varones de menos de 12 meses que hasta el momento gozaban de excelente salud. El bebé puede gritar repentinamente por el espasmo muscular y vomitar y adquirir un tono pálido y afiebrarse. Entre los espasmos se lo puede ver bastante normal y puede tener deposiciones comunes en las primeras horas. Sin embargo, con los ataques continuos, las deposiciones comienzan a verse como jalea de uva, ya que contienen principalmente mucus y sangre. Aunque la intususcepción es poco frecuente, se trata de una afección grave. Nunca debe dejar de tratarse.

¿CUÁLES SON LOS SÍNTOMAS?
■ Dolor abdominal intenso, posiblemente acompañado de gritos.
■ Vómitos.
■ Palidez.
■ Fiebre leve.
■ Deposiciones con sangre y mucus que parecen jalea de uvas.

¿DEBO CONSULTAR AL MÉDICO?
Consulte al médico de inmediato si el bebé tiene una serie de ataques o calambres abdominales, o si nota sangre o mucus en las deposiciones

¿CUÁL ES EL TRATAMIENTO?
El médico lo derivará al hospital y posiblemente le hagan un enema de bario para confirmar el diagnóstico. Éste es un examen indoloro en el que se bombea líquido en el intestino a través del recto del bebé. Luego se puede ver la condición del intestino en una radiografía. El enema de bario a veces hace que la afección se revierta por sí sola; si esto no sucede, el bebé será operado y el intestino será devuelto a su posición normal.

Ver también:
• **Radiografías de contraste pág. 353**

Cólicos

LOS CÓLICOS, EN BEBÉS MENORES DE CUATRO MESES, EXPLICAN UN ATAQUE DE LLANTO EN EL QUE LA CARA DEL BEBÉ SE PONE MUY ROJA Y LAS PIERNAS SE FLEXIONAN SOBRE EL ESTÓMAGO COMO SI SINTIERA UN GRAN DOLOR.

El ataque de llanto suele comenzar al anochecer; durante el resto del día, el bebé suele estar bien. El llanto puede transformarse en un grito y durar entre una y tres horas. Por lo general, no responde a las técnicas de relajación que funcionan en otras instancias. El cólico es tan común que los pediatras lo consideran normal, pero para los padres puede ser difícil de soportar. La causa del aparente llanto espasmódico no se conoce. Suele alcanzar el peor momento a los tres meses de edad y desaparecer alrededor de los cuatro. Las investigaciones recientes no han podido confirmar que el cólico sea causado por el dolor, aunque pareciera que el bebé sufre dolor.

El hecho de que el bebé esté perfectamente bien el resto del día significa que el brote de llanto no se relaciona con un problema físico grave. Los bebés con cólicos suelen ser sanos y activos.

¿CUÁLES SON LOS SÍNTOMAS?

■ El bebé no se calma al anochecer y llora sin importar lo que usted haga para tranquilizarlo.
■ La cara se le pone roja y flexiona las piernas sobre el estómago como si le doliera.
■ Puede despertar del sueño con un llanto repentino.

¿DEBO CONSULTAR AL MÉDICO?

Consulte al médico lo antes posible si no logra sobrellevar los epidodios de llanto nocturno.

¿CUÁL ES EL TRATAMIENTO?

Rara vez se requiere tratamiento medicamentoso para los cólicos. El médico le asegurará que el bebé es sano y que eventualmente superará los cólicos.

¿QUÉ PUEDO HACER?

■ Asegúrese de cuidarse usted mismo. Soportará mejor los llantos si duerme durante el día, al mismo tiempo que el bebé.
■ Invite a buenos amigos que quieran compartir ese momento de la tarde con usted; una atmósfera tranquila los relajará tanto al bebé como a usted.
■ Hable con otros padres que hayan tenido problemas similares. Cuando haya comprendido que los cólicos pasarán, será más fácil tolerarlos.

Apendicitis

EL APÉNDICE ES UN TUBO CIEGO Y CORTO UBICADO EN LA UNIÓN DEL INTESTINO DELGADO Y EL GRUESO. LA APENDICITIS OCURRE CUANDO ESTE TUBO SE BLOQUEA TOTAL O PARCIALMENTE Y LA ACUMULACIÓN DE BACTERIAS CAUSA UNA INFECCIÓN.

El apéndice que se inflama debe ser extirpado quirúrgicamente. La apendicectomía es una operación de emergencia común entre los niños. Sin embargo, la apendicitis en menores de 1 año es poco frecuente.

Si la apendicitis se diagnostica a tiempo no es grave; pero si el tratamiento se demora, la acumulación de pus en el apéndice bloqueado puede hacer que éste estalle. Esta afección se conoce como **peritonitis** y requiere atención inmediata.

¿CUÁLES SON LOS SÍNTOMAS?

■ Dolor abdominal que comienza cerca del ombligo.
■ Fiebre leve, rara vez superior a los 38°C.
■ Pérdida del apetito.
■ Vómitos, diarrea o estreñimiento.

¿DEBO CONSULTAR AL MÉDICO?

Si sospecha que su hijo tiene apendicitis, consulte al médico inmediatamente. Si el apéndice ha estallado, la demora permitirá que la infección se propague al resto de los intestinos.

¿CUÁL ES EL TRATAMIENTO?

El médico examinará el abdomen del niño y le pedirá a usted que describa los síntomas. Probablemente hará arreglos para internar al niño para confirmar el diagnóstico y extirpar quirúrgicamente el apéndice si considera necesario este procedimiento.

¿QUÉ PUEDO HACER?

■ Haga arreglos para quedarse con el niño en el hospital por la noche.
■ Trate de que el niño descanse y coma normalmente cuando regrese a casa, usualmente a los cinco días después de la operación. Debería recuperarse por completo en dos o tres semanas.

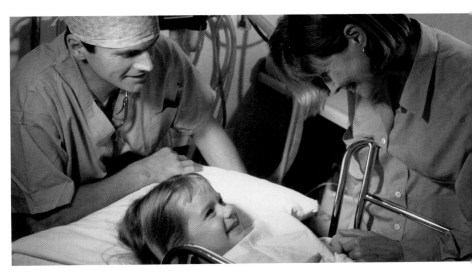

Balanitis

LA BALANITIS ES LA INFLAMACIÓN DE LA PUNTA DEL PENE (GLANDE). PUEDE SER CAUSADA POR LA DERMATITIS DEL PAÑAL, POR UNA REACCIÓN ALÉRGICA AL JABÓN CON QUE SE LAVA LA ROPA O POR PRESENTAR UN PREPUCIO ESTRECHO (FIMOSIS) EN NIÑOS DE ENTRE 3 Y 5 AÑOS.

Hasta los 5 ó 6 años es normal que el prepucio sea estrecho.

¿CUÁLES SON LOS SÍNTOMAS?
- Punta del pene roja e inflamada.
- Secreción de pus desde la punta.
- El prepucio no puede correrse hacia atrás.
- Si el niño aún usa pañales, inflamación general alrededor de glúteos y genitales.

¿DEBO VER AL MÉDICO?
Consulte al médico lo antes posible si el niño se queja de dolor, si no puede retraer el prepucio en niños mayores de 5 años o si el tratamiento casero no logra aliviar la inflamación en 48 horas.

¿CUÁL ES EL TRATAMIENTO?
El médico puede recetar una crema antibiótica para aliviar la inflamación.

Si el prepucio está tirante, el médico lo controlará regularmente. Si no logra estirarse para la edad de seis años, la condición necesitará corrección quirúrgica mediante la circuncisión. El médico lo derivará a un pediatra que evaluará al niño para ver si necesita cirugía.

¿QUÉ PUEDO HACER?
- Cambie siempre los pañales del bebé con frecuencia para evitar la recurrencia de la dermatitis del pañal.
- Enseñe al niño hábitos de higiene personal a temprana edad. Hasta los 5 años, el baño es suficiente para mantener limpio el pene. A partir de esta edad, enséñele al niño cómo correr el prepucio y lavar el área que queda descubierta, todos los días.
- Si la balanitis aparece por una reacción alérgica, cambie el detergente y asegúrese de que la ropa del niño sea bien enjuagada.

Dermatitis del pañal

LA DERMATITIS DEL PAÑAL ES UNA AFECCIÓN DE LA PIEL QUE AFECTA LA ZONA CUBIERTA POR EL PAÑAL, Y PUEDE OCURRIR TANTO CON AQUELLOS DESECHABLES COMO CON LOS DE TELA.

Hay varias causas para la dermatitis del pañal, pero la más común es que la orina y la materia fecal permanecen demasiado tiempo en contacto con la piel del bebé. Los que toman biberón son más propensos a sufrirla que los que toman pecho. La dermatitis del pañal también puede ser causada por secar mal al bebé después del baño. En esos casos suele estar limitada a los pliegues de piel en la parte superior de los muslos. Si la erupción cubre casi toda la zona del pañal y usa pañales de tela, puede ser una reacción a los productos químicos del detergente o del suavizante. Esta reacción es un signo temprano de eccema conocido como eccema atópico. La dermatitis del pañal no es grave y puede ser fácilmente prevenida y tratada. Una erupción que comienza alrededor del ano y pasa por los glúteos y muslos puede no ser dermatitis del pañal, sino una infección por cándida.

¿CUÁLES SON LOS SÍNTOMAS?
- Enrojecimiento de la zona del pañal.
- Enrojecimiento que comienza alrededor de los genitales acompañado de un fuerte olor a amoníaco.
- Piel tensa y delgada con puntos inflamados llenos de pus.
- Enrojecimiento que comienza alrededor del ano y pasa por los glúteos y muslos.

¿CUÁL ES EL TRATAMIENTO?
- Si la dermatitis del pañal se infecta, el médico puede recetar antibióticos.
- Si el bebé tiene signos de eccema, cambie la marca del detergente y del suavizante. El médico puede recetar un ungüento de cortisona para usar esporádicamente.
- Si la dermatitis es causada por cándida, el médico le recetará una crema antimicótica.

¿QUÉ PUEDO HACER?
- Cuando note enrojecimiento en los glúteos del bebé, lávelos con agua tibia y séquelos bien. Aplique una pequeña cantidad de crema de bloqueo para proteger la piel de irritaciones.
- Cambie los pañales y lave las nalgas del bebé al menos cada dos o tres horas y cada vez que evacue el intestino.
- Mire al interior de la boca del bebé. Si hay parches blancos, intente sacarlos. Si dejan parches rojos debajo, el bebé tiene candidiasis oral, que puede haber causado la dermatitis del pañal. Consulte al médico lo antes posible.
- No use talco porque irrita la piel.

Ver también:
- **Eccema en bebés y niños pág. 313**
- **Candidiasis pág. 450**

Parásitos

HAY VARIOS PARÁSITOS QUE PUEDEN VIVIR EN EL CUERPO HUMANO, PERO EL MÁS COMÚN, EN CLIMAS CÁLIDOS, ES EL OXIURO. EL ASCÁRIDE SE PRESENTA EN ALGUNAS OCASIONES.

Los oxiuros suelen entrar al cuerpo en el estado de huevos en comida que esté contaminada, y luego anidan en el intestino y se desarrollan durante 15 a 28 días. Las hembras ponen entonces sus huevos alrededor del ano, lo que causa picazón, especialmente por la noche. Si el niño se rasca, es fácil que los huevos queden en los dedos y uñas, y si se lleva la mano a la boca, el ciclo vuelve a comenzar. Los oxiuros, que miden entre 2 y 13 mm, son inocuos, pero pueden producir síntomas molestos. Los parásitos son altamente infecciosos y toda la familia debe ser tratada simultáneamente.

¿CUÁLES SON LOS SÍNTOMAS?
OXIUROS
- Picazón alrededor del ano, usualmente por la noche.
- Gusanos blancos parecidos a un hilo en las deposiciones.
- Insomnio causado por la intensa picazón.

ASCÁRIDES

- Retraso de crecimiento.
- Gusanos blancos en las deposiciones.

¿DEBO CONSULTAR AL MÉDICO?

Consulte al médico inmediatamente si encuentra gusanos. Acuda lo antes posible si estuvo en una zona donde el ascárides es común y si su hijo no está creciendo.

¿CUÁL ES EL TRATAMIENTO?

- El médico le dará un tratamiento simple, usualmente en forma de polvo soluble de sabor agradable que debe consumir toda la familia.
- Si el niño tiene ascárides, el médico le recetará una droga oral que paraliza al gusano. También puede recetar laxantes para que el niño despida el gusano fácilmente en las deposiciones.

¿QUÉ PUEDO HACER?

- Siga las instrucciones del medicamento. Las deposiciones pueden ser flojas en las siguientes 12 horas, por eso se recomienda ingerirla temprano por la mañana.
- Puede ser necesario repetir la dosis dependiendo del tipo de gusano y del medicamento tomado.
- Sea meticuloso con la higiene. Los huevos pueden llevarse debajo de las uñas y ser reingeridos.
- Asegúrese de que el niño use pijamas por la noche para que en caso que se rasque, las manos no estén en contacto directo con el ano.

Ascárides

Los ascárides son poco frecuentes y es más probable que infecten a niños de zonas donde las condiciones sanitarias son pobres; son más comunes en climas tropicales. Estos gusanos son largos, entre 15 y 35 cm, y parecen una lombriz blanca. Los huevos son tragados junto con alimentos y bebidas contaminadas y, después de anidar en el intestino, los gusanos ponen huevos que a veces se despiden en la materia fecal. El niño parecerá desnutrido y no crecerá.

Muerte súbita (SMSI)

EL SÍNDROME DE MUERTE SÚBITA INFANTIL (SMSI) ES LA MUERTE REPENTINA Y, MUCHAS VECES, INEXPLICABLE DE UN BEBÉ APARENTEMENTE SANO.

No hay una causa conocida para la muerte súbita, aunque los estudios han demostrado que algunas muertes pueden ser resultado de una anomalía en la frecuencia cardíaca y respiratoria. Actualmente existen varias áreas de investigación, incluyendo el desarrollo de un mecanismo de control de la temperatura del bebé y del sistema respiratorio en los primeros seis meses, y se ha descubierto recientemente que una deficiencia enzimática hereditaria puede ser responsable del 1 por ciento de los casos. Los estudios que relacionan el SMSI con los productos químicos que retardan la ignición de los colchones de las cunas no son, hasta ahora, concluyentes.

La muerte de un bebé por el SMSI es una experiencia terrible. El profundo dolor puede estar acompañado por el sentimiento de culpa, y las relaciones familiares, a menudo, se deterioran. Los padres deben discutir el incidente con la policía y estar preparados para un examen post mórtem del bebé. El médico y el pediatra lo apoyarán en esta situación, y hablar con otros padres que han pasado por lo mismo, o con una organización profesional, puede brindar gran alivio (ver Direcciones útiles, pág. 567).

¿CUÁLES SON LOS SÍNTOMAS?

- Síntomas similares a la congestión del resfrío común.
- Pérdida de peso inexplicable.

¿QUÉ PUEDO HACER?

Si bien las causas de la muerte súbita no son claras, hay formas de reducir significativamente el riesgo.

- Ponga siempre al bebé BOCA ARRIBA, NUNCA BOCA ABAJO para que duerma. Los bebés que duermen boca arriba corren menos riesgos de muerte súbita. Esta posición ayuda, además, a controlar su temperatura (ver abajo).
- No lo envuelva en demasiada ropa de cama, especialmente en invierno, ni lo ponga en un cuarto demasiado cálido. Use un calefactor con termostato para que las temperaturas no se eleven ni bajen demasiado. Asegúrese de que esté bien tapado: una sábana y tres frazadas son suficientes a temperatura ambiente de 18°C. Use menos si la temperatura es mayor, no más de una sábana y una frazada en una noche cálida de 24°C.
- Evite fumar durante el embarazo y después del parto.
- No deje que fumen en la casa.
- Asegúrese de no fajar o apretar al bebé con la ropa de cama. No use sacos de dormir, pieles o acolchados, porque no dejan que salga el calor.
- Si es posible, dele pecho al bebé en vez de biberón.
- Evite tomar medicamentos innecesarios durante el embarazo.
- Si piensa que el bebé no está bien, contacte al médico. Si tiene fiebre, no lo abrigue más; desvístalo para que pierda calor. Después de una enfermedad menor, obsérvelo más de lo normal durante unos días hasta que los síntomas desaparezcan.

Siempre acueste al bebé boca arriba con los pies tocando el límite inferior (pie) de la cuna para evitar que se deslice debajo de las sábanas.

Enfermedad de Kawasaki

LA ENFERMEDAD DE KAWASAKI ES UNA FIEBRE PROLONGADA DURANTE LA CUAL EL CORAZÓN Y LOS VASOS SANGUÍNEOS PUEDEN RESULTAR DAÑADOS. ES MÁS COMÚN EN NIÑOS MENORES DE 5 AÑOS, VARONES Y PERSONAS DE ASCENDENCIA ASIÁTICA, AFRICANA O CARIBEÑA.

Observada por primera vez en Japón en la década del 60, la enfermedad de Kawasaki es cada vez más diagnosticada en los países occidentales. El corazón resulta dañado en 1 de cada 5 casos. El diagnóstico precoz es importante, porque se corre riesgo vital.

¿CUÁLES SON LOS SÍNTOMAS?

Los síntomas se desarrollan durante unas dos semanas e incluyen:
● fiebre constante y prolongada por más de cinco días
● inflamación, lagrimeo y picazón en los ojos
● labios partidos, hinchados y doloridos
● dolor de garganta
● ganglios inflamados en el cuello, axilas e ingle.
  Después de una semana de fiebre pueden aparecer:
● enrojecimiento de las palmas de las manos y plantas de los pies, con pérdida de piel en la yema de los dedos de manos y pies
● erupción rosada en todo el cuerpo.

¿DEBO CONSULTAR AL MÉDICO?

Consulte al médico de inmediato si el niño desarrolla fiebre que no baja aunque beba jarabe de paracetamol.

¿CUÁL ES EL TRATAMIENTO?

■ Si el médico sospecha de la enfermedad de Kawasaki, el niño será internado inmediatamente, ya que el tratamiento es más efectivo si comienza dentro de los 10 días de iniciada la enfermedad.
■ Probablemente se hagan análisis de sangre para confirmar el diagnóstico.
■ Puede hacerse un ecocardiograma para determinar el daño sufrido por el corazón y los vasos sanguíneos.
■ Puede darse inmunoglobulina intravenosa para combatir la infección y reducir el riesgo de inflamación del músculo cardíaco (miocarditis).
■ Pueden darse altas dosis de aspirina hasta que

baje la fiebre y luego mantener dosis más bajas por varias semanas.
  Muchos niños con esta enfermedad se recuperan por completo en tres semanas, pero necesitan seguimiento médico, y a veces ecocardiogramas, por algunos meses. La inflamación del músculo cardíaco suele desaparecer en unos meses. Los niños que han sufrido este mal corren un riesgo levemente mayor de desarrollar una enfermedad coronaria en su vida adulta.

¿QUÉ PUEDO HACER?

Cuide al niño como a cualquier pequeño que vuelve a casa después de una hospitalización.

Ver también:
● El niño hospitalizado pág. 519

Artritis reumatoide juvenil

LA ARJ ES LA INFLAMACIÓN PERSISTENTE DE UNA O MÁS ARTICULACIONES QUE OCURRE SÓLO EN NIÑOS.

La artritis reumatoide juvenil (ARJ) resulta de la respuesta anormal del sistema inmunológico que causa inflamación y dolor en las membranas de una o varias articulaciones. Aunque la causa no se conoce, la ARJ puede ser hereditaria. En casos leves, la movilidad no suele estar afectada. En casos graves, puede haber reducción de la movilidad y eventualmente deformación de las articulaciones.
  La ARJ se divide en tres tipos según el número de articulaciones afectadas por la enfermedad y los síntomas específicos.

¿CUÁLES SON LOS TIPOS Y SUS SÍNTOMAS?
VARIAS ARTICULACIONES AFECTADAS
Este tipo afecta más a las niñas que a los niños y ocurre a cualquier edad. Los síntomas incluyen inflamación, rigidez y dolor en cinco o más articulaciones. Las más comúnmente afectadas son las muñecas, los dedos, las rodillas y los tobillos.

POCAS ARTICULACIONES Y A VECES OTRAS PARTES DEL CUERPO AFECTADAS
Este tipo afecta a ambos sexos por igual y suele ocurrir en la primera infancia. Los síntomas

incluyen inflamación, rigidez y dolor en cuatro o menos articulaciones, y las niñas corren un alto riesgo de sufrir una condición llamada **uveitis.** Las articulaciones afectadas suelen ser **rodillas, tobillos** y **muñecas**.

LA FORMA JUVENIL DE ARTRITIS REUMATOIDE ADULTA
Este tipo se conoce como enfermedad de Still y afecta a niños y niñas por igual en cualquier momento de la infancia. Puede afectar cualquier número de articulaciones, pero, aunque duelen, no se inflaman. Los otros síntomas de la enfermedad incluyen **fiebre, ganglios inflamados** y **erupción no urticante**. Algunos niños se recuperan totalmente.

¿DEBO CONSULTAR AL MÉDICO?
Consulte al médico lo antes posible si el niño se queja de dolor en las articulaciones, si éstas están inflamadas o si usted sospecha que el niño puede tener ARJ.

¿CUÁL ES EL TRATAMIENTO?
Si el médico sospecha que el niño tiene un tipo de ARJ, puede pedir radiografías de las articulaciones afectadas y análisis de sangre para detectar anticuerpos particulares

asociados con esta afección. El objetivo del tratamiento es reducir la inflamación, minimizar el daño de las articulaciones y aliviar el dolor. Si el niño está levemente afectado, sólo deberá tomar **antiinflamatorios no esteroideos** (AINES) para reducir la inflamación y aliviar el dolor. En casos más graves, el médico puede recetar **esteroides orales** o lo puede tratar con esteroides de acción local **inyectados sobre la articulación afectada**. A veces, la inflamación puede reducirse usando **fármacos antirreumáticos**, como los basados en oro o la penicilamina.
  Otros tratamientos incluyen fisioterapia para mantener la movilidad de la articulación y a veces **terapia ocupacional**. Pueden usarse **tablillas** para brindar apoyo y prevenir deformaciones. También existen **aparatos especiales** que pueden ser de ayuda para realizar las actividades cotidianas. Si el daño es relevante y causa deformidad, puede ser necesario **reemplazar la articulación**.

¿CUÁL ES EL PRONÓSTICO?
La ARJ suele desaparecer en unos años. Los niños gravemente afectados pueden quedar con deformaciones y algunos desarrollarán artritis reumatoide en su vida adulta.

Lunares

LOS LUNARES APARECEN POR UNA SOBREPRODUCCIÓN DE CÉLULAS CUTÁNEAS PIGMENTADAS
LLAMADAS MELANOCITOS. PUEDEN FORMARSE EN CUALQUIER LUGAR DE LA PIEL Y HAY VARIOS TIPOS.

¿QUÉ SON?

Los lunares son crecimientos planos o salientes de la piel, que pueden ser suaves o ásperos y varían en color del marrón claro al marrón oscuro. Las pecas, por el contrario, son pequeñas marcas múltiples que suelen ser inocuas.

Los lunares pueden existir desde el nacimiento o aparecer durante la infancia y la adolescencia; casi todos los adultos tienen entre 10 y 20 lunares a la edad de 30 años. La mayoría de éstos son benignos, pero en casos raros, el lunar puede sufrir cambios que lo vuelven canceroso.

Nota Los cambios de forma, color o tamaño del lunar no siempre son signo de cáncer, y las transformaciones que present durante la pubertad o el embarazo suelen ser normales; no obstante, deben ser evaluadas por el médico.

¿QUÉ SE PUEDE HACER?

Consulte al médico inmediatamente si tiene un lunar de más de 1cm de diámetro que crece rápidamente. El cambio de forma o color del lunar, o si éste comienza a picar, se inflama o sangra, también debe ser investigado por el médico.

Si el médico sospecha que un lunar puede ser canceroso, recomendará que lo extirpen para examinarlo (biopsia). Los lunares benignos pueden también eliminarse por razones estéticas o si se lastiman con la vestimenta.

> **Ver también:**
> • **Exámenes de tejidos pág. 259**

Los dientes de los niños

LOS DENTISTAS ODIAN SACAR DIENTES, INCLUSO LOS DE LECHE, PERO
OCASIONALMENTE EL ORTODONCISTA DECIDIRÁ SACAR UNO PARA EVITAR EL APIÑAMIENTO
MIENTRAS SALEN LOS DEFINITIVOS.

Muchos ortodoncistas sienten que deben "educar" a los padres además de tratar a los niños, porque a menudo exigen el tratamiento correctivo de dientes mal posicionados mucho antes de lo debido. No tiene sentido recurrir a la odontología estética antes que el niño tenga 8 años, ya que aún no tendrá el número de dientes requeridos para colocar la ortodoncia. Muchos dentistas prefieren esperar hasta los 12 años antes de comenzar el tratamiento, porque si se lo empieza muy temprano, pueden aparecer otras fallas. Además, muchos problemas mejoran naturalmente si se dejan sujetos a los efectos correctivos de la masticación y la posición de la lengua, mejillas y labios.

Referencia 5

PRIMEROS AUXILIOS

En una emergencia, usted debe evaluar lo que ha sucedido y lo que debe hacer, y debe permanecer tranquilo y ser lo más metódico posible. Debe considerar:

• Riesgos para usted mismo.

No corra riesgos. Si usted también resulta lesionado, no podrá ayudar a nadie. Tenga consciencia de sus limitaciones; haga sólo lo que crea que puede hacer.

• Riesgos para la persona lesionada.

Si no puede eliminar algún elemento peligroso, trate de desplazarlo. Mueva al herido sólo como último recurso.

• Riesgos de los espectadores.

• Qué ayuda necesita.

• Qué recursos puede usar para ayudar.

La posición de recuperación

La posición de recuperación evita que la lengua de una persona inconsciente se vaya para atrás bloqueando la garganta y permite que los líquidos drenen de la boca, haciendo menos probable que la persona inhale el vómito. Si cree que la persona tiene una lesión en la columna y cuenta con ayuda, use la técnica de rodado (ver pág. 562).

PARA UN BEBÉ MENOR DE UN AÑO
Si el bebé está inconsciente pero respira y muestra signos de circulación (ver abajo), acúnelo en sus brazos con la cabeza hacia abajo. Esto evitará que se ahogue con la lengua o inhale vómito.

La pierna está flexionada para evitar que la persona ruede

La mano sostiene la cabeza permitiendo el drenaje de la boca

El ABC de la reanimación

Una vez que ha determinado que es seguro, puede evaluar rápidamente el estado de la persona herida y brindarle ayuda de emergencia si es necesario. Determine si la persona está consciente preguntándole qué ha pasado y sacudiendo suavemente sus hombros.

Usted debe además evaluar si:

• las **vías respiratorias** están abiertas
• la persona **respira**
• hay signos de **circulación**.

Una buena forma de recordar lo que debe hacer es el ABC de la reanimación.

A = aire
Abra la vía respiratoria colocando la cabeza del herido suavemente hacia atrás y levantando el mentón.

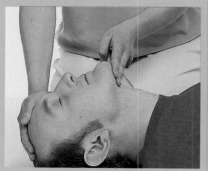

B = respiración
Fíjese si respira observando el pecho para ver si se mueve, escuche los sonidos de la respiración y sienta el aliento en su mejilla. Haga esto por 10 segundos antes de decidir que no hay respiración.

Si la persona herida **no respira,** puede mantener su suministro de sangre oxigenado realizando la **respiración de rescate** (ver pág. 555).

Ubique a la persona herida que **respira** pero está inconsciente en la **posición de recuperación** (ver arriba) para asegurar que la vía respiratoria permanezca abierta.

NUNCA demore en conseguir la ayuda que necesita.

C = circulación
Observe durante 10 segundos los signos de circulación, como respiración, movimiento, tos y color saludable de la piel. Si **no hay circulación,** puede hacer **compresiones de pecho** para que la sangre siga circulando por el cuerpo (ver pág. 555). Debe hacer esto junto con la respiración de rescate para mantener la sangre oxigenada.

Si la persona herida **no respira,** puede mantener su sangre oxigenada dándole **respiración de rescate** (ver pág. 555).

Respiración de rescate

Los tejidos del cuerpo, especialmente los del cerebro, necesitan oxígeno para mantener vivas sus células. Aunque el aire que exhalamos sólo contiene un 16 por ciento de oxígeno, es suficiente para mantener la vida si llega a los pulmones de una persona que no respira a causa de una enfermedad o lesión. Si no hay signos de circulación (ver arriba), deberá además hacer compresiones de pecho (ver pág. 555); juntas se conocen como reanimación cardiopulmonar (RCP).

Respiración de rescate boca a boca

1. Coloque a la persona herida acostada boca arriba, abra la vía respiratoria poniéndole una mano en la frente y empujando suavemente su cabeza hacia atrás.

2. Quite toda obstrucción evidente de la boca y levante el mentón.

3. Tape las fosas nasales de la persona lesionada. Respire profundo; coloque sus labios sobre la boca del herido de modo que quede bien sellada.

4. Sople en la boca de la persona hasta que vea que el pecho de ésta se levanta. Este proceso tardará dos segundos para que se infle por completo.

5. Retire su boca de la del herido y deje que el pecho baje completamente; llevará unos cuatro segundos. Repita el procedimiento una vez más y luego busque signos de circulación (ver pág. 554).

■ **Si no hay signos de recuperación,** como el regreso del color a la cara o algún movimiento, comience la RCP (ver abajo) inmediatamente.

■ **Si hay signos de recuperación,** pero no hay respiración, dé 10 respiraciones por minuto y busque signos de circulación cada 10 respiraciones.

■ **Si la respiración espontánea regresa,** ponga al herido en posición de recuperación (ver pág. 554).

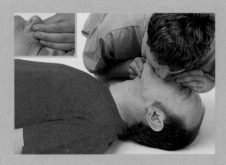

RESPIRACIÓN DE RESCATE PARA BEBÉS MENORES DE UN AÑO

1. Ponga su boca sobre la boca y la nariz del bebé y tápelas por completo y sople el aire en sus pulmones.

2. Dele dos series de respiraciones, tratando de dar 20 por minuto. Busque signos de recuperación, como respiración, tos o el regreso del color a la cara.

RESPIRACIÓN DE RESCATE PARA NIÑOS DE 1 A 7 AÑOS

1. Tape las fosas nasales. Ponga su boca alrededor de la boca del niño y sople hacia el interior de los pulmones hasta que el pecho se levante.

2. Dele dos series de respiraciones, tratando de dar 15 por minuto. Busque signos de recuperación, como respiración, tos o el regreso del color a la cara o movimiento.

Reanimación cardiopulmonar (RCP)

■ **Si no hay signos de circulación** (ver pág. 554), deberá mantener la sangre en circulación por el cuerpo del herido usando circulación artificial, que puede ser provocada mediante las compresiones de pecho. Debe combinarlas con la respiración de rescate para mantener oxigenada la sangre (ver arriba). Estas técnicas se conocen como reanimación cardiopulmonar (RCP). Dos personas pueden administrarla a la vez.

1. Arrodíllese al lado de la persona lesionada, que debe estar acostada boca arriba sobre una superficie plana.

2. Busque las últimas costillas usando los dos primeros dedos y deslícelos por las costillas hasta llegar al esternón. Coloque sus dedos medio e índice sobre la parte más baja del esternón.

3. Ponga la base de su otra mano sobre el esternón; deslícela hasta que tope su índice. Allí es donde debe aplicar presión para comprimir el pecho.

4. Coloque la base de su primera mano encima de la otra; entrelace los dedos.

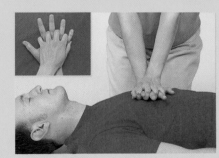

5. Reclinándose sobre el herido, mantenga los brazos extendidos y presione verticalmente hacia abajo para hundir el esternón hasta una tercera parte de la profundidad torácica (unos 4 ó 5 cm en el adulto promedio). Libere la presión pero mantenga las manos en posición.

6. Comprima el pecho 15 veces, tratando de hacer unas 100 compresiones por minuto. Luego dé dos series de respiraciones (ver arriba) antes de llamar a la ambulancia. Continúe el procedimiento, alternando 15 compresiones con dos respiraciones hasta que la ayuda llegue, el herido se recupere o usted se agote.

RCP PARA BEBÉS MENORES DE UN AÑO

1. Ponga al bebé boca arriba sobre una superficie plana, coloque las yemas de sus dos primeros dedos sobre el bajo esternón. Presione hasta un tercio de la profundidad torácica del bebé. Repita cinco veces, tratando de llegar a las 100 compresiones por minuto.

2. Aplique una respiración de rescate completa en la boca y en la nariz del bebé (ver arriba).

3. Alterne cinco compresiones con una respiración por un minuto antes de llamar a la ambulancia. Continúe la RCP alternando cinco compresiones con una respiración mientras espera que llegue la ayuda.

RCP PARA NIÑOS DE 1 A 7 AÑOS

1. Ponga su mano sobre el pecho del niño igual que en un adulto (ver izquierda), pero use la base de una sola mano para comprimir el pecho hasta un tercio de su profundidad. Haga esto cinco veces, repitiendo 100 veces por minuto.

2. Dé una respiración de rescate completa.

3. Alterne cinco compresiones con una respiración por un minuto antes de llamar a la ambulancia. Continúe la RCP alternando cinco compresiones con una respiración mientras espera que llegue la ayuda.

Asfixia

La asfixia ocurre cuando un objeto o trozo de comida se atora en el fondo de la garganta bloqueándola o haciendo que sus músculos entren en espasmo. Los niños pequeños y bebés son propensos a asfixiarse, ya que a menudo se llevan cosas a la boca. Esta situación siempre requiere atención inmediata. Esté preparado para la reanimación si la persona deja de respirar.

Asfixia en un adulto consciente

1. Pida a la persona que se asfixia que tosa; pero si no puede sacar el objeto en la primera tos, no insista.

2. Inclínela hacia delante desde la cintura y dele cinco palmadas firmes entre los omóplatos. Revísele la boca y quite toda obstrucción evidente.

3. Si las palmadas en la espalda no liberan el objeto, aplique hasta cinco compresiones abdominales. Párese detrás de la persona y rodéele el tronco con sus brazos. Tómese las manos debajo de las costillas de la persona y tire hacia dentro y arriba firmemente.

4. Alterne palmadas en la espalda con compresiones abdominales hasta que el objeto sea expulsado. Después de tres ciclos llame a la ambulancia.

■ **Si la persona pierde el conocimiento,** acuéstela boca arriba en el piso y siga los pasos para la asfixia inconsciente (abajo).

Asfixia en bebés conscientes menores de un año

■ **Si en cualquier momento el objeto es liberado** o el bebé pierde el conocimiento, abra la vía respiratoria y controle la respiración (ver pág. 554).

1. Acueste al bebé boca abajo contra su antebrazo, sosteniendo la espalda y el mentón. Dele hasta cinco palmadas firmes en la espalda.

2. Controle la boca del bebé y retire toda obstrucción evidente con un dedo. NUNCA le meta la mano en la garganta.

3. Si esto falla, coloque al bebé boca arriba sobre su brazo o regazo. Presione hasta cinco veces en el pecho debajo de la línea de los pezones con las yemas de sus dedos. NUNCA haga presión abdominal sobre un bebé. Revísele la boca.

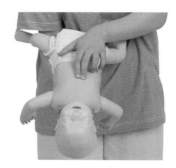

4. Si el objeto no es expulsado, repita los pasos 1-3 tres veces y luego tome al bebé para llamar a la ambulancia. Repita los pasos 1-3 hasta que llegue la ayuda.

■ **Si en algún momento el bebé pierde el conocimiento,** siga los pasos abajo.

Asfixia en niños conscientes de 1 a 7 años

1. Incline el niño hacia delante de forma que su cabeza quede más baja que su pecho. Dele hasta cinco palmadas firmes entre los omóplatos.

2. Revísele la boca y retire toda obstrucción evidente con un dedo.

3. Si esto no funciona, párese (o arrodíllese) detrás del niño. Coloque el puño cerrado sobre el esternón. Cubra el puño con la otra mano y presione sobre el pecho. Aplíquele hasta cinco compresiones de éstas.

4. Revísele la boca y retire toda obstrucción evidente con un solo dedo, como en el paso 2. Si la asfixia persiste, vaya al paso 5.

5. Cierre el puño y póngalo sobre la parte central superior del abdomen del niño. Cubra el puño con la otra mano. Presione el abdomen con un movimiento firme hacia arriba hasta cinco veces. Revísele la boca usando un dedo y si el objeto no ha sido expulsado, pase al número 6.

6. Repita los pasos 1-5 tres veces y luego llame a la ambulancia. Repita hasta que llegue la ayuda.

■ **Si el niño pierde el conocimiento en algún momento,** siga los pasos para la asfixia en un niño inconsciente (abajo).

Asfixia en adultos, niños o bebés inconscientes

PARA ADULTOS Y NIÑOS DESDE LOS 8 AÑOS

1. Abra la vía respiratoria y controle la respiración (ver pág. 554). Si no hay respiración, dele respiración de rescate (ver pág. 555). Intente cinco veces realizar dos respiraciones efectivas.

2. Si el pecho de la persona se levanta durante estos intentos, continúe la respiración de rescate; pero si no lo hace, haga 15 compresiones de pecho y alterne con dos intentos de respiración de rescate.

3. Después de cada set de 15 compresiones de pecho, revise la boca para ver si el elemento que causó la obstrucción fue expulsado; para ello utilice su dedo.

■ **Siga este procedimiento durante un minuto** y luego, si todavía no lo ha hecho, llame a la ambulancia.

■ **Si en algún momento la persona comienza a respirar normalmente**, debe ponerla en posición de recuperación (ver pág. 554). Llame a la ambulancia.

PARA BEBÉS Y NIÑOS DE 1 A 7 AÑOS

1. Abra la vía respiratoria reclinándole la cabeza suavemente hacia atrás. Retire cualquier obstrucción evidente de la boca y levante el mentón.

2. Si no hay respiración, dé dos series de respiraciones de rescate (ver pág. 555). Controle la circulación y si no la hay, alterne cinco compresiones de pecho (ver pág. 555) con una respiración de rescate. Haga esto durante un minuto antes de tomar al bebé en brazos para llamar a la ambulancia.

Ataques de asma

Durante un ataque de asma, los músculos de las vías respiratorias entran en espasmo y las membranas que recubren la vía aérea se inflaman. Esto estrecha las vías y la respiración se dificulta. En ciertas ocasiones hay una causa que lo provoca, como una alergia o resfrío; en otras, no hay una razón obvia para la aparición del ataque.

Las personas con asma suelen llevar consigo inhaladores "de alivio" que se usan para aliviar los ataques, que por lo general, tienen tapa azul. En ocasiones también tienen inhaladores "preventivos", que se usan para evitar los ataques y suelen tener tapa blanca o marrón. En ocasiones se colocan "espaciadores" plásticos en los inhaladores para ayudar a que la persona aspire la medicación correctamente.

Si usted está con alguien que sufre un ataque de asma, haga lo siguiente:

1. Mantenga la calma y muéstrese lo más seguro posible. Pídale a la persona que use el inhalador de alivio y ayúdela si es necesario; quizás deba colocar el espaciador en el inhalador. Recuerde que si bien el asma puede asustar, el inhalador de alivio suele hacer efecto en pocos minutos.

2. Deje que la persona se ponga en la posición en que se sienta más cómoda; ésta suele ser sentada. NO haga que se acueste. Anímela a respirar lenta y profundamente.

3. Si el ataque es leve y mejora a los 5 ó 10 minutos, pídale que tome otra dosis del inhalador de alivio. La ayuda médica inmediata no es vital, pero debe informar al médico sobre el ataque.

4. Si es el primer ataque de la persona o si es un ataque grave y el inhalador no hace efecto en 5 ó 10 minutos, la persona empeora y la falta de aliento dificulta hablar, llame a la ambulancia. Ayúdele a usar el inhalador cada 5 ó 10 minutos, y controle y registre la respiración y el pulso regularmente.

5. Si la persona deja de respirar o pierde el conocimiento, abra las vías respiratorias y controle la respiración y la circulación (ver pág. 554). Esté preparado para reanimarla si es necesario. Llame a la ambulancia.

> **NO use el inhalador preventivo (tapa marrón o blanca) durante un ataque de asma.**

Crup

El crup es un ataque que provoca dificultad para respirar en bebés y niños, que es causado por la inflamación de la laringe y la tráquea. El niño puede hacer un sonido seco al toser (tos perruna) y presenta estridores cuando trata de respirar. Puede causar alarma, pero el ataque suele pasar sin causar daño. Generalmente ocurre por la noche.

Si el ataque de crup no pasa o es agudo, si la piel del niño se torna azulada o si hay fiebre, llame al servicio de emergencia y pida que le manden una ambulancia.

Si usted está con el niño que sufre el ataque, haga lo siguiente:

1. Siente al niño y tranquilícelo. Asegúrese de que la espalda esté apoyada en algo. NUNCA le meta los dedos en la garganta y no entre en pánico, ya que sólo asustará al niño y empeorará el ataque.

2. Cree una atmósfera húmeda con un humidificador o tetera hirviendo en el cuarto del niño o llévelo al baño y abra la llave del agua caliente o la ducha. Siéntelo y ayúdelo a relajarse y a respirar el vapor. Asegúrese de mantener al niño bien alejado del agua caliente.

3. Cuando el niño vuelva a la cama, cree una atmósfera húmeda con un humidificador, tetera hirviendo o colocando una toalla húmeda sobre el calefactor. La humedad puede evitar que el ataque reaparezca.

4. Llame al médico o a la ambulancia si el vapor no lo alivia o si el ataque es agudo.

Shock anafiláctico

El shock anafiláctico (anafilaxis) se produce cuando el cuerpo tiene una reacción alérgica general grave a algo. La atención médica debe ser urgente y los primeros auxilios se limitan a ayudar a respirar y a minimizar el shock hasta que llegue la ayuda médica.

Una persona con shock anafiláctico puede presentar manchas rojas generalizadas en la piel, dificultad evidente para respirar e inflamación en la cara y el cuello. Una inyección de epinefrina (adrenalina) alivia los síntomas, por eso las personas con alergias agudas llevan consigo epinefrina inyectable (un Epi-Pen). Si la persona afectada lleva el Epi-Pen, ayúdela a usarlo apenas aparezcan los signos de este shock.

1. Llame al servicio de emergencia y pida una ambulancia. Diga que sospecha que hay un shock anafiláctico.

2. Si la persona está consciente, ayúdela a sentarse en una posición que le permita respirar mejor.

3. Si la persona está inconsciente, póngala en la posición de recuperación y controle el pulso, la respiración y el nivel de respuesta. Esté listo para reanimarla si fuera necesario.

Convulsiones

Un "ataque" (también conocido como convulsión) ocurre cuando un disturbio en la función cerebral causa la contracción involuntaria de los músculos del cuerpo. Hay muchas causas para los episodios convulsivos, entre las que se incluyen lesiones en la cabeza, ciertas enfermedades que afectan al cerebro (como la epilepsia) o la falta de oxígeno en él.

En los bebés y niños, la fiebre alta puede causar convulsiones (ver Convulsiones febriles, abajo). Los ataques suelen provocar una pérdida total o parcial del conocimiento, y en cualquier ataque en que haya pérdida del conocimiento deberá seguir las reglas de tratamiento para el caso (abajo).

Ataques de epilepsia

Existen dos tipos básicos de ataques de epilepsia: pequeño mal y gran mal. Los ataques de pequeño mal también se conocen como crisis de ausencia, porque quienes los sufren no pierden completamente el conocimiento, sino que entran en un estado de ensueño. Los ataques de gran mal implican pérdida del conocimiento y movimiento incontrolable de los miembros.

ATAQUES DE PEQUEÑO MAL (AUSENCIA)

1. Ayude a la persona a sentarse; retire los objetos peligrosos o bebidas calientes de alrededor.

2. Háblele con calma, pero no le haga preguntas innecesarias. Quédese con ella hasta que el ataque haya pasado y vuelva en sí.

■ **Si la persona no sabe que padece ataques de ausencia,** sugiérale que vea a su médico.

ATAQUES DE GRAN MAL

1. Si la persona cae, trate de atenuar la caída. Despeje el espacio que la rodea y pídale a los espectadores que se alejen.

2. Aflójele la ropa y, si es posible, ponga algo blando debajo de la cabeza.

3. Una vez que el ataque termina póngala en posición de recuperación (ver pág. 554). Contrólele la respiración, el pulso y el nivel de respuesta y quédese con ella hasta que se haya recuperado.

■ **Si la persona está inconsciente por más de 10 minutos** o si la convulsión dura más de 5 minutos, llame a la ambulancia. Anote la hora en que comenzó el ataque y su duración.

Convulsiones febriles

Los bebés y niños pequeños son propensos a sufrir ataques cuando su temperatura corporal se eleva en demasía, como en la fiebre. Las convulsiones febriles no suelen ser peligrosas ni indicar epilepsia.

1. Coloque almohadas u otros objetos blandos alrededor del niño para que no se lastime. Déjelo sólo en ropa interior.

2. Espónjelo con agua tibia, no fría (el agua fría contrae los vasos sanguíneos y eleva la temperatura corporal). Comience en la cabeza y baje por el cuerpo.

3. Asegúrese de que las vías respiratorias estén abiertas y ponga al menor en posición de recuperación cuando haya terminado el ataque.

4. Llame a la ambulancia.

NO levante ni mueva a la persona que sufre una convulsión a menos que corra peligro.

NO ponga nada en su boca ni intente restringirla en forma alguna.

Pérdida del conocimiento

La pérdida del conocimiento se produce cuando la actividad eléctrica normal del cerebro es interrumpida por alguna causa específica. Diferentes afecciones y accidentes pueden causar la pérdida del conocimiento, incluyendo el desmayo producto del bajo nivel de azúcar en la sangre o la baja presión sanguínea, la epilepsia y las lesiones en la cabeza. Si una persona pierde el conocimiento, siga estas reglas:

1. Abra la vía respiratoria, controle la respiración y prepárese para reanimarla (ver pág. 555). Coloque a la persona en posición de recuperación.

2. Revise si hay lesiones, pero sin mover a la persona innecesariamente.

3. Controle su nivel de respuesta regularmente. Considere si puede abrir los

La posición de recuperación

ojos, obedecer órdenes o reacciones a un pellizco y responder coherentemente a una pregunta simple como ésta: "¿cómo te llamas?".

■ **Incluso si la persona recobra el conocimiento** y está bien, debe ver al médico lo antes posible. Si no se recupera o empeora, llame a la ambulancia y siga controlando su nivel de respuesta hasta que llegue la ayuda.

Concusión

La concusión ocurre cuando el cerebro es sacudido por una caída o golpe violento. Aunque puede haber pérdida parcial o momentánea del conocimiento, la recuperación es completa. Sólo puede diagnosticarse una vez que la persona se ha recuperado por completo.

Debe tener en cuenta que todas las lesiones en la cabeza son potencialmente graves y deben ser evaluadas por el médico.

1. Si la persona queda inconsciente después de una lesión en la cabeza, póngala en posición de recuperación (ver pág. 554). Obsérvela de cerca; debe recordar controlar y registrar su respiración, pulso y nivel de respuesta regularmente. Si continúa inconsciente, llame a la ambulancia.

2. Si la persona recobra el conocimiento, debe continuar observándola con cuidado, buscando cambios en su nivel de respuesta, incluso si aparentemente se ha recuperado por completo.

3. Aconséjele que vea al médico, incluso si pareciera estar recuperada por completo. Es especialmente importante que lo haga si siente dolor de cabeza, náuseas o cansancio.

Hemorragias

Las hemorragias menores pueden ser desagradables, pero no suelen ser causa de alarma; se las puede controlar o detener aplicando presión directa sobre la herida y no requieren atención médica. Aquellas más graves necesitan acción rápida para controlar la pérdida de sangre y requieren atención médica inmediata.

Hemorragias menores

Los primeros auxilios para estas hemorragias ayudan a minimizar el riesgo de infección y a la curación. No obstante, siempre debe buscar ayuda médica si:
● hay un objeto extraño, como un trozo de vidrio, clavado en la herida
● la herida es una lesión punzante o una mordedura
● una herida previa muestra signos de infección, por ejemplo, si está enrojecida e inflamada o si tiene pus.

**TRATAMIENTO
DE LAS HEMORRAGIAS
MENORES EXTERNAS:**
1. Lávese bien las manos con agua y jabón antes de tratar la herida. Si tiene guantes desechables, póngaselos.

2. Si la herida está sucia, lávela con agua corriente; alternativamente, use una solución antiséptica. Seque la herida suavemente con una gasa limpia, sin restregar. Cúbrala con gasa limpia y seca.

3. Eleve la parte del cuerpo que ha sido lastimada por sobre el nivel del corazón. No toque directamente la herida y sostenga la parte elevada con una mano.

4. Lave la zona que rodea la herida con agua y jabón. Seque suavemente y quite la gasa. Aplique un vendaje protector.

Hemorragias intensas

Las hemorragias profusas son muy desagradables y asustan, pero tenga en cuenta que la pérdida de sangre rara vez es tan significativa como para que el corazón se detenga. Sin embargo, es probable que la persona herida entre en shock y pierda el conocimiento. Mantenga la calma.

PARA CONTROLAR UNA HEMORRAGIA INTENSA HAGA LO SIGUIENTE:
1. Póngase guantes desechables, si los tiene. Retire la ropa de la zona lastimada; córtela si es necesario.

2. Aplique presión directa sobre la herida con sus dedos o palmas. Use un protector limpio si tiene uno a mano, pero no pierda tiempo buscándolo. Si hay un objeto clavado en la herida, aplique presión firme a ambos lados de éste.

3. Levante con cuidado la zona lesionada para que quede por encima del nivel del corazón. Recueste a la persona para reducir la circulación de sangre en la herida.

4. Aplique un vendaje estéril, pero no quite el original. Apriete el vendaje sin que corte la circulación. Coloque otro vendaje encima si la sangre traspasa el primero.

5. Llame a la ambulancia y haga el tratamiento en caso de shock a la persona herida (ver pág. 560). Asegúrese de que las vendas no impidan la circulación.

> **NUNCA aplique un torniquete; puede empeorar la hemorragia y causar daños en los tejidos y posiblemente gangrena.**

Objeto extraño en una herida menor

1. No intente quitar el objeto clavado en la herida. Puede retirar pequeños trozos de vidrio o piedrecillas de la superficie de una herida pequeña, pero si intenta quitar un objeto clavado más profundamente, puede dañar aún más el tejido y empeorar la hemorragia.

2. Controle la hemorragia aplicando presión en la herida a los lados del objeto con una pieza de gasa limpia. Eleve la parte herida si es posible.

3. Cubra la herida con gasa limpia y coloque protectores de gasa o algodón alrededor del objeto para poder poner un vendaje sin hacer presión directa sobre el objeto. Si no puede armar los protectores de esta forma, aplique la venda alrededor del objeto.

4. Haga que la persona vaya al hospital lo antes posible.

Hemorragia nasal

Las hemorragias nasales ocurren cuando los vasos sanguíneos que están dentro de la nariz se rompen. La hemorragia puede causar alarma, pero sólo es peligrosa si se pierde mucha sangre. Sin embargo, si el líquido que sale de la nariz es acuoso y fino y esto sucede después de una lesión en la cabeza, se trata de una afección grave que puede indicar que hay líquido cefalorraquídeo que se esté filtrando de la zona en torno al cerebro.

1. Pídale a la persona que se siente e incline la cabeza hacia delante. NUNCA incline la cabeza hacia atrás en una hemorragia nasal, ya que la sangre que baja por la garganta puede provocar vómitos.

2. Pídale a la persona que respire por la boca y presione su nariz donde termina el puente; ayúdela si no puede. Pídale que no hable ni trate de limpiarse la nariz para no interferir en la coagulación. Dele un pañuelo para que sostenga contra la nariz y pueda

absorber la sangre. Los niños pueden inclinarse sobre un recipiente y escupir si esto les ayuda.

3. Pídale a la persona que suelte su nariz después de 10 minutos. Si la hemorragia continúa, repita el procedimiento por otros 10 minutos. Si después de 30 minutos sigue sangrando, llévela al hospital manteniendo la cabeza inclinada hacia delante.

4. Cuando la hemorragia se haya detenido, pídale a la persona que se quede inclinada hacia delante; limpie con cuidado la zona que rodea a la nariz. La persona debe descansar un par de horas y no sonarse la nariz para que la hemorragia no vuelva.

Shock

El shock ocurre si se reduce el suministro de sangre a los órganos vitales del cuerpo. Esto puede ocurrir por una serie de motivos: si el corazón no bombea la sangre normalmente (como en un infarto); si los vasos sanguíneos se dilatan, lo que reduce la presión sanguínea (como en el shock anafiláctico); o si se pierde sangre u otros líquidos a través de una herida, quemadura, diarrea o vómitos.

Nota El tipo de shock que la persona experimenta en situaciones de estrés en las que no hay lesión física se llama shock psicogénico y es una afección distinta que requiere tratamiento especial.

SIGNOS DE SHOCK
• Pulso acelerado.
• Piel pálida o azulada.
• Sudor y piel fría.

SI EL SHOCK AVANZA
• Debilidad y mareo.
• Náuseas y posibles vómitos.
• Sed.
• Respiración corta y acelerada.
• Pulso débil.

SI EL SHOCK CONTINÚA
• Desasosiego y posible agresividad.
• Bostezo y jadeo.
• Pérdida del conocimiento.
• Falta de latido del corazón.

TRATAMIENTO DEL SHOCK
1. Recueste a la persona (sobre un abrigo o frazada si está al aire libre o sobre una superficie fría) y manténgale la cabeza baja. Háblele con calma.

2. Levántele las piernas; esto ayudará a llevar sangre a los órganos vitales.

3. Suelte las ropas ajustadas, como corbatas, cuellos, puños o cinturones.

4. Mantenga el calor cubriéndola con abrigos o frazadas. NO aplique una fuente directa de calor ni use frazadas eléctricas o bolsas de agua caliente. Pida una ambulancia. Registre la respiración, el pulso y el nivel de respuesta y esté preparado para reanimarla si fuera necesario (ver pág. 555).

La persona en shock no debe fumar, comer, beber ni moverse innecesariamente. No la deje sola. Si pierde el conocimiento, prepárese para reanimarla.

Heridas en los ojos

Todas las heridas en los ojos deben ser consideradas como potencialmente graves. Requieren atención médica rápida para minimizar el riesgo de infección o lesión de los tejidos oculares, lo que puede llevar a la pérdida permanente de la visión. El ojo herido puede llenarse de sangre, sangrar o segregar un líquido claro.

1. Recueste a la persona lesionada boca arriba, con la cabeza fija.

2. Pídale que no mueva los ojos, ya que el movimiento del ojo sano hará que el otro también se mueva.

3. Pídale a la persona que sostenga una gasa estéril sobre el ojo lastimado, lo que ayudará a evitar el movimiento y las infecciones.

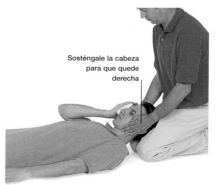

Sosténgale la cabeza para que quede derecha

4. Llévela al hospital inmediatamente.

NO toque el ojo lesionado ni intente quitar cualquier objeto que haya entrado en él.

Cuerpos extraños en el ojo

Mientras que una partícula de polvo o una lente de contacto que flota sobre la superficie del ojo pueden ser quitados fácilmente, cualquier objeto que esté pegado o clavado en él no debe tocarse. Lleve a la persona al médico o a un servicio de urgencia.

1. Pídale a la persona que no se toque ni se frote el ojo. Pídale que se siente frente a una fuente de luz. Luego levante con cuidado los párpados superior e inferior para ver dentro del ojo.

2. Si hay un objeto extraño flotando en la superficie del ojo, quítelo echando agua limpia sobre él o usando un baño ocular con agua limpia.

3. Si no resulta, intente desprenderlo con un hisopo de algodón humedecido o con la punta de un pañuelo húmedo o una tela limpia. NO intente hacer esto si el objeto está clavado.

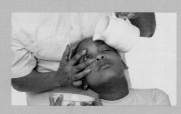

4. Si el objeto está debajo del párpado superior, pídale a la persona que levante el párpado y lo lleve hacia el inferior. Esto suele liberar el objeto.

Objetos extraño en la nariz

Los niños pequeños son especialmente propensos a sufrir esta situación. Podrían meterse objetos pequeños en la nariz, que pueden causar lesiones, infecciones o bloqueos. No intente quitar el objeto usted mismo, ya que puede causar una lesión mayor o introducirlo aún más. En cambio, mantenga a la persona tranquila, anímela a respirar por la boca y llévela al hospital inmediatamente.

Objetos extraños en el oído

Un objeto en el oído puede causar sordera temporal o lesionar el tímpano. No intente quitar el objeto usted mismo porque puede empeorar la lesión. Sin embargo, si un insecto se ha introducido en el oído, puede intentar sacarlo con el siguiente método.

1. Pídale a la persona que se siente y se calme.

2. Suavemente vuelque un vaso de agua tibia y limpia en el oído. Esto puede expulsar el insecto.

3. Si esto no resulta, lleve a la persona al hospital.

Fracturas óseas y lesiones de tejidos blandos

Si una persona no puede mover una zona lesionada de su cuerpo o si ésta está deformada o causa mucho dolor, se puede sospechar de una fractura ósea. Las lesiones de los tejidos blandos, como articulaciones, ligamentos, tendones y músculos, también pueden causar dolor intenso e inflamación, y a veces son difíciles de distinguir de las fracturas.

Fracturas óseas

Hay dos tipos básicos de fractura: las expuestas, en las que se rompe la piel y el hueso queda expuesto, y las fracturas cerradas, en las que la piel cercana al hueso no se rompe y éste no queda expuesto. La fractura expuesta es más propensa a infectarse que una cerrada, porque el hueso queda expuesto a las bacterias del aire. La fractura cerrada, por lo general, conlleva un fuerte hematoma e inflamación de la piel que cubre el sitio de la ruptura.

TRATAMIENTO DE LA FRACTURA EXPUESTA:

Si es posible, consiga ayuda para estabilizar y sostener la zona afectada mientras usted trabaja.

1. Cubra la herida con una gasa limpia y aplique presión para controlar la hemorragia, si la hay. Sin embargo, NO debe presionar directamente sobre el hueso saliente.

2. Ponga un protector limpio sobre y alrededor de la gasa. No toque la herida con los dedos.

3. Siga poniendo protectores alrededor de la herida hasta que pueda colocar un vendaje sobre éstos sin presionar directamente sobre el hueso.

4. Ajuste el vendaje y los protectores firmemente, pero asegúrese de no cortar la circulación. Inmovilice la zona lesionada con cinta adhesiva o atándola suave pero firmemente a otra parte del cuerpo (por ejemplo, un brazo contra el tronco, una pierna contra la otra).

5. Llame al servicio de emergencia y pida una ambulancia. Controle la circulación alrededor de la venda periódicamente y observe al herido para ver si entra en shock (ver pág. 560).

TRATAMIENTO DE UNA FRACTURA CERRADA O HUESO DISLOCADO:

1. Pídale a la persona herida que se quede quieta, e inmovilice con suavidad la parte lesionada con cinta adhesiva o atándola suave pero firmemente a otra parte del cuerpo (por ejemplo un brazo contra el tronco, una pierna contra la otra)

2. Llame a la ambulancia. Busque signos de shock y controle la circulación alrededor de la venda periódicamente.

Esguinces y desgarros musculares

Recuerde estas palabras cuando trate una lesión de los tejidos blandos, como esguinces y desgarros musculares: Descanso, Hielo, Compresión y Elevación. Si la lesión no mejora en 24 horas, consulte al médico.

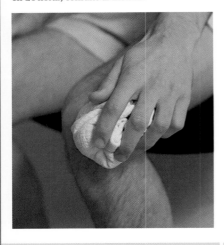

1. Aplique una bolsa de hielo o de verduras congeladas para bajar la inflamación y aliviar el dolor.

2. Vende la zona lesionada firmemente, pero no apretada, usando una capa de material suave y grueso (por ejemplo, algodón) en el interior y vendaje elástico en el exterior.

3. Eleve la zona lesionada para reducir la circulación de sangre en ella.

4. Si la persona lesionada está dolorida, diríjase al hospital más cercano. De lo contrario, debe seguir descansando y ver al médico si la herida no mejora después de 24 horas.

> **NO intente reubicar el hueso dislocado en su receptáculo.**

Lesión en la espalda

El principal peligro de una lesión en la espalda es el daño que se puede producir en la médula espinal. Si ésta se daña, se puede producir una parálisis o insensibilidad abajo del área lesionada. Por eso, cualquier lesión en la espalda debe ser tratada con mucho cuidado.

Si sospecha que hay una lesión en la espalda, NO mueva a la persona afectada a menos que esté en peligro o inconsciente y si sus vías respiratorias estén cerradas. Si debe mover a alguien que ha sufrido una lesión en la espalda, use el siguiente procedimiento del rodado:

1. Mantenga la cabeza, tronco y pies de la persona en línea recta durante el procedimiento.

2. Mientras una persona sostiene el cuello, pida ayuda para estirar los miembros y hacer rodar a la persona lesionada, como un tronco, hasta una camilla, boca arriba. Consiga la ayuda de cinco personas, si puede.

Cabestrillos

El cabestrillo se usa para sostener un brazo lesionado. Puede improvisar uno con una camiseta o una chaqueta si fuera necesario.

1. Sostenga el brazo lesionado de forma que la mano quede más elevada que el codo, si es posible (si no lo es, no fuerce el brazo). Pase un extremo del cabestrillo por el codo y extiéndalo sobre el hombro opuesto. Abra el vendaje para que la base esté al nivel del dedo meñique de la mano del brazo lesionado.

2. Lleve el extremo inferior del cabestrillo sobre el antebrazo de la persona para que alcance el otro extremo del hombro del brazo lesionado.

3. Haga un nudo y meta los extremos debajo de éste para que actúen como almohadilla.

4. Meta hacia dentro la punta del cabestrillo (en el codo). Fíjela en su lugar con un imperdible, si no tiene uno, gire la punta y métala en la parte posterior del cabestrillo.

5. Controle la circulación de los dedos regularmente. Si éstos están fríos o adormecidos, deshaga el cabestrillo y afloje los vendajes.

Vendas elásticas

Las vendas elásticas se se pueden usar para sostener los protectores o para comprimir las lesiones de los tejidos blandos. El método de aplicación varía en cada uno de estos procedimientos.

Para mantener un protector en su lugar:

1. Coloque el extremo de la venda debajo de la zona lesionada y dele dos vueltas sobre la zona afectada para fijarla.

2. Envuelva el miembro lesionado de adentro hacia fuera con movimientos en espiral, subiendo por el miembro afectado y cubriendo los protectores que pudiera haber.

3. Dele una vuelta recta superpuesta a la venda para terminar y fije el extremo de ésta usando clips, imperdibles o cinta adhesiva.

Para comprimir una lesión del tejido blando de una articulación:

1. Sostenga el miembro lesionado en posición cómoda. Flexione la articulación si es posible.

2. Coloque el extremo del vendaje en el lado interno de la articulación y fije la venda dándole una vuelta y media alrededor de la zona afectada.

3. Envuelva el miembro por encima de de la articulación. Dele una vuelta a la venda en diagonal y pásela hacia la parte que quedó debajo de la articulación.

4. Siga envolviendo de esta forma, arriba y abajo, superponiendo el vendaje en forma de 8 para que se extienda un poco más arriba y más abajo de la articulación.

5. Dele dos vueltas rectas para terminar y sujete el extremo de la venda con clips, imperdibles o cinta adhesiva.

6. Controle la circulación presionando los dedos de manos o pies (el color debe volver enseguida) cada 10 minutos. Si el vendaje está demasiado tenso, deshágalo y espere que la circulación se normalice antes de volver a colocarlo más flojo.

Quemaduras

Antes de tratar una quemadura, debe intentar determinar su profundidad y extensión. Las quemaduras profundas y/o extensas pueden causar un shock (ver pág. 560), porque hacen que el cuerpo pierda líquidos de sus tejidos esenciales. Además destruyen la piel, que es la barrera natural del organismo contra las bacterias del ambiente, por eso la infección también es un riesgo.

Hay tres tipos de quemaduras: superficiales, de profundidad parcial y de profundidad total.

1. Las quemaduras superficiales afectan solamente la capa externa de la piel; la piel se ve roja, inflamada y sensible. Se requiere atención médica si la quemadura cubre más del 5 por ciento de la superficie corporal.

2. Las quemaduras de profundidad parcial afectan la segunda capa de la piel, la epidermis, que presenta lesiones y ampollas. Requiere atención médica.

3. Las quemaduras de profundidad total afectan todas las capas de la piel y posiblemente los nervios, el tejido adiposo y el músculo. La piel se ve amarilla, pálida o chamuscada. La atención médica urgente es esencial.

Ampollas

Las ampollas se forman en la piel dañada por el calor o la fricción. La apariencia de "burbuja" de la ampolla se debe al líquido llamado serum, que entra en el área que está debajo de la superficie de la piel. Si no se le toca, este líquido es reabsorbido por el tejido, se forma piel nueva y la capa de piel muerta se cae.

No suelen requerir tratamiento. NO las reviente porque interrumpirá el proceso de curación y puede causar una infección. Si la ampolla se abre sola, cubra el área con una gasa estéril y déjela hasta que haya sanado.

Quemaduras menores

Éstas son quemaduras superficiales que sanarán naturalmente después del tratamiento de primeros auxilios. (**Nota** Siempre debe buscar ayuda médica si no está seguro de la gravedad de una lesión.)

1. Ponga la zona quemada bajo el chorro de agua fría por al menos 10 minutos. Si no hay agua disponible, use cualquier líquido inocuo y frío, como bebidas enlatadas.

2. Cubra el área con gasa estéril o un trozo de material limpio que no tenga pelusa. Véndela de forma que la zona no quede apretada.

3. Si aparecen ampollas, NO las rompa. Esto puede provocar la infección de la herida.

> **NO aplique lociones, manteca u otras grasas sobre la herida. Esto puede causar infección o mayor daño de los tejidos.**

Quemaduras graves

El objetivo principal es enfriar la quemadura. Además debe asegurarse de que la persona afectada pueda respirar y debe pedir ayuda de emergencia.

1. Asegúrese de que la persona esté recostada. Enfríe la zona quemada echando líquido frío sobre ella durante 10 minutos o hasta que llegue la ayuda.

2. Retire suavemente las ropas y accesorios del área afectada, a menos que estén pegadas a la quemadura, cortándolas si es necesario.

3. Cubra la zona lesionada con un paño limpio sin pelusa (si no tiene, puede hacer uno con un trozo de sábana limpia o plástico adherente de cocina).

4. Llame al servicio de emergencia y pida una ambulancia. Acompañe a la persona lesionada mientras espera que llegue la ayuda.

Golpe de calor

En el golpe de calor falla la capacidad del cuerpo de controlar su propia temperatura, por lo cual se recalienta peligrosamente. Esto puede ocurrir muy rápido, en cuestión de minutos, y causar pérdida del conocimiento. La persona afectada puede sentirse mareada y sufrir dolor de cabeza, y puede volverse inquieta o confundida. Su piel puede estar seca, pero caliente y enrojecida, y su pulso se puede acelerar.

1. Asegúrese de que la persona afectada esté en un lugar fresco. En un lugar interior es mejor, pero al menos llévela a la sombra. Quítele toda la ropa posible y llame a la ambulancia.

2. Cubra a la persona con una sábana húmeda y fría y siga mojándola. Tómele la temperatura frecuentemente y continúe este procedimiento hasta que ésta sea inferior a 38°C.

3. Cuando la temperatura haya bajado a este nivel, retire la sábana mojada y cúbrala con una seca. Acompáñela hasta que llegue la ayuda.

Quemaduras de sol

Éstas suelen ser quemaduras leves causadas por la sobreexposición al sol, aunque pueden ser graves, en cuyo caso la piel estará muy enrojecida y con ampollas y puede provocar un golpe de calor (ver a la izquierda). Las quemaduras de sol pueden ocurrir incluso en días nublados y también debido al reflejo de los rayos solares en la nieve o en la arena.

1. Cubra la piel afectada con una toalla o tela liviana. Lleve a la persona afectada adentro o al menos a la sombra.

2. Enfríe la piel echándole agua fría o esponjándola cuidadosamente. Si hay ampollas, busque consejo médico.

3. Haga que la persona afectada beba agua. La loción de calamina o una crema para después de asolearse pueden aliviar la zona si la quemadura no es grave.

Mordeduras y picaduras

Las picaduras de insectos pueden ser dolorosas, pero son relativamente inocuas comparadas con las mordeduras de animales y de humanos, que siempre deben recibir atención médica. Sin embargo, ciertas picaduras de arañas y serpientes pueden ser muy venenosas, y si tiene dudas sobre la gravedad de una picadura o mordedura, debe buscar atención médica.

Picaduras de insectos

1. Para retirar un aguijón, como el de abeja o avispa, raspe suavemente la zona con un cuchillo sin filo o una tarjeta de crédito hasta que salga. No use pinzas, ya que podría apretar el saco del veneno e inyectar más en la piel.

2. Aplique un paño frío sobre la zona afectada. Si la inflamación empeora o persiste, llame al médico.

■ **Si la picadura ha afectado su boca**, chupe un cubo de hielo o algo frío y llame a la ambulancia.

■ **Para retirar una garrapata**, tómela lo más cerca posible de la piel de la persona con una pinza pequeña. Con una sacudida leve desprenda la garrapata de la piel. Guárdela en un frasco y llévesela al médico para que la analice, ya que estos insectos pueden transmitir enfermedades como la enfermedad de Lyme (ver pág. 354).

Mordeduras de serpiente

La víbora europea es la única venenosa nativa del Reino Unido y su mordedura no suele causar la muerte. Sin embargo, algunas personas tienen serpientes exóticas como mascotas, cuyas mordeduras pueden ser más graves. En caso de mordedura, trate de poner la serpiente seguro en un recipiente o tomar nota de su aspecto; esto puede ayudar a identificarla para poder administrar el antídoto correcto. Si la serpiente ha escapado, avise a la policía.

1. Pídale a la persona herida que se recueste. Manténgala tranquila y lo más quieta posible para evitar que el veneno se propague.

2. Lave y seque la herida con cuidado, sin restregar.

3. Comprima el área más arriba de la herida con un vendaje e inmovilice la zona afectada como si estuviera fracturada (ver pág. 561).

> NO haga un torniquete sobre la herida, ni abra le herida con un corte, ni intente succionar el veneno.

Mordeduras de animales y humanos

Las heridas punzantes causadas por los dientes de animales pueden llevar los gérmenes hasta las capas profundas de la piel. Las mordeduras de humanos pueden causar infecciones si rompen la piel y también pueden producir lesiones por compresión. Todo contacto entre dientes y piel en el cual la piel se rompe debe recibir primeros auxilios de inmediato y luego atención médica.

1. Si hay hemorragia profusa, contrólela presionando sobre la herida y elevando la zona lesionada por sobre el nivel del corazón, si es posible.

2. Si la mordedura no sangra gravemente, lave la zona afectada con agua y jabón y séquela suavemente, sin restregar.

3. Cubra la herida con vendaje estéril.

4. Lleve a la persona herida al hospital e informe qué tipo de animal causó la mordedura.

Envenenamiento

En casi todos los hogares hay sustancias de uso cotidiano que son potencialmente venenosas, como detergentes, cloro y solventes. Los botiquines también pueden contener medicamentos recetados y de venta libre que son venenosos si son ingeridos en dosis excesivas. En los jardines puede haber plantas venenosas.

Los niños corren mayor riesgo de envenenamiento, por eso las sustancias peligrosas deben guardarse bajo llave o, por lo menos, fuera de su alcance. NUNCA guarde sustancias peligrosas en recipientes que no sean los originales, en especial los de bebidas gaseosas, ya que pueden confundir al niño.

Venenos del hogar

Si un veneno de uso doméstico, como el cloro o el detergente, es ingerido, NUNCA intente inducir el vómito.

1. Si la persona está inconsciente, controle que su vía respiratoria esté abierta y que se encuentre respirando. Prepárese para la reanimación si es necesario (ver pág. 555).

2. Llame a la ambulancia. Diga qué sustancias han sido ingeridas, si es que lo sabe. Si la persona está consciente y sus labios se han quemado con la sustancia corrosiva, dele sorbos de agua fría o leche.

Envenenamiento por drogas

Si sospecha de una sobredosis, ya sea accidental o deliberada, NO intente inducir el vómito, puesto que rara vez ayuda y puede empeorar las cosas.

1. Si la persona está inconsciente, controle que su vía respiratoria esté abierta y que se encuentre respirando. Prepárese para la reanimación si es necesario (ver pág. 555).

2. Llame a la ambulancia. Si la persona ha vomitado, guarde una muestra del vómito para poder identificar la droga. Busque recipientes de medicamentos vacíos y si encuentra alguno, llévelo también al hospital.

Envenenamiento por plantas

Los niños corren mayor riesgo, ya que pueden verse atraídos por sus frutos o semillas, y pueden comérselos. Enséñeles a los niños desde temprana edad a no comer nunca algo que encuentren fuera, salvo que un adulto les diga que pueden hacerlo.

Si sospecha que alguien ha ingerido una planta venenosa, NO induzca el vómito, que rara vez ayuda y puede empeorar las cosas.

1. Si la persona está inconsciente, controle que su vía respiratoria esté abierta y que se encuentre respirando. Prepárese para la reanimación si es necesario (ver pág. 555).

2. Llame a la ambulancia o a un médico.

3. Intente descubrir qué planta ha sido ingerida, y si es posible, qué parte de ella. Entregue al médico o paramédico los restos de la planta y una muestra del vómito.

Plantas que causan envenenamiento si son ingeridas

Oronja verde

Dedalera

Seta marrón

Matamoscas o falsa oronja

Aro manchado

Botiquín de primeros auxilios

En todo hogar debe haber un botiquín de primeros auxilios. Además, es bueno tener otro en el auto. Téngalo a mano, con todos los elementos claramente individualizados.

EL BOTIQUÍN DEBE INCLUIR:
- 20 protectores autoadhesivos de distintos tamaños
- 6 gasas estériles medianas
- 2 gasas estériles grandes
- 2 gasas estériles extra grandes
- 2 apósitos estériles
- 6 vendajes triangulares
- 2 rollos de venda elástica
- 6 imperdibles
- guantes desechables
- tijeras
- pinzas
- algodón
- toallas limpiadoras sin alcohol
- libreta, lápiz, etiquetas
- máscara plástica facial

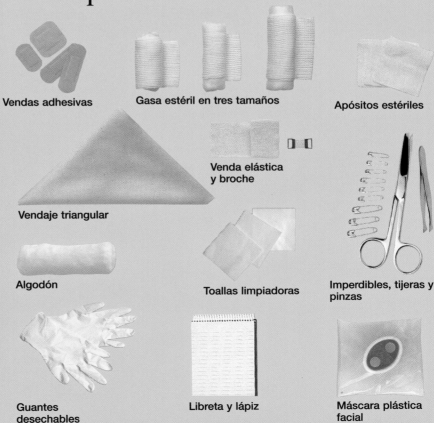

Vendas adhesivas

Gasa estéril en tres tamaños

Apósitos estériles

Venda elástica y broche

Vendaje triangular

Algodón

Toallas limpiadoras

Imperdibles, tijeras y pinzas

Guantes desechables

Libreta y lápiz

Máscara plástica facial

Índice

Los números de página en
negrilla indican la entrada más
importante en el libro. Por
ejemplo, las más importantes
para una enfemedad entrega
información sobre causas,
síntomas, factor de riesgo,
diagnóstico, pruebas,
tratamientos y autoayuda, etc.

Los números de página en
cursiva indican que la
información puede hallarse
tanto en la lectura de fotos, el
texto, una ilustración o
destacada en un recuadro.

Agradecimientos

DK agradece a las siguientes personas por su contribución en este libro:

CONSULTORES
Directorio: Profesor M.W. Adler, Dr. Robert Allan, Dr. Robin Blair, Profesor Charles Brook, Dr. Christopher Davidson, J.M. Dixon, Profesor Andrew Doble, Dr. Tony Frew, Michael Gillmer, Profesor Terry Hamblin, Dr. Paresh Jobanputra, Profesor P. Kendall-Taylor, Dr. David Kerr, Profesor P.T. Khaw, Profesor Leslie Klenerman, Profesor David Mabey, Dr. Hadi Manji, Dr. Martin Partridge, Profesor Robert Peveler, Dr. J.A. Savin, Profesor Martin H. Thornhill
Nutrición: Lyndel Costain **Primeros auxilios:** Dr. Vivien Armstrong

También agradecemos a: Laboratory Spa and Health Club in London, Corinne Asghar, Angela Baynham, Sue Bosanko, Peter Byrne, Ellie King, Alyson Lacewing, Mary Lyndsay, Ruth Midgley, Michelle Pickering, Esther Ripley, y a Sally Smallwood por la fotografía adicional.

El Editor agradece a las siguientes personas por su amable autorización para reproducir sus fotografías: ((Referencia de abreviaturas: a=arriba, b=abajo, d=derecha, i=izquierda, c=centro)

Britesmile 491 (bc, bd); Corbis Stock Market 486; Corbis Stock Market/Ariel Skelley 425 (c); Corbis Stock Market/Darama 104 (bd), 127 (bd); Corbis Stock Market/David Raymer 184 (bc), 198 (bl); Corbis Stock Market/David Woods 327; Corbis Stock Market/DiMaggio/Kalish 185 (bi), 199 (tr); Corbis Stock Market/Ed Bock 163 (cd), 179 (bi); Corbis Stock Market/George Disario 77 (bi); Corbis Stock Market/George Shelley 191 (b); Corbis Stock Market/John Henley 175 (bi); Corbis Stock Market/Jon Feingersh 530-531; Corbis Stock Market/Jose Luis Pelaez Inc. 45 (ti), 92 (ad), 197 (b), 342 (c) ; Corbis Stock Market/Jules Perrier 63(bi); Corbis Stock Market/Michael Keller 136 (ti), 138 (ac); Corbis Stock Market/Norbert Schäfer 82 (b, c), 99 (bi), 100 (ti); Corbis Stock Market/Tom & DeeAnn McCarthy 105 (bd), 124 (ad); Corbis Stock Market/Tom Stewart 93 (bi); Corbis/Martin Hughes 162 (ti), 163 (ti); Eyewire 157 (cla, ca), 226 (bi), 285, 345 (b), 537 ; ImageState 114 (ad), 162 (cd), 176 (ad); ImageState/AGE Fotostock 7 (cb), 85 (ti); ImageState/Stock Image 171 (bd), 500 (t); Masterfile UK 164 (ad), 166 (ti); Masterfile UK/Brian Kuhlmann 42 (ti), 47 (tcd); Masterfile UK/Dan Lim 39 (bc), 57 (cl); Matt Meadows 401 (bd); Meningitis Research Foundation 157 (ad, cl); Photodisc 157 (ti), 294, 310, 329 (t), 417; Photonica/Neo Vision 411; Powerstock Photolibrary 144 (ac), 163 (t, c), 169 (cd), 301 (ad); Rex Features 156 (cb, b, c); Science &

Society Picture Library/Science Museum 473 (b); Scott Camazine 412 (b, cl); SPL 353 (bc, bd), 392 (b); 541 (ti); SPL/Alfred Pasieka 474, 495; SPL/Antonia Reeve 406; SPL/Biophoto Associates 397; SPL/BSIP 319 (ti); SPL/BSIP VEM 372; SPL/BSIP, Laurent 344 (b); SPL/BSIP, LA/Filin.Herrera 442 (t); SPL/BSIP, Sercomi 219; SPL/Chris Priest 146 (bd), 245 (cd), 549 (bd); SPL/CNRI 382; SPL/Conor Caffrey 334 (b); SPL/David Parker 243 (bd), 263; SPL/Department of Clinical Radiology, Salisbury District Hospital 412 (bi); SPL/Dr Linda Stannard UCT 330; SPL/Dr. P. Marazzi 337 (b); SPL/Faye Norman 376 (bi); SPL/Gaillard, Jerrican 466 (t); SPL/Geoff Tompkinson 331 (b), 401 (ad); SPL/Gusto 387 (ad), 482 (cd); SPL/Hattie Young 493 (b, c); SPL/J. C. Revy 423 (cl, c, cd); SPL/James King-Holmes 391 (c); SPL/John Greim 431; SPL/John Radcliffe Hospital 318 (t, c), 405 (ai); SPL/Lauren Shear 513 (bd); SPL/Mark Clarke 315 (b, c), 317 (r); SPL/Martin Dohrn 462; SPL/Matthew Munro 383; SPL/Mauro Fermariello 521 (bd); SPL/Mehau Kulyk 218 (b, c), 231 (cd), 240; SPL/NIBSC 510-511; SPL/Oscar Burriel 308; SPL/Peter Menzel 395 (ad); SPL/Philippe Plailly/Eurolios 225 (bd); SPL/Prof. P. Motta/Dept of Anatomy/University "La Sapienza", Rome 419, 424; SPL/Quest 8 (cl), 309, 347, 443; SPL/Robin Laurance 522 (b); SPL/Samuel Ashfield 277; SPL/Saturn Stills 23 (bi), 506 (cl); SPL/Sheila Terry 535 (bd) ; SPL/Simon Fraser 224 (b); SPL/Tim Beddow 284; SPL/Tissuepix 483; SPL/Will & Deni McIntyre 409; SPL/Y. Beaulieu, Publiphoto Diffusion 381(c); Stone/Getty Images 3, 6: (ad, c), 7 (tc), 8 (bi), 14-15, 17 (ad), 20, 21 (ad), 22 (ad), 25 (ai), 26 (bi), 27 (bi), 29 (ad), 32 (b), 34-35, 38 (ad, cd), 44 (bd), 46

(bcl), 48 (ad), 51 (bd), 53 (ad), 70 (bi), 80, 83 (cl, b, c), 90 (ad), 91 (bd), 98 (ad), 101 (ad, bi), 102, 105 (cl), 115 (ad), 117 (t), 120 (bi), 126 (ai), 129 (t), 133 (t), 136 (tc, bd), 137 (b, c), 141 (bi), 143 (bi), 153 (bi), 154 (bi), 155 (bi), 157 (tc, ad), 158 (ad), 160, 167 (bd), 184 (bd), 187 (b), 195 (bi), 198 (ad), 200 (ai, bd), 201 (b), 204-205, 216-217, 220 (b), 228, 254, 286 (b), 290 (ai), 418, 427 (b), 444, 475, 478, 479 (c), 491 (ai), 501, 524 (b), 527 (bd), 547 (bd), 552-553; TCL/Getty Images 6 (cl, bd), 16, 19 (ad), 28, 36, 38 (ai), 39 (cl, bd), 41 (b), 47 (bcl), 50 (c), 52 (bd), 53 (c), 55 (cd, bi), 57 (bd), 58, 72 (bi), 75 (t), 111 (ad), 119 (ad), 131, 136 (ad, c), 139 (bd), 149 (b), 178 (ai), 179 (t, c), 182, 184 (ai, bi, cl), 190 (ai), 192 (bi), 196 (bd), 203, 229 (ad), 266, 289, 292 (b), 297 (ad), 315 (ad), 325 (ad), 356 (cl), 373 (b), 433 (bi), 455 (bd), 534 (ai); Telegraph Colour Library 74; The Image Bank/Getty Images 33 (ad), 38 (cl), 39 (tc), 49 (c), 54 (ai), 66 (bd), 86 (ai, bd), 97 (bd), 104 (cd), 116 (ai), 118 (ai), 121 (b), 125 (t), 134, 158 (ai), 159, 162 (tc, cl, bi), 163 (ai), 167 (bd), 172 (ad), 173 (bi), 176 (bi), 180 (ai), 188 (ai), 194 (ad), 202 (ad), 291, 302 (bd), 420, 440 (t), 484, 551; The Photographers' Library 502 (ad); The Wellcome Institute Library, London 324, 526 (bd)

Cubierta
Corbis stock Market/ Jon (ci); ImageState/Blackdog Productions (ad); SPL/Hank Morgan (cib)

Todas las demás imágenes © Dorling Kindersley.

Para más información vea:
www.dkimages.com